中國經學相關研究博碩士論文目錄
（1978-2007）

主編

林慶彰

蔣秋華

編輯

陳亦伶

林　序

2007 年 1 月 1 日起中央研究院中國文哲研究所開始執行為期六年的「民國以來經學研究計畫」，本來將這六年分為三階段：（1）2007、2008 年研究民國時期（1912-1949）的經學；（2）2009、2010 年研究新中國（1949-現在）的經學；（3）2011、2012 年研究臺灣的經學。但 2008 年第一階段執行完後，許多學者反映結束得太快了，許多問題沒有深入討論，希望能延長兩年。我們採納學者的建議，將計畫調整為兩階段：（1）2007-2010 年研究民國時期的經學；（2）2011-2012 年研究新中國的經學。至於臺灣的經學，打算重新擬計畫，2013 年開始執行三年。根據以往的經驗，在執行每一項計畫時，往往依照該階段的特殊情況來調整計畫內容。民國時期的經學研究，最大的困難是資料難尋。為了幫助學者找到研究資料，我們於例行的研討會之外，執行了下列數項工作：（1）根據本人所主編的《經學研究論著目錄（1912-1987）》（臺北市：漢學研究中心，1989 年 12 月），所收民國時期的經學專書 660 種，逐步增加，現已收集到 1300 種，擬編成《民國時期經學圖書總目》。（2）由於民國時期的經學家大多被忽略，大部分的經學家都缺少完整著作目錄，很難看出各經學家完整的學術面向，所以要求選修「經學文獻學」的學生，每人承擔一位經學家著作目錄編輯的工作，這些研究成果，部分已刊登在《中國文哲研究通訊》第十七卷第四期（2007 年 12 月）、《經學研究論叢》第十五輯（臺北市：臺灣學生書局，2008 年 3 月）、《經學研究集刊》第五期（高雄市：高雄師範大學經學研究所，2008 年 11 月）中，再將這些目錄按經學家的生年先後彙集成書，名為《民國經學家著作目錄彙編》。（3）這些經學家既乏人關心，他的著作也沒有人整理，我們擬蒐集數位較有代表性經學家的著作，編成著作集，已出版的有《李源澄著作集》（臺北市：中央研究院中國文哲研究所，2008 年 11 月），排版中的有《張壽林著作集》，編輯中的有《張西堂著作集》、《李鏡池著作集》。

新中國成立，前十七年已開始批判經學。文革十年，經學掉入萬丈深淵，學者噤若寒蟬，幾已沒有人敢談經學。改革開放以後，有些許學者從事經學著作的研究，但都不敢說是經學研究，而是古文獻研究。後來，受到臺灣研究經學風氣的影響，像中國社會科學院歷史研究所中國思想史研究室姜廣輝教授組織研究團隊，撰寫《中國經學思想史》（北京市：中國社會科學出版社，2003 年 9 月），清華大學歷史學系彭林教授成立「經學研究中心」，四川大學古籍研究所也以宋代經學為研究主要研究對象。但最值得注意還是新中國研究經學的學位論文，近七年（2001-2007）各大學完成與經學相關的的碩士、博士、博士後論文，已超過千餘篇，這是個很驚人的數目，也給臺灣及海外地區相當的衝擊。當我們要利用這麼龐大的學術資源時，能利用的資料庫，在綜合機構方面有中國國家圖書館・中國國家數字圖書館建置的「國圖博士論文庫」、萬方數據庫中的「中國學位論文文摘資料庫」、中國知識資源總庫（ＣＮＫＩ系列數據庫）中由清華大學主辦的「中國優秀碩士學位論文全文數據庫」、「中國博士論文全文數據庫」。各大學也都有自行建置的資料庫，如北京大學的「北大學位論文數據庫」、浙江大學的「浙江大學碩博學位論文檢索」、四川大學的「四川大學學位論文數據庫」等。這些資料庫，如《中國優秀碩士學位論文全文數據庫》、《中國博士論文全文數據庫》僅收 1999 年以後之論文，不但涵蓋時間相當短，且闕漏太多。各大學自編的數據庫資料遺漏、錯誤所在多有，檢索起來非常不方便，且也不可盡信。為了將來方便執行研究計畫，乃有編輯《中國經學相關學位論文目錄》的構想，一方面提供較正確的資訊給讀者，另一方面自己找資料時也較方便，且可作為下一階段研究新中國經學前暖身之用。

臺北大學古典文獻學研究所的陳亦伶同學，對文獻學有相當高的興趣，想跟我一起作明代學者經部書輯佚的論文，為了訓練她編輯文獻資料的能力，把編輯中國經學博碩士論文目錄的重任交給她來完成，為了改正目前紙本目錄的一些缺點，我要她編輯時要有學科別、專業別、年度別、導師別四種排列法。要了解經學中的哪一經有什麼著作，就查學科別目錄；要了解哪個學校比較重視經學，就查專業別目錄；要了解哪一個年度有什麼經學論文，就查年度別目錄；要了解哪一位教授指導過什麼論文，就查導師別目錄。這樣的排列方式，雖增加了不少篇幅，檢索起來卻非常方便。此外，論文後來有出版社出版的，出版時改名、合併、增補的也都應一一注明。此項工作於 2007 年 7 月著手編輯，2008 年 12 月完成初稿，我和蔣秋華兄將初稿逐條審閱，有些學校的某些專業，畢業論文太少的，或指導教授指導論文偏少的，都要求亦伶再複查，有已出版而未註明的，也需要再複查。經過這道程序，又增補修訂的條目達一、兩百條。送萬卷樓圖書公司排版後，又增補、修訂了數十條目，然後才定稿，並加上流水號。

我們一直在推動計畫，雖然要完成的事情很多，但我們不能說累，也不能半途而廢。這本目錄能完成，大部分靠亦伶鍥而不捨、孜孜矻矻的奮鬥精神，再度感謝她。萬卷樓圖書公司願意出版這種冷門工具書，他們為學術不計盈虧的精神，也令人感動。我們用了很多心力來編輯這本目錄，但仍有許多照顧不周的地方，敬請海內外賢達，多賜予指教。

林慶彰 2009 年 8 月 31 日誌於
中央研究院中國文哲研究所 501 室

編　例

一、本目錄依據《經學研究論著目錄（1993－1997）》為準則，收錄中國於 1978－2007[1] 年間，研究生撰寫經學通論、周易、尚書、詩經、三禮（禮學通論、周禮、儀禮、禮記）、春秋三傳（春秋、左傳、公羊傳、穀梁傳）、四書（論語、孟子、大學、中庸）、孝經、爾雅、石經、讖緯等經書和歷代經說之學位論文。至於古代劃入經學類之樂類、語言文字學類，皆已獨立成一學科，茲不予收錄。

二、中國自 1949 年開始高等教育，但沒有學位制度，1966 年起文化大革命開始十年浩劫，直到 1978 年才恢復研究生高等教育，1980 年通過「中華人民共和國學位條例」，於 1981 年起正式實施。[2] 因此本目錄編錄斷限起自 1978 年至 2007 年間，中國大陸完成之經學相關論文條目，碩士學位論文 1751 條、博士學位 529 論文條、博士後論文 12 條，共 2292 條。

三、本目錄共分五部分，第一部分為「學科別分類目錄」，第二部分為依據學校專業排列的「專業別分類目錄」，第三部分依據論文年代排序的「年代別分類目錄」，第四部分則依各篇論文指導教授排列的「導師別分類目錄」，香港地區由於資料蒐集不易，條數甚少，故以附錄的方式置於目錄之後。

四、專業別分類目錄依據「中國人民共和國省級行政區劃分」排列，分別依直轄市、省、自治區等由北而南論序排列，各省之下學校排列則依筆畫排序；專業排序則依賴永祥編訂《中國圖書分類法》增訂七版為則排列。

五、年代別分類目錄依據年代順序，由時代先後排列。

六、導師別分類目錄依據姓名筆畫排列。

七、各條目之目錄項，條列順序依作者、論文名稱、取得學位專業、學校名稱、學位授

1　正式實施學位制之後，以兩年制的研究生碩士學位為例，首屆畢業生應畢業於 1980 年，但因早期資料蒐集不易，畢業生星散各處，各大學也無從聯繫，查遍資料庫與工具書僅知其為 1978、1979 級（年）入學，因此本目錄收入斷限以 1978 級（年）為始，而 2007 年資料因資料庫目前僅更新至 2007 年 9 月 30 日，故以 2007 年上半年為終，香港地區則不在此限。

2　此數據資料參閱楊景堯：《中國大陸高等教育之研究》（臺北市：高等教育出版社，2003 年 4 月），167 頁。

予年度[3]、指導教授等論序排列。

八、本目錄附有作者索引以方便學者檢索參考。

九、本目錄資料來源資料庫方面以萬方數據庫資源系統中的中國學位論文全文庫 CDDB[4] 為主、中國優秀博碩士學位論文全文數據庫[5]、北大學位論文數據庫[6] 為輔；工具書方面則採納《1981－1990 中國博士學位論文提要（社會科學部分）》[7]、《博士文萃》[8]、《大陸地區博士論文叢刊》[9]、《中國社會科學博士論文文庫》[10]、《儒釋道博士論文叢書》[11]、《高校文科博士文庫》[12]、《聊城大學博士文庫》、《文史博士文庫》、《博士文叢》、《博士論文庫》、《研究生論文選集》[13]、《法藏文庫中國佛教學術論典碩博士學位論文》[14]、《湘潭大學法學院博士文庫》、《博士學位論文選》[15]、《研究生論文選刊》[16] 及其他作者另行出版之單行本，若有分類不當或

---

3 由於中國優秀碩博士論文網收入的資料時間指的是「網路投稿時間」，而非萬芳數據庫的「授予學位時間」，因此凡是由中國優秀碩博士論文網取得的資料僅註明其獲取學位的年度，其餘則著錄至月份。少部分條目無從得知確切畢業年份，因此未加著錄。

4 中國學位論文全文庫 CDDB 收錄了自 1977 年以來各學科領域的博士、碩士研究生論文，但實際檢索最早收錄的論文為唐屹先生於 1979 級獲得之中山大學碩士論文《CHILL 語言編譯系統 ZCC 的設計與實現模型》，此資料庫每半年大規模更新一次，目前最新更新日期為 2008 年 9 月 5 日，已收入 1222799 筆碩士、博士、博士後學位論文資料。

5 中國優秀碩博士學位論文全文數據庫收錄對岸 600 多家博碩士培養單位的優秀博碩士學位論文，收錄年限起自 1999 年至 2007 年 9 月 30 日，累積博碩士學位論文全文文獻 56 萬多篇。

6 北大學位論文數據庫 (http://thesis.lib.pku.edu.cn/dlib/List.asp?lang=big5&DocGroupID=8) 2006 年 11 月 31 日設立。是根據 CALIS 高校學位論文全文數據庫元數據類型創建的數據庫，收錄 1985-2004 年北京大學的學位論文 2 萬 4 千多篇。

7 北京圖書館學位論文收藏中心編：《1981-1990 中國博士學位論文提要（社會科學部分）》（北京市：書目文獻出版社，1992 年 6 月）。

8 此書為中國社會科學出版社於 1994 年 2 月出版，收入中國社會科學院研究生院自 1985 年首度授予博士學位至 1992 年底止，通過的博士論文摘要，共 221 篇。

9 《大陸地區博士論文叢刊》為臺北市文津出版社自 2002 年 1 月開始出版的大陸地區博士論文叢書，截至 2007 年 12 月已出版 98 種（冊）。

10 《中國社會科學博士論文文庫》為中國社會科學院於 1988 年起，從每年通過畢業答辯的社會科學博士論文遴選優秀者納入此文庫並出版，目前已出版 101 種（冊）。

11 《儒釋道博士論文叢書》由香港圓玄學院資助、成都巴蜀書社出版，收入海峽兩岸三地有關儒、釋、道為研究範圍之博士論文，目前已出版 70 種（冊）。

12 《高校文科博士文庫》為北京高等教育出版社於 1997－1998 年間出版的博士論文，共 12 種（冊）。

13 《研究生論文選集》為江蘇古籍出版社所編製的書刊，共分為中國歷史、中國古代文學、語言文字三個分冊，收錄中國恢復研究生教育以來，1978、1979 級（兩年制）文史專業研究生畢業論文。

14 《法藏文庫中國佛教學術論典碩博士學位論文》為臺灣佛光山文教基金會於 2001 年起出版的海峽兩岸有關佛教經典的博碩士論文，共一百冊。

15 《博士學位論文選》為四川大學於《四川大學學報叢刊（哲社版）》第 44 輯中刊出該校自設立博士學位以來文科博士生學位論文十篇。

缺漏者，尚祈大雅惠正。

16 《研究生論文選刊》為四川大學為反映該校文科研究生學術研究成果，以《四川大學學報叢刊（哲社版）》為媒介，分別於第 28、32、45、48 輯中刊 1981、1982、1985 級文科畢業生的論文摘要及論文目錄。

中國經學相關研究博碩士論文目錄
（1978－2007）

總目次

學科別分類目次

專業別分類目次

年代別分類目次

導師別分類目次

學科別分類

群經總論

一、通論

0001　梁綺文　「六經」與史學關係探源
北京師範大學史學理論暨史學史專業博士論文　2006 年 11 月　許殿才指導

0002　妮娜絲　「人」的發現及其意義——從《五經》到《四書》
中國社會科學院研究生院中國哲學專業碩士論文　2001 年　徐遠和指導

0003　彭玉珊　《史記》《漢書》論贊比較研究——從經學、史學、文學三層面探討
北京師範大學中國古代文學專業碩士論文　2007 年　尚學鋒指導

0004　楊　昂　從經學到律學：中國古代法律詮釋學的形成
中山大學法學專業碩士論文　2002 年 6 月　馬作武指導

0005　馬　睿　從經學到美學
四川大學文藝學專業博士論文　2001 年　馮憲光指導
成都　四川民族出版社　415 頁　2002 年 7 月（改名為《從經學到美學：中國近代文論知識話語的嬗變》）

0006　李　凱　儒家元典與中國詩學
四川大學文藝學專業博士　2002 年　曹順慶指導
北京　中國社會科學出版社　387 頁　2002 年 8 月（中國社會科學博士論文文庫）

0007　吳龍輝　原始儒家考述
北京師範大學文學博士論文　1992 年　啟功指導
北京　中國社會科學出版社　261 頁　1996 年 2 月（中國社會科學博士論文文庫）
臺北　文津出版社　282 頁　1995 年 5 月（大陸地區博士論文叢刊）

0008　陳　明　儒學的歷史文化功能——從中古士族現象看
中國社會科學院中國哲學專業博士論文　1992 年 7 月　余敦康指導
臺北　文津出版社　363 頁　1994 年 3 月（大陸地區博士論文叢刊）
（改名為《中古士族現象研究：儒學的歷史文化功能初探》）
上海　學林出版社　423 頁　1997 年（改名為《儒學的歷史文化功能：士族——特殊形態的知識份子研究》）
北京　中國社會科學出版社　349 頁　2005 年（改名為《儒學的歷史文化功能：以中古士族現象為個案》）

0009　杜成憲　早期儒家學習範疇研究
華東師範大學中國教育史專業博士論文　1988 年　沈灌群、孫培青指導
臺北　文津出版社　168 頁　1994 年 7 月

0010　許美平　早期儒家天道觀——以郭店儒簡為中心
北京大學中國哲學專業碩士論文　2002 年 6 月　王博指導

0011　張德良　上博藏戰國楚竹書《容成氏》研究
清華大學歷史學專業碩士論文　2005 年　廖名春指導

0012　孫士穀　新加坡儒學的復興運動
南京大學中文系碩士論文　2004 年　徐有富指導

二、經書人物

伏　羲、女　媧

0013　史新慧　中國創世神話解讀
鄭州大學美學專業碩士論文　2005 年　劉成紀指導

0014　劉　淵　漢代畫像石上伏羲女媧圖像特徵研究
四川大學美術學專業碩士論文　2005 年　盧丁指導

0015　過文英　論漢墓繪畫中的伏羲女媧神話
浙江大學中國古典文獻學專業博士論文　2007 年　崔富章指導

0016　汪　洋　論女媧神話中的靈石信仰
東北師範大學中國古代文學專業碩士論文　2006 年　傅亞庶指導

0017 張翠玲 女媧城祭祀歌舞研究
鄭州大學文藝學專業碩士論文 2002 年 張冠華指導

炎 帝

0018 高 婧 山西東南部地區炎帝傳說與文化初探
上海師範大學中國古代文學專業碩士論文 2006 年 王從仁指導

堯、舜、禹

0019 馬 興 堯舜時代研究
東北師範大學中國古代文學專業博士論文 2007 年 詹子慶指導

0020 李玲玲 先秦諸子書中的堯舜禹傳說研究
河北師範大學中國古代文學專業碩士論文 2006 年 王長華指導

0021 范 穎 論大禹治水及其影響
武漢大學科學技術史專業碩士論文 2005 年 李可可指導

0022 潘子健 先唐禪讓文化與文學——禪讓應用文研究
廣西師範大學中國古代文學專業碩士論文 2006 年 李乃龍指導

0023 倪平英 相似外表下的不同內核——白鳥庫吉與顧頡剛就「堯、舜、禹」問題研究比較
華東師範大學中國古代文學專業碩士論文 2006 年 林在勇指導

商 湯

0024 崔紅偉 論商湯滅夏前後所居之亳
鄭州大學中國古代史專業碩士論文 2006 年 李民指導

三、經學史

(一) 先秦

先秦通論

0025 漥田忍 中國先秦儒家聖人觀探討：殷商時代的「聖」觀念及其在先秦儒家思想中的演變和展開

北京大學中國哲學史專業博士論文　1989 年　張岱年指導

0026　王志耀　先秦儒學「天人合一」觀念的歷史考察
中國社會科學院研究生院中國哲學專業博士論文　1992 年 7 月　孔繁指導（改名為《先秦儒學史概述》）
臺北　文津出版社　342 頁　1994 年 10 月（大陸地區博士論文叢刊）

0027　王德成　儒學與秦代社會
曲阜師範大學專門史專業碩士論文　2007 年　楊朝明指導

0028　聶保平　先秦儒家情思想初探
北京大學中國哲學專業博士論文　2002 年 6 月　許抗生指導

0029　鄭淑媛　先秦儒家的精神修養學
南開大學中國哲學專業博士論文　2003 年　劉文英指導
北京　人民出版社　235 頁　2006 年 12 月（改名為《先秦儒家的精神修養》）

0030　俞志慧　先秦儒家文學思想考論
西北師範大學中國古代文學專業博士論文　2002 年　趙逵夫指導
北京　三聯書店　306 頁　2005 年 3 月（改名為《君子儒與詩教——先秦儒家文學思想考論》）

0031　雷　霞　經學在秦代的遭遇與漢初的復興
山東大學中國古典文獻學專業碩士論文　2007 年 4 月　鄭傑文指導

周　公（？－？）

0032　董海洲　論周公「敬德保民」思想與實踐
首都師範大學馬克思主義理論與思想政治教育專業碩士論文　2004 年　鄧球柏指導

0033　楊朝明　書籍新識——周公事跡考證
中國社會科學院研究生院歷史文獻學專業博士論文　2000 年　李學勤指導
鄭州　中州古籍出版社　314 頁　2002 年（改名為《周公事跡研究》）

齊　學

0034　畢曉樂　齊文化與陰陽五行
山東師範大學專門史專業碩士論文　2005 年　王克奇指導

0035 李宗全 從歷代目錄著錄之稷下先生著述看稷下學學術地位
華東師範大學中國古典文獻學專業碩士論文 2005年 王貽梁指導

荀 子（前313－前238）

0036 廖名春 荀子新探
吉林大學歷史學專業博士論文 1992年 金景芳指導
臺北 文津出版社 353頁 1994年2月（大陸地區博士論文叢刊）

0037 韓德民 荀子與儒家的社會理想
中國社會科學院研究生院中國哲學專業博士論文 1996年7月 余敦康指導
濟南 齊魯書社 582頁 2001年8月

0038 王 旭 荀子學派屬性述評
東北師範大學中國古代史專業碩士論文 2005年 韓東育指導

0039 王向東 荀子「分」論
河南大學中國哲學專業碩士論文 2005年 徐儀明、耿成鵬指導

0040 張小穩 孟荀學風之比較
河南大學中國古代史專業碩士論文 2002年 李振宏、鄭慧生指導

0041 郭 磊 從孔子到荀子——先秦儒家民本思想的演變
鄭州大學中國古典文獻學專業碩士論文 2006年 王保國指導

0042 萬紹和 孟子荀子政治哲學比較研究
湘潭大學中國哲學專業碩士論文 2000年 王向清指導

0043 王 娟 孟子荀子德育思想比較研究
武漢大學馬克思主義理論與思想政治教育專業碩士論文 2005年 倪素香指導

0044 柳素平 荀子、王充思想比較研究
河南大學中國古代史專業碩士論文 2003年5月 李振宏、鄭慧生指導

0045 楊 波 荀子人性學說及其當代價值
安徽大學中國哲學專業碩士論文 2006年 解光宇指導

0046 李雅琴 荀子的人性論與人格教育心理思想探析
陝西師範大學基礎心理學專業碩士論文 2002年 郭祖儀指導

0047 王 偉 荀子性惡論人學與美學
鄭州大學文藝學專業碩士論文 2000年 劉成紀指導

0048　可凌瑋　論荀子「性惡」倫理觀的理論特色及社會影響
東北師範大學倫理學專業碩士論文　2002 年　郭學賢指導

0049　顧玉萍　荀子性論之內容及性惡界定的目的
蘇州大學中國哲學專業碩士論文　2006 年　周可真指導

0050　董祥勇　論荀子的天人觀——以《荀子・天論》為核心
華東師範大學中國哲學專業碩士論文　2006 年　楊國榮指導

0051　張菊芳　論荀子的理想人格
上海師範大學專業碩士論文　2006 年　陳衛平指導

0052　姜　紅　荀子「敬一情二」思想新議
東北師範大學專門史專業碩士論文　2004 年　韓東育指導

0053　喬安水　荀子禮論研究
華東師範大學中國哲學專業博士論文　2004 年　陳衛平指導

0054　朱建鋒　禮之「文」化——論荀子「文」的美學思想
鄭州大學美學專業碩士論文　2005 年　史鴻文指導

0055　房登科　禮法同行天下治——荀子禮法思想研究
揚州大學教育學原理專業碩士論文　2004 年　楊千樸指導

0056　胡　偉　論荀子的「禮法」法思想及其現實意義
雲南師範大學馬克思主義理論與思想政治教育專業碩士論文　2005 年　畢國明指導

0057　張榮貴　論荀子的禮法思想
上海社會科學院中國哲學專業碩士論文　2006 年　何錫蓉指導

0058　李向東　談荀子的禮法和民生思想
鄭州大學中國古代史專業碩士論文　2006 年　史建群指導

0059　高春海　試析荀子的倫理制度思想
東北師範大學專門史專業碩士論文　2006 年　韓東育指導

0060　竇海寧　荀子行政倫理思想研究
中央民族大學中國哲學專業碩士論文　2006 年　劉成有指導

0061　李　奕　荀子教育思想與「完全人」培養——以中學語文教學為中心
華中師範大學學科教學專業碩士論文　2006 年　周禾指導

0062　王曉寧　君子之道的外化歷程——荀子理想人格的現世功用
東北師範大學專門史專業碩士論文　2004 年　韓東育指導

0063　鄭　藝　荀子的德治和法治思想及其當代意義

江西師範大學馬克思主義理論與思想政治教育專業碩士論文　2004年　汪榮有指導

0064　程賽杰　論荀子的教化思想
南昌大學倫理學專業碩士論文　2005年　詹世友指導

0065　王光輝　荀子「為學」思想研究
湘潭大學中國哲學專業碩士論文　2005年　蔡四桂指導

0066　黃德俊　荀子政治思想的現代價值
河海大學馬克思主義理論與思想政治教育專業碩士論文　2006年　畢霞指導

0067　儲昭華　明分之道——從荀子看儒家文化與民主政道融通的可能性
武漢大學中國哲學專業博士論文　2005年　郭齊勇指導
北京　商務印書館　364頁　2005年12月

0068　朱鋒華　荀子政治倫理思想研究
湖南師範大學倫理學專業碩士論文　2006年　彭定光指導

0069　李艷嬌　荀子的政治思想
遼寧師範大學專門史專業碩士論文　2003年　楊英傑指導

0070　張　宇　先秦荀子的富國論
東北財經大學經濟思想史專業碩士論文　2002年　于邱華指導

0071　李寶勇　荀子管理心理思想研究
山東師範大學基礎心理學專業碩士論文　2003年　李壽欣指導

0072　彭歲楓　《荀子》思想政治教育環境理論研究
首都師範大學馬克思主義理論與思想政治教育專業碩士論文　2000年　鄧球柏指導

0073　于峻嶸　《荀子》句式考察
安徽大學漢語史專業碩士論文　2001年　白兆麟指導

0074　霍生玉　《荀子》楊倞注訓詁說略
湖南師範大學漢語言文字學專業碩士論文　2001年　陳健初指導

0075　于正安　《荀子》動詞語法研究
西南師範大學漢語言文字學專業碩士論文　2003年　毛遠明指導

0076　王　靜　《荀子》介詞研究
新疆大學語言學及應用語言學專業碩士論文　2004年　張新武指導

0077　周　娟　《荀子》單音節動詞同義詞研究

四川大學漢語言文字學專業碩士論文　2004 年　宋永培指導

0078　欒建珊　《荀子》連詞研究
新疆大學語言學及應用語言學專業碩士論文　2004 年　張新武指導

0079　歐陽戎元　《荀子》句型研究
新疆大學語言學及應用語言學專業碩士論文　2005 年　張新武指導

0080　于　江　《荀子》反義詞研究
西北師範大學漢語言文字學專業碩士論文　2005 年　周玉秀指導

0081　盧春紅　荀子複音詞研究
遼寧師範大學漢語言文字學專業碩士論文　2005 年　陳榴指導

0082　魯　六　《荀子》詞彙研究
山東大學漢語言文字學專業博士論文　2005 年　楊端志指導
鄭州　河南人民出版社　238 頁　2007 年 6 月

0083　徐國華　《荀子》名詞同義詞重點辨析
廈門大學漢語言文字學專業碩士論文　2006 年　李國正指導

0084　劉獻琦　《荀子》反義詞研究
山東師範大學漢語言文字學專業碩士論文　2006 年　吳慶峰指導

0085　李永芳　《荀子》單音節反義詞研究
吉林大學漢語言文字學專業碩士論文　2006 年　徐正考指導

0086　張　俊　《荀子》謂詞轉指研究
西南大學漢語言文字學專業碩士論文　2006 年　方有國指導

0087　周春霞　《荀子》名詞同義關係研究
內蒙古大學漢語言文字學專業碩士論文　2006 年　道爾吉指導

0088　陳家春　《荀子》副詞研究
西南大學漢語言文字學專業碩士論文　2006 年　方有國指導

0089　洪永穩　論荀子的文藝思想
安徽大學文藝學專業碩士論文　2005 年　顧祖釗指導

0090　王小平　荀子文學思想及影響研究
華中科技大學中國古代史專業碩士論文　2005 年　何錫章指導

0091　張源旺　荀子《樂論》的美學思想
揚州大學文藝學專業碩士論文　2003 年　佴榮本指導

(二) 漢代

總　論

0092　俞啟定　獨尊儒術與漢代教育
北京師範大學中國教育史專業博士論文　1988 年　毛禮銳指導

0093　馬小方　兩漢家學研究
山東大學中國古典文獻學專業碩士論文　2006 年 5 月　王承略指導

0094　朱方瓊　政治影響下的漢代文獻學
安徽大學漢語言文字學專業碩士論文　2006 年 5 月　楊應芹指導

0095　劉萬雲　經學與漢代的制度建設研究
鄭州大學中國古代史專業碩士論文　2006 年 5 月　楊天宇指導

0096　程　勇　漢代經學視野中的儒家文論敘述
復旦大學中國古代文學專業博士論文　2003 年 4 月　蔣凡指導
濟南　齊魯書社　296 頁　2005 年 4 月（改名為《漢代經學文論敘述研究》）

0097　程　勇　儒家經學與漢代文論
浙江大學中國古代文學專業博士後論文　2005 年 6 月　束景南指導

0098　徐醒生　漢代經學與文學
北京大學中國古代文學專業博士論文　1995 年　褚斌傑指導

0099　王　帥　經學影響下的漢代賦論
北京語言大學中國古代文學碩士論文　2007 年　方銘指導

0100　黃敬愚　從兩漢經學到魏晉玄學——以情性論為中心
北京大學中國古代文學專業博士論文　2006 年 6 月　袁行霈指導

西漢通論

0101　張偉歧　西漢前期的經學與儒家政教文學觀
北京大學中國古代文學專業博士論文　2004 年 11 月　費振剛指導

0102　鄒應龍　從地方到中央：西漢前期經學主導地位的形成
山東大學中國古典文獻學專業碩士論文　2007 年 4 月　鄭傑文指導

0103　陳志偉　論經學與漢武帝的政治變革
南昌大學中國古代史專業碩士論文　2006 年 5 月　袁禮華指導

0104　成祖明　西漢河間獻王研究
南京大學中文系碩士論文　2004 年　徐興无指導

0105　胡　明　漢元帝時期的經學與政治
鄭州大學中國古代史專業碩士論文　2003 年 5 月　楊天宇指導

0106　王晚霞　《漢書》特質三層論——從經學、史學、文學三層審視《漢書》
福建師範大學中國古代文學專業碩士論文　2006 年 4 月　翁銀陶指導

陸　賈（？－？）

0107　陶新宏　漢初復興儒學之先驅——陸賈思想探析
安徽大學中國哲學專業碩士論文　2006 年 5 月　解光宇指導

0108　陳　倩　陸賈思想研究
重慶師範大學專門史專業碩士論文　2005 年 4 月　趙昆生指導

0109　王廣勇　陸賈《新語》在儒家思想史上的地位初探
山東大學中國古代史專業碩士論文　2005 年 5 月　曾振宇指導

0110　胡興華　陸賈及其《新語》研究
西北師範大學中國古代文學專業碩士論文　2003 年　趙逵夫指導

0111　史　娟　陸賈及《新語》研究
首都師範大學古代文學專業碩士論文　2006 年 5 月　趙敏俐指導

賈　誼（前 201－前 169）

0112　梁安和　賈誼思想研究
西北大學專門史專業博士論文　2006 年 4 月　黄留珠指導
西安　三泰出版社　2007 年

0113　張江洪　論賈誼的思想
湖南師範大學中國古代史專業碩士論文　2002 年　冷鵬飛指導

0114　趙　揚　賈誼《新書》與儒家經傳的思想聯繫
揚州大學中國古代文學專業碩士論文　2004 年　田漢雲指導

0115　何廣華　賈誼《新書》研究
東北師範大學中國古代文學專業碩士論文　2005 年　傅亞庶指導

0116　李書瑋　賈誼《新書》研究
山東大學中國古典文獻學專業碩士論文　2005 年　劉心明指導

0117　趙　敏　賈誼仁政思想簡論
河北大學中國哲學專業碩士論文　2004年　王永祥指導

0118　龔成杰　賈誼的政論與哲學思想
雲南師範大學中國哲學專業碩士論文　2004年　雷昀指導

0119　余華兵　賈誼政論文研究
浙江師範大學中國古代文學專業碩士論文　2006年　俞樟華指導

0120　郭　暘　賈誼經濟思想探微
東北財經大學經濟思想史專業碩士論文　2005年　張守軍指導

0121　胡春生　賈誼《新書》反義詞及《漢語大詞典》相關條目研究
湘潭大學漢語言文字專業碩士論文　2006年　馬固鋼指導

0122　張　穎　賈誼文詞語研究
廣州大學語言學及應用語言學專業碩士論文　2006年　張雍長指導

董仲舒（前176－前104）

0123　黃朴民　董仲舒與新儒學
山東大學歷史學博士論文　1988年　楊向奎、田昌五指導
臺北　文津出版社　231頁　1992年7月（大陸地區博士論文叢刊）

0124　劉國民　董仲舒的經學詮釋及天的哲學
首都師範大學中國古代文學專業博士論文　2003年　趙敏俐指導
北京　中國社會科學出版社　404頁　2007年8月

0125　汪高鑫　董仲舒與兩漢史學思想研究
北京師範大學史學理論及史學史專業博士論文　2002年　吳懷祺指導

0126　張樹志　董仲舒倫理政治思想研究
揚州大學教育學原理專業碩士論文　2003年　楊千樸指導

0127　崔　濤　董仲舒政治哲學發微
浙江大學中國古典文獻學專業博士論文　2004年　崔富章指導

0128　李靜賢　董仲舒法律思想研究
山東大學法律專業碩士論文　2006年　馬建紅指導

0129　張顯楝　試論董仲舒的天的哲學思想
西北大學專門史專業碩士論文　2006年　張茂澤指導

0130　祁向文　論董仲舒的天人感應思想
遼寧師範大學專門史專業碩士論文　2006年　楊英傑指導

0131　張文英　試論董仲舒的天人觀
吉林大學政治學理論專業碩士論文　2005 年　孫曉春指導

0132　周　欣　論董仲舒的人際和諧觀
中南大學倫理學專業碩士論文　2006 年　劉立夫指導

0133　廖小東　董仲舒政治哲學試論
湘潭大學中國哲學專業碩士論文　2003 年　王立新指導

0134　陳宗權　董仲舒政治哲學思想探源
西南師範大學中國哲學專業碩士論文　2004 年　楊志明指導

0135　張　鵬　論董仲舒的大一統政治思想
遼寧師範大學政治學理論專業碩士論文　2003 年　趙文忠指導

0136　周紹華　董仲舒君主觀念研究
曲阜師範大學專門史專業碩士論文　2004 年　張秋升指導

0137　尹曉彬　論董仲舒皇權制衡思想及其倫理形態特徵
西南師範大學倫理學專業碩士論文　2005 年　潘佳銘、彭自強指導

司馬遷（前 145－前 86）

0138　李　丹　司馬遷經學思想研究
延邊大學中國古代文學專業碩士論文　2007 年　張強指導

0139　趙　麗　論司馬遷在中國儒學思想史上的地位
曲阜師範大學專門史專業碩士論文　2003 年 3 月　許凌雲指導

0140　馬　毓　司馬遷對歷史的詮釋
西北大學專門史專業碩士論文　2005 年 1 月　張茂澤指導

0141　劉軍華　司馬遷與士文化
陝西師範大學中國古代文學專業碩士論文　2005 年 4 月　呂培成指導

劉　向（前 77－前 6）

0142　鄧駿捷　劉向研究——文獻學家劉向及其學術成就
山東大中國古代文學專業博士論文　2003 年 4 月　董治安指導

0143　李　莉　劉向及其文學成就研究
西北師範大學中國古代文學專業碩士論文　2004 年 5 月　伏俊璉指導

0144　李小平　劉向及其文學成就
北京語言大學中國古代文學專業碩士論文　2004 年 6 月　方銘指導

王　莽（前 45－23）

0145　欒保群　西漢經今古文之爭與王莽的改制
中國社會科學院研究生院中國古代文學專業碩士論文　王毓銓指導

0146　周向峰　王莽時代的太學
復旦大學專門史專業碩士論文　2002 年 5 月　朱維錚指導

0147　陳　世　論王莽的政治理想——儒家內聖外王理論的實踐
湖南師範大學中國古代史專業碩士論文　2003 年 3 月　冷鵬飛指導

0148　孔凡華　王莽、劉秀以儒治國之比較
曲阜師範大學中國古代史專業碩士論文　2006 年 4 月　張秋升指導

劉　歆（？－23）

0149　郜積意　劉歆與兩漢今古文學之爭
復旦大學專門史專業博士論文　2005 年 4 月　朱維錚指導

0150　張宜遷　劉歆及其作品研究
南京大學中文系碩士論文　1997 年　郭維森、許結指導

0151　方　丹　劉歆思想與《白虎通義》思想之比較
山東大學中國古典文獻學專業碩士論文　2006 年　鄭傑文指導

揚　雄（前 53－18）

0152　解麗霞　揚雄與漢代經學
中山大學中國哲學專業博士論文　2006 年 12 月　李宗桂指導

0153　陳明峰　夫唯大雅　既明且哲——揚雄思想及人生形態研究
南京大學中國古代史專業碩士論文　2004 年 5 月　鄒旭光指導

0154　王　棟　揚雄文論研究
湖南師範大學文藝學專業碩士論文　2005 年 5 月　李清良指導

0155　康衛國　揚雄的文學思想——以「因」「革」為中心
陝西師範大學文藝學專業碩士論文　2003 年 5 月　梁道禮指導

0156　陳朝輝　揚雄文學思想研究
四川師範大學中國古代文學專業碩士論文　2002 年 5 月　李誠指導

0157　張　兵　揚雄《法言》研究
山東大學中國古典文獻學專業碩士論文　2002 年 5 月　張濤指導

0158　郭君銘　揚雄《法言》思想研究
北京師範大學中國哲學專業博士論文　2005年5月　鄭萬耕指導
成都　巴蜀書社　216頁，2006年12月（儒釋道博士論文叢書）

0159　張麗霞　揚雄《方言》詞彙嬗變研究
山東師範大學漢語言文字學專業碩士論文　2002年4月　董紹克指導

0160　王　博　揚雄《法言》研究
廣西師範大學中國古代文學專業碩士論文　2004年　李乃龍指導

0161　張煥新　《法言》複音詞研究
東北師範大學漢語言文字學專業碩士論文　2004年　傅亞庶指導

0162　路　廣　《法言》詞類研究
華東師範大學漢語言文字學專業博士論文　2006年　華學誠指導

東漢通論

0163　楊振梅　東漢經學世家述論
曲阜師範大學中國古代史專業碩士論文　2006年4月　張秋升指導

0164　逯萬軍　略論東漢前期的經學
鄭州大學中國古代史專業碩士論文　2002年10月　楊天宇指導

0165　閆海文　東漢前期的經學思想及其政治實踐
西北大學專門史專業碩士論文　2007年5月　方光華指導

0166　李　敏　《白虎通義》與東漢經學
北京語言大學中國古代文學專業碩士論文　2005年6月　方銘指導

0167　王　鵬　《吳越春秋》與東漢經學
南京師範大學中國古代文學專業碩士論文　2006年3月　徐克謙指導

0168　王正一　《後漢書・儒林傳》考論並補遺
山東大學中國古典文獻學專業碩士論文　2006年4月　王承略指導

0169　李　珊　漢末三國的經學教育
湖南師範大學中國古代史專業碩士論文　2005年5月　冷鵬飛指導

0170　王　雪　繼承與超越——析漢代經學向魏晉玄學的演變
安徽大學中國哲學專業碩士論文　2002年5月　孫以楷指導

王　充（27－91）

0171　張源遠　論王充的學者氣質

河南大學專門史專業碩士論文　2006年5月　李振宏指導

0172　李永洪　辨析王充思想體系中的矛盾——探討王充人性論思想的基礎和前提

西南大學倫理學專業碩士論文　2006年4月　彭自強、潘佳銘指導

0173　楊雲峰　王充與東漢的社會批判思潮

山東大學中國古代史專業碩士論文　2004年4月　曾振宇指導

0174　柳素平　荀子、王充思想比較研究

河南大學中國古代史專業碩士論文　2003年5月　李振宏、鄭慧生指導

0175　徐　君　王充對有神論的批判及其現實價值

首都師範大學馬克思主義理論與思想政治教育專業碩士論文　2001年5月　隋淑芬指導

0176　陸繼萍　王充思想的體系詮釋和重建

雲南師範大學中國哲學專業碩士論文　2006年5月　楊志明指導

0177　張新萍　王充思想融合性研究

鄭州大學中國古代史專業碩士論文　2006年5月　史建群指導

0178　張巧霞　試論王充「疾虛妄」的批判精神

河北大學中國哲學專業碩士論文　2003年　王永祥指導

0179　鄭二利　王充的文藝思想述評

安徽大學文藝學專業碩士論文　2005年5月　顧祖釗指導

0180　劉　瑛　王充的「自然」美學觀

四川師範大學文藝學專業碩士論文　2004年1月　鐘仕倫指導

0181　劉宗利　王充心理學思想探析

河北師範大學基礎心理學專業碩士論文　2001年9月　鄒大炎指導

0182　殷鳴放　王充的理性精神與人文精神——兼論二者的失衡

山東大學中國哲學專業碩士論文　2006年5月　丁原明指導

0183　靳　寶　王充有關史學的理論建樹

北京師範大學史學理論及史學史專業碩士論文　2004年5月　許殿才指導

0184　岳宗偉　《論衡》引書研究

復旦大學專門史專業博士論文　2006年4月　朱維錚指導

0185　胡敕瑞　《論衡》與東漢佛典詞語比較

北京大學漢語史專業博士論文　1999年　蔣紹愚指導

高雄　佛光山文教基金會　2002年8月（法藏文庫中國佛教學術論典

碩博士學位論文）

許　慎（30－124）

0186　陳金麗　論許慎的經學思想與經學成就
山東大學中國古典文獻學專業碩士論文　2007 年 4 月　王承略指導

0187　耿鵬坤　談談許慎和《說文解字》的幾個問題
鄭州大學歷史學專業碩士論文　2004 年 5 月　姜建設指導

0188　吳根平　經學背景下的《說文解字》
江西師範大學文字學專業碩士論文　2007 年 4 月　陳順芝指導

0189　周遠富　許慎語文學研究
南京大學中文系碩士論文　1999 年　高小方指導

班　固（32－92）

0190　李春英　班固的經學思想與其辭賦創作
山東大學中國古代文學專業碩士論文　2004 年 4 月　王洲明指導

馬　融（79－166）

0191　李俊嶺　論馬融
山東大學中國古典文獻學專業碩士論文　2004 年 4 月　王承略指導

蔡　邕（132－192）

0192　石　靜　蔡邕思想與學術研究
山東大學中國古典文獻學專業碩士論文　2007 年　莊大鈞指導

鄭　玄（127－200）

0193　趙冠鋒　漢代經學中的自然知識——以鄭玄的經學為例
中國科學技術大學科學技術史專業碩士論文　2004 年 5 月　石雲里指導

0194　史應勇　鄭玄通學研究及鄭、王之爭
四川大學中國語言文學專業博士後研究　2004 年 6 月　祝尚書指導
成都　巴蜀書社　400 頁　2007 年 8 月

0195　吳慶峰　論並列式雙音詞——鄭玄注詞彙研究

山東大學語言文字專業碩士論文　1978、1979 級[1]　殷孟倫指導

(三) 魏晉

總　論

0196　徐俊祥　建安學術史研究
揚州大學中國古代文學專業博士論文　2004 年　田漢雲指導

0197　汪　泓　樂於本道——經學玄學化視域中的嵇康音樂美學思想
首都師範大學比較文學與世界文學專業碩士論文　2006 年　楊乃喬指導

王　肅（195－256）

0198　郝　虹　王肅經學研究
山東大學中國古代史專業博士論文　2001 年　王曉毅指導

0199　王政之　王肅《孔子家語注》研究
曲阜師範大學專門史專業碩士論文　2006 年 4 月　楊朝明指導

杜　預（222－284）

0200　文慧科　杜預研究
四川大學中國古代史專業碩士論文　2002 年 1 月　方北辰指導

0201　郭付軍　杜預史學研究
山東大學史學理論及史學史專業碩士論文　2004 年 5 月　周曉瑜指導

王　弼（226－249）

0202　王彥威　王弼人生哲學思想探析
中共廣東省委黨校馬克思主義哲學專業碩士論文　2006 年 4 月　吳燦新指導

0203　李　婭　探析王弼「聖人」觀的玄學底蘊
四川大學中國哲學專業碩士論文　2005 年 1 月　黃德昌指導

0204　徐　蕾　王弼與郭象玄學方法研究

1　僅知其為 1978、1979 級（年）入學，凡遇此皆同時著錄兩個年份，以下皆同。

河南大學中國哲學專業碩士論文　2004 年 5 月　徐儀明指導

0205　王　航　論王弼人性論中儒道合流的特徵
西南師範大學倫理學專業碩士論文　2004 年 5 月　潘佳銘指導

0206　徐文英　論「得意忘言」哲學命題的美學轉換
浙江師範大學文藝學專業碩士論文　2003 年 5 月　諸葛志指導

0207　張　慧　王弼「言意之辨」的探析
四川大學中國哲學專業碩士論文　2004 年　黃德昌指導

0208　曾　林　王弼「崇本息末」思想的哲學意蘊及文化價值
四川大學中國哲學專業碩士論文　2004 年　黃德昌指導

0209　黃奕霖　王弼言意觀研究
華東師範大學中國哲學專業碩士論文　2004 年　晉榮東指導

0210　程　遼　王弼政治倫理思想研究
重慶師範大學倫理學專業碩士論文　2006 年　孔毅指導

0211　楊鑒生　王弼及其文學研究
復旦大學中國古代文學專業博士論文　2005 年 4 月　楊明指導

郭　璞（276－324）

0212　劉海波　郭璞游仙詩中憂患意識研究
延邊大學中國古代文學專業碩士論文　2006 年　趙玉霞指導

0213　叢曉靜　郭璞訓詁學研究
山東師範大學漢語言文字學專業碩士論文　2002 年 4 月　吳慶峰指導

0214　胡曉華　郭璞注釋語言詞彙研究
浙江大學中國古典文獻學專業博士論文　2005 年 5 月　王雲路指導

0215　孟曉妍　《方言》郭璞注雙音詞研究
蘇州大學漢語言文字學專業碩士論文　2005 年　蔡鏡浩指導

(四) 南北朝

總　論

0216　焦桂美　南北朝經學史
山東大學中國古典文獻學專業博士論文　2006 年 4 月　徐傳武指導

0217　橋本秀美　南北朝至初唐義疏學研究

北京大學古典文獻專業博士論文　1999年6月　倪其心指導
東京　白楓社　283頁　2001年2月9日（日文本，作者用中文名「喬秀岩」，書名改作《義疏學衰亡史論》）

王　通（537－586）

0218　胡　萍　王通的哲學思想及其歷史地位
湘潭大學中國哲學專業碩士論文　2005年　王立新指導

0219　郭　穎　中說校釋
東北師範大學漢語言文字學專業碩士論文　2002年1月　傅亞庶指導

0220　盧　敏　文中子和宋儒
復旦大學中國哲學專業碩士論文　2001年5月　徐洪興指導

（五）隋唐五代

0221　程方平　隋唐五代儒學教育思想研究
北京師範大學中國教育史專業博士論文　1988年　毛禮銳、王炳照指導
昆明　雲南教育出版社　347頁　1991年12月（改名為《隋唐五代的儒學：前理學教育思想研究》）

0222　張　躍　唐代後期儒學的新趨向
北京大學中國哲學專業博士論文　1989年　馮友蘭指導
臺北　文津出版社　266頁　1993年
上海　上海人民出版社　204頁　1994年（改名為《唐代後期儒學》）

陸德明（566－627）

0223　孫照海　陸德明考論
山東大學古典文獻學專業碩士論文　2005年5月　莊大鈞指導

0224　張　妮　《經典釋文》陸德明反切的類相關研究
首都師範大學漢語言文字學專業碩士論文　2004年4月　馮蒸指導

0225　萬獻初　《經典釋文》音切類目研究
武漢大學漢語言文字學專業博士論文　2002年5月　宗福邦指導
北京　商務印書館　393頁　2004年10月

0226　李秀芹　《經典釋文》中的舌音初探
陝西師範大學漢語言文字學專業碩士論文　2001年5月　胡安順指導

孔穎達（574－648）

0227　胡保國　談孔穎達考證詞義的方法
延邊大學漢語言文字學專業碩士論文　2005 年 5 月　崔泰吉指導

顏師古（581－645）

0228　任國俊　顏師古《漢書注》研究
寧夏大學漢語言文字學專業碩士論文　2005 年 5 月　馮玉濤指導

0229　姬孟昭　顏師古《漢書注》文獻學成就初探
安徽大學歷史文獻學專業碩士論文　2004 年 5 月　王鑫義指導

0230　王智群　顏師古注引方俗語研究
華東師範大學漢語言文字學專業碩士論文　2004 年　華學誠指導

0231　羅曉燕　從《匡謬正俗》看顏師古的語言文字研究
四川師範大學語言學及應用語言學專業碩士論文　2004 年 1 月　李恕豪指導

0232　張金霞　顏師古語言學研究
山東大學漢語言文字學專業博士論文　2002 年 4 月　楊端志指導

賈公彥（？－？）

0233　程艷梅　賈公彥語言學研究
山東師範大學漢語言文字學專業碩士論文　2004 年 4 月　吳慶峰指導

劉知幾（661－721）

0234　孫小泉　論劉知幾的學術風格
曲阜師範大學專門史專業碩士論文　2004年4月　許凌雲、張秋升指導

0235　張三夕　批判史學的批判：劉知幾及其史通研究
華中師範大學歷史文獻學專業博士論文　1986 年　張舜徽指導
臺北　文津出版社　350 頁　1992 年 9 月（大陸地區博士論文叢刊）

0236　周　征　劉知幾《史通》敘事理論研究
山東大學文藝學專業碩士論文　2006 年 5 月　程相占指導

韓　愈（768－824）

0237　侯步雲　韓愈的儒學思想
西北大學中國思想史專業碩士論文　2006年5月　張茂澤指導

0238　唐　琳　韓愈倫理思想基本範疇剖析
湖北大學倫理學專業碩士論文　2000年5月　羅熾、劉澤亮指導

0239　朱正西　韓愈的世界觀對倫理思想的影響
雲南師範大學中國哲學專業碩士論文　2006年6月　雷昀指導

0240　金基元　韓愈、白居易比較研究——以處世觀與交遊為中心
復旦大學中國古代文學專業碩士論文　2006年4月　查屏球指導

0241　潘昱州　韓愈反佛思想溯源——「惠民」的「有為之道」
西南師範大學倫理學專業碩士論文　2005年5月　彭自強、潘佳銘指導

李　翱（772－841）

0242　何智慧　李翱年譜稿
四川師範大學古代文學專業碩士論文　2002年5月　常思春指導

0243　王宏海　李翱思想研究
河北大學中國哲學專業碩士論文　2004年6月　孟曉路指導

0244　郭應傳　李翱《復性書》思想研究
雲南師範大學中國哲學專業碩士論文　2002年7月　李廣良指導

0245　吳　丹　試論李翱《復性書》的心性思想
蘇州大學中國哲學專業碩士論文　2004年4月　潘桂明指導

柳宗元（773－819）

0246　喬　麗　柳宗元交遊考
西北大學中國古代文學專業碩士論文　2001年　韓理洲指導

0247　袁　茹　柳宗元的學術研究與散文創作
安徽師範大學中國古代文學專業碩士論文　2005年　劉學鍇、余恕誠、胡傳志指導

0248　李　丹　柳文與《國語》
華中師範大學中國古代文學專業碩士論文　2004年5月　戴建業指導

0249　于海平　柳宗元與中唐儒學

曲阜師範大學專門史專業碩士論文　2002 年 3 月　王洪軍指導

皮日休（？－880）

0250　沈開生　皮日休系年考辨
杭州大學中國古代文學專業碩士論文　1978、1979 級　蔡義江指導

（六）宋代

總　論

0251　楊世文　宋代經學懷疑思潮研究
四川大學中國古代史專業博士論文　2005 年 1 月　蔡崇榜指導
成都　四川大學出版社　687 頁　2008 年（四川大學儒藏學術叢書）
（改名為《走出漢學：宋代經典辨疑思潮研究》）

0252　楊新勛　宋代疑經研究
北京大學中國古文獻學專業博士論文　2003 年 5 月　楊忠指導
北京　中華書局　378 頁　2007 年 3 月

0253　高明峰　北宋經學與文學
揚州大學中國古代文學專業博士論文　2005 年 5 月　田漢雲指導

0254　吳國武　北宋經學與理學之關係研究
北京大學中國古典文獻學專業博士論文　2005 年 6 月　楊忠指導

0255　劉復生　北宋中期儒學復興運動
四川大學中國古代史專業博士論文　1990 年　徐中舒、吳天墀指導
臺北　文津出版社　228 頁　1991 年 7 月（大陸地區博士論文叢刊）

孫　復（992－1057）

0256　王耀祖　孫復、石介與宋代儒學復興
山東師範大學專門史專業碩士論文　2006 年　仝晰綱指導

范仲淹（898－1052）

0257　李　迪　范仲淹交遊考略
鄭州大學中國古典文獻學專業碩士論文　2001 年　李之亮指導

0258　武香蘭　范仲淹的儒學價值觀與馭邊之術

寧夏大學專門史專業碩士論文　2005年4月　王天順指導

0259　文　娟　范仲淹教育思想研究

西北師範大學中國古代史專業碩士論文　2004年　劉建麗指導

0260　卞國鳳　范仲淹宗族福利思想研究

吉林大學社會學專業碩士論文　2004年　田毅鵬指導

孫　奭（962－1033）

0261　高丁國　北宋前期經學家——孫奭初探

河北大學中國古代史專業碩士論文　2006年　姜錫東、王善軍指導

石　介（1005－1045）

0262　王　茜　石介年譜

鄭州大學中國古典文獻學專業碩士論文　2002年　李之亮指導

0263　王耀祖　孫復、石介與宋代儒學復興

山東師範大學專門史專業碩士論文　2006年　仝晰綱指導

歐陽修（1007－1072）

0264　曾建林　歐陽修經學思想研究

浙江大學中國古典文獻學專業博士論文　2007年　束景南指導

0265　顧永新　歐陽修學術研究

北京大學古典文獻專業博士論文　1997年5月　孫欽善指導

北京　人民文學出版社　341頁　2003年8月

0266　余敏輝　歐陽修文獻學研究

北京師範大學歷史文獻學專業博士論文　2005年5月　曾貽芬指導

0267　彭傳華　論歐陽修的人生哲學

南昌大學中國哲學專業碩士論文　2005年5月　鄭曉江指導

0268　安雪飛　論歐陽修散文的儒家思想取向

內蒙古大學中國古代文學專業碩士論文　2002年5月　楊新民指導

韓　琦（1008－1075）

0269　屠　青　韓琦交遊考略

鄭州大學中國古典文獻學專業碩士論文　2003 年 5 月　李之亮、徐

正英指導

周敦頤（1017－1073）

0270　陳天林　周敦頤思想探微
復旦大學中國哲學專業博士論文　2004 年　潘富恩指導

0271　唐運剛　周敦頤誠學思想研究
湘潭大學中國哲學專業碩士論文　2005 年　趙載光指導

0272　張理峰　天道性命的貫通——周敦頤哲學思想探析
山東大學中國哲學專業碩士論文　2006 年　王新春指導

劉　敞（1019－1068）

0273　賴華先　論劉敞的思想與文學創作
南昌大學中國古代文學專業碩士論文　2005 年　文師華指導

司馬光（1019－1086）

0274　劉麗麗　司馬光交遊考述
鄭州大學中國古典文獻學專業碩士論文　2004 年　李之亮指導

張　載（1020－1077）

0275　文炳翼　張載「神」概念之研究
北京大學中國哲學專業碩士論文　1997 年 9 月　陳來指導

0276　魏　濤　張載「以禮為教」思想探析
陝西師範大學中國哲學專業碩士論文　2005 年　林樂昌指導

0277　郝亞飛　張載人性論思想詮釋
河北大學中國哲學專業碩士論文　2004 年　盧子震指導

0278　王小丁　張載人性論思想研究
吉林大學中國哲學專業碩士論文　2005 年　張連良指導

0279　李世陽　張載人性論思想研究
湘潭大學中國哲學專業碩士論文　2006 年　趙載光指導

0280　賀文峰　張載人性論簡析——兼評對中國傳統人性論的繼承與發展
湖南師範大學中國哲學專業碩士論文　2005 年　張懷承指導

0281　王　進　自我的轉化與審美主體的生成——張載美學思想研究

貴州大學美學專業碩士論文　2006 年　李朝龍指導

王安石（1021－1086）

0282　吳智勇　王安石與宋神宗暨王安石暮年境遇與心態
南昌大學中國古代文學專業碩士論文　2005 年　文師華指導

0283　張新紅　王安石交遊考辨
鄭州大學中國古典文獻學專業碩士論文　2004 年　李之亮指導

0284　方笑一　北宋新學與文學：以王安石為中心
華東師範大學博士論文　2004 年　劉永翔指導
上海　上海古籍出版社　231 頁　2008 年 6 月

0285　李祥俊　王安石學術思想研究
北京師範大學中國古代思想史專業博士論文　1999 年　周桂鈿指導
北京　北京師範大學出版社　381 頁　2000 年 11 月

0286　劉成國　王安石研究
浙江大學博士論文　2002 年　蕭瑞峰指導

0287　劉成國　荊公新學研究
四川大學中文系博士後論文　2004 年　沈松勤指導
上海　上海古籍出版社　318 頁　2006 年 1 月

0288　楊天保　王安石學術史研究——以「金陵王學」（1021～1067）為重點
浙江大學中國古代史專業博士論文　2005 年　徐規指導
上海　上海人民出版社　380 頁　2008 年 6 月（改名為《金陵王學研究：王安石早期學術思想的歷史考察（1021～1067）》）

0289　劉文波　王安石倫理思想及其實踐研究
湖南師範大學倫理學專業博士論文　2004 年　唐凱麟、張懷承指導

0290　李方澤　理解與融通——論王安石的儒釋調和思想及其影響
安徽大學中國哲學專業碩士論文　2001 年　李霞、李仁群指導

二　程

0291　龐萬里　程顥、程頤及其二程學派
北京大學中國哲學史專業博士論文　1989 年 7 月　張岱年指導
北京　北京航空航天大學出版社　431 頁　1992 年 12 月（改名為《二程哲學體系》）

0292 陳瑞波 天理與仁的貫通——程顥思想研究
山東大學中國哲學專業碩士論文 2006 年 王新春指導

0293 謝寒楓 程顥哲學研究
中國社會科學院研究生院中國哲學專業博士論文 2002年 蒙培元指導

0294 張 敏 程顥「識仁」思想管見
吉林大學中國哲學專業碩士論文 2004 年 張連良指導

蜀 學

0295 熊 英 李石及其與宋代蜀學的關係
四川大學中國古代史專業碩士論文 2006 年 粟品孝指導

蘇 轍（1036－1101）

0296 鄭 婕 蘇轍經學成就研究
華東師範大學古典文獻學專業碩士論文 2004 年 王鐵指導

0297 谷 建 蘇轍學術研究——以經史之學為中心
北京大學中國古典文獻學專業博士論文 2004 年 5 月 孫欽善指導

0298 顧永新 蘇軾的古文獻學
北京大學古典文學專業碩士論文 1994 年 1 月 孫欽善指導

謝良佐（1050－1103）

0299 李根德 謝良佐《上蔡語錄》研究
北京大學中國哲學專業碩士論文 2001 年 6 月 陳來指導

鄭 樵（1102－1160）

0300 張文明 鄭樵與文獻學淺探
湖南師範大學中國古代史專業碩士論文 2004 年 李紹平指導

胡 宏（1105－1155）

0301 汪業芬 論胡宏
北京大學中國哲學史專業碩士論文 1989 年 7 月 陳來指導

0302 羅來文 胡宏哲學思想研究
南昌大學中國哲學專業碩士論文 2006 年 6 月楊柱才指導

0303 黃曉榮 胡宏心性論探微
華南師範大學馬克思主義哲學專業碩士論文 2002 年 龔雋、周熾成指導

0304 龍 飛 胡宏歷史哲學解讀
湘潭大學中國哲學專業碩士論文 2005 年 趙載光指導

0305 李春旺 胡宏教育實踐與教育思想之探析
河南大學教育史專業碩士論文 2007 年 5 月 牛夢琪指導

程大昌（1123－1195）

0306 竇余仁 論程大昌學術成就
安徽大學專門史專業碩士論文 2005 年 5 月 周懷宇指導

楊萬里（1127－1206）

0307 張玖青 楊萬里思想研究
浙江大學中國古典文獻學專業博士論文 2005 年 束景南指導

0308 郭艷華 楊萬里文學思想研究
首都師範大學中國古代文學專業博士論文 2006 年 左東嶺指導

朱 熹（1130－1200）

0309 陳 來 朱熹哲學體系及其形成和發展
北京大學中國哲學史專業博士論文 1985 年 張岱年指導
北京 中國社會科學出版社 358 頁 1988 年（中國社會科學博士論文文庫）（改名為《朱熹哲學研究》）
臺北 文津出版社 414 頁 1990 年 12 月（文史哲大系 30）（改名為《朱熹哲學研究》）
北京 中國社會科學出版社 358 頁 1993 年（改名為《朱熹哲學研究》）
上海 華東師範大學出版社 450 頁 2000 年

0310 粟品孝 朱熹與宋代蜀學
四川大學歷史學專業博士論文 胡昭儀指導
北京 高等教育出版社 209 頁 1998 年 10 月（高校文科博士文庫）

0311 趙 峰 朱熹的終極關懷

中國社會科學院研究生院中國哲學專業博士論文　1996 年 7 月　孔繁指導
上海　華東師範大學出版社　380 頁　2004 年 10 月

0312　王　健　對朱熹解釋思想的思考
中國社會科學院研究生院中國哲學專業博士論文　1992 年 7 月　余敦康指導

0313　曹海東　朱熹經典解釋學研究
華中師範大學漢語言文字學專業博士論文　2007 年 4 月　周光慶指導

0314　王　廣　「理一分殊」理念下的朱熹哲學
山東大學中國哲學專業博士論文　2005 年　王新春指導

0315　權相佑　朱熹理一分殊思想研究
中國社會科學院研究生院中國哲學專業博士論文　2003 年　余敦康指導

0316　何慶群　朱熹理欲思想研究
上海師範大學中國哲學專業碩士論文　2005 年　馬德鄰指導

0317　陶有浩　朱熹的理欲思想述評
湖南師範大學中國古代史專業碩士論文　2003 年　曹松林指導

0318　姜真碩　朱子體用論研究
北京大學中國哲學專業博士論文　2000 年 12 月　陳來指導

0319　延在欽　朱熹心論研究
北京大學中國哲學專業博士論文　2005 年 6 月　陳來指導

0320　朱光鎬　朱熹太極觀研究——以《太極圖說解》為中心
北京大學中國哲學專業博士論文　2005 年 5 月　朱伯崑指導

0321　王淑霞　聖賢——朱熹的思想政治教育目標
首都師範大學馬克思主義理論與思想政治教育專業碩士論文　2005 年　鄧球柏指導

0322　朴經勛　朱熹與李栗谷理氣觀之比較研究
吉林大學中國哲學專業碩士論文　2006 年　張連良指導

0323　毛哲山　朱熹和栗谷理氣論之比較研究
延邊大學外國哲學專業碩士論文　2003 年　金哲洙指導

0324　印宗煥　朱熹與李退溪之理氣性情論比較研究
吉林大學中國哲學專業碩士論文　2004 年　張連良指導

0325　李紅軍　朱熹與退溪的人性論之比較
延邊大學東方哲學專業碩士論文　2000 年　柳長鉉指導

0326　高會霞　朱熹仁學思想研究
河南大學中國哲學專業碩士論文　2003 年　徐儀明指導

0327　程海霞　喚醒沉睡的道德自覺——朱熹修養論研究
揚州大學教育學原理專業碩士論文　2002 年　楊千樸指導

0328　吳冬梅　朱熹的「持敬」說讀解
山東師範大學教育學原理專業碩士論文　2000 年　于述勝指導

0329　常建勇　朱熹自我教育思想探析
首都師範大學馬克思主義理論與思想專業碩士論文　2000 年　隋淑芬指導

0330　熊　瑜　朱熹倫理教化研究
四川大學中國古代史專業博士論文　2003 年　胡昭曦指導

0331　黃世福　朱熹理學與佛學之比較
安徽大學中國哲學專業碩士論文　2003 年　李霞、史向前指導

0332　閆　杰　朱熹省察思想評析
山東師範大學教育學原理專業碩士論文　2001 年　馬永慶指導

0333　宋秀清　朱熹「中和說」研究
曲阜師範大學專門史專業碩士論文　2006 年　修建軍指導

0334　袁寶宇　朱熹創作理論研究
長春理工大學漢語言文字學專業碩士論文　2005 年　董宇指導

0335　江　山　從《朱文公文集》看朱熹的管理哲學思想
華東師範大學中國古典文獻學專業碩士論文　2006 年　周瀚光指導

0336　鄭俊暉　朱熹主要音樂著述的文獻學研究——以《朱文公文集》為中心
福建師範大學音樂學專業碩士論文　2004 年　王耀華指導

0337　李　鋒　論朱熹的王道思想
吉林大學政治學理論專業碩士論文　2006 年　孫曉春指導

0338　田智忠　朱熹論「曾點氣象」研究
河北大學中國哲學專業碩士論文　2003 年　韓進軍指導

0339　田智忠　朱子論曾點氣象研究
北京師範大學中國哲學史專業博士論文　2006 年　李景林指導
成都　巴蜀書社　407 頁　2007 年 11 月（儒釋道博士論文叢書）

0340　劉佩芝　朱熹德育思想對當代大學教育的啟示
福建師範大學專門史專業碩士論文　2006 年　謝必震指導

0341　郭兆雲　朱熹閱讀教育理論述評
揚州大學課程與教學論專業碩士論文　2002 年　顧黃初指導

0342　張華冕　試論朱熹的書院教學思想
華中師範大學學科教育專業碩士論文　2003 年　張全明指導

0343　李煌明　念與天理——柏拉圖與朱熹
雲南師範大學中國哲學專業碩士論文　2001 年　伍雄武指導

0344　苗彥愷　朱熹與黑格爾倫理思想之比較
西北大學專門史專業碩士論文　2006 年　方光華指導

0345　施　輝　試論朱熹的訓詁特色及其影響
南京大學中文系碩士論文　1995 年　滕志賢指導

0346　李光西　朱熹古音研究
南京大學中文系碩士論文　2000 年　李開指導

0347　劉子瑜　《朱子語類》述補結構研究
北京大學漢語言文字學專業博士論文　2002 年 5 月　蔣紹愚指導
北京　商務印書館　401 頁　2008 年 7 月

0348　江勇仲　《朱子語類》詞彙研究
北京大學漢語言文字學專業博士論文　2006 年 6 月　蔣紹愚指導

張　栻（1133－1180）

0349　王麗梅　張栻哲學思想研究
湘潭大學中國哲學專業碩士論文　2001 年 5 月　趙載光指導

0350　蘇鉉盛　張栻哲學思想研究
北京大學中國哲學專業博士論文　2002 年 6 月　陳來指導

呂祖謙（1137－1181）

0351　楊　延　呂祖謙《呂氏家塾讀詩記》的宗毛傾向
新疆師範大學中國古代文學專業碩士論文　2006 年　張玉聲指導

陸九淵（1139－1192）

0352　邢舒緒　陸九淵研究

浙江大學中國古代史專業博士論文　2005 年　何忠禮指導
北京　人民出版社　216 頁　2008 年 10 月

0353　劉雪影　陸九淵哲學的解釋學意義
南昌大學中國哲學專業碩士論文　2005 年　楊柱才指導

0354　王新營　本心與自由——陸九淵哲學思想研究
華東師範大學中國哲學專業博士論文　2005 年　楊國榮指導

0355　葛維春　陸九淵心性論思想研究
南昌大學中國哲學專業碩士論文　2006 年　鄭曉江指導

0356　彭艷梅　陸九淵道德思想的研究
東南大學倫理學專業碩士論文　2006 年　許建良指導

楊　簡（1141－1225）

0357　徐建勇　楊簡哲學思想研究
湘潭大學中國哲學專業碩士論文　2002 年　王立新指導

葉　適（1150－1223）

0358　蔣偉勝　習學成德——葉適的外王內聖之道
復旦大學中國哲學專業博士論文　2006 年 4 月　謝遐齡指導

0359　劉燕飛　葉適思想的中和特徵
河北大學中國哲學專業碩士論文　2003 年　商聚德指導

黃　榦（1151－1221）

0360　譚柏華　黃榦思想研究
湘潭大學中國哲學專業碩士論文　2003 年　陳代湘指導

0361　池俊鎬　黃榦哲學思想研究
北京大學中國哲學專業博士論文　2000 年 12 月　陳來指導

陳　淳（1159－1223）

0362　東鴻俊　《北溪字義》與陳淳哲學思想研究
北京大學中國哲學專業碩士論文　1997 年 1 月　陳來指導

0363　朱理鴻　陳淳哲學思想研究
湘潭大學中國哲學專業碩士論文　2004 年　陳代湘指導

真德秀（1178－1235）

0364　林日波　真德秀年譜
華中師範大學中國古典文獻學專業碩士論文　2006年　張三夕指導

0365　孫先英　論朱學見證人真德秀
四川大學中國古典文獻學專業博士論文　2005年　謝謙指導
上海　上海人民出版社　342頁　2008年8月（改名為《真德秀學術思想研究》）

0366　尹業初　真德秀哲學思想研究
湘潭大學中國哲學專業碩士論文　2005年　陳代湘指導

0367　顓靜莉　真德秀政法思想研究
河北大學中國古代史專業碩士論文　2006年　郭東旭、汪聖鐸指導

（七）元代

總　論

0368　趙　琦　大蒙古國時期的儒士境遇與文化傳承
內蒙古大學蒙古史研究所博士論文　2001年6月　周清澍指導
北京　人民出版社　345頁　2004年9月（改名為《金元之際之儒士與漢文化》）

0369　廖　穎　元人諸經纂疏研究
華東師範大學古典文獻學專業碩士論文　2006年5月　王鐵指導

許　衡（1209－1281）

0370　閻秋鳳　論許衡的理學思想及其影響
鄭州大學中國古代史專業碩士論文　2006年4月　安國樓指導

王應麟（1223－1296）

0371　馬艷輝　王應麟學術研究
廣西師範大學古典文獻學專業碩士論文　2006年　杜海軍指導

0372　李小茹　王應麟《急就篇補注》及相關問題研究
西南師範大學中國古典文獻學專業碩士論文　2005年6月　蔣宗福

指導

0373 吳 漫 《困學紀聞》研究
河南師範大學歷史文獻學專業碩士論文 2003年5月 王記錄指導

吳 澄（1249－1333）

0374 方旭東 吳澄哲學思想研究
北京大學中國哲學專業博士論文 2001年6月 陳來指導
北京 人民出版社 318頁 2005年3月（改名為《尊德性與道問學——吳澄哲學思想研究》）

0375 孟凡明 吳澄的政治經歷及其思想
復旦大學中國古代史專業碩士論文 2006年5月 姚大力指導

0376 張國洪 吳澄的象數義理之學
山東大學中國哲學專業博士論文 2006年4月 劉大鈞指導

0377 孫美貞 吳澄理學思想研究
中國社會科學院研究生院中國哲學專業博士論文 2000年1月 徐遠和指導

馬端臨（1254－？）

0378 鐘向群 《文獻通考・經籍考》的文獻價值和學術價值
安徽大學歷史文獻學專業碩士論文 2006年5月 盧賢中指導

0379 柳 燕 論《文獻通考・經籍考・集部》的文學史意義
湖北大學中國古典文獻學專業碩士論文 2001年1月 張林川指導

（八）明代

通 論

0380 于化民 明中晚期理學的對峙與合流
山東大學中國古代思想史專業博士論文 1988年 楊向奎、田昌五指導
臺北 文津出版社 194頁 1993年2月（大陸地區博士論文叢刊）

0381 孫尚揚 明末天主教與儒學的交流和衝突
北京大學哲學博士論文 1991年7月 湯一介指導

臺北　文津出版社　259 頁　1992 年 2 月（大陸地區博士論文叢刊）

0382　魚宏亮　明清之際經世之學研究
北京大學中國古代史專業博士論文　2003 年 5 月　徐凱指導
北京　北京大學出版社　264 頁　2008 年 8 月（改名為《知識與救世：明清之際經世之學研究》）

宋　濂（1310－1381）

0383　陳玉東　宋濂交遊及文學思想考論
廣西師範大學中國古典文獻學專業碩士論文　2007 年　杜海軍指導

劉　基（1311－1375）

0384　陳偉華　由「仁、善」到「理、氣」──劉基民本思想研究
湖南師範大學中國哲學專業碩士論文　2007 年 6 月　徐孫銘指導

曹　端（1376－1434）

0385　鄒建安　曹端理學思想研究
南昌大學中國哲學專業碩士論文　2007 年　楊柱才指導

薛　瑄（1389－1464）

0386　李海林　薛瑄對程朱理學的體認與實踐
山西大學專門史專業碩士論文　2007 年　馬玉山指導

0387　郭　暉　薛瑄教育思想研究
廣西師範大學專門史專業碩士論文　2007 年　崔鳳春指導

丘　濬（1421－1495）

0388　方順姬　丘濬的「相業」研究
東北師範大學中國古代史專業碩士論文　2006 年 5 月　趙玉田指導

0389　李月華　《大學衍義補》中的天、君、臣、民觀
東北師範大學中國古代史專業碩士論文　2004 年 5 月　趙軼峰指導

陳獻章（1428－1500）

0390　侯　賓　陳獻章「主靜」思想研究

杭州師範學院中國哲學專業碩士論文　2005 年 4 月　陳銳指導

0391　郭春萍　陳獻章心學與詩歌的交叉研究

南京師範大學古代文學專業碩士論文　2000 年 5 月　陳書錄指導

羅欽順（1465－1547）

0392　戴隆娥　羅欽順的理欲觀

南昌大學中國哲學專業碩士論文　2007 年　鄭小江指導

0393　江　新　羅欽順理氣心性論研究

北京大學哲學專業碩士論文　2007 年　楊立華指導

0394　房秀麗　羅欽順心性哲學探微

山東大學中國哲學專業碩士論文　2002 年 5 月　王新春指導

0395　羅亮梅　羅欽順哲學思想研究

南昌大學專國哲學專業碩士論文　2005 年 5 月　李承貴指導

0396　陳小蘭　羅欽順哲學思想研究

北京大學中國哲學史專業碩士論文　1989 年 6 月　陳來指導

0397　朱露陸　羅欽順理氣哲學探微

復旦大學中國哲學專業碩士論文　2005 年 5 月　徐洪興、林宏星指導

湛若水（1466－1560）

0398　喬清舉　湛若水哲學思想研究

北京大學中國哲學史專業博士論文　1992 年　朱伯崑指導

臺北　文津出版社　284 頁　1993 年 3 月（大陸地區博士論文叢刊）

0399　虞瀟浩　湛甘泉學說中的理氣與心

復旦大學中國哲學專業碩士論文　2004 年 5 月　林宏星指導

王廷相（1474－1544）

0400　曲　巖　王廷相「氣本論」思想研究

河南大學中國哲學專業碩士論文　2005 年 5 月　徐儀明、陳廣勝指導

0401　陳宇宙　王廷相的政治哲學

湘潭大學中國哲學專業碩士論文　2004 年 5 月　王立新指導

呂　柟（1479－1542）

0402　郭　勝　呂柟哲學思想及其特色研究
陝西師範大學中國哲學專業碩士論文　2007年5月　劉學智指導

王　艮（1483－1540）

0403　吳雲霞　民本與師道的復歸——明代平民儒者王艮的思想內涵
北京語言文化大學學科教學論專業碩士論文　2001年　杜道明指導

0404　張路園　王艮思想研究
山東大學中國哲學專業博士論文　2007年3月　王新春指導

0405　王強芬　王艮哲學思想研究
湘潭大學中國哲學專業碩士論文　2005年　王立新指導

泰州學派

0406　季芳桐　泰州學派新論
南京大學歷史學專業博士論文　2000年　魏良弢指導
成都　巴蜀書社　249頁　2005年12月（儒釋道博士論文叢書）

0407　孔　軍　泰州學派與晚明儒學教育的平民化
北京師範大學教育史專業碩士論文　2006年5月　喬衛平指導

楊　慎（1488－1559）

0408　高小慧　楊慎文學思想研究
北京大學文藝學專業博士論文　2005年6月　陳熙中、盧永璘指導

0409　戚紅斌　楊慎謫滇及其對雲南文化的貢獻
雲南師範大學中國古代史專業碩士論文　2005年5月　吳寶璋指導

0410　韓小荊　楊慎小學評議
湖北大學漢語言文字學專業碩士論文　1999年　舒懷指導

0411　白建忠　《文心雕龍》楊批中的創作論研究——兼及楊評《文心雕龍》中的五色圈點
內蒙古師範大學文藝學專業碩士論文　2004年4月　王志彬指導

0412　李勤合　楊慎丹鉛諸錄研究
華中師範大學歷史文獻學專業碩士論文　2003年5月　楊昶指導

吳廷翰（1490－1559）

0413　張　勇　　論吳廷翰的氣學思想
南昌大學中國哲學專業碩士論文　2006 年 6 月　楊柱才指導

鄒守益（1491－1562）

0414　周林根　　王畿、鄒守益心學思想之比較
河南大學中國哲學專業碩士論文　2003 年 5 月　徐儀明指導

王　畿（1498－1583）

0415　彭國翔　　王龍溪的先天學及其定位
北京大學中國哲學專業碩士論文　1998 年 6 月　陳來指導

0416　彭高翔（彭國翔）　王龍溪與中晚明陽明學的展開
北京大學中國哲學史專業博士論文　2001 年 6 月　陳來指導
臺北　臺灣學生書局　712 頁　2003 年 6 月（改名為《良知學的展開：王龍溪與中晚明的陽明學》）

0417　趙麗君　　見在良知與一念之微——論王畿的心學及其對美學的影響
北京大學美學專業碩士論文　2005 年 6 月　王錦民指導

0418　盧瑞強　　王畿哲學的本體論與工夫論思想
河北大學中國哲學專業碩士論文　2003 年　盧子震指導

0419　周林根　　王畿、鄒守益心學思想之比較
河南大學中國哲學專業碩士論文　2003 年 5 月　徐儀明指導

顏　鈞（1504－1596）

0420　馬曉英　　顏鈞思想研究
中央民族大學專門史專業博士論文　2003 年　牟鐘鑒指導
銀川　寧夏人民出版社　240 頁　2007 年 12 月

0421　劉海英　　顏鈞哲學思想研究
南昌大學中國哲學專業碩士論文　2006 年 6 月　楊柱才指導

高　拱（1512－1578）

0422　陳　娟　　高拱及其著作三種考述

蘭州大學中國古典文獻學專業碩士論文　2006 年　王傳明指導

羅汝芳（1515－1588）

0423　蔡世昌　羅近溪哲學思想研究
北京大學中國哲學專業博士論文　2004 年 5 月　陳來指導

何心隱（1517－1579）

0424　劉建如　一代狂儒何心隱的思想意蘊
河北大學中國哲學專業碩士論文　2005 年 6 月　盧子震指導

0425　胡雪琴　何心隱聚和思想研究
南昌大學中國哲學專業碩士論文　2007 年 5 月　鄭小江指導

李　贄（1527－1602）

0426　高　峰　李贄人生簡論
湖南大學專門史專業碩士論文　2002 年 1 月　吳龍輝指導

0427　王寶峰　儒教社會中的獨行者：李贄儒學思想研究
西北大學專門史專業博士論文　2007 年 5 月　張豈之指導

0428　楊國平　李贄與儒佛
安徽大學中國哲學專業碩士論文　1999 年 5 月　李霞指導

0429　王　琴　李贄哲學思想研究
南開大學中國哲學專業碩士論文　2007 年 5 月　吳學國指導

0430　牛寒婷　人性的復歸——論李贄的個性解放思想
遼寧大學文藝學專業碩士論文　2004 年 5 月　崔海峰指導

0431　秦學智　李贄明德教育思想研究
北京師範大學教育學專業博士論文　2004 年 4 月　王炳照指導
北京　中國傳媒大學出版社　262 頁　2007 年 7 月（文史博士文庫）（改名為《李贄大學明德精神論》）

0432　李　濤　論李贄對歷史人物的評價：以《藏書》、《續藏書》為中心
東北師範大學史學理論及史學史專業碩士論文　2006 年 6 月　董鐵松指導

呂　坤（1536－1618）

0433　陳　卓　呂坤道論思想探析
陝西師範大學馬克思主義哲學專業碩士論文　2004 年 4 月　劉學智指導

焦　竑（1541－1620）

0434　龍曉英　焦竑研究
南京師範大學古代文學專業碩士論文　2005 年 4 月　沈新林指導

0435　劉海濱　焦竑與晚明會通思潮
復旦大學專門史專業博士論文　2005 年 4 月　朱維錚指導

0436　黃　熹　焦竑三教會通思想研究
北京大學中國哲學專業博士論文　2005 年 6 月　陳來指導

徐光啟（1562－1633）

0437　王東生　徐光啟：科學、宗教與儒學的奇異融合
山東大學科學技術哲學專業碩士論文　2007 年 4 月　馬來平指導

0438　夏淑娟　徐光啟與明末西學東漸
安徽大學專門史專業碩士論文　2004 年 5 月　湯奇學指導

0439　李紅權　徐光啟《亟遣使臣監護朝鮮》研究
內蒙古師範大學歷史文獻學專業碩士論文　2006 年 6 月　邱瑞中、曹永年指導

劉宗周（1578－1645）

0440　鄭明星　劉宗周政治思想論
湖南大學專門史專業碩士論文　2002 年 1 月　朱漢民指導

0441　張瑞濤　劉宗周歷史哲學意識探微
中國科學技術大學中國哲學專業碩士論文　2004 年 5 月　張允熠、方同義指導

0442　李　紅　劉宗周「誠意」道德論探析
河北師範大學倫理學專業碩士論文　2007 年 6 月　趙忠祥指導

毛　晉（1599－1659）

0443　侯璨敏　毛晉校刻書研究
湖南師範大學中國古典文獻學專業碩士論文　2005 年 4 月　袁慶述指導

陳子龍（1608－1647）

0444　張亭立　陳子龍研究
華東師範大學文藝學專業博士論文　2007 年 4 月　齊森華指導

0445　謝　羽　晚明江南士人群體研究——以陳子龍交遊為中心的考察
華中師範大學中國古代文學專業碩士論文　2006 年　吳琦指導

0446　張文恒　陳子龍雅正詩學精神考論
北京語言大學中國古代文學專業碩士論文　2005 年　徐江指導

方以智（1611－1671）

0447　劉元青　三教歸儒——方以智哲學思想的終極價值追求
武漢大學中國哲學專業碩士論文　2005 年　吳根友指導

0448　方書論　論方以智思想中的科學精神
蘇州大學中國哲學專業碩士論文　2007 年 4 月　蔣國保指導

0449　張世亮　方以智《東西均・三征》哲學思想研究——以「統泯隨，交輪幾」為切入點
北京師範大學中國哲學專業碩士論文　2007 年 5 月　周桂鈿指導

0450　周遠富　方以智古音學考論
南京大學中文系博士論文　2001 年　李開指導

0451　劉　娟　方以智語言學研究
山東師範大學漢語言文字學專業碩士論文　2005 年　吳慶峰指導

0452　梁　萍　評方以智《通雅》對聯綿詞的研究
遼寧師範大學漢語言文字學專業碩士論文　2006 年 5 月　王功龍指導

0453　田愿靜激　余英時的明清學術史研究——以《方以智晚節考》、《論戴震與章學誠》為例
華東師範大學史學理論與史學史專業碩士論文　2006 年 4 月　路新生指導

0454 蔡言勝 《通雅》語文學研究
安徽大學漢語言文字學專業碩士論文　2002年5月　楊應芹指導

（九）清代

總　論

0455 楊旭輝 清代今古文經學的更迭與文學嬗變
蘇州大學中國古代文學專業博士論文　2002年10月　嚴迪昌指導
南京　鳳凰出版社　337頁　2006年7月（改名為《清代經學與文學：以常州文人群體為典範的研究》）

0456 劉　奕 清代中期經學家文學思想研究
復旦大學中國古代文學專業博士論文　2007年4月　陳廣宏指導

0457 林國標 清初朱子學研究
中國人民大學中國哲學專業博士論文　2003年　宋志明指導
長沙　湖南人民出版社　287頁　2004年9月

0458 李　開 清代嘉（慶1796－1820）道（光1821－1850）經學及其哲學邏輯
中山大學中國哲學專業博士論文　2003年　賴永海指導

0459 陳　捷 清代古籍
北京大學古典文獻專業碩士論文　1988年6月　孫欽善指導

0460 鄭春汛 清末民初專科目錄研究——以經學目錄、文學目錄為中心
華東師範大學中國古典文獻學專業博士論文　2007年4月　嚴佐之指導

錢謙益（1582－1664）

0461 袁　丹 錢謙益與文獻學
武漢大學圖書館學專業碩士論文　2002年5月　曹之指導

0462 孔愛峰 錢謙益《列朝詩集》的編纂學研究
蘇州大學中國語言文學專業碩士論文　2005年1月　黃鎮偉指導

孫奇逢（1584－1675）

0463 宋宜林 孫奇逢研究：歷史地位、理學思想、學術史建樹
山西大學中國古代史專業碩士論文　2005年　趙瑞民指導

0464　趙春霞　孫奇逢的實學思想
河北大學中國哲學專業碩士論文　2001 年 6 月　盧子震指導

0465　王　堅　無聲的北方——夏峰北學及其歷史命運
華中師範大學歷史文獻學專業碩士論文　2006 年　譚漢生指導

0466　張楓林　孫奇逢《理學宗傳》研究
河南大學中國哲學史專業碩士論文　2007 年 5 月　高秀昌、耿成鵬指導

陳　確（1604－1677）

0467　呂巧英　陳確的學術思想和學術風格
河北大學中國哲學專業碩士論文　2004 年 6 月　李振綱指導

0468　陳　群　論陳確的哲學思想
南昌大學中國哲學專業碩士論文　2007 年　尹星凡指導

0469　陽　征　陳確思想研究——以《大學辨》為中心
武漢大學中國哲學專業碩士論文　2003 年 5 月　吳根友指導

黃宗羲（1610－1695）

0470　吳海蘭　經學與黃宗羲史學
北京師範大學歷史學——史學理論及史學史專業博士論文　2004 年 4 月　吳懷祺指導

0471　劉岐梅　走出中世紀——黃宗羲早期啟蒙思想研究
山東大學中國古代史專業博士論文　2005 年 5 月　晁中辰指導

0472　王俊傑　黃宗羲的學術思想史詮釋學思想
西北大學專門史專業碩士論文　2005 年 1 月　張茂澤指導

0473　張永忠　聖賢救世——黃宗羲政治哲學思想研究
復旦大學中國哲學專業博士論文　2005 年 11 月　謝遐齡指導

0474　李海兵　黃宗羲政治哲學初探
湖南師範大學中國哲學專業碩士論文　2005 年 5 月　鄧名瑛指導

0475　張繼蘭　黃宗羲政治思想研究
大連理工大學馬克思主義理論與思想政治教育專業碩士論文　2005 年 6 月　劉鴻鶴指導

0476　俞波恩　黃宗羲傳記寫作及理論之研究

浙江師範大學中國古代文學專業碩士論文　2005 年 5 月　俞樟華指導

0477　黃敦兵　《王畿學案》與黃宗羲的哲學史觀
武漢大學中國哲學專業碩士論文　2005 年 5 月　吳根友指導

0478　于　東　用唯物史觀看中國歷史上的「黃宗羲定律」
雲南師範大學馬克思主義哲學專業碩士論文　2004 年 6 月　李以國指導

0479　張永忠　從《明夷待訪錄》看黃宗羲的國家哲學思想
雲南師範大學中國哲學專業碩士論文　2002 年 7 月　王興國指導

0480　李志學　論黃宗羲反專制政治思想
遼寧師範大學中外政治思想專業碩士論文　2000 年 6 月　朱誠如指導

0481　焦玉琴　比較中的審視——試論黃宗羲與孟德斯鳩啟蒙思想之異同
中央民族大學馬克思主義哲學專業碩士論文　2004 年　趙士琳指導

顧炎武（1613－1682）

0482　陳友喬　顧炎武的人格特徵探析
湖北大學中國哲學專業碩士論文　2006 年 5 月　陳道德指導

0483　胡曉紅　顧炎武闡釋思想研究
四川師範大學文藝學專業碩士論文　2006 年 6 月　李凱指導

0484　陳　凱　論顧炎武反封建專制政治思想
遼寧師範大學中外政治思想專業碩士論文　2000 年 6 月　朱誠如指導

0485　李恕豪　論顧炎武古音學研究的貢獻及影響
復旦大學語言文字專業碩士論文　1978、1979 級　吳文祺、濮之珍指導

0486　謝艷紅　顧炎武古韻分部的方法試析
湖北大學漢語言文字學專業碩士論文　2004 年 5 月　孫玉文指導

0487　張民權　顧炎武古音學考論
南京大學中文系博士論文　1997 年　魯國堯、李開指導

0488　任利偉　從《日知錄》看顧炎武歷史編纂思想
東北師範大學史學理論及史學史專業碩士論文　2006 年 6 月　董鐵松指導

0489　李　慧　顧炎武與《天下郡國利病書》
遼寧大學中國古代史專業碩士論文　2006 年 5 月　馮季昌指導

王夫之（1619－1692）

0490　朱玉紅　王夫之的義利觀
延邊大學專門史專業碩士論文　2001年　梁韋弦、李宗勛指導

0491　卞維婭　王夫之詩歌理論研究
新疆大學文藝學專業碩士論文　2006年6月　王開元指導

0492　徐永蓮　王夫之人文主義思想研究
揚州大學教育學原理專業碩士論文　2005年5月　楊千樸指導

0493　朱志先　王夫之秦漢史論研究
華中師範大學中國古代史專業碩士論文　2005年5月　丁毅華指導

0494　安　載　王船山歷史哲學研究
北京大學中國哲學專業博士論文　1999年8月　陳來指導

0495　楊錚錚　王夫之與湖湘文化的近代轉換
中南大學中國近現代史專業碩士論文　2004年1月　熊呂茂指導

0496　李鐘武　王夫之詩學範疇研究
復旦大學中國文學批評史專業博士論文　2003年11月　顧易生指導

0497　劉小東　王夫之《莊子通》述論
湖北大學中國古典文獻學專業碩士論文　2003年5月　張林川指導

0498　李　峰　王夫之史學思想若干問題探析
河南師範大學歷史文獻學專業碩士論文　2002年6月　王記錄指導

0499　龐　飛　王夫之「興」的美學意義
陝西師範大學美學專業碩士論文　2002年4月　王磊、劉恒健指導

0500　侯小強　王夫之非議「詩史說」原因初探——兼論王夫之對明代詩學思想的整合
首都師範大學中國古代文學專業碩士論文　2002年5月　左東嶺指導

0501　何國平　王夫之詩學情景論研究
湘潭大學中國古代文學專業碩士論文　2001年4月　孟澤指導

0502　莫秀珍　王夫之的民族文化觀
湖南大學中國思想史專業碩士論文　2001年11月　章啟輝指導

0503　周　兵　天人之際的理學新詮釋——王夫之《讀四書大全說》思想研究
北京師範大學中國哲學專業博士論文　2005年3月　周桂鈿指導
成都　巴蜀書社　414頁　2006年12月（儒釋道博士論文叢書）

0504　章啟輝　王夫之的《四書》研究及其早期啟蒙思想
中國社會科學院研究生院中國古代史專業博士論文　2002 年 1 月　盧鐘鋒指導

0505　劉曉紅　王夫之人格審美分析
南開大學美學專業碩士論文　2005 年 4 月　薛富興指導

0506　余　鋼　王夫之「情景」論的美學探微
北京師範大學文藝學專業碩士論文　2005 年 5 月　李壯鷹指導

黃　生（1622－？）

0507　王　飛　黃生詩學思想初探
安徽大學中國古代文學專業碩士論文　2004 年 9 月　鮑恒指導

毛奇齡（1623－1716）

0508　薛立芳　毛奇齡《經問》研究
魯東大學專門史專業碩士論文　2005 年 5 月　程奇立指導

李　顒（1627－1705）

0509　張德偉　李顒哲學研究
北京大學中國哲學專業博士論文　1999 年 3 月　陳來指導

朱彝尊（1629－1709）

0510　雍　琦　朱彝尊年譜
復旦大學中國古典文獻學專業碩士論文　2007 年 6 月　錢振民指導

0511　佟　博　朱彝尊出仕及交遊考論
四川師範大學中國古代文學專業碩士論文　2006 年 6 月　趙曉蘭指導

0512　沈貴松　朱彝尊的金石學研究
北京師範大學中國古典文獻學專業碩士論文　2004 年 5 月　樊善國指導

0513　朱珊珊　朱彝尊《曝書亭集》的文獻學價值
山東大學中國古典文獻學專業碩士論文　2006 年 5 月　杜澤遜指導

0514　時　娜　從朱彝尊詞風的演化看順康年間文人心態
北京師範大學中國古代文學專業碩士論文　2004 年 5 月　李真瑜指導

陸隴其（1630－1692）

0515 李　強　陸隴其述論
遼寧大學史學理論及史學史專業碩士論文　2001 年 5 月　李春光指導

屈大均（1630－1696）

0516 章　玳　屈大均人格及其詩歌創作
南京師範大學古代文學專業碩士論文　2004 年 11 月　陳書錄指導

唐　甄（1630－1704）

0517 戴　峰　論唐甄的啟蒙思想與散文藝術
華中師範大學中國古代文學專業碩士論文　2001 年 1 月　譚邦和指導

顏　元（1635－1704）

0518 姜廣輝　反理學的思想家顏元
中國社會科學院研究生院中國思想專業碩士論文　1981 年　侯外廬、邱漢生指導
北京　中國社會科學出版社　258 頁　1987 年 12 月（改名為《顏李學派》）

0519 邢靖懿　批判與構建——顏元實學思想研究
河北大學中國哲學專業碩士論文　2005 年 6 月　韓進軍指導

0520 蕭君平　顏元和荻生徂徠哲學思想之比較
延邊大學外國哲學專業碩士論文　2006 年 5 月　潘暢和指導

0521 劉　靜　顏元的功利主義思想探析
湖南師範大學中國哲學專業碩士論文　2006 年 5 月　鄧名瑛指導

0522 王　瑜　顏元教育思想研究
華中師範大學學科教學・歷史專業碩士論文　2005 年 4 月　王玉德指導

0523 鄭金霞　顏元倫理思想與實踐——社會性別角度的考察
天津師範大學專門史專業碩士論文　2004 年 4 月　杜芳琴指導

0524 王　廣　重構內聖與外王——顏元習行哲學初探
山東大學中國哲學專業碩士論文　2002 年 5 月　王新春指導

0525　鄭　虋　顏元的實學教育思想與素質教育
河北師範大學基礎心理學專業碩士論文　2001 年 5 月　鄒大炎指導
0526　伍志燕　顏元與邊沁功利主義倫理思想的比較研究及現代價值
雲南大學倫理學專業碩士論文　2006 年 4 月　劉家志指導

廖　燕（1644－1705）

0527　李永賢　廖燕研究
復旦大學中國古代文學專業博士論文　2004 年 4 月　汪湧豪指導
成都　巴蜀書社　307 頁　2006 年 6 月

邵廷采（1648－1711）

0528　王　緒　邵廷采學術思想述論
遼寧大學中國古代史專業碩士論文　2004 年 5 月　李春光指導

戴名世（1653－1713）

0529　王奇峰　戴名世古文研究
鄭州大學中國古代文學專業碩士論文　2006 年 5 月　高黛英指導
0530　李　禕　戴名世散文研究
暨南大學中國古代文學專業碩士論文　2006 年　史小君指導
0531　歐陽孫琳　戴名世散文研究
華中師範大學中國古代文學專業碩士論文　2006 年 5 月　譚邦和指導

李　塨（1659－1733）

0532　甄金輝　李塨對顏元思想的繼承與發展
河北大學中國哲學專業碩士論文　2006 年　韓進軍指導

李　紱（1673－1750）

0533　楊朝亮　李紱與《陸子學譜》
中國社會科學院研究生院中國古代史專業博士論文　2003 年　陳祖武指導
北京　中國社會科學出版社　276 頁　2005 年 12 月（聊城大學博士文庫）

乾嘉學術

0534　漆永祥　試論乾嘉時期的考據學
西北師範大學歷史文獻學專業碩士論文　年 1987 年　李慶善指導

0535　漆永祥　乾嘉考據學研究
北京大學古文獻學專業博士論文　1996 年 5 月　孫欽善指導
北京　中國社會科學出版社　339 頁　1998 年（中國社會科學博士論文文庫）

0536　金玉萍　清代乾嘉新義理學研究——以「以禮代理」說為中心
復旦大學中國哲學專業碩士論文　2006 年 5 月　陳居淵指導

0537　劉　墨　乾嘉學術的知識譜系
南京師範大學文藝學專業博士論文　2003 年 4 月　劉夢溪指導

0538　王明芳　乾嘉「學者社會」研究
山東大學中國古代史專業博士論文　2003 年 4 月　王學典指導

0539　王　勇　論乾嘉時期非考據學派學者對考據學的批評
北京大學中國古典文獻學專業碩士論文　2002 年 6 月　漆永祥指導

0540　牛淑平　皖派樸學家《素問》校詁研究
安徽大學漢語言文字學專業博士論文　2003 年 6 月　黃德寬、楊應芹指導

揚州學派

0541　劉建臻　清代揚州學派經學研究
揚州大學中國古代文學專業博士論文　2003 年 5 月　田漢雲指導
南京　江蘇人民出版社　333 頁　2004 年

0542　馮　乾　揚州學派研究
南京大學中文系博士論文　2004 年　張宏生指導

江　永（1681－1762）

0543　郭建花　江永古音學考論
南京大學中文系博士論文　2004 年　李開指導

0544　張　祺　清代學者對西方天文曆法的闡釋與發揮——江永《翼梅》研究
內蒙古師範大學科學技術史專業碩士論文　2006 年 6 月　郭世榮、王

榮彬指導

陳宏謀（1696－1771）

0545 王玉辭 清代國家「非正規制約」控制的典範——陳宏謀的社會教化思想與實踐

北京師範大學中國古代史專業碩士論文 2004 年 5 月 曹大為指導

0546 侯俊雲 陳宏謀胥吏管理思想研究

廣西師範大學專門史專業碩士論文 2004 年 錢宗范指導

全祖望（1705－1755）

0547 胡 偉 《鮚埼亭集》校讀劄記

南京師範大學中國古典文獻學專業碩士論文 2006 年 3 月 陳敏傑指導

0548 呂 芹 全祖望歷史文獻學研究

北京師範大學歷史學專業碩士論文 2004 年 4 月 鄧瑞全指導

盧文弨（1717－1795）

0549 郭娟娟 盧文弨之訓詁學研究

浙江大學浙江大學專業碩士論文 2007 年 4 月 陳東輝指導

0550 陳修亮 盧文弨校勘學研究

山東大學中國古典文獻學專業碩士論文 2002 年 5 月 杜澤遜指導

0551 馮曉麗 戴震、盧文弨《方言》校勘比較研究

吉林大學歷史文獻專業碩士論文 2004 年 李無未指導

戴 震（1723－1777）

0552 靖小琴 戴震經學思想析論

湖北大學倫理學專業碩士論文 2003 年 6 月 羅熾指導

0553 李紅英 戴震治經方法考論

北京大學中國古典文獻學專業博士論文 2002 年 6 月 楊忠指導

0554 樸英美 戴震的「治學」與「明道」

北京大學中國哲學專業博士論文 2005 年 12 月 魏常海指導

0555 吳學滿 從考據學到新義理學——論戴震實學的理性精神

湘潭大學中國哲學專業碩士論文　2002 年 4 月　趙載光指導

0556　張彤磊　戴震的儒家經典詮釋學思想
西北大學專門史專業碩士論文　2005 年 1 月　張茂澤指導

0557　王智汪　論戴震的義理之學
雲南師範大學中國哲學專業碩士論文　2005 年 8 月　伍雄武指導

0558　安利麗　試論戴震的理欲觀
山西大學倫理學專業碩士論文　2005 年　趙繼明指導

0559　卓汴麗　戴東原新理學思想探微——兼論其哲學體系誕生之背景
湖南師範大學中國哲學專業碩士論文　2005 年 5 月　張懷承指導

0560　李映霞　戴震哲學思想研究
河北大學中國哲學專業碩士論文　2004 年 6 月　盧子震指導

0561　陳多旭　戴震道德哲學評析
安徽大學中國哲學專業碩士論文　2004 年 5 月　李仁群指導

0562　歐陽雪榕　戴震重知學的傳承與轉變
河南大學中國哲學專業碩士論文　2004 年 5 月　徐儀明指導

0563　王艷秋　戴震重知哲學研究
華東師範大學中國哲學專業博士論文　2003 年 5 月　陳衛平指導

0564　戴繼誠　戴震程朱理學批判研究
華南師範大學馬克思主義哲學專業碩士論文　2002 年 1 月　張尚仁指導

0565　仰和芝　戴震人學思想研究
湘潭大學中國哲學專業碩士論文　2002 年 5 月　王向清指導

0566　李燦光　戴震的人性論研究
南昌大學中國哲學專業碩士論文　2006 年 6 月　尹星凡指導

0567　周朗生　戴震倫理思想管窺
雲南師範大學中國哲學專業碩士論文　2003 年　楊志明指導

0568　周　玲　論戴震的自由精神及其意義
西南師範大學倫理學專業碩士論文　2005 年 5 月　彭自強、潘佳銘指導

0569　徐道彬　戴震考據學研究
安徽大學漢語言文字學專業博士論文　2004 年 5 月　黃德寬、楊應芹指導

合肥　安徽大學出版社　720 頁　2007 年 8 月

0570　石開玉　戴震的歷史文獻學成就初探
安徽大學歷史文獻學專業碩士論文　2004 年 5 月　王鑫義指導

0571　劉巧芝　戴震《方言疏證》同族詞研究
西南師範大學漢語言文字學專業碩士論文　2005 年 5 月　李茂康指導

0572　馮曉麗　戴震、盧文弨《方言》校勘比較研究
吉林大學歷史文獻專業碩士論文　2004 年　李無未指導

0573　徐道彬　戴震與《屈原賦注》
湖北大學中國古典文獻學專業碩士論文　2002 年 1 月　魯毅指導

0574　田愿靜激　余英時的明清學術史研究——以《方以智晚節考》、《論戴震與章學誠》為例
華東師範大學史學理論與史學史專業碩士論文　2006 年　路新生指導

紀　昀（1724－1777）

0575　陳偉文　紀昀與《四庫全書總目》的文學批評
北京師範大學中國古典文獻學專業碩士論文　2004 年 5 月　李山指導

錢大昕（1728－1804）

0576　劉琳琳　論錢大昕的歷史考據
湖北大學中國古典文獻學專業碩士論文　2004 年 5 月　郭康松指導

0577　陶玉霞　《廿二史考異》徵引文獻考
河南師範大學歷史文獻學專業碩士論文　2003 年 5 月　呂友仁指導

翁方綱（1733－1818）

0578　朱友舟　翁方綱書學思想研究
南京藝術學院書法篆刻專業碩士論文　2005 年 5 月　徐利明指導

0579　李陽洪　梁章鉅的書法題跋與翁方綱的關係
西南師範大學美術學專業碩士論文　2005 年 5 月　周永健指導

0580　欒　怡　翁方綱纂《四庫全書提要稿》研究
復旦大學中國古典文獻學專業碩士論文　2002 年 5 月　吳格指導

段玉裁（1735－1815）

0581　李　文　段玉裁古音學考論
南京大學中文系博士論文　1997 年　魯國堯、李開指導

0582　胡　翼　段玉裁字義引申說簡論
湖北大學漢語言文字學專業碩士論文　2006 年 5 月　舒懷指導

0583　劉曉暉　《說文解字系傳》對段玉裁、桂馥《說文》研究的影響舉例
陝西師範大學漢語言文字學專業碩士論文　2004 年 4 月　胡安順、王輝指導

0584　陳　霜　段玉裁在注釋《說文》部首中揭示《說文》體例述略
陝西師範大學漢語言文字學專業碩士論文　2004 年 5 月　胡安順、王輝指導

章學誠（1738－1801）

0585　何曉濤　經學與章學誠的史學
北京師範大學歷史學——史學理論及史學史專業博士論文　2004 年 5 月　吳懷祺指導

0586　張龍秋　「六經皆史」說考論
北京語言大學專門史專業碩士論文　2003 年 1 月　杜道明指導

0587　梁繼紅　章學誠學術研究
北京大學中國古典文獻學專業博士論文　2003 年 5 月　孫欽善指導

0588　曹麗娜　章學誠的明道經世史學
東北師範大學中國古代史專業碩士論文　2006 年 5 月　董鐵松指導

0589　朱梅光　章學誠文獻學成就初探
安徽大學歷史文獻學專業碩士論文　2005 年 5 月　周懷宇指導

0590　羅立軍　章學誠道學史觀研究
華南師範大學馬克思主義哲學專業碩士論文　2002 年 1 月　龔雋、陳開先指導

0591　李　安　從「真」到「通」：中國古代史學理論的體系化及其終結——以劉知幾、章學誠為中心的考察
湖南師範大學中國古代史專業碩士論文　2004 年 5 月　李紹平指導

0592　鄧偉龍　章學誠文論思想研究

湖南師範大學文藝學・古代文論專業碩士論文　2004年4月　賴力行指導

0593　杜冉冉　章學誠的文學思想
山東大學文藝學專業碩士論文　2006年5月　張義賓指導

0594　田愿靜激　余英時的明清學術史研究——以《方以智晚節考》、《論戴震與章學誠》為例
華東師範大學史學理論與史學史專業碩士論文　2006年　路新生指導

邵晉涵（1743－1796）

0595　燕朝西　邵晉涵的生平、著述及其史學成就
四川師範大學中國古代史專業碩士論文　2004年　王春淑指導

王念孫（1744－1832）

0596　郝中嶽　王念孫《詩經小學》研究
河南大學漢語言文字學專業碩士論文　2006年5月　張生漢指導

0597　弓海濤　關於王念孫俞樾《廣雅疏證》補正的比較研究
北京師範大學漢語言文字學專業碩士論文　2005年5月　崔樞華指導

0598　林清林　王念孫聲轉理論研究
北京師範大學漢語言文字學專業碩士論文　2006年5月　崔樞華指導

0599　張先坦　王念孫《讀書雜志》語法觀念研究
安徽大學漢語言文字學專業博士論文　2006年5月　白兆麟指導
成都　巴蜀書社　258頁　2007年6月（改名為《讀書雜誌詞法觀念研究》）

0600　李苑靜　王念孫《讀書雜志》校勘方法研究
西南師範大學中國古典文獻學專業碩士論文　2004年4月　蔣宗福指導

張惠言（1761－1802）

0601　董俊玨　張惠言研究
蘇州大學中國古代文學專業碩士論文　2003年　嚴明指導

0602　趙　靜　張惠言研究
四川大學中國古代文學專業碩士論文　2004年　謝謙指導

江　藩（1761－1831）

0603　王應憲　《國朝漢學師承記》研究——兼論江藩學術思想
華東師範大學史學理論與史學史專業碩士論文　2004 年　路新生指導

焦　循（1763－1820）

0604　胡　軍　焦循儒學思想研究
湖北大學倫理學專業碩士論文　2003 年 5 月　羅熾指導

阮　元（1764－1849）

0605　甘良勇　阮元《十三經注疏校勘記序》箋證
河南師範大學歷史文獻學專業碩士論文　2005 年 5 月　呂友仁指導

0606　鐘玉發　阮元學術思想研究
北京師範大學中國近現代史專業博士論文　2005 年 5 月　龔書鐸指導

0607　鄭連聰　阮元與學海堂研究
華中師範大學歷史文獻學專業碩士論文　2003 年 5 月　陳蔚松指導

0608　王新宇　阮元與金石學
首都師範大學美術學專業碩士論文　2002 年 6 月　劉守安指導

王引之（1766－1834）

0609　王　輝　從《經義述聞》看王引之的訓詁方法
陝西師範大學漢語言文字學專業碩士論文　2006 年 4 月　郭芹納指導

0610　宋彩霞　《經傳釋詞》研究
內蒙古師範大學漢語言文字學專業碩士論文　2003 年 5 月　章也指導

陳　奐（1786－1863）

0611　柳向春　陳奐交遊研究
復旦大學中國古典文獻學專業博士論文　2005 年 4 月　吳格指導

劉逢祿（1776－1829）

0612　孫運君　劉逢祿的公羊學研究
遼寧大學中國古代史專業碩士論文　2003 年 5 月　李春光指導

王　筠（1784－1854）

0613　張俊峰　王筠研究稿
鄭州大學中國文獻學專業碩士論文　2004年　俞紹初指導

0614　張玉梅　王筠漢字學思想述論
華東師範大學漢語言文字學專業博士論文　2006年　許嘉璐指導

0615　宋　平　王筠文字學研究
山東師範大學漢語言文字學專業碩士論文　2005年　吳慶峰指導

0616　安蘭朋　論王筠的《說文句讀》
河北師範大學漢語言文字學專業碩士論文　2002年　趙伯義指導

0617　郭照川　試論王筠的《說文》表意字研究
河北師範大學漢語言文字學專業碩士論文　2004年　張標指導

朱駿聲（1788－1858）

0618　宮　辰　朱駿聲《說文通訓定聲》研究
南京大學中文系碩士論文　1999年　李開、高小方指導

0619　郭常艷　朱駿聲《說文通訓定聲》對大徐本《說文》中之形聲字的改訂研究
首都師範大學漢語言文字學專業碩士論文　2005年　宋均芬指導

龔自珍（1792－1841）

0620　喬志強　龔自珍學術思想初探
西北大學中國近現代史專業碩士論文　2002年1月　陳國慶指導

0621　龍　江　龔自珍變法思想研究
西南政法大學法律史專業碩士論文　2005年4月　陳金全指導

0622　韓　軍　龔自珍的文化意識及其曲折
北京師範大學文藝學專業博士論文　2006年5月　李春青指導

0623　于　慧　詩與人為一——論龔自珍詩與人格的關係
山東師範大學中國古代文學專業碩士論文　2003年6月　裴世俊指導

魏　源（1794－1857）

0624　余　華　魏源的經世思想
湘潭大學中國哲學專業碩士論文　2000年4月　朱光甫指導

0625　章　潔　魏源經世致用的教育思想
廣西師範大學專門史專業碩士論文　2004 年　任冠文指導

0626　尹可雨　魏源與《皇朝經世文編》
江西師範大學中國近現代史專業碩士論文　2003 年 5 月　張英明指導

0627　劉長庚　魏源政治思想的邏輯
雲南大學政治學理論專業碩士論文　2001 年 5 月　金子強指導

0628　黃勇軍　外在斷裂與內在延續——傳統與現代雙重變奏視閾下的魏源與魏源政治思想研究
中國政法大學政治學理論專業碩士論文　2005 年　楊陽指導

0629　吳挺暹　試論魏源思想對晚清科技的影響
福州大學科學技術哲學專業碩士論文　2005 年　陳寶國指導

0630　陳旭東　魏源美學思想初探
北京語言大學專門史專業碩士論文　2005 年 6 月　杜道明指導

馬國翰（1794－1857）

0631　李　敏　馬國翰與《玉函山房輯佚書》
湖北大學中國古典文獻學專業碩士論文　2003 年 5 月　魯毅指導

倭　仁（1804－1871）

0632　馬秀平　從倭仁到王先謙——清代同光年間保守主義思想的典型探析
福建師範大學中國近現代史專業碩士論文　2003 年 4 月　王民、王玉華指導

鄭　珍（1806－1864）

0633　楊瑞芳　鄭珍《說文新附考》研究
首都師範大學漢語言文字學專業碩士論文　2003 年 5 月　宋均芬指導

0634　樊俊利　鄭珍《說文逸字》研究
河北師範大學漢語言文字學專業碩士論文　2005 年　馬恒君指導

羅澤南（1807－1856）

0635　符　靜　論羅澤南的學術思想
湘潭大學專門史專業碩士論文　2003 年 5 月　王繼平指導

陳　澧（1810－1882）

0636　劉　琨　陳澧《切韻考》所刪《廣韻》小韻考
陝西師範大學漢語言文字學專業碩士論文　2002 年 4 月　胡安順指導

曾國藩（1811－1872）

0637　武道房　曾國藩理學思想研究
南京大學中文系博士論文　2004 年　蔣廣學指導

0638　彭小舟　曾國藩與近代湖湘文化
河北大學中國近現代史專業碩士論文　2001 年 6 月　成曉軍指導

0639　劉鐵銘　論曾國藩治軍思想與現代國防教育
中南大學高等教育學（國防教育）專業碩士論文　2006 年 11 月　喻躍指導

0640　李　蕓　曾國藩、曾紀澤外交思想之比較研究
華東師範大學中國近現代史專業碩士論文　2006 年 5 月　易惠莉指導

0641　王艷輝　曾國藩與道咸同年間傳統文化的嬗變
遼寧師範大學專門史專業碩士論文　2005 年 5 月　喻大華指導

0642　孫　翔　曾國藩家庭倫理思想的現代價值研究
西北師範大學倫理學專業碩士論文　2005 年 5 月　陳曉龍指導

0643　周俊武　激揚家聲——曾國藩家庭倫理思想研究
湖南師範大學倫理學專業博士論文　2004 年 5 月　劉湘溶指導

0644　張亞寧　論曾國藩的家庭教育思想
曲阜師範大學專門史（思想史）專業碩士論文　2001 年 4 月　王鈞林指導

0645　蕭高華　曾國藩文化思想與中國近代化
中南大學中國近現代史專業碩士論文　2004 年 1 月　熊呂茂指導

0646　王全育　曾國藩閱讀教育思想述評
首都師範大學教育專業碩士論文　2004 年 4 月　汪龍麟指導

0647　李銘瑜　曾國藩的閱讀教育思想
首都師範大學課程與教學論・語文專業碩士論文　2006 年 5 月　饒傑騰指導

0648　宋湘綺　曾國藩官德思想及其現代啟示

中南大學倫理學專業碩士論文　2003 年 11 月　呂錫琛指導

0649　翟紅娟　曾國藩的性格特徵論——歷史心理學的解析
河北師範大學基礎心理學專業碩士論文　2001 年 5 月　鄒大炎指導

0650　劉來春　曾國藩對桐城派文論的發展
湖南師範大學文藝學專業碩士論文　2003 年 10 月　賴力行指導

郭嵩燾（1818－1891）

0651　易定軍　試論郭嵩燾詩學主張的理學實學特徵
華南師範大學中國古代文學專業碩士論文　2005 年　閔定慶指導

0652　邵　華　郭嵩燾史學思想研究
湘潭大學專門史專業碩士論文　2006 年　郭漢民指導

0653　王強山　試論郭嵩燾的政治思想
湖南師範大學歷史學科教學論專業碩士論文　2006 年 3 月　朱發建指導

0654　鄒　芬　郭嵩燾對國際法的認識及運用
湖南大學專門史專業碩士論文　2006 年 5 月　朱漢民指導

0655　孟　化　郭嵩燾的文化思想
安徽大學專門史專業碩士論文　2003 年 5 月　湯奇學指導

0656　張　靜　郭嵩燾與湖湘文化——以其五次歸隱作個案探析
華中師範大學中國近現代史專業碩士論文　2003 年 5 月　何建明指導

0657　文定旭　立足傳統、融匯中西——郭嵩燾洋務教育思想研究
華中師範大學教育管理專業碩士論文　2001 年 1 月　喻本伐指導

0658　曹素璋　試論郭嵩燾的洋務思想——以郭嵩燾「使西日記」為中心線索展開的研究
貴州師範大學中國近現代史專業碩士論文　2002 年　張新民指導

0659　熊鄉江　論郭嵩燾的文化觀
湘潭大學中國哲學專業碩士論文　2000 年 4 月　朱光甫指導

0660　衛敏麗　郭嵩燾與西方新聞媒介研究
北京師範大學新聞學專業碩士論文　2004 年 5 月　于翠玲指導

俞　樾（1821－1906）

0661　羅雄飛　俞樾的經學及其思想

北京師範大學中國近現代史專業博士論文　2002 年　史革新指導
北京　中國文史出版社　239 頁　2005 年 12 月（當代學者人文論叢第 10 輯）

0662　王有紅　俞樾傳統學術研究
西北大學中國近現代史專業碩士論文　2004 年　陳國慶指導

0663　弓海濤　關於王念孫俞樾《廣雅疏證》補正的比較研究
北京師範大學漢語言文字學專業碩士論文　2005 年 5 月　崔樞華指導

0664　馬　宇　俞樾《兒笘錄》析論
陝西師範大學漢語言文字學專業碩士論文　2005 年 4 月　胡安順、王輝指導

0665　李懷芝　對胡澍、俞樾校詁《素問》的研究
山東中醫藥大學中醫文獻專業碩士論文　2002 年 4 月　田代華指導

0666　羅寶珍　淺論俞樾、孫詒讓、于鬯對《素問》的研究
福建師範大學漢語言文字學專業碩士論文　2003 年 4 月　徐啟庭指導

王　韜（1828－1897）

0667　蕭永宏　王韜主持《循環日報》筆政史事考辨
復旦大學中國近現代史專業博士論文　2006 年 9 月　姜義華指導

0668　夏紅娣　文化認同和自我建構的兩種方式——從王韜的政論文和小說談起
華東師範大學中國古代文學專業碩士論文　2006 年 5 月　程華平指導

0669　胡曉琴　中國近代文化保守主義的發端——以馮桂芬、王韜、薛福成、馬建忠、鄭觀應為考察中心
湖北大學專門史專業碩士論文　2004 年 6 月　何曉明指導

0670　馬傳軍　「地球合一」時代的「中國」——王韜與中國現代民族國家觀念的興起
北京師範大學文藝學專業碩士論文　2004 年 5 月　王一川指導

0671　侯昂好　王韜：中國在「地球合一之天下」中的地位與作用
貴州師範大學中國近現代史專業碩士論文　2001 年　吳雁南指導

吳大澂（1835－1902）

0672　俞紹宏　《說文古籀補》研究
安徽大學漢語言文字學專業博士論文　2006 年 5 月　黃德寬指導

北京　中國社會科學出版社　232 頁　2008 年 9 月

0673　高書勤　晚清金石學視野中的吳大澂
復旦大學專門史專業碩士論文　2005 年 5 月　張榮華指導

0674　張俊嶺　吳大澂的金石研究及其書學成就
暨南大學文藝學專業碩士論文　2005 年 1 月　曹寶麟指導

戴　望（1837－1873）

0675　張　利　戴望學論
華東師範大學史學理論及史學史專業碩士論文　2006 年　路新生指導

0676　類成普　戴望學行述略
清華大學專門史專業碩士論文　2007 年　張勇指導

張之洞（1837－1909）

0677　周　翔　論張之洞的科技文化觀
廈門大學科學技術哲學專業碩士論文　2006 年 5 月　樂愛國指導

0678　楊　麗　張之洞與清末學制變遷
海南大學馬克思主義理論與思想政治教育專業碩士論文　2006 年 5 月　曹錫仁指導

0679　朱海龍　張之洞與癸卯學制
華南師範大學教育史專業碩士論文　2004 年　黃明喜指導

0680　周　娜　「中體西用」與「和魂洋才」──教育視野下張之洞與福澤諭吉西學思想之比較
河南大學教育史專業碩士論文　2006 年 5 月　李申申、趙國權指導

0681　曾帶麗　張之洞與晚清書院的改革及改制
湖南大學專門史專業碩士論文　2006 年 5 月　蕭永明指導

0682　李成增　張之洞近代教育模式研究
西安理工大學馬克思主義理論與思想政治教育專業碩士論文　2006 年　趙華朋指導

0683　童綏寶　張之洞與武漢教育近代化
華中師範大學中國近現代史專業碩士論文　2006 年 5 月　黃華文指導

0684　陳倫兵　張之洞的「中體西用」教育思想與實踐初探
華中師範大學學科教學・歷史專業碩士論文　2006 年 5 月　張全明

指導

0685 段紅智 張之洞中西文化觀研究
河北大學中國哲學專業碩士論文 2005 年 6 月 李振綱指導

0686 王志龍 一位儒臣的政治訴求——張之洞政治改革思想的嬗變
安徽大學專門史專業碩士論文 2005 年 5 月 吳春梅指導

0687 馮 菁 試論張之洞的政治法律思想
復旦大學中國法制史專業碩士論文 2000 年 6 月 葉孝信指導

0688 寧 寧 論張之洞外交思想
安徽大學專門史專業碩士論文 2005 年 5 月 湯奇學、周乾指導

0689 敖福軍 試論張之洞的外交思想
內蒙古大學中國近現代史專業碩士論文 2005 年 1 月 張鳳翔指導

0690 康永忠 清末存古學堂考述——以湖北存古學堂為重點
復旦大學專門史專業碩士論文 2005 年 5 月 張榮華指導

0691 郭書愚 清末四川存古學堂述略
四川大學中國近現代史專業碩士論文 2002 年 1 月 羅志田指導

0692 申學鋒 張之洞涉外經濟思想研究
河北師範大學中國近現代史專業碩士論文 2000 年 5 月 苑書義指導

0693 皮志強 張之洞市政建設思想與實踐
廣州大學專門史專業碩士論文 2002 年 6 月 趙春晨指導

0694 李建中 論張之洞的農商思想及其實踐
河南大學中國近現代史專業碩士論文 2005 年 5 月 張九洲指導

0695 把增強 張之洞備荒賑災思想與實踐
河北大學中國近現代史專業碩士論文 2004 年 6 月 黎仁凱指導

0696 楊 波 張之洞與近代海南島的早期開發
武漢大學中國近現代史專業碩士論文 2003 年 5 月 吳劍傑指導

0697 周孟雷 張之洞與近代反洋教運動
河南大學中國近現代史專業碩士論文 2003 年 5 月 張蓮波指導

0698 鞠北平 論張之洞與晚清國防建設
河南大學中國近現代史專業碩士論文 2003 年 5 月 張九洲指導

0699 梁 雲 張之洞與近代中國教育創新
東北師範大學中國近現代史專業碩士論文 2002 年 1 月 胡赤軍指導

0700 張力群 張之洞《勸學篇》的再研究

復旦大學專門史專業碩士論文　2001 年 6 月　朱維錚指導

楊守敬（1839－1914）

0701　鄒華清　楊守敬學術研究
華中師範大中國歷史文獻學專業博士論文　2001 年 6 月　李國祥指導

0702　郗志群　楊守敬學術研究
首都師範大學歷史學、中國古代史專業博士論文　2001 年 5 月　寧可指導

0703　方家峰　錯位與磨合——楊守敬學術生涯及其當代影響的教育學研究
西南師範大學課程與教學論專業碩士論文　2005 年 5 月　張詩亞指導

0704　閆平凡　楊守敬《漢書二十三家注鈔・應劭》校補
武漢大學中國古典文獻學專業碩士論文　2004 年 5 月　李步嘉、羅積勇指導

0705　孫亞華　楊守敬《漢書二十三家注鈔・服虔》校補
武漢大學中國古典文獻學專業碩士論文　2004 年 5 月　李步嘉、萬獻初指導

0706　徐　珮　楊守敬《漢書二十三家注鈔・孟康》校補
武漢大學中國古典文獻學專業碩士論文　2004 年 5 月　李步嘉、羅積勇指導

0707　趙際芳　楊守敬對日本書法的影響
北京師範大學美術學書法方向專業碩士論文　2006 年 5 月　倪文東指導

王先謙（1842－1917）

0708　孫玉敏　王先謙學術思想研究
北京師範大學中國近現代史專業博士論文　2005 年 4 月　史革新指導

0709　馬秀平　從倭仁到王先謙——清代同光年間保守主義思想的典型探析
福建師範大學中國近現代史專業碩士論文　2003 年 4 月　王民、王玉華指導

0710　鄒鳳禮　王先謙《詩三家義集疏》初探
南京大學中文系碩士論文　1998 年　滕志賢指導

0711　劉旭青　略論王先謙文獻整理的成就與方法

湖北大學中國古典文獻學專業碩士論文　2000年4月　魯毅指導

0712　張小蘭　論王先謙與湖南維新運動
湘潭大學專門史專業碩士論文　2006年　彭先國指導

朱一新（1846－1894）

0713　劉　鵬　清代朱一新學術思想試析
北京大學清史專業碩士論文　2003年6月　徐凱指導

孫詒讓（1848－1908）

0714　李海英　孫詒讓研究
山東大學中國古典文獻學專業博士論文　2002年5月　鄭傑文指導

0715　方向東　孫詒讓訓詁研究
南京師範大學漢語言文字學專業博士論文　2004年1月　馬景侖指導
北京　中華書局　187頁　2007年2月

0716　程邦雄　孫詒讓文字學之研究
華東師範大學漢語言文字學專業博士論文　2004年4月　李玲璞指導

0717　徐　淩　孫詒讓《劄迻》文獻校讀研究
西南師範大學中國古典文獻學專業碩士論文　2005年6月　蔣宗福指導

0718　羅寶珍　淺論俞樾、孫詒讓、于鬯對《素問》的研究
福建師範大學漢語言文字學專業碩士論文　2003年4月　徐啟庭指導

皮錫瑞（1850－1908）

0719　吳仰湘　皮錫瑞的生平和思想考述
湖南師範大學中國近代史專業博士論文　1999年　麻天祥指導

0720　吳仰湘　通精致用一代師：皮錫瑞生平和思想研究
武漢大學歷史系博士後論文　2001年　吳劍傑指導
長沙　岳麓書院　342頁　2002年1月

0721　張國華　皮錫瑞經學及其變法思想述論
西北大學中國近現代史專業碩士論文　2006年5月　陳國慶指導

沈曾植（1850－1922）

0722　許全勝　沈曾植年譜長編
華東師範大學中國古代文學專業博士論文　2004年5月　劉永翔指導
北京　中華書局　615頁　2007年8月

0723　李瑞明　雅人深致——沈曾植詩學略論稿
華東師範大學文藝學專業博士論文　2003年4月　胡曉明指導

0724　曹寧華　論沈曾植的史學
復旦大學中國近現代史專業碩士論文　2001年5月　張榮華指導

辜鴻銘（1857－1928）

0725　朱寶鋒　辜鴻銘翻譯思想研究
大連理工大學外國語言學及應用語言學專業碩士論文　2006年12月　汪榕培指導

0726　郝廣麗　從慣習與場域的角度探究[2]
蘇州大學英語語言文學專業碩士論文　2005年1月　王宏指導

0727　史玉華　怪誕背後的真——論辜鴻銘的保守主義文化觀
湘潭大學專門史專業碩士論文　2002年5月　王繼平指導

0728　曲巧艷　辜鴻銘翻譯活動初探——儒家思想對辜氏翻譯及其思想的影響
南開大學英語語言文學專業碩士論文　2005年2月　呂世生指導

0729　史　敏　論辜鴻銘文化保守主義
河北大學中國近現代史專業碩士論文　2003年　黎仁凱指導

康有為（1858－1927）

0730　房德鄰　儒學的危機與嬗變：康有為與近代儒學
北京大學中國近現代史專業博士論文　1990年　龔書鐸指導
臺北　文津出版社　271頁　1992年1月（大陸地區博士論文叢刊）

0731　鐘平艷　從激進到保守——從康有為個案分析看晚清知識分子的心路歷程
海南大學馬克思主義與思想政治教育專業碩士論文　2006年6月　曹錫仁指導

2　此文以法國社會學家皮埃爾・布迪厄提出的慣習和場域理論分析辜鴻銘其人及其所處的社會文化背景，並探討其選擇翻譯的儒家經典和使用的翻譯策略方法。

0732 單昆軍 民國時期對康有為《廣藝舟雙楫》的批評
南京師範大學美術學（書法）專業碩士論文 2006 年 5 月 常漢平指導

0733 李強華 康有為人道主義思想研究
華東師範大學中國哲學專業博士論文 2006 年 11 月 高瑞泉指導

0734 高齊天 康有為哲學本體論初探
湖南師範大學中國哲學專業碩士論文 2006 年 5 月 鄧名瑛指導

0735 張克威 康有為憲政思想研究
遼寧師範大學歷史學專門史專業碩士論文 2006 年 5 月 喻大華指導

0736 崔善鋒 康有為的變革思想
山東大學中國近現代史專業碩士論文 2005 年 5 月 張禮恒指導

0737 陳 瀟 早期空想社會主義思想及其對現代中國社會影響的研究——康有為的大同理想與莫爾的烏托邦思想之比較
海南大學馬克思主義理論與思想政治教育專業碩士論文 2005 年 5 月 趙康太指導

0738 施曉燕 戊戌維新前康有為交遊考
復旦大學中國近現代史專業碩士論文 2005 年 5 月 張榮華指導

0739 余 英 試論康有為的外交思想
湖南師範大學中國近現代史專業碩士論文 2005 年 4 月 李育民指導

0740 毛文鳳 近代儒家終極關懷研究——從康有為到熊十力
華東師範大學中國哲學專業博士論文 2004 年 11 月 高瑞泉指導

0741 白 銳 康有為近代中國政治發展觀研究
武漢大學政治學理論專業博士論文 2002 年 10 月 劉德厚指導
北京 知識產權出版社 203 頁 2009 年 1 月（改名為《尋求傳統政治的現代轉型：康有為近代中國政治發展觀研究》）

0742 李貴中 康有為、章太炎政治思想比較研究
內蒙古師範大學馬克思主義理論與思想政治教育專業碩士論文 2002 年 5 月 阿明布和指導

0743 胡珍貴 論康有為早期文化思想
安徽大學專門史專業碩士論文 2002 年 5 月 湯奇學指導

0744 范玉秋 解構與重構——論康有為的儒學改革
山東大學中國哲學專業碩士論文 2001 年 5 月 顏炳罡指導

0745 羅怡明 康有為君主思想研究——康有為君主思想的演變及探析
重慶師範大學專門史專業碩士論文 2006年4月 李禹階指導

0746 馬金華 論康有為的科學思想
山東師範大學中國近現代史專業碩士論文 2001年4月 李宏生指導

0747 宋麗艷 康有為大同思想與全球化
黑龍江大學中國哲學專業碩士論文 2003年 魏義霞指導

0748 李 喆 《大同書》與傳統儒家之關係——兼論康有為在儒學史上的地位與意義
北京大學中國哲學專業碩士論文 2005年6月 胡軍指導

0749 李演都 康有為「大同」思想研究——以《大同書》為中心
北京大學中國哲學專業博士論文 2004年12月 樓宇烈指導

0750 李赫亞 傅立葉、康有為社會烏托邦思想比較研究
中國礦業大學馬克思主義理論與思想政治教育專業碩士論文 2002年4月 張善信指導

0751 梁景松 康有為與福澤諭吉的啟蒙思想比較
延邊大學外國哲學專業碩士論文 2003年 潘暢和指導

0752 熊 雯 啟蒙時期福澤諭吉與康有為的民權思想比較——圍繞《勸學篇》與《大同書》
湖南大學日語語言文學專業碩士論文 2006年 熊沛彪指導

譚嗣同（1865－1898）

0753 劉維蘭 試論譚嗣同哲學思想的特徵
雲南師範大學中國哲學專業碩士論文 2006年5月 伍雄武指導

0754 蔣九愚 譚嗣同哲學思想研究
湘潭大學中國哲學專業碩士論文 2000年4月 朱光甫指導

0755 石新艷 譚嗣同平等思想研究
首都師範大學馬克思主義理論與思想政治教育專業碩士論文 2005年4月 隋淑芬指導

梁啟超（1873－1929）

0756 吳銘能 梁任公的古文獻思想研究初稿——以目錄學、辨偽學、清代學術史及諸子學為中心的考察

北京大學古典文獻專業博士論文　1997 年 5 月　孫欽善指導

0757　談　峰　翻譯家梁啟超研究
華中師範大學英語語言文學專業碩士論文　2006 年 4 月　華先發指導

0758　李志松　梁啟超的孔子研究述略
西北大學中國近現代史專業碩士論文　2005 年 1 月　陳國慶指導

0759　陳勇軍　仁愛之治與自由之治——孔子和梁啟超德治措施比較
江西師範大學馬克思主義理論與思想政治教育專業碩士論文　2004 年 5 月　虞文華指導

0760　朱俊瑞　梁啟超國學教育思想研究
浙江大學教育史專業博士後論文　2006 年 12 月　田正平指導

0761　陸信禮　梁啟超中國哲學史研究述論
南開大學中國哲學專業博士論文　2005 年 4 月　方克立指導

0762　梁松濤　梁啟超文獻學思想研究
河北大學漢語言文字學專業碩士論文　2005 年 6 月　時永樂指導

0763　李和山　梁啟超文獻學述論
湖北大學中國古典文獻學專業碩士論文　2004 年 5 月　魯毅指導

0764　彭樹欣　論梁啟超對文獻傳播的貢獻
蘇州大學中國古代文學專業碩士論文　2001 年 1 月　黃鎮偉指導

0765　雷　平　章太炎、梁啟超、錢穆清代學術史論的理路
湖北大學專門史專業碩士論文　2004 年 6 月　周積明指導

0766　顏　娜　梁啟超史學認識論思想初探
華中師範大學史學理論與史學史專業碩士論文　2006 年 5 月　鄧鴻光指導

0767　宋學勤　梁啟超史學新論
北京師範大學史學理論暨史學史專業博士論文　2006 年 5 月　陳其泰指導

0768　常　剛　梁啟超歷史教育思想研究
西南大學教育史專業碩士論文　2006 年 4 月　彭澤平指導

0769　安尊華　試論梁啟超的史料思想
貴州師範大學歷史文獻學專業碩士論文　2005 年 5 月　張新民指導

0770　姜　瑩　梁啟超「新史學」觀念生成論析
東北師範大學史學理論與史學史專業碩士論文　2006 年 6 月　董鐵松

指導

0771 陳　強　梁啟超民權思想研究
山東大學法律專業碩士論文　2006 年 3 月　齊延平、葛明珍指導

0772 李義發　梁啟超法律思想的演變
安徽大學專門史專業碩士論文　2006 年 5 月　湯奇學指導

0773 陶建新　一種文化的選擇——論梁啟超的法治思想
西南政法大學法理學專業碩士論文　2004 年 4 月　卓澤淵指導

0774 馮　濤　梁啟超憲政思想研究
鄭州大學法律專業碩士論文　2005 年 5 月　梁鳳榮指導

0775 杜旅軍　1898－1911：梁啟超立憲思想的萌生與轉變
西南政法大學法理學專業碩士論文　2005 年 4 月　王威指導

0776 葉百泉　梁啟超的「新民說」與福澤諭吉
武漢大學中國哲學專業碩士論文　2003 年 5 月　徐水生指導

0777 黃銀輝　晏陽初新民思想與實踐——兼與梁啟超新民思想的比較
湖南師範大學中國近現代史專業碩士論文　2006 年 4 月　鄭大華指導

0778 熊全慧　新民與新國——梁啟超新民思想研究
四川師範大學中國近現代史專業碩士論文　2005 年 6 月　彭久松指導

0779 段江波　危機・革命・重建——梁啟超論「過渡時代」的中國道德
華東師範大學中國哲學專業博士論文　2006 年 4 月　陳衛平指導

0780 董　俊　梁啟超近代國家觀形成的日本因素
東北師範大學歷史學專門史專業碩士論文　2006 年 6 月　韓東育指導

0781 耿　勵　梁啟超國民性改造思想及其現代價值
首都師範大學馬克思主義理論與思想政治教育專業碩士論文　2006 年 5 月　隋淑芬指導

0782 葉前進　梁啟超的教育現代化思想研究
華中師範大學學科教學・歷史專業碩士論文　2006 年 4 月　王玉德指導

0783 張紅霞　梁啟超家庭教育思想研究
華中師範大學學科教學・歷史專業碩士論文　2006 年 5 月　王玉德指導

0784 李　霞　梁啟超教育思想的演變
安徽大學文化史專業碩士論文　2000 年 6 月　湯奇學指導

0785　趙永進　梁啟超的學校教育思想和實踐
湖南師範大學中國近現代史專業碩士論文　2004 年 4 月　郭漢民指導

0786　許　艷　梁啟超與中國語文教育早期現代化
揚州大學課程與教學論（語文）專業碩士論文　2003 年 5 月　徐林祥指導

0787　王佳磊　梁啟超語文教育思想初探
首都師範大學教育專業碩士論文　2004 年 4 月　汪龍麟指導

0788　李琳琳　返於自然與超越歷史——盧梭與梁啟超「賢妻良母」女子教育目的觀之比較
河南大學教育史專業碩士論文　2006 年 5 月　李申申、趙國權指導

0789　傅　榮　梁啟超文學思想的大眾化取向
東北師範大學文藝學專業碩士論文　2006 年 5 月　王確指導

0790　張秋艷　梁啟超美學思想的意識形態性及對後世的影響
東北師範大學文藝學專業碩士論文　2006 年 5 月　王確指導

0791　王恩波　梁啟超「生活的藝術化」理論研究
浙江師範大學文藝學專業碩士論文　2005 年 5 月　杜衛指導

0792　焦勇勤　梁啟超美學思想研究
山東大學文藝學專業博士論文　2003 年 4 月　梁一儒指導

0793　金　雅　梁啟超美學思想述評
浙江大學文藝學專業博士論文　2003 年 10 月　王元驤指導
北京　商務印書館　356 頁　2005 年 6 月（改名為《梁啟超美學思想研究》）

0794　李　娜　從活潑的時代取得活潑的真理——梁啟超文藝思想論
上海大學中國現當代文學專業碩士論文　2002 年 12 月　哈九指導

0795　李茂民　梁啟超五四時期的新文化建設思想研究
北京師範大學文藝學專業博士論文　2004 年 4 月　李春青指導
北京　社會科學文獻出版社　373 頁　2006 年 4 月（改名為《在激進與保守之間：梁啟超五四時期的新文化思想》）

0796　賀麗娜　五四前後梁啟超張君勱文化觀比較
湖南師範大學中國近現代史專業碩士論文　2006 年 5 月　莫志斌指導

0797　曹亞明　論梁啟超對西方人文主義的誤讀及其影響
湖南師範大學中國現當代文學專業碩士論文　2005 年 4 月　宋劍華

指導

0798　劉亮紅　梁啟超文化民族主義論
湘潭大學專門史專業碩士論文　2003 年 5 月　章育良指導

0799　方旭紅　世紀之交梁啟超構建民族新文化設想
安徽大學專門史專業碩士論文　2002 年 5 月　湯奇學指導

0800　李艷紅　論梁啟超的新聞思想
湘潭大學專門史專業碩士論文　2003 年 5 月　章育良指導

0801　梁　媛　論梁啟超的新聞人才觀
湖南大學專門史專業碩士論文　2002 年 1 月　蕭永明指導

0802　蔡國兆　「群」與梁啟超新聞思想——兼論中、西思想資源對梁啟超報學體系的作用
復旦大學新聞傳播學專業碩士論文　2001 年 5 月　顏志剛指導

0803　溫　強　他被定格在歷史的交匯點上——梁啟超報刊活動及其新聞思想述評
華中師範大學新聞學專業碩士論文　2004 年 5 月　劉九洲指導

0804　傅乃芹　從《時務報》的創辦看梁啟超的新聞編輯思想與成就
河南大學新聞學專業碩士論文　2004 年 5 月　宋應離指導

0805　傅建利　論梁啟超對日譯西學的傳播——以《清議報》、《新民叢報》為中心
武漢大學中國哲學專業碩士論文　2004 年 5 月　徐水生指導

0806　王小海　試論梁啟超對西方新聞自由思想的認知與批判
武漢大學新聞學專業碩士論文　2005 年 4 月　單波指導

0807　普　進　梁啟超：近代報刊與民主啟蒙
武漢大學新聞學專業碩士論文　2005 年 4 月　周光明指導

0808　林合華　梁啟超科學觀的三期演變及其意義
武漢大學中國哲學專業碩士論文　2005 年 5 月　李維武指導

0809　朱圓滿　梁啟超早期經濟思想研究
中山大學中國近現代史專業博士後論文　2004 年 1 月　邱捷指導

0810　王　新　梁啟超貨幣金融改革思想初探
河北師範大學中國近現代史專業碩士論文　2000 年 4 月　苑書義指導

0811　朱圓滿　梁啟超產業經濟思想研究
湖南師範大學中國近現代史專業博士論文　2002 年 4 月　郭漢民指導

清末思潮

0812　鄭師渠　國粹・國學・國魂：晚清國粹派文化思想研究
北京師範大學中國近現代史專業博士論文　1991 年　龔書鐸指導
臺北　文津出版社　370 頁　1992 年 8 月（大陸地區博士論文叢刊）

0813　劉再華　晚清時期的文學與經學
復旦大學中國古代文學專業博士論文　2003 年 4 月　黃霖指導
北京　東方出版社　412 頁　2004 年 11 月（改名為《近代經學與文學》）

0814　張在興　晚清湖南經學思想述論
湘潭大學專門史專業碩士論文　2005 年 4 月　王繼平指導

0815　安樹彬　晚清樸學流變研究
西北大學中國近現代史專業碩士論文　2005 年 1 月　陳國慶指導

0816　朱淑君　咸同士風研究[3]
首都師範大學中國近現代史專業碩士論文　2006 年　魏光奇指導

（十）民國

0817　董鐵松　19 世紀：今文經學與匡世救國思潮
東北師範大學中國古代史專業博士論文　1999 年　趙毅教指導

0818　董恩強　新考據學派：學術與思想（1919－1949）
華中師範大學中國近現代史專業博士論文　2006 年 10 月　羅福惠、何建明指導

0819　王　亮　《續修四庫全書總目提要》研究
復旦大學中國古典文獻學專業博士論文　2004 年　吳格指導

唐文治（1865－1954）

0820　張晶華　唐文治學術思想研究
山東師範大學中國近現代史專業碩士論文　2006 年　魏永生指導

3　此篇論文以咸豐、同治時代今文學家戴望和他的《戴氏注論語》為基本材料作個案分析，探討咸同時代的今文經學興盛之因及當時的學社風氣。

王國維（1877－1927）

0821　陳林男　清華國學院時期王國維述論
福建師範大學中國現當代文學專業碩士論文　2006 年 9 月　鄭家建指導

周樹人（魯迅）（1881－1936）

0822　田　剛　魯迅與中國士人傳統
山東大學文學博士論文　2003 年　孔范今指導
北京　中國社會科學出版社　429 頁　2005 年 1 月（中國社會科學博士論文文庫）

0823　虞斌龍　中國知識分子道德人格研究——以魯迅為例
南京師範大學馬克思主義理論與思想政治教育專業碩士論文　2006 年 12 月　高兆明指導

0824　錢　偉　魯迅與中國古代思想和文學
復旦大學中國文學古今演變專業博士論文　2006 年 4 月　章培恒指導

0825　喬　潔　魯迅翻譯思想轉變之文化探索
山西大學英語語言文學專業碩士論文　2006 年 6 月　紀墨芳指導

0826　李　亮　論魯迅與鄉邦文獻——關於魯迅治學起點的探究
青島大學中國現當代文學專業碩士論文　2006 年 6 月　張傑、魏韶華指導

0827　李雲濤　論多重身份的馮雪峰與魯迅的關係
青島大學中國現當代文學專業碩士論文　2006 年 6 月　黃喬生、魏韶華指導

0828　李紅玲　魯迅形象的演變——以魯迅傳記為中心
青島大學中國現當代文學專業碩士論文　2006 年 6 月　魏韶華指導

0829　李生濱　晚清思想文化與魯迅——關於魯迅思想文化個性的考察
復旦大學中國現當代文學專業博士論文　2005 年 4 月　朱文華指導

0830　劉　霞　文化傳播視野中的魯迅編輯出版思想與實踐
湖南師範大學新聞學專業碩士論文　2005 年 4 月　羅靈山指導

0831　張九波　論作為教育家的魯迅
天津師範大學中國現當代文學專業碩士論文　2004 年 4 月　王國綬

指導

0832　于九濤　魯迅與孔子思想比較研究
遼寧師範大學中國現當代文學專業碩士論文　2002 年 6 月　王吉鵬指導

0833　朱　嫣　魯迅與夏目漱石
西南師範大學中國現當代文學專業碩士論文　2001 年 4 月　王本朝指導

0834　陳秀雲　論魯迅的人生哲學
遼寧師範大學中國現當代文學專業碩士論文　1999 年 6 月　王吉鵬指導

0835　阮和平　魯迅研究在越南
北京師範大學中國現當代文學專業碩士論文　2004 年 5 月　黃開發指導

劉師培（1884－1919）

0836　郭院林　劉師培年譜
南京大學中文系碩士論文　2004 年　徐有富指導

0837　劉聯鋒　試論劉師培的多變
華中師範大學中國近現代史專業碩士論文　2006 年 6 月　黃華文指導

0838　趙慶雲　試論劉師培早期的民族主義思想
湖南師範大學中國近現代史專業碩士論文　2005 年 4 月　饒懷民指導

0839　王如晨　劉師培語言學成就論衡
復旦大學漢語史專業碩士論文　2000 年 6 月　楊劍橋指導

0840　王　威　嬗變與重構中的傳承——劉師培的文化哲學
南開大學中國哲學專業博士論文　2005 年 4 月　韓強指導

楊樹達（1885－1956）

0841　黃　青　楊樹達先生語源學研究的成就
湖南師範大學漢語言文字學專業碩士論文　2006 年 10 月　陳建初指導

0842　卞仁海　楊樹達訓詁研究
暨南大學漢語言文字學專業博士論文　2007 年 4 月　王彥坤指導

熊十力（1885－1968）

0843　李繼民　早期現代新儒家直覺思想探析——以梁漱溟、馮友蘭、熊十力、賀麟為例
南昌大學中國哲學專業碩士論文　2006年7月　楊雪騁指導

0844　謝恩廷　熊十力哲學研究
河北大學中國哲學專業碩士論文　2001年6月　李振綱指導

0845　郭美華　熊十力本體論哲學研究
華東師範大學中國哲學史專業博士論文　2003年5月　楊國榮指導
成都　巴蜀書社　277頁　2004年11月

0846　楊　勇　以儒攝佛，援佛入儒——熊十力以心學對唯識學的改造和融攝
雲南師範大學中國哲學專業碩士論文　2004年6月　王興國指導

0847　毛文鳳　近代儒家終極關懷研究——從康有為到熊十力
華東師範大學中國哲學專業博士論文　2004年11月　高瑞泉指導

0848　孟令兵　圓融無礙的生生之美——論熊十力的佛學思想及其詩性精神
復旦大學中國哲學專業博士論文　2004年11月　潘富恩、王雷泉指導

0849　劉連朋　在佛學與哲學之間——熊十力與牟宗三哲學方法論研究
南開大學中國哲學專業博士論文　2006年　方克立指導

黃　侃（1886－1935）

0850　喬　永　黃侃古音學考論
南京大學中文系博士論文　2004年　李開指導

0851　沙志利　論黃侃的語源學研究
山東大學中國古典文獻學專業碩士論文　2002年5月　劉曉東指導

0852　韓　琳　黃侃字詞關係研究
北京師範大學漢語言文字學專業博士論文　2005年5月　李運富指導
北京　中央民族大學出版社　338頁　2007年8月（《黃侃手批《說文解字》字詞關係研究》）

0853　趙　慧　黃侃對中國訓詁學理論的傳承與發展
遼寧師範大學漢語言文字學專業碩士論文　2007年　于志培指導

錢玄同（1887－1939）

0854 劉貴福 錢玄同思想研究
中國社會科學院研究生院中國近現代史專業博士論文 2000 年 1 月 楊天石指導

杜國庠（1889－1961）

0855 周柏紅 杜國庠邏輯思想述評
北京師範大學邏輯學專業碩士論文 2006 年 5 月 董志鐵指導

胡 適（1891－1962）

0856 顧小燕 翻譯家胡適研究
華中師範大學英語語言文學專業碩士論文 2004 年 4 月 李亞丹指導

0857 余 敏 胡適思想矛盾的表現與解讀
湘潭大學專門史專業碩士論文 2004 年 5 月 彭先國指導

0858 汪廣松 關於胡適傳記的研究
復旦大學中國現當代文學專業碩士論文 2004 年 4 月 朱文華指導

0859 崔昆侖 胡適歷史觀研究
廣西師範大學中國近現代史專業碩士論文 2002 年 1 月 譚肇毅指導

0860 黃家安 胡適文獻整理思想研究
廣西師範大學中國近現代史專業碩士論文 2000 年 1 月 張家璠指導

范文瀾（1893－1969）

0861 林國華 范文瀾與中國馬克思主義史學
山東大學中國古代史專業碩士論文 2007 年 5 月 王學典指導

顧頡剛（1893－1980）

0862 倪平英 相似外表下的不同內核——白鳥庫吉與顧頡剛就「堯、舜、禹」問題研究比較
華東師範大學中國古代文學專業碩士論文 2006 年 5 月 林在勇指導

0863 黃正術 重新審視顧頡剛的古史「層累說」
蘇州大學專門史專業碩士論文 2004 年 4 月 葉林生指導

0864　唐建軍　論顧頡剛的疑古史觀及其對現代史學的貢獻
山東大學中國近現代史專業碩士論文　2003 年 10 月　呂偉俊指導

0865　李揚眉　胡適、顧頡剛、傅斯年之關係管窺——以顧頡剛日記書信為中心的探討
山東大學史學理論及史學史專業碩士論文　2002 年 5 月　王學典指導

0866　彭國良　顧頡剛史學思想的認識論解析
山東大學中國古代史專業博士論文　2007 年 5 月　王學典指導

梁漱溟（1893－1988）

0867　李繼民　早期現代新儒家直覺思想探析——以梁漱溟、馮友蘭、熊十力、賀麟為例
南昌大學中國哲學專業碩士論文　2006 年 7 月　楊雪騁指導

0868　張興明　梁漱溟儒學之思探微
北京大學中國馬克思主義哲學專業碩士論文　2001 年 6 月　郭建寧指導

0869　宋亞飛　論梁漱溟保守主義思想的個性特徵
蘇州大學中國哲學專業碩士論文　2005 年 1 月　周可真指導

0870　葉小華　論梁漱溟的政治哲學思想與實踐
南昌大學中國哲學專業碩士論文　2005 年 6 月　楊雪騁指導

0871　曹駿揚　在「個人本位」與「社會本位」間探索「第三條道路」——論梁漱溟「關係本位」的群己觀
華東師範大學中國哲學專業碩士論文　2005 年 5 月　顧紅亮指導

0872　邵長虎　梁漱溟思想與中國傳統文化的現代轉換
華僑大學馬克思主義哲學專業碩士論文　2004 年 4 月　黃海德指導

0873　祝　薇　晚年梁漱溟與馬克思主義哲學
武漢大學中國哲學專業碩士論文　2003 年 5 月　李維武指導

0874　謝潔瑕　論梁漱溟的文化思想與哲學
華中科技大學馬克思主義哲學專業碩士論文　2002 年 1 月　王炯華指導

馮友蘭（1895－1992）

0875　藤井隆　馮友蘭（新理學）的基本概念及其結構的考察

北京大學中國哲學專業碩士論文　1999年3月　陳來、許抗生指導

0876　李秀妮　馮友蘭孔子研究初探
雲南師範大學中國哲學專業碩士論文　2006年7月　雷昀指導

0877　陳　珊　馮友蘭哲學思想的唯物主義傾向探析
山東大學史學理論及史學史專業碩士論文　2006年4月　王學典指導

0878　李繼民　早期現代新儒家直覺思想探析——以梁漱溟、馮友蘭、熊十力、賀麟為例
南昌大學中國哲學專業碩士論文　2006年7月　楊雪騁指導

0879　張克政　馮友蘭人生境界說之倫理學分析
西北師範大學倫理學專業碩士論文　2006年5月　范鵬指導

0880　袁錫宏　馮友蘭人生哲學研究
河北大學中國哲學專業碩士論文　2005年6月　程志華指導

0881　劉因燦　闡舊邦以輔新命　極高明而道中庸——馮友蘭文化哲學新論
湖北大學中國哲學專業碩士論文　2005年5月　陳道德指導

0882　秦海珍　馮友蘭道德修養思想研究
中南大學哲學、倫理學專業碩士論文　2004年12月　呂錫琛指導

0883　畢文勝　「抽象繼承法」研究批判[4]
雲南師範大學中國哲學專業碩士論文　2004年6月　王興國指導

0884　闞紅艷　論馮友蘭「新理學」的哲學思想
安徽大學中國哲學專業碩士論文　2004年5月　鄭明珍指導

0885　陳元桂　馮友蘭新理學的「理」範疇研究
湘潭大學中國哲學專業碩士論文　2003年5月　趙載光指導

0886　劉東超　生命的層級：馮友蘭人生境界說研究
中國社會科學院研究生院中國哲學專業博士論文　1997年7月　方克力、牟鐘鑒、錢遜指導
成都　巴蜀書社　317頁　2002年10月（儒釋道博士論文叢書）

0887　周　軍　一位儒家學者眼中的莊子哲學——評馮友蘭《中國哲學史》(兩卷本)
安徽大學中國哲學專業碩士論文　2001年6月　李霞、李仁群指導

0888　楊淑敏　馮友蘭文化類型說述評

4　此文為討論馮友蘭的中國哲學史研究法「抽象繼承法」。

河北大學中國哲學專業碩士論文　2000 年 6 月　王永祥指導

0889　馬亞男　論馮友蘭的人倫學說
黑龍江大學中國哲學專業碩士論文　2002 年 1 月　柴文華指導

劉咸炘（1896－1932）

0890　周　鼎　「取釜鐵於陶冶」：劉咸炘文化思想研究
四川大學中國近現代史專業博士論文　2007 年　陳廷湘指導
成都　巴蜀書社　433 頁　2008 年 1 月（改名為《劉咸炘學術思想研究》）

傅斯年（1896－1950）

0891　李揚眉　胡適、顧頡剛、傅斯年之關係管窺——以顧頡剛日記書信為中心的探討
山東大學史學理論及史學史專業碩士論文　2002 年 5 月　王學典指導

0892　王鳳青　傅斯年與中國傳統文化
山東師範大學中國近現代史專業專業碩士論文　2002 年　田海林指導

于省吾（1896－1984）

0893　包詩林　于省吾《新證》訓詁研究
安徽大學漢語言文字學專業博士論文　2007 年　白兆麟指導

鄭振鐸（1898－1958）

0894　劉燕霞　談鄭振鐸對中國古典文獻學的貢獻
山東大學中國古典文獻學專業碩士論文　2006 年 5 月　劉曉東指導

0895　李冰燕　鄭振鐸文獻學思想研究
河北大學漢語言文字學專業碩士論文　2006 年　時永樂指導

0896　葉惠萍　翻譯家鄭振鐸研究
華中師範大學英語語言文學專業碩士論文　2005 年 4 月　陳宏薇指導

0897　焦　晗　鄭振鐸編輯出版思想研究
北京師範大學新聞學・編輯出版專業碩士論文　2005 年 5 月　李桂福指導

朱自清（1898－1948）

0898　高　偉　朱自清《詩言志辨》研究
山東大學文藝學專業碩士論文　2006 年 4 月　程相占指導

0899　朱　雯　腴厚之美　平淡呈現——朱自清論
曲阜師範大學中國現當代文學專業碩士論文　2006 年 4 月　卜召林指導

聞一多（1899－1946）

0900　楊天保　聞一多與古典文獻研究
廣西師範大學中國近現代史專業碩士論文　2000 年 1 月　張家璠、龐祖喜、任冠文指導

朱謙之（1899－1972）

0901　張國義　朱謙之學術研究
華東師範大學史學理論及史學史專業博士論文　2004 年 5 月　盛邦和指導

唐　蘭（1901－1979）

0902　孫英梅　唐蘭先生文字學理論研究
曲阜師範大學漢語言文字學專業碩士論文　2006 年 4 月　闞景忠指導

0903　婁　博　唐蘭之甲骨文研究
河北師範大學漢語言文字學專業碩士論文　2006 年　鄭振峰指導

潘景鄭（1907－？）

0904　李　鵬　潘景鄭文獻活動研究
東北師範大學中國古典文獻學專業碩士論文　2007 年　曹書杰指導

童書業（1908－1968）

0905　夏紅俠　童書業史學研究
華東師範大學中國古代史專業碩士論文　2007 年 5 月　張耕華指導

張岱年（1909－2004）

0906 楊　峰　張岱年文化觀及其評析
華東師範大學馬克思主義理論專業碩士論文　2006 年 4 月　鄭憶石指導

0907 李國明　張岱年文化綜合創新論研究
河北大學中國哲學專業碩士論文　2005 年 6 月　程志華指導

0908 劉靜芳　綜合創造的哲學與哲學的綜合創造——張岱年《天人五論》研究
華東師範大學中國哲學專業博士論文　2005 年 4 月　陳衛平指導

0909 劉軍平　張岱年哲學思想研究
武漢大學中國哲學專業博士論文　2005 年 4 月　郭齊勇指導
北京　人民出版社　558 頁　2007 年 11 月（改名為《傳統的守望者：張岱年哲學思想研究》）

0910 湯海艷　張岱年「文化綜合創新論」初探
蘇州大學馬克思主義哲學專業碩士論文　2003 年 1 月　周可真指導

陳夢家（1911－1966）

0911 王俊義　論新月詩人陳夢家
內蒙古師範大學中國現當代文學專業碩士論文　2004 年 4 月　傅中丁指導

張舜徽（1911－1992）

0912 劉筱紅　張舜徽與清代學術史研究
華中師範大學文獻學專業博士論文　2000 年　熊鐵基指導
武昌　華中師範大學出版社　279 頁　2001 年 10 月（博士論文庫）

0913 王慧東　論張舜徽的文獻學學科理論與方法
安徽大學歷史文獻學專業碩士論文　2007 年　周懷宇指導

0914 李華斌　張舜徽與《廣校讎略》
湖北大學中國古典文獻學專業碩士論文　2006 年 5 月　魯毅指導

0915 王　波　張舜徽《說文解字約注》綜論
寧夏大學漢語言文字學專業碩士論文　2004 年　劉世俊、馮玉濤指導

0916 饒延俊　張舜徽的治學方法對當前中學歷史教育的啟示

華中師範大學學科教學·歷史專業碩士論文 2006 年 5 月 黃華文指導

周秉鈞（1916－1993）

0917 周 媛 論周秉鈞先生的學術生涯及成就
湖南師範大學漢語言文字學專業碩士論文 2006 年 3 月 陳建初指導

（十一）臺灣

陳大齊（1887－1983）

0918 冀倩如 陳大齊的孔孟荀哲學思想研究
武漢大學中國哲學專業碩士論文 2007 年 郭齊勇指導

錢 穆（1895－1990）

0919 羅 驥 錢穆「士」思想研究
湘潭大學中國哲學專業碩士論文 2006 年 劉啟良指導

0920 徐國利 錢穆史學思想研究
中國社會科學院研究生院中國近現代史專業博士論文 2000 年 1 月 蔣大椿指導
臺北 臺灣商務印書館 360 頁 2004 年 2 月

0921 胡金榮 論錢穆的人生哲學思想
南昌大學倫理學專業碩士論文 2006 年 5 月 詹世友、徐福來指導

0922 翁旻玥 即彼顯我——從錢穆對西方文學的解讀看其文學觀
華東師範大學文藝學專業碩士論文 2006 年 4 月 胡曉明指導

0923 雷 平 章太炎、梁啟超、錢穆清代學術史論的理路
湖北大學專門史專業碩士論文 2004 年 6 月 周積明指導

0924 顧春梅 錢穆與抗戰時期的文化民族主義思潮
上海大學專門史專業碩士論文 2004 年 5 月 陳勇指導

0925 芮宏明 錢穆文學研究述略
華東師範大學文藝學專業博士論文 2004 年 4 月 胡曉明指導

0926 何方昱 錢穆教育思想初探
新疆大學中國近現代史專業碩士論文 2003 年 莊鴻鑄指導

0927　白紅兵　「一生為故國招魂」——錢穆「文化文學觀」研究
北京師範大學文藝學專業碩士論文　2005 年 5 月　劉謙指導

方東美（1899－1977）

0928　朱　紅　方東美生命哲學評述
吉林大學中國哲學專業碩士論文　2007 年　劉連朋指導

0929　羅衛平　超越的真實——論方東美的人生哲學
湘潭大學中國哲學專業碩士論文　2002 年 5 月　劉啟良指導

0930　俞成義　方東美華嚴思想初探
安徽大學中國哲學專業碩士論文　2003 年 5 月　李霞、史向前指導

蘇雪林（1900－1999）

0931　孫慶鶴　蘇雪林論
上海師範大學中國現當代文學專業碩士論文　2004 年 4 月　楊劍龍指導

0932　王衛平　蘇雪林的思想與創作
中央民族大學中國少數民族語言文學專業碩士論文　2004 年　白薇指導

0933　淩　霞　蘇雪林文學道路述評
南京師範大學文藝學專業碩士論文　2004 年 4 月　朱崇才指導

0934　朱　娟　論二十年代女作家創作中的自傳性——從盧隱、蘇雪林、石評梅談起
揚州大學中國現當代文學專業碩士論文　2004 年 5 月　徐德明指導

徐復觀（1903－1982）

0935　柳聞鶯　現代性與儒家心性之學——徐復觀新儒學探析
黑龍江大學中國哲學專業碩士論文　2004 年　樊志輝指導

0936　李　薇　徐復觀莊子思想儒家化傾向研究
華東師範大學文藝學專業碩士論文　2006 年 5 月　胡曉明指導

0937　法　帥　試述徐復觀先生的歷史觀思想
曲阜師範大學專門史專業碩士論文　2006 年 4 月　苗潤田指導

0938　張晚林　徐復觀藝術詮釋體系研究
武漢大學中國哲學專業博士論文　2005 年 5 月　李維武指導

上海　上海古籍出版社　409頁　2007年9月

0939　劉建平　莊子精神與現代藝術——徐復觀藝術思想論
武漢大學哲學、美學專業碩士論文　2004年5月　鄒元江指導

0940　王守雪　心的文學——徐復觀與中國文學思想經脈的疏通
華東師範大學文藝學專業博士論文　2004年4月　胡曉明指導
鄭州　鄭州大學出版社　238頁　2005年9月（改名為《人心與文學：錢復觀文學思想研究》）

0941　孫文婷　論徐復觀「為人生而藝術」的文藝思想
山東師範大學文藝學專業碩士論文　2006年　楊守森指導

0942　劉金鵬　徐復觀民族國家思想研究
武漢大學中國哲學專業碩士論文　2003年5月　李維武指導

0943　蔣連華　徐復觀思想研究——學術與政治之間
華東師範大學史學理論與史學史專業博士論文　2001年7月　盛邦和指導
上海　上海三聯書店　179頁　2006年2月（改名為《學術與政治：徐復觀思想研究》）

0944　耿　波　自由之遠與藝術世界的價值根源——徐復觀藝術思想的擴展研究
北京師範大學文藝學專業博士論文　2005年5月　童慶炳指導
北京　中國傳媒大學出版社　355頁　2007年7月（改名為《徐復觀心性與藝術思想研究》）

0945　黃富雄　心之文——徐復觀所謂「中國藝術精神的主體」之內在紋理
北京師範大學文藝學專業碩士論文　2004年5月　李春青指導

0946　劉毅青　徐復觀解釋學思想研究
浙江大學文藝學專業博士論文　2006年5月　王元驤指導

屈萬里（1907－1979）

0947　馮慶東　屈萬里研究
山東師範大學中國近現代史專業碩士論文　2004年　田海林指導

牟宗三（1909－1995）

0948　楊　勇　天道性命相貫通——論牟宗三對張載哲學思想的研究
雲南師範大學中國哲學專業碩士論文　2006年5月　李廣良指導

0949　杜　霞　儒家良知論問題——評牟宗三「良知坎陷」說
四川大學中國哲學專業碩士論文　2005年　黃玉順指導

0950　王興國　從邏輯思辯到哲學架構——牟宗三哲學思想進路[5]
南開大學中國哲學專業博士論文　2000年　方克立指導
北京　光明日報出版社　210頁　2006年8月
北京　人民出版社　832頁　2007年2月

0951　朱曉明　牟宗三論現象與物自身
吉林大學中國哲學專業碩士論文　2006年　劉連朋指導

0952　郭榮麗　中西哲學會通的中介與道德形上學建構的基石——牟宗三「智的直覺」理論疏析
黑龍江大學中國哲學專業碩士論文　2003年　樊志輝指導

0953　張本江　牟宗三「良知自我坎陷開出科學說」探論
湖南師範大學中國哲學專業碩士論文　2006年5月　王澤應指導

0954　焦自軍　牟宗三道德形上學研究
湘潭大學中國哲學專業碩士論文　2004年5月　王立新指導

0955　陳迎年　感應與心物——牟宗三研究
復旦大學中國哲學專業博士論文　2003年4月　潘富恩指導
上海　上海三聯書店　559頁　2005年11月（改名為《感應與心物：牟宗三哲學批判》）

0956　張健捷　牟宗三哲學中「智的直覺」與儒家的道德形上學
山東大學中國哲學專業碩士論文　2003年4月　顏炳罡指導

0957　閔仕君　牟宗三「道德的形而上學」研究
華東師範大學中國哲學專業博士論文　2003年4月　楊國榮指導
成都　巴蜀書社　261頁　2005年12月（儒釋道博士論文叢書）

0958　殷小勇　論牟宗三融通中西哲學的理論與成果
復旦大學中國哲學專業碩士論文　1998年11月　施忠連指導

0959　武立波　牟宗三心學困境與道德重建的反思
哈爾濱工業大學馬克思主義哲學專業碩士論文　2004年6月　徐惠茹

5　此論文原有六十萬字，提交論文答辯時，僅提出部分內容，北京光明日報出版社出版者，為答辯時未提出之部分，書名作《契接中西哲學之主流——牟宗三哲學思想淵源探要》（2006年8月）。作者又將答辯時提出之部分，加首尾二章，交人民出版社出版，書名作《牟宗三哲學思想研究：從邏輯思辨到哲學架構》（2007年2月）。

指導

0960　劉連朋　在佛學與哲學之間——熊十力與牟宗三哲學方法論研究
南開大學中國哲學專業博士論文　2006 年　方克立指導

0961　陶　悅　道德形而上學——牟宗三與康德之間
黑龍江大學中國哲學專業博士論文　2006 年　柴文華指導

王叔岷（1914－）

0962　吳小玲　王叔岷《莊子校釋》訂補稿
華東師範大學古典文學專業碩士論文　2006 年 4 月　方勇指導

周　易

一、通論

0963　陳仁仁　上海博物館藏戰國楚竹書《周易》研究——兼論早期易學相關問題
武漢大學中國哲學專業博士論文　2005 年 5 月　蕭漢明指導

0964　韓　軍　上海博物館藏戰國楚竹書《易經》異文研究
山東大學漢語史專業碩士論文　2006 年 5 月　徐超指導

0965　呂書寶　滿眼風物入卜書
東北師範大學中國古代文學專業博士論文　2003 年 4 月　李炳海指導

帛書周易

0966　邢　文　帛書《周易》與古代學術
中國社會科學院研究生院歷史文獻學專業博士論文　1996 年 7 月　李學勤指導
北京　人民出版社　1997 年 11 月、1998 年 12 月（改名為《帛書周易研究》）

0967　張麗華　帛書易傳的解易特色
北京大學哲學專業碩士論文　2001 年 6 月　陳來指導

0968　庾濰誠　馬王堆帛書《易傳》所反映出的孔子思想
吉林大學中國古代史專業碩士論文　呂紹剛指導

0969　張克賓　帛書《易傳》詮釋理路論要
山東大學中國哲學專業碩士論文　2007 年　劉保貞指導

0970　劉　震　帛書《易傳》卦爻辭研究
山東大學中國哲學專業博士論文　2007 年　蒙培元指導

目　錄

0971　戴和冰　《漢書・藝文志》至《宋史・藝文志》易類書目研究
中國科學院文獻情報中心圖書館學專業碩士論文　2001 年 1 月　羅琳指導

二、易古經研究

0972　趙榮波　卦主說探微
山東大學中國哲學碩士論文　2003 年 4 月　劉玉建指導

0973　孫熙國　周易古經與諸子之學
山東大學中國哲學專業博士論文　2003 年 4 月　傅有德、劉大鈞指導

卦　畫

0974　陳亞軍　通行本《易經》卦畫卦形問題研究史略
北京大學中國哲學專業博士論文　1993 年　朱伯崑指導

卦　序

0975　李尚信　今、帛、竹書《周易》卦序研究
山東大學中國哲學專業博士論文　2007 年 4 月　劉大鈞指導

0976　陳壯維　「方陣」卦序的構擬及《周易》初始形態研究
吉林大學歷史文獻學專業博士論文　2007 年 10 月　呂文鬱指導

三、易傳研究

0977　張汝金　解經與弘道——《易傳》之形上學研究
山東大學中國哲學專業博士論文　2007 年　顏炳罡指導
濟南　齊魯書社　338 頁　2007 年 11 月（文史哲博士文叢）

0978　曾國倫　《易傳》中「君子」觀念的研究
中山大學哲學專業碩士論文　2004 年 6 月　張永義指導

0979 孫業成 《易傳》的天人觀
南京大學中國哲學專業碩士論文 2004年5月 徐小躍指導

0980 張 巍 《易傳》人文教化思想研究
山東大學馬克思主義理論與思想政治教育專業碩士論文 2006年4月 孫熙國指導

0981 林 萍 《易傳》在中華民族精神塑造中的地位和作用
山東大學馬克思主義理論與思想政治教育專業碩士論文 2005年4月 孫熙國指導

0982 陶維彬 論《周易》之象
遼寧大學文藝學專業碩士論文 2001年5月 王向峰指導

0983 曾海軍 易道的神明與幽微——《周易・繫辭》解釋史研究
中山大學哲學專業博士論文 2007年6月 陳少明指導

0984 陳建仁 周易文言傳研究
福建師範大學中國古代文學專業碩士論文 2007年4月 張善文指導

四、注譯

0985 王若維 理雅各英譯《周易》研究
華中師範大學英語語言文學專業碩士論文 1998年7月 華先發指導

0986 鄭和明 理雅各、貝恩斯英譯《周易》比較研究
福建師範大學英語語言文學專業碩士論文 2006年4月 岳峰指導

五、語言文字研究

0987 劉元春 馬王堆帛書《周易》本經通假字研究
復旦大學漢語言文字學專業碩士論文 2006年5月 吳金華指導

0988 張瑞芳 《易經》動詞配價研究
內蒙古師範大學漢語言文字學專業碩士論文 2005年6月 章也指導

0989 任曉彤 《易經》虛詞研究
內蒙古師範大學漢語言文字學專業碩士論文 2004年4月 章也指導

0990 劉 旭 《易經》詞法初探
內蒙古師範大學漢語言文字學專業碩士論文 2004年4月 章也指導

0991 陳 燦 《漢語大字典》釋義引《周易》書證研究
湖南師範大學漢語言文字學專業碩士論文 2006年4月 趙振興指導

0992 劉 青 《易經》心理類詞研究
復旦大學漢語言文字學專業博士論文 2002年 胡奇光指導
昆明 雲南人民出版社 146頁 2006年12月

六、占筮

0993 汪顯超 古易筮法研究
中山大學中國哲學專業博士論文 2000年6月 馮達文指導

0994 王永平 先秦的卜筮與《周易》研究
吉林大學中國古代史專業博士論文 2007年12月 陳恩林指導

七、分類研究

與其他經書比較

0995 賈軍仕 《周易》、《尚書》思想比較研究
汕頭大學中國古代文學專業碩士論文 劉坤生指導

思想通論

0996 吳克峰 易學邏輯研究
南開大學邏輯學專業博士論文 2004年10月 崔清田指導
北京 人民出版社 429頁 2005年12月

0997 張 忠 論《周易》的整體性思維方法
內蒙古師範大學馬克思主義哲學專業碩士論文 2000年5月 格・孟和指導

0998 具隆會 關於《周易》哲理與《內經》思維幾點認識
中國社會科學院研究生院中國古代思想史專業碩士論文 2003年5月

姜廣輝指導

0999 王　新　論《皇極經世》的「內數」
華東師範大學中國哲學專業碩士論文　2006 年 5 月　李似珍指導

1000 姜　穎　論《周易》「時」的哲學思想
遼寧大學中國哲學專業碩士論文　2006 年 5 月　王雅指導

1001 喬宗方　《周易折中》易學思想評析
山東大學中國哲學專業碩士論文　2006 年 4 月　劉大鈞指導

1002 趙榮波　《周易正義》思想研究
山東大學中國哲學專業博士論文　2006 年 4 月　劉大鈞指導

1003 辛　？　象數易的合自然性思維模式探析
山西大學科學技術哲學專業碩士論文　2003 年 6 月　張培富指導

人生哲學

1004 劉玉平　《周易》人生價值論研究
山東大學中國哲學專業博士論文　2002 年 10 月　劉大鈞指導

1005 郭勝坡　周易生命哲學論綱：從天人關係到群己關係、身心關係
清華大學哲學專業碩士論文　2005 年　胡偉希指導

1006 辛亞民　論《周易》的理想人格
西北師範大學中國哲學專業碩士論文　2007 年 6 月　陳曉龍指導

倫理思想

1007 林燕飛　《周易》的倫理意蘊初探
東南大學倫理學專業碩士論文　2002 年 3 月　董群指導

政治、法律

1008 徐松巖　論《周易》的政治思想
遼寧師範大學歷史專業碩士論文　2002 年 6 月　楊英傑指導

1009 吳寶峰　象數易學與西漢政治、自然科學研究
河北師範大學中國古代史專業碩士論文　2007 年　王文濤指導

1010 徐艷雲　《易經》與殷周法制研究
山東大學法律專業碩士論文　2006 年 9 月　林明指導

經濟、管理

1011　楊愷鈞　《周易》管理思想研究
復旦大學產業經濟學專業博士論文　2004年5月　蘇東水指導

1012　高青蓮　《周易》人文思想對企業精神文化建設的啟示
華中科技大學馬克思主義哲學專業碩士論文　2003年5月　張峰指導

1013　吳世彩　易經管理哲學研究
山東大學中國哲學專業博士論文　2002年11月　劉大鈞指導

1014　閻　潔　從象數角度談《周易》的管理思想
山東大學中國哲學專業碩士論文　2006年4月　李尚信指導

1015　呂維棟　《周易》的用人思想研究
聊城大學中國古典文獻學專業碩士論文　2006年4月　王文清指導

社　會

1016　蘭甲雲　周易古禮研究
湖南大學專門史專業博士論文　2007年　陳戍國指導
長沙　湖南大學出版社　318頁　2008年6月

教　育

1017　高　亮　《周易》與現代教育管理
曲阜師範大學教育經濟與管理專業碩士論文　2006年4月　張良才指導

1018　吳文才　從古代經學教材《易經》的象數理探究語文教育中育人對策的建構
華東師範大學語文學科教學專業碩士論文　2006年10月　周震和指導

美　學

1019　劉　珺　談《周易》與中國畫審美之淵源
天津大學美術學專業碩士論文　2005年8月　孫征指導

1020　陳　碧　《周易》象數美學思想研究
武漢大學美學專業博士論文　2005年5月　陳望衡指導

1021　陳志霞　《周易》之「象」的文化內涵及審美意義
河南大學中國古代文學專業碩士論文　2005年5月　華鋒指導

1022　曹　蕓　論中國古典園林藝術中的《周易》美學思想
武漢大學美學專業碩士論文　2005年5月　范明華指導

1023　劉立策　《周易》「白賁」美學思想研究
四川師範大學文藝學專業碩士論文　2002年5月　李天道指導

1024　張　宜　《周易》時空觀念與中國古典美學
武漢大學哲學・美學專業碩士論文　2004年4月　陳望衡指導

文　學

1025　于海棠　《周易》與中國上古文學
東北師範大學中國古代文學專業博士論文　2000年　李炳海指導

1026　黃黎星　《易》學與中國傳統文藝觀
福建師範大學中國古代文學專業博士論文　2003年4月　張善文指導
上海　上海三聯書店　303頁　2008年2月

1027　朱婷婷　《周易》古歌研究
北京師範大學中國古代文學專業碩士論文　2007年5月　過常寶指導

1028　馬　驥　《易經》的取象思維方式對詠物詩的影響
延邊大學中國古代文學專業碩士論文　2007年　于春海指導

藝　術

1029　房振三　楚竹書周易彩色符號研究
安徽大學漢語言文字學專業博士論文　2006年5月　何琳儀指導

1030　閆鵬凌　宮廷《易》蘊——周易視閾中的清朝宮廷裝飾與陳設研究
吉林藝術學院設計藝術學專業碩士論文　2007年　董赤、祝普文指導

1031　范　旭　周易的平衡之數——3/7在視覺設計中的應用
南昌大學設計藝術學專業碩士論文　2007年6月　黃慧琴指導

1032　邱曉亮　論中國書籍裝幀藝術中的《易》學文化傳統
北京印刷學院設計藝術學專業碩士論文　2007年　張涵指導

1033　楊　震　論「易簡」思想及其對中國藝術的影響
北京大學美學專業碩士論文　2005年5月　彭鋒指導

1034　王　浩　「感」與「象」——從《周易》經傳與漢代易學看審美的形上學基礎
北京大學美學專業碩士論文　2002年6月　王錦民指導

1035　黃君良　《周易》與興的藝術手法

北京大學中國文學批評史專業碩士論文　1992年6月　張少康指導

與中國文化

1036　謝寶笙　龍、《易經》與中國文化的起源
中山大學中國哲學專業博士論文　1997年12月　李宗桂指導
北京　社會科學文獻出版社　239頁　1999年

與道佛

1037　葉　鷹　易玄合論
中山大學中國哲學專業博士論文　1995年11月　李錦全指導

1038　胡孚琛　中國科學史上的《周易參同契》
中山大學哲學專業碩士論文　1982年9月　黃友謀指導

八、易學與其他學科

醫　學

1039　徐儀明　性理與歧黃
復旦大學哲學專業博士論文　1994年　潘富恩指導
北京　中國社會科學出版社　314頁　1997年9月（中國社會科學博士論文文庫）

1040　劉成漢　從《周易》象數、義理看中醫學的六經、八綱辨證
湖北中醫學院中醫基礎理論專業博士論文　2006年5月　成肇智指導

1041　田友山　《周易》直覺思維模式對中醫學的影響及運用
長春中醫藥大學[6]中醫基礎理論專業碩士論文　2004年6月　許永貴指導

1042　羅會斌　中醫運氣學說與漢代象數易學
北京中醫藥大學中醫醫史文獻專業碩士論文　2002年5月　張其成指導

1043　李志誠　《易》學與中醫學之相通性研究

6　長春中醫藥大學前身為長春中醫學院。

南京中醫藥大學中醫基礎理論專業博士論文　2004 年　孫桐指導

1044　楊一木　《周易》與《黃帝內經》思維邏輯共通性研究暨現代科學知識之詮釋
南京中醫藥大學中醫基礎理論專業博士論文　2002 年 6 月　孫桐指導

1045　何義霞　《周易》與《內經》陰陽文化的同構性研究
河南師範大學科學技術哲學專業碩士論文　2007 年 5 月　冷天吉指導

1046　丁彰炫　中醫學與周易的科學思想研究——醫易學的時空觀
北京中醫藥大學中醫學專業博士後論文　2001 年 2 月　張其成指導

1047　李　明　《周易》與傳統養生思想研究
聊城大學中國古典文獻學專業碩士論文　2007 年 5 月　王文清指導

建築、民俗學

1048　朱培坤　嶺南建築民俗的易學解讀
中山大學民俗學專業博士論文　2006 年 12 月　葉春生指導

九、周易研究史

總　論

1049　劉　彬　禮出於象——論先秦兩漢易學中的禮
山東大學中國哲學專業碩士論文　2001 年 5 月　林忠軍指導

先　秦

1050　林亨錫　漢前周易易傳佚篇之研究
清華大學專門史專業碩士論文　2000 年　錢遜指導

1051　何潔冰　論《周易》天道觀及其在先秦哲學中的地位作用
中山大學哲學專業碩士論文　1995 年 11 月　李錦全指導

1052　夏　雲　《易》、《老》辨
汕頭大學中國古代文學專業碩士論文　劉坤生指導

1053　宋立林　孔子「易教」思想研究
曲阜師範大學歷史學專門史專業碩士論文　2006 年 4 月　楊朝明指導

兩　漢

1054　井海明　漢易象數學研究
山東大學中國哲學專業博士論文　2006 年　劉大鈞指導

1055　白效詠　漢代的易學與政治
中國人民大學中國古代史專業博士論文　2007 年　黃樸民指導

1056　倪　南　象數易道的歷史考察
南京大學中國哲學專業博士論文　2002 年　李書有指導

1057　韓慧英　荀氏易學初探
山東大學中國哲學專業碩士論文　2004 年 4 月　劉大鈞指導

1058　張文智　京氏易學初探
山東大學中國哲學專業碩士論文　2002 年 5 月　劉大鈞指導

1059　蘇永利　論京房五行易學思想
山東大學中國哲學專業博士論文　2003 年 4 月　劉大鈞指導

1060　黎心平　《周易虞氏消息》研究
山東大學中國哲學專業博士論文　2004 年 5 月　劉大鈞指導

1061　王　帆　虞翻易學的哲學思考
山東大學中國哲學專業碩士論文　2004 年 5 月　林忠軍指導

1062　吳學哲　論司馬遷與《周易》
遼寧師範大學古代文學專業碩士論文　2007 年 5 月　邊家珍指導

1063　杜志國　《焦氏易林》研究
四川大學中國古代文學專業碩士論文　2002 年 1 月　劉黎明指導

1064　馬新欽　《焦氏易林》作者版本考
福建師範大學中國古代文學專業博士論文　2005 年 4 月　張善文指導

1065　湯太祥　《易林》援引《左傳》典語考
福建師範大學中國古典文獻學專業碩士論文　2005 年 4 月　張善文指導

1066　劉銀昌　蓋事雖《易》，其辭則詩——《焦氏易林》文學研究
陝西師範大學中國古代文學專業博士論文　2006 年 4 月　張新科指導

1067　李紹萍　論《焦氏易林》與先秦兩漢文學的融會貫通
福建師範大學中國古代文學專業碩士論文　2004 年 4 月　張善文、郭丹指導

1068　劉銀昌　《焦氏易林》四言詩研究
陝西師範大學中國古代文學專業碩士論文　2003 年 5 月　魏耕原指導

1069　李　昊　《焦氏易林》詞彙研究
四川大學漢語言文字學專業碩士論文　2003 年 3 月　伍宗文指導

1070　張　軼　漢唐之間鄭玄易學研究
清華大學歷史學專業博士論文　2007 年　王曉毅指導

1071　許繼起　鄭玄《周易注》流變考
湖北大學中國古典文獻學專業碩士論文　1999 年 4 月　張林川指導

1072　劉會齊　《周易參同契》易學思想研究——以「月體納甲」說為中心
復旦大學中國哲學專業碩士論文　2006 年 5 月　劉康得指導

1073　馬宗軍　《周易參同契》思想研究
山東大學中國哲學專業博士論文　2006 年 4 月　丁原明指導

1074　黃　河　《漢書》引《易》研究
華中師範大學歷史文獻學專業碩士論文　2007 年 6 月　劉韶軍指導

魏　晉

1075　王天彤　魏晉易學研究
山東大學中國古典文獻學專業博士論文　2007 年　徐傳武指導

1076　南金花　王肅《周易注》及其易學思想
中國人民大學中國哲學專業碩士論文　2005 年 5 月　楊慶中指導

1077　楊　東　王弼易學與程頤易學的比較研究
四川省社會科學院中國哲學專業碩士論文　2002 年 5 月　蔡方鹿指導

1078　李海龍　王弼《周易注》研究
中山大學哲學專業碩士論文　2004 年 6 月　李宗桂指導

1079　宋錫同　王弼易學思想初探
河北大學中國哲學專業碩士論文　2004 年 6 月　段景蓮指導

1080　郭麗娟　王弼易學哲學思想再探
四川大學中國哲學專業碩士論文　2006 年　黃德昌指導

1081　尹錫珉　王弼易學解經體例探源
北京大學哲學專業博士論文　2006 年 1 月　朱伯崑指導
成都　巴蜀書社　237 頁　2006 年 12 月（儒釋道博士論文叢書）

1082　張　軼　象數易學與東晉南朝官方哲學

山東大學中國古代史專業碩士論文　2004年5月　王曉毅指導

1083　胡長芳　韓康伯易學思想研究

山東大學中國哲學專業碩士論文　2007年　林忠軍指導

隋唐五代

1084　楊天才　《周易正義》研究

福建師範大學中國古典文獻學專業博士論文　2007年　張善文指導

1085　林國兵　試論孔穎達的易學理論與美學智慧

安徽師範大學美學專業碩士論文　2004年5月　汪裕雄指導

宋、元

1086　章偉文　宋元道教易學初探

北京師範大學中國古代史專業博士論文　2004年5月　鄭萬耕指導

成都　巴蜀書社　390頁　2005年12月（儒釋道博士論文叢書）

1087　查　純　從《周易口義》看胡瑗哲學思想

北京大學中國哲學專業碩士論文　2006年6月　張學智指導

1088　杜曉華　邵雍易學研究：從宇宙圖式到人文關懷

復旦大學中國哲學專業碩士論文　2006年4月　徐洪興指導

1089　譚小寶　周敦頤易學思想新探

湖南師範大學中國哲學專業碩士論文　2006年5月　徐孫銘指導

1090　馬鑫焱　張載《橫渠易說》研究芻議

陝西師範大學中國哲學專業碩士論文　2007年　劉學智指導

1091　謝榮華　《橫渠易說》的天人關係論

北京大學北京大學中國哲學專業碩士論文　2002年6月　陳來指導

1092　胡元玲　張載易學及道學研究——以《橫渠易說》與《正蒙》為主的探討

北京大學古典文獻學專業碩士論文　2003年5月　孫欽善指導

1093　楊倩描　王安石《易》學研究

河北大學中國古代史專業博士論文　2004年6月　郭東旭指導

保定　河北大學出版社　257頁　2006年11月（宋史研究叢刊）

1094　劉樂恒　《程氏易傳》研究

華東師範大學中國哲學專業碩士論文　2006年5月　劉仲宇指導

1095　陳京偉　時遇與人生——《伊川易傳》時的哲學發微

山東大學中國哲學專業碩士論文　2000 年 9 月　王新春指導

1096　劉興明　《東坡易傳》易學思想研究
山東大學中國哲學專業碩士論文　2005 年 4 月　林忠軍指導

1097　楊慶波　從《東坡易傳》看蘇軾的創作主體論
吉林大學文藝學專業碩士論文　2003 年 5 月　張錫坤指導

1098　林　雨　天道人道之貫通——朱震易學思想研究
山東大學中國哲學專業碩士論文　2004 年 5 月　劉玉建指導

1099　唐　琳　朱震易學思想研究
武漢大學中國哲學專業博士論文　2003 年 4 月　蕭漢明指導
北京　中國書店　180 頁　2007 年 7 月（改名為《朱震的易學視域》）

1100　孫勁松　郭雍易學思想研究
武漢大學中國哲學專業碩士論文　2003 年 4 月　蕭漢明指導

1101　李秋麗　朱熹易學思想研究
山東大學中國哲學專業碩士論文　2003 年 4 月　林忠軍指導

1102　史少博　朱熹理學與易學的關係
山東大學中國哲學專業博士論文　2004 年 5 月　劉大鈞指導
哈爾濱　黑龍江人民出版社　330 頁　2006 年 3 月

1103　溫海明　朱子易學基本問題之演變
北京大學中國哲學專業碩士論文　1999 年 6 月　陳來指導

1104　程　林　胡煦與朱熹易學辯正
北京大學中國哲學專業碩士論文　2003 年 6 月　李中華指導

1105　曾凡朝　楊簡易學思想研究
山東大學中國哲學專業博士論文　2006 年 4 月　林忠軍指導

1106　章偉文　吳澄易學思想研究
北京師範大學哲學專業碩士論文　1998 年　鄭萬耕指導

1107　劉雲超　王申子《大易緝說》探微
山東大學中國哲學專業碩士論文　2005 年 5 月　王新春指導

1108　李秋麗　胡一桂易學思想研究
山東大學中國哲學專業博士論文　2006 年 4 月　林忠軍指導

1109　金演宰　宋明理學和心學派的易學與道德形上學
北京大學中國哲學專業博士論文　2002 年　朱伯崑指導

明　代

1110　王　棋　來知德易學思想探微

山東大學中國哲學專業碩士論文　2006 年 4 月　林忠軍指導

1111　劉體勝　大義入象——來知德易學思想淺繹

武漢大學中國哲學專業碩士論文　2005 年 5 月　蕭漢明指導

1112　謝金良　周易禪解研究

南京大學哲學專業博士論文　2003 年　洪修平指導

成都　巴蜀書社　328 頁　2006 年 12 月（儒釋道博士論文叢書）

1113　彭迎喜　方以智與《周易時論合編》小考

中國社會科學院研究生院歷史文獻學專業博士論文　1998 年 6 月　李學勤指導

廣州　中山大學出版社　248 頁　2007 年 6 月

清　代

1114　秦　峰　黃宗羲的易學思想與明清學術轉型——《易學象數論》的思想史解讀

北京大學中國哲學專業碩士論文　2006 年 6 月　王守常指導

1115　蘇曉晗　船山易學思想研究

山東大學中國哲學專業博士論文　2006 年 10 月　王新春指導

1116　林亨錫　王船山《周易內傳》研究

北京大學中國哲學專業博士論文　2000 年 12 月　朱伯崑指導

1117　陳修亮　乾嘉易學三大家研究

山東大學中國古典文獻學專業博士論文　2005 年 5 月　劉曉東指導

1118　鄭朝暉　述者微言——惠棟易學研究

武漢大學中國哲學專業博士論文　2005 年 5 月　蕭漢明指導

北京　人民出版社　296 頁　2008 年 12 月（改名為《述者微言：惠棟易學的邏輯化世界》）

1119　傅中英　章學誠史學評論與《易》教

東北師範大學史學理論及史學史專業碩士論文　2007 年 5 月　董鐵松指導

民　國

1120　韓慧英　尚秉和易學思想研究
山東大學中國哲學專業博士論文　2007 年　劉大鈞指導

1121　辛　翀　丁超五科學易學思想研究
山東大學中國哲學專業博士論文　2007 年 4 月　林忠軍指導

1122　王辛方　窮源竟委，易于不易——李鏡池易學思想通覽
華南師範大學中國哲學專業碩士論文　2007 年　陳開先指導

尚　書

一、通論

1123　陳　楠　敦煌寫本《尚書》異文研究
揚州大學中國古代文學專業碩士論文　2006年5月　錢宗武指導

1124　王　菁　《尚書》探論
北京大學中國古代文學專業博士論文　1994年6月　褚斌傑指導

二、注譯

1125　鄭麗欽　與古典的邂逅：解讀理雅各的《尚書》譯本
福建師範大學英語語言文學專業碩士論文　2006年4月　岳峰指導

三、今文尚書

1126　李新飛　《漢語大詞典》引今文《尚書》詞語研究
湖南師範大學湖南師範大學專業碩士論文　2007年　趙振興指導

1127　朱淑華　今文《尚書》詞義引申研究
揚州大學中國古代文學專業碩士論文　2006年5月　錢宗武指導

1128　湯莉莉　今文《尚書》同族詞研究
揚州大學中國古代文學專業碩士論文　2006年5月　錢宗武指導

1129　邱　月　今文《尚書》名詞研究
揚州大學中國古代文學專業碩士論文　2005年5月　錢宗武指導

1130　楊　飛　今文《尚書》形容詞研究

揚州大學漢語言文字學專業碩士論文　2007 年　錢宗武指導

1131　呂勝男　今文《尚書》用韻研究
揚州大學漢語言文字學專業碩士論文　2007 年　錢宗武指導

1132　孫麗娟　今文《尚書》動詞研究
揚州大學漢語言文字學專業碩士論文　2007 年　錢宗武指導

1133　高光新　《今文尚書》周公話語的詞彙研究
山東大學漢語言文字學專業碩士論文　2005 年 4 月　楊端志指導

1134　唐智燕　今文《尚書》動詞語法研究
廣西師範大學漢語言文字學專業碩士論文　2003 年 4 月　王志瑛指導

1135　高雅潔　今文《尚書》的特殊句式和關聯詞語研究
廣西師範大學漢語言文字學專業碩士論文　2002 年 1 月　王志瑛指導

1136　楊　琳　《尚書》中幾種句型的研究
四川大學文科碩士論文　1985 級　向熹指導

1137　盧一飛　今文《尚書》文學性研究
揚州大學中國古代文學專業碩士論文　2005 年 5 月　錢宗武指導

1138　陳良中　《今文尚書》文學藝術研究
安徽大學中國古代文學專業碩士論文　2004 年 5 月　孫以昭指導

虞夏書

1139　岳紅琴　《禹貢》與夏代社會
鄭州大學中國古代史專業博士論文　2006 年 5 月　李民指導

周　書

1140　顧　珍　《周書》副詞研究
南京師範大學漢語言文字學專業碩士論文　2006 年 3 月　何亞南指導

1141　李軍靖　《洪範》與古代政治文明
鄭州大學中國古代史專業博士論文　2005 年 4 月　李民指導

1142　張　兵　《洪範》詮釋研究
山東大學中國古典文獻學專業博士論文　2005 年　馮浩菲指導
濟南　齊魯書社　269 頁　2007 年 1 月

1143　杜　勇　《尚書》周初八誥研究
北京師範大學中國古代史專業博士論文　1996 年　趙光賢指導

北京　中國社會科學出版社　229頁　1998年12月

四、古文、偽古文尚書

1144　林志強　古本《尚書》文字研究
中山大學漢語言文字學專業博士論文　2003年6月　曾憲通指導
廣州　中山大學出版社　139頁　2005年

1145　房　曄　鄭玄所注《古文尚書》性質研究
南開大學歷史文獻學專業碩士論文　2007年5月　王薇指導

1146　陳以鳳　西漢孔氏家學及「偽書」公案
曲阜師範大學專門史專業碩士論文　2007年　黃懷信指導

1147　汪　斌　閻若璩《尚書古文疏證》研究
湖北大學中國古典文獻學專業碩士論文　2006年5月　郭康松指導

1148　潘　亮　從漢語史角度試論古文《尚書》的語料時代性——以《尚書古文疏證》為中心
復旦大學漢語言文字學專業碩士論文　2005年6月　吳金華指導

五、語言文字研究

1149　臧克和　《尚書》文字校詁
華東師範大學中國古代史專業博士論文　1999年　李玲璞指導
上海　上海教育出版社　767頁　1999年1月

六、分類研究

1150　賈軍仕　《周易》、《尚書》思想比較研究
汕頭大學中國古代文學專業碩士論文　劉坤生指導

1151　楊海文　孟子與《詩》、《書》文化
中山大學中國哲學專業碩士論文　1996年6月　李宗桂指導

七、尚書研究史

1152　馬士遠　周秦《尚書》流變研究
揚州大學中國古代文學專業博士論文　2007 年　錢宗武指導
北京　中華書局　340 頁　2008 年 9 月（改名為《周秦尚書學研究》）

1153　劉義峰　孔子與《書》教
曲阜師範大學專門史專業碩士論文　2005 年 4 月　楊朝明指導

1154　谷　穎　伏生及《尚書大傳》研究
東北師範大學中國古典文獻學專業碩士論文　2005 年 5 月　曹書杰指導

1155　黃洪明　宋代《尚書》學
暨南大學中國古典文獻學專業碩士論文　2006 年 5 月　張玉春指導

1156　吳建偉　宋代《洪範》研究
華東師範大學古典文獻學專業碩士論文　2004 年　王鐵指導

1157　陳良中　朱子《尚書》學研究
華東師範大學中國古典文獻學專業博士論文　2007 年　朱杰人指導

1158　劉　威　《東坡書傳》研究
華東師範大學古典文獻學專業碩士論文　2004 年 5 月　王鐵指導

1159　劉　勇　清人《尚書》訓詁方法研究
揚州大學漢語言文字學專業碩士論文　2007 年　錢宗武指導

八、附：逸周書

1160　羅家湘　《逸周書》研究
西北師範大學中國古代文學專業博士論文　2002 年　趙逵夫指導
上海　上海古籍出版社　304 頁　2006 年 10 月

1161　周玉秀　《逸周書》的語言特點及其文獻學價值
西北師範大學中國古典文獻學專業博士論文　2004 年 1 月　趙逵夫指導
北京　中華書局　284 頁　2005 年

詩　經

一、通論

1162　張偉保　《詩三百》的形成與流傳研究
北京師範大學中國古典文獻學專業博士論文　2004 年 5 月　郭英德指導

1163　蘇文英　《詩》經典地位的確立
湖北大學中國古典文獻學專業碩士論文　1999 年 4 月　汪耀楠指導

1164　王　妍　經學以前的《詩經》
哈爾濱師範大學古代文學專業博士論文　2003 年　傅道彬指導
北京　東方出版社　302 頁　2007 年 3 月

1165　龍向洋　「詩」與「經」的張力
華東師範大學文藝學專業博士論文　2002 年　蕭華榮指導

1166　吳萬鐘　從詩到經
北京大學中國古代文學專業博士論文　1999 年　費振剛指導

1167　申潔玲　《詩經》闡釋：從經學向文學的轉型
北京大學比較文學專業碩士論文　1994 年 5 月　樂黛雲指導

1168　葉愛民　詩經與經世
北京大學中國古代文學專業碩士論文　1996 年 1 月　費振剛指導

1169　邵炳軍　周「二王並立」時期詩歌創作時世考論
西北師範大學中國古代文學專業博士論文　2000 年　趙逵夫指導

1170　陳　波　南方《詩經》的流傳及《詩經》文本的相關問題
四川師範大學古典文獻學專業碩士論文　2007 年　熊良智指導

1171　黃奇逸　石鼓文年代及相關問題
四川大學語言文字專業碩士論文　1978 級　徐中舒指導

與其他經書

1172　陳穎聰　《左傳》對《毛詩》的影響研究
中山大學文學專業碩士論文　2007年5月　孫立指導

1173　楊海文　孟子與《詩》、《書》文化
中山大學中國哲學專業碩士論文　1996年6月　李宗桂指導

1174　李　銳　《詩論》簡禮學思想研究
清華大學專門史專業碩士論文　2003年　廖名春指導

二、基本問題

(一) 采詩

1175　黃　利　「王官采詩」再探討——從上博簡《詩論》說起
北京師範大學中國古典文獻學專業碩士論文　2006年5月　李山指導

(二) 篇章與逸詩

1176　孫宗琴　詩經與楚辭裡「求不可得」詩篇現象的研究
東北師範大學中國古代文學專業碩士論文　2007年　陳向春指導

1177　李琳珂　先秦逸詩研究
河南大學中國古代文學專業碩士論文　2006年5月　華鋒指導

1178　傅道彬　《詩》逸《詩》用通論
華中師範大學歷史文獻學專業博士論文　1988年　張舜徽指導

(三) 六義

1179　張志香　論「風」、「雅」、「頌」的文學性及其特點
延邊大學中國古代文學專業碩士論文　2005年5月　于衍存指導

1180　陳麗虹　對「賦、比、興」的現代闡釋
暨南大學文藝學專業博士論文　2000年5月　饒芃子指導
杭州　中國美術學院出版社　204頁　2002年3月（改名為《賦比興的現代闡釋》）

1181 劉冬穎 「變風變雅」考論
東北師範大學中國古代史專業博士論文 2003 年 4 月 詹子慶指導
北京 中國社會科學出版社 242 頁 2005 年（改名為《詩經「變風變雅」考論》）

1182 安性栽 《詩經》「比、興」研究史論——自先秦至宋代
北京大學中國古代文學專業博士論文 2006 年 6 月 褚斌傑指導

1183 張 真 試論《詩經》「六義」之興
北京大學古代文學專業碩士論文 1994 年 6 月 費振剛指導

1184 劉懷榮 興與詩
陝西師範大學中國古代文學專業博士論文 1992 年 霍松林指導

1185 陳英姿 《詩經》比興研究
華中師範大學中國古代文學專業碩士論文 2007 年 韓維志指導

1186 李梅梅 從文化到文學：《詩經》「興」原始義解讀
東北師範大學中國古代文學專業碩士論文 2007 年 陳向春指導

1187 王 磊 《詩經》興象的文化探源
延邊大學中國古代文學專業碩士論文 2006 年 5 月 于衍存指導

1188 石 瑋 從隱喻到參照
華中師範大學英語語言學專業碩士論文 2006 年 4 月 陳佑林指導

1189 周良平 「興」義源、流、變
安徽大學古代文學專業碩士論文 1999 年 6 月 孫以昭指導

（四）詩序

1190 張秀英 從《詩序》與先秦舊說的關係看其作者與時代
首都師範大學中國古代文學專業碩士論文 2005 年 5 月 魯洪生指導

1191 詹 看 《毛詩序》創作年代及作者之考證
華東師範大學古典文獻學專業碩士論文 2006 年 5 月 王鐵指導

1192 任 真 論中國當代的《毛詩・大序》研究
四川大學文藝學專業博士論文 2005 年 馮憲光指導

1193 李立紅 宋儒關於《詩序》問題的爭論及其研究
山西大學中國古代文學專業碩士論文 2007 年 6 月 劉毓慶指導

1194 張紅運 唐代詩序研究
陝西師範大學中國古代文學專業博士論文 2007 年 馬歌東指導

（五）詩教

1195　石　東　論儒家詩教之謬
湘潭大學古代文學專業碩士論文　2000 年 4 月　楊仲義指導

1196　張青雲　中學詩教的現代轉換
北京師範大學語文學科教學專業碩士論文　2005 年 5 月　曹衛東指導

1197　曹洪洋　「《詩》無達詁」與「《詩》言志」——在解釋學意義上的思考
首都師範大學比較文學專業碩士論文　2005 年　楊乃喬、劉耘華指導

1198　鐘厚濤　文本的敞開與意義的轉換——由「詩言志」意義生成機制對《詩》被經學化的闡釋學觀照
首都師範大學比較文學與世界文學專業碩士論文　2007 年 5 月　楊乃喬、王柏華指導

1199　黃獻慧　《孟子》用《詩》與《詩》意解讀
北京師範大學漢語言文字學專業碩士論文　2005 年 5 月　易敏指導

（六）詩與樂歌

1200　張樹國　詩・樂・舞
北京大學中國古代文學專業博士論文　2001 年　褚斌傑指導

（七）孔子詩論

1201　范知歐　上博簡《孔子詩論》的作者及撰著時代研究
聊城大學中國古典文獻學專業碩士論文　2005 年 4 月　王文清指導

1202　黃炎蓮　上博楚簡《孔子詩論》所涉《詩經》篇目研究
華南師範大學中國古代文學專業碩士論文　2007 年　傅劍平指導

1203　徐正英　上博簡《孔子詩論》研究
中山大學中國古代文學專業博士後論文　2006 年 6 月

1204　房瑞麗　《上海博物館藏戰國楚竹書・詩論》與《詩經》研究
河南大學中國古代文學專業碩士論文　2004 年 5 月　白本松、華鋒指導

1205　譚中華　《孔子詩論》編聯分章問題研究綜述
吉林大學歷史文獻學專業碩士論文　2007 年　馮勝君指導

1206　杜春龍　《孔子詩論》與漢四家《詩》研究
延邊大學中國現當代文學專業碩士論文　2007 年　張強指導

1207 金小璿 楚竹書《孔子詩論》詩教思想研究

華中師範大學歷史文獻學專業碩士論文 2005 年 6 月 陳蔚松指導

1208 童 昊 從《孔子詩論》談儒家《詩》學中的「心」與「禮」

北京大學中國哲學專業碩士論文 2006 年 6 月 王博指導

1209 譚中華 孔子詩論編聯分章問題研究綜述

吉林大學歷史文獻學專業碩士論文 2007 年 5 月 馮勝君指導

(八) 三家詩

1210 趙茂林 兩漢三家《詩》研究

揚州大學中國古代文學專業博士論文 2004 年 5 月 田漢雲指導

成都 巴蜀書社 657 頁 2006 年 11 月

1211 左洪濤 〈魯詩〉流變考

湖北大學中國古典文獻學專業碩士論文 2000 年 5 月 張林川指導

1212 羅榮華 《詩經》三家注的語法觀及其發展

寧夏大學漢語言文字學專業碩士論文 2004 年 4 月 東炎指導

三、注譯

1213 劉 瑋 語言美與文化意象的傳遞——《詩經》翻譯研究

福建師範大學英語語言文學專業碩士論文 2007 年 5 月 岳峰指導

1214 仁 利 論詩歌翻譯批評——《詩經》各譯本比較研究

上海外國語大學英語語言文學專業碩士論文 2007 年 史志康指導

1215 李玉良 《詩經》英譯研究

南開大學英語語言文學專業博士論文 2003 年 王宏印、劉士聰、崔永祿指導

濟南 齊魯書社 396 頁 2007 年 11 月

1216 李 琰 從前見理論角度看《詩經》英譯

湖南師範大學英語語言文學專業碩士論文 2006 年 5 月 蔣堅松指導

1217 閆曉喆 《詩經》四個英譯本的比較研究

浙江大學英語語言學與應用語言學專業碩士論文 2005 年 11 月 陳剛指導

1218　李上榮　論詩歌翻譯中譯者的創造性——《詩經》譯本研究
蘇州大學英語應用語言學專業碩士論文　2007 年 4 月　汪榕培指導

1219　宋　瑜　On Cultural Translation－A Comparative Study of the English Versions of Shi Jing[7]
浙江大學英語語言文學專業碩士論文　2002 年 11 月　陳剛指導

1220　陳宏川　論《詩經》在英美的翻譯和接受
四川大學英語語言學及應用語言學專業碩士論文　2002 年 1 月　朱徽指導

1221　李茵茵　《詩經》婚戀詩葡萄牙語譯本研究
暨南大學文藝學專業碩士論文　2007 年　蔣述卓指導

四、國風研究

(一) 概述

1222　馬春燕　《詩經》國風中幾種興象的原型考察
西北大學中國古代文學專業碩士論文　2003 年 5 月　李志慧指導

1223　陳　冬　《國風》作者問題的研究
暨南大學中國古代文學專業碩士論文　2006 年 5 月　張玉春指導

1224　周　娟　《國風》中的隱喻運用和《詩集傳》中的隱喻解釋
華中師範大學漢語言文字學專業碩士論文　2006 年 5 月　周光慶指導

1225　范瑞紅　殷商王畿故地《詩經》「風詩」與殷商文化
曲阜師範大學中國古代文學專業碩士論文　2005 年 4 月　趙東栓指導

1226　王華梅　周秦時期黃河中下游地區植被分布及其變遷——以《詩經》十五國風為線索
陝西師範大學歷史地理學專業碩士論文　2007 年　侯甬堅指導

7　此篇論文摘要：該文從跨文化翻譯的角度，通過《詩經》的兩個譯本的比較來論述詩歌翻譯中的文化因素的處理。跨文化翻譯決定了譯者必須要掌握好兩門語言，還要了解兩種文化，由於凝聚著豐富的文化內涵，詩歌的可譯性和不可譯性一直是一個難以定論的問題。《詩經》是中國最古老的詩集，不同譯者對《詩經》的翻譯為分析詩歌的可譯性提供了很好的材料，該文通過對《詩經》翻譯的分析，推斷出詩歌的可譯性和不可譯性都是相對的，在不同的層次上，詩歌既是可譯的，又是不可譯的，翻譯詩歌就是要在不可能中找到可能，以達到最令人滿意的結果。

1227 張春嬋 《詩經・國風》與周代齊、晉、秦地域文化研究
遼寧師範大學中國古代文學專業碩士論文 2007年5月 邊家珍指導

1228 黃冬珍 《風》詩藝術特質研究
首都師範大學中國古代文學專業博士論文 2007年 趙敏俐指導

1229 杜煒堯 《國風》詞語原始觀念研究
南京大學中文系碩士論文 1990年 郭維森指導

1230 易思平 《國風》與屈原賦生命主題之比較
華中師範大學中國古代文學專業碩士論文 1996年

1231 安性栽 《國風》之婚姻觀念辨析
北京大學中國古代文學專業碩士論文 2002年5月 費振剛指導

(二) 二南綜說

1232 張春珍 二南詩論
山東大學中國古典文獻學專業碩士論文 2006年5月 王承略指導

1233 吳曉峰 《詩經》「二南」篇所載禮俗研究
吉林大學中國古代史專業碩士論文 2005年4月 陳恩林指導

1234 李勇五 《詩經》「周南」「召南」名義、地域及時代考
山西大學中國古代文學專業碩士論文 2004年6月 劉毓慶指導

1235 鄭麗娟 《詩經》「二南」與周代禮樂文化
河南大學中國古代文學專業碩士論文 2007年5月 華鋒、姚小鷗指導

(三) 周南

1236 賴旭輝 溫厚醇正 婉麗清柔——《詩・周南》地域風格研究
上海大學中國古代文學專業碩士論文 2006年5月 邵炳軍指導

1237 簡良如 王者之風——《詩經・周南》研究
北京師範大學古典文獻學專業博士論文 2005年4月 郭英德指導

關 雎

1238 劉小葉 論文化翻譯——《關雎》英譯中西對比研究
河北師範大學英語語言文學專業碩士論文 2007年3月 李正栓指導

1239 史培爭 論《關雎》的雙重解讀
東北師範大學中國古代文學專業碩士論文 2007年5月 陳向春指導

葛　覃

1240　黃國輝　《詩經・葛覃》與周代「歸寧」禮俗
北京師範大學中國古代史先秦史專業碩士論文　2007 年 5 月　晁福林指導

（四）召南

1241　王精明　龍馬精神　秋聲朝氣——《秦風》地域風格研究
上海大學中國古代文學專業碩士論文　2006 年 4 月　邵炳軍指導

（五）衛

1242　張利軍　《詩經・木瓜》與春秋時期的「贄見禮」
北京師範大學中國古代史專業碩士論文　2006 年 5 月　羅新慧指導

（六）王

1243　米　亞　《詩經・王風》義理之學與儒家倫理思想考辨
天津師範大學中國古代文學專業碩士論文　2006 年 4 月　周延良指導

（七）鄭

1244　孫向召　《詩經・鄭風》研究
鄭州大學中國古典文獻學專業碩士論文　2005 年 5 月　徐正英指導

（八）齊

1245　李兆祿　《詩經・齊風》研究
山東師範大學中國古代文學專業碩士論文　2004 年 4 月　王志民指導

1246　邵立志　《詩經・齊風》「刺襄詩」主旨研究
首都師範大學中國古代文學專業碩士論文　2007 年　魯洪生指導

（九）秦

1247　劉　麗　《詩經・秦風》研究
中央民族大學中國古代文學專業碩士論文　2007 年　劉棣民指導

(十) 豳

1248 黃　玲　《詩經・豳風》研究
廣西師範大學中國古典文獻學專業碩士論文　2007 年　力之指導

1249 孫紅彬　《詩經・豳風》考釋
西北大學歷史文獻學專業碩士論文　2003 年 5 月　黃懷信指導

五、大小雅研究

1250 許志剛　論《大雅》、《小雅》的藝術形象
東北師範大學中國古代文學專業博士論文　1986 年　楊公驥指導

1251 張柳明　周代禮樂文化與《詩經・大雅》頌美詩
首都師範大學中國古代文學專業碩士論文　2004 年 4 月　趙敏俐指導

六、三頌研究

(一) 通論

1252 韓高年　頌詩的起源與流變
西北師範大學中國古代文學專業博士論文　2001 年　趙逵夫指導

1253 姚小鷗　《詩經》「三頌」與先秦禮樂文化的演變
東北師範大學中國古代文學專業博士論文　1993 年　楊公驥指導
北京　北京廣播學院　273 頁　2000 年 1 月（改名為《詩經三頌與先秦禮樂文化》）

1254 陸銀湘　《詩經》「頌」詩的研究
暨南大學中國古代文學專業碩士論文　2002 年 1 月　劉紹瑾指導

(二) 周頌

1255 胡宏哲　部族文化與《詩經・周頌》祭祀詩的時代特徵
河南大學中國古代文學專業碩士論文　2005 年 5 月　華鋒指導

1256 賈海生 周初禮樂文明實證——《詩經・周頌》研究
西北師範大學中國古代文學專業博士論文 2000年5月 趙逵夫指導

1257 李瑾華 《詩經・周頌》考論——周代的祭祀儀式與歌詩關係研究
首都師範大學中國古代文學專業博士論文 2005年4月 趙敏俐指導

1258 李樹軍 《周頌》的神靈意識與先秦祭祀文化
遼寧大學中國古代文學專業碩士論文 2001年5月 王巍指導

(三) 魯頌

1259 聶 雙 《詩經・魯頌》研究
暨南大學中國古代文學專業碩士論文 2007年 張玉春指導

七、詩篇分類研究

婚戀詩

1260 楊 軍 《詩經》婚戀詩與先秦婚戀風俗研究
吉林大學中國古代史專業博士論文 1997年 呂紹綱指導

1261 黃永憲 《詩經》婚戀詩論
北京大學中國古代文學專業碩士論文 1995年6月 費振剛指導

1262 宮海婷 《詩經》婚戀詩的原始文化溯源
東北師範大學中國古代文學專業碩士論文 2006年5月 傅亞庶指導

1263 黃倫峰 周代婚俗下的《詩經》婚戀詩研究
廣西師範大學中國古代文學專業碩士論文 2007年 周葦風指導

1264 丁秀傑 《詩經》婚戀詩研究
中央民族大學中國古代文學專業碩士論文 2004年5月 劉棣民指導

1265 牛曉貞 《詩經》婚戀詩意象的文化分析
西北大學中國古代文學專業碩士論文 2007年 劉衞平指導

1266 張慶霞 《詩經》婚戀詩的文化解讀
東北師範大學中國古代文學專業碩士論文 2007年 傅亞庶指導

1267 任 玨 《詩經》情詩的女性敘事研究
華中科技大學中國古代文學專業碩士論文 2004年5月 何錫章指導

棄婦詩

1268 陳遠丁 《詩經》棄婦詩研究
首都師範大學中國古代文學專業碩士論文 2001 年 5 月 魯洪生指導

怨刺詩

1269 翟相君 《國風》中的怨刺詩
河南師範大學中國古代文學專業碩士論文 1978、1979 級 華鐘彥指導

1270 何春雷 《詩經》政治怨刺詩研究
首都師範大學中國古代文學專業碩士論文 2005 年 5 月 魯洪生指導

1271 趙長征 論《詩經》美刺諷諭說的形成
北京大學中國古代文學專業碩士論文 1998 年 6 月 費振剛指導

宴飲詩

1272 孔德凌 《詩經》宴飲詩與周代禮樂文化的變遷
曲阜師範大學中國古代文學專業碩士論文 2004 年 4 月 趙東栓、鄭傑文指導

1273 馬海敏 《詩經》宴饗詩考論
首都師範大學中國古代文學專業博士論文 2007 年 魯洪生指導

戰爭詩

1274 王光睿 《詩經》戰爭詩研究
蘭州大學中國古代文學專業碩士論文 2007 年 張崇琛指導

1275 姜亞林 《詩經》戰爭詩研究
首都師範大學中國古代文學專業博士論文 2007 年 魯洪生指導

1276 劉 楊 《詩經》戰爭徭役詩研究
中央民族大學中國古代文學專業碩士論文 2006 年 5 月 劉棣民指導

1277 周 弘 《伊利亞特》和《詩經》中戰爭詩比較
重慶師範大學比較文學與世界文學專業碩士論文 2007 年 蘇敏指導

祭祀詩

1278 許志剛 《詩經》祭祀詩概論

		遼寧大學中國古代文學專業碩士論文　1978、1979 級　張震澤指導
1279	易衛華	《詩經》祭祀詩研究
		河北師範大學中國古代文學專業碩士論文　2003 年 4 月　王長華指導
1280	水　汶	《詩經》祭祖詩與祭祖禮
		四川師範大學中國古代文學專業碩士論文　2007 年　熊良智指導

農事詩

1281	張春霞	《詩經》農事詩研究
		首都師範大學中國古代文學專業碩士論文　2001 年 5 月　魯洪生指導
1282	楊文娟	《詩經》中的採摘意象及採摘詩研究
		山西大學中國古代文學專業碩士論文　2003 年 6 月　劉毓慶指導

八、語言文字研究

1283	郭雲生	《詩經》合韻與上古方音
		華東師範大學語言文字專業碩士論文　1978、1979 級　史存直指導
1284	丁　忱	《詩經》通假字考
		武漢大學語言文字專業碩士論文　1978、1979 級　黃焯、周大璞指導
1285	朱廣祁	《詩經》雙音詞研究
		山東大學語言文字專業碩士論文　1978、1979 級　殷煥先指導
1286	賈寶麟	詩騷聯綿字辨議
		北京大學語言文字專業碩士論文　1978、1979 級　王力、郭錫良、唐作藩指導
1287	王紀紅	論《詩經》中疊字的英譯
		陝西師範大學外國語言學及應用語言學專業碩士論文　2003 年 4 月　楊銘指導
1288	楊　皎	《詩經》疊音詞及其句法功能研究
		寧夏大學漢語言文字學專業碩士論文　2005 年 3 月　東炎指導
1289	荊亞玲	《詩經》同義詞研究
		遼寧師範大學漢語言文字學專業碩士論文　2004 年 5 月　陳榴指導
1290	于　潔	《詩經》重言詞研究

北京師範大學漢語言文字學專業碩士論文　2004年5月　朱小健指導

1291　張穎慧　《詩經》重言研究

蘭州大學漢語言文字學專業碩士論文　2007年　趙小剛指導

1292　羅慶雲　《詩經》介詞研究

武漢大學漢語言文字學專業碩士論文　2004年5月　楊合鳴指導

1293　劉慧梅　《詩經》虛詞淺析

安徽大學漢語言文字學專業碩士論文　2004年5月　楊應芹指導

1294　王金芳　《詩經》副詞助詞研究

武漢大學漢語言文字學專業博士論文　2003年5月　楊合鳴指導

1295　畢秀潔　《詩經》「到達」義動詞研究

吉林大學漢語言文字學專業碩士論文　2007年　武振玉指導

1296　李小軍　《詩經》變換句研究

西南師範大學[8]漢語史專業碩士論文　2002年5月　方有國指導

1297　楊合鳴　《詩經》句法初探

武漢大學語言文字專業碩士論文　1978、1979級　周大璞指導

1298　周錫韗　《詩經》句法研究——兼論中國詩歌句法的特點

中山大學語言文字專業碩士論文　1981年9月　潘允中指導

1299　何詩海　《詩經》句法探討

湖北大學中國古典文獻學專業碩士論文　1999年4月　嚴承鈞指導

1300　陸錫興　詩經異文研究

首都師範大學中國古代文學專業碩士論文　1999年5月　魯洪生指導

1301　程　燕　考古文獻《詩經》異文辨析

安徽大學漢語言文字學專業博士論文　2005年4月　何琳儀指導

1302　時世平　出土文獻與《詩經》詞義訓詁研究

山東大學漢語言文字學專業碩士論文　2004年4月　徐超指導

8　現已更名為西南大學。

九、詩經反映之文化風貌

(一) 思想

1303　張　淏　　論《詩經》的憂患意識
河北大學中國古代文學專業碩士論文　2005 年 6 月　李金善指導

(二) 科學

天文氣象

1304　李　飛　　《詩經》天觀念研究
中央民族大學中國古代文學專業碩士論文　2007 年　劉棣民指導

1305　劉雅傑　　《詩經》水意象綜論
東北師範大學中國古代文學專業碩士論文　2002 年 4 月　李炳海指導

1306　李春華　　《詩經》思鄉戀土主題研究
首都師範大學中國古代文學專業碩士論文　1999 年 5 月　魯洪生指導

1307　張　新　　論《詩經》中的時間
首都師範大學比較文學與世界文學專業碩士論文　2007 年　王柏華指導

動、植物

1308　劉麗華　　《詩經》動物物象探微
陝西師範大學中國古代文學專業碩士論文　2007 年　劉生良指導

1309　孫　瑩　　《詩經》植物意象探微
東北師範大學中國古代文學專業碩士論文　2002 年 1 月　盛廣智指導

1310　胡　青　　《詩經》植物起興研究
華中師範大學中國古代文學專業碩士論文　2007 年　劉興林指導

農　業

1311　張春霞　　《詩經》農事詩研究
首都師範大學中國古代文學專業碩士論文　2001 年 5 月　魯洪生指導

1312　楊文娟　　《詩經》中的採摘意象及採摘詩研究
山西大學中國古代文學專業碩士論文　2003 年 6 月　劉毓慶指導

（三）社會

1313 雒三桂 《詩經》與西周、春秋社會

北京師範大學中國古代文學專業博士論文 1994年 聶石樵指導

宗教禮俗

1314 魏 昕 滲透於《詩經》中的原始宗教意識

東北師範大學中國古代文學專業碩士論文 2006年5月 傅亞庶指導

1315 邱愛輝 從《詩經》中的酒看周禮文化

河北師範大學中國古代文學專業碩士論文 2007年9月 王長華指導

1316 鄭 群 《詩經》與周代婚姻禮俗研究

揚州大學中國古代文學專業博士論文 2007年 錢宗武指導

1317 羅 婕 《詩經》中反映的先秦婚禮

華中師範大學古代文學專業碩士論文 2007年 韓維志指導

婦女地位

1318 趙 宏 《詩經》女性的修飾美

東北師範大學古代文學專業碩士論文 2006年5月 傅亞庶指導

1319 張雪梅 《詩經》時代女性審美論

青島大學中國古典文學專業碩士論文 2007年 郭芳指導

1320 彭 燕 《詩經》女性研究

四川師範大學中國古代文學專業碩士論文 2005年6月 李誠指導

1321 孫芳輝 出其東門，有女如雲——《詩經》中所反映的女性世界

遼寧師範大學中國古代史專業碩士論文 2005年5月 趙玉寶指導

1322 虎維堯 《詩經・國風》裡的女性世界

蘇州大學古代文學專業碩士論文 2003年9月 曹林娣指導

1323 曾靜蓉 詩經性文化研究

福建師範大學古代文學專業碩士論文 2005年4月 湯化指導

1324 楊 準 從《詩經》看周代婦女的地位

湖南師範大學中國古代文學專業碩士論文 2002年3月 李生龍指導

1325 郝秀榮 論《詩經》中的女性意識

延邊大學中國古代文學專業碩士論文 2007年 于衍存指導

1326　姚志國　《詩經》「女性作品」研究
東北師範大學中國古代文學專業碩士論文　2007 年　李立指導

風俗文化

1327　管恩好　青銅文化與《詩經》發生學研究
山東師範大學國古代史專業博士論文　2007 年　王志民指導

1328　李　山　《詩經》文化精神論
北京師範大學中國古典文獻學專業博士論文　1995 年　啟功指導

1329　王培臣　《詩經》與先周部族文化
曲阜師範大學中國古代文學專業碩士論文　2007 年　趙東栓指導

1330　陳　楠　從矇昧到理性——從《詩經》看原始文化在周代的演化
西北大學中國古代文學專業碩士論文　2007 年　劉衞平指導

1331　王志芳　《詩經》中生活習俗研究——文獻記載與考古發現的綜合考察分析
山東大學中國古代史專業博士論文　2007 年　劉鳳君指導

1332　張　虹　《詩經》生命意識及相關興象系列初探
西北大學中國古代文學專業碩士論文　2006 年 5 月　李志慧指導

1333　李建軍　《詩經》與周代宗教文化研究
四川師範大學中國古典文獻學專業碩士論文　2004 年 1 月　萬光治指導

1334　塗慶紅　《詩經》風俗的歸類研究
四川師範大學中國古典文獻學專業碩士論文　2002 年 5 月　熊良智指導

1335　董雪靜　《詩經》男女春秋盛會與周代禮俗
河北大學中國古代文學專業碩士論文　2003 年 5 月　李金善指導

1336　李　雯　《詩經》婚制婚俗探究
福建師範大學中國古代文學專業碩士論文　2007 年　郭丹指導

1337　張建軍　詩經與周文化考論
蘇州大學中國古代文學專業博士論文　2001 年 5 月　王鍾陵指導
濟南　齊魯書社　265 頁　2004 年 9 月

1338　江　林　《詩經》與宗周禮樂文明
浙江大學中國古典文獻學專業博士論文　2004 年 4 月　束景南指導

1339　張　敏　《詩經》的認知詩學與心理分析研究
華南師範大學應用心理學專業博士論文　2007 年　申荷永指導

(四) 史地

1340 陳 敘 《詩》地理學研究
南京大學中文系碩士論文 2004年 徐興无指導

(五) 文學藝術

1341 孫世洋 周代詩樂文化與《詩經》
東北師範大學中國古代文學專業碩士論文 2002年1月 李炳海指導

1342 郭付利 《詩經》之詩樂觀研究
貴州大學中國古代文學專業碩士論文 2007年 譚德興指導

1343 徐艷霞 《詩經》樂器研究
山東師範大學音樂學專業碩士論文 2001年4月 劉再生指導

1344 李婷婷 《詩經》與器樂
聊城大學藝術學專業碩士論文 2007年 呂雲路指導

1345 葉敦妮 《詩經》樂器考釋
華中師範大學音樂學專業碩士論文 2007年 李方元指導

1346 李 琳 《詩經》中的色彩運用及其文化意蘊
河北大學中國古代文學專業碩士論文 2005年6月 李金善指導

1347 康少峰 《詩經》簡制、簡序及文字釋讀研究
四川大學歷史文獻學專業博士論文 2004年4月 彭裕商指導

1348 王曉敏 從《易》之「象」到《詩》之「興」——《詩經》比興之詩學內涵研究
重慶師範學院中國古代文學專業碩士論文 2002年1月 董運庭指導

1349 孫海沙 論《詩經》的悲劇性
華中師範大學中國古代文學專業碩士論文 2001年1月 佘斯大指導

1350 猶家仲 《詩經》的解釋學研究
北京大學比較文學與世界文學專業博士論文 2000年5月 樂黛雲指導
桂林 廣西師範大學出版社 261頁 2005年

(六) 美學

1351 趙 翔 時物和遠隔——論《詩經》審美意象中的生命困境
北京大學美學專業碩士論文 2006年5月 王錦民指導

1352 曲 丹 《詩經》的音樂性審美

東北師範大學漢語語言文字學專業碩士論文　2003 年 12 月　李炳海、周奇文指導

1353　李　唐　《詩經》的士大夫情感特質與審美趨向研究
湖南師範大學中國古代文學專業碩士論文　2004 年 4 月　李生龍指導

1354　張　嘎　《詩經》服飾考論
西北大學中國古代文學專業碩士論文　2007 年　劉衞平指導

1355　喬麗敏　文質彬彬——《詩經》服飾描寫的審美理想
東北師範大學中國古代文學專業碩士論文　2007 年　陳向春指導

十、詩經研究史

總　論

1356　孫興義　詮釋學視野中的先秦兩漢《詩經》學
雲南大學文藝學專業碩士論文　2001 年 6 月　張國慶指導

1357　汪祚民　《詩經》文學闡釋史（先秦—隋唐）
陝西師範大學中國古代文學專業博士論文　2004 年 5 月　霍松林指導
北京　人民出版社　391 頁　2005 年 3 月

1358　馮曉莉　史蘊《詩》心——「前三史」中的《詩經》氣脈
陝西師範大學中國古代文學專業碩士論文　2006 年 4 月　張新科指導

1359　張　蕊　《詩經》教本考論
北京師範大學教育史專業博士論文　2005 年 4 月　俞啟定指導

1360　尤　煒　詮釋學視角中的早期《詩經》研究史——以《毛詩》為中心
南京師範大學中國古代文學專業碩士論文　2002 年 4 月　吳錦、張采民指導

1361　孫立堯　詩義探源：以漢宋《詩經》學為中心
南京大學中文系碩士論文　1998 年　許結指導

先　秦

1362　馬銀琴　西周詩史
揚州大學中國古代文學專業博士論文　2000 年 1 月　王小盾指導

北京　社會科學文獻出版社　524 頁　2006 年 12 月（與作者博士後論文《東周詩史》合併為《兩周詩史》出版）

1363　馬銀琴　東周詩史
上海師範大學人文學院博士後論文　2004 年　孫遜指導
北京　社會科學文獻出版社　524 頁　2006 年 12 月（與作者博士論文《西周詩史》合併為《兩周詩史》出版）

1364　趙　琳　春秋時期《詩》的傳播及《詩》學觀念的變化
山東大學中國古典文學專業碩士論文　2007 年　鄭傑文指導

1365　曹建國　出土文獻與先秦《詩》學研究
復旦大學中國古代文學專業博士論文　2004 年 4 月　蔣凡指導

1366　張　鶯　先秦儒家《詩》學述論
華中師範大學中國古代文學專業碩士論文　2005 年 5 月　高華平指導

1367　劉立志　先秦引《詩》研究
南京師範大學中國古代文學專業碩士論文　1999 年　張采民指導

1368　鄭利峰　春秋戰國時期歌《詩》、賦《詩》與引《詩》研究
南京大學中文系碩士論文　2004 年　鞏本棟、徐興无指導

1369　張　桓　《荀子》論《詩》引《詩》研究
中山大學哲學專業碩士論文　2005 年 6 月　黎紅雷、張豐乾指導

1370　朱金發　先秦《詩》學思想研究
西北師範大學中國古代文學專業博士論文　2006 年　伏俊璉指導

1371　李笑野　先秦《詩》學和兩漢經學中的《詩》學批評
復旦大學中國文學批評史專業博士論文　1998 年　顧易生指導

1372　呂　藝　試論先秦《詩經》理論的內容及其發展
北京大學古典文獻專業碩士論文　1984 年 1 月　褚斌傑指導

1373　劉明怡　先秦《詩經》的傳播學研究
山東大學中國古代文學專業碩士論文　2003 年 5 月　王培元指導

1374　劉東影　出土文獻與早期儒家《詩》學思想
浙江大學中國古典文獻學專業博士後論文　2005 年 6 月　崔富章指導

1375　李寶龍　《詩經》與孔子思想
延邊大學中國現當代文學專業碩士論文　2004 年 6 月　于衍存指導

1376　賈學鴻　從《詩經》的君子之樂到孔子的人生之樂
東北師範大學中國古代文學專業碩士論文　2004 年 5 月　周奇文指導

1377　葉仁雄　孔子中和之美的時空闡釋——以《詩經》、《論語》為個案分析
湘潭大學比較文學與世界文學專業碩士論文　2003年4月　季水河指導

1378　余全介　荀子詩說研究
安徽大學中國古代文學專業碩士論文　2002年5月　孫以昭指導

兩　漢

1379　譚德興　漢代《詩》學研究
復旦大學中國古代文學專業博士論文　2002年　顧易生、蔣凡指導

1380　毛宣國　漢代《詩經》闡釋的詩學研究
武漢大學美學專業博士論文　2007年　陳望衡指導

1381　常　森　《詩》的崇高與汨沒：兩漢《詩經》學研究
北京大學中國古代文學專業博士論文　1999年5月　褚斌傑指導

1382　趙敏俐　兩漢詩歌研究
東北師範大學文學博士論文　1988年　楊公驥指導
臺北　文津出版社　270頁　1993年5月（大陸地區博士論文叢刊）

1383　張　靜　詩騷合流　繼往開來——論漢詩在中國詩歌發展史上的地位與作用
深圳大學中國古代文學專業碩士論文　2005年4月　章必功指導

1384　劉立志　漢代《詩經》學及其淵源考論
南京師範大學中國古代文學專業博士論文　2002年5月　郁賢皓指導
北京　中華書局　226頁　2007年4月（改名為《漢代詩經學史論》）

1385　梁錫鋒　漢代的《詩經》學與政治關係研究
鄭州大學中國古代史專業碩士論文　2001年5月　楊天宇指導

1386　潘春艷　漢代《齊詩》學考論
北京師範大學中國古代文學專業碩士論文　2006年5月　尚學鋒指導

1387　金前文　漢賦與漢代《詩經》學
華中師範大學中國古典文獻學專業博士論文　2006年4月　高華平指導

1388　周丙華　《毛詩故訓傳》義理初探
山東師範大學中國古典文獻學專業碩士論文　2005年4月　張茂華指導

1389　何毓玲　《毛詩正義》訓詁語言中的雙音節和「然」字式
四川大學中文系碩士論文　1984年　張永言指導

1390　劉衛寧　《毛詩故訓傳》、《毛詩箋》與《詩集傳》訓詁比較研究

暨南大學漢語言文字學專業碩士論文　2005年1月　王彥坤指導

1391　謝建忠　《毛詩》及其經學闡釋對唐詩的影響

首都師範大學中國古代文學專業博士論文　2006年5月　鄧小軍指導

成都　巴蜀書社　421頁　2007年12月

1392　馮浩菲　毛詩訓詁研究

華中師範大學歷史文獻學專業博士論文　1988年　張舜徽、李國祥指導

武昌　華中師範大學出版社　2冊　1998年8月（博士論文庫）

1393　劉　剛　《詩毛傳》語法研究

西南師範大學漢語言文字學專業碩士論文　2003年4月　毛遠明指導

1394　陳炳哲　《毛傳》、《鄭箋》訓詁術語比較研究

首都師範大學漢語言文字學專業碩士論文　2005年5月　宋金藍指導

1395　張　豔　《毛傳》、《鄭箋》對《詩經》訓詁之比較

蘭州大學中國古典文獻學專業碩士論文　2007年　張文軒指導

1396　劉　剛　《詩毛傳》語法研究

西南師範大學漢語言文字學專業碩士論文　2003年4月　毛遠明指導

1397　孫　婠　《韓詩外傳》研究論略

福建師範大學中國漢語言文學專業碩士論文　2006年4月　郭丹指導

1398　曾小任　《韓詩外傳》綜論

江西師範大學中國古代文學專業碩士論文　2005年4月　王以憲指導

1399　劉　強　《韓詩外傳》研究

西北師範大學中國古代文學專業碩士論文　2005年4月　伏俊璉指導

1400　王培友　《韓詩外傳》研究

曲阜師範大學中國古代文學專業碩士論文　2005年4月　張稔穰、楊樹增指導

1401　韓忠治　《韓詩外傳》雙音詞研究

河北師範大學漢語言文字學專業碩士論文　2005年5月　蘇寶榮指導

1402　王建華　《韓詩外傳》與其他文獻異文研究

四川大學漢語言文字學專業碩士論文　2004年3月　伍宗文指導

1403　楊　柳　《韓詩外傳》思想研究

湖南師範大學中國古代文學專業碩士論文　2002年4月　陳戍國指導

1404　艾春明　論《韓詩外傳》的經學價值

東北師範大學中國古代文學專業碩士論文　2002年1月　盛廣智、周

奇文指導

1405 關小彬 班固《詩經》師承考
首都師範大學中國古代文學專業碩士論文 2007 年 魯洪生指導

1406 孔德凌 鄭玄《詩經》學研究
山東大學中國古典文獻學專業博士論文 2007 年 鄭傑文指導

1407 成其聖 鄭玄及其詩學思想研究
南開大學中國文學批評史專業博士論文 1998 年 羅宗強指導

1408 郭樹芹 鄭玄《毛詩譜》新探
西北師範大學中國古代文學專業碩士論文 2001 年 5 月 趙逵夫、伏俊璉指導

1409 陳錦春 毛傳鄭箋比較研究
山東大學中國古典文獻學專業碩士論文 2006 年 王承略指導

1410 華　敏 《詩經》毛傳、鄭箋比較研究
南京師範大學漢語言文字學專業碩士論文 2005 年 4 月 馬景侖指導

1411 淩麗君 《毛詩故訓傳》直訓的語義語用分析
北京師範大學漢語言文字學專業博士論文 2007 年 5 月 王寧指導

魏晉南北朝

1412 陸理原 魏晉南北朝《詩經》研究論
華中師範大學文學專業碩士論文 2000 年 3 月 佘斯大指導

1413 孫　敏 六朝詩經學研究
揚州大學中國古代文學專業碩士論文 2001 年 5 月 田漢雲指導

1414 丁　玲 建安詩歌與《詩經》關係研究
北京師範大學中國古代文學專業碩士論文 2006 年 5 月 尚學鋒指導

1415 石了英 劉勰的《詩經》闡釋與《文心雕龍》詩學建構
暨南大學文藝學專業碩士論文 2007 年 賈益民指導

隋唐五代

1416 張立兵 論《毛詩正義》的學術成就
揚州大學中國古代文學專業博士論文 2007 年 田漢雲指導

1417 韓宏韜 《毛詩正義》研究
山東大學中國古代文學專業博士論文 2007 年 王洲明指導

1418　黃貞權　孔穎達《毛詩正義》的文學闡釋思想
暨南大學文藝學專業碩士論文　2005 年 1 月　劉紹瑾指導

1419　孫雪萍　《詩經》顏氏學[9]
山東大學中國古典文獻學專業碩士論文　2004 年 8 月　王承略指導

宋　代

1420　李冬梅　宋代《詩經》學專題研究
四川大學歷史文獻學專業博士論文　2007 年　舒大剛指導

1421　馮寶志　宋代詩經學概論
北京大學古典文獻專業碩士論文　1984 年 7 月　陰法魯指導

1422　焦雪梅　宋代《詩經》學研究的新變
山東大學中國古代文學專業碩士論文　2006 年 5 月　王培元指導

1423　郝桂敏　宋代詩經文獻研究
山東大學中國古典文獻學專業博士論文　2002 年 4 月　馮浩菲指導
北京　中國社會科學院出版社　243 頁　2006 年 2 月（中國社會科學博士論文文庫）

1424　譚德興　宋代詩經學研究
四川大學古代文學專業博士後論文　2005 年 3 月　曹順慶指導
貴陽　貴州人民出版社　315 頁　2005 年 5 月

1425　陳戰峰　宋代《詩經》學與理學——關於《詩經》學的思想學術史考察
西北大學中國思想史專業博士論文　2005 年 4 月　張豈之指導

1426　胡曉軍　宋代《詩經》文學闡釋研究
四川大學文藝學專業博士論文　2007 年　周裕鍇指導

1427　馮笑芳　宋代詩經學主流的形成——對歐、蘇、朱詩經著作的考索
北京大學中國古代文學專業碩士論文　1998 年 6 月　費振剛指導

1428　孫　鵬　歐陽修《詩本義》研究
北京大學文藝學專業碩士論文　2005 年 6 月　汪春泓指導

1429　李慧玲　歐陽修《詩本義》校注
河南師範大學歷史文獻學專業碩士論文　2004 年 5 月　呂友仁指導

1430　張　潔　《詩經新義》研究

9　此篇論文研究顏師古之《詩經》學。

山西大學中國古代文學專業碩士論文　2007年6月　劉毓慶指導

1431　劉　茜　蘇轍的《春秋》學與《詩經》學
浙江大學中國古典文獻學專業博士論文　2007年5月　束景南指導

1432　李冬梅　蘇轍《詩集傳》新探
四川大學歷史文化學院古籍所計算機與歷史文獻處理研究專業碩士論文　2003年4月　舒大剛指導
成都　四川大學出版社　287頁　2006年1月（四川大學儒藏學術叢書11）

1433　駱瑞鶴　《毛詩叶韻補音》研究
武漢大學漢語言文字學專業博士論文　2005年5月　宗福邦指導

1434　高曉成　鄭樵詩經學簡論
山西大學中國古代文學專業碩士論文　2007年6月　劉毓慶指導

1435　姜亞林　鄭樵詩經學研究
中央民族大學中國古代文學專業碩士論文　2004年5月　劉棣民指導

1436　楊秀娟　范處義及其《詩補傳》研究
華東師範大學中國古代文學專業碩士論文　2006年4月　曾抗美指導

1437　檀作文　朱熹詩經學研究
北京大學中國古代文學專業博士論文　2000年5月　費振剛指導

1438　吳　洋　朱熹《詩集傳》成書過程考辨
北京大學中國古典文獻學專業碩士論文　2004年5月　吳鷗指導

1439　柳花松　朱熹《詩集傳》注釋《詩》通假字研究
南京大學中文系博士論文　2001年　李開指導

1440　包麗虹　朱熹《詩集傳》文獻學研究
浙江大學中國古典文獻學專業博士論文　2004年5月　束景南指導

1441　馮　佳　朱熹《詩集傳》散論
湖北大學中國古典文獻學專業碩士論文　2004年5月　張林川指導

1442　胡　琴　朱熹《詩集傳》研究
南昌大學古典文獻學專業碩士論文　2005年5月　王德保指導

1443　王　倩　朱熹「《詩》教」思想研究
北京師範大學教育學教育史專業博士論文　2006年5月　俞啟定指導

1444　胡憲麗　朱熹《詩集傳》句法研究
南京師範大學漢語言文字學專業碩士論文　2006年3月　馬景侖指導

1445 董　芬　朱熹《詩集傳》闡釋方法研究
安徽師範大學文藝學專業碩士論文　2005 年 5 月　李平指導

1446 鄒其昌　朱熹詩經詮釋學美學研究
武漢大學哲學、美學專業博士論文　2002 年 4 月　陳望衡指導
北京　商務印書館　245 頁　2004 年 7 月

1447 姚永輝　朱熹與呂祖謙關於《詩經》的四大論辯平議
四川大學中國古代文學專業碩士論文　2005 年 1 月　何江南指導

1448 陳海燕　戴震與朱熹詩經學比較
安徽大學漢語言文字學專業碩士論文　2005 年 5 月　楊應芹指導

1449 薄　如　王質《詩總聞》研究
北京大學古典文獻專業碩士論文　2003 年 6 月　吳鷗指導

1450 葉洪珍　王質《詩總聞》考論
新疆師範大學中國古代文學專業碩士論文　2007 年　王佑夫指導

明　代

1451 錢　華　淺論明代《詩經》研究
北京大學古代文學專業碩士論文　1993 年 6 月　費振剛指導

1452 劉毓慶　從經學到文學——明代《詩經》學史論
北京大學中國古代文學專業博士論文　1999 年 4 月　褚斌傑指導
北京　商務印書館　467 頁　2001 年 6 月
北京　商務印書館　467 頁　2003 年 11 月

1453 寧　宇　明代《詩經》的文學接受
山東大學古代文學專業碩士論文　2001 年 4 月　廖群指導

1454 王耀東　《毛詩古音考》研究
西北師範大學漢語言文字學專業碩士論文　2006 年 4 月　周玉秀指導

1455 葉　璟　徐光啟《詩經》研究三題
浙江大學中國古代文學專業碩士論文　2007 年 5 月　林家驪指導

1456 李　娟　復調變奏曲——鍾惺《詩經》評點析論
廣西大學中國古代文學專業碩士論文　2007 年　謝明仁指導

清　代

1457 何海燕　清代《詩經》學研究

華中師範大學歷史文獻學專業博士論文　2005 年 5 月　周國林指導

1458　陳國安　清初詩經學研究

蘇州大學中國古代文學專業碩士論文　2003 年 5 月　錢仲聯、楊海明指導

1459　李賀軍　清代《詩經》學獨立思考派《詩》學研究

河南大學中國古代文學專業碩士論文　2006 年 5 月　華鋒指導

1460　寧　宇　清代文學派《詩》學研究

山東大學古代文學專業博士論文　2004 年 4 月　王洲明指導

1461　陳景聚　姚際恒、崔述與方玉潤的《詩經》學「簡論」

西北大學專門史專業碩士論文　方光華指導

1462　左川鳳　姚際恒與戴震《詩經》研究之比較

安徽師範大學中國古代文學專業碩士論文　2003 年 4 月　蔣立甫、袁傳璋、潘嘯龍指導

1463　吳超華　姚際恒的《詩經通論》研究

福建師範大學中國古代文學專業碩士論文　2007 年　翁銀陶指導

1464　孫改芳　戴震「以詩證詩」的《詩》學研究

山西大學中國古代文學專業碩士論文　2005 年 6 月　劉毓慶指導

1465　程嫩生　戴震《詩》學研究

安徽大學漢語言文字學專業碩士論文　2002 年 6 月　楊應芹指導

1466　程嫩生　戴震詩經學研究

浙江大學中國古典文獻學專業博士論文　2005 年 5 月　何俊指導

1467　陳海燕　戴震與朱熹詩經學比較

安徽大學漢語言文字學專業碩士論文　2005 年 5 月　楊應芹指導

1468　郝中嶽　王念孫《詩經小學》研究

河南大學漢語言文字學專業碩士論文　2006 年 5 月　張生漢指導

1469　鄭春汛　阮元刻《毛詩注疏》零校

武漢大學中國古典文獻學專業碩士論文　2004 年 5 月　駱瑞鶴指導

1470　蘇瑞琴　陳奐《詩毛氏傳疏》淺析

陝西師範大學漢語言文字學專業碩士論文　2005 年 4 月　郭芹納指導

1471　魏　婷　馬瑞辰《毛詩傳箋通釋》的訓詁研究

北京師範大學漢語言文字學專業碩士論文　2007 年 5 月　易敏指導

1472　丁曉丹　試析馬瑞辰《毛詩傳箋通釋》中對假借字的論說

陝西師範大學漢語言文字學專業碩士論文　2006年4月　郭芹納指導

1473　滕志賢　讀《毛詩傳箋通釋》初探

南京大學古代漢語專業碩士論文　1982年　洪誠、徐復指導

1474　朱建山　《詩毛氏傳疏》釋例

南京師範大學中國古典文獻學專業碩士論文　2007年5月　施謝捷指導

1475　曹志敏　魏源《詩古微》研究

北京師範大學中國近現代史專業博士論文　2006年4月　龔書鐸指導

1476　馬　瑜　俞樾《詩經》研究的成就及影響

山西大學中國古代文學專業碩士論文　2006年6月　劉毓慶指導

1477　李春雲　方玉潤《詩經原始》研究

福建師範大學中國古代文學專業碩士論文　2004年5月　郭丹、張善文指導

1478　梁新興　在因循傳統下的創新思變——對《詩經原始》的自我認知

廣西大學中國古代文學專業碩士論文　2007年　謝明仁指導

1479　李晉娜　現代《詩》學的曙光——方玉潤及其《詩經原始》

山西大學中國古代文學專業碩士論文　2005年6月　劉毓慶指導

1480　蕭　力　方玉潤《詩經原始》的文學批評方法研究

湖南師範大學文藝學專業碩士論文　2003年4月　賴力行指導

1481　朴相泳　從《詩三家義集疏》看王先謙的訓詁學

山東大學漢語言文字學專業碩士論文　2002年5月　徐超指導

1482　徐玲英　馬其昶《毛詩學》研究

安徽師範大學中國古典文獻學專業碩士論文　2005年4月　袁傳璋、李先華指導

民　國

1483　郭萬金　西學東漸下的現代《詩》學發軔——清季民初《詩經》研究初探

山西大學中國古代文學專業碩士論文　2004年6月　劉毓慶指導

1484　白憲娟　20世紀二三十年代的《詩經》研究——以胡適、顧頡剛、聞一多《詩經》研究為例

山東大學中國古代文學專業碩士論文　2006年5月　王洲明指導

1485　章　原　古史辨《詩經》學研究

復旦大學中國古代文學專業博士論文　2004年4月　蔣凡指導

1486 謝中元 古史辨視野下的《詩經》闡釋
暨南大學文藝學專業碩士論文 2006年5月 劉紹瑾指導

1487 朱金發 聞一多的詩經研究
河南大學中國古代文學專業碩士論文 2001年4月 白本松、華鋒指導

1488 張亞欣 夏傳才《詩經》研究綜論
山東大學中國古代文學專業碩士論文 2006年4月 王洲明指導

臺　灣

1489 葛 鋼 經學與文學——錢穆《讀詩經》研究
北京師範大學文藝心理學專業碩士論文 2005年5月 李春青指導

十一、敦煌詩經卷子

1490 徐厚廣 法藏敦煌《詩經》卷子P2506、P2514、P2538研究
清華大學文學專業碩士論文 2006年 劉石指導

十二、詩經比較研究

1491 智 惠 《詩經》、《楚辭》重言同源詞研究
北京師範大學漢語言文字學專業碩士論文 2006年5月 黃易青指導

1492 衣淑艷 先秦詩歌中的祭禮[10]
東北師範大學古代文學專業碩士論文 2006年5月 傅亞庶指導

1493 張 勇 「《毛》據《左氏》以斷章為本義」——論《詩經》解讀模式的淵源變遷及影響
重慶師範學院[11]文學專業碩士論文 2002年4月 董運庭指導

1494 丁 忱 《爾雅》、《毛傳》異同考
武漢大學漢語史專業博士論文 1983年 黃焯指導
武漢 武漢大學出版社 107頁 1988年

---

10 此文從對《詩經》和《楚辭》兩者中祭祀詩歌比較，探討先秦詩歌中祭禮的異同。

11 現已更名為重慶師範大學。

1495 李言統 中國民歌的口頭傳統研究——「花兒」和《詩經》的程式比較為例
青海師範大學中國古代文學專業碩士論文 2006年6月 趙宗福指導

1496 龍 娟 《詩經》與《十四行詩集》中愛情詩比較
重慶師範大學比較文學與世界文學專業碩士論文 2006年4月 蘇敏指導

1497 郭錦玲 意蘊不同的經典——從《詩經》與《聖經》看中西方文化精神與藝術思維的原始差異
暨南大學文藝學專業博士論文 2001年11月 蔣述卓指導

1498 黎修敏 《詩經》和《聖經・詩篇》中有關「神」信仰之比較研究
南京大學中文系碩士論文 2000年 趙憲章指導

十三、國外研究

1499 謝艷明 詩歌的敘述模式和程式——以《英格蘭與蘇格蘭民謠》和《詩經》為例
河南師範大學英語語言文學專業博士論文 2007年 王寶童指導

1500 董國文 漢學家葛蘭言的詩經研究及其與貴州田野資料的比照考察
華東師範大學中國古代文學專業碩士論文 2005年4月 林在勇指導

1501 張永平 日本明治《詩經》學史論（1868～1912）
山東大學中國古代文學專業碩士論文 2005年4月 王培元指導

1502 黃 妍 朝鮮上古詩歌對《詩經》的接受及其影響——以《公無渡河》、《黃鳥歌》、《龜旨歌》為例
延邊大學中國古代文學專業碩士論文 2007年 于衍存指導

三禮通論

一、禮學總論

(一) 通論

概　述

1503　王啟發　禮義新探
中國社會科學院研究生院中國古代史專業博士論文　2001 年 4 月　盧鐘鋒指導
鄭州　中州古籍出版社　380 頁　2005 年 1 月（改名為《禮學思想體系探源》）

1504　王秀臣　三禮用詩考
哈爾濱師範大學中國古代文學專業博士論文　2005 年　傅道彬指導
北京　中國社會科學出版社　374 頁　2007 年 5 月（中國社會科學博士論文文庫）

1505　謝　謙　古代宗教與禮樂文化
北京師範大學中國古典文學專業博士論文　1991 年　啟功指導
成都　四川人民出版社　281 頁　1996 年 7 月（改名為《中國古代宗教與禮樂文化》）

1506　張自慧　禮文化的人文精神與價值研究
鄭州大學中國古代史專業博士論文　2006 年 5 月　楊天宇指導
上海　學林出版社　321 頁　2008 年 9 月（改名為《禮文化的價值與反思》）

禮　教

1507　張靜互　先秦儒家禮教思想研究
北京師範大學中國教育史專業博士論文　2001 年　郭齊家指導

1508　蘇志宏　秦漢禮樂教化論
中國社會科學院文藝學專業博士論文　1989 年　蔡儀指導
成都　四川人民出版社　449 頁　1991 年 5 月

價　值

1509　白　華　儒家禮學價值觀研究
鄭州大學中國古代史專業博士論文　2004 年 5 月　楊天宇指導

(二) 禮學研究史

先　秦

1510　郭　舒　我國漢族成年禮的歷史沿革及現代意義
清華大學專門史專業碩士論文　2006 年　程剛指導

1511　陳戍國　先秦禮制研究
杭州大學中國古典文獻學專業博士論文　1989 年　沈文倬指導
長沙　湖南教育出版社　419 頁　1991 年 12 月

1512　王　雅　周代禮樂文化研究
吉林大學中國古代史專業博士論文　1998 年　金景芳指導

1513　劉　源　商周祭祖禮研究
南開大學中國古代史專業博士論文　2000 年　朱鳳瀚指導

1514　李玉潔　論周代喪葬制度與三《禮》記載的差異和原因
四川大學中國古代史先秦史專業博士論文　1988 年 7 月　徐中舒、唐嘉弘指導
鄭州　中州古籍出版社　270 頁　1991 年 10 月（改名為《先秦喪葬制度研究》）

1515　梅珍生　晚周禮的文質論
武漢大學中國哲學專業博士論文　2003 年　蕭漢明指導

1516　劉　豐　先秦禮學思想及其與中國傳統社會的整合

南開大學中國思想史專業博士論文　2001 年　劉澤華指導
北京　中國人民大學出版社　316 頁　2003 年 12 月（改名為《先秦理學思想與社會的整合》）

1517　彭菊玲　先秦儒家禮育與現代德育研究
武漢理工大學馬克思主義理論與思想政治教育專業碩士論文　2006 年 11 月　雷紹鋒指導

1518　黃　輝　略論先秦禮學的三次發展
上海師範大學中國哲學專業碩士論文　2005 年 5 月　吾敬東指導

1519　張小蘋　孔孟荀禮學思想論要
浙江大學中國古典文獻學專業碩士論文　2007 年　吳土法指導

1520　李曉虹　孔子禮學思想研究
河南大學中國哲學專業碩士論文　2002 年 5 月　徐儀明指導

1521　趙炎峰　孔子禮學思想的哲學詮釋及其政治文化意義
河南大學中國哲學專業碩士論文　2007 年　耿成鵬指導

1522　孫文持　荀子禮學思想研究
鄭州大學中國古代文學專業碩士論文　2006 年 6 月　賈濱指導

1523　陸建華　荀子禮學研究
中山大學中國哲學專業博士論文　2002 年 6 月　李宗桂指導
合肥　安徽大學出版社　200 頁　2004 年 1 月

1524　高春花　荀子禮學思想及其現代價值
中國人民大學馬克思主義理論與思想政治教育專業博士論文　2003 年　許啟賢指導
北京　人民出版社　258 頁　2004 年 12 月

1525　虞聖強　荀子禮義之學研究
復旦大學中國哲學專業博士論文　1997 年　潘富恩指導

1526　張奇偉　荀子禮學思想研究
北京師範大學中國古代思想史專業博士論文　2000 年　周桂鈿指導

1527　袁世杰　禮學重構中的荀子性惡論文藝觀
蘇州大學中國古代文學專業博士論文　2003 年　高凱征指導

1528　吳樹勤　禮學視野中的荀子人學思想研究——以「知通統類」為核心
北京師範大學中國哲學專業博士論文　2006 年 5 月　李景林指導
濟南　齊魯書社　287 頁　2007 年 9 月

1529 陳良武 荀子的禮學思想及其歷史影響
雲南師範大學中國哲學專業碩士論文 2006年5月 王興國指導

1530 史鵬力 荀子的霸道與禮學
北京師範大學中國古典文獻學專業碩士論文 2006年5月 李山指導

1531 朱 俊 荀子的禮學思想
西北大學中國思想史專業碩士論文 2006年5月 張茂澤指導

1532 李桂民 荀子思想與戰國時期的禮學思潮
西北大學中國思想史專業博士論文 2006年4月 張豈之指導

1533 陳光連 論分的思想是荀子禮學體系中的經脈
雲南大學倫理學專業碩士論文 2005年12月 曾健指導

1534 朱鋒剛 荀子禮學探源
復旦大學中國哲學專業碩士論文 2004年5月 楊澤波指導

1535 邵長梅 荀子禮學思想研學
山東大學中國哲學專業碩士論文 2004年5月 顏炳罡指導

1536 李 傑 論荀子的禮學思想
中共中央黨校中國哲學專業碩士論文 2000年1月 傅雲龍指導

1537 雷瓊芳 論荀子禮學思想的美學訴求
新疆大學文藝學專業碩士論文 2007年 張立斌指導

1538 劉 彬 禮出於象——論先秦兩漢易學中的禮
山東大學中國哲學專業碩士論文 2001年5月 林忠軍指導

漢 代

1539 林中堅 西漢禮治思想形成研究
中山大學中國哲學專業博士論文 2005年5月 李宗桂指導

1540 刁小龍 鄭玄禮學及其時代
清華大學專門史專業博士論文 2007年 彭林指導

1541 梁錫鋒 鄭玄以禮箋《詩》研究
鄭州大學中國古代史專業博士論文 2004年5月 楊天宇指導
北京 學苑出版社 262頁 2005年

1542 史應勇 鄭玄禮學的經學史考察
復旦大學中國文化史專業博士論文 2000年10月 朱維錚指導

1543　楊天宇　論鄭玄《三禮注》[12]
河南師範大學中國古代文學專業碩士論文　1981 年　郭豫才、朱紹侯、郭人民指導
文史　第 21 輯　北京　中華書局　頁 21-42　1983 年 10 月
天津　天津人民出版社　頁 581-645　2007 年 4 月
北京　中國社會科學出版社　2008 年 2 月

1544　張玉琴　鄭玄「三禮注」釋樂考釋
華中師範大學中國古代音樂史專業碩士論文　2007 年 6 月　李方元指導

1545　楊丙濤　從《禮記》鄭玄注看戰國時期齊魯方音
北京師範大學漢語言文字學專業碩士論文　2007 年 5 月　黃易青指導

魏晉南北朝

1546　張煥君　魏晉南北朝喪服制度研究
清華大學專門史專業博士論文　2004 年　彭林指導

1547　樂勝奎　皇侃與六朝禮學
武漢大學中國哲學專業博士論文　2002 年 4 月　郭齊勇指導

唐　代

1548　任　爽　唐代禮制研究概要
東北師範大學中國古代史專業博士論文　1997 年　李洵、楊志玖指導

1549　羅娟娟　《大唐開元禮》喪葬禮詞彙研究
四川大學漢語言文字學專業碩士論文　2007 年　譚偉指導

宋　代

1550　惠吉興　宋代禮學研究
中山大學中國哲學專業博士論文　1999 年 5 月　李宗桂指導

1551　鄭　艷　藍田呂氏禮學思想及鄉村實踐研究
陝西師範大學中國哲學專業碩士論文　2007 年　林樂昌指導

---

12 此論文曾刊於《文史》第 21 輯，後在此基礎上增補修改，並更名為《鄭玄三禮注研究》出版，出版後第六章「論鄭玄《三禮注》」即為作者碩士論文原貌。

清　代

1552　林存陽　清初三禮學
中國社會科學院中國古代思想史專業博士論文　2000年1月　陳祖武指導
北京　社會科學文獻出版社　375頁　2002年

1553　馮素梅　試論清代「三禮」學研究
山西大學中國古代史專業碩士論文　2007年5月　馬玉山指導

1554　房姍姍　試論毛奇齡的禮學成就
魯東大學專門史專業碩士論文　2007年6月　程奇立指導

1555　梁　勇　萬斯大及其禮學研究
中國社會科學院研究生院清代學術史專業碩士論文　2001年　陳祖武指導

1556　楊　君　晚清今文禮學研究
山東師範大學中國近現代史專業碩士論文　2004年4月　田海林指導

1557　魏立帥　晚清漢學派禮學研究
山東師範大學中國近現代史專業碩士論文　2007年　田海林指導

1558　李江輝　晚清江浙禮學研究——以揚州、浙東、常州為中心
西北大學歷史學專業博士論文　2007年　方光華指導

民　國

1559　蓋志芳　民國禮學的歷史考察
山東師範大學中國近現代史專業碩士論文　2007年　田海林指導

二、周禮

(一) 通論

成書時代

1560　彭　林　《周禮》主體思想與成書年代研究
北京師範大學中國古代史專業博士論文　1989年　趙光賢指導

北京　中國社會科學出版社　258 頁　1991 年 9 月

1561　李　晶　春秋官制與《周禮》職官系統比較研究——以《周禮》成書年代的考察為目的
河北師範大學中國古代史專業碩士論文　2004 年 5 月　沈長雲指導

(二) 各官研究

秋　官

1562　安秀榮　《周禮・秋官司寇》元語言分析
天津師範大學漢語言文字學專業碩士論文　2004 年 4 月　楊光榮指導

冬　官（考工記）

1563　張言夢　漢至清代《考工記》研究和注釋史述論稿
南京師範大學美術學專業博士論文　2005 年 4 月　范景中指導

1564　唐忠海　《考工記・玉人》名物訓詁與孫疏補證
杭州師範學院[13]漢語言文字學專業碩士論文　2005 年 4 月　汪少華指導

1565　鐘正基　《考工記》車的設計思想研究
武漢理工大學設計藝術學專業碩士論文　2007 年　鄒其昌指導

1566　王夢周　《考工記》玉器設計思想研究
武漢理工大學設計藝術學專業碩士論文　2007 年　鄒其昌指導

1567　劉明玉　《考工記》服飾工藝理論研究
武漢理工大學設計藝術學專業碩士論文　2007 年 5 月　鄒其昌指導

1568　段大龍　《考工記》的「材美」「工巧」設計思想及其現實意義
東北師範大學設計藝術學專業碩士論文　2007 年　李奇飛指導

1569　孫　琛　《考工記・磬氏》驗證
中國藝術研究院音樂學專業碩士論文　2007 年 4 月　王子初指導

(三) 語言文字研究

1570　劉興均　《周禮》名物詞研究
四川大學漢語言文字學專業博士論文　2000 年　宋永培指導

13 現已更名為杭州師範大學。

成都　巴蜀書社　579 頁　2001 年 5 月

1571　李玉平　《周禮》複音詞鄭注研究
北京師範大學漢語言文字學專業博士論文　2006 年 5 月　李運富指導

1572　張學濤　注釋書中名物詞訓詁方法的歷史演變——以《周禮》鄭玄注、賈公彥注疏和孫詒讓正義為例
北京師範大學漢語言文字學專業碩士論文　2007 年 5 月　朱小健指導

1573　陳勤香　《周禮》祭祀詞語研究
廣西師範大學漢語言文字學專業碩士論文　2006 年 4 月　劉興均指導

1574　丁　進　周禮與文學
復旦大學中國古代文學專業博士論文　2005 年 4 月　蔣凡指導
上海　上海人民出版社　425 頁　2008 年 7 月（改名為《周禮考論：周禮與中國文學》）

(四) 思想制度

1575　楊　瑤　《周禮》中所載戶籍制度及相關問題初探
吉林大學中國古代史專業碩士論文　2007 年　朱紅林指導

1576　張　偉　《周禮》中玉禮器考辨
西北大學考古學及博物館學專業碩士論文　2007 年 5 月　劉雲輝、陳洪海指導

1577　洪　曦　檔案學視角下的《周禮》研究
遼寧大學檔案學專業碩士論文　2007 年　丁海斌指導

1578　王雪萍　《周禮》飲食制度研究
揚州大學中國古代文學專業博士論文　2007 年　田漢雲指導

1579　郭　珂　《周禮》樂官辨
河南大學音樂學專業碩士論文　2005 年 5 月　張永傑指導

1580　張全民　《周禮》所見法制研究（刑法篇）
吉林大學中國古代史專業博士論文　1997 年　金景芳、陳恩林指導
北京　法律出版社　211 頁　2004 年 5 月（湘潭大學法學院博士文庫）

1581　郝際陶　《雅典政制》與《周官》
東北師範大學世界上古史專業博士論文　1986 年　林志純指導

1582　吳土法　《周禮》官聯叢考
杭州大學中國古典文獻學專業博士論文　1995 年　沈文倬指導

1583　李　晶　《周禮》成書時代與國別問題研究——基於《周禮》所見若干制度的考察
南開大學中國古代史專業博士論文　2007年4月　趙伯雄指導

1584　李雪山　《周禮》中所反映的村社土地制度
北京大學中國古代史專業碩士論文　1992年4月　吳榮曾指導

三、儀禮

1585　馬增強　儀禮思想研究
西北大學專門史專業博士論文　2003年5月　劉寶才指導

1586　于永玉　《儀禮・喪服》研究
吉林大學中國古代文學專業碩士論文　金景芳指導

1587　程奇立　《儀禮・喪服》研究
吉林大學中國古代史專業博士論文　2000年　金景芳指導

1588　易小明　盟會和朝聘禮對春秋時期政治權力下移的影響
江西師範大學歷史文獻學專業碩士論文　2005年　周洪指導

1589　孟美菊　武威漢簡《儀禮》異文研究
西南師範大學[14]漢語言文字學專業碩士論文　2003年4月　喻遂生指導

1590　李文娟　《儀禮》倫理思想研究
中央民族大學中國哲學專業碩士論文　2006年5月　王文東指導

1591　王　薇　《儀禮》名物詞研究
東北師範大學漢語言文字學專業碩士論文　2005年5月　傅亞庶指導

1592　鄧聲國　清代《儀禮》文獻研究
山東大學中國古典文獻學專業博士論文　2004年3月　馮浩菲指導
上海　上海古籍出版社　530頁　2006年4月

1593　李　莉　胡培翬《儀禮正義》「四例」研究——以喪禮四篇為例
清華大學專門史專業博士論文　2005年　彭林指導

14　現已改為西南大學。

四、禮記

(一) 通論

成書時代

1594　王　鍔　《禮記》成書考
西北師範大學中國古典文獻學專業博士論文　2004年5月　趙逵夫指導
北京　中華書局　349 頁　2007 年 3 月

(二) 注譯

1595　宋鐘秀　理雅各英譯《禮記》研究
福建師範大學英語語言文學專業碩士論文　2006 年 4 月　岳峰指導

(三) 各篇研究

月　令

1596　余　琳　《禮記・月令》篇禁忌研究
暨南大學中國古典文獻學專業碩士論文　2007 年　張玉春指導

禮　運

1597　龔　敏　《禮運》研究
南京大學中文系碩士論文　2002 年　徐興无指導

內　則

1598　趙　瑜　從《禮記・內則》等篇看周代婦女的社會地位
陝西師範大學中國古代史專業碩士論文　2007 年 5 月　王暉指導

樂　記

1599　余　瑾　先秦儒家樂教思想研究——兼論《禮記・樂記》的成書年代
清華大學專門史專業碩士論文　2002 年　彭林指導

(四) 語言文字研究

1600 李宇哲 《禮記》句子及主語研究
北京師範大學漢語言文字學專業博士論文 2000年 王寧指導

1601 呂雲生 《禮記》動詞的語義分類研究
北京師範大學漢語言文字學專業博士論文 2007年4月 王寧指導

1602 陳 謝 古漢語常用介詞在《禮記》中的語法分析
陝西師範大學漢語言文字學專業碩士論文 2006年4月 白玉林指導

1603 路瀝雲 《禮記》事名詞研究
廣西師範大學漢語言文字學專業碩士論文 2003年4月 劉興均指導

1604 沙 瑩 《禮記》婚、喪二禮文化詞語語義系統研究
山東大學漢語言文字學專業碩士論文 2006年4月 楊端志指導

1605 林 琳 《禮記》成語研究
東北師範大學漢語言文字學專業碩士論文 2006年5月 傅亞庶指導

(五) 分類研究

1606 鄒昌林 從《禮記》看中國禮文化的特徵
中國社會科學院中國哲學專業博士論文 1991年7月 余敦康指導
臺北 文津出版社 271頁 1992年9月（大陸地區博士論文叢刊）（改名為《中國古禮研究》）

1607 何清藍 西周禮制初探——以《禮記》所載祭祀制度為中心的分析
西南政法大學法律史專業碩士論文 2007年 陳金全指導

1608 劉健婷 從《禮記》闡述的音樂形式論周代社會的政治內涵
陝西師範大學音樂學專業碩士論文 2006年4月 陳四海指導

1609 龔建平 《禮記》哲學思想研究
武漢大學中國哲學專業博士論文 1998年 郭齊勇指導
北京 商務印書館 467頁 2005年11月（改名為《意義的生成與實現：《禮記》哲學思想》）

1610 田沐臣 《禮記》的禮治思想
西北大學專門史專業博士論文 2000年 劉寶才指導

1611 陳開先 《禮記》主題思想研究——傳統儒家思想的一種解讀
中山大學中國哲學專業博士論文 1998年6月 馮達文指導

1612 陳叢蘭 《禮記》婚姻倫理思想研究
西北師範大學倫理學專業碩士論文 2005 年 5 月 王翠英指導

1613 龍斯釗 內聖外王——《禮記》的思想政治教育目標
首都師範大學馬克思主義理論與思想政治教育專業碩士論文 2002 年 4 月 鄧球柏指導

1614 盧 靜 《禮記》文學研究
陝西師範大學中國古代文學專業博士論文 2007 年 霍松林指導

1615 武宇嫦 禮與俗的演繹——民俗學視野下的《禮記》研究
北京師範大學民俗學專業博士論文 2007 年 劉鐵梁指導

(六) 禮記研究史

漢 代

1616 韓琳琳 《禮記》與西漢社會——以「孝」為中心的考察
南京師範大學專門史專業碩士論文 2004 年 1 月 張進指導

1617 丁 進 兩《戴記》考論
安徽大學中國古代文學專業碩士論文 2002 年 5 月 孫以昭指導

1618 馬君花 論鄭玄《禮記注》在訓詁學史上的成就
寧夏大學漢語言文字學專業碩士論文 2005 年 5 月 馮玉濤、劉世俊指導

1619 楊 陽 鄭玄《禮記》注釋研究
西南師範大學中國古典文獻學專業碩士論文 2000 年 5 月 蔣宗福指導

1620 張 琴 鄭玄《禮記注》初探
安徽大學漢語言文字專業碩士論文 2006 年 5 月 陳廣忠指導

1621 錢慧真 《禮記》鄭玄注釋中的同源詞研究
山東大學漢語言文字學專業碩士論文 2006 年 5 月 徐超、張業法指導

1622 傅華辰 《禮記》鄭注訓詁研究
南京師範大學漢語言文字學專業碩士論文 2004 年 5 月 馬景侖指導

唐 代

1623 常虛懷 《禮記正義》校讀札記
南京師範大學中國古典文獻學專業碩士論文 2007 年 5 月 方向東指導

元　代

1624　蘇成愛　《陳氏禮記集說》研究
南京師範大學中國古典文獻學專業碩士論文　2007年4月　方向東指導

清　代

1625　曾　軍　清前期《禮記》學研究
華中師範大學古典文獻學專業碩士論文　2005年6月　張三夕指導

1626　藍　瑤　朱彬《禮記訓纂》研究
南京師範大學中國古典文獻學專業碩士論文　2007年5月　方向東指導

1627　左　建　孫希旦《禮記集解》初探
河南師範大學歷史文獻學專業碩士論文　2003年5月　呂友仁指導

1628　萬麗文　孫希旦《禮記集解》研究
南京師範大學中國古典文獻學專業碩士論文　2007年4月　王鍔指導

1629　曾　軍　義理與考據——清中期《禮記》詮釋的兩種策略
華中師範大學中國古典文獻學專業博士論文　2008年6月　張三夕指導

五、附：大戴禮記

1630　張　磊　《大戴禮記》「曾子十篇」研究
曲阜師範大學專門史專業碩士論文　2004年3月　楊朝明指導

1631　于國良　《大戴禮記》詞彙研究
四川大學漢語言文字學專業碩士論文　2005年1月　伍宗文指導

1632　李存周　《大戴禮記》詞彙研究
廣州大學語言學及應用語言學專業碩士論文　2006年4月　羅維明指導

1633　丁　進　兩《戴記》考論
安徽大學中國古代文學專業碩士論文　2002年5月　孫以昭指導

1634　陳興安　荀子與大小戴記相同篇章關係的比較研究
清華大學專門史專業碩士論文　2000年　廖名春指導

春秋及三傳

一、春秋

(一) 通論

1635　陳思林　關於《春秋》若干問題的探索
吉林大學中國古代文學專業碩士論文　金景芳指導

1636　鄧季方　《春秋》經傳異文淺論
四川大學中文系碩士論文　1984 年　張永言指導

1637　趙生群　春秋經傳研究
南京師範大學中國古代文學專業博士論文　1998 年　陳美林指導
上海　上海古籍出版社　337 頁　2000 年 5 月

1638　孫峻旭　文學與歷史之間——從春秋筆法說起
曲阜師範大學中國古代文學專業碩士論文　2006 年 4 月　單承彬指導

(二) 春秋分類研究

春秋折獄

1639　趙進華　論「《春秋》決獄」
中山大學法學專業碩士論文　2004 年 5 月　馬作武指導

1640　吳傑鋒　「春秋決獄」與漢代經典解釋
中山大學哲學專業碩士論文　2003 年 5 月　李宗桂指導

1641　趙建林　魏晉「春秋決獄」研究
清華大學專門史專業碩士論文　2004 年　王曉毅指導

政治思想

1642　陳蘇鎮　《春秋》學對漢代政治變遷的影響
北京大學中國古代史專業博士論文　2000 年 12 月　祝總斌指導
北京　中國廣播電視出版社　453 頁　2001 年 3 月（改名為《漢代政治與《春秋》學》）

（三）春秋研究史

1643　葛煥禮　八世紀中葉至十二世紀初的「新《春秋》學」
山東大學中國古代史專業博士論文　2003 年 5 月　王育濟指導

唐五代

1644　傅麗敏　中晚唐《春秋》學研究
吉林大學歷史文獻學專業碩士論文　2008 年 5 月　張固也指導

1645　王連成　啖助、趙匡和陸淳的春秋學研究
北京大學古典文獻學專業碩士論文　2001 年 6 月　顧歆藝指導

宋

1646　曲　輝　宋代春秋學研究——以孫復、程頤、胡安國、朱熹為中心
華東師範大學中國古典文獻學專業碩士論文　2007 年　嚴文儒指導

1647　張尚英　劉敞《春秋》學述論
四川大學歷史文獻學專業碩士論文　2002 年 1 月　吳洪澤指導

1648　劉　茜　蘇轍的《春秋》學與《詩經》學
浙江大學中國古典文獻學專業博士論文　2007 年 5 月　束景南指導

1649　丁美霞　蘇轍與其《春秋》學
南京大學中文系碩士論文　2004 年　曹虹指導

元

1650　周國琴　程端學《春秋》三書研究
南開大學中國古代史專業博士論文　2007 年 4 月　趙伯雄指導

清

1651　程　紅　毛奇齡《春秋》學研究
魯東大學專門史專業碩士論文　2006年6月　程奇立、丁鼎指導

1652　劉少虎　王闓運春秋學思想研究
中山大學歷史學專業博士論文　2006年6月　周興樑指導
北京　華夏出版社　360頁　2007年8月（改名為《經學以自治：王闓運春秋學思想研究》）

1653　趙　沛　廖平春秋研究
四川大學歷史文化學院博士後研究　2006年　陳廷湘指導
成都　巴蜀書社　336頁　2007年8月

（四）春秋三傳綜論

1654　邱　鋒　《春秋》及「三傳」歷史觀研究
北京師范大學史學理論及史學史專業博士論文　2007年5月　瞿林東指導

1655　浦衛忠　春秋三傳之比較研究
中國社會科學院中國古代史專業博士論文　1990年8月　楊向奎指導
臺北　文津出版社　261頁　1995年4月（大陸地區博士論文叢刊）（改名為《春秋三傳綜合研究》）

二、左氏傳

（一）通論

作　者

1656　王紅霞　左丘明思想研究
曲阜師範大學專門史專業碩士論文　2002年3月　楊朝明指導

1657　邢子民　左丘明與《左傳》關係考
山東師範大學中國古典文獻學專業碩士論文　2005年4月　張漢東指導

與其他史書比較

春　秋

1658　陳才訓　源遠流長——論《春秋》、《左傳》對古典小說的影響
山東大學中國古代文學專業博士論文　2006 年 5 月　馬瑞芳指導

史　記

1659　梁曉雲　《史記》與《左傳》的比較研究
北京師範大學中國古代文學專業博士論文　1997 年　韓兆琦指導

1660　楊　泠　從與《左傳》的比較看《史記》連詞的特點
北京師範大學漢語言文字學專業碩士論文　2007 年 5 月　劉利指導

1661　張曉燕　從與《左傳》的比較看《史記》特指疑問句的特點
北京師範大學漢語言文字學專業碩士論文　2007 年 5 月　劉利指導

1662　許　霞　從《左傳》《史記》看上古漢語稱數法
北京師範大學漢語言文字學專業碩士論文　2007 年 5 月　劉利指導

1663　黃二寧　《左傳》、《史記》寫人之比較研究
北京師範大學中國古代文學專業碩士論文　2007 年 5 月　過常寶指導

1664　吳美卿　《左傳》的人文精神對《史記》創作的影響
福建師範大學漢語言文字學專業碩士論文　2002 年 4 月　郭丹指導

1665　張雲濤　《左傳》《史記》異文研究
內蒙古師範大學漢語言文字學專業碩士論文　2007 年 6 月　章也指導

1666　朱志純　從《史記》對《左傳》的取材透視司馬遷的「一家之言」
華中師範大學中國古代文學專業碩士論文　2007 年 5 月　韓維志指導

1667　孫晨陽　道德・身體・權力——《左傳》與《史記》的身體語言
復旦大學中國古代文學專業碩士論文　2006 年 5 月　汪耀明指導

國　語

1668　張黎麗　《國語》、《左傳》比較研究
南京師範大學中國古典文獻學專業碩士論文　2002 年 6 月　方向東指導

1669　李曉明　春秋時期君子文化人格研究——以《國語》、《左傳》為中心
北京師範大學中國古典文獻學專業碩士論文　2004 年 5 月　李山指導

1670 王學峰 春秋時期的神靈觀——以《左傳》、《國語》為例
上海師範大學宗教學專業碩士論文 2007年5月 吾敬東指導

1671 黃 耀 《國語》《左傳》所敘晉史比較研究
重慶師範大學中國古代文學專業碩士論文 2007年 董運庭指導

(二) 札記

1672 蘇 芃 讀《左》脞錄
南京師範大學中國古典文獻學專業碩士論文 2007年5月 趙生群指導

(三) 語言文字研究

1673 尹 潔 《春秋左氏傳》正文訓詁研究
北京師範大學漢語言文字學專業碩士論文 2007年5月 李運富指導

字 詞

1674 黃志強 關於《左傳》複合詞的幾個問題
復旦大學古漢語專業碩士論文 1978、1979級 張世祿、顏修指導

1675 徐春紅 《左傳》告論類動詞詞義特點和結構功能研究
河北師範大學漢語言文字學專業碩士論文 2007年5月 田恒金指導

1676 楊曉粉 《左傳》杜注聯合式雙音結構研究
北京師範大學漢語言文字學專業碩士論文 2007年5月 崔樞華指導

1677 張文蕾 《左傳》中表處置的「以」字句研究
內蒙古師範大學漢語言文字學專業碩士論文 2006年6月 章也指導

1678 梁 樺 《左傳》方位詞研究
暨南大學漢語言文字學專業碩士論文 2006年5月 張家文指導

1679 史維國 《左傳》中的處所詞研究
黑龍江大學漢語言文字學專業碩士論文 2006年 李先耕指導

1680 劉志敬 《左傳》單雙音節同義動詞的選擇及原因考察
北京語言大學漢語言文字學專業碩士論文 2005年6月 魏德勝指導

1681 關立新 《左傳》名詞動用現象分析
黑龍江大學漢語言文字學專業碩士論文 2004年6月 李先耕指導

1682 黃 輝 《左傳》反義詞探析
內蒙古大學漢語言文字學專業碩士論文 2004年5月 道爾吉指導

1683 弋丹陽 《左傳》單音節謂語動詞的配價結構淺析
陝西師範大學漢語言文字學專業碩士論文 2005年4月 白玉林指導

1684 羅蓓蕾 《左傳》軍事詞語研究
廣西師範大學漢語言文字學專業碩士論文 2004年4月 劉興均指導

1685 羅紅昌 《左傳》前置現象及相關虛詞研究
四川大學漢語言文字學專業碩士論文 2004年3月 宋永培指導

1686 姚慶保 《左傳》及物動詞作使動用考察
華南師範大學漢語言文字學專業碩士論文 2002年1月 吳辛丑指導

1687 高留香 《左傳》「所」字及「所」字結構研究
暨南大學漢語言文字學專業碩士論文 2007年 朱承平指導

1688 趙大明 《左傳》介詞研究
北京大學漢語言文字學專業博士論文 2001年5月 郭錫良指導
北京 首都師範大學出版社 529頁 2007年12月

1689 沈 林 《左傳》單音節實詞同義詞群研究
四川大學漢語言文字學專業博士論文 2001年 宋永培指導

1690 張文國 《左傳》名詞研究
四川聯合大學漢語史專業博士論文 1997年 趙振鐸指導

1691 張 猛 《左傳》謂語動詞研究
北京大學漢語史專業博士論文 1998年7月 郭錫良指導

1692 劉愛菊 漢語連詞從上古到中古的演變——以《左傳》、《魏書》為例
北京大學漢語言文字學專業博士論文 2003年8月 朱慶之指導

1693 葉友文 《左傳》「于／於」字句分析
北京大學漢語史專業碩士論文 1985年6月 郭錫良、曹先耀指導

1694 吳崢嶸 《左傳》索取、給予、接受義類詞彙系統研究
華中師範大學漢語言文字學專業博士論文 2006年6月 周光慶指導

1695 李 昱 《左傳》《史記》詞彙對比考察
南京大學中文系碩士論文 1998年 許惟賢指導

語 法

1696 蘇延燁 《左傳》主謂謂語句研究
暨南大學漢語言文字學專業碩士論文 2007年 張家文指導

1697 申小龍 《左傳》句型研究

復旦大學漢語史專業博士論文　1988 年　張世祿指導

1698　宋　崢　《左傳》中使令動詞詞義特點對其句法結構和功能的影響
河北師範大學漢語言文字學專業碩士論文　2007 年 5 月　王軍指導

1699　曹兆藍　試談《左傳》文句的省略
武漢大學語言文字專業碩士論文　1978、1979 級　周大璞指導

1700　黃麗麗　《左傳》複句研究
南京大學語言文字專業碩士論文　1982 年　周鐘靈指導

1701　馬麗娟　《左傳》時間詞語初探
東北師範大學漢語言文字學專業碩士論文　2006 年 5 月　傅亞庶指導

1702　程亞恒　《左傳》兼語句研究
貴州大學漢語言文字學專業碩士論文　2006 年 3 月　袁本良指導

1703　宋麗琴　《左傳》行人辭令中委婉語研究
河北大學漢語言文字學專業碩士論文　2005 年 6 月　王占福指導

1704　韓紅星　《左傳》比喻句研究
貴州大學漢語言文字學專業碩士論文　2005 年 5 月　袁本良指導

1705　梁葉春　《左傳》構詞法研究
暨南大學漢語言文字學專業碩士論文　2005 年 1 月　朱承平指導

1706　解植永　《左傳》、《史記》判斷句比較研究
北京師範大學漢語言文字學專業碩士論文　2004 年 5 月　劉利指導

1707　邵永海　從《左傳》和《史記》看上古漢語雙賓語結構及其發展
北京大學漢語專業碩士論文　1988 年 5 月　郭錫良指導

1708　郝躍鳳　《左傳》謙敬語考察
山西大學漢語言文字學專業碩士論文　2007 年 6 月　張儒指導

1709　李偉群　《左傳》中的主謂謂語句
北京大學漢語言文字學專業碩士論文　2006 年 6 月　楊榮祥指導

1710　陳珠珠　《左傳》連動結構研究
北京大學漢語言文字學專業碩士論文　2005 年 6 月　宋紹年、邵永海指導

(四) 寫作技巧

1711　吳秉坤　《左傳》敘事與弒君凡例之關係
清華大學專門史專業博士論文　2007 年　方朝暉指導

1712　陶運清　《左傳》的敘事特色——以戰爭為中心的考察
鄭州大學中國古代文學專業碩士論文　2006年6月　賈濱指導

1713　王小梅　論《左傳》因果敘事模式
北京師範大學中國古代文學專業碩士論文　2006年5月　尚學鋒指導

1714　安　建　試論《左傳》中的紀傳體雛形
北京師範大學歷史學中國古代史專業碩士論文　2006年5月　易寧指導

1715　劉　澍　《左傳》中家臣形象的分析及文學表現
東北師範大學中國古代文學專業碩士論文　2004年5月　傅亞庶指導

1716　何愛英　《左傳》文體特徵及其文化意蘊
河南大學中國古代文學專業碩士論文　2001年1月　白本松、華鋒指導

1717　周　艷　《左傳》敘事研究
華中師範大學中國古代文學專業碩士論文　1999年1月　佘斯大指導

1718　劉鳳俠　《左傳》的敘事學研究
山東大學中國古代文學專業碩士論文　2007年　廖群指導

1719　歐陽雪梅　論《左傳》的敘事藝術
重慶師範學院[15]中古文學專業碩士論文　1997年5月　何明新指導

1720　史繼東　《左傳》敘事觀念及敘事藝術研究
陝西師範大學中國古代文學專業碩士論文　2007年4月　魏耕原指導

1721　唐　沙　《左傳》故事「經典化」探研
西南大學中國古代文學專業碩士論文　2006年4月　熊憲光指導

1722　龔元秀　論《左傳》的行人辭令
湖北大學中國古代文學專業碩士論文　2001年5月　何新文指導

（五）分類研究

1723　陸躍升　《春秋左氏傳》解釋學研究
貴州大學中國古代文學專業碩士論文　2006年5月　黃永堂指導

1724　王思平　《左傳》人名與金文人名比較研究
中國社會科學院研究生院歷史文獻學專業博士論文　1997年7月　李學勤指導

15 現已更名為重慶師範大學。

引經、引詩

1725 王清珍 《左傳》用詩研究
北京大學中國古代文學專業博士論文 2003年5月 費振剛指導

1726 陳穎聰 《左傳》對《毛詩》的影響研究
中山大學文學專業碩士論文 2007年5月 孫立指導

1727 周春健 《左傳》引《詩》考析
湖北大學中國古典文獻學專業碩士論文 2001年1月 張林川指導

1728 艾海青 《左傳》引《詩》研究
廣西師範大學中國古代文學專業碩士論文 2007年 周葦風指導

1729 余 瓊 試論《左傳》事實對於解經的影響
南京師範大學中國古典文獻學專業碩士論文 2003年5月 趙生群指導

1730 繆愛紅 《左傳》用《詩》與春秋時期思維的理性化
南京師範大學古代文學專業碩士論文 2004年5月 徐克謙指導

1731 毛振華 《左傳》賦詩研究
鄭州大學中國古典文獻學專業碩士論文 2005年5月 徐正英指導

政治、軍事、律法

1732 米壽順 論《左傳》的民本思想
河南師範大學中國古代文學專業碩士論文 1978、1979級 華鐘彥指導

1733 孟繁強 《左傳》城邑與邦國關係研究
北京師範大學古典文獻學專業碩士論文 2007年5月 李山指導

1734 王新英 《左傳》中的賄賂
吉林大學中國古代史專業碩士論文 2006年 陳恩林指導

1735 段開正 論春秋戰爭禮儀與軍事文化——以《左傳》為中心
青島大學中國古代文學專業碩士論文 2005年6月 張樹國指導

1736 楊佐義 《左傳》中的戰爭描寫
東北師範大學中國古代文學專業碩士論文 1978、1979級 楊公驥指導

1737 袁瑾洋 論《左傳》記敘戰爭的藝術
揚州師範學院中國古代文學專業碩士論文 1978、1979級 李廷先指導

1738 寧全紅 《左傳》刑罰適用研究
西南政法大學法律史專業博士論文 2007年3月 俞榮根指導

社會、禮俗

1739 馮　荊　從《左傳》看春秋禮文化與春秋貴族說辭
中山大學文學專業碩士論文　2005年6月　師飆指導

1740 張　蓉　《左傳》貴族女性問題初探
陝西師範大學中國古代文學專業碩士論文　2004年4月　張新科指導

1741 張　芬　《左傳》中貴族女性形象的文化闡釋
北京師範大學古典文獻學專業碩士論文　2007年5月　李山指導

1742 王紹燕　《左傳》女性形象研究
蘭州大學中國古代文學專業碩士論文　2007年　張崇琛指導

1743 張蓓蓓　論《左傳》敘事中的「禮」
北京師範大學中國古代文學專業碩士論文　2007年5月　尚學鋒指導

1744 王春陽　《左傳》吉禮研究
華中師範大學歷史文獻學專業碩士論文　2005年5月　李曉明指導

文學藝術

1745 孫綠怡　中國古代文學發展中「史」的傳統：《左傳》與中國古典小說
東北師範大學中國古代文學專業博士論文　1986年　楊公驥指導
北京　北京大學出版社　143頁　1992年4月

1746 成佳妮　春秋晉國歷史文學研究──以《左傳》為中心
青島大學中國古代文學專業碩士論文　2007年6月　張樹國指導

1747 陳才訓　源遠流長──論《春秋》、《左傳》對古典小說的影響
山東大學中國古代文學專業博士論文　2006年5月　馬瑞芳指導

1748 黃　鳴　春秋時代的文學與文學活動──《左傳》研究劄記
復旦大學中國古代文學專業博士論文　2006年4月　蔣凡指導

1749 傅希亮　道德史觀與《左傳》文學研究
首都師範大學中國古代文學專業博士論文　2004年4月　趙敏俐指導

1750 朴晟鎮　《左傳》文學價值研究
北京師範大學中國古代文學專業博士論文　1998年　韓兆琦指導

1751 任振鎬　《左傳》與中國古典文學
南京師範大學中國古代文學專業博士論文　1998年　鍾振振指導

1752 周　軍　《左傳》歷史文學論略

湖北大學中國古代史專業碩士論文　2007 年 5 月　彭忠德指導

1753　陳莉娟　《左傳》與《三國演義》比較研究
江西師範大學中國古代文學專業碩士論文　2003 年 11 月　劉松來指導

1754　陳金海　論《左傳》的「求真」精神
北京師範大學中國古代史專業碩士論文　2007 年 5 月　易寧指導

災異預言

1755　張衛中　《左傳》預言研究
杭州大學中國古典文獻學專業博士論文　1996 年　沈文倬指導

1756　劉　瑛　《左傳》方術研究
北京大學中國古典文獻學專業博士論文　2001 年 5 月　倪其心指導
北京　人民文學出版社　231 頁　2006 年 6 月（改名為《左傳、國語方術研究》）

1757　趙奉蓉　《左傳》預言研究
曲阜師範大學中國古代文學專業碩士論文　2006 年 4 月　楊樹增指導

1758　張懷民　論《左傳》中的預言——春秋時期天命、占卜和禮的平衡
北京師範大學古代文學專業碩士論文　2006 年 4 月　李山指導

1759　韓　霞　《左傳》夢占預言的文學價值
延邊大學中國古代文學專業碩士論文　2007 年 5 月　孫德彪指導

1760　郭洪波　《左傳》巫術宗教文化研究
曲阜師範大學中國古代文學專業碩士論文　2007 年　趙東栓指導

1761　郭珍玉　《左傳》懲惡勸善思想研究
揚州師範學院中國古代史專業碩士論文　1978、1979 級　李廷先指導

（六）左傳研究史

概　述

1762　劉麗文　左傳研究
北京師範大學中國古代文學專業博士論文　1998 年　韓兆琦指導

1763　周　旻　《左傳》研究
北京師範大學中國古代文學專業博士論文　2001 年　韓兆琦指導

先　秦

1764　王澤文　春秋時期的紀年銅器銘文與《左傳》的對照研究
中國社會科學院研究生院歷史文獻學專業博士論文　2002 年 1 月　李學勤、席澤宗指導

1765　孟憲嶺　《左傳》中的孔子言語研究
首都師範大學中國古代文學專業碩士論文　2007 年　趙敏俐指導

兩　漢

1766　李衛軍　兩漢《左傳》學發微
河南大學中國古代文學專業碩士論文　2005 年 5 月　華鋒指導

1767　湯太祥　《易林》援引《左傳》典語考
福建師範大學中國古典文獻學專業碩士論文　2005 年 4 月　張善文、郭丹指導

魏晉南北朝

1768　伍典彬　杜預《春秋左傳》義例學與魏晉「史家義例學」
中山大學歷史學專業碩士論文　2004 年 6 月　曾憲禮指導

1769　王　巍　《春秋左傳》杜預注研究
南京師範大學漢語言文字學專業碩士論文　2004 年 5 月　馬景侖指導

1770　劉麗華　杜預《春秋經傳集解》研究
山東師範大學中國古典文獻學專業碩士論文　2006 年　晁嶽佩指導

1771　王　謙　杜預《春秋左傳集解》語境運用研究
蘭州大學漢語言文字學專業碩士論文　2007 年　趙小剛指導

1772　李　索　敦煌寫卷《春秋經傳集解》異文研究
四川大學漢語言文字學專業博士論文　2004 年　宋永培指導
北京　中國社會科學出版社　389 頁　2007 年

唐　代

1773　王曉敏　唐代《左傳》學研究
河南大學中國古代文學專業碩士論文　2005 年 5 月　白本松、華鋒指導

宋　代

1774　印寧波　宋代《左傳》學三論
四川大學中國古代文學專業碩士論文　2004 年 3 月　劉黎明指導

1775　許慶江　呂祖謙《左氏博議》研究
北京師範大學中國古典文獻學專業碩士論文　2007 年 5 月　郭英德指導

清　代

1776　呂小霞　清前期《左傳》接受史研究
山東大學中國古代文學專業碩士論文　2002 年 5 月　王洲明指導

1777　向　農　焦循《春秋左傳補疏》對杜注義理的研究
北京大學古典文獻學專業碩士論文　1999 年 6 月　董洪利指導

1778　郭院林　從「以禮治左」到「援古經世」——清代儀徵劉氏《左傳》家學研究
北京大學中國古典文獻學專業博士論文　2007 年　安平秋指導
北京　中華書局　301 頁　2008 年 3 月（改名為《清代儀徵劉氏《左傳》家學研究》）

民　國

1779　金曉東　劉師培的《左傳》學研究
山東大學中國古典文獻學專業碩士論文　2007 年 4 月　劉曉東指導

1780　李　平　楊伯峻《春秋左傳注》研究
山東大學中國古典文獻學專業碩士論文　2006 年 5 月　馮浩菲指導

1781　夏維新　楊伯峻《春秋左傳注》商補
南京師範大學中國古典文獻學專業碩士論文　2005 年 5 月　趙生群指導

1782　馬秀琴　《左傳譯文》獻疑
東北師範大學古典文獻學專業碩士論文　2006 年 5 月　曹書杰指導

（七）國外研究

1783　孫赫男　《左氏會箋》研究——與杜預《春秋經傳集解》及楊伯峻《春秋左傳注》之比較
吉林大學中國古代史專業博士論文　2006 年　陳恩林指導

1784　馮秋香　華茲生英譯《左傳》可讀性分析

		大連理工大學外國語言學及應用語言學專業碩士論文　2006 年 12 月　李秀英指導
1785	陳慕華	兩部《左傳》英譯本的比較研究 福建師範大學英語語言文學專業碩士論文　2006 年 4 月　岳峰指導
1786	王琨雙	歷史典籍中特殊文化因素的翻譯策略——目的論對《左傳》英譯的啟示 大連理工大學外國語言學及應用語言學專業碩士論文　2005 年 12 月　李秀英指導
1787	徐　玲	《左傳》與希羅多德《歷史》比較研究 蘇州大學中國古代文學專業碩士論文　2007 年　王鍾陵指導

三、公羊傳

(一) 通論

1788	平　飛	《公羊傳》「以義解經」研究 中山大學哲學專業博士論文　2006 年 6 月　李宗桂、黎紅雷指導
1789	唐眉江	漢代公羊學大一統思想研究 中山大學哲學專業博士論文　2006 年 6 月　李宗桂、黎紅雷指導
1790	張　振	歷史與詮釋——公羊學「三科九旨」的歷史哲學解讀 首都師範大學文藝學專業博士論文　2006 年 5 月　楊乃喬指導
1791	孫婷婷	《公羊傳》與《春秋繁露》殊異考 南京師範大學中國古典文獻學專業碩士論文　2006 年 3 月　趙生群指導
1792	黃迎周	《春秋公羊傳》、《穀梁傳》詮釋方法比較研究 山東大學中國古典文獻學專業碩士論文　2005 年 5 月　馮浩菲指導

(二) 語言文字研究

1793	索燁丹	《春秋公羊傳》副詞研究 山西大學漢語言文字學專業碩士論文　2007 年 6 月　白平指導
1794	貢桂勇	《春秋公羊傳》正文訓詁研究 寧夏大學漢語言文字學專業碩士論文　2003 年 4 月　東炎指導

（三）公羊研究史

1795 武　躍　早期公羊學派民族觀念的發展
內蒙古大學中國古代史專業碩士論文　2007年　趙英指導

1796 白　雷　略論戰國秦漢間公羊學派的歷史認識問題
內蒙古大學中國古代史專業碩士論文　2007年　趙英指導

1797 魏定榔　試論公羊學與漢代社會
福建師範大學中國古代史專業碩士論文　2007年4月　徐心希指導

1798 吳　濤　論西漢的《穀梁》學——兼論《穀梁》與《公羊》之間的升降關係
復旦大學專門史專業博士論文　2007年4月　朱維錚指導

1799 宋豔萍　公羊學與兩漢政治
山東大學中國古代史專業博士論文　2000年　孟祥才指導

1800 許雪濤　公羊學解經方法：從《公羊傳》到董仲舒春秋學
中山大學中國哲學專業碩士論文　2003年6月　陳少明指導

1801 鄭任釗　何休公羊學思想
中國社會科學院研究生院中國古代史專業碩士論文　2001年5月　姜廣輝指導

1802 田中千壽　《春秋公羊疏》研究
北京大學中國古典文獻學專業博士論文　2002年6月　孫欽善指導

1803 許家遠　開一代新學風的常州公羊學派
曲阜師範大學中國儒學史專業碩士論文　2000年3月　姜林祥指導

1804 孫運君　劉逢祿的公羊學研究
遼寧大學中國古代史專業碩士論文　2003年5月　李春光指導

1805 劉朝閣　龔自珍的公羊學思想研究
杭州師範學院中國哲學專業碩士論文　2006年4月　黃開國指導

1806 吳湘枝　王闓運公羊學思想初探
湖南師範大學古典文獻學專業碩士論文　2007年5月　王建指導

四、穀梁傳

1807 楊德春　《春秋穀梁傳》研究

北京語言大學中國古代文學專業博士論文　2007 年　方銘指導

1808　鞏玲玲　《春秋・穀梁傳》正文訓詁研究
新疆師範大學漢語言文字學專業碩士論文　2006 年　饒尚寬指導

1809　王麗霞　《春秋穀梁傳》副詞研究
山西大學漢語言文字學專業碩士論文　2007 年 6 月　白平指導

1810　黃迎周　《春秋公羊傳》、《穀梁傳》詮釋方法比較研究
山東大學中國古典文獻學專業碩士論文　2005 年 5 月　馮浩菲指導

1811　袁佳紅　《穀梁》學在西漢的興起及意義
重慶師範大學專門史專業碩士論文　2003 年 4 月　李禹階指導

1812　吳　濤　論西漢的《穀梁》學——兼論《穀梁》與《公羊》之間的升降關係
復旦大學專門史專業博士論文　2007 年 4 月　朱維錚指導

1813　文廷海　清代春秋穀梁學研究
華中師範大學歷史文獻學專業博士論文　2005 年 5 月　周國林指導
成都　巴蜀書社　392 頁　2006 年 12 月

一、四書學

(一) 概述

1814　袁立新　《四書》「誠」析
華東師範大學中國哲學專業碩士論文　2005 年 4 月　楊國榮指導

1815　白春雨　儒家誠信之德及其現代意義——以「四書」為中心的闡釋
復旦大學倫理學專業博士論文　2004 年 5 月　陳根法指導

1816　王建宏　從內聖外王到心性論
西北大學專門史碩士論文　2002 年 1 月　方光華指導

(二) 四書研究史

1817　朱修春　四書學史研究
中國人民大學中國古代史專業博士論文　2003 年　黃愛平指導

1818　王　銘　唐宋之際「四書」的升格運動
陝西師範大學馬克思主義哲學專業碩士論文　2002 年 5 月　劉學智指導

宋　代

1819　王公山　朱熹《四書章句集注》闡釋方法研究
山東大學中國古典文獻學專業碩士論文　2002 年 5 月　馮浩菲指導

1820　顧歆藝　《四書章句集注》研究
北京大學古典文獻專業博士論文　1999 年 5 月　金開誠指導

1821　國建強　《四書章句集注》訓詁研究
新疆師範大學漢語言文字學專業碩士論文　2005 年　饒尚寬指導

1822　李小明　《四書章句集注》訓詁研究

蘭州大學漢語言文字學專業碩士論文　2007 年　趙小剛指導

1823　陸建猷　《四書集注》與南宋四書學
西北大學中國思想史專業博士論文　1999 年 5 月　張豈之指導
西安　陝西人民出版社　283 頁　2002 年 8 月

元　代

1824　洪　崢　元代的四書研究
復旦大學中國古代史專業碩士論文　2004 年 5 月　姚大力指導

1825　周春健　元代四書學研究
華中師範大學歷史文獻學專業博士論文　2007 年　周國林指導
上海　華東師範大學出版社　486 頁　2008 年

1826　朱　冶　倪士毅《四書輯釋》研究——元代「四書學」發展演變示例
北京師範大學歷史文獻學專業碩士論文　2007 年 5 月　邱居里指導

明　代

1827　趙一靜　張岱的《四書》學與史學
湖南大學專門史碩士論文　2006 年 5 月　蕭永明指導

清　代

1828　周　兵　天人之際的理學新詮釋——王夫之《讀四書大全說》思想研究
北京師範大學中國哲學專業博士論文　2005 年 3 月　周桂鈿指導
成都　巴蜀書社　414 頁　2006 年 12 月（儒釋道博士論文叢書）

1829　章啟輝　王夫之的《四書》研究及其早期啟蒙思想
中國社會科學院研究生院中國古代史專業博士論文　2002 年 1 月　盧鐘鋒指導

1830　季　蒙　主思的理學——王夫之的四書學思想
浙江大學古典文獻學專業博士論文　2000 年　束景南指導
廣州　廣東高等教育出版社　302 頁　2005 年

1831　徐宇宏　呂留良理學思想初探——以《四書講義》為中心
復旦大學中國哲學專業碩士論文　2005 年 5 月　陳居淵、張汝綸指導

民　國

1832　劉　斌　民國四書文獻研究
山東師範大學中國近現代史專業碩士論文　2005 年 4 月　魏永生指導

(三) 國外研究

1833　謝志超　愛默生、梭羅對《四書》的接受
上海師範大學比較文學和世界文學專業博士論文　2006 年　葉華年、孫景堯指導

二、孔子總論

孔子通論

1834　李天琦　論孔子的文質統一思想
吉林大學中國哲學專業碩士論文　李景林指導

1835　景懷斌　孔子人格結構的心理學研究
中山大學中國哲學專業博士論文　2003 年 6 月　馮達文指導

1836　曾子良　孔子思想中命限畫自由之研究
中山大學哲學專業碩士論文　2004 年 12 月　陳立勝指導

1837　葉興仁　推己入群——試論孔子哲學的內在進路
中山大學中國哲學專業碩士論文　2005 年 5 月　張永義指導

1838　崔益豪　從商周到孔子天的義蘊的改變
北京大學中國哲學專業碩士論文　2005 年 6 月　張學智指導

1839　陳應寧　孔子復禮和禮制的復興——兼論法治的失敗
北京大學法律思想史專業碩士論文　1990 年 6 月　張國華指導

1840　張風雷　春秋人文主義思潮的勃興與孔子倫理哲學的建立
北京大學中國哲學專業碩士論文　1991 年 6 月　許抗生指導

1841　王立傑　素王法哲學
清華大學法學專業碩士論文　2007 年　江山指導

1842　唐洪志　上博簡（五）孔子文獻校理

華南師範大學中國古代史專業碩士論文　2007 年　白于藍指導

孔子與弟子

1843　吳小立　孔子與弟子交往現象分析
首都師範大學學科教學專業碩士論文　2004 年 4 月　劉占泉指導

1844　沈　鴻　孔子弟子形象在先秦兩漢的演變
東北師範大學中國古代文學專業碩士論文　2004 年 5 月　李炳海、周奇文指導

1845　單　良　子夏研究
遼寧大學中國古代文學專業碩士論文　2005 年 5 月　胡勝指導

1846　孔　賓　孔子弟子與魯國政治
曲阜師範大學專門史專業碩士論文　2007 年　楊朝明指導

三、孔子與傳統文化

（一）孔子與文獻學

1847　王化平　簡帛文獻中的孔子言論研究
四川大學歷史文獻學專業博士論文　2006 年　彭裕商指導
成都　巴蜀書社　280 頁　2007 年 11 月（改名為《帛書易傳研究》）

1848　謝家敏　論孔子「述而不作」的文化粗承法
中山大學中國哲學專業碩士論文　2005 年 5 月　馮煥珍指導

(二) 孔子與經學

1849　宋立林　孔子「易教」思想研究
曲阜師範大學專門史專業碩士論文　2006 年 4 月　楊朝明指導

1850　劉義峰　孔子與《書》教
曲阜師範大學專門史專業碩士論文　2005 年 4 月　楊朝明指導

1851　陳　霞　孔子「詩教」思想研究
曲阜師範大學專門史專業碩士論文　2006 年 4 月　楊朝明指導

1852　葉仁雄　孔子中和之美的時空闡釋——以《詩經》、《論語》為個案分析

湘潭大學比較文學與世界文學專業碩士論文　2003年4月　季水河指導

1853　賈學鴻　從《詩經》的君子之樂到孔子的人生之樂
東北師範大學中國古代文學專業碩士論文　2004年5月　周奇文指導

1854　范知歐　上博簡《孔子詩論》的作者及撰著時代研究
聊城大學中國古典文獻學專業碩士論文　2005年4月　王文清指導

1855　王林萍　引仁入禮——孔子對周禮的超越
東北師範大學中國哲學專業碩士論文　2007年　胡海波指導

1856　趙炎峰　孔子禮學思想的哲學詮釋及其政治文化意義
河南大學中國哲學專業碩士論文　2007年　耿成鵬指導

1857　李　燕　孔子「春秋教」研究
曲阜師範大學中國古代史專業碩士論文　2006年4月　楊朝明指導

1858　孟憲嶺　《左傳》中的孔子言語研究
首都師範大學中國古代文學專業碩士論文　2007年　趙敏俐指導

(三) 孔子與史學

1859　呼東燕　論孔子史學思想的幾個問題
陝西師範大學歷史文獻學專業碩士論文　2002年5月　王暉指導

1860　王賀順　論孔子的歷史悲劇
鄭州大學中國古代史專業碩士論文　2000年6月　史建群指導

(四) 孔子與先秦諸子

1861　趙玉強　孔子與老子「無為」思想比較研究
曲阜師範大學專門史專業碩士論文　2006年4月　李景明指導

1862　郭　磊　從孔子到荀子——先秦儒家民本思想的演變
鄭州大學中國古典文獻學專業碩士論文　2006年　王保國指導

1863　鄧文輝　孟子對孔子的聖化
中山大學哲學專業碩士論文　2005年5月　李宗桂指導

1864　高新華　先秦儒者的精神性格及其文學呈現——以孔、孟、荀為中心
北京大學中國古代文學專業碩士論文　2006年6月　于迎春指導

1865　王法周　孔孟朱熹與王心學——儒家心性之學簡議
北京大學中國哲學史專業碩士論文　1990年6月　許抗生指導

1866　李　銳　孔孟之間「性」論研究

清華大學專門史專業博士論文　李學勤指導

（五）評價、形象與影響

1867　吳竹蕓　《論語》中的孔子形象
華中師範大學中國古代文學專業碩士論文　2006 年 11 月　周禾指導

1868　高慶峰　論《史記》中孔子形象之獨特性
曲阜師範大學中國古代文學專業碩士論文　2007 年　單承彬指導

1869　劉鳳偉　古代白話小說中的孔子形象
蘇州大學中國古代文學專業碩士論文　2005 年 1 月　潘樹廣指導

1870　答　浩　論孔子的修身之道
上海社會科學院中國哲學專業碩士論文　2007 年　周山指導

1871　于　洋　孔子服飾風貌剖析
東華大學服裝設計專業碩士論文　2004 年 2 月　劉曉剛指導

1872　武氏紅蓮　從越南的傳統道德思想談孔子思想在越南的傳播與影響
北京語言文化大學中國文化專業碩士論文　2000 年 5 月　闞立勛指導

1873　余樹蘋　另類聖人——道統之外孔子形象的若干考察
中山大學哲學專業博士論文　2005 年 5 月　陳少明指導

1874　李素卿　《淮南子》中的孔子形象
中山大學哲學專業碩士論文　2005 年 6 月　李宗桂指導

1875　吳潤儀　從「神」聖到「玄」聖——關於董仲舒、王弼塑造的孔子兩種聖人形象的比較研究
中山大學哲學專業碩士論文　2004 年 6 月　陳少明指導

1876　李冬君　孔子聖化與秦漢儒者的外王運動
南開大學專門史專業博士論文　2000 年　劉澤華指導
北京　中國人民大學出版社　299 頁　2004 年 4 月（改名為《孔子聖化與儒者革命》）

1877　劉曉英　民間傳說中孔子的形象及其與統治階級塑造的孔子形象的比較研究
北京大學民間文學專業碩士論文　1989 年 7 月　段寶林指導

四、論語通論

版　本

1878　唐潤熙　韓國現存《論語》注釋書版本研究
北京大學中國古典文獻學專業博士論文　2006年12月　孫欽善指導

辭　典

1879　劉宗永　論語通注——兼論《論語詞典》的編纂
廣西大學漢語言文字學專業碩士論文　2003年5月　林仲湘指導

五、注譯

1880　劉　暢　《論語》注釋歧解研究
北京師範大學漢語言文字學專業博士論文　2005年5月　李運富指導

1881　周　娟　林語堂編譯《論語》研究
華中師範大學外國語言學與應用語言學專業碩士論文　2005年11月　陳宏薇指導

1882　楊　暉　辜鴻銘翻譯文化觀研究——以辜譯《論語》為例
湖南師範大學英語語言文學專業碩士論文　2007年　黃振定指導

1883　嚴蓓雯　《論語》的兩個早期英譯本研究
北京大學比較文學與世界文學專業碩士論文　2004年5月　張輝指導

1884　曹　慧　論文化語境在《論語》英譯本中的傳達
大連理工大學外國語言學及應用語言學專業碩士論文　2007年12月　劉卉指導

1885　陳可培　偏見與寬容　翻譯與吸納——理雅各的漢學研究與《論語》英譯
上海師範大學比較文學與世界文學專業博士論文　2006年　孫景堯指導

1886　劉永利　論文化翻譯中譯者的文化主體性——從解釋學角度來看《論語》兩個譯本
湘潭大學英語語言文學專業碩士論文　2006年5月　舒奇志指導

1887　敬　洪　五種《論語》英譯本的比較研究
西安電子科技大學外國語言學及應用語言學專業碩士論文　2007 年　高瑜指導

1888　陳　琳　《論語》英譯中補償的比較研究
華東師範大學語言學及應用語言學專業碩士論文　2007 年　陸鈺明指導

1889　章亞瓊　《論語・學而第一》英譯文的解構策略研究
貴州大學英語語言文學專業碩士論文　2007 年 5 月　費小平指導

1890　倪吉華　社會符號學視角下《論語》英語翻譯中的對等
外交學院外國語言學與應用語言學專業碩士論文　2007 年　衡孝軍指導

1891　黃鵬麗　從《論語》譯文看對譯法在古文今譯中的地位——兼論計算機技術在對譯法中的運用
廣西大學漢語言文字學專業碩士論文　2002 年 5 月　潘琦、林仲湘指導

1892　李　瑩　論《論語》在英美的翻譯與接受
四川大學碩士論文　朱徽指導

1893　楊天旻　《論語》六個英文譯本的比較研究
天津師範大學英語語言文學專業碩士論文　2002 年 4 月　李家榮指導

1894　柳　穎　《論語》兩種英譯本的對比研究
上海海運學院外國語言學及應用語言學專業碩士論文　2000 年 5 月　王大偉指導

1895　姜伊敏　孔子及其《論語》英譯研究
內蒙古大學外國語言文學專業碩士論文　2002 年 5 月　吳持哲指導

1896　朱麗英　互文符號翻譯方法探析——兼評韋利《論語》英譯本
陝西師範大學外國語言學及應用語言學專業碩士論文　2003 年 5 月　王文指導

1897　楊　婕　以文化為中心的功能翻譯法與《論語》翻譯
蘇州大學英語語言文學專業碩士論文　2004 年 3 月　王宏指導

1898　倪蓓鋒　從譯者主體性角度看《論語》譯本的多樣性
廣東外語外貿大學外國語言學及應用語言學碩士論文　2005 年 4 月　王友貴指導

1899　王　芳　闡釋的多元與《論語》的復譯
對外經濟貿易大學外國語言學與應用語言學專業碩士論文　2006 年 4 月　賈文浩指導

1900 張秋林 論翻譯的對話性：兼評《論語》中哲學詞彙的翻譯
浙江大學英語語言文學翻譯專業碩士論文 2005年11月 陳剛指導

1901 李紅梅 多視點分析《論語》三部英文譯本
上海大學英語語言文學專業碩士論文 2004年5月 唐述宗指導

1902 李 霜 理雅各與辜鴻銘《論語》翻譯的比較研究
四川大學外國語言學及應用語言學專業碩士論文 2004年4月 蕭安溥指導

1903 黃雪霞 《論語》兩個譯本的比較研究
福建師範大學英語語言文學專業碩士論文 2006年4月 岳峰指導

六、語言文字研究

概 述

1904 陽 清 《論語》文學研究
陝西師範大學中國古代文學專業碩士論文 2005年4月 呂培成指導

字 詞

1905 邊瀅雨 《論語》的動詞、名詞研究
北京大學漢語史專業博士論文 1997年9月 郭錫良指導

1906 李 開 《論語》和《莊子》中「我」、「吾」;「其」、「之」;「所」、「者」三對代詞的用法初探
南京大學語言文字專業碩士論文 1982年 周鐘靈指導

1907 陶建芳 《論語》複音詞研究
內蒙古大學漢語言文字學專業碩士論文 2007年 道爾吉指導

1908 陳冠蘭 《論語》、《孟子》複音詞研究
廣州大學語言學及應用語言學專業碩士論文 2002年6月 孫雍長指導

1909 賴積船 《論語》與其漢魏注中的常用詞比較研究
四川大學漢語言文字學專業博士論文 2004年3月 宋永培指導

1910 鐘發遠 《論語》動詞研究
西南師範大學漢語言文字學專業碩士論文 2003年6月 李茂康指導

1911 楊　麗　從《論語》、《孫臏兵法》看先秦漢語名詞、動詞、形容詞句法功能的多樣化和複雜化
陝西師範大學漢語言文字學專業碩士論文　2003 年 5 月　白玉林指導

1912 萬　蕊　《論語》同義詞考辨
遼寧師範大學漢語言文字學專業碩士論文　2006 年 5 月　陳榴指導

1913 陸懷南　《論語》住所名詞近義關係研究
廣西師範大學漢語言文字學專業碩士論文　2005 年 2 月　劉興均指導

語法、修辭

1914 郭曉雲　《論語》句法
江西師範學院語言文字專業碩士論文　1978、1979 級　俞心樂指導

1915 唐建立　《論語》名詞語法研究
西南師範大學[16]漢語言文字學專業碩士論文　2003 年 4 月　喻遂生指導

1916 樊德華　《論語》語氣研究
福建師範大學漢語言文字學專業碩士論文　2006 年 5 月　徐啟庭、林玉山指導

1917 羅　琦　《論語》異文研究
復旦大學漢語言文字學專業碩士論文　2003 年 5 月　傅傑指導

1918 王銀娜　從認知角度看《論語》中的隱喻和換喻
上海外國語大學英語語言文學專業碩士論文　2005 年 12 月　束定芳指導

1919 金　夢　《論語》狀中結構研究
西南大學漢語言文字學專業碩士論文　2007 年　方有國指導

1920 鄒春媚　《論語》語篇體裁的系統功能語言學分析
華南師範大學英語語言文學專業碩士論文　2007 年　何恒幸指導

1921 丁桃源　《論語》修辭研究
西北師範大學漢語言文字學專業碩士論文　2007 年 5 月　周玉秀指導

16 現已更名為西南大學。

七、分類研究

哲學思想

1922 彭耀光 下學而上達：內在的超越——孔子形上學之價值本原與教化意義
北京師範大學中國哲學專業碩士論文 2004 年 5 月 鄭萬耕指導

天命、宗教思想

1923 厲才茂 《論語》孔子之道的現象學研究
北京大學外國哲學專業博士論文 2001 年 8 月 靳希平、許抗生指導

1924 崔冠華 孔子的「五帝」「三王」觀研究
曲阜師範大學中國古代史專業碩士論文 2006 年 4 月 楊朝明指導

1925 孟淑媛 論夏、商、周「神本」思想向孔子「人本」思想的轉變
安徽大學中國哲學專業碩士論文 2006 年 5 月 解光宇指導

1926 羅 珍 春秋霸王盟誓行為性質變化與孔子若干學説形成關係探源
上海大學專門史專業碩士論文 2004 年 4 月 田兆元指導

人生哲學

1927 儲秀彥 孔子人生哲學及其現代意義
河北大學中國哲學專業碩士論文 2004 年 5 月 李振綱指導

1928 顏 潔 孔子人學思想及其現代意義
南昌大學中國哲學專業碩士論文 2007 年 尹星凡指導

1929 孫漢杰 論孔子的「成人」思想
東北師範大學中國哲學專業碩士論文 2007 年 胡海波指導

1930 郭曉東 孔子「中庸」思想的現代闡釋
中國石油大學馬克思主義哲學專業碩士論文 2007 年 江華指導

1931 高麗波 孔子立志思想研究
東北師範大學馬克思主義理論與思想政治教育專業碩士論文 2007 年 王平指導

1932 羅冠聰 孔子思想中「志」之研究——以《論語》為中心
中山大學中國哲學專業碩士論文 2005 年 5 月 馮煥珍指導

心性論

1933 褚新國 試論孔子人性思想
河南大學中國古代史專業碩士論文 2002年5月 李振宏、鄭慧生指導

1934 張德蘇 周室衰亂與孔子救世的人性思索
山東大學中國古代文學專業博士論文 2006年9月 王洲明指導

倫理思想

1935 楊松賀 德在孔子思想體系中的地位
華中師範大學歷史文獻學專業博士論文 2002年5月 熊鐵基、馬良懷指導

1936 仝迷鋒 論孔子的道德教育
武漢理工大學思想政治教育學專業碩士論文 2005年5月 雷紹鋒指導

1937 劉艷琴 孔子倫理思想與當代道德建設
河北大學中國哲學專業碩士論文 2004年5月 商聚德指導

1938 史 磊 孔子德育思想及其現代意義
華中師範大學馬克思主義理論與思想政治教育專業碩士論文 2005年5月 陳萬柏指導

1939 楊 茹 孔子德育思想及其現代意義
中國礦業大學馬克思主義理論與思想政治教育專業碩士論文 2001年6月 鄒放鳴指導

1940 相桓振 孔子孝德思想探析
山東大學倫理學專業碩士論文 2007年 張代芹指導

1941 王世明 孔子倫理思想發微——現代生活語境中的《論語》解讀
清華大學倫理學專業博士論文 2004年4月 萬俊人指導

1942 張 娜 孔子理想人格的現代重塑
中國礦業大學（北京）馬克思主義理論與思想政治教育專業碩士論文 2001年5月 費英秋指導

1943 夏慧傑 試論孔子「孝」的思想及其意義
復旦大學中國哲學專業碩士論文 2006年5月 錢憲民指導

1944 潘 焱 孔子的「人本」德育思想及其對當代中學德育的意義探析
山東師範大學學科教學（思政）專業碩士論文 2002年4月 馬永慶

指導

1945　鄧思平　經驗主義的孔子道德思想及其歷史演變
廣州中山大學中國哲學專業博士論文　1999 年 5 月　李錦全、李宗桂指導
成都　巴蜀書社　234 頁　2000 年 8 月（儒釋道博士論文叢書）

1946　李智霞　從《論語》君子人格探析現代道德人格塑造
首都師範大學倫理學專業碩士論文　2007 年　吳來蘇指導

1947　孫軍紅　孔子「和」論
河南大學中國哲學專業碩士論文　2007 年　喬鳳杰、朱麗霞指導

1948　郭　清　論孔子思想中的和諧理念
天津師範大學政治學理論專業碩士論文　2007 年　邱彥莉指導

仁　學

1949　鄒　新　論孔子的仁學
華中科技大學中國哲學專業碩士論文　2005 年 5 月　趙建功指導

1950　馬　斌　孔子的仁學思想及其現代意義
山東大學中國哲學專業碩士論文　2004 年 11 月　顏炳罡指導

1951　孔德海　里仁為美的現代闡釋——論孔子仁學與企業文化建設
山東師範大學文藝學企業文化專業碩士論文　1999 年 5 月　張繼升、李衍柱指導

1952　王萌萌　「自然」之情：孔子仁說的起點與歸宿
遼寧大學中國哲學專業碩士論文　2006 年 5 月　王雅指導

1953　高立梅　儒家「仁義」思想的形成及其意義
陝西師範大學中國哲學專業碩士論文　2003 年 4 月　丁為祥指導

1954　鄭麗娟　孔子仁愛思想的當代重構及價值
新疆大學馬克思主義哲學專業碩士論文　2006 年 6 月　趙新居指導

1955　張凱作　孔子之「仁」新解
遼寧大學中國哲學專業碩士論文　2007 年　王雅指導

1956　解文光　《論語》中「禮」與「仁」關係的再探析
清華大學哲學專業碩士論文　2007 年　胡偉希指導

君子與小人

1957 鮑彩蓮 試論孔子的理想人格——君子
遼寧師範大學專門史專業碩士論文 2003 年 6 月 楊英傑指導

1958 李步敏 《論語》中君子人格對現代教育的啟迪
華中師範大學學科教學專業碩士論文 2006 年 11 月 劉興林指導

政治思想

1959 明 旭 孔子「為政」思想研究
浙江大學行政管理專業碩士論文 2003 年 11 月 周生春指導

1960 張 寰 論孔子的「安人」之道
武漢理工大學馬克思主義理論與思想政治教育專業碩士論文 2004 年 5 月 雷紹鋒指導

1961 李俊莉 試析孔子儒學思想及其對我國現代政治倫理思想的意義
華中科技大學科學技術哲學專業碩士論文 2005 年 11 月 張廷國指導

1962 賈景峰 孔子政治思想的基礎——從周代政治、宗教、哲學等角度分析
吉林大學政治學理論專業博士論文 2007 年 王彩波指導

管理思想

1963 趙笑梅 孔子的管理心理學思想探討
河北師範大學基礎心理學專業碩士論文 2002 年 5 月 鄒大炎指導

1964 田輝鵬 《論語》管理思想在自我管理型團隊中的應用
廣西大學工商管理專業碩士論文 2006 年 6 月 唐平秋指導

1965 王 超 《論語》「信」辨與現代誠信管理體系探索
青島大學中國古代文學專業碩士論文 2006 年 6 月 徐宏力指導

1966 陳 霞 《論語》「禮」辨及其管理思想研究
青島大學中國古代文學專業碩士論文 2005 年 6 月 徐宏力指導

1967 張運磊 《論語》「和」辨及「和諧管理思想」研究
青島大學中國古代文學專業碩士論文 2005 年 6 月 徐宏力指導

1968 李 強 《論語》「樂」辨及其管理思想研究
青島大學古代文學專業碩士論文 2004 年 4 月 徐宏力指導

1969 王竹昌 《論語》「仁」辨及其管理學價值

青島大學中國古代文學專業碩士論文　2007 年　徐宏力指導

1970　張晨鐘　《論語》「利」論及其現代管理學價值
青島大學中國古代文學專業碩士論文　2007 年　徐宏力指導

1971　楊旭迎　孔子思想對現代企業經營管理的啟示
廈門大學工商管理專業碩士論文　2000 年 10 月　孟林明指導

法律思想

1972　陳　懋　孔子法思想解讀
西南政法大學法律思想史專業碩士論文　2002 年 1 月　陳金全指導

1973　辛以春　孔子「無訟」解
蘇州大學法律史學專業碩士論文　2007 年　高積順指導

社會思想

1974　楊芷英　孔子的社會心理思想及其現代價值
首都師範大學馬克思主義理論與思想政治教育專業碩士論文　2003 年 4 月　隋淑芬指導

1975　傅　蓉　論《論語》的心理學思想
江西師範大學基礎心理學專業碩士論文　2007 年　郭斯萍指導

1976　汪雙琴　《論語》「和諧」思想及其對構建社會主義和諧社會的意義
首都師範大學馬克思主義理論與思想政治教育專業碩士論文　2006 年 5 月　鄧球柏指導

1977　徐曉磊　孔子傳播思想的價值準則及當代意義——以《論語》為文本
北京師範大學新聞學專業碩士論文　2006 年 5 月　毛峰指導

教育思想

1978　譚　晴　論孔子的教育思想對當代中學生素質教育的啟示
華中師範大學學科教學專業碩士論文　2007 年　佘斯大指導

1979　黃承軍　孔子的因材施教與語文素質教育研究
江西師範大學語文教育專業碩士論文　2006 年 9 月　熊大冶、顏敏指導

1980　季　美　試論昆體良的教學思想——兼與孔子教學思想比較
中央民族大學專門史專業碩士論文　2006 年 4 月　劉愛蘭指導

1981　榮翠紅　孔子成人思想的現實教育意義

華中師範大學語文學科教學專業碩士論文　2005年11月　佘斯大指導

1982　吳小紅　孔子教育心理與當前語文教學
華中師範大學語文學科教學專業碩士論文　2005年11月　周禾指導

1983　彭惠珍　孔子的教育理論與實踐對當代教育的啟示
華中師範大學語文學科教學專業碩士論文　2005年11月　劉興林指導

1984　張大文　孔子的教育目的及方法對素質教育的啟示
首都師範大學語文教學論專業碩士論文　2004年10月　魯洪生指導

1985　楊衛紅　《論語》語文教育初探
湖南師範大學教育專業碩士論文　2005年4月　彭光宇指導

1986　吳文軍　《論語》教育思想及其對當代教育的啟示
合肥工業大學馬克思主義理論與思想政治教育專業碩士論文　2002年5月　鐘玉海指導

1987　楊晶晶　孔子的師德理念初探——以《論語》為中心
武漢理工大學馬克思主義理論與思想政治教育專業碩士論文　2006年4月　雷紹鋒指導

1988　周文碧　《論語》中的孔子語文教育思想述評
四川師範大學學科教學專業碩士論文　2006年1月　許書明指導

1989　劉喜珍　校本課程《論語》研究開發的思考和設計
湖南師範大學教育專業碩士論文　2005年3月　周慶元指導

1990　趙清海　孔子的教育心理學思想研究
河北師範大學基礎心理學專業碩士論文　1999年4月　鄒大炎指導

1991　武　進　孔子主體性德育思想對中學德育的啟示
北京師範大學學科教學（思想政治教育）專業碩士論文　2006年5月　王慶英指導

1992　姜廣錦　《論語》教育理論範疇對當今教育的啟示
華中師範大學學科教學專業碩士論文　2007年　周光慶指導

1993　周　雲　孔子教育思想對當代小學語文教學的啟示
雲南師範大學學科教學論專業碩士論文　2005年6月　王興中指導

1994　蘇　悅　高中語文「經典誦讀」——《論語》的教學實踐與研究
東北師範大學教育專業碩士論文　2007年　黃凡中指導

1995　徐麗穎　《論語》在高中思想政治課中的應用研究
東北師範大學思想政治專業碩士論文　2007年　紀良指導

1996 王　超　孔子語文教育思想的內涵、特徵及現代價值
湖南師範大學課程與教學論專業碩士論文　2005年3月　周慶元指導

1997 鄢嵐嵐　孔子的自省意識與反思型教師的培養
福建師範大學教育專業碩士論文　2003年8月　郭丹指導

1998 陳　明　論孔子體育思想對我國後世體育發展的影響
廣西師範大學體育人文社會學專業碩士論文　2007年　梁柱平指導

1999 陳文濱　孔子因材施教德育方法研究
中山大學馬克思主義理論與思想政治教育專業碩士論文　2000年6月　李萍指導

2000 于建福　孔子的中庸教育哲學探微
北京師範大學教育學原理專業博士論文　1996年　黃濟指導

2001 張　勁　孔子教育哲學探究
復旦大學中國哲學專業博士論文　1998年　潘富恩指導

2002 劉和忠　孔子德育思想研究
吉林大學政治學理論專業博士論文　1999年　陳秉公指導

2003 萬　偉　孔子的治學思想與當代中學語文教育
華中師範大學課程與教學論專業碩士論文　2007年11月　林繼富指導

2004 孫衛東　孔子道德教育中的研究性學習方法
中山大學思想政治教育專業碩士論文　2004年12月　吳育林指導

言語觀

2005 毛如意　孔子語言觀之重讀
浙江大學英語語言文學專業碩士論文　2006年5月　施旭指導

文藝思想

2006 陳祥波　論孔子的文藝思想
湖北大學文藝學專業碩士論文　2002年5月　毛正天指導

2007 譚秋雄　試論孔儒文化及文藝思想的人格價值
華中師範大學文藝理論專業碩士論文　2001年1月　李建中指導

2008 張　磊　論《論語》的文學性
延邊大學中國古代文學專業碩士論文　2007年　于衍存指導

2009 劉耘華　先秦儒家意義生成研究——以《論語》、《孟子》、《荀子》為個案

北京大學比較文學與世界文學專業博士論文　2001 年 5 月　樂黛雲指導
上海　上海譯文出版社　235 頁　2002 年 3 月（改名為《詮譯學與先秦儒家之意義生成：《論語》、《孟子》、《荀子》對古代傳統的解釋》）

音樂美學思想

2010　孫玉梅　周代禮樂制度與孔子的音樂思想
東北師範大學中國古代文學專業碩士論文　2007 年　高長山指導

2011　黃振濤　「夫子氣象」：對孔子人格魅力的美學稱述
曲阜師範大學文藝學專業碩士論文　2006 年 4 月　崔茂新指導

2012　趙紅霞　論孔子生命美學的當代價值
曲阜師範大學文藝學專業碩士論文　2006 年 4 月　吳紹全指導

2013　劉　瓊　論孔子以「和」為美的思想
華中師範大學文藝學專業碩士論文　2006 年 5 月　王濟民指導

2014　趙　瑩　孔子美學的生命意蘊
東北師範大學文藝學專業碩士論文　2004 年 5 月　王確指導

2015　王曉燕　論孔子的美學思想
河南大學中國哲學專業碩士論文　2002 年 5 月　徐儀明指導

2016　吳淑賢　論孔子美學思想的超越性
四川師範大學文藝學專業碩士論文　2002 年 5 月　李天道指導

2017　蔣　斌　《論語》與《道德經》的美學精神之比較
揚州大學文藝學專業碩士論文　2000 年 5 月　姚文放指導

2018　王珍珍　「正名」與先秦儒家美學
鄭州大學美學專業碩士論文　2005 年 5 月　劉成紀指導

2019　左　蕾　孔子美育思想的現代闡釋
山東師範大學文藝學專業碩士論文　2004 年 4 月　楊存昌指導

2020　張完碩　孔子論美與善的關係
武漢大學哲學、美學專業碩士論文　2000 年 5 月　劉綱紀指導

2021　鄧志敏　先秦儒家人學與美學淺論——以孔子為主，兼論孟、荀的美學思想
安徽大學文藝學專業碩士論文　2007 年　顧祖釗指導

與西方思想家比較

2022　王　偉　孔子、柏拉圖傳播觀比較研究

北京大學傳播學專業碩士論文　2005 年 6 月　呂藝指導

2023　劉文靜　孔子《論語》與柏拉圖《理想國》比較研究
北京大學中國哲學史專業碩士論文　1990 年 6 月　陳鼓應指導

2024　莊英海　孔子與亞里斯多德理想人格之比較
中山大學哲學專業碩士論文　2006 年 12 月　鍾明華指導

2025　楊中啓　孔子與海德格爾的「生死對話」
中山大學中國哲學專業碩士論文　2003 年 5 月　張永義指導

2026　徐百柯　中魂西魄——孔子與耶穌在二十世紀早期的相會
北京大學比較文學與世界文學專業碩士論文　2003 年 6 月　劉東指導

2027　徐加利　詮釋與創造——西方詮釋學視野下的孔子詮釋理論
山東師範大學外國哲學專業碩士論文　2007 年　趙衞東指導

2028　王娟華　倫理的政治化與倫理的哲學化——孔子與蘇格拉底的教育目的及其踐行過程之比較
河南大學教育史專業碩士論文　2005 年 5 月　李申申指導

2029　汪夢林　孔子與蘇格拉底師道觀比較研究
華中農業大學教育經濟與管理專業碩士論文　2004 年 9 月　陶美重指導

2030　陳春梅　孔子與蘇格拉底啟發式教學思想比較研究
河南師範大學課程與教學論專業碩士論文　2002 年 4 月　續潤華、穆嵐指導

2031　王旻霞　孔子與蘇格拉底對話教學語言藝術比較研究
聊城大學課程與教學論專業碩士論文　2006 年 4 月　于源溟指導

2032　曹峰旗　理性與情感——蘇格拉底與孔子倫理思想特點之比較
浙江大學法學・思想政治教育專業碩士論文　2001 年 12 月　黃書孟指導

2033　夏　莉　道德的內在實踐與理性認知——孔子和蘇格拉底道德教育方法比較
首都師範大學馬克思主義理論與思想政治教育專業碩士論文　2001 年 4 月　秦英君指導

2034　陳　芳　孔子和柏拉圖美學思想之比較
復旦大學文藝學專業碩士論文　2000 年 5 月　朱立元指導

2035　龔　成　孔子與柏拉圖教育思想比較研究
中國礦業大學馬克思主義理論與思想政治教育專業碩士論文　2002 年 4 月　鄒放鳴指導

2036　鄧文華　孔子與柏拉圖論美：跨文化比較研究與批評

		北京第二外國語學院英語語言文學專業碩士論文　2004 年 5 月　王柯平指導
2037	郭　敏	試論孔子與柏拉圖的教學方法 北京第二外國語學院英語語言文學專業碩士論文　2003 年 9 月　王柯平指導
2038	章　莽	孔子中庸觀與亞里士多德中道觀比較 湖北大學中國哲學專業碩士論文　2005 年 5 月　戴茂堂指導
2039	陳淑珍	亞里士多德與孔子中庸思想之比較 江西師範大學外國哲學專業碩士論文　2006 年 5 月　蔣九愚指導
2040	何元國	孔子仁孝友學說與亞里士多德友愛論之比較 北京師範大學世界史專業博士論文　2005 年 4 月　劉家和指導
2041	路　東	德性之思——孔子與亞里士多德德性觀比較 復旦大學倫理學專業碩士論文　2003 年 5 月　陳根法指導
2042	王　歡	克拉申的輸入理論與孔子的教學思想的對比研究 遼寧師範大學英語語言文學專業碩士論文　2006 年 5 月　成曉光指導
2043	石書蔚	安樂哲孔子哲學研究與中西哲學會通 吉林大學中國哲學專業碩士論文　2007 年　張連良指導
2044	許　鶯	美國學者對孔子思想的研究 華東師範大學中國古代文學專業碩士論文　2007 年　陳曉芬指導
2045	張中寧	從海爾和松下的行為準則透視孔子思想對中日企業管理倫理的影響 對外經濟貿易大學英語專業碩士論文　2006 年 4 月　丁崇文指導
2046	阿哈萊姆	《論語》與《古蘭經》比較 北京語言大學思想史專業碩士論文　2007 年　方銘指導
2047	陳會亮	《論語》與《摩西五經》比較研究 河南大學比較文學與世界文學專業碩士論文　2006 年 5 月　賀淯濱指導

八、孔子與論語研究史

2048	楊麗君	歷代石經《論語》考 曲阜師範大學古典文獻學專業碩士論文　2007 年 4 月　單承彬指導
2049	唐明貴	《論語》學的形成、發展與中衰——漢魏六朝隋唐《論語》研究

南開大學歷史學專業博士論文　2004 年　趙伯雄指導
北京　中國社會科學出版社　300 頁　2005 年 2 月（聊城大學博士文庫）

2050　何林英　朱熹和劉寶楠《論語》解釋之比較
蘭州大學漢語言文字學專業碩士論文　2007 年　趙小剛指導

先秦兩漢

2051　唐名輝　從孔子到董仲舒：儒家天人觀的演變及其影響下的西漢儒學的新發展
山東大學中國哲學專業碩士論文　2001 年 5 月　丁原明指導

2052　馬文戈　《呂氏春秋》與《淮南子》孔子觀之比較
曲阜師範大學中國古代史專業碩士論文　2006 年 4 月　修建軍指導

2053　蔣煥芹　《論語》及其在漢代的流傳
東北師範大學古典文獻學專業碩士論文　2006 年 5 月　曹書杰指導

2054　田春來　漢代《論語》的流傳與演變
武漢大學中國古典文獻學專業碩士論文　2004 年 5 月　羅積勇指導

2055　劉曉霞　唐寫本《論語鄭氏注》相關問題探析
曲阜師範大學歷史學專門史專業碩士論文　2006 年 4 月　黃懷信指導

魏晉南北朝

2056　汪　楠　魏晉論語學述論
東北師範大學古典文獻學專業碩士論文　2006 年 5 月　曹書杰、劉奉文指導

2057　閆春新　魏晉論語學研究
山東大學中國古代史專業博士論文　2004 年 4 月　王曉毅指導

2058　宋　鋼　六朝論語學研究
南京師範大學中國古代文學專業博士論文　2005 年 4 月　張采民指導
北京　中華書局　291 頁　2007 年 9 月

2059　黃　帥　何晏《論語集解》訓詁研究
南京師範大學漢語言文字專業碩士論文　2005 年 4 月　馬景侖指導

2060　王亦旻　《論語集解》研究
北京師範大學歷史學歷史文獻學專業博士論文　2006 年 3 月　曾貽芬指導

2061 張長勝 《論語集解》研究
曲阜師範大學專門史專業碩士論文 2006年4月 黃懷信指導

2062 劉詠梅 皇侃《論語義疏》研究
曲阜師範大學歷史學專門史專業碩士論文 2006年4月 黃懷信指導

2063 顧 濤 皇侃《論語義疏》研究
南京大學語言文字學專業碩士論文 2004年 李開指導

2064 周豐堇 皇侃性情論——《論語義疏》性情思想探討
北京大學中國哲學專業碩士論文 2007年 李中華指導

宋 代

2065 姜 勝 《論語注疏》校議
南京師範大學中國古典文獻學專業碩士論文 2006年3月 方向東指導

2066 羅小如 論朱熹《論語集注》的訓詁價值
寧夏大學漢語言文字學專業碩士論文 2003年4月 劉世俊指導

2067 顧 飛 朱子《論語集注》注音釋義考
河南師範大學歷史文獻學專業碩士論文 2004年5月 呂友仁指導

2068 張 琪 經典與解釋——解釋學視野下的《論語集注》
福建師範大學古代文學專業碩士論文 2005年4月 郭丹指導

清 代

2069 朱華忠 清代《論語》簡論
華中師範大學歷史文獻學專業博士論文 2002年5月 周國林指導
成都 巴蜀書社 219頁 2008年2月

2070 柳 宏 清代《論語》詮釋史論
揚州大學中國古代文學專業博士論文 2004年5月 田漢雲指導
北京 社會科學文獻出版社 408頁 2008年3月

2071 鄭 熊 王夫之對孔子的研究
西北大學專門史專業碩士論文 2004年 張茂澤指導

2072 莊小蕾 劉寶楠《論語正義》研究
復旦大學漢語言文字學專業碩士論文 2006年5月 傅傑指導

2073 侯之虎 劉寶楠《論語正義》研究
南京大學中文系碩士論文 2001年 李開指導

2074　劉宗永　論清代寶應劉氏家學之《論語》研究
北京大學中國古典文獻學專業博士論文　2006年6月　董洪利指導

2075　陳倩倩　楊伯峻《論語譯注》研究
山東大學古典文獻學專業碩士論文　2006年5月　馮浩菲指導

九、孔學與現當代社會

2076　張艷國　破與立的文化激流——五四時期孔子及其學說的歷史命運
華中師範大學中國近現代史專業博士論文　2001年6月　章開沅、嚴昌洪指導
廣州　花城出版社　336頁　2003年4月

2077　李志松　梁啟超的孔子研究述略
西北大學中國近現代史專業碩士論文　2005年1月　陳國慶指導

2078　陳勇軍　仁愛之治與自由之治——孔子和梁啟超德治措施比較
江西師範大學馬克思主義理論與思想政治教育專業碩士論文　2004年5月　虞文華指導

2079　于九濤　魯迅與孔子思想比較研究
遼寧師範大學中國現當代文學專業碩士論文　2002年6月　王吉鵬指導

2080　林　強　個人主義視域下的儒家思想闡釋：以30年代周作人對《論語》的闡釋為個案
福建師範大學中國現當代文學專業碩士論文　2007年　呂若涵指導

2081　李秀妮　馮友蘭孔子研究初探
雲南師範大學中國哲學專業碩士論文　2006年7月　雷昀指導

2082　王　錕　孔子與20世紀三大社會思潮
西北大學專門史專業博士論文　2002年1月　劉寶才指導
濟南　齊魯書社　421頁　2006年

2083　徐慶文　近五十年大陸孔子研究的流變及其省察
山東大學中國哲學專業博士論文　2002年5月　顏炳罡指導
濟南　山東人民出版社　257頁　2004年1月（改名為《批判與傳承：20世紀後半期的中國孔子》）

2084　李仲慶　大眾傳媒語境下的于丹熱解讀：《于丹《論語》心得》紛爭的背後

吉林大學中國現當代文學專業碩士論文　2007 年　靳叢林指導

十、附：孔子家語

2085　趙燦良　《孔子家語》研究
吉林大學歷史文獻學專業碩士論文　2007 年　張固也指導

2086　張　巖　《孔子家語》之《子路初見》篇、《論禮》篇研究
清華大學專門史專業碩士論文　2004 年　廖名春指導

2087　劉　萍　《孔子家語》與孔子弟子研究——以《弟子行》和《七十二弟子解》為中心
曲阜師範大學專門史專業碩士論文　2006 年 4 月　楊朝明指導

2088　孫海輝　孔子與老子關係研究——以《孔子家語》為中心
曲阜師範大學專門史專業碩士論文　2004 年 3 月　楊朝明指導

2089　陳建磊　魏晉孔氏家學及《孔子家語》公案
曲阜師範大學專門史專業碩士論文　2007 年　黃懷史指導

2090　王政之　王肅《孔子家語注》研究
曲阜師範大學專門史專業碩士論文　2006 年 4 月　楊朝明指導

2091　化　濤　清代《孔子家語》研究考述
曲阜師範大學專門史專業碩士論文　2006 年 4 月　楊朝明指導

2092　阮幗儀　《孔子家語》複音詞研究
中山大學漢語史專業碩士論文　2007 年 5 月　譚步雲指導

孟　子

一、通論

2093　梁韋弦　孟子研究
吉林大學中國古代史專業博士論文　1992 年　金景芳指導
臺北　文津出版社　154 頁　1993 年 7 月（大陸地區博士論文叢刊）

2094　孔滑春　「亞聖」人格透析——兼論《孟子》書中的孟子形象
河南大學中國古代文學專業碩士論文　2000 年 5 月　白本松、華鋒指導

2095　陳　陣　《孟子》管窺：空疏的整體觀思維
中國社會科學院研究生院中國古代史專業碩士論文　2003 年 4 月　孫開泰指導

2096　王杜鵑　孟子遊歷與其思想歷程之考察
首都師範大學馬克思主義哲學專業碩士論文　2007 年　白奚指導

與先秦諸子

2097　鄧文輝　孟子對孔子的聖化
中山大學哲學專業碩士論文　2005 年 5 月　李宗桂指導

2098　張小穩　孟荀學風之比較
河南大學中國古代史專業碩士論文　2002 年 5 月　李振宏、鄭慧生指導

2099　吳　濤　聖人與真人——孟子、莊子人生理想之比較研究
鄭州大學中國古代史專業碩士論文　2004 年 5 月　姜建設、史建群指導

二、注譯

2100　余　敏　從理雅各英譯《孟子》看散文風格的傳譯

華中師範大學英語語言文學專業碩士論文　2001 年 5 月　華先發指導

2101　陳琳琳　理雅各英譯《孟子》研究
福建師範大學英語語言文學專業碩士論文　2006 年　岳峰指導

2102　趙文源　文化詞語的翻譯——比較《孟子》的兩個英譯本
中國海洋大學外國語言學及應用語言學專業碩士論文　2005 年 6 月　楊連瑞指導

三、各篇研究

2103　羅　靜　《孟子・梁惠王》篇詩說集注論評
中山大學哲學專業碩士論文　2005 年 6 月　張豐乾指導

四、語言文字研究

2104　熊浩莉　《孟子》比喻研究
福建師範大學漢語言文字學專業碩士論文　2006 年 4 月　譚學純指導

2105　蘇　丹　《孟子》中有標記的指稱化結構研究
北京大學漢語言文字學專業碩士論文　2003 年 6 月　宋紹年、邵永海指導

2106　趙世舉　《孟子》定中結構研究
武漢大學漢語史專業博士論文　1999 年　鄭遠漢指導
北京　中國青年出版社　199 頁　2000 年 10 月

字　詞

2107　崔立斌　《孟子》動詞、形容詞、名詞研究
北京大學漢語史專業博士論文　1995 年 6 月　郭錫良指導
開封　河南大學出版社　299 頁　2004 年 2 月（改名為《孟子詞類研究》）

2108　周文德　《孟子》單音節實詞同義詞研究

四川大學漢語言文字學專業博士論文　2002年5月　宋永培指導

2109　郭　萍　《孟子》複音詞研究

廈門大學漢語言文字學專業碩士論文　2002年6月　李國正指導

2110　李　智　《孟子》的雙音複合詞研究

河北師範大學漢語言文字學專業碩士論文　2004年4月　蘇寶榮指導

2111　陳冠蘭　《論語》《孟子》複音詞研究

廣州大學語言學及應用語言學專業碩士論文　2002年6月　孫雍長指導

2112　劉瑤瑤　《孟子》與《孟子章句》複音詞構詞法比較研究

蘭州大學漢語言文字學專業碩士論文　2007年　趙小剛指導

2113　洪　帥　趙岐《孟子章句》複音詞研究

河南大學漢語言文字學專業碩士論文　2007年　魏清源指導

2114　馮　玉　《孟子》句尾語氣詞研究

西北師範大學漢語言文字學專業碩士論文　2005年5月　周玉秀指導

2115　白雁南　淺談《世說新語》語氣副詞的特點和發展——兼與《孟子》比較

陝西師範大學漢語言文字學專業碩士論文　2003年4月　白玉林指導

2116　柴興東　《孟子》定中結構中「之」字隱現考察

復旦大學漢語言文字學專業碩士論文　2003年5月　孫錫信指導

2117　孫　瑋　《孟子》詞語研究

蘭州大學漢語言文字學專業碩士論文　2007年　張文軒指導

2118　張嬋娟　《孟子》動詞配價研究

遼寧師範大學漢語言文字學專業碩士論文　2007年5月　陳榴指導

語　法

2119　劉　斌　《孟子》補語研究

華南師範大學漢語言文字學專業碩士論文　2007年　吳辛丑指導

2120　雷淑娟　《孟子》類比

黑龍江大學漢語言文字學專業碩士論文　2001年5月李先耕指導

2121　黎氏秋姮　《孟子》因果類複句研究

廣西師範大學漢語史專業碩士論文　2002年5月　王志瑛指導

2122　趙　君　《孟子》、《荀子》比較句研究

河北師範大學漢語言文字學專業碩士論文　2003年4月　李索指導

2123　路飛飛　《孟子》主謂句句型系統研究

河北師範大學漢語言文字學專業碩士論文　2003 年 4 月　李索指導

2124　張春泉　《孟子》中的條件複句
湖北大學漢語言文字學專業碩士論文　2006 年 1 月　黃群建、馮廣藝指導

2125　張　俊　《孟子》、《韓非子》三類詞句法功能的多樣化和複雜化研究——兼論兩個相關問題
西南大學漢語言文字學專業碩士論文　2006 年 5 月　方有國指導

2126　陳順成　《孟子》複句研究
西北師範大學漢語言文字學專業碩士論文　2007 年 5 月　周玉秀指導

2127　崔立斌　《孟子》的述賓結構
北京大學漢語史專業碩士論文　1984 年 1 月　郭錫良、李行健指導

2128　戴維・賽納《孟子》的述語研究
北京大學漢語史專業碩士論文　1994 年 1 月　郭錫良指導

2129　汪　凱　以《孟子》為語料的概念隱喻認知研究
武漢理工大學外國語言學及應用語言學專業碩士論文　2007 年 5 月　高文成指導

五、分類研究

思想通論

2130　高新華　先秦儒者的精神性格及其文學呈現——以孔、孟、荀為中心
北京大學中國古代文學專業碩士論文　2006 年 6 月　于迎春指導

2131　張之鋒　孟子對君子的人格設計
北京大學倫理學專業碩士論文　2002 年 6 月　王海明指導

2132　安炫澤　孟子「士」的精神自覺
清華大學哲學專業碩士論文　2008 年　王中江指導

2133　楊海文　孟子文化精神研究
中山大學中國哲學專業博士論文　1999 年 5 月　李宗桂指導

2134　羅香萍　孟子人格美思想研究
中山大學哲學專業碩士論文　2007 年 6 月　黎紅雷指導

2135 唐　娜　主體與本體的合一——孟子「盡心」說新詮
武漢大學中國哲學專業碩士論文　2004 年 5 月　田文軍指導

2136 季慶陽　孟子的思想淵源淺探
西北大學專門史專業碩士論文　2002 年 1 月　方光華指導

2137 胡明峰　「善」的形上之思——從《孟子》「可欲之謂善」章談起
北京師範大學中國哲學專業碩士論文　2006 年 5 月　張奇偉指導

2138 郭樹偉　試論孟子的養浩然之氣
鄭州大學中國古代文學專業碩士論文　2004 年 5 月　賈濱指導

2139 周元俠　論孟子士的精神
山東大學中國哲學專業碩士論文　2006 年 4 月　顏炳罡指導

2140 鄭興娟　孟子的心理學思想研究
河北師範大學普通心理學專業碩士論文　1998 年 5 月　鄒大炎指導

2141 張　意　孟子接受思想再審視
四川師範大學文藝學專業博士論文　2004 年 1 月　鐘仕倫指導

天命思想

2142 黃棕源　孟子天人關係思想新探
北京大學中國哲學專業碩士論文　1998 年 6 月　樓宇烈指導

2143 陳代波　孟子命論研究
復旦大學中國哲學專業博士論文　2002 年　潘富恩指導

心性論

2144 李　娟　孟莊心性論比較研究
山東大學中國哲學專業博士論文　2006 年 10 月　顏炳罡指導

2145 寧麗新　孟荀人性論之比較
河北大學中國哲學專業碩士論文　2005 年 6 月　李振綱指導

2146 朱險峰　孟子的人性論思想及其當代價值
安徽大學中國哲學專業碩士論文　2006 年 5 月　解光宇指導

2147 楊澤波　孟子性善論研究
復旦大學哲學專業博士論文　1992 年　嚴北溟、潘富恩指導
北京　中國社會科學出版社　331 頁　1995 年 5 月（中國社會科學博士論文文庫）

2148　毛術芳　從「人禽之辨」看孟子的性善論
北京師範大學中國哲學專業碩士論文　2006 年 5 月　李景林指導

2149　魯學軍　「天命之謂性」——論孟子性善論形上根源及其意義
復旦大學中國哲學專業碩士論文　2004 年 5 月　錢憲民指導

2150　蔡　青　孟子人性論思想與素質教育
河北師範大學基礎心理學專業碩士論文　2001 年 5 月　鄒大炎指導

2151　朱惠莉　李贄人性論思想對孟子「性善說」的復歸與超越——兼論「性」範疇在宋明時期的邏輯演變
安徽大學中國哲學專業碩士論文　2005 年 5 月　解光宇指導

2152　王　維　「盡心知性」與「即心即佛」：孟子與慧能心性論之異同的形而上學思考
山東大學中國哲學專業碩士論文　2007 年　沈順福指導

2153　羅嘉慧　孟子四端心與性善論關係之研究
中山大學哲學專業碩士論文　2005 年 5 月　陳立勝指導

2154　李　銳　孔孟之間「性」論研究
清華大學專門史專業博士論文　李學勤指導

2155　王法周　孔孟朱熹與王心學——儒家心性之學簡議
北京大學中國哲學史專業碩士論文　1990 年 6 月　許抗生指導

仁義論

2156　王美玲　孟子正義思想研究
中央民族大學中國哲學專業碩士論文　2006 年 5 月　劉成有指導

2157　王　豁　孟子論仁
北京大學倫理學專業碩士論文　2006 年 6 月　陳少峰指導

義利觀

2158　趙楠楠　在人性展開中解讀孟子的「義利之辨」
遼寧大學中國哲學專業碩士論文　2006 年 5 月　王雅指導

2159　張立宏　論孟子的「權」
北京大學倫理學專業碩士論文　2003 年 6 月　陳少峰指導

2160　黃衛榮　孟子「權」說與經典解釋問題
中山大學中國哲學專業碩士論文　2006 年 6 月　張豐乾指導

倫理思想

2161　劉琳麗　孟子倫理思想的現實價值研究
西北師範大學倫理學專業碩士論文　2006 年 5 月　成曉龍指導

2162　王　娟　孟子荀子德育思想比較研究
武漢大學馬克思主義理論與思想政治教育專業碩士論文
2005 年 5 月　倪素香指導

2163　徐曉宇　試論孟子的道德選擇理論——從經權說開去
北京師範大學中國哲學專業碩士論文　2006 年 5 月　李景林指導

2164　戴兆國　孟子德性倫理思想研究
華東師範大學中國哲學專業博士論文　2002 年 1 月　楊國榮指導
合肥　安徽人民出版社　302 頁　2005 年 10 月（改名為《心性與德性：孟子倫理思想的現代闡釋》）（博士文叢第一輯）

2165　周　艷　孟子的性善論思想及其現代德育價值
華中師範大學教育學原理專業碩士論文　2007 年　杜時忠指導

2166　李樹琴　孟子的道德教化思想探微
南昌大學倫理學專業碩士論文　2007 年　詹世友指導

2167　吳淩鷗　孟子的敬畏之心與當前社會道德建設
浙江大學中國哲學專業碩士論文　2007 年　董平指導

2168　朱慧玲　孟子道德生成論及其現代價值研究
首都師範大學倫理學專業碩士論文　2007 年　安雲鳳指導

2169　朴永鎮　人性與道德之考究——以《孟子》和《荀子》為主
北京大學倫理學專業碩士論文　1999 年 6 月　魏英敏指導

2170　趙源一　孟子道德哲學研究
北京大學中國哲學專業博士論文　2000 年 6 月　樓宇烈指導

2171　陳　勇　孟子的道德形上學之研究
北京大學中國倫理學專業博士論文　1996 年 6 月　陳少峰指導

2172　李亞彬　孟子荀子的儒家道德哲學建構
中國人民大學中國哲學專業博士論文　2003 年　張立文指導

歷史思想

2173　馬宏偉　孟子的歷史變化觀

北京師範大學中國古代史專業碩士論文　2006年5月　蔣重躍指導

2174　田　野　《孟子》中所載孟軻所述史實真偽問題辯正
遼寧師範大學歷史文獻學專業碩士論文　2007年5月　梅顯懋指導

政治思想

2175　楊澤樹　孟子政治思想研究
雲南師範大學馬克思主義理論與思想政治教育專業碩士論文
2004年5月　畢國明指導

2176　史　穎　從「三個文明」視角解析孟子的仁政思想
遼寧大學中國哲學專業碩士論文　2006年5月　王雅指導

2177　唐詩龍　孟子仁政之哲學透視
雲南師範大學中國哲學專業碩士論文　2006年5月　雷昀指導

2178　張文波　孟子「仁政」思想述評
西南政法大學法律專業碩士論文　2006年4月　朱學平指導

2179　劉　艷　王者有道　仁者無敵——孟子倫理政治思想研究
揚州大學教育學原理（政治學）專業碩士論文　2006年5月　吳鋒指導

2180　薛彬彬　「保民而王」——孟子的思想政治教育目標
首都師範大學馬克思主義理論與思想政治教育專業碩士論文　2000年4月　鄧球柏指導

2181　修艷竹　孟子政治思想研究
大連理工大學馬克思主義理論與思想政治教育專業碩士論文　2005年12月　劉鴻鶴指導

2182　萬紹和　孟子荀子政治哲學比較研究
湘潭大學中國哲學專業碩士論文　2000年　王向清指導

2183　董曉宇　孟子的德治思想及其現實意義
河北大學中國哲學專業碩士論文　2003年6月　盧子震指導

2184　何建紅　孟子民本輿論觀的傳播學分析
北京師範大學新聞學專業碩士論文　2006年5月　毛峰指導

2185　李　斌　論孟子的仁政學說及其對新時期以德治國的啟示
首都師範大學馬克思主義理論與思想政治教育專業碩士論文　2003年4月　鄧球柏指導

2186　蘇遠漢　論孟子「王道」思想及兼論其對現代民主政治的啟示

中山大學哲學專業碩士論文　2006 年 5 月　張豐乾指導

經濟社會思想

2187　楊青利　《管子》與《孟子》經濟倫理思想之比較
廣西師範大學倫理學專業碩士論文　2006 年 4 月　譚培文指導

2188　汪　蕾　《商君書》與《孟子》經濟思想及其理論基礎的比較研究
重慶師範學院思想史專業碩士論文　2001 年 4 月　李禹階指導

2189　李香奇　戰國社會變遷與孟荀人性論及人的社會化思想
重慶師範學院思想史專業碩士論文　2000 年 4 月　李禹階指導

2190　魏延梅　孟子民族觀研究
中央民族大學馬克思主義民族理論與政策專業碩士論文　2005 年 5 月　余梓東指導

教育思想

2191　萬　磊　孟子思想與中學生人生觀、價值觀的教育
華中師範大學語文學科教學專業碩士論文　2005 年 11 月　余斯大指導

2192　祁麗華　試論《孟子》人文精神及其教育價值
山東師範大學教育學原理專業碩士論文　2007 年　高偉指導

文藝思想

2193　趙建國　孟子散文的論辯藝術研究
蘭州大學中國古代文學專業碩士論文　2007 年　張崇琛指導

2194　張　艷　古代文化人格與文學品格——從孟子散文說起
曲阜師範大學中國古代文學專業碩士論文　2005 年 4 月　單承彬指導

2195　毛新青　孟子德性學說的審美維度
山東大學文藝學專業碩士論文　2004 年 5 月　程相占指導

2196　李慶杏　淺談孟子的論辯藝術
浙江師範大學語文學科教學專業碩士論文　2004 年 5 月　黃靈庚指導

2197　宋啟發　《孟子》散文論辯藝術研究
安徽大學中國古代文學專業碩士論文　2003 年 5 月　孫以昭指導

2198　沈振奇　《孟子》與《莊子》文學的比較研究
復旦大學中國古代文學專業博士論文　2005 年 3 月　蔣凡指導

傳播與詮釋

2199　任彥智　孟荀引詩論證中的傳播方式
東北師範大學傳播學專業碩士論文　2006年5月　張恩普指導

2200　朱松美　《孟子》詮釋比較研究
山東大學中國古代史專業碩士論文　2004年4月　曾振宇指導

2201　黃偉德　傳播學視野下的《孟子》
汕頭大學漢語言文字學專業碩士論文　吳信訓指導

2202　蔣德陽　彪炳千古的「大丈夫」形象論《孟子》對理想人格的探索、詮釋與塑造
重慶師範學院古代文學專業碩士論文　1999年4月　董運庭指導

2203　劉小珍　孟子學習思想的現代詮釋
江西師範大學教育學原理專業碩士論文　2006年4月　胡青指導

與其他經書

2204　李　凱　孟子的詮釋理論與實踐——以孟子引論《詩》、《書》為例
山東大學中國哲學專業碩士論文　2005年5月　顏炳罡指導

2205　黃獻慧　《孟子》用《詩》與《詩》意解讀
北京師範大學漢語言文字學專業碩士論文　2005年5月　易敏指導

2206　楊海文　孟子與《詩》、《書》文化
中山大學中國哲學專業碩士論文　1996年6月　李宗桂指導

與西方思想家比較

2207　堯必文　柏拉圖與孟子倫理政治思想之比較
江西師範大學外國哲學專業碩士論文　2007年　蔣九愚指導

2208　趙滿海　孟子與亞里士多德倫理思想之比較
北京師範大學世界史專業博士論文　2004年5月　劉家和指導

六、孟子研究史

2209　董洪利　孟子研究學史概述

北京大學古典文獻專業博士論文　1990 年 5 月　金開誠指導
南京　江蘇古籍出版社　358 頁　1997 年 10 月（改名為《孟子研究》）

兩　漢

2210　張緒峰　兩漢孟子學簡史
山東大學中國古典文獻學專業碩士論文　2007 年　王承略指導

2211　張　量　趙岐《孟子章句》研究
北京大學古典文獻專業碩士論文　2002 年 6 月　董洪利指導

2212　王元元　趙岐《孟子章句》釋句過程中的詞義訓釋
北京師範大學漢語言文字學專業碩士論文　2007 年 5 月　易敏指導

2213　譚書旺　《孟子》與《孟子章句》詞彙語法比較研究
南京大學中文系碩士論文　2001 年　李開指導

2214　趙麥茹　漢唐《孟子》學研究
西北大學專門史專業碩士論文　2004 年 5 月　張茂澤指導

2215　李峻岫　漢唐孟子學述論
北京大學中國古典文獻學專業博士論文　2006 年 6 月　董洪利指導

隋　唐

2216　李峻岫　隋唐孟子學史
北京大學古典文獻專業碩士論文　2003 年 5 月　董洪利指導

宋

2217　杜　敏　趙岐、朱熹《孟子》注釋的傳意研究
北京師範大學漢語言文字學專業博士論文　2004 年 4 月　王寧指導
北京　中國社會科學出版社　360 頁　2004 年 1 月

2218　張荷群　北宋孟子學案
四川大學歷史文獻學專業碩士論文　2005 年 1 月　王智勇指導

2219　趙　蕾　《孟子疏》研究
陝西師範大學中國古典文獻學專業碩士論文　2007 年 4 月　周淑萍指導

2220　朱媛鳳　朱熹《孟子》三書研究
山東大學中國古典文獻學專業碩士論文　2007 年　馮浩菲指導

2221　方　麟　朱熹孟子學研究——以《孟子集注》為中心

北京大學古典文獻專業碩士論文　2003年5月　董洪利指導

明

2222　張佳佳　《孟子節文》研究
清華大學專門史專業碩士論文　2007年　葛兆光指導

清

2223　李暢然　清代《孟子》學研究
北京大學中國古典文獻學專業博士論文　2004年5月　董洪利指導
濟南　齊魯書社　2007年（改名為《清代孟子學史》）

2224　劉瑾輝　清代孟子學研究
揚州大學中國古代文學專業博士論文　2005年　田漢雲指導
北京　社會科學文獻出版社　328頁　2007年9月

2225　荊　琳　戴震《孟子字義疏證》之思想詮釋
中山大學中國哲學專業碩士論文　2003年5月　馮達文指導

2226　湯慧蘭　《孟子字義疏證》之文獻學研究
南昌大學中國古典文獻學專業碩士論文　2006年　王德保指導

2227　張　東　《孟子字義疏證》發微
中共中央黨校中國哲學專業碩士論文　喬清舉指導

2228　張迎春　《孟子字義疏證》研究
安徽大學漢語言文字學專業碩士論文　2004年5月　楊應芹指導

2229　郭　進　焦循《孟子正義》研究
暨南大學中國古典文獻學專業碩士論文　2007年　陸勇強指導

2230　劉建明　焦循《孟子正義》訓詁研究
福建師範大學漢語言文字學專業碩士論文　2007年4月　徐啟庭指導

2231　李暢然　焦循《孟子正義》曲護趙注問題辨析
北京大學中國古典文獻學專業碩士論文　2000年6月　董洪利指導

2232　張惠榮　焦循《孟子正義》注釋學研究
南京大學漢語言文字學專業博士論文　2000年　李開指導

2233　任　堅　《孟子正義》訓詁研究
西北師範大學漢語言文字學專業碩士論文　2007年5月　周玉秀指導

七、國外研究

2234　張　蓓　從《孟子論心》論瑞恰慈的跨文化解讀策略
首都師範大學比較文學與世界文學專業碩士論文　2006 年 5 月　周榮勝指導

2235　趙　傑　兩種生命的學問——孟子與保羅人生觀比較研究
山東大學中國哲學博士論文　2006 年 10 月　傅有德指導

大學

一、通論

2236　屠建達　《大學》的張力：經典與詮釋之學理探索
北京大學古典文獻學專業碩士論文　2007 年　劉玉才指導

二、分類研究

2237　曾軍雄　《大學》「道」論及其對儒者價值的承載：在理學範圍內以主要思想家為例
湖南師範大學中國哲學專業碩士論文　2007 年　鄧名瑛指導

2238　李雙雙　《大學》的教育思想及其現代意義探析
武漢理工大學教育經濟與管理專業碩士論文　2006 年 5 月　朱喆指導

2239　穆琳琳　以生命為本的教化結構《大學》的傳播學分析
北京師範大學新聞學專業碩士論文　2006 年 5 月　毛峰指導

2240　王博識　論《大學》的管理哲學思想
遼寧大學中國哲學專業碩士論文　2005 年 5 月　王雅指導

三、大學研究史

2241　孟威龍　《大學》鄭玄本與朱熹本之異同考
山東大學古代漢語語言文獻學專業碩士論文　2005 年 3 月　劉曉東指導

2242　耿　松　《大學衍義補》研究
華東師範大學中國古典文獻學專業碩士論文　2007 年　吳宣德指導

2243 陳永正 從《大學衍義補》試析丘濬思想
福建師範大學專門史專業博士論文 2002年 唐文基指導

2244 呂東波 《大學衍義補》與明中期社會變遷
東北師範大學中國古代史專業碩士論文 2007年5月 趙玉田指導

2245 劉 微 《大學直解》《中庸直解》口語詞語研究[17]
吉林大學歷史文獻學專業碩士論文 2005年4月 李無未指導

2246 趙 剛 李材止修思想研究[18]
復旦大學中國哲學史專業碩士論文 2002年5月 吳震指導

2247 陽 征 陳確思想研究——以《大學辨》為中心
武漢大學中國哲學專業碩士論文 2003年5月 吳根友指導

2248 劉依平 船山《大學》詮釋之研究
湘潭大學中國哲學專業碩士論文 2006年 鄧輝指導

2249 姜勝男 「崇朱辟王」：呂留良「《大學》評語」研究
東北師範大學中國古代史專業碩士論文 2007年 趙軼峰指導

17 《大學直解》《中庸直解》是元代初期漢族儒士許衡為向少數民族傳授儒家文化而著的兩部教學講義。

18 本文分析了李材的《大學》改本，並將其與朱子的《大學章句》相互比較探討其異同。

中　庸

一、通論

2250　李文波　論中庸——思想、文本與傳統
中山大學哲學專業博士論文　2005年5月　黎紅雷、陳少明指導

二、分類研究

概　述

2251　劉光育　《中庸》思想研究
河北大學中國哲學專業碩士論文　2001年6月　商聚德指導

2252　劉道嶺　《中庸》的哲學思想
山東大學中國哲學專業碩士論文　2006年5月　顏炳罡指導

2253　毛東英　試論《中庸》人生和諧思想
曲阜師範大學碩士論文　1999年

2254　張立潔　「中庸」觀念的傳播結構研究[19]
北京師範大學新聞學專業碩士論文　2006年5月　毛峰指導

2255　任婉芬　《中庸》誠的哲學之研究
中山大學哲學專業碩士論文　2005年5月　馮煥珍指導

與諸子思想

2256　郭曉東　孔子「中庸」思想的現代闡釋

19 此文在第三章著重論述朱熹將《中庸》、《大學》從《禮記》中提出，與《論語》、《孟子》並列為四書，達到與五經同尊甚至凌駕於五經之上的地步，使《中庸》觀念形成了穩定的傳播結構和傳播系統。

中國石油大學馬克思主義哲學專業碩士論文　2007 年　江華指導

與西方思想家比較

2257　陳淑珍　亞里士多德與孔子中庸思想之比較
江西師範大學外國哲學專業碩士論文　2006 年　蔣九愚指導

三、中庸研究史

2258　王曉薇　宋代《中庸》學研究
河北大學中國古代史專業博士論文　2005 年 6 月　漆俠、姜錫東指導

2259　鄭　熊　宋儒對《中庸》的研究
西北大學歷史學專業博士論文　2007 年 5 月　張豈之指導

2260　李紅霞　呂大臨《中庸解》研究
北京大學中國哲學專業碩士論文　2002 年 6 月　陳來指導

2261　沈曙東　朱熹《中庸章句》成書過程研究
華中師範大學中國古典文獻學專業碩士論文　2006 年　高華平指導

2262　劉　微　《大學直解》《中庸直解》口語詞語研究
吉林大學歷史文獻學專業碩士論文　2005 年 4 月　李無未指導

四、現代詮釋與價值

2263　劉紅麗　中庸思想及其現代德育價值研究
東北師範大學馬克思主義理論與思想政治教育專業碩士論文　2007 年
王平指導

孝　經

一、通論

作　者

2264　侯希文　《孝經》作者考
西北大學歷史文獻學專業碩士論文　2001年5月　李學勤、黃懷信指導

成書時代

2265　沈莉華　《孝經》的結集和漢迄唐的流傳
復旦大學中國古代史專業碩士論文　1998年5月　許道勛、王頲指導

二、孝經研究史

2266　朱明勛　《孝經》研究史簡論
湖北大學中國古典文獻學專業碩士論文　2001年5月　張林川指導

2267　楊　玲　《孝經》學譜
四川大學歷史文獻學專業碩士論文　2006年　舒大剛指導

2268　楊　峰　移孝作忠——《孝經》的政治意義
北京大學中國哲學專業碩士論文　2004年5月　陳來指導

先　秦

2269　康學偉　先秦孝道研究
吉林大學中國古代史專業博士論文　1991年　金景芳指導
臺北　文津出版社　257頁　1992年10月（大陸地區博士論文叢刊）

2270　王長坤　先秦儒家孝道研究[20]
西北大學中國思想史專業博士論文　2005 年 11 月　張豈之、黃留珠指導
成都　巴蜀書社　330 頁　2007 年 11 月（儒釋道博士論文叢書）

漢　代

2271　李庚子　兩漢的「孝教」思想研究
北京師範大學教育學教育史專業碩士論文　2004 年 4 月　郭齊家指導

魏　晉

2272　賈　宇　玄儒思想影響下的兩晉孝觀念演變
清華大學專門史專業碩士論文　2007 年　王曉毅指導

2273　鄒清泉　北魏孝子畫像研究——《孝經》與北魏孝子畫像圖像內涵的改變及墓葬功能的實現
中央美術學院美術學專業碩士論文　2006 年　尹吉男、賀西林指導

唐　代

2274　杜　娟　試論唐玄宗《孝經注》
華南師範大學專門史專業碩士論文　2007 年　代繼華指導

宋　代

2275　陳一風　《孝經注疏》研究
華中師範大學歷史文獻學專業博士論文　2003 年 5 月　周國林指導
成都　四川大學出版社　228 頁　2007 年

清　代

2276　趙景雪　清代《孝經》文獻研究
山東大學中國古典文獻學專業碩士論文　2007 年　馮浩菲指導

2277　陸雅茹　《孝經直解》「把／將」字句研究
上海大學漢語言文字學專業碩士論文　2007 年 4 月　沈益洪指導

20　此文討論《孝經》的成書年代並認為此書是對先秦儒家孝道思想系統、完整總結而形成孝道、孝行、孝治的集大成之作，亦是提供統治策略的政治哲學著作。

爾　雅

一、語言文字研究

2278　邱道義　《爾雅》「釋類」部分語義初探
山東大學漢語言文字學專業碩士論文　2006 年 5 月　楊端志指導

2279　郭　偉　現代語義學視角下的《爾雅》單音節普通語詞訓釋
河北師範大學漢語言文字學專業碩士論文　2006 年　蘇寶榮指導

2280　王建莉　《爾雅》同義詞考論
浙江大學漢語言文字學專業博士論文　2004 年 12 月　黃金貴指導

2281　趙家棟　《爾雅》法律使用域詞語研究
西南師範大學漢語言文字學專業碩士論文　2004 年 5 月　李茂康指導

2282　晁　瑞　《爾雅》原文與郭注同語素雙音節詞語義研究
山東大學漢語言文字學專業碩士論文　2003 年 5 月　楊端志指導

2283　吳振興　《爾雅》釋義研究
四川師範學院[21]漢語言文字學專業碩士論文　2002 年 6 月　楊正業指導

2284　章承董　《爾雅》疊音詞研究
北京師範大學漢語言文字學專業碩士論文　2007 年 5 月　李運富指導

二、各篇研究

釋　詁

2285　車珊珊　《爾雅·釋詁》訓釋研究
山東師範大學漢語言文字學專業碩士論文　2005 年 4 月　吳慶峰指導

21 現已改名為西華師範大學。

2286 俞 欣 《爾雅・釋詁》「二義同條」初探
湖北大學中國古典文獻學專業碩士論文 1999 年 張林川指導

2287 盧永維 《爾雅・釋詁》「至也」詞條探析
吉林大學漢語言文字學專業碩士論文 2007 年 武振玉指導

2288 姜仁濤 《爾雅・釋詁》同義詞研究
北京大學漢語言文字學專業碩士論文 2000 年 6 月 張聯榮指導

釋 親

2289 王雪燕 稱謂・家族・婚姻・宗法——《爾雅・釋親》的文化學研究
內蒙古大學漢語言文字學專業碩士論文 2007 年 道爾吉指導

釋蟲、釋魚、釋鳥、釋獸、釋畜

2290 曹 燕 《爾雅》動物專名研究
內蒙古大學漢語言文字學專業碩士論文 2007 年 道爾吉指導

三、爾雅研究史

概 述

2291 王利花 雅學研究綜述
山西大學漢語言文字學專業碩士論文 2006 年 6 月 白平指導

2292 李 煜 《爾雅》辭書學研究
廣州大學語言學及應用語言學專業碩士論文 2003 年 6 月 孫雍長指導

2293 馮 華 爾雅新證
首都師範大學漢語言文字學專業博士論文 2006 年 4 月 黃天樹指導

2294 丁 忱 《爾雅》、《毛傳》異同考
武漢大學漢語史專業博士論文 1983 年 黃焯指導
武漢 武漢大學出版社 107 頁 1988 年

漢 代

2295 劉 敏 由《爾雅》、《方言》、《說文》、《釋名》看漢代訓詁的發展

暨南大學漢語言文字學專業碩士論文　2003 年 5 月　王彥坤指導

魏　晉

2296　江玉君　《經典釋文・爾雅音義》孫炎反切研究
北京師範大學漢語言文字學專業碩士論文　2004 年 5 月　崔樞華指導

2297　唐麗珍　《爾雅》、《方言》郭注研究
南京師範大學漢語言文字學專業碩士論文　2002 年 6 月　馬景侖指導

2298　甄亞歌　郭璞《爾雅注》「今語」研究
北京師範大學漢語言文字學專業碩士論文　2006 年 5 月　易敏指導

2299　殷　靜　《爾雅》郭璞注的並列複合詞研究
蘇州大學漢語言文字學專業碩士論文　2005 年 1 月　徐山指導

2300　李　斐　郭璞《爾雅注》和它的文獻價值
湖北大學中國古典文獻學專業碩士論文　2005 年 5 月　張林川指導

宋　代

2301　羅　淩　宋代《爾雅》注研究
湖北大學中國古典文獻學專業碩士論文　2003 年 5 月　郭康松指導

2302　蔡淑梅　邢昺《爾雅疏》綜論
寧夏大學漢語言文字學專業碩士論文　2004 年 4 月　劉世俊指導

2303　霞紹暉　漢唐注疏的遺韻——宋代邢昺《爾雅》疏研究
四川大學歷史文獻學專業碩士論文　2006 年　李文澤指導

2304　季自軍　陸佃《爾雅新義》研究
上海師範大學古典文獻學專業碩士論文　2005 年 5 月　王禮賢指導

清　代

2305　王小婷　《爾雅正義》與《爾雅義疏》比較研究
山東大學中國古典文獻學專業碩士論文　2004 年 4 月　劉曉東指導

2306　孫　瑩　郝懿行《爾雅義疏》訓詁研究
山東師範大學中國古典文獻學專業碩士論文　2006 年　張金霞指導

2307　柳　菁　《爾雅義疏》「通」研究
湖南師範大學漢語言文字專業碩士論文　2003 年 4 月　陳建初指導

2308　于麗萍　《爾雅義疏》研究

内蒙古師範大學漢語言文字學專業碩士論文　2003 年 5 月　章也指導

2309　趙　瑩　《爾雅義疏》引用《說文》研究
北京師範大學漢語言文字學專業碩士論文　2007 年 6 月　李運富指導

2310　李潤生　郝懿行《爾雅義疏》同族詞研究
西南師範大學漢語言文字學專業碩士論文　2002 年 4 月　李茂康指導

2311　胡海瓊　《爾雅義疏》同族詞研究
華中科技大學語言學及應用語言學專業碩士論文　2004 年 5 月　尉遲治平指導

2312　孫美紅　郝氏《義疏》方俗語料研究
河北師範大學漢語言文字學專業碩士論文　2007 年 4 月　田恒金指導

民　國

2313　胡世文　黃侃手批《爾雅義疏》「音訓」研究
湖南師範大學漢語言文字學專業碩士論文　2005 年 4 月　陳建初指導

四、附：小爾雅

2314　梁　紅　《小爾雅》述評
遼寧師範大學漢語言文字學專業碩士論文　2006 年 5 月　王功龍指導

2315　劉鴻雁　《小爾雅》綜論
寧夏大學漢語言文字學專業碩士論文　2003 年 4 月　劉世俊指導

2316　宋　琳　《小爾雅》今注
東北師範大學中國古典文獻學專業碩士論文　2002 年 4 月　董蓮池指導

五、附：釋名

2317　陳建初　《釋名》考論
湖南師範大學漢語言文字學專業博士論文　2005 年　蔣驥騁指導
長沙　湖南師範大學出版社　323 頁　2007 年 4 月

2318　胡珮迦　對《釋名》的認知研究

四川師範大學語言學及應用語言學專業碩士論文　2004 年　李恕豪指導

2319　王潤吉　論《釋名》的理據
廣西師範大學漢語言文字學專業碩士論文　2001 年　黎良君指導

2320　吳　錘　《釋名》聲訓研究
上海師範大學漢語言文字學專業博士論文　2006 年　潘悟雲指導

2321　張瑞朋　《釋名》聲訓性質新論
華中科技大學語言學及應用語言學專業碩士論文　2004 年　尉遲治平指導

2322　徐從權　《釋名》雙音詞研究
蘇州大學漢語言文字學專業碩士論文　2003 年　徐山指導

2323　喻　華　《釋名》釋語複音詞研究
湖南師範大學漢語言文字學專業碩士論文　2003 年　陳建初指導

2324　魏宇文　《釋名》名源研究
暨南大學漢語言文字學專業博士論文　2006 年　王彥坤指導

2325　程光耀　《釋名》中的同字為訓現象研究
鄭州大學漢語言文字學專業碩士論文　2007 年　胡和平指導

2326　劉　敏　由《爾雅》、《方言》、《說文》、《釋名》看漢代訓詁的發展
暨南大學漢語言文字學專業碩士論文　2003 年 5 月　王彥坤指導

2327　郭文超　劉熙《釋名》訓詁研究
湖南師範大學漢語言文字學專業碩士論文　2001 年　陳建初指導

2328　林海鷹　《太平御覽》引《釋名》校釋
東北師範大學中國古典文獻學專業碩士論文　2003 年　韓格平指導

六、附：廣雅

2329　孫菊芳　《廣雅・釋沽》初探
華南師範大學漢語言文字學專業碩士論文　2003 年　魏達純指導

2330　吳榮范　《廣雅疏證》類同引申研究
蘭州大學漢語言文字學專業碩士論文　2007 年　趙小剛指導

2331　胡繼明　《廣雅疏證》同源詞研究

四川大學漢語言文字學專業博士論文　2002 年　胡永培指導
成都　巴蜀書社　595 頁　2003 年 1 月

2332　朱國理　《廣雅疏證》的語源研究
復旦大學漢語史專業博士論文　1998 年　胡奇光指導

2333　朱子輝　《廣雅疏證》同源聯綿詞音轉規律研究
北京大學漢語言文字學專業碩士論文　2005 年 6 月　楊榮祥指導

2334　彭　慧　廣雅疏證中《文選》通假字研究
鄭州大學中國古典文獻學專業碩士論文　2004 年　李恩江指導

2335　彭　慧　《廣雅疏證》漢語語義學研究
四川大學漢語言文字學專業博士論文　2007 年　蔣宗福指導

2336　甘　勇　《廣雅疏證》的數字化處理及其同源字研究
華中科技大學語言學及應用語言學專業碩士論文　2005 年　尉遲治平指導

石　經

2337　葉　倩　論石經的性質、起源及其功用
北京大學考古學及博物館學專業碩士論文　2006 年 6 月　張辛指導

2338　王　慧　魏石經古文集釋
安徽大學漢語言文字學專業碩士論文　2004 年 5 月　徐在國指導

2339　吳麗君　《唐開成石經》研究
北京師範大學漢語言文字學專業碩士論文　2004 年 5 月　齊元濤指導

讖　緯

一、通論

2340　徐興无　論讖緯文獻中的天道聖統
南京大學中文系博士論文　1993年　周勛初、莫礪鋒指導

2341　陳穎飛　緯書兩大妖星系統考辨
清華大學專門史專業碩士論文　劉國忠指導

二、緯書各論

2342　劉　震　《易緯・乾鑿度》天人之學
山東大學中國哲學專業碩士論文　2004年5月　王新春指導

2343　劉　彬　《易緯》占術研究
山東大學中國哲學專業博士論文　2004年4月　劉大鈞指導

2344　賈立霞　《孝經緯》研究
山東大學中國古典文獻學專業碩士論文　2003年4月　鄭傑文指導

三、讖緯研究史

2345　李梅訓　讖緯文獻史略
山東大學中國古典文獻學專業博士論文　2003年5月　鄭傑文指導

2346　梁　晨　兩漢讖緯之學的源流與興盛
安徽師範大學中國古代史專業碩士論文　2007年　裘士京指導

2347　彭　越　讖緯與兩漢政治

廣西師範大學中國古代史專業碩士論文　2007 年　周長山指導

2348　朱玉周　漢代讖緯天論研究
山東大學專門史專業博士論文　2007 年 5 月　曾振宇指導

2349　詹蘇杭　讖緯與漢樂府
陝西師範大學中國古代文學專業碩士論文　2005 年 4 月　張弘指導

2350　朱玉周　漢代讖緯天論研究
山東大學專門史專業博士論文　2007 年　曾振宇指導

2351　呂宗力　東漢碑刻與讖緯神學
中國社會科學院研究生院中國古代文學專業碩士論文　張政烺、李學勤指導

2352　鄺向雄　唐代讖謠初探
首都師範大學中國古代史專業碩士論文　2004 年 5 月　王永平指導

專業別分類

北京市

中央民族大學

中國哲學專業

竇海寧　荀子行政倫理思想研究
中央民族大學中國哲學專業碩士論文　2006 年　劉成有指導

焦玉琴　比較中的審視——試論黃宗羲與孟德斯鳩啟蒙思想之異同
中央民族大學馬克思主義哲學專業碩士論文　2004 年　趙士琳指導

李文娟　《儀禮》倫理思想研究
中央民族大學中國哲學專業碩士論文　2006 年 5 月　王文東指導

王美玲　孟子正義思想研究
中央民族大學中國哲學專業碩士論文　2006 年 5 月　劉成有指導

馬克思主義民族理論與政策專業

魏延梅　孟子民族觀研究
中央民族大學馬克思主義民族理論與政策專業碩士論文　2005 年 5 月　余梓東指導

專門史專業

馬曉英　顏鈞思想研究
中央民族大學專門史專業博士論文　2003 年　牟鐘鑒指導
銀川　寧夏人民出版社　240 頁　2007 年 12 月

季　美　試論昆體良的教學思想——兼與孔子教學思想比較
中央民族大學專門史專業碩士論文　2006 年 4 月　劉愛蘭指導

少數民族語言文學專業

王衛平　蘇雪林的思想與創作

中央民族大學中國少數民族語言文學專業碩士論文　2004 年　白薇指導

中國古代文學專業

劉　麗　《詩經・秦風》研究
中央民族大學中國古代文學專業碩士論文　2007 年　劉棣民指導

丁秀傑　《詩經》婚戀詩研究
中央民族大學中國古代文學專業碩士論文　2004 年 5 月　劉棣民指導

劉　楊　《詩經》戰爭徭役詩研究
中央民族大學中國古代文學專業碩士論文　2006 年 5 月　劉棣民指導

李　飛　《詩經》天觀念研究
中央民族大學中國古代文學專業碩士論文　2007 年　劉棣民指導

姜亞林　鄭樵詩經學研究
中央民族大學中國古代文學專業碩士論文　2004 年 5 月　劉棣民指導

中央美術學院

美術學專業

鄒清泉　北魏孝子畫像研究——《孝經》與北魏孝子畫像圖像內涵的改變及墓葬功能的實現
中央美術學院美術學專業碩士論文　2006 年　尹吉男、賀西林指導

中共中央黨校

中國哲學專業

李　傑　論荀子的禮學思想
中共中央黨校中國哲學專業碩士論文　2000 年 1 月　傅雲龍指導

張　東　《孟子字義疏證》發微
中共中央黨校中國哲學專業碩士論文　喬清舉指導

中國人民大學

中國哲學專業

林國標　清初朱子學研究
中國人民大學中國哲學專業博士論文　2003 年　宋志明指導
長沙　湖南人民出版社　287 頁　2004 年 9 月

南金花　王肅《周易注》及其易學思想
中國人民大學中國哲學專業碩士論文　2005 年 5 月　楊慶中指導

馬克思主義理論與思想政治教育專業

高春花　荀子禮學思想及其現代價值
中國人民大學馬克思主義理論與思想政治教育專業博士論文　2003 年　許啟賢指導
北京　人民出版社　258 頁　2004 年 12 月

中國古代史專業

白效詠　漢代的易學與政治
中國人民大學中國古代史專業博士論文　2007 年　黃樸民指導

朱修春　四書學史研究
中國人民大學中國古代史專業博士論文　2003 年　黃愛平指導

中國石油大學

馬克思主義哲學專業

郭曉東　孔子「中庸」思想的現代闡釋
中國石油大學馬克思主義哲學專業碩士論文　2007 年　江華指導

中國社會科學院

歷史文獻學專業

楊朝明　書籍新識——周公事跡考證
中國社會科學院研究生院歷史文獻學專業博士論文　2000 年　李學勤指導
鄭州　中州古籍出版社　314 頁　2002 年（改名為《周公事跡研究》）

邢　文　帛書《周易》與古代學術
中國社會科學院研究生院歷史文獻學專業博士論文　1996 年 7 月　李學勤指導
北京　人民出版社　1997年11 月、1998 年 12 月（改名為《帛書周易研究》）

彭迎喜　方以智與《周易時論合編》小考
中國社會科學院研究生院歷史文獻學專業博士論文　1998 年 6 月　李學勤指導
廣州　中山大學出版社　248 頁　2007 年 6 月

王思平　《左傳》人名與金文人名比較研究
中國社會科學院研究生院歷史文獻學專業博士論文　1997 年 7 月　李學勤指導

王澤文　春秋時期的紀年銅器銘文與《左傳》的對照研究
中國社會科學院研究生院歷史文獻學專業博士論文　2002 年 1 月　李學勤、席澤宗指導

清代學術史專業

梁　勇　萬斯大及其禮學研究
中國社會科學院研究生院清代學術史專業碩士論文　2001 年　陳祖武指導

中國思想專業

姜廣輝　反理學的思想家顏元
中國社會科學院研究生院中國思想專業碩士論文　1981 年　侯外盧、邱漢生指導
北京　中國社會科學出版社　258 頁　1987 年 12 月（改名為《顏李學派》）

中國古代思想史專業

具隆會　關於《周易》哲理與《內經》思維幾點認識
中國社會科學院研究生院中國古代思想史專業碩士論文　2003 年 5 月　姜廣輝指導

林存陽　清初三禮學
中國社會科學院中國古代思想史專業博士論文　2000 年 1 月　陳祖武指導
北京　社會科學文獻出版社　375 頁　2002 年

中國哲學專業

妮娜絲　「人」的發現及其意義——從《五經》到《四書》
中國社會科學院研究生院中國哲學專業碩士論文　2001 年　徐遠和指導

陳　明　儒學的歷史文化功能——從中古士族現象看
中國社會科學院中國哲學專業博士論文　1992 年 7 月　余敦康指導
臺北　文津出版社　363 頁　1994 年 3 月（大陸地區博士論文叢刊）（改名為《中古士族現象研究：儒學的歷史文化功能初探》）
上海　學林出版社　423 頁　1997 年（改名為《儒學的歷史文化功能：士族——特殊形態的知識份子研究》）
北京　中國社會科學出版社　349 頁　2005 年

王志耀　先秦儒學「天人合一」觀念的歷史考察
中國社會科學院研究生院中國哲學專業博士論文　1992 年 7 月　孔繁指導
臺北　文津出版社　342 頁　1994 年 10 月（大陸地區博士論文叢刊）（改名為《先秦儒學史概述》）

韓德民　荀子與儒家的社會理想
中國社會科學院研究生院中國哲學專業博士論文　1996 年 7 月　余敦康指導
濟南　齊魯書社　582 頁　2001 年 8 月

謝寒楓　程顥哲學研究
中國社會科學院研究生院中國哲學專業博士論文　2002 年　蒙培元指導

趙　峰　朱熹的終極關懷
中國社會科學院研究生院中國哲學專業博士論文　1996 年 7 月　孔繁指導
上海　華東師範大學出版社　380 頁　2004 年 10 月

王　健　對朱熹解釋思想的思考

中國社會科學院研究生院中國哲學專業博士論文　1992年7月　余敦康指導

權相佑　朱熹理一分殊思想研究

中國社會科學院研究生院中國哲學專業博士論文　2003年　余敦康指導

孫美貞　吳澄理學思想研究

中國社會科學院研究生院中國哲學專業博士論文　2000年1月　徐遠和指導

劉東超　生命的層級：馮友蘭人生境界說研究

中國社會科學院研究生院中國哲學專業博士論文　1997年7月　方克力、牟鐘鑒、錢遜指導

成都　巴蜀書社　317頁　2002年10月（儒釋道博士論文叢書）

鄒昌林　從《禮記》看中國禮文化的特徵

中國社會科學院中國哲學專業博士論文　1991年7月　余敦康指導

臺北　文津出版社　271頁　1992年9月（大陸地區博士論文叢刊）（改名為《中國古禮研究》）

中國古代史專業

楊朝亮　李紱與《陸子學譜》

中國社會科學院研究生院中國古代史專業博士論文　2003年　陳祖武指導

北京　中國社會科學出版社　276頁　2005年12月（聊城大學博士文庫）

王啟發　禮義新探

中國社會科學院研究生院中國古代史專業博士論文　2001年4月　盧鐘鋒指導

鄭州　中州古籍出版社　380頁　2005年1月（改名為《禮學思想體系探源》）

浦衛忠　春秋三傳之比較研究

中國社會科學院中國古代史專業博士論文　1990年8月　楊向奎指導

臺北　文津出版社　261頁　1995年4月（大陸地區博士論文叢刊）（改名為《春秋三傳綜合研究》）

鄭任釗　何休公羊學思想

中國社會科學院研究生院中國古代史專業碩士論文　2001年5月　姜廣輝指導

章啟輝　王夫之的《四書》研究及其早期啟蒙思想

中國社會科學院研究生院中國古代史專業博士論文　2002年1月　盧鐘鋒指導

陳　陣　　《孟子》管窺：空疏的整體觀思維

中國社會科學院研究生院中國古代史專業碩士論文　2003 年 4 月　孫開泰指導

中國近現代史專業

劉貴福　　錢玄同思想研究

中國社會科學院研究生院中國近現代史專業博士論文　2000 年 1 月　楊天石指導

徐國利　　錢穆史學思想研究

中國社會科學院研究生院中國近現代史專業博士論文　2000 年 1 月　蔣大椿指導

臺北　臺灣商務印書館　360 頁　2004 年 2 月

中國古代文學專業

欒保群　　西漢經今古文之爭與王莽的改制

中國社會科學院研究生院中國古代文學專業碩士論文　王毓銓指導

呂宗力　　東漢碑刻與讖緯神學

中國社會科學院研究生院中國古代文學專業碩士論文　張政烺、李學勤指導

文藝學專業

蘇志宏　　秦漢禮樂教化論

中國社會科學院文藝學專業博士論文　1989 年　蔡儀指導

成都　四川人民出版社　449 頁　1991 年 5 月

中國政法大學

政治學理論專業

黃勇軍　　外在斷裂與內在延續——傳統與現代雙重變奏視閾下的魏源與魏源政治思想研究

中國政法大學政治學理論專業碩士論文　2005 年　楊陽指導

中國科學院

圖書館學專業

戴和冰　《漢書・藝文志》至《宋史・藝文志》易類書目研究
中國科學院文獻情報中心圖書館學專業碩士論文　2001 年 1 月　羅琳指導

中國藝術研究院

音樂學專業

孫　琛　《考工記・磬氏》驗證
中國藝術研究院音樂學專業碩士論文　2007 年 4 月　王子初指導

中國礦業大學

馬克思主義理論與思想政治教育專業

李赫亞　傅立葉、康有為社會烏托邦思想比較研究
中國礦業大學馬克思主義理論與思想政治教育專業碩士論文　2002 年 4 月　張善信指導

楊　茹　孔子德育思想及其現代意義
中國礦業大學馬克思主義理論與思想政治教育專業碩士論文　2001 年 6 月　鄒放鳴指導

張　娜　孔子理想人格的現代重塑
中國礦業大學（北京）　馬克思主義理論與思想政治教育專業碩士論文　2001 年 5 月　費英秋指導

龔　成　孔子與柏拉圖教育思想比較研究
中國礦業大學馬克思主義理論與思想政治教育專業碩士論文　2002 年 4 月　鄒放鳴指導

北京大學

劉毓慶　從經學到文學——明代詩經學史論
北京大學中文系博士論文　1999 年　褚斌杰指導
北京　商務印書館　467 頁　2001 年 6 月
北京　商務印書館　467 頁　2003 年 11 月

中國古典文獻學專業

橋本秀美　南北朝至初唐義疏學研究
北京大學古典文獻專業博士論文　1999 年 6 月　倪其心指導
東京　白楓社　283 頁　2001 年 2 月 9 日（日文本，作者用中文名「喬秀岩」，書名改作《義疏學衰亡史論》）

吳國武　北宋經學與理學之關係研究
北京大學中國古典文獻學專業博士論文　2005 年 6 月　楊忠指導

楊新勛　宋代疑經研究
北京大學中國古文獻學專業博士論文　2003 年 5 月　楊忠指導
北京　中華書局　378 頁　2007 年 3 月

顧永新　歐陽修學術研究
北京大學古典文獻專業博士論文　1997 年 5 月　孫欽善指導
北京　人民出版社　341 頁　2003 年 8 月

谷　建　蘇轍學術研究——以經史之學為中心
北京大學中國古典文獻學專業博士論文　2004 年 5 月　孫欽善指導

陳　捷　清代古籍
北京大學古典文獻專業碩士論文　1988 年 6 月　孫欽善指導

漆永祥　乾嘉考據學研究
北京大學古文獻學專業博士論文　1996 年 5 月　孫欽善指導
北京　中國社會科學出版社　339 頁　1998 年（中國社會科學博士論文文庫）

王　勇　論乾嘉時期非考據學派學者對考據學的批評
北京大學中國古典文獻學專業碩士論文　2002 年 6 月　漆永祥指導

李紅英　戴震治經方法考論
北京大學中國古典文獻學專業博士論文　2002 年 6 月　楊忠指導

梁繼紅　章學誠學術研究
北京大學中國古典文獻學專業博士論文　2003年5月　孫欽善指導

吳銘能　梁任公的古文獻思想研究初稿——以目錄學、辨偽學、清代學術史及諸子學為中心的考察
北京大學古典文獻專業博士論文　1997年5月　孫欽善指導

胡元玲　張載易學及道學研究——以《橫渠易說》與《正蒙》為主的探討
北京大學古典文獻學專業碩士論文　2003年5月　孫欽善指導

呂　藝　試論先秦《詩經》理論的內容及其發展
北京大學古典文獻專業碩士論文　1984年1月　褚斌傑指導

王連成　啖助、趙匡和陸淳的春秋學研究
北京大學古典文獻學專業碩士論文　2001年6月　顧歆藝指導

劉　瑛　《左傳》方術研究
北京大學中國古典文獻學專業博士論文　2001年5月　倪其心指導
北京　人民文學出版社　231頁　2006年6月（改名為《左傳、國語方術研究》）

郭院林　從「以禮治左」到「援古經世」——清代儀徵劉氏《左傳》家學研究
北京大學中國古典文獻學專業博士論文　2007年　安平秋指導
北京　中華書局　301頁　2008年3月（改名為《清代儀徵劉氏《左傳》家學研究》）

向　農　焦循《春秋左傳補疏》　對杜注義理的研究
北京大學古典文獻學專業碩士論文　1999年6月　董洪利指導

田中千壽　《春秋公羊疏》研究
北京大學中國古典文獻學專業博士論文　2002年6月　孫欽善指導

顧歆藝　《四書章句集注》研究
北京大學古典文獻專業博士論文　1999年5月　金開誠指導

劉宗永　論清代寶應劉氏家學之《論語》研究
北京大學中國古典文獻學專業博士論文　2006年6月　董洪利指導

唐潤熙　韓國現存《論語》注釋書版本研究
北京大學中國古典文獻學專業博士論文　2006年12月　孫欽善指導

董洪利　孟子研究學史概述
北京大學中國古典文獻學專業博士論文　1990年5月　金開誠指導
南京　江蘇古籍出版社　358頁　1997年10月（改名為《孟子研究》）

李峻岫　漢唐孟子學述論
北京大學中國古典文獻學專業博士論文　2006年6月　董洪利指導

張　量　趙岐《孟子章句》研究
北京大學古典文獻專業碩士論文　2002年6月　董洪利指導

李峻岫　隋唐孟子學史
北京大學古典文獻專業碩士論文　2003年5月　董洪利指導

方　麟　朱熹孟子學研究——以《孟子集注》為中心
北京大學古典文獻專業碩士論文　2003年5月　董洪利指導

李暢然　清代《孟子》學研究
北京大學中國古典文獻學專業博士論文　2004年5月　董洪利指導
濟南　齊魯書社　2007年（改名為《清代孟子學史》）

李暢然　焦循《孟子正義》曲護趙注問題辨析
北京大學中國古典文獻學專業碩士論文　2000年6月　董洪利指導

屠建達　《大學》的張力：經典與詮釋之學理探索
北京大學古典文獻學專業碩士論文　2007年　劉玉才指導

馬克思主義哲學專業

張興明　梁漱溟儒學之思探微
北京大學中國馬克思主義哲學專業碩士論文　2001年6月　郭建寧指導

哲學專業

許美平　早期儒家天道觀——以郭店儒簡為中心
北京大學中國哲學專業碩士論文　2002年6月　王博指導

聶保平　先秦儒家情思想初探
北京大學中國哲學專業博士論文　2002年6月　許抗生指導

孫尚揚　明末天主教與儒學的交流和衝突
北京大學哲學博士論文　1991年7月　湯一介指導
臺北　文津出版社　259頁　1992年2月（大陸地區博士論文叢刊）

江　新　羅欽順理氣心性論研究
北京大學哲學專業碩士論文　2007年　楊立華指導

張麗華　帛書易傳的解易特色
北京大學哲學專業碩士論文　2001年6月　陳來指導

尹錫珉　王弼易學解經體例探源
北京大學哲學專業博士論文　2006 年 1 月　朱伯崑指導
成都　巴蜀書社237 頁　2006 年 12 月（儒釋道博士論文叢書）

中國哲學專業

張　躍　唐代後期儒學的新趨向
北京大學中國哲學專業博士論文　1989 年　馮友蘭指導
臺北　文津出版社　266 頁　1993 年
上海　上海人民出版社　204 頁　1994 年（改名為《唐代後期儒學》）

姜真碩　朱子體用論研究
北京大學中國哲學專業博士論文　2000 年 12 月　陳來指導

延在欽　朱熹心論研究
北京大學中國哲學專業博士論文　2005 年 6 月　陳來指導

朱光鎬　朱熹太極觀研究——以《太極圖說解》為中心
北京大學中國哲學專業博士論文　2005 年 5 月　朱伯崑指導

池俊鎬　黃榦哲學思想研究
北京大學中國哲學專業博士論文　2000 年 12 月　陳來指導

文炳翼　張載「神」概念之研究
北京大學中國哲學專業碩士論文　1997 年 9 月　陳來指導

李根德　謝良佐《上蔡語錄》研究
北京大學中國哲學專業碩士論文　2001 年 6 月　陳來指導

蘇鉉盛　張栻哲學思想研究
北京大學中國哲學專業博士論文　2002 年 6 月　陳來指導

方旭東　吳澄哲學思想研究
北京大學中國哲學專業博士論文　2001 年 6 月　陳來指導
北京　人民出版社　318 頁　2005 年 3 月（改名為《尊德性與道問學——吳澄哲學思想研究》）

彭國翔　王龍溪的先天學及其定位
北京大學中國哲學專業碩士論文　1998 年 6 月　陳來指導

周豐堇　皇侃性情論——《論語義疏》性情思想探討
北京大學中國哲學專業碩士論文　2007 年　李中華指導

李亞彬　孟子荀子的儒家道德哲學建構

中國人民大學中國哲學專業博士論文　2003 年　張立文指導

外國哲學專業

厲才茂　《論語》孔子之道的現象學研究

北京大學外國哲學專業博士論文　2001 年 8 月　靳希平、許抗生指導

倫理學專業

張之鋒　孟子對君子的人格設計

北京大學倫理學專業碩士論文　2002 年 6 月　王海明指導

王　豁　孟子論仁

北京大學倫理學專業碩士論文　2006 年 6 月　陳少峰指導

張立宏　論孟子的「權」

北京大學倫理學專業碩士論文　2003 年 6 月　陳少峰指導

朴永鎮　人性與道德之考究——以《孟子》和《荀子》為主

北京大學倫理學專業碩士論文　1999 年 6 月　魏英敏指導

陳　勇　孟子的道德形上學之研究

北京大學中國倫理學專業博士論文　1996 年 6 月　陳少峰指導

中國哲學史專業

漥田忍　中國先秦儒家聖人觀探討：殷商時代的「聖」觀念及其在先秦儒家思想中的演變和展開

北京大學中國哲學史專業博士論文　1989 年　張岱年指導

陳　來　朱熹哲學體系及其形成和發展

北京大學中國哲學史專業博士論文　1985 年　張岱年指導

北京　中國社會科學出版社　358 頁　1988 年、1993 年（中國社會科學博士論文文庫）（改名為《朱熹哲學研究》）

臺北　文津出版社　414 頁　1990 年 12 月（文史哲大系 30）（改名為《朱熹哲學研究》）

上海　華東師範大學出版社　450 頁　2000 年（改名為《朱熹哲學研究》）

龐萬里　程顥、程頤及其二程學派

北京大學中國哲學史專業博士論文　1989 年 7 月　張岱年指導

北京　北京航空航天大學出版社　431 頁　1992 年 12 月（改名為《二程哲

學體系》）

汪業芬　論胡宏

北京大學中國哲學史專業碩士論文　1989 年 7 月　陳來指導

喬清舉　湛若水哲學思想研究

北京大學中國哲學史專業博士論文　1992 年　朱伯崑指導

臺北　文津出版社　284 頁　1993 年 3 月（大陸地區博士論文叢刊）

束鴻俊　《北溪字義》與陳淳哲學思想研究

北京大學中國哲學專業碩士論文　1997 年 1 月　陳來指導

蔡世昌　羅近溪哲學思想研究

北京大學中國哲學專業博士論文　2004 年 5 月　陳來指導

陳小蘭　羅欽順哲學思想研究

北京大學中國哲學史專業碩士論文　1989 年 6 月　陳來指導

彭高翔（彭國翔）王龍溪與中晚明陽明學的展開

北京大學中國哲學史專業博士論文　2001 年 6 月　陳來指導

臺北　臺灣學生書局　712 頁　2003 年 6 月（改名為《良知學的展開：王龍溪與中晚明的陽明學》）

黃　熹　焦竑三教會通思想研究

北京大學中國哲學專業博士論文　2005 年 6 月　陳來指導

張德偉　李顒哲學研究

北京大學中國哲學專業博士論文　1999 年 3 月　陳來指導

安　載　王船山歷史哲學研究

北京大學中國哲學專業博士論文　1999 年 8 月　陳來指導

樸英美　戴震的「治學」與「明道」

北京大學中國哲學專業博士論文　2005 年 12 月　魏常海指導

李　喆　《大同書》與傳統儒家之關係——兼論康有為在儒學史上的地位與意義

北京大學中國哲學專業碩士論文　2005 年 6 月　胡軍指導

李演都　康有為「大同」思想研究——以《大同書》為中心

北京大學中國哲學專業博士論文　2004 年 12 月　樓宇烈指導

藤井隆　馮友蘭（新理學）的基本概念及其結構的考察

北京大學中國哲學專業碩士論文　1999 年 3 月　陳來、許抗生指導

陳亞軍　通行本《易經》卦畫卦形問題研究史略

北京大學中國哲學專業博士論文　1993 年　朱伯崑指導

金演宰　宋明理學和心學派的易學與道德形上學

北京大學中國哲學專業博士論文　2002 年　朱伯崑指導

查　純　從《周易口義》看胡瑗哲學思想

北京大學中國哲學專業碩士論文　2006 年 6 月　張學智指導

謝榮華　《橫渠易說》的天人關係論

北京大學中國哲學專業碩士論文　2002 年 6 月　陳來指導

溫海明　朱子易學基本問題之演變

北京大學中國哲學專業碩士論文　1999 年 6 月　陳來指導

程　林　胡煦與朱熹易學辯正

北京大學中國哲學專業碩士論文　2003 年 6 月　李中華指導

秦　峰　黃宗羲的易學思想與明清學術轉型——《易學象數論》的思想史解讀

北京大學中國哲學專業碩士論文　2006 年 6 月　王守常指導

林亨錫　王船山《周易內傳》研究

北京大學中國哲學專業博士論文　2000 年 12 月　朱伯崑指導

王法周　孔孟朱熹與王心學——儒家心性之學簡議

北京大學中國哲學史專業碩士論文　1990 年 6 月　許抗生指導

崔益豪　從商周到孔子天的義蘊的改變

北京大學中國哲學專業碩士論文　2005 年 6 月　張學智指導

張風雷　春秋人文主義思潮的勃興與孔子倫理哲學的建立

北京大學中國哲學專業碩士論文　1991 年 6 月　許抗生指導

劉文靜　孔子《論語》與柏拉圖《理想國》比較研究

北京大學中國哲學史專業碩士論文　1990 年 6 月　陳鼓應指導

黃棕源　孟子天人關係思想新探

北京大學中國哲學專業碩士論文　1998 年 6 月　樓宇烈指導

趙源一　孟子道德哲學研究

北京大學中國哲學專業博士論文　2000 年 6 月　樓宇烈指導

李紅霞　呂大臨《中庸解》研究

北京大學中國哲學專業碩士論文　2002 年 6 月　陳來指導

楊　峰　移孝作忠——《孝經》的政治意義

北京大學中國哲學專業碩士論文　2004 年 5 月　陳來指導

美學專業

趙麗君　見在良知與一念之微——論王畿的心學及其對美學的影響
北京大學美學專業碩士論文　2005 年 6 月　王錦民指導

楊　震　論「易簡」思想及其對中國藝術的影響
北京大學美學專業碩士論文　2005 年 5 月　彭鋒指導

王　浩　「感」與「象」——從《周易》經傳與漢代易學看審美的形上學基礎
北京大學美學專業碩士論文　2002 年 6 月　王錦民指導

趙　翔　時物和遠隔——論《詩經》審美意象中的生命困境
北京大學美學專業碩士論文　2006 年 5 月　王錦民指導

中國古代史專業

魚宏亮　明清之際經世之學研究
北京大學中國古代史專業博士論文　2003 年 5 月　徐凱指導
北京　北京大學出版社　264 頁　2008 年 8 月（改名為《知識與救世：明清之際經世之學研究》）

李雪山　《周禮》中所反映的村社土地制度
北京大學中國古代史專業碩士論文　1992 年 4 月　吳榮曾指導

陳蘇鎮　《春秋》學對漢代政治變遷的影響
北京大學中國古代史專業博士論文　2000 年 12 月　祝總斌指導
北京　中國廣播電視出版社　453 頁　2001 年 3 月（改名為《漢代政治與《春秋》學》）

清史專業

劉　鵬　清代朱一新學術思想試析
北京大學清史專業碩士論文　2003 年 6 月　徐凱指導

中國近現代史專業

房德鄰　儒學的危機與嬗變：康有為與近代儒學
北京大學中國近現代史專業博士論文　1990 年　龔書鐸指導
臺北　文津出版社　271 頁　1992 年 1 月（大陸地區博士論文叢刊）

法律思想史專業

陳應寧　孔子復禮和禮制的復興——兼論法治的失敗

北京大學法律思想史專業碩士論文　1990 年 6 月　張國華指導

漢語言文字學專業

劉子瑜　《朱子語類》述補結構研究

北京大學漢語言文字學專業博士論文　2002 年 5 月　蔣紹愚指導

北京　商務印書館　401 頁　2008 年 7 月

江勇仲　《朱子語類》詞彙研究

北京大學漢語言文字學專業博士論文　2006 年 6 月　蔣紹愚指導

趙大明　《左傳》介詞研究

北京大學漢語言文字學專業博士論文　2001 年 5 月　郭錫良指導

北京　首都師範大學出版社　529 頁　2007 年 12 月

劉愛菊　漢語連詞從上古到中古的演變——以《左傳》、《魏書》為例

北京大學漢語言文字學專業博士論文　2003 年 8 月　朱慶之指導

李偉群　《左傳》中的主謂謂語句

北京大學漢語言文字學專業碩士論文　2006 年 6 月　楊榮祥指導

陳珠珠　《左傳》連動結構研究

北京大學漢語言文字學專業碩士論文　2005 年 6 月　宋紹年；邵永海指導

蘇　丹　《孟子》中有標記的指稱化結構研究

北京大學漢語言文字學專業碩士論文　2003 年 6 月　宋紹年、邵永海指導

姜仁濤　《爾雅・釋詁》同義詞研究

北京大學漢語言文字學專業碩士論文　2000 年 6 月　張聯榮指導

朱子輝　《廣雅疏證》同源聯綿詞音轉規律研究

北京大學漢語言文字學專業碩士論文　2005 年 6 月　楊榮祥指導

語言文字專業

賈寶麟　詩騷聯綿字辨議

北京大學語言文字專業碩士論文　1978、1979 級　王力、郭錫良、唐作藩指導

漢語史專業

胡敕瑞　《論衡》與東漢佛典詞語比較
北京大學漢語史專業博士論文　1999 年　蔣紹愚指導
高雄佛光山文教基金會　2002 年 8 月（法藏文庫中國佛教學術論典碩博士學位論文）

張　猛　《左傳》謂語動詞研究
北京大學漢語史專業博士論文　1998 年 7 月　郭錫良指導

葉友文　《左傳》「于／於」字句分析
北京大學漢語史專業碩士論文　1985 年 6 月　郭錫良；曹先耀指導

邵永海　從《左傳》和《史記》看上古漢語雙賓語結構及其發展
北京大學漢語史專業碩士論文　1988 年 5 月　郭錫良指導

邊瀅雨　《論語》的動詞、名詞研究
北京大學漢語史專業博士論文　1997 年 9 月　郭錫良指導

崔立斌　《孟子》的述賓結構
北京大學漢語史專業碩士論文　1984 年 1 月　郭錫良、李行健指導

崔立斌　《孟子》動詞、形容詞、名詞研究
北京大學漢語史專業博士論文　1995 年 6 月　郭錫良指導
開封　河南大學出版社　299 頁　2004 年 2 月（改名為《孟子詞類研究》）

戴維・賽納《孟子》的述語研究
北京大學漢語史專業碩士論文　1994 年 1 月　郭錫良指導

中國古代文學專業

徐醒生　漢代經學與文學
北京大學中國古代文學專業博士論文　1995 年　褚斌傑指導

張偉歧　西漢前期的經學與儒家政教文學觀
北京大學中國古代文學專業博士論文　2004 年 11 月　費振剛指導

黃敬愚　從兩漢經學到魏晉玄學——以情性論為中心
北京大學中國古代文學專業博士論文　2006 年 6 月　袁行霈指導

王　菁　《尚書》探論
北京大學中國古代文學專業博士論文　1994 年 6 月　褚斌傑指導

錢　華　淺論明代《詩經》研究

北京大學古代文學專業碩士論文　1993 年 6 月　費振剛指導

常　森　《詩》的崇高與汩沒：兩漢《詩經》學研究

北京大學中國古代文學專業博士論文　1999 年 5 月　褚斌傑指導

安性栽　《國風》之婚姻觀念辨析

北京大學中國古代文學專業碩士論文　2002 年 5 月　費振剛指導

安性栽　《詩經》「比、興」研究史論——自先秦至宋代

北京大學中國古代文學專業博士論文　2006 年 6 月　褚斌傑指導

張　真　試論《詩經》「六義」之興

北京大學古代文學專業碩士論文　1994 年 6 月　費振剛指導

黃永憲　《詩經》婚戀詩論

北京大學中國古代文學專業碩士論文　1995 年 6 月　費振剛指導

趙長征　論《詩經》美刺諷諭說的形成

北京大學中國古代文學專業碩士論文　1998 年 6 月　費振剛指導

王清珍　《左傳》用詩研究

北京大學中國古代文學專業博士論文　2003 年 5 月　費振剛指導

高新華　先秦儒者的精神性格及其文學呈現——以孔、孟、荀為中心

北京大學中國古代文學專業碩士論文　2006 年 6 月　于迎春指導

古典文學專業

顧永新　蘇軾的古文獻學

北京大學古典文學專業碩士論文　1994 年 1 月　孫欽善指導

中國文學批評史專業

黃君良　《周易》與興的藝術手法

北京大學中國文學批評史專業碩士論文　1992 年 6 月　張少康指導

比較文學及世界文學專業

猶家仲　《詩經》的解釋學研究

北京大學比較文學及世界文學專業博士論文　2000 年　樂黛雲指導

桂林　廣西師範大學出版社　261 頁　2005 年

徐百柯　中魂西魄——孔子與耶穌在二十世紀早期的相會

北京大學比較文學與世界文學專業碩士論文　2003 年 6 月　劉東指導

嚴蓓雯　《論語》的兩個早期英譯本研究
北京大學比較文學與世界文學專業碩士論文　2004 年 5 月　張輝指導

劉耘華　先秦儒家意義生成研究——以《論語》、《孟子》、《荀子》為個案
北京大學比較文學與世界文學專業博士論文　2001 年 5 月　樂黛雲指導
上海　上海譯文出版社　235 頁　2002 年 3 月（改名為《詮譯學與先秦儒家之意義生成：《論語》、《孟子》、《荀子》對古代傳統的解釋》）

民間文學專業

劉曉英　民間傳說中孔子的形象及其與統治階級塑造的孔子形象的比較研究
北京大學民間文學專業碩士論文　1989 年 7 月　段寶林指導

文藝學專業

高小慧　楊慎文學思想研究
北京大學文藝學專業博士論文　2005 年 6 月　陳熙中、盧永璘指導

傳播學專業

王　偉　孔子、柏拉圖傳播觀比較研究
北京大學傳播學專業碩士論文　2005 年 6 月　呂藝指導

北京中醫藥大學

中醫學專業

丁彰炫　中醫學與周易的科學思想研究——醫易學的時空觀
北京中醫藥大學中醫學專業博士後論文　2001 年 2 月　張其成指導

中醫醫史文獻專業

羅會斌　中醫運氣學說與漢代象數易學
北京中醫藥大學中醫醫史文獻專業碩士論文　2002 年 5 月　張其成指導

北京印刷學院

設計藝術學專業

邱曉亮　論中國書籍裝幀藝術中的《易》學文化傳統
北京印刷學院設計藝術學專業碩士論文　2007 年　張涵指導

北京師範大學

中國古典文獻學專業

史鵬力　荀子的霸道與禮學
北京師範大學中國古典文獻學專業碩士論文　2006 年 5 月　李山指導

李曉明　春秋時期君子文化人格研究——以《國語》、《左傳》為中心
北京師範大學中國古典文獻學專業碩士論文　2004 年 5 月　李山指導

沈貴松　朱彝尊的金石學研究
北京師範大學中國古典文獻學專業碩士論文　2004 年 5 月　樊善國指導

張偉保　《詩三百》的形成與流傳研究
北京師範大學中國古典文獻學專業博士論文　2004 年 5 月　郭英德指導

簡良如　王者之風——《詩經・周南》研究
北京師範大學古典文獻學專業博士論文　2005 年 4 月　郭英德指導

孟繁強　《左傳》城邑與邦國關係研究
北京師範大學古典文獻學專業碩士論文　2007 年 5 月　李山指導

張　芬　《左傳》中貴族女性形象的文化闡釋
北京師範大學古典文獻學專業碩士論文　2007 年 5 月　李山指導

許慶江　呂祖謙《左氏博議》研究
北京師範大學中國古典文獻學專業碩士論文　2007 年 5 月　郭英德指導

陳偉文　紀昀與《四庫全書總目》的文學批評
北京師範大學中國古典文獻學專業碩士論文　2004 年 5 月　李山指導

黃　利　「王官采詩」再探討——從上博簡《詩論》說起
北京師範大學中國古典文獻學專業碩士論文　2006 年 5 月　李山指導

歷史文獻學專業

余敏輝　歐陽修文獻學研究
北京師範大學歷史文獻學專業博士論文　2005 年 5 月　曾貽芬指導

朱　冶　倪士毅《四書輯釋》研究——元代「四書學」發展演變示例
北京師範大學歷史文獻學專業碩士論文　2007 年 5 月　邱居里指導

王亦旻　《論語集解》研究
北京師範大學歷史學歷史文獻學專業博士論文　2006 年 3 月　曾貽芬指導

中國哲學專業

吳樹勤　禮學視野中的荀子人學思想研究——以「知通統類」為核心
北京師範大學中國哲學專業博士論文　2006 年 5 月　李景林指導
濟南　齊魯書社　287 頁　2007 年 9 月

彭耀光　下學而上達：內在的超越——孔子形上學之價值本原與教化意義
北京師範大學中國哲學專業碩士論文　2004 年 5 月　鄭萬耕指導

胡明峰　「善」的形上之思——從《孟子》「可欲之謂善」章談起
北京師範大學中國哲學專業碩士論文　2006 年 5 月　張奇偉指導

毛術芳　從「人禽之辨」看孟子的性善論
北京師範大學中國哲學專業碩士論文　2006 年 5 月　李景林指導

徐曉宇　試論孟子的道德選擇理論——從經權說開去
北京師範大學中國哲學專業碩士論文　2006 年 5 月　李景林指導

郭君銘　揚雄《法言》思想研究
北京師範大學中國哲學專業博士論文　2005 年 5 月　鄭萬耕指導
成都　巴蜀書社　216 頁　2006 年 12 月（儒釋道博士論文叢書）

田智忠　朱子論曾點氣象研究
北京師範大學中國哲學史專業博士論文　2006 年　李景林指導
成都　巴蜀書社　407 頁　2007 年 11 月（儒釋道博士論文叢書）

張世亮　方以智《東西均・三征》哲學思想研究——以「統泯隨，交輪幾」為切入點
北京師範大學中國哲學專業碩士論文　2007 年 5 月　周桂鈿指導

周　兵　天人之際的理學新詮釋——王夫之《讀四書大全說》思想研究
北京師範大學中國哲學專業博士論文　2005 年 3 月　周桂鈿指導
成都　巴蜀書社　414 頁　2006 年 12 月（儒釋道博士論文叢書）

章偉文　吳澄易學思想研究

北京師範大學哲學專業碩士論文　1998 年　鄭萬耕指導

中國古代思想史專業

張奇偉　荀子禮學思想研究

北京師範大學中國古代思想史專業博士論文　2000 年　周桂鈿指導

李祥俊　王安石學術思想研究

北京師範大學中國古代思想史專業博士論文　1999 年　周桂鈿指導

北京　北京師範大學出版社　381 頁　2000 年 11 月

邏輯學專業

周柏紅　杜國庠邏輯思想述評

北京師範大學邏輯學專業碩士論文　2006 年 5 月　董志鐵指導

文藝心理學專業

葛　鋼　經學與文學——錢穆《讀詩經》研究

北京師範大學文藝心理學專業碩士論文　2005 年 5 月　李春青指導

教育學原理專業

于建福　孔子的中庸教育哲學探微

北京師範大學教育學原理專業博士論文　1996 年　黃濟指導

教育史專業

張靜互　先秦儒家禮教思想研究

北京師範大學中國教育史專業博士論文　2001 年　郭齊家指導

張　蕊　《詩經》教本考論

北京師範大學教育史專業博士論文　2005 年 4 月　俞啟定指導

王　倩　朱熹「《詩》教」思想研究

北京師範大學教育學教育史專業博士論文　2006 年 5 月　俞啟定指導

李庚子　兩漢的「孝教」思想研究

北京師範大學教育學教育史專業碩士論文　2004 年 4 月　郭齊家指導

俞啟定　獨尊儒術與漢代教育

北京師範大學中國教育史專業博士論文　1988年　毛禮銳指導

程方平　隋唐五代儒學教育思想研究
北京師範大學中國教育史專業博士論文　1988年　毛禮銳、王炳照指導
昆明　雲南教育出版社　347頁　1991年12月（改名為《隋唐五代的儒學：前理學教育思想研究》）

孔　軍　泰州學派與晚明儒學教育的平民化
北京師範大學教育史專業碩士論文　2006年5月　喬衛平指導

秦學智　李贄明德教育思想研究
北京師範大學教育學專業博士論文　2004年4月　王炳照指導
北京　中國傳媒大學出版社　262頁　2007年7月（文史博士文庫）（改名為《李贄大學明德精神論》）

思想政治教育專業

武　進　孔子主體性德育思想對中學德育的啟示
北京師範大學學科教學（思想政治教育）專業碩士論文　2006年5月　王慶英指導

語文學科教學專業

張青雲　中學詩教的現代轉換
北京師範大學語文學科教學專業碩士論文　2005年5月　曹衛東指導

民俗學專業

武宇嫦　禮與俗的演繹——民俗學視野下的《禮記》研究
北京師範大學民俗學專業博士論文　2007年　劉鐵梁指導

歷史學專業

呂　芹　全祖望歷史文獻學研究
北京師範大學歷史學專業碩士論文　2004年4月　鄧瑞全指導

史學理論及史學史專業

梁綺文　「六經」與史學關係探源
北京師範大學史學理論暨史學史專業博士論文　2006年11月　許殿才指導

汪高鑫　董仲舒與兩漢史學思想研究
北京師範大學史學理論及史學史專業博士論文　2002年　吳懷祺指導

靳　寶　王充有關史學的理論建樹
北京師範大學史學理論及史學史專業碩士論文　2004年5月　許殿才指導

吳海蘭　經學與黃宗羲史學
北京師範大學歷史學——史學理論及史學史專業博士論文　2004年4月　吳懷祺指導

何曉濤　經學與章學誠的史學
北京師範大學歷史學——史學理論及史學史專業博士論文　2004年5月　吳懷祺指導

宋學勤　梁啟超史學新論
北京師範大學史學理論暨史學史專業博士論文　2006年5月　陳其泰指導

邱　鋒　《春秋》及「三傳」歷史觀研究
北京師範大學史學理論及史學史專業博士論文　2007年5月　瞿林東指導

中國古代史專業

彭玉珊　《史記》《漢書》論贊比較研究——從經學、史學、文學三層面探討
北京師範大學中國古代文學專業碩士論文　2007年　尚學鋒指導

王玉辭　清代國家「非正規制約」控制的典範——陳宏謀的社會教化思想與實踐
北京師範大學中國古代史專業碩士論文　2004年5月　曹大為指導

章偉文　宋元道教易學初探
北京師範大學中國古代史專業博士論文　2004年5月　鄭萬耕指導
成都　巴蜀書社　390頁　2005年12月（儒釋道博士論文叢書）

杜　勇　《尚書》周初八誥研究
北京師範大學中國古代史專業博士論文　1996年　趙光賢指導
北京　中國社會科學出版社　229頁　1998年12月

張利軍　《詩經・木瓜》與春秋時期的「贄見禮」
北京師範大學中國古代史專業碩士論文　2006年5月　羅新慧指導

彭　林　《周禮》主體思想與成書年代研究
北京師範大學中國古代史專業博士論文　1989年　趙光賢指導
北京　中國社會科學出版社　258頁　1991年9月

陳金海　論《左傳》的「求真」精神

北京師範大學中國古代史專業碩士論文　2007 年 5 月　易寧指導

安　建　試論《左傳》中的紀傳體雛形

北京師範大學歷史學中國古代史專業碩士論文　2006 年 5 月　易寧指導

馬宏偉　孟子的歷史變化觀

北京師範大學中國古代史專業碩士論文　2006 年 5 月　蔣重躍指導

中國古代史先秦史專業

黃國輝　《詩經・葛覃》與周代「歸寧」禮俗

北京師範大學中國古代史先秦史專業碩士論文　2007 年 5 月　晁福林指導

中國近現代史專業

鐘玉發　阮元學術思想研究

北京師範大學中國近現代史專業博士論文　2005 年 5 月　龔書鐸指導

曹志敏　魏源《詩古微》研究

北京師範大學中國近現代史專業博士論文　2006 年 4 月　龔書鐸指導

羅雄飛　俞樾的經學及其思想

北京師範大學中國近現代史專業博士論文　2002 年　史革新指導

北京　中國文史出版社　239 頁　2005 年 12 月（當代學者人文論叢第 10 輯）

孫玉敏　王先謙學術思想研究

北京師範大學中國近現代史專業博士論文　2005 年 4 月　史革新指導

鄭師渠　國粹・國學・國魂：晚清國粹派文化思想研究

北京師範大學中國近現代史專業博士論文　1991 年　龔書鐸指導

臺北　文津出版社　370 頁　1992 年 8 月（大陸地區博士論文叢刊）

世界史專業

何元國　孔子仁孝友學說與亞里士多德友愛論之比較

北京師範大學世界史專業博士論文　2005 年 4 月　劉家和指導

趙滿海　孟子與亞里士多德倫理思想之比較

北京師範大學世界史專業博士論文　2004 年 5 月　劉家和指導

漢語言文字學專業

于　潔　《詩經》重言詞研究

北京師範大學漢語言文字學專業碩士論文　2004 年 5 月　朱小健指導

智　惠　《詩經》、《楚辭》重言同源詞研究

北京師範大學漢語言文字學專業碩士論文　2006 年 5 月　黃易青指導

李玉平　《周禮》複音詞鄭注研究

北京師範大學漢語言文字學專業博士論文　2006 年 5 月　李運富指導

張學濤　注釋書中名物詞訓詁方法的歷史演變——以《周禮》鄭玄注、賈公彥注疏和孫詒讓正義為例

北京師範大學漢語言文字學專業碩士論文　2007 年 5 月　朱小健指導

李宇哲　《禮記》句子及主語研究

北京師範大學漢語言文字學專業博士論文　2000 年　王寧指導

楊丙濤　從《禮記》鄭玄注看戰國時期齊魯方音

北京師範大學漢語言文字學專業碩士論文　2007 年 5 月　黃易青指導

呂雲生　《禮記》動詞的語義分類研究

北京師範大學漢語言文字學專業博士論文　2007 年 4 月　王寧指導

楊　泠　從與《左傳》的比較看《史記》連詞的特點

北京師範大學漢語言文字學專業碩士論文　2007 年 5 月　劉利指導

張曉燕　從與《左傳》的比較看《史記》特指疑問句的特點

北京師範大學漢語言文字學專業碩士論文　2007 年 5 月　劉利指導

許　霞　從《左傳》《史記》看上古漢語稱數法

北京師範大學漢語言文字學專業碩士論文　2007 年 5 月　劉利指導

楊曉粉　《左傳》杜注聯合式雙音結構研究

北京師範大學漢語言文字學專業碩士論文　2007 年 5 月　崔樞華指導

解植永　《左傳》、《史記》判斷句比較研究

北京師範大學漢語言文字學專業碩士論文　2004 年 5 月　劉利指導

尹　潔　《春秋左氏傳》正文訓詁研究

北京師範大學漢語言文字學專業碩士論文　2007 年 5 月　李運富指導

劉　暢　《論語》注釋歧解研究

北京師範大學漢語言文字學專業博士論文　2005 年 5 月　李運富指導

黃獻慧　《孟子》用《詩》與《詩》意解讀

北京師範大學漢語言文字學專業碩士論文　2005 年 5 月　易敏指導

杜　敏　趙岐、朱熹《孟子》注釋的傳意研究

北京師範大學漢語言文字學專業博士論文　2004 年 4 月　王寧指導

北京　中國社會科學出版社　360頁　2004年1月

王元元　趙岐《孟子章句》釋句過程中的詞義訓釋
北京師範大學漢語言文字學專業碩士論文　2007年5月　易敏指導

章承董　《爾雅》疊音詞研究
北京師範大學漢語言文字學專業碩士論文　2007年5月　李運富指導

趙　瑩　《爾雅義疏》引用《說文》研究
北京師範大學漢語言文字學專業碩士論文　2007年6月　李運富指導

甄亞歌　郭璞《爾雅注》「今語」研究
北京師範大學漢語言文字學專業碩士論文　2006年5月　易敏指導

江玉君　《經典釋文・爾雅音義》孫炎反切研究
北京師範大學漢語言文字學專業碩士論文　2004年5月　崔樞華指導

弓海濤　關於王念孫俞樾《廣雅疏證》補正的比較研究
北京師範大學漢語言文字學專業碩士論文　2005年5月　崔樞華指導

林清林　王念孫聲轉理論研究
北京師範大學漢語言文字學專業碩士論文　2006年5月　崔樞華指導

韓　琳　黃侃字詞關係研究
北京師範大學漢語言文字學專業博士論文　2005年5月　李運富指導
北京　中央民族大學出版社　338頁　2007年8月（改名為《黃侃手批《說文解字》字詞關係研究》）

吳麗君　《唐開成石經》研究
北京師範大學漢語言文字學專業碩士論文　2004年5月　齊元濤指導

李　潔　房山石經唐譯唐刻部分字形變異研究
北京師範大學漢語言文字學專業碩士論文　2006年5月　齊元濤指導

文藝學專業

余　鋼　王夫之「情景」論的美學探微
北京師範大學文藝學專業碩士論文　2005年5月　李壯鷹指導

韓　軍　龔自珍的文化意識及其曲折
北京師範大學文藝學專業博士論文　2006年5月　李春青指導

馬傳軍　「地球合一」時代的「中國」——王韜與中國現代民族——國家觀念的興起
北京師範大學文藝學專業碩士論文　2004年5月　王一川指導

李茂民　梁啟超五四時期的新文化建設思想研究

北京師範大學文藝學專業博士論文　2004年4月　李春青指導
北京　社會科學文獻出版社　373頁　2006年4月（改名為《在激進與保守之間：梁啟超五四時期的新文化思想》）

白紅兵　「一生為故國招魂」——錢穆「文化文學觀」研究
北京師範大學文藝學專業碩士論文　2005年5月　劉謙指導

耿　波　自由之遠與藝術世界的價值根源——徐復觀藝術思想的擴展研究
北京師範大學文藝學專業博士論文　2005年5月　童慶炳指導
北京　中國傳媒大學出版社　355頁　2007年7月（改名為《徐復觀心性與藝術思想研究》）

黃富雄　心之文——徐復觀所謂「中國藝術精神的主體」之內在紋理
北京師範大學文藝學專業碩士論文　2004年5月　李春青指導

中國古代文學專業

吳龍輝　原始儒家考述
北京師範大學文學博士論文　1992年　啟功指導
北京　中國社會科學出版社　261頁　1996年2月（中國社會科學博士論文文庫）
臺北　文津出版社　282頁　1995年5月（大陸地區博士論文叢刊）

謝　謙　古代宗教與禮樂文化
北京師範大學中國古典文學專業博士論文　1991年　啟功指導
成都　四川人民出版社　281頁　1996年7月（改名為《中國古代宗教與禮樂文化》）

潘春艷　漢代《齊詩》學考論
北京師範大學中國古代文學專業碩士論文　2006年5月　尚學鋒指導

丁　玲　建安詩歌與《詩經》關係研究
北京師範大學中國古代文學專業碩士論文　2006年5月　尚學鋒指導

黃二寧　《左傳》、《史記》寫人之比較研究
北京師範大學中國古代文學專業碩士論文　2007年5月　過常寶指導

梁曉雲　《史記》與《左傳》的比較研究
北京師範大學中國古代文學專業博士論文　1997年　韓兆琦指導

王小梅　論《左傳》因果敘事模式
北京師範大學中國古代文學專業碩士論文　2006年5月　尚學鋒指導

張蓓蓓　論《左傳》敘事中的「禮」
北京師範大學中國古代文學專業碩士論文　2007年5月　尚學鋒指導

張懷民　論《左傳》中的預言——春秋時期天命、占卜和禮的平衡
北京師範大學古代文學專業碩士論文　2006年4月　李山指導

朴晟鎮　《左傳》文學價值研究
北京師範大學中國古代文學專業博士論文　1998年　韓兆琦指導

劉麗文　左傳研究
北京師範大學中國古代文學專業博士論文　1998年　韓兆琦指導

周　旻　《左傳》研究
北京師範大學中國古代文學專業博士論文　2001年　韓兆琦指導

時　娜　從朱彝尊詞風的演化看順康年間文人心態
北京師範大學中國古代文學專業碩士論文　2004年5月　李真瑜指導

朱婷婷　《周易》古歌研究
北京師範大學中國古代文學專業碩士論文　2007年5月　過常寶指導

中國現當代文學專業

阮和平　魯迅研究在越南
北京師範大學中國現當代文學專業碩士論文　2004年5月　黃開發指導

新聞學專業

衛敏麗　郭嵩燾與西方新聞媒介研究
北京師範大學新聞學專業碩士論文　2004年5月　于翠玲指導

焦　晗　鄭振鐸編輯出版思想研究
北京師範大學新聞學・編輯出版專業碩士論文　2005年5月　李桂福指導

徐曉磊　孔子傳播思想的價值準則及當代意義——以《論語》為文本
北京師範大學新聞學專業碩士論文　2006年5月　毛峰指導

何建紅　孟子民本輿論觀的傳播學分析
北京師範大學新聞學專業碩士論文　2006年5月　毛峰指導

穆琳琳　以生命為本的教化結構《大學》的傳播學分析
北京師範大學新聞學專業碩士論文　2006年5月　毛峰指導

張立潔　　「中庸」觀念的傳播結構研究[1]

北京師範大學新聞學專業碩士論文　2006 年 5 月　毛峰指導

美術學書法方向專業

趙際芳　　楊守敬對日本書法的影響

北京師範大學美術學書法方向專業碩士論文　2006 年 5 月　倪文東指導

北京第二外國語學院

英語語言文學專業

鄧文華　　孔子與柏拉圖論美：跨文化比較研究與批評

北京第二外國語學院英語語言文學專業碩士論文　2004 年 5 月　王柯平指導

郭　敏　　試論孔子與柏拉圖的教學方法

北京第二外國語學院英語語言文學專業碩士論文　2003 年 9 月　王柯平指導

北京語言大學[2]

思想史專業

阿哈萊姆　《論語》與《古蘭經》比較

北京語言大學思想史專業碩士論文　2007 年　方銘指導

學科教學論專業

吳雲霞　　民本與師道的復歸——明代平民儒者王艮的思想內涵

北京語言文化大學學科教學論專業碩士論文　2001 年　杜道明指導

1　此文在第三章著重論述朱熹將《中庸》、《大學》從《禮記》中提出，與《論語》、《孟子》並列為四書，達到與五經同尊甚至凌駕於五經之上的地步，使中庸觀念形成了穩定的傳播結構和傳播系統。

2　北京語言大學創辦於 1962 年，當時校名為外國留學生高等預備學校，1964 年 6 月定名為北京語言學院，1996 年 6 月更名為北京語言文化大學，2002 年 7 月簡化為北京語言大學。

專門史專業

張龍秋　「六經皆史」說考論
北京語言大學專門史專業碩士論文　2003 年 1 月　杜道明指導

陳旭東　魏源美學思想初探
北京語言大學專門史專業碩士論文　2005 年 6 月　杜道明指導

中國文化專業

武氏紅蓮　從越南的傳統道德思想談孔子思想在越南的傳播與影響
北京語言文化大學中國文化專業碩士論文　2000 年 5 月　闞立勛指導

漢語言文字學專業

劉志敬　《左傳》單雙音節同義動詞的選擇及原因考察
北京語言大學漢語言文字學專業碩士論文　2005 年 6 月　魏德勝指導

中國古代文學專業

王　帥　經學影響下的漢代賦論
北京語言大學中國古代文學專業碩士論文　2007 年　方銘指導

李小平　劉向及其文學成就
北京語言大學中國古代文學專業碩士論文　2004 年 6 月　方銘指導

李　敏　《白虎通義》與東漢經學
北京語言大學中國古代文學專業碩士論文　2005 年 6 月　方銘指導

張文恒　陳子龍雅正詩學精神考論
北京語言大學中國古代文學專業碩士論文　2005 年　徐江指導

楊德春　《春秋穀梁傳》研究
北京語言大學中國古代文學專業博士論文　2007 年　方銘指導

外交學院

外國語言學與應用語言學專業

倪吉華　社會符號學視角下《論語》英語翻譯中的對等
外交學院外國語言學與應用語言學專業碩士論文　2007 年　衡孝軍指導

首都師範大學

馬克思主義理論與思想專業

常建勇　朱熹自我教育思想探析
首都師範大學馬克思主義理論與思想專業碩士論文　2000 年　隋淑芬指導

王杜鵑　孟子遊歷與其思想歷程之考察
首都師範大學馬克思主義哲學專業碩士論文　2007 年　白奚指導

馬克思主義理論與思想政治教育專業

董海洲　論周公「敬德保民」思想與實踐
首都師範大學馬克思主義理論與思想政治教育專業碩士論文　2004 年　鄧球柏指導

彭歲楓　《荀子》思想政治教育環境理論研究
首都師範大學馬克思主義理論與思想政治教育專業碩士論文　2000 年　鄧球柏指導

徐　君　王充對有神論的批判及其現實價值
首都師範大學馬克思主義理論與思想政治教育專業碩士論文　2001 年 5 月　隋淑芬指導

王淑霞　聖賢——朱熹的思想政治教育目標
首都師範大學馬克思主義理論與思想政治教育專業碩士論文　2005 年　鄧球柏指導

石新艷　譚嗣同平等思想研究
首都師範大學馬克思主義理論與思想政治教育專業碩士論文　2005 年 4 月

隋淑芬指導

耿　勵　梁啟超國民性改造思想及其現代價值
首都師範大學馬克思主義理論與思想政治教育專業碩士論文　2006年5月
隋淑芬指導

龍斯釗　內聖外王——《禮記》的思想政治教育目標
首都師範大學馬克思主義理論與思想政治教育專業碩士論文　2002年4月
鄧球柏指導

楊芷英　孔子的社會心理思想及其現代價值
首都師範大學馬克思主義理論與思想政治教育專業碩士論文　2003年4月
隋淑芬指導

汪雙琴　《論語》「和諧」思想及其對構建社會主義和諧社會的意義
首都師範大學馬克思主義理論與思想政治教育專業碩士論文　2006年5月
鄧球柏指導

夏　莉　道德的內在實踐與理性認知——孔子和蘇格拉底道德教育方法比較
首都師範大學馬克思主義理論與思想政治教育專業碩士論文　2001年4月
秦英君指導

薛彬彬　「保民而王」——孟子的思想政治教育目標
首都師範大學馬克思主義理論與思想政治教育專業碩士論文　2000年4月
鄧球柏指導

李　斌　論孟子的仁政學說及其對新時期以德治國的啟示
首都師範大學馬克思主義理論與思想政治教育專業碩士論文　2003年4月
鄧球柏指導

倫理學專業

李智霞　從《論語》君子人格探析現代道德人格塑造
首都師範大學倫理學專業碩士論文　2007年　吳來蘇指導

朱慧玲　孟子道德生成論及其現代價值研究
首都師範大學倫理學專業碩士論文　2007年　安雲鳳指導

教育專業

王全育　曾國藩閱讀教育思想述評
首都師範大學教育專業碩士論文　2004年4月　汪龍麟指導

王佳磊　　梁啟超語文教育思想初探

首都師範大學教育專業碩士論文　2004 年 4 月　汪龍麟指導

課程與教學論・語文專業

李銘瑜　　曾國藩的閱讀教育思想

首都師範大學課程與教學論・語文專業碩士論文　2006 年 5 月　饒傑騰指導

語文教學論專業

張大文　　孔子的教育目的及方法對素質教育的啟示

首都師範大學語文教學論專業碩士論文　2004 年 10 月　魯洪生指導

學科教學專業

吳小立　　孔子與弟子交往現象分析

首都師範大學學科教學專業碩士論文　2004 年 4 月　劉占泉指導

中國古代史專業

郗志群　　楊守敬學術研究

首都師範大學歷史學、中國古代史專業博士論文　2001 年 5 月　寧可指導

鄺向雄　　唐代讖謠初探

首都師範大學中國古代史專業碩士論文　2004 年 5 月　王永平指導

中國近現代史專業

朱淑君　　咸同士風研究[3]

首都師範大學中國近現代史專業碩士論文　2006 年　魏光奇指導

漢語言文字學專業

張　妮　　《經典釋文》陸德明反切的類相關研究

首都師範大學漢語言文字學專業碩士論文　2004 年 4 月　馮蒸指導

郭常艷　　朱駿聲《說文通訓定聲》對大徐本《說文》中之形聲字的改訂研究

首都師範大學漢語言文字學專業碩士論文　2005 年　宋均芬指導

3　此篇論文以咸豐、同治時代今文學家戴望和他的《戴氏注論語》為基本材料作個案分析，探討咸同時代的今文經學興盛之因及當時的學社風氣。

楊瑞芳　鄭珍《說文新附考》研究
首都師範大學漢語言文字學專業碩士論文　2003 年 5 月　宋均芬指導

陳炳哲　《毛傳》、《鄭箋》訓詁術語比較研究
首都師範大學漢語言文字學專業碩士論文　2005 年 5 月　宋金藍指導

馮　華　爾雅新證
首都師範大學漢語言文字學專業博士論文　2006 年 4 月　黃天樹指導

文藝學專業

張　振　歷史與詮釋——公羊學「三科九旨」的歷史哲學解讀
首都師範大學文藝學專業博士論文　2006 年 5 月　楊乃喬指導

古代文學專業

史　娟　陸賈及《新語》研究
首都師範大學古代文學專業碩士論文　2006 年 5 月　趙敏俐指導

中國古代文學專業

劉國民　董仲舒的經學詮釋及天的哲學
首都師範大學中國古代文學專業博士論文　2003 年　趙敏俐指導
北京　中國社會科學出版社　404 頁　2007 年 8 月

郭艷華　楊萬里文學思想研究
首都師範大學中國古代文學專業博士論文　2006 年　左東嶺指導

侯小強　王夫之非議「詩史說」原因初探——兼論王夫之對明代詩學思想的整合
首都師範大學中國古代文學專業碩士論文　2002 年 5 月　左東嶺指導

張秀英　從《詩序》與先秦舊說的關係看其作者與時代
首都師範大學中國古代文學專業碩士論文　2005 年 5 月　魯洪生指導

黃冬珍　《風》詩藝術特質研究
首都師範大學中國古代文學專業博士論文　2007 年　趙敏俐指導

邵立志　《詩經・齊風》「刺襄詩」主旨研究
首都師範大學中國古代文學專業碩士論文　2007 年　魯洪生指導

張柳明　周代禮樂文化與《詩經・大雅》頌美詩
首都師範大學中國古代文學專業碩士論文　2004 年 4 月　趙敏俐指導

李瑾華　《詩經・周頌》考論——周代的祭祀儀式與歌詩關係研究

首都師範大學中國古代文學專業博士論文　2005 年 4 月　趙敏俐指導

陳遠丁　《詩經》棄婦詩研究

首都師範大學中國古代文學專業碩士論文　2001 年 5 月　魯洪生指導

何春雷　《詩經》政治怨刺詩研究

首都師範大學中國古代文學專業碩士論文　2005 年 5 月　魯洪生指導

馬海敏　《詩經》宴饗詩考論

首都師範大學中國古代文學專業博士論文　2007 年　魯洪生指導

姜亞林　《詩經》戰爭詩研究

首都師範大學中國古代文學專業博士論文　2007 年　魯洪生指導

張春霞　《詩經》農事詩研究

首都師範大學中國古代文學專業碩士論文　2001 年 5 月　魯洪生指導

李春華　《詩經》思鄉戀土主題研究

首都師範大學中國古代文學專業碩士論文　1999 年 5 月　魯洪生指導

張春霞　《詩經》農事詩研究

首都師範大學中國古代文學專業碩士論文　2001 年 5 月　魯洪生指導

謝建忠　《毛詩》及其經學闡釋對唐詩的影響

首都師範大學中國古代文學專業博士論文　2006 年 5 月　鄧小軍指導

成都　巴蜀書社　421 頁　2007 年 12 月

關小彬　班固《詩經》師承考

首都師範大學中國古代文學專業碩士論文　2007 年　魯洪生指導

傅希亮　道德史觀與《左傳》文學研究

首都師範大學中國古代文學專業博士論文　2004 年 4 月　趙敏俐指導

孟憲嶺　《左傳》中的孔子言語研究

首都師範大學中國古代文學專業碩士論文　2007 年　趙敏俐指導

陸錫興　詩經異文研究

首都師範大學中國古代文學專業碩士論文　1999 年 5 月　魯洪生指導

比較文學與世界文學專業

汪　泓　樂於本道——經學玄學化視域中的嵇康音樂美學思想

首都師範大學比較文學與世界文學專業碩士論文　2006 年　楊乃喬指導

鐘厚濤　文本的敞開與意義的轉換——由「詩言志」意義生成機制對《詩》被經學化的闡釋學觀照

首都師範大學比較文學與世界文學專業碩士論文　2007 年 5 月　楊乃喬、王柏華指導

曹洪洋　「《詩》無達詁」與「《詩》言志」——在解釋學意義上的思考
首都師範大學比較文學專業碩士論文　2005 年　楊乃喬、劉耘華指導

張　新　論《詩經》中的時間
首都師範大學比較文學與世界文學專業碩士論文　2007 年　王柏華指導

張　蓓　從《孟子論心》論瑞恰慈的跨文化解讀策略
首都師範大學比較文學與世界文學專業碩士論文　2006 年 5 月　周榮勝指導

美術學專業

王新宇　阮元與金石學
首都師範大學美術學專業碩士論文　2002 年 6 月　劉守安指導

清華大學

哲學專業

郭勝坡　周易生命哲學論綱：從天人關係到群己關係、身心關係
清華大學哲學專業碩士論文　2005 年　胡偉希指導

解文光　《論語》中「禮」與「仁」關係的再探析
清華大學哲學專業碩士論文　2007 年　胡偉希指導

安炫澤　孟子「士」的精神自覺
清華大學哲學專業碩士論文　2008 年　王中江指導

倫理學專業

王世明　孔子倫理思想發微——現代生活語境中的《論語》解讀
清華大學倫理學專業博士論文　2004 年 4 月　萬俊人指導

法學專業

王立傑　素王法哲學
清華大學法學專業碩士論文　2007 年　江山指導

歷史學專業

張德良　上博藏戰國楚竹書《容成氏》研究
清華大學歷史學專業碩士論文　2005 年　廖名春指導

張　軼　漢唐之間鄭玄易學研究
清華大學歷史學專業博士論文　2007 年　王曉毅指導

專門史專業

類成普　戴望學行述略
清華大學專門史專業碩士論文　2007 年　張勇指導

林亨錫　漢前周易易傳佚篇之研究
清華大學專門史專業碩士論文　2000 年　錢遜指導

張煥君　魏晉南北朝喪服制度研究
清華大學專門史專業博士論文　2004 年　彭林指導

郭　舒　我國漢族成年禮的歷史沿革及現代意義
清華大學專門史專業碩士論文　2006 年　程剛指導

刁小龍　鄭玄禮學及其時代
清華大學專門史專業博士論文　2007 年　彭林指導

李　莉　胡培翬《儀禮正義》「四例」研究——以喪禮四篇為例
清華大學專門史專業博士論文　2005 年　彭林指導

余　瑾　先秦儒家樂教思想研究——兼論《禮記・樂記》的成書年代
清華大學專門史專業碩士論文　2002 年　彭林指導

陳興安　荀子與大小戴記相同篇章關係的比較研究
清華大學專門史專業碩士論文　2000 年　廖名春指導

趙建林　魏晉「春秋決獄」研究
清華大學專門史專業碩士論文　2004 年　王曉毅指導

吳秉坤　《左傳》敘事與弒君凡例之關係
清華大學專門史專業博士論文　2007 年　方朝暉指導

李　銳　孔孟之間「性」論研究
清華大學專門史專業博士論文　李學勤指導

張佳佳　《孟子節文》研究
清華大學專門史專業碩士論文　2007 年　葛兆光指導

張　巖　　《孔子家語》之《子路初見》篇、《論禮》篇研究
　　　　　清華大學專門史專業碩士論文　2004 年　廖名春指導

賈　宇　　玄儒思想影響下的兩晉孝觀念演變
　　　　　清華大學專門史專業碩士論文　2007 年　王曉毅指導

陳穎飛　　緯書兩大妖星系統考辨
　　　　　清華大學專門史專業碩士論文　劉國忠指導

對外經濟貿易大學

英語專業

張中寧　　從海爾和松下的行為準則透視孔子思想對中日企業管理倫理的影響
　　　　　對外經濟貿易大學英語專業碩士論文　2006 年 4 月　丁崇文指導

外國語言學與應用語言學專業

王　芳　　闡釋的多元與《論語》的復譯
　　　　　對外經濟貿易大學外國語言學與應用語言學專業碩士論文　2006 年 4 月　賈文浩指導

天津市

天津大學

美術學專業

劉　珺　　談《周易》與中國畫審美之淵源
　　　　　天津大學美術學專業碩士論文　2005 年 8 月　孫征指導

天津師範大學

政治學理論專業

郭　清　論孔子思想中的和諧理念
天津師範大學政治學理論專業碩士論文　2007 年　邸彥莉指導

專門史專業

鄭金霞　顏元倫理思想與實踐——社會性別角度的考察
天津師範大學專門史專業碩士論文　2004 年 4 月　杜芳琴指導

漢語言文字學專業

安秀榮　《周禮・秋官司寇》元語言分析
天津師範大學漢語言文字學專業碩士論文　2004 年 4 月　楊光榮指導

中國古代文學專業

米　亞　《詩經・王風》義理之學與儒家倫理思想考辨
天津師範大學中國古代文學專業碩士論文　2006 年 4 月　周延良指導

中國現當代文學專業

張九波　論作為教育家的魯迅
天津師範大學中國現當代文學專業碩士論文　2004 年 4 月　王國綬指導

英語語言文學專業

楊天旻　《論語》六個英文譯本的比較研究
天津師範大學英語語言文學專業碩士論文　2002 年 4 月　李家榮指導

南開大學

歷史文獻學專業

房　曄　　鄭玄所注《古文尚書》性質研究
南開大學歷史文獻學專業碩士論文　2007 年 5 月　王薇指導

中國哲學專業

鄭淑媛　　先秦儒家的精神修養學
南開大學中國哲學專業博士論文　2003 年　劉文英指導
北京　人民出版社　235 頁　2006 年 12 月（改名為《先秦儒家的精神修養》）

王　琴　　李贄哲學思想研究
南開大學中國哲學專業碩士論文　2007 年 5 月　吳學國指導

陸信禮　　梁啟超中國哲學史研究述論
南開大學中國哲學專業博士論文　2005 年 4 月　方克立指導

王　威　　嬗變與重構中的傳承——劉師培的文化哲學
南開大學中國哲學專業博士論文　2005 年 4 月　韓強指導

劉連朋　　在佛學與哲學之間——熊十力與牟宗三哲學方法論研究
南開大學中國哲學專業博士論文　2006 年　方克立指導

王興國　　從邏輯思辯到哲學架構——牟宗三哲學思想進路[4]
南開大學中國哲學專業博士論文　2000 年　方克立指導
北京　光明日報出版社　210 頁　2006 年 8 月
北京　人民出版社　832 頁　2007 年 2 月

劉連朋　　在佛學與哲學之間——熊十力與牟宗三哲學方法論研究
南開大學中國哲學專業博士論文　2006 年　方克立指導

4　此論文原有六十萬字，提交論文答辯時，僅提出部分內容，北京光明日報出版社出版者，為答辯時未提出之部分，書名作《契接中西哲學之主流——牟宗三哲學思想淵源探要》（2006 年 8 月）。作者又將答辯時提出之部分，加首尾二章，交人民出版社出版，書名作《牟宗三哲學思想研究：從邏輯思辨到哲學架構》（2007 年 2 月）。

中國思想史專業

劉　豐　先秦禮學思想及其與中國傳統社會的整合

南開大學中國思想史專業博士論文　2001 年　劉澤華指導

北京　中國人民大學出版社　316 頁　2003 年 12 月（改名為《先秦禮學思想與社會的整合》）

邏輯學專業

吳克峰　易學邏輯研究

南開大學邏輯學專業博士論文　2004 年 10 月　崔清田指導

北京　人民出版社　429 頁　2005 年 12 月

歷史學專業

唐明貴　《論語》學的形成、發展與中衰——漢魏六朝隋唐《論語》研究

南開大學歷史學專業博士論文　2004 年　趙伯雄指導

北京　中國社會科學出版社　300 頁　2005 年 2 月（聊城大學博士文庫）

專門史專業

李冬君　孔子聖化與秦漢儒者的外王運動

南開大學專門史專業博士論文　2000 年　劉澤華指導

北京　中國人民大學出版社　299 頁　2004 年 4 月（改名為《孔子聖化與儒者革命》）

中國古代史專業

劉　源　商周祭祖禮研究

南開大學中國古代史專業博士論文　2000 年　朱鳳瀚指導

北京　商務印書館　379 頁　2004 年 10 月

李　晶　《周禮》成書時代與國別問題研究——基於《周禮》所見若干制度的考察

南開大學中國古代史專業博士論文　2007 年 4 月　趙伯雄指導

周國琴　程端學《春秋》三書研究

南開大學中國古代史專業博士論文　2007 年 4 月　趙伯雄指導

英語語言文學專業

曲巧艷　辜鴻銘翻譯活動初探——儒家思想對辜氏翻譯及其思想的影響
南開大學英語語言文學專業碩士論文　2005 年 2 月　呂世生指導

李玉良　《詩經》英譯研究
南開大學英語語言文學專業博士論文　2003 年　王宏印、劉士聰、崔永祿指導
濟南　齊魯書社　396 頁　2007 年 11 月

美學專業

劉曉紅　王夫之人格審美分析
南開大學美學專業碩士論文　2005 年 4 月　薛富興指導

上海市

上海大學

專門史專業

顧春梅　錢穆與抗戰時期的文化民族主義思潮
上海大學專門史專業碩士論文　2004 年 5 月　陳勇指導

羅　珍　春秋霸王盟誓行為性質變化與孔子若干學說形成關係探源
上海大學專門史專業碩士論文　2004 年 4 月　田兆元指導

漢語言文字學專業

陸雅茹　《孝經直解》「把／將」字句研究
上海大學漢語言文字學專業碩士論文　2007 年 4 月　沈益洪指導

中國古代文學專業

賴旭輝　溫厚醇正　婉麗清柔——《詩・周南》地域風格研究

上海大學中國古代文學專業碩士論文　2006 年 5 月　邵炳軍指導

王精明　龍馬精神　秋聲朝氣——《秦風》地域風格研究

上海大學中國古代文學專業碩士論文　2006 年 4 月　邵炳軍指導

中國現當代文學專業

李　娜　從活潑的時代取得活潑的真理——梁啟超文藝思想論

上海大學中國現當代文學專業碩士論文　2002 年 12 月　哈九指導

英語語言文學專業

李紅梅　多視點分析《論語》三部英文譯本

上海大學英語語言文學專業碩士論文　2004 年 5 月　唐述宗指導

上海外國語大學

英語語言文學專業

仁　利　論詩歌翻譯批評——《詩經》各譯本比較研究

上海外國語大學英語語言文學專業碩士論文　2007 年　史志康指導

王銀娜　從認知角度看《論語》中的隱喻和換喻

上海外國語大學英語語言文學專業碩士論文　2005 年 12 月　束定芳指導

上海社會科學院

中國哲學專業

張榮貴　論荀子的禮法思想

上海社會科學院中國哲學專業碩士論文　2006 年　何錫蓉指導

答　浩　論孔子的修身之道

上海社會科學院中國哲學專業碩士論文　2007 年　周山指導

上海師範大學

張菊芳　論荀子的理想人格

上海師範大學碩士論文　2006 年　陳衛平指導

馬銀琴　東周詩史

上海師範大學人文學院博士後論文　2004 年　孫遜指導

北京　社會科學文獻出版社　524 頁　2006 年 12 月（與作者博士論文《西周詩史》合併為《兩周詩史》出版）

古典文獻學專業

季自軍　陸佃《爾雅新義》研究

上海師範大學古典文獻學專業碩士論文　2005 年 5 月　王禮賢指導

中國哲學專業

何慶群　朱熹理欲思想研究

上海師範大學中國哲學專業碩士論文　2005 年　馬德鄰指導

黃　輝　略論先秦禮學的三次發展

上海師範大學中國哲學專業碩士論文　2005 年 5 月　吾敬東指導

宗教學專業

王學峰　春秋時期的神靈觀——以〈左傳〉、〈國語〉為例

上海師範大學宗教學專業碩士論文　2007 年 5 月　吾敬東指導

漢語言文字學專業

吳　錘　《釋名》聲訓研究

上海師範大學漢語言文字學專業博士論文　2006 年　潘悟雲指導

中國古代文學專業

高　婧　山西東南部地區炎帝傳說與文化初探

上海師範大學中國古代文學專業碩士論文　2006 年　王從仁指導

中國現當代文學專業

孫慶鶴　蘇雪林論

上海師範大學中國現當代文學專業碩士論文　2004 年 4 月　楊劍龍指導

比較文學和世界文學專業

謝志超　愛默生、梭羅對《四書》的接受

上海師範大學比較文學和世界文學專業博士論文　2006 年　葉華年、孫景堯指導

陳可培　偏見與寬容　翻譯與吸納——理雅各的漢學研究與《論語》英譯

上海師範大學比較文學與世界文學專業博士論文　2006 年　孫景堯指導

上海海運大學

外國語言學及應用語言學專業

柳　穎　《論語》兩種英譯本的對比研究

上海海運學院外國語言學及應用語言學專業碩士論文　2000 年 5 月　王大偉指導

東華大學

服裝設計專業

于　洋　孔子服飾風貌剖析

東華大學服裝設計專業碩士論文　2004 年 2 月　劉曉剛指導

復旦大學

中國古典文獻學專業

樂　怡　　翁方綱纂《四庫全書提要稿》研究
　　　　　復旦大學中國古典文獻學專業碩士論文　2002 年 5 月　吳格指導

柳向春　　陳奐交遊研究
　　　　　復旦大學中國古典文獻學專業博士論文　2005 年 4 月　吳格指導

雍　琦　　朱彝尊年譜
　　　　　復旦大學中國古典文獻學專業碩士論文　2007 年 6 月　錢振民指導

王　亮　　《續修四庫全書總目提要》研究
　　　　　復旦大學中國古典文獻學專業博士論文　2004 年　吳格指導

哲學專業

徐儀明　　性理與岐黃
　　　　　復旦大學哲學專業博士論文　1994 年　潘富恩指導
　　　　　北京　中國社會科學出版社　314 頁　1997 年 9 月（中國社會科學博士論文文庫）

楊澤波　　孟子性善論研究
　　　　　復旦大學哲學專業博士論文　1992 年　嚴北溟、潘富恩指導
　　　　　北京　中國社會科學出版社　331 頁　1995 年 5 月（中國社會科學博士論文文庫）

中國哲學專業

盧　敏　　文中子和宋儒
　　　　　復旦大學中國哲學專業碩士論文　2001 年 5 月　徐洪興指導

陳天林　　周敦頤思想探微
　　　　　復旦大學中國哲學專業博士論文　2004 年　潘富恩指導

蔣偉勝　　習學成德——葉適的外王內聖之道
　　　　　復旦大學中國哲學專業博士論文　2006 年 4 月　謝遐齡指導

朱露陸　　羅欽順理氣哲學探微

復旦大學中國哲學專業碩士論文　2005 年 5 月　徐洪興、林宏星指導

虞瀟浩　湛甘泉學說中的理氣與心

復旦大學中國哲學專業碩士論文　2004 年 5 月　林宏星指導

張永忠　聖賢救世——黃宗羲政治哲學思想研究

復旦大學中國哲學專業博士論文　2005 年 11 月　謝遐齡指導

金玉萍　清代乾嘉新義理學研究——以「以禮代理」說為中心

復旦大學中國哲學專業碩士論文　2006 年 5 月　陳居淵指導

孟令兵　圓融無礙的生生之美——論熊十力的佛學思想及其詩性精神

復旦大學中國哲學專業博士論文　2004 年 11 月　潘富恩、王雷泉指導

陳迎年　感應與心物——牟宗三研究

復旦大學中國哲學專業博士論文　2003 年 4 月　潘富恩指導

上海　上海三聯書店　559 頁　2005 年 11 月（改名為《感應與心物：牟宗三哲學批判》）

殷小勇　論牟宗三融通中西哲學的理論與成果

復旦大學中國哲學專業碩士論文　1998 年 11 月　施忠連指導

劉會齊　《周易參同契》易學思想研究——以「月體納甲」說為中心

復旦大學中國哲學專業碩士論文　2006 年 5 月　劉康得指導

杜曉華　邵雍易學研究：從宇宙圖式到人文關懷

復旦大學中國哲學專業碩士論文　2006 年 4 月　徐洪興指導

虞聖強　荀子禮義之學研究

復旦大學中國哲學專業博士論文　1997 年　潘富恩指導

朱鋒剛　荀子禮學探源

復旦大學中國哲學專業碩士論文　2004 年 5 月　楊澤波指導

徐宇宏　呂留良理學思想初探——以《四書講義》為中心

復旦大學中國哲學專業碩士論文　2005 年 5 月　陳居淵、張汝綸指導

張　勁　孔子教育哲學探究

復旦大學中國哲學專業博士論文　1998 年　潘富恩指導

夏慧傑　試論孔子「孝」的思想及其意義

復旦大學中國哲學專業碩士論文　2006 年 5 月　錢憲民指導

陳代波　孟子命論研究

復旦大學中國哲學專業博士論文　2002 年　潘富恩指導

魯學軍　「天命之謂性」——論孟子性善論形上根源及其意義

復旦大學中國哲學專業碩士論文　2004 年 5 月　錢憲民指導

趙　剛　李材止修思想研究[5]

復旦大學中國哲學史專業碩士論文　2002 年 5 月　吳震指導

倫理學專業

白春雨　儒家誠信之德及其現代意義——以「四書」為中心的闡釋

復旦大學倫理學專業博士論文　2004 年 5 月　陳根法指導

路　東　德性之思——孔子與亞里士多德德性觀比較

復旦大學倫理學專業碩士論文　2003 年 5 月　陳根法指導

產業經濟專業

楊愷鈞　《周易》管理思想研究

復旦大學產業經濟學專業博士論文　2004 年 5 月　蘇東水指導

中國古代史專業

孟凡明　吳澄的政治經歷及其思想

復旦大學中國古代史專業碩士論文　2006 年 5 月　姚大力指導

洪　崢　元代的四書研究

復旦大學中國古代史專業碩士論文　2004 年 5 月　姚大力指導

沈莉華　《孝經》的結集和漢迄唐的流傳

復旦大學中國古代史專業碩士論文　1998 年 5 月　許道勛、王顯指導

中國近現代史專業

蕭永宏　王韜主持《循環日報》筆政史事考辨

復旦大學中國近現代史專業博士論文　2006 年 9 月　姜義華指導

曹寧華　論沈曾植的史學

復旦大學中國近現代史專業碩士論文　2001 年 5 月　張榮華指導

施曉燕　戊戌維新前康有為交遊考

復旦大學中國近現代史專業碩士論文　2005 年 5 月　張榮華指導

5　本文分析李材的《大學》改本，並將其與朱子的《大學章句》相互比較，探討其異同。

專門史專業

周向峰　王莽時代的太學
復旦大學專門史專業碩士論文　2002 年 5 月　朱維錚指導

郜積意　劉歆與兩漢今古文學之爭
復旦大學專門史專業博士論文　2005 年 4 月　朱維錚指導

岳宗偉　《論衡》引書研究
復旦大學專門史專業博士論文　2006 年 4 月　朱維錚指導

劉海濱　焦竑與晚明會通思潮
復旦大學專門史專業博士論文　2005 年 4 月　朱維錚指導

高書勤　晚清金石學視野中的吳大澂
復旦大學專門史專業碩士論文　2005 年 5 月　張榮華指導

康永忠　清末存古學堂考述——以湖北存古學堂為重點
復旦大學專門史專業碩士論文　2005 年 5 月　張榮華指導

張力群　張之洞《勸學篇》的再研究
復旦大學專門史專業碩士論文　2001 年 6 月　朱維錚指導

吳　濤　論西漢的《穀梁》學——兼論《穀梁》與《公羊》之間的升降關係
復旦大學專門史專業博士論文　2007 年 4 月　朱維錚指導

中國文化史

史應勇　鄭玄禮學的經學史考察
復旦大學中國文化史專業博士論文　2000 年 10 月　朱維錚指導

中國法制史專業

馮　菁　試論張之洞的政治法律思想
復旦大學中國法制史專業碩士論文　2000 年 6 月　葉孝信指導

古漢語專業

黃志強　關於《左傳》複合詞的幾個問題
復旦大學古漢語專業碩士論文　1978、1979 級　張世祿、顏修指導

漢語言文字學專業

李恕豪　論顧炎武古音學研究的貢獻及影響
復旦大學語言文字專業碩士論文　1978、1979 級　吳文祺、濮之珍指導

劉元春　馬王堆帛書《周易》本經通假字研究
復旦大學漢語言文字學專業碩士論文　2006 年 5 月　吳金華指導

劉　青　《易經》心理類詞研究
復旦大學漢語言文字學專業博士論文　2002 年　胡奇光指導
昆明　雲南人民出版社　146 頁　2006 年 12 月

潘　亮　從漢語史角度試論古文《尚書》的語料時代性——以《尚書古文疏證》為中心
復旦大學漢語言文字學專業碩士論文　2005 年 6 月　吳金華指導

羅　琦　《論語》異文研究
復旦大學漢語言文字學專業碩士論文　2003 年 5 月　傅傑指導

莊小蕾　劉寶楠《論語正義》研究
復旦大學漢語言文字學專業碩士論文　2006 年 5 月　傅傑指導

柴興東　《孟子》定中結構中「之」字隱現考察
復旦大學漢語言文字學專業碩士論文　2003 年 5 月　孫錫信指導
北京　中國社會科學出版社　331 頁　1995 年 5 月（中國社會科學博士論文文庫）

漢語史專業

王如晨　劉師培語言學成就論衡
復旦大學漢語史專業碩士論文　2000 年 6 月　楊劍橋指導

申小龍　《左傳》句型研究
復旦大學漢語史專業博士論文　1988 年　張世祿指導

朱國理　《廣雅疏證》的語源研究
復旦大學漢語史專業博士論文　1998 年　胡奇光指導

文藝學專業

陳　芳　孔子和柏拉圖美學思想之比較
復旦大學文藝學專業碩士論文　2000 年 5 月　朱立元指導

中國古代文學專業

程　勇　漢代經學視野中的儒家文論敘述
復旦大學中國古代文學專業博士論文　2003年4月　蔣凡指導
濟南　齊魯書社　296頁　2005年4月（改名為《漢代經學文論敘述研究》）

楊鑒生　王弼及其文學研究
復旦大學中國古代文學專業博士論文　2005年4月　楊明指導

金基元　韓愈、白居易比較研究——以處世觀與交遊為中心
復旦大學中國古代文學專業碩士論文　2006年4月　查屏球指導

劉　奕　清代中期經學家文學思想研究
復旦大學中國古代文學專業博士論文　2007年4月　陳廣宏指導

李永賢　廖燕研究
復旦大學中國古代文學專業博士論文　2004年4月　汪湧豪指導
成都　巴蜀書社　307頁　2006年6月

劉再華　晚清時期的文學與經學
復旦大學中國古代文學專業博士論文　2003年4月　黃霖指導
北京　東方出版社　412頁　2004年11月（改名為《近代經學與文學》）

錢　偉　魯迅與中國古代思想和文學
復旦大學中國文學古今演變專業博士論文　2006年4月　章培恒指導

曹建國　出土文獻與先秦《詩》學研究
復旦大學中國古代文學專業博士論文　2004年4月　蔣凡指導

章　原　古史辨《詩經》學研究
復旦大學中國古代文學專業博士論文　2004年4月　蔣凡指導

丁　進　周禮與文學
復旦大學中國古代文學專業博士論文　2005年4月　蔣凡指導
上海　上海人民出版社　425頁　2008年7月（改名為《周禮考論：周禮與中國文學》）

孫晨陽　道德・身體・權力——《左傳》與《史記》的身體語言
復旦大學中國古代文學專業碩士論文　2006年5月　汪耀明指導

黃　鳴　春秋時代的文學與文學活動——《左傳》研究劄記
復旦大學中國古代文學專業博士論文　2006年4月　蔣凡指導

沈振奇　《孟子》與《莊子》文學的比較研究
復旦大學中國古代文學專業博士論文　2005 年 3 月　蔣凡指導

中國現當代文學專業

李生濱　晚清思想文化與魯迅——關於魯迅思想文化個性的考察
復旦大學中國現當代文學專業博士論文　2005 年 4 月　朱文華指導

汪廣松　關於胡適傳記的研究
復旦大學中國現當代文學專業碩士論文　2004 年 4 月　朱文華指導

中國文學批評史專業

李鐘武　王夫之詩學範疇研究
復旦大學中國文學批評史專業博士論文　2003 年 11 月　顧易生指導

新聞傳播學專業

蔡國兆　「群」與梁啟超新聞思想——兼論中、西思想資源對梁啟超報學體系的作用
復旦大學新聞傳播學專業碩士論文　2001 年 5 月　顏志剛指導

華東師範大學

古典文獻專業

方笑一　北宋新學與文學：以王安石為中心
華東師範大學博士論文　2004 年　劉永翔指導
上海　上海古籍出版社　231 頁　2008 年 6 月

鄭　婕　蘇轍經學成就研究
華東師範大學古典文獻學專業碩士論文　2004 年　王鐵指導

廖　穎　元人諸經纂疏研究
華東師範大學古典文獻學專業碩士論文　2006 年 5 月　王鐵指導

吳建偉　宋代《洪範》研究
華東師範大學古典文獻學專業碩士論文　2004 年　王鐵指導

劉　威　《東坡書傳》研究

華東師範大學古典文獻學專業碩士論文　2004年5月　王鐵指導

詹　看　《毛詩序》創作年代及作者之考證

華東師範大學古典文獻學專業碩士論文　2006年5月　王鐵指導

中國古典文獻學專業

李宗全　從歷代目錄著錄之稷下先生著述看稷下學學術地位

華東師範大學中國古典文獻學專業碩士論文　2005年　王貽梁指導

江　山　從《朱文公文集》看朱熹的管理哲學思想

華東師範大學中國古典文獻學專業碩士論文　2006年　周瀚光指導

鄭春汛　清末民初專科目錄研究——以經學目錄、文學目錄為中心

華東師範大學中國古典文獻學專業博士論文　2007年4月　嚴佐之指導

陳良中　朱子《尚書》學研究

華東師範大學中國古典文獻學專業博士論文　2007年　朱杰人指導

曲　輝　宋代春秋學研究——以孫復、程頤、胡安國、朱熹為中心

華東師範大學中國古典文獻學專業碩士論文　2007年　嚴文儒指導

耿　松　《大學衍義補》研究

華東師範大學中國古典文獻學專業碩士論文　2007年　吳宣德指導

中國哲學專業

董祥勇　論荀子的天人觀——以《荀子・天論》為核心

華東師範大學中國哲學專業碩士論文　2006年　楊國榮指導

喬安水　荀子禮論研究

華東師範大學中國哲學專業博士論文　2004年　陳衛平指導

黃奕霖　王弼言意觀研究

華東師範大學中國哲學專業碩士論文　2004年　晉榮東指導

王新營　本心與自由——陸九淵哲學思想研究

華東師範大學中國哲學專業博士論文　2005年　楊國榮指導

王艷秋　戴震重知哲學研究

華東師範大學中國哲學專業博士論文　2003年5月　陳衛平指導

李強華　康有為人道主義思想研究

華東師範大學中國哲學專業博士論文　2006年11月　高瑞泉指導

毛文鳳　近代儒家終極關懷研究——從康有為到熊十力

華東師範大學中國哲學專業博士論文　2004 年 11 月　高瑞泉指導

段江波　危機・革命・重建——梁啟超論「過渡時代」的中國道德
華東師範大學中國哲學專業博士論文　2006 年 4 月　陳衛平指導

曹駿揚　在「個人本位」與「社會本位」間探索「第三條道路」——論梁漱溟「關係本位」的群己觀
華東師範大學中國哲學專業碩士論文　2005 年 5 月　顧紅亮指導

劉靜芳　綜合創造的哲學與哲學的綜合創造——張岱年《天人五論》研究
華東師範大學中國哲學專業博士論文　2005 年 4 月　陳衛平指導

閔仕君　牟宗三「道德的形而上學」研究
華東師範大學中國哲學專業博士論文　2003 年 4 月　楊國榮指導
成都　巴蜀書社　261 頁　2005 年 12 月（儒釋道博士論文叢書）

王　新　論《皇極經世》的「內數」
華東師範大學中國哲學專業碩士論文　2006 年 5 月　李似珍指導

劉樂恒　《程氏易傳》研究
華東師範大學中國哲學專業碩士論文　2006 年 5 月　劉仲宇指導

袁立新　《四書》「誠」析
華東師範大學中國哲學專業碩士論文　2005 年 4 月　楊國榮指導

戴兆國　孟子德性倫理思想研究
華東師範大學中國哲學專業博士論文　2002 年 1 月　楊國榮指導
合肥　安徽人民出版社　302 頁　2005 年 10 月（博士文叢第一輯）（改名為《心性與德性：孟子倫理思想的現代闡釋》）

中國哲學史專業

郭美華　熊十力本體論哲學研究
華東師範大學中國哲學史專業博士論文　2003 年 5 月　楊國榮指導
成都　巴蜀書社　277 頁　2004 年 11 月

馬克思主義理論專業

楊　峰　張岱年文化觀及其評析
華東師範大學馬克思主義理論專業碩士論文　2006 年 4 月　鄭憶石指導

中國教育史專業

杜成憲　早期儒家學習範疇研究
華東師範大學中國教育史專業博士論文　1988 年　沈灌群、孫培青指導
臺北　文津出版社　168 頁　1994 年 7 月

語文學科教學專業

吳文才　從古代經學教材《易經》的象數理探究語文教育中育人對策的建構
華東師範大學語文學科教學專業碩士論文　2006 年 10 月　周震和指導

史學理論及史學史專業

張國義　朱謙之學術研究
華東師範大學史學理論及史學史專業博士論文　2004 年 5 月　盛邦和指導

蔣連華　徐復觀思想研究——學術與政治之間
華東師範大學史學理論與史學史專業博士論文　2001 年 7 月　盛邦和指導
上海　上海三聯書店　179 頁　2006 年 2 月（改名為《學術與政治：徐復觀思想研究》）

田愿靜潋　余英時的明清學術史研究——以《方以智晚節考》、《論戴震與章學誠》為例
華東師範大學史學理論與史學史專業碩士論文　2006 年 4 月　路新生指導

王應憲　《國朝漢學師承記》研究——兼論江藩學術思想
華東師範大學史學理論與史學史專業碩士論文　2004 年　路新生指導

張　利　戴望學論
華東師範大學史學理論及史學史專業碩士論文　2006 年　路新生指導

中國古代史專業

夏紅俠　童書業史學研究
華東師範大學中國古代史專業碩士論文　2007 年 5 月　張耕華指導

臧克和　《尚書》文字校詁
華東師範大學中國古代史專業博士論文　1999 年　李玲璞指導
上海　上海教育出版社　767 頁　1999 年 1 月

中國近現代史專業

李　蕓　　曾國藩、曾紀澤外交思想之比較研究
華東師範大學中國近現代史專業碩士論文　2006 年 5 月　易惠莉指導

漢語言文字學專業

路　廣　　《法言》詞類研究
華東師範大學漢語言文字學專業博士論文　2006 年　華學誠指導

王智群　　顏師古注引方俗語研究
華東師範大學漢語言文字學專業碩士論文　2004 年　華學誠指導

張玉梅　　王筠漢字學思想述論
華東師範大學漢語言文字學專業博士論文　2006 年　許嘉璐指導

程邦雄　　孫詒讓文字學之研究
華東師範大學漢語言文字學專業博士論文　2004 年 4 月　李玲璞指導

語言文字專業

郭雲生　　《詩經》合韻與上古方音
華東師範大學語言文字專業碩士論文　1978、1979 級　史存直指導

語言學及應用語言學專業

陳　琳　　《論語》英譯中補償的比較研究
華東師範大學語言學及應用語言學專業碩士論文　2007 年　陸鈺明指導

文藝學專業

張亭立　　陳子龍研究
華東師範大學文藝學專業博士論文　2007 年 4 月　齊森華指導

李瑞明　　雅人深致——沈曾植詩學略論稿
華東師範大學文藝學專業博士論文　2003 年 4 月　胡曉明指導

翁旻玥　　即彼顯我——從錢穆對西方文學的解讀看其文學觀
華東師範大學文藝學專業碩士論文　2006 年 4 月　胡曉明指導

芮宏明　　錢穆文學研究述略
華東師範大學文藝學專業博士論文　2004 年 4 月　胡曉明指導

李　薇　徐復觀莊子思想儒家化傾向研究

華東師範大學文藝學專業碩士論文　2006 年 5 月　胡曉明指導

王守雪　心的文學——徐復觀與中國文學思想經脈的疏通

華東師範大學文藝學專業博士論文　2004 年 4 月　胡曉明指導

鄭州　鄭州大學出版社　238 頁　2005 年 9 月（改名為《人心與文學：錢復觀文學思想研究》）

李　薇　徐復觀莊子思想儒家化傾向研究

華東師範大學文藝學專業碩士論文　2006 年 5 月　胡曉明指導

王守雪　心的文學——徐復觀與中國文學思想經脈的疏通

華東師範大學文藝學專業博士論文　2004 年 4 月　胡曉明指導

古典文學專業

吳小玲　王叔岷《莊子校釋》訂補稿

華東師範大學古典文學專業碩士論文　2006 年 4 月　方勇指導

中國古代文學專業

倪平英　相似外表下的不同內核——白鳥庫吉與顧頡剛就「堯、舜、禹」問題研究比較

華東師範大學中國古代文學專業碩士論文　2006 年　林在勇指導

夏紅娣　文化認同和自我建構的兩種方式——從王韜的政論文和小說談起

華東師範大學中國古代文學專業碩士論文　2006 年 5 月　程華平指導

許全勝　沈曾植年譜長編

華東師範大學中國古代文學專業博士論文　2004 年 5 月　劉永翔指導

北京　中華書局　615 頁　2007 年 8 月

倪平英　相似外表下的不同內核——白鳥庫吉與顧頡剛就「堯、舜、禹」問題研究比較

華東師範大學中國古代文學專業碩士論文　2006 年 5 月　林在勇指導

楊秀娟　范處義及其《詩補傳》研究

華東師範大學中國古代文學專業碩士論文　2006 年 4 月　曾抗美指導

董國文　漢學家葛蘭言的詩經研究及其與貴州田野資料的比照考察

華東師範大學中國古代文學專業碩士論文　2005 年 4 月　林在勇指導

許　鶯　美國學者對孔子思想的研究

華東師範大學中國古代文學專業碩士論文　2007 年　陳曉芬指導

重慶市

西南政法大學

法律專業

張文波　孟子「仁政」思想述評
西南政法大學法律專業碩士論文　2006 年 4 月　朱學平指導

法理學專業

陶建新　一種文化的選擇——論梁啟超的法治思想
西南政法大學法理學專業碩士論文　2004 年 4 月　卓澤淵指導

杜旅軍　1898－1911：梁啟超立憲思想的萌生與轉變
西南政法大學法理學專業碩士論文　2005 年 4 月　王威指導

法律思想史

陳　懋　孔子法思想解讀
西南政法大學法律思想史專業碩士論文　2002 年 1 月　陳金全指導

法律史專業

龍　江　龔自珍變法思想研究
西南政法大學法律史專業碩士論文　2005 年 4 月　陳金全指導

何清藍　西周禮制初探——以《禮記》所載祭祀制度為中心的分析
西南政法大學法律史專業碩士論文　2007 年　陳金全指導

寧全紅　《左傳》刑罰適用研究
西南政法大學法律史專業博士論文　2007 年 3 月　俞榮根指導

西南大學（西南師範大學[6]）

中國古典文獻學專業

李小茹　王應麟《急就篇補注》及相關問題研究
西南師範大學中國古典文獻學專業碩士論文　2005 年 6 月　蔣宗福指導

李苑靜　王念孫《讀書雜志》校勘方法研究
西南師範大學中國古典文獻學專業碩士論文　2004 年 4 月　蔣宗福指導

徐　淩　孫詒讓《劄迻》文獻校讀研究
西南師範大學中國古典文獻學專業碩士論文　2005 年 6 月　蔣宗福指導

楊　陽　鄭玄《禮記》注釋研究
西南師範大學中國古典文獻學專業碩士論文　2000 年 5 月　蔣宗福指導

中國哲學專業

陳宗權　董仲舒政治哲學思想探源
西南師範大學中國哲學專業碩士論文　2004 年　楊志明指導

倫理學專業

尹曉彬　論董仲舒皇權制衡思想及其倫理形態特徵
西南師範大學倫理學專業碩士論文　2005 年　潘佳銘、彭自強指導

王　航　論王弼人性論中儒道合流的特徵
西南師範大學倫理學專業碩士論文　2004 年 5 月　潘佳銘指導

潘昱州　韓愈反佛思想溯源——「惠民」的「有為之道」
西南師範大學倫理學專業碩士論文　2005 年 5 月　彭自強、潘佳銘指導

周　玲　論戴震的自由精神及其意義
西南師範大學倫理學專業碩士論文　2005 年 5 月　彭自強、潘佳銘指導

李永洪　辨析王充思想體系中的矛盾——探討王充人性論思想的基礎和前提
西南大學倫理學專業碩士論文　2006 年 4 月　彭自強、潘佳銘指導

6　現已改為西南大學。

課程與教學論專業

方家峰　錯位與磨合——楊守敬學術生涯及其當代影響的教育學研究
西南師範大學課程與教學論專業碩士論文　2005年5月　張詩亞指導

教育史專業

常　剛　梁啟超歷史教育思想研究
西南大學教育史專業碩士論文　2006年4月　彭澤平指導

漢語言文字學專業

張　俊　《荀子》謂詞轉指研究
西南大學漢語言文字學專業碩士論文　2006年　方有國指導

陳家春　《荀子》副詞研究
西南大學漢語言文字學專業碩士論文　2006年　方有國指導

于正安　《荀子》動詞語法研究
西南師範大學漢語言文字學專業碩士論文　2003年　毛遠明指導

劉巧芝　戴震《方言疏證》同族詞研究
西南師範大學漢語言文字學專業碩士論文　2005年5月　李茂康指導

劉　剛　《詩毛傳》語法研究
西南師範大學漢語言文字學專業碩士論文　2003年4月　毛遠明指導

孟美菊　武威漢簡《儀禮》異文研究
西南師範大學漢語言文字學專業碩士論文　2003年4月　喻遂生指導

鐘發遠　《論語》動詞研究
西南師範大學漢語言文字學專業碩士論文　2003年6月　李茂康指導

唐建立　《論語》名詞語法研究
西南師範大學漢語言文字學專業碩士論文　2003年4月　喻遂生指導

金　夢　《論語》狀中結構研究
西南大學漢語言文字學專業碩士論文　2007年　方有國指導

張　俊　《孟子》、《韓非子》三類詞句法功能的多樣化和複雜化研究——兼論兩個相關問題
西南大學漢語言文字學專業碩士論文　2006年5月　方有國指導

趙家棟　《爾雅》法律使用域詞語研究

西南師範大學漢語言文字學專業碩士論文　2004 年 5 月　李茂康指導

李潤生　郝懿行《爾雅義疏》同族詞研究

西南師範大學漢語言文字學專業碩士論文　2002 年 4 月　李茂康指導

漢語史專業

李小軍　《詩經》變換句研究

西南師範大學漢語史專業碩士論文　2002 年 5 月　方有國指導

中國古代文學專業

唐　沙　《左傳》故事「經典化」探研

西南大學中國古代文學專業碩士論文　2006 年 4 月　熊憲光指導

中國現當代文學專業

朱　嫣　魯迅與夏目漱石

西南師範大學中國現當代文學專業碩士論文　2001 年 4 月　王本朝指導

美術學專業

李陽洪　梁章鉅的書法題跋與翁方綱的關係

西南師範大學美術學專業碩士論文　2005 年 5 月　周永健指導

重慶師範大學

思想史專業

汪　蕾　《商君書》與《孟子》經濟思想及其理論基礎的比較研究

重慶師範學院思想史專業碩士論文　2001 年 4 月　李禹階指導

李香奇　戰國社會變遷與孟荀人性論及人的社會化思想

重慶師範學院思想史專業碩士論文　2000 年 4 月　李禹階指導

倫理學專業

程　遼　王弼政治倫理思想研究

重慶師範大學倫理學專業碩士論文　2006 年　孔毅指導

專門史專業

陳　倩　陸賈思想研究
重慶師範大學專門史專業碩士論文　2005 年 4 月　趙昆生指導

羅怡明　康有為君主思想研究——康有為君主思想的演變及探析
重慶師範大學專門史專業碩士論文　2006 年 4 月　李禹階指導

袁佳紅　《穀梁》學在西漢的興起及意義
重慶師範大學專門史專業碩士論文　2003 年 4 月　李禹階指導

中國古代文學專業

張　勇　「《毛》據《左氏》以斷章為本義」——論《詩經》解讀模式的淵源變遷及影響
重慶師範學院[7]文學專業碩士論文　2002 年 4 月　董運庭指導

黃　耀　《國語》《左傳》所敘晉史比較研究
重慶師範大學中國古代文學專業碩士論文　2007 年　董運庭指導

歐陽雪梅　論《左傳》的敘事藝術
重慶師範學院[8]中古文學專業碩士論文　1997 年 5 月　何明新指導

王曉敏　從《易》之「象」到《詩》之「興」——《詩經》比興之詩學內涵研究
重慶師範學院中國古代文學專業碩士論文　2002 年 1 月　董運庭指導

蔣德陽　彪炳千古的「大丈夫」形象論《孟子》對理想人格的探索、詮釋與塑造
重慶師範學院古代文學專業碩士論文　1999 年 4 月　董運庭指導

比較文學與世界文學專業

周　弘　《伊利亞特》和《詩經》中戰爭詩比較
重慶師範大學比較文學與世界文學專業碩士論文　2007 年　蘇敏指導

龍　娟　《詩經》與《十四行詩集》中愛情詩比較
重慶師範大學比較文學與世界文學專業碩士論文　2006 年 4 月　蘇敏指導

7　現已更名為重慶師範大學。
8　現已更名為重慶師範大學。

黑龍江省

哈爾濱工業大學

馬克思主義哲學專業

武立波　牟宗三心學困境與道德重建的反思
哈爾濱工業大學馬克思主義哲學專業碩士論文　2004 年 6 月　徐惠茹指導

哈爾濱師範大學

中國古代文學專業

王　妍　經學以前的《詩經》
哈爾濱師範大學古代文學專業博士論文　2003 年　傅道彬指導
北京　東方出版社　302 頁　2007 年 3 月

王秀臣　三禮用詩考論
哈爾濱師範大學中國古代文學專業博士論文　2005 年　傅道彬指導
北京　中國社會科學出版社　374 頁　2007 年 5 月（中國社會科學博士論文文庫）

黑龍江大學

中國哲學專業

宋麗艷　康有為大同思想與全球化
黑龍江大學中國哲學專業碩士論文　2003 年　魏義霞指導

馬亞男　論馮友蘭的人倫學說

黑龍江大學中國哲學專業碩士論文　2002 年 1 月　柴文華指導

柳聞鶯　現代性與儒家心性之學——徐復觀新儒學探析
黑龍江大學中國哲學專業碩士論文　2004 年　樊志輝指導

郭榮麗　中西哲學會通的中介與道德形上學建構的基石——牟宗三「智的直覺」理論疏析
黑龍江大學中國哲學專業碩士論文　2003 年　樊志輝指導

陶　悅　道德形而上學——牟宗三與康德之間
黑龍江大學中國哲學專業博士論文　2006 年　柴文華指導

漢語言文字學專業

史維國　《左傳》中的處所詞研究
黑龍江大學漢語言文字學專業碩士論文2006 年　李先耕指導

關立新　《左傳》名詞動用現象分析
黑龍江大學漢語言文字學專業碩士論文　2004 年 6 月　李先耕指導

雷淑娟　《孟子》類比
黑龍江大學漢語言文字學專業碩士論文　2001 年 5 月　李先耕指導

吉林省

吉林大學

歷史文獻專業

馮曉麗　戴震、盧文弨《方言》校勘比較研究
吉林大學歷史文獻專業碩士論文　2004 年　李無未指導

陳壯維　「方陣」卦序的構擬及《周易》初始形態研究
吉林大學歷史文獻學專業博士論文　2007 年 10 月　呂文鬱指導

譚中華　《孔子詩論》編聯分章問題研究綜述
吉林大學歷史文獻學專業碩士論文　2007 年　馮勝君指導

傅麗敏　中晚唐《春秋》學研究

吉林大學歷史文獻學專業碩士論文　2008 年 5 月　張固也指導

趙燦良　《孔子家語》研究

吉林大學歷史文獻學專業碩士論文　2007 年　張固也指導

劉　微　《大學直解》《中庸直解》口語詞語研究[9]

吉林大學歷史文獻學專業碩士論文　2005 年 5 月　李無未指導

中國哲學專業

王小丁　張載人性論思想研究

吉林大學中國哲學專業碩士論文　2005 年　張連良指導

張　敏　程顥「識仁」思想管見

吉林大學中國哲學專業碩士論文　2004 年　張連良指導

朴經勛　朱熹與李栗谷理氣觀之比較研究

吉林大學中國哲學專業碩士論文　2006 年　張連良指導

印宗煥　朱熹與李退溪之理氣性情論比較研究

吉林大學中國哲學專業碩士論文　2004 年　張連良指導

朱　紅　方東美生命哲學評述

吉林大學中國哲學專業碩士論文　2007 年　劉連朋指導

朱曉明　牟宗三論現象與物自身

吉林大學中國哲學專業碩士論文　2006 年　劉連朋指導

李天琦　論孔子的文質統一思想

吉林大學中國哲學專業碩士論文　李景林指導

石書蔚　安樂哲孔子哲學研究與中西哲學會通

吉林大學中國哲學專業碩士論文　2007 年　張連良指導

社會學專業

卞國鳳　范仲淹宗族福利思想研究

吉林大學社會學專業碩士論文　2004 年　田毅鵬指導

政治學理論專業

張文英　試論董仲舒的天人觀

9 《大學直解》《中庸直解》是元代初期漢族儒士許衡為向少數民族傳授儒家文化而著的兩部教學講義。

吉林大學政治學理論專業碩士論文　2005 年　孫曉春指導

李　鋒　論朱熹的王道思想

吉林大學政治學理論專業碩士論文　2006 年　孫曉春指導

劉和忠　孔子德育思想研究

吉林大學政治學理論專業博士論文　1999 年　陳秉公指導

賈景峰　孔子政治思想的基礎——從周代政治、宗教、哲學等角度分析

吉林大學政治學理論專業博士論文　2007 年 6 月　王彩波指導

歷史學專業

廖名春　荀子新探

吉林大學歷史學專業博士論文　1992 年　金景芳指導

臺北　文津出版社　353 頁　1994 年 2 月（大陸地區博士論文叢刊）

中國古代史專業

庾濰誠　馬王堆帛書《易傳》所反映出的孔子思想

吉林大學中國古代史專業碩士論文　呂紹剛指導

王永平　先秦的卜筮與《周易》研究

吉林大學中國古代史專業博士論文　2007 年 12 月　陳恩林指導

吳曉峰　《詩經》「二南」篇所載禮俗研究

吉林大學中國古代史專業碩士論文　2005 年 4 月　陳恩林指導

王　雅　周代禮樂文化研究

吉林大學中國古代史專業博士論文　1998 年　金景芳指導

楊　瑤　《周禮》中所載戶籍制度及相關問題初探

吉林大學中國古代史專業碩士論文　2007 年　朱紅林指導

張全民　《周禮》所見法制研究（刑法篇）

吉林大學中國古代史專業博士論文　1997 年　金景芳、陳恩林指導

北京　法律出版社　211 頁　2004 年 5 月（湘潭大學法學院博士文庫）

程奇立　《儀禮・喪服》研究

吉林大學中國古代史專業博士論文　2000 年　金景芳指導

王新英　《左傳》中的賄賂

吉林大學中國古代史專業碩士論文　2006 年　陳恩林指導

孫赫男　《左氏會箋》研究——與杜預《春秋經傳集解》及楊伯峻《春秋左傳注》之

比較
吉林大學中國古代史專業博士論文　2006 年　陳恩林指導

梁韋弦　孟子研究
吉林大學中國古代史專業博士論文　1992 年　金景芳指導
臺北　文津出版社　154 頁　1993 年 7 月（大陸地區博士論文叢刊）

康學偉　先秦孝道研究
吉林大學中國古代史專業博士論文　1991 年　金景芳指導
臺北　文津出版社　257 頁　1992 年 10 月（大陸地區博士論文叢刊）

漢語言文字學專業

李永芳　《荀子》單音節反義詞研究
吉林大學漢語言文字學專業碩士論文　2006 年　徐正考指導

畢秀潔　《詩經》「到達」義動詞研究
吉林大學漢語言文字學專業碩士論文　2007 年　武振玉指導

盧永維　《爾雅・釋詁》「至也」詞條探析
吉林大學漢語言文字學專業碩士論文　2007 年　武振玉指導

中國古代文學專業

于永玉　《儀禮・喪服》研究
吉林大學中國古代文學專業碩士論文　金景芳指導

陳思林　關於《春秋》若干問題的探索
吉林大學中國古代文學專業碩士論文　金景芳指導

中國現當代文學專業

李仲慶　大眾傳媒語境下的于丹熱解讀：《于丹〈論語〉心得》紛爭的背後
吉林大學中國現當代文學專業碩士論文　2007 年　靳叢林指導

文藝學專業

楊慶波　從《東坡易傳》看蘇軾的創作主體論
吉林大學文藝學專業碩士論文　2003 年 5 月　張錫坤指導

吉林藝術學院

設計藝術學專業

閆鵬凌　宮廷《易》蘊——周易視閾中的清朝宮廷裝飾與陳設研究
吉林藝術學院設計藝術學專業碩士論文　2007 年　董赤、祝普文指導

延邊大學

東方哲學專業

李紅軍　朱熹與退溪的人性論之比較
延邊大學東方哲學專業碩士論文　2000 年　柳長鉉指導

外國哲學專業

毛哲山　朱熹和栗谷理氣論之比較研究
延邊大學外國哲學專業碩士論文　2003 年　金哲洙指導

蕭君平　顏元和荻生徂徠哲學思想之比較
延邊大學外國哲學專業碩士論文　2006 年 5 月　潘暢和指導

梁景松　康有為與福澤諭吉的啟蒙思想比較
延邊大學外國哲學專業碩士論文　2003 年　潘暢和指導

專門史專業

朱玉紅　王夫之的義利觀
延邊大學專門史專業碩士論文　2001 年　梁韋弦、李宗勛指導

漢語言文字學專業

胡保國　談孔穎達考證詞義的方法
延邊大學漢語言文字學專業碩士論文　2005 年 5 月　崔泰吉指導

中國古代文學專業

李　丹　司馬遷經學思想研究
延邊大學中國古代文學專業碩士論文　2007 年　張強指導

劉海波　郭璞游仙詩中憂患意識研究
延邊大學中國古代文學專業碩士論文　2006 年　趙玉霞指導

馬　驥　《易經》的取象思維方式對詠物詩的影響
延邊大學中國古代文學專業碩士論文　2007 年　于春海指導

張志香　論「風」、「雅」、「頌」的文學性及其特點
延邊大學中國古代文學專業碩士論文　2005 年 5 月　于衍存指導

王　磊　《詩經》興象的文化探源
延邊大學中國古代文學專業碩士論文　2006 年 5 月　于衍存指導

郝秀榮　論《詩經》中的女性意識
延邊大學中國古代文學專業碩士論文　2007 年　于衍存指導

黄　妍　朝鮮上古詩歌對《詩經》的接受及其影響——以《公無渡河》、《黃鳥歌》、《龜旨歌》為例
延邊大學中國古代文學專業碩士論文　2007 年　于衍存指導

韓　霞　《左傳》夢占預言的文學價值
延邊大學中國古代文學專業碩士論文　2007 年 5 月　孫德彪指導

張　磊　論《論語》的文學性
延邊大學中國古代文學專業碩士論文　2007 年　于衍存指導

中國現當代文學專業

杜春龍　《孔子詩論》與漢四家《詩》研究
延邊大學中國現當代文學專業碩士論文　2007 年　張強指導

李寶龍　《詩經》與孔子思想
延邊大學中國現當代文學專業碩士論文　2004 年 6 月　于衍存指導

長春中醫藥大學

中醫基礎理論專業

田友山　《周易》直覺思維模式對中醫學的影響及運用
長春中醫藥大學[10]中醫基礎理論專業碩士論文　2004 年 6 月　許永貴指導

長春理工大學

漢語言文字學專業

袁寶宇　朱熹創作理論研究
長春理工大學漢語言文字學專業碩士論文　2005 年　董宇指導

遼寧省

大連理工大學

馬克思主義理論與思想政治教育專業

張繼蘭　黃宗羲政治思想研究
大連理工大學馬克思主義理論與思想政治教育專業碩士論文　2005 年 6 月　劉鴻鶴指導

修艷竹　孟子政治思想研究
大連理工大學馬克思主義理論與思想政治教育專業碩士論文　2005 年 12 月　劉鴻鶴指導

10 長春中醫藥大學前身為長春中醫學院。

外國語言學及應用語言學專業

朱寶鋒　辜鴻銘翻譯思想研究
大連理工大學外國語言學及應用語言學專業碩士論文　2006 年 12 月　汪榕培指導

馮秋香　華茲生英譯《左傳》可讀性分析
大連理工大學外國語言學及應用語言學專業碩士論文　2006 年 12 月　李秀英指導

王琨雙　歷史典籍中特殊文化因素的翻譯策略——目的論對《左傳》英譯的啟示
大連理工大學外國語言學及應用語言學專業碩士論文　2005 年 12 月　李秀英指導

曹　慧　論文化語境在《論語》英譯本中的傳達
大連理工大學外國語言學及應用語言學專業碩士論文　2007 年 12 月　劉卉指導

東北師範大學

中國古典文獻學專業

李　鵬　潘景鄭文獻活動研究
東北師範大學中國古典文獻學專業碩士論文　2007 年　曹書杰指導

谷　穎　伏生及《尚書大傳》研究
東北師範大學中國古典文獻學專業碩士論文　2005 年 5 月　曹書杰指導

馬秀琴　《左傳譯文》獻疑
東北師範大學古典文獻學專業碩士論文　2006 年 5 月　曹書杰指導

蔣煥芹　《論語》及其在漢代的流傳
東北師範大學古典文獻學專業碩士論文　2006 年 5 月　曹書杰指導

汪　楠　魏晉論語學述論
東北師範大學古典文獻學專業碩士論文　2006 年 5 月　曹書杰、劉奉文指導

宋　琳　《小爾雅》今注
東北師範大學中國古典文獻學專業碩士論文　2002 年 4 月　董蓮池指導

林海鷹　《太平御覽》引《釋名》校釋
東北師範大學中國古典文獻學專業碩士論文　2003 年　韓格平指導

中國哲學專業

王林萍　引仁入禮——孔子對周禮的超越
東北師範大學中國哲學專業碩士論文　2007 年　胡海波指導

孫漢杰　論孔子的「成人」思想
東北師範大學中國哲學專業碩士論文　2007 年　胡海波指導

馬克思主義理論與思想政治教育專業

高麗波　孔子立志思想研究
東北師範大學馬克思主義理論與思想政治教育專業碩士論文　2007 年　王平指導

劉紅麗　中庸思想及其現代德育價值研究
東北師範大學馬克思主義理論與思想政治教育專業碩士論文　2007 年　王平指導

思想政治專業

徐麗穎　《論語》在高中思想政治課中的應用研究
東北師範大學思想政治專業碩士論文　2007 年　紀良指導

倫理學專業

可凌瑋　論荀子「性惡」倫理觀的理論特色及社會影響
東北師範大學倫理學專業碩士論文　2002 年　郭學賢指導

教育專業

蘇　悅　高中語文「經典誦讀」——《論語》的教學實踐與研究
東北師範大學教育專業碩士論文　2007 年　黃凡中指導

史學理論及史學史專業

李　濤　論李贄對歷史人物的評價：以《藏書》、《續藏書》為中心
東北師範大學史學理論及史學史專業碩士論文　2006 年 6 月　董鐵松指導

任利偉　從《日知錄》看顧炎武歷史編纂思想
東北師範大學史學理論及史學史專業碩士論文　2006年6月　董鐵松指導

姜　瑩　梁啟超「新史學」觀念生成論析
東北師範大學史學理論與史學史專業碩士論文　2006年6月　董鐵松指導

傅中英　章學誠史學評論與《易》教
東北師範大學史學理論及史學史專業碩士論文　2007年5月　董鐵松指導

中國古代史專業

董鐵松　19世紀：今文經學與匡世救國思潮
東北師範大學中國古代史專業博士論文　1999年　趙毅教指導

王　旭　荀子學派屬性述評
東北師範大學中國古代史專業碩士論文　2005年　韓東育指導

方順姬　丘濬的「相業」研究
東北師範大學中國古代史專業碩士論文　2006年5月　趙玉田指導

李月華　《大學衍義補》中的天、君、臣、民觀
東北師範大學中國古代史專業碩士論文　2004年5月　趙軼峰指導

呂東波　《大學衍義補》與明中期社會變遷
東北師範大學中國古代史專業碩士論文　2007年　趙玉田指導

曹麗娜　章學誠的明道經世史學
東北師範大學中國古代史專業碩士論文　2006年5月　董鐵松指導

劉冬穎　「變風變雅」考論
東北師範大學中國古代史專業博士論文　2003年4月　詹子慶指導
北京　中國社會科學出版社　242頁　2005年（改名為《詩經「變風變雅」考論》）

任　爽　唐代禮制研究概要
東北師範大學中國古代史專業博士論文　1997年　李洵、楊志玖指導
長春　東北師範大學出版社　307頁　1999年9月（改名為《唐代禮制研究》）

姜勝男　「崇朱辟王」：呂留良「《大學》評語」研究
東北師範大學中國古代史專業碩士論文　2007年　趙軼峰指導

中國近現代史專業

梁　雲　張之洞與近代中國教育創新

東北師範大學中國近現代史專業碩士論文　2002年1月　胡赤軍指導

專門史專業

姜　紅　荀子「敬一情二」思想新議
東北師範大學專門史專業碩士論文　2004年　韓東育指導

高春海　試析荀子的倫理制度思想
東北師範大學專門史專業碩士論文　2006年　韓東育指導

王曉寧　君子之道的外化歷程——荀子理想人格的現世功用
東北師範大學專門史專業碩士論文　2004年　韓東育指導

董　俊　梁啟超近代國家觀形成的日本因素
東北師範大學歷史學專門史專業碩士論文　2006年6月　韓東育指導

世界上古史專業

郝際陶　《雅典政制》與《周官》
東北師範大學世界上古史專業博士論文　1986年　林志純指導

漢語言文字學專業

張煥新　《法言》複音詞研究
東北師範大學漢語言文字學專業碩士論文　2004年　傅亞庶指導

郭　穎　中說校釋
東北師範大學漢語言文字學專業碩士論文　2002年1月　傅亞庶指導

曲　丹　《詩經》的音樂性審美
東北師範大學漢語語言文字學專業碩士論文　2003年12月　李炳海、周奇文指導

王　薇　《儀禮》名物詞研究
東北師範大學漢語言文字學專業碩士論文　2005年5月　傅亞庶指導

林　琳　《禮記》成語研究
東北師範大學漢語言文字學專業碩士論文　2006年5月　傅亞庶指導

馬麗娟　《左傳》時間詞語初探
東北師範大學漢語言文字學專業碩士論文　2006年5月　傅亞庶指導

文藝學專業

傅　榮　梁啟超文學思想的大眾化取向
東北師範大學文藝學專業碩士論文　2006 年 5 月　王確指導

張秋艷　梁啟超美學思想的意識形態性及對後世的影響
東北師範大學文藝學專業碩士論文　2006 年 5 月　王確指導

趙　瑩　孔子美學的生命意蘊
東北師範大學文藝學專業碩士論文　2004 年 5 月　王確指導

中國古代文學專業

汪　洋　論女媧神話中的靈石信仰
東北師範大學中國古代文學專業碩士論文　2006 年　傅亞庶指導

馬　興　堯舜時代研究
東北師範大學中國古代文學專業博士論文　2007 年　詹子慶指導

何廣華　賈誼《新書》研究
東北師範大學中國古代文學專業碩士論文　2005 年　傅亞庶指導

呂書寶　滿眼風物入卜書
東北師範大學中國古代文學專業博士論文　2003 年 4 月　李炳海指導

于海棠　《周易》與中國上古文學
東北師範大學中國古代文學專業博士論文　2000 年　李炳海指導

孫宗琴　詩經與楚辭裡「求不可得」詩篇現象的研究
東北師範大學中國古代文學專業碩士論文　2007 年　陳向春指導

姚小鷗　《詩經》「三頌」與先秦禮樂文化的演變
東北師範大學中國古代文學專業博士論文　1993 年　楊公驥指導
北京　北京廣播學院　273 頁　2000 年 1 月（改名為《詩經三頌與先秦禮樂文化》）

李梅梅　從文化到文學：《詩經》「興」原始義解讀
東北師範大學中國古代文學專業碩士論文　2007 年　陳向春指導

史培爭　論《關雎》的雙重解讀
東北師範大學中國古代文學專業碩士論文　2007 年 5 月　陳向春指導

許志剛　論《大雅》、《小雅》的藝術形象
東北師範大學中國古代文學專業博士論文　1986 年　楊公驥指導

宮海婷　《詩經》婚戀詩的原始文化溯源
東北師範大學中國古代文學專業碩士論文　2006 年 5 月　傅亞庶指導

張慶霞　《詩經》婚戀詩的文化解讀
東北師範大學中國古代文學專業碩士論文　2007 年　傅亞庶指導

劉雅傑　《詩經》水意象綜論
東北師範大學中國古代文學專業碩士論文　2002 年 4 月　李炳海指導

孫　瑩　《詩經》植物意象探微
東北師範大學中國古代文學專業碩士論文　2002 年 1 月　盛廣智指導

魏　昕　滲透於《詩經》中的原始宗教意識
東北師範大學中國古代文學專業碩士論文　2006 年 5 月　傅亞庶指導

姚志國　《詩經》「女性作品」研究
東北師範大學中國古代文學專業碩士論文　2007 年　李立指導

孫世洋　周代詩樂文化與《詩經》
東北師範大學中國古代文學專業碩士論文　2002 年 1 月　李炳海指導

喬麗敏　文質彬彬——《詩經》服飾描寫的審美理想
東北師範大學中國古代文學專業碩士論文　2007 年　陳向春指導

賈學鴻　從《詩經》的君子之樂到孔子的人生之樂
東北師範大學中國古代文學專業碩士論文　2004 年 5 月　周奇文指導

艾春明　論《韓詩外傳》的經學價值
東北師範大學中國古代文學專業碩士論文　2002 年 1 月　盛廣智、周奇文指導

衣淑艷　先秦詩歌中的祭禮[11]
東北師範大學古代文學專業碩士論文　2006 年 5 月　傅亞庶指導

趙敏俐　兩漢詩歌研究
東北師範大學文學博士論文　1988 年　楊公驥指導
臺北　文津出版社　270 頁　1993 年 5 月（大陸地區博士論文叢刊）

劉　澍　《左傳》中家臣形象的分析及文學表現
東北師範大學中國古代文學專業碩士論文　2004 年 5 月　傅亞庶指導

楊佐義　《左傳》中的戰爭描寫
東北師範大學中國古代文學專業碩士論文　1978、1979 級　楊公驥指導

11 此文從對《詩經》和《楚辭》兩者中祭祀詩歌比較，探討先秦詩歌中祭禮的異同。

孫綠怡　中國古代文學發展中「史」的傳統：《左傳》與中國古典小說
東北師範大學中國古代文學專業博士論文　1986 年　楊公驥指導
北京　北京大學出版社　143 頁　1992 年 4 月

沈　鴻　孔子弟子形象在先秦兩漢的演變
東北師範大學中國古代文學專業碩士論文　2004 年 5 月　李炳海、周奇文指導

賈學鴻　從《詩經》的君子之樂到孔子的人生之樂
東北師範大學中國古代文學專業碩士論文　2004 年 5 月　周奇文指導

孫玉梅　周代禮樂制度與孔子的音樂思想
東北師範大學中國古代文學專業碩士論文　2007 年　高長山指導

傳播學專業

任彥智　孟荀引詩論證中的傳播方式
東北師範大學傳播學專業碩士論文　2006 年 5 月　張恩普指導

設計藝術學專業

段大龍　《考工記》的「材美」「工巧」設計思想及其現實意義
東北師範大學設計藝術學專業碩士論文　2007 年　李奇飛指導

東北財經大學

經濟思想史專業

張　宇　先秦荀子的富國論
東北財經大學經濟思想史專業碩士論文　2002 年　于邱華指導

郭　暘　賈誼經濟思想探微
東北財經大學經濟思想史專業碩士論文　2005 年　張守軍指導

遼寧大學

中國哲學專業

姜　穎　論《周易》「時」的哲學思想
遼寧大學中國哲學專業碩士論文　2006 年 5 月　王雅指導

王萌萌　「自然」之情：孔子仁說的起點與歸宿
遼寧大學中國哲學專業碩士論文　2006 年 5 月　王雅指導

張凱作　孔子之「仁」新解
遼寧大學中國哲學專業碩士論文　2007 年　王雅指導

趙楠楠　在人性展開中解讀孟子的「義利之辨」
遼寧大學中國哲學專業碩士論文　2006 年 5 月　王雅指導

史　穎　從「三個文明」視角解析孟子的仁政思想
遼寧大學中國哲學專業碩士論文　2006 年 5 月　王雅指導

王博識　論《大學》的管理哲學思想
遼寧大學中國哲學專業碩士論文　2005 年 5 月　王雅指導

史學理論及史學史專業

李　強　陸隴其述論
遼寧大學史學理論及史學史專業碩士論文　2001 年 5 月　李春光指導

中國古代史專業

王　緒　邵廷采學術思想述論
遼寧大學中國古代史專業碩士論文　2004 年 5 月　李春光指導

孫運君　劉逢祿的公羊學研究
遼寧大學中國古代史專業碩士論文　2003 年 5 月　李春光指導

孫運君　劉逢祿的公羊學研究
遼寧大學中國古代史專業碩士論文　2003 年 5 月　李春光指導

檔案學專業

洪　曦　檔案學視角下的《周禮》研究

遼寧大學檔案學專業碩士論文　2007 年　丁海斌指導

文藝學專業

牛寒婷　人性的復歸——論李贄的個性解放思想

遼寧大學文藝學專業碩士論文　2004 年 5 月　崔海峰指導

陶維彬　論《周易》之象

遼寧大學文藝學專業碩士論文　2001 年 5 月　王向峰指導

中國古代文學專業

李樹軍　《周頌》的神靈意識與先秦祭祀文化

遼寧大學中國古代文學專業碩士論文　2001 年 5 月　王巍指導

許志剛　《詩經》祭祀詩概論

遼寧大學中國古代文學專業碩士論文　1978、1979 級　張震澤指導

單　良　子夏研究

遼寧大學中國古代文學專業碩士論文　2005 年 5 月　胡勝指導

遼寧師範大學

歷史文獻學專業

田　野　《孟子》中所載孟軻所述史實真偽問題辯正

遼寧師範大學歷史文獻學專業碩士論文　2007 年 5 月　梅顯懋指導

政治學理論專業

張　鵬　論董仲舒的大一統政治思想

遼寧師範大學政治學理論專業碩士論文　2003 年　趙文忠指導

中外政治思想專業

李志學　論黃宗羲反專制政治思想

遼寧師範大學中外政治思想專業碩士論文　2000 年 6 月　朱誠如指導

陳　凱　論顧炎武反封建專制政治思想

遼寧師範大學中外政治思想專業碩士論文　2000 年 6 月　朱誠如指導

歷史學專業

徐松巖　論《周易》的政治思想
遼寧師範大學歷史專業碩士論文　2002 年 6 月　楊英傑指導

中國古代史專業

李　慧　顧炎武與《天下郡國利病書》
遼寧大學中國古代史專業碩士論文　2006 年 5 月　馮季昌指導

孫芳輝　出其東門，有女如雲——《詩經》中所反映的女性世界
遼寧師範大學中國古代史專業碩士論文　2005 年 5 月　趙玉寶指導

專門史專業

李艷嬌　荀子的政治思想
遼寧師範大學專門史專業碩士論文　2003 年　楊英傑指導

祁向文　論董仲舒的天人感應思想
遼寧師範大學專門史專業碩士論文　2006 年　楊英傑指導

王艷輝　曾國藩與道咸同年間傳統文化的嬗變
遼寧師範大學專門史專業碩士論文　2005 年 5 月　喻大華指導

張克威　康有為憲政思想研究
遼寧師範大學歷史學專門史專業碩士論文　2006 年 5 月　喻大華指導

鮑彩蓮　試論孔子的理想人格——君子
遼寧師範大學專門史專業碩士論文　2003 年 6 月　楊英傑指導

漢語言文字學專業

盧春紅　荀子複音詞研究
遼寧師範大學漢語言文字學專業碩士論文　2005 年　陳榴指導

梁　萍　評方以智《通雅》對聯綿詞的研究
遼寧師範大學漢語言文字學專業碩士論文　2006 年 5 月　王功龍指導

趙　慧　黃侃對中國訓詁學理論的傳承與發展
遼寧師範大學漢語言文字學專業碩士論文　2007 年　于志培指導

荊亞玲　《詩經》同義詞研究

遼寧師範大學漢語言文字學專業碩士論文　2004 年 5 月　陳榴指導

萬　蕊　《論語》同義詞考辨

遼寧師範大學漢語言文字學專業碩士論文　2006 年 5 月　陳榴指導

張嬋娟　《孟子》動詞配價研究

遼寧師範大學漢語言文字學專業碩士論文　2007 年 5 月　陳榴指導

梁　紅　《小爾雅》述評

遼寧師範大學漢語言文字學專業碩士論文　2006 年 5 月　王功龍指導

中國古代文學專業

吳學哲　論司馬遷與《周易》

遼寧師範大學古代文學專業碩士論文　2007 年 5 月　邊家珍指導

張春嬋　《詩經・國風》與周代齊、晉、秦地域文化研究

遼寧師範大學中國古代文學專業碩士論文　2007 年 5 月　邊家珍指導

中國現當代文學專業

于九濤　魯迅與孔子思想比較研究

遼寧師範大學中國現當代文學專業碩士論文　2002 年 6 月　王吉鵬指導

陳秀雲　論魯迅的人生哲學

遼寧師範大學中國現當代文學專業碩士論文　1999 年 6 月　王吉鵬指導

于九濤　魯迅與孔子思想比較研究

遼寧師範大學中國現當代文學專業碩士論文　2002 年 6 月　王吉鵬指導

英語語言文學專業

王　歡　克拉申的輸入理論與孔子的教學思想的對比研究

遼寧師範大學英語語言文學專業碩士論文　2006 年 5 月　成曉光指導

山東省

山東大學

中國古典文獻學

雷　霞　經學在秦代的遭遇與漢初的復興
山東大學中國古典文獻學專業碩士論文　2007 年 4 月　鄭傑文指導

馬小方　兩漢家學研究
山東大學中國古典文獻學專業碩士論文　2006 年 5 月　王承略指導

鄒應龍　從地方到中央：西漢前期經學主導地位的形成
山東大學中國古典文獻學專業碩士論文　2007 年 4 月　鄭傑文指導

李書瑋　賈誼《新書》研究
山東大學中國古典文獻學專業碩士論文　2005 年　劉心明指導

方　丹　劉歆思想與《白虎通義》思想之比較
山東大學中國古典文獻學專業碩士論文　2006 年　鄭傑文指導

張　兵　揚雄《法言》研究
山東大學中國古典文獻學專業碩士論文　2002 年 5 月　張濤指導

王正一　《後漢書・儒林傳》考論並補遺
山東大學中國古典文獻學專業碩士論文　2006 年 4 月　王承略指導

陳金麗　論許慎的經學思想與經學成就
山東大學中國古典文獻學專業碩士論文　2007 年 4 月　王承略指導

李俊嶺　論馬融
山東大學中國古典文獻學專業碩士論文　2004 年 4 月　王承略指導

石　靜　蔡邕思想與學術研究
山東大學中國古典文獻學專業碩士論文　2007 年　莊大鈞指導

焦桂美　南北朝經學史
山東大學中國古典文獻學專業博士論文　2006 年 4 月　徐傳武指導

孫照海　陸德明考論
山東大學古典文獻學專業碩士論文　2005 年 5 月　莊大鈞指導

朱珊珊　朱彝尊《曝書亭集》的文獻學價值

山東大學中國古典文獻學專業碩士論文　2006 年 5 月　杜澤遜指導

陳修亮　盧文弨校勘學研究

山東大學中國古典文獻學專業碩士論文　2002 年 5 月　杜澤遜指導

李海英　孫詒讓研究

山東大學中國古典文獻學專業博士論文　2002 年 5 月　鄭傑文指導

沙志利　論黃侃的語源學研究

山東大學中國古典文獻學專業碩士論文　2002 年 5 月　劉曉東指導

劉燕霞　談鄭振鐸對中國古典文獻學的貢獻

山東大學中國古典文獻學專業碩士論文　2006 年 5 月　劉曉東指導

王天彤　魏晉易學研究

山東大學中國古典文獻學專業博士論文　2007 年　徐傳武指導

陳修亮　乾嘉易學三大家研究

山東大學中國古典文獻學專業博士論文　2005 年 5 月　劉曉東指導

張　兵　《洪範》詮釋研究

山東大學中國古典文獻學專業博士論文　2005 年　馮浩菲指導

濟南　齊魯書社　269 頁　2007 年 1 月

張春珍　二南詩論

山東大學中國古典文獻學專業碩士論文　2006 年 5 月　王承略指導

劉明怡　先秦《詩經》的傳播學研究

山東大學中國古代文學專業碩士論文　2003 年 5 月　王培元指導

孔德凌　鄭玄《詩經》學研究

山東大學中國古典文獻學專業博士論文　2007 年　鄭傑文指導

陳錦春　毛傳鄭箋比較研究

山東大學中國古典文獻學專業碩士論文　2006 年　王承略指導

郝桂敏　宋代詩經文獻研究

山東大學中國古典文獻學專業博士論文　2002 年 4 月　馮浩菲指導

北京　中國社會科學院出版社　243 頁　2006 年 2 月（中國社會科學博士論文文庫）

孫雪萍　《詩經》顏氏學[12]

山東大學中國古典文獻學專業碩士論文　2004 年 8 月　王承略指導

12 此篇論文研究顏師古之《詩經》學。

鄧聲國　清代《儀禮》文獻研究
山東大學中國古典文獻學專業博士論文　2004年3月　馮浩菲指導
上海　上海古籍出版社　530頁　2006年4月

金曉東　劉師培的《左傳》學研究
山東大學中國古典文獻學專業碩士論文　2007年4月　劉曉東指導

李　平　楊伯峻《春秋左傳注》研究
山東大學中國古典文獻學專業碩士論文　2006年5月　馮浩菲指導

黃迎周　《春秋公羊傳》、《穀梁傳》詮釋方法比較研究
山東大學中國古典文獻學專業碩士論文　2005年5月　馮浩菲指導

王公山　朱熹《四書章句集注》闡釋方法研究
山東大學中國古典文獻學專業碩士論文　2002年5月　馮浩菲指導

陳倩倩　楊伯峻《論語譯注》研究
山東大學古典文獻學專業碩士論文　2006年5月　馮浩菲指導

張緒峰　兩漢孟子學簡史
山東大學中國古典文獻學專業碩士論文　2007年　王承略指導

朱媛鳳　朱熹《孟子》三書研究
山東大學中國古典文獻學專業碩士論文　2007年　馮浩菲指導

趙景雪　清代《孝經》文獻研究
山東大學中國古典文獻學專業碩士論文　2007年　馮浩菲指導

王小婷　《爾雅正義》與《爾雅義疏》比較研究
山東大學中國古典文獻學專業碩士論文　2004年4月　劉曉東指導

賈立霞　《孝經緯》研究
山東大學中國古典文獻學專業碩士論文　2003年4月　鄭傑文指導

李梅訓　讖緯文獻史略
山東大學中國古典文獻學專業博士論文　2003年5月　鄭傑文指導

中國古代思想史專業

于化民　明中晚期理學的對峙與合流
山東大學中國古代思想史專業博士論文　1988年　楊向奎、田昌五指導
臺北　文津出版社　194頁　1993年2月（大陸地區博士論文叢刊）

中國哲學專業

井海明　漢易象數學研究
山東大學中國哲學專業博士論文　2006年　劉大鈞指導

殷鳴放　王充的理性精神與人文精神——兼論二者的失衡
山東大學中國哲學專業碩士論文　2006年5月　丁原明指導

張理峰　天道性命的貫通——周敦頤哲學思想探析
山東大學中國哲學專業碩士論文　2006年　王新春指導

陳瑞波　天理與仁的貫通——程顥思想研究
山東大學中國哲學專業碩士論文　2006年　王新春指導

王　廣　「理一分殊」理念下的朱熹哲學
山東大學中國哲學專業博士論文　2005年　王新春指導

張國洪　吳澄的象數義理之學
山東大學中國哲學專業博士論文　2006年4月　劉大鈞指導

劉雲超　王申子《大易緝說》探微
山東大學中國哲學專業碩士論文　2005年5月　王新春指導

房秀麗　羅欽順心性哲學探微
山東大學中國哲學專業碩士論文　2002年5月　王新春指導

張路園　王艮思想研究
山東大學中國哲學專業博士論文　2007年3月　王新春指導

王　廣　重構內聖與外王——顏元習行哲學初探
山東大學中國哲學專業碩士論文　2002年5月　王新春指導

范玉秋　解構與重構——論康有為的儒學改革
山東大學中國哲學專業碩士論文　2001年5月　顏炳罡指導

張健捷　牟宗三哲學中「智的直覺」與儒家的道德形上學
山東大學中國哲學專業碩士論文　2003年4月　顏炳罡指導

李尚信　今、帛、竹書《周易》卦序研究
山東大學中國哲學專業博士論文　2007年4月　劉大鈞指導

趙榮波　卦主說探微
山東大學中國哲學碩士論文　2003年4月　劉玉建指導

孫熙國　周易古經與諸子之學
山東大學中國哲學專業博士論文　2003年4月　傅有德、劉大鈞指導

張汝金　解經與弘道——《易傳》之形上學研究
山東大學中國哲學專業博士論文　2007年　顏炳罡指導
濟南　齊魯書社　338頁　2007年11月（文史哲博士文叢）

張克賓　帛書《易傳》詮釋理路論要
山東大學中國哲學專業碩士論文　2007年　劉保貞指導

劉　震　帛書《易傳》卦爻辭研究
山東大學中國哲學專業博士論文　2007年　蒙培元指導

喬宗方　《周易折中》易學思想評析
山東大學中國哲學專業碩士論文　2006年4月　劉大鈞指導

趙榮波　《周易正義》思想研究
山東大學中國哲學專業博士論文　2006年4月　劉大鈞指導

劉玉平　《周易》人生價值論研究
山東大學中國哲學專業博士論文　2002年10月　劉大鈞指導

吳世彩　易經管理哲學研究
山東大學中國哲學專業博士論文　2002年11月　劉大鈞指導

閻　潔　從象數角度談《周易》的管理思想
山東大學中國哲學專業碩士論文　2006年4月　李尚信指導

劉　彬　禮出於象——論先秦兩漢易學中的禮
山東大學中國哲學專業碩士論文　2001年5月　林忠軍指導

韓慧英　荀氏易學初探
山東大學中國哲學專業碩士論文　2004年4月　劉大鈞指導

張文智　京氏易學初探
山東大學中國哲學專業碩士論文　2002年5月　劉大鈞指導

蘇永利　論京房五行易學思想
山東大學中國哲學專業博士論文　2003年4月　劉大鈞指導

馬宗軍　《周易參同契》思想研究
山東大學中國哲學專業博士論文　2006年4月　丁原明指導

黎心平　《周易虞氏消息》研究
山東大學中國哲學專業博士論文　2004年5月　劉大鈞指導

王　帆　虞翻易學的哲學思考
山東大學中國哲學專業碩士論文　2004年5月　林忠軍指導

胡長芳　韓康伯易學思想研究

山東大學中國哲學專業碩士論文　2007 年　林忠軍指導

陳京偉　時遇與人生——《伊川易傳》時的哲學發微

山東大學中國哲學專業碩士論文　2000 年 9 月　王新春指導

劉興明　《東坡易傳》易學思想研究

山東大學中國哲學專業碩士論文　2005 年 5 月　林忠軍指導

林　雨　天道人道之貫通——朱震易學思想研究

山東大學中國哲學專業碩士論文　2004 年 5 月　劉玉建指導

李秋麗　朱熹易學思想研究

山東大學中國哲學專業碩士論文　2003 年 4 月　林忠軍指導

史少博　朱熹理學與易學的關係

山東大學中國哲學專業博士論文　2004 年 5 月　劉大鈞指導

哈爾濱　黑龍江人民出版社　330 頁　2006 年 3 月

曾凡朝　楊簡易學思想研究

山東大學中國哲學專業博士論文　2006 年 4 月　林忠軍指導

李秋麗　胡一桂易學思想研究

山東大學中國哲學專業博士論文　2006 年 4 月　林忠軍指導

王　棋　來知德易學思想探微

山東大學中國哲學專業碩士論文　2006 年 4 月　林忠軍指導

蘇曉晗　船山易學思想研究

山東大學中國哲學專業博士論文　2006 年 10 月　王新春指導

韓慧英　尚秉和易學思想研究

山東大學中國哲學專業博士論文　2007 年　劉大鈞指導

辛　翀　丁超五科學易學思想研究

山東大學中國哲學專業博士論文　2007 年 4 月　林忠軍指導

邵長梅　荀子禮學思想研學

山東大學中國哲學專業碩士論文　2004 年 5 月　顏炳罡指導

劉　彬　禮出於象——論先秦兩漢易學中的禮

山東大學中國哲學專業碩士論文　2001 年 5 月　林忠軍指導

唐名輝　從孔子到董仲舒：儒家天人觀的演變及其影響下的西漢儒學的新發展

山東大學中國哲學專業碩士論文　2001 年 5 月　丁原明指導

馬　斌　孔子的仁學思想及其現代意義

山東大學中國哲學專業碩士論文　2004 年 11 月　顏炳罡指導

徐慶文　近五十年大陸孔子研究的流變及其省察
山東大學中國哲學專業博士論文　2002 年 5 月　顏炳罡指導
濟南　山東人民出版社　257 頁　2004 年 1 月（改名為《批判與傳承：20 世紀後半期的中國孔子》）

周元俠　論孟子士的精神
山東大學中國哲學專業碩士論文　2006 年 4 月　顏炳罡指導

李　娟　孟莊心性論比較研究
山東大學中國哲學專業博士論文　2006 年 10 月　顏炳罡指導

王　維　「盡心知性」與「即心即佛」：孟子與慧能心性論之異同的形而上學思考
山東大學中國哲學專業碩士論文　2007 年　沈順福指導

李　凱　孟子的詮釋理論與實踐——以孟子引論《詩》、《書》為例
山東大學中國哲學專業碩士論文　2005 年 5 月　顏炳罡指導

趙　傑　兩種生命的學問——孟子與保羅人生觀比較研究
山東大學中國哲學博士論文　2006 年 10 月　傅有德指導

劉道嶺　《中庸》的哲學思想
山東大學中國哲學專業碩士論文　2006 年 5 月　顏炳罡指導

劉　震　《易緯・乾鑿度》天人之學
山東大學中國哲學專業碩士論文　2004 年 5 月　王新春指導

劉　彬　《易緯》占術研究
山東大學中國哲學專業博士論文　2004 年 4 月　劉大鈞指導

馬克思主義理論與思想政治教育專業

張　巍　《易傳》人文教化思想研究
山東大學馬克思主義理論與思想政治教育專業碩士論文　2006 年 4 月　孫熙國指導

林　萍　《易傳》在中華民族精神塑造中的地位和作用
山東大學馬克思主義理論與思想政治教育專業碩士論文　2005 年 4 月　孫熙國指導

科學技術哲學專業

王東生　徐光啟：科學、宗教與儒學的奇異融合
山東大學科學技術哲學專業碩士論文　2007 年 4 月　馬來平指導

倫理學專業

相桓振　孔子孝德思想探析

山東大學倫理學專業碩士論文　2007 年　張代芹指導

法律專業

李靜賢　董仲舒法律思想研究

山東大學法律專業碩士論文　2006 年　馬建紅指導

陳　強　梁啟超民權思想研究

山東大學法律專業碩士論文　2006 年 3 月　齊延平、葛明珍指導

徐艷雲　《易經》與殷周法制研究

山東大學法律專業碩士論文　2006 年 9 月　林明指導

歷史學專業

黃朴民　董仲舒與新儒學

山東大學歷史學博士論文　1988 年　楊向奎、田昌五指導

臺北　文津出版社　231 頁　1992 年 7 月（大陸地區博士論文叢刊）

史學理論及史學史專業

郭付軍　杜預史學研究

山東大學史學理論及史學史專業碩士論文　2004 年 5 月　周曉瑜指導

陳　珊　馮友蘭哲學思想的唯物主義傾向探析

山東大學史學理論及史學史專業碩士論文　2006 年 4 月　王學典指導

李揚眉　胡適、顧頡剛、傅斯年之關係管窺——以顧頡剛日記書信為中心的探討

山東大學史學理論及史學史專業碩士論文　2002 年 5 月　王學典指導

中國古代史專業

王廣勇　陸賈《新語》在儒家思想史上的地位初探

山東大學中國古代史專業碩士論文　2005 年 5 月　曾振宇指導

楊雲峰　王充與東漢的社會批判思潮

山東大學中國古代史專業碩士論文　2004 年 4 月　曾振宇指導

郝　虹　王肅經學研究

山東大學中國古代史專業博士論文　2001 年　王曉毅指導

劉岐梅　走出中世紀——黃宗羲早期啟蒙思想研究
山東大學中國古代史專業博士論文　2005 年 5 月　晁中辰指導

王明芳　乾嘉「學者社會」研究
山東大學中國古代史專業博士論文　2003 年 4 月　王學典指導

林國華　范文瀾與中國馬克思主義史學
山東大學中國古代史專業碩士論文　2007 年 5 月　王學典指導

彭國良　顧頡剛史學思想的認識論解析
山東大學中國古代史專業博士論文　2007 年 5 月　王學典指導

張　軼　象數易學與東晉南朝官方哲學
山東大學中國古代史專業碩士論文　2004 年 5 月　王曉毅指導

王志芳　《詩經》中生活習俗研究——文獻記載與考古發現的綜合考察分析
山東大學中國古代史專業博士論文　2007 年　劉鳳君指導

葛焕禮　八世紀中葉至十二世紀初的「新《春秋》學」
山東大學中國古代史專業博士論文　2003 年 5 月　王育濟指導

宋豔萍　公羊學與兩漢政治
山東大學中國古代史專業博士論文　2000 年　孟祥才指導

閆春新　魏晉論語學研究
山東大學中國古代史專業博士論文　2004 年 4 月　王曉毅指導

朱松美　《孟子》詮釋比較研究
山東大學中國古代史專業碩士論文　2004 年 4 月　曾振宇指導

中國近現代史專業

崔善鋒　康有為的變革思想
山東大學中國近現代史專業碩士論文　2005 年 5 月　張禮恒指導

唐建軍　論顧頡剛的疑古史觀及其對現代史學的貢獻
山東大學中國近現代史專業碩士論文　2003 年 10 月　呂偉俊指導

專門史專業

朱玉周　漢代讖緯天論研究
山東大學專門史專業博士論文　2007 年 5 月　曾振宇指導

古代漢語語言文獻學

孟威龍　《大學》鄭玄本與朱熹本之異同考

山東大學古代漢語語言文獻學專業碩士論文　2005 年 3 月　劉曉東指導

語言文字專業

吳慶峰　論並列式雙音詞——鄭玄注詞彙研究

山東大學語言文字專業碩士論文　1978、1979 級　殷孟倫指導

朱廣祁　《詩經》雙音詞研究

山東大學語言文字專業碩士論文　1978、1979 級　殷煥先指導

漢語言文字學專業

魯　六　《荀子》詞彙研究

山東大學漢語言文字學專業博士論文　2005 年　楊端志指導

鄭州　河南人民出版社　238 頁　2007 年 6 月

張金霞　顏師古語言學研究

山東大學漢語言文字學專業博士論文　2002 年 4 月　楊端志指導

高光新　《今文尚書》周公話語的詞彙研究

山東大學漢語言文字學專業碩士論文　2005 年 4 月　楊端志指導

時世平　出土文獻與《詩經》詞義訓詁研究

山東大學漢語言文字學專業碩士論文　2004 年 4 月　徐超指導

朴相泳　從《詩三家義集疏》看王先謙的訓詁學

山東大學漢語言文字學專業碩士論文　2002 年 5 月　徐超指導

沙　瑩　《禮記》婚、喪二禮文化詞語語義系統研究

山東大學漢語言文字學專業碩士論文　2006 年 4 月　楊端志指導

錢慧真　《禮記》鄭玄注釋中的同源詞研究

山東大學漢語言文字學專業碩士論文　2006 年 5 月　徐超、張業法指導

邱道義　《爾雅》「釋類」部分語義初探

山東大學漢語言文字學專業碩士論文　2006 年 5 月　楊端志指導

晁　瑞　《爾雅》原文與郭注同語素雙音節詞語義研究

山東大學漢語言文字學專業碩士論文　2003 年 5 月　楊端志指導

漢語史專業

韓　軍　上海博物館藏戰國楚竹書《易經》異文研究
山東大學漢語史專業碩士論文　2006 年 5 月　徐超指導

文藝學專業

周　征　劉知幾《史通》敘事理論研究
山東大學文藝學專業碩士論文　2006 年 5 月　程相占指導

杜冉冉　章學誠的文學思想
山東大學文藝學專業碩士論文　2006 年 5 月　張義賓指導

焦勇勤　梁啟超美學思想研究
山東大學文藝學專業博士論文　2003 年 4 月　梁一儒指導

高　偉　朱自清《詩言志辨》研究
山東大學文藝學專業碩士論文　2006 年 4 月　程相占指導

毛新青　孟子德性學說的審美維度
山東大學文藝學專業碩士論文　2004 年 5 月　程相占指導

文學專業

田　剛　魯迅與中國士人傳統
山東大學文學博士論文　2003 年　孔范今指導
北京　中國社會科學出版社　429 頁　2005 年 1 月（中國社會科學博士論文文庫）

古代文學專業

寧　宇　明代《詩經》的文學接受
山東大學古代文學專業碩士論文　2001 年 4 月　廖群指導

寧　宇　清代文學派《詩》學研究
山東大學古代文學專業博士論文　2004 年 4 月　王洲明指導

中國古代文學專業

李春英　班固的經學思想與其辭賦創作
山東大學中國古代文學專業碩士論文　2004 年 4 月　王洲明指導

焦雪梅　宋代《詩經》學研究的新變
山東大學中國古代文學專業碩士論文　2006 年 5 月　王培元指導

白憲娟　20 世紀二三十年代的《詩經》研究——以胡適、顧頡剛、聞一多《詩經》研究為例
山東大學中國古代文學專業碩士論文　2006 年 5 月　王洲明指導

張亞欣　夏傳才《詩經》研究綜論
山東大學中國古代文學專業碩士論文　2006 年 4 月　王洲明指導

張永平　日本明治《詩經》學史論（1868～1912）
山東大學中國古代文學專業碩士論文　2005 年 4 月　王培元指導

陳才訓　源遠流長——論《春秋》、《左傳》對古典小說的影響
山東大學中國古代文學專業博士論文　2006 年 5 月　馬瑞芳指導

劉鳳俠　《左傳》的敘事學研究
山東大學中國古代文學專業碩士論文　2007 年　廖群指導

陳才訓　源遠流長——論《春秋》、《左傳》對古典小說的影響
山東大學中國古代文學專業博士論文　2006 年 5 月　馬瑞芳指導

呂小霞　清前期《左傳》接受史研究
山東大學中國古代文學專業碩士論文　2002 年 5 月　王洲明指導

張德蘇　周室衰亂與孔子救世的人性思索
山東大學中國古代文學專業博士論文　2006 年 9 月　王洲明指導

鄧駿捷　劉向研究——文獻學家劉向及其學術成就
山東大中國古代文學專業博士論文　2003 年 4 月　董治安指導

中國古典文學專業

趙　琳　春秋時期《詩》的傳播及《詩》學觀念的變化
山東大學中國古典文學專業碩士論文　2007 年　鄭傑文指導

山東中醫藥大學

中醫文獻專業

李懷芝　對胡澍、俞樾校詁《素問》的研究
山東中醫藥大學中醫文獻專業碩士論文　2002 年 4 月　田代華指導

山東師範大學

中國古典文獻學專業

周丙華　《毛詩故訓傳》義理初探
山東師範大學中國古典文獻學專業碩士論文　2005 年 4 月　張茂華指導

邢子民　左丘明與《左傳》關係考
山東師範大學中國古典文獻學專業碩士論文　2005 年 4 月　張漢東指導

劉麗華　杜預《春秋經傳集解》研究
山東師範大學中國古典文獻學專業碩士論文　2006 年　晁嶽佩指導

孫　瑩　郝懿行《爾雅義疏》訓詁研究
山東師範大學中國古典文獻學專業碩士論文　2006 年　張金霞指導

外國哲學專業

徐加利　詮釋與創造——西方詮釋學視野下的孔子詮釋理論
山東師範大學外國哲學專業碩士論文　2007 年　趙衛東指導

基礎心理學專業

李寶勇　荀子管理心理思想研究
山東師範大學基礎心理學專業碩士論文　2003 年　李壽欣指導

教育原理專業

吳冬梅　朱熹的「持敬」說讀解
山東師範大學教育學原理專業碩士論文　2000 年　于述勝指導

閆　杰　朱熹省察思想評析
山東師範大學教育學原理專業碩士論文　2001 年　馬永慶指導

祁麗華　試論《孟子》人文精神及其教育價值
山東師範大學教育學原理專業碩士論文　2007 年　高偉指導

學科教學（思政）專業

潘　焱　孔子的「人本」德育思想及其對當代中學德育的意義探析

山東師範大學學科教學（思政）專業碩士論文　2002 年 4 月　馬永慶指導

專門史專業

畢曉樂　齊文化與陰陽五行

山東師範大學專門史專業碩士論文　2005 年　王克奇指導

王耀祖　孫復、石介與宋代儒學復興

山東師範大學專門史專業碩士論文　2006 年　仝晰綱指導

中國近現代史專業

馬金華　論康有為的科學思想

山東師範大學中國近現代史專業碩士論文　2001 年 4 月　李宏生指導

張晶華　唐文治學術思想研究

山東師範大學中國近現代史專業碩士論文　2006 年　魏永生指導

王鳳青　傅斯年與中國傳統文化

山東師範大學中國近現代史專業專業碩士論文　2002 年　田海林指導

馮慶東　屈萬里研究

山東師範大學中國近現代史專業碩士論文　2004 年　田海林指導

楊　君　晚清今文禮學研究

山東師範大學中國近現代史專業碩士論文　2004 年 4 月　田海林指導

魏立帥　晚清漢學派禮學研究

山東師範大學中國近現代史專業碩士論文　2007 年　田海林指導

蓋志芳　民國禮學的歷史考察

山東師範大學中國近現代史專業碩士論文　2007 年　田海林指導

劉　斌　民國四書文獻研究

山東師範大學中國近現代史專業碩士論文　2005 年 4 月　魏永生指導

漢語言文字學專業

劉獻琦　《荀子》反義詞研究

山東師範大學漢語言文字學專業碩士論文　2006 年　吳慶峰指導

張麗霞　揚雄《方言》詞彙嬗變研究

山東師範大學漢語言文字學專業碩士論文　2002 年 4 月　董紹克指導

叢曉靜　郭璞訓詁學研究

山東師範大學漢語言文字學專業碩士論文　2002 年 4 月　吳慶峰指導

程艷梅　賈公彥語言學研究
山東師範大學漢語言文字學專業碩士論文　2004 年 4 月　吳慶峰指導

劉　娟　方以智語言學研究
山東師範大學漢語言文字學專業碩士論文　2005 年　吳慶峰指導

宋　平　王筠文字學研究
山東師範大學漢語言文字學專業碩士論文　2005 年　吳慶峰指導

車珊珊　《爾雅・釋詁》訓釋研究
山東師範大學漢語言文字學專業碩士論文　2005 年 4 月　吳慶峰指導

文藝學專業

孫文婷　論徐復觀「為人生而藝術」的文藝思想
山東師範大學文藝學專業碩士論文　2006 年　楊守森指導

左　蕾　孔子美育思想的現代闡釋
山東師範大學文藝學專業碩士論文　2004 年 4 月　楊存昌指導

文藝學企業文化專業

孔德海　里仁為美的現代闡釋——論孔子仁學與企業文化建設
山東師範大學文藝學企業文化專業碩士論文　1999 年 5 月　張繼升、李衍柱指導

中國古代文學專業

于　慧　詩與人為一——論龔自珍詩與人格的關係
山東師範大學中國古代文學專業碩士論文　2003 年 6 月　裴世俊指導

李兆祿　《詩經・齊風》研究
山東師範大學中國古代文學專業碩士論文　2004 年 4 月　王志民指導

音樂學專業

徐艷霞　《詩經》樂器研究
山東師範大學音樂學專業碩士論文　2001 年 4 月　劉再生指導

中國海洋大學

外國語言學及應用語言學專業

趙文源　文化詞語的翻譯——比較《孟子》的兩個英譯本
中國海洋大學外國語言學及應用語言學專業碩士論文　2005 年 6 月　楊連瑞指導

曲阜師範大學

毛東英　試論《中庸》人生和諧思想
曲阜師範大學碩士論文　1999 年

古典文獻學專業

楊麗君　歷代石經《論語》考
曲阜師範大學古典文獻學專業碩士論文　2007 年 4 月　單承彬指導

教育經濟與管理專業

高　亮　《周易》與現代教育管理
曲阜師範大學教育經濟與管理專業碩士論文　2006 年 4 月　張良才指導

歷史學專業

宋立林　孔子「易教」思想研究
曲阜師範大學歷史學專門史專業碩士論文　2006 年 4 月　楊朝明指導

劉曉霞　唐寫本《論語鄭氏注》相關問題探析
曲阜師範大學歷史學專門史專業碩士論文　2006 年 4 月　黃懷信指導

專門史專業

王德成　儒學與秦代社會
曲阜師範大學專門史專業碩士論文　2007 年　楊朝明指導

周紹華　董仲舒君主觀念研究
曲阜師範大學專門史專業碩士論文　2004 年　張秋升指導

趙　麗　論司馬遷在中國儒學思想史上的地位
曲阜師範大學專門史專業碩士論文　2003 年 3 月　許淩雲指導

王政之　王肅《孔子家語注》研究
曲阜師範大學專門史專業碩士論文　2006 年 4 月　楊朝明指導

孫小泉　論劉知幾的學術風格
曲阜師範大學專門史專業碩士論文　2004 年 4 月　許淩雲、張秋升指導

于海平　柳宗元與中唐儒學
曲阜師範大學專門史專業碩士論文　2002 年 3 月　王洪軍指導

宋秀清　朱熹「中和說」研究
曲阜師範大學專門史專業碩士論文　2006 年　修建軍指導

張亞寧　論曾國藩的家庭教育思想
曲阜師範大學專門史（思想史）　專業碩士論文　2001 年 4 月　王鈞林指導

法　帥　試述徐復觀先生的歷史觀思想
曲阜師範大學專門史專業碩士論文　2006 年 4 月　苗潤田指導

陳以鳳　西漢孔氏家學及「偽書」公案
曲阜師範大學專門史專業碩士論文　2007 年　黃懷信指導

劉義峰　孔子與《書》教
曲阜師範大學專門史專業碩士論文　2005 年 4 月　楊朝明指導

張　磊　《大戴禮記》「曾子十篇」研究
曲阜師範大學專門史專業碩士論文　2004 年　3 月　楊朝明指導

王紅霞　左丘明思想研究
曲阜師範大學專門史專業碩士論文　2002 年 3 月　楊朝明指導

孔　賓　孔子弟子與魯國政治
曲阜師範大學專門史專業碩士論文　2007 年　楊朝明指導

宋立林　孔子「易教」思想研究
曲阜師範大學專門史專業碩士論文　2006 年 4 月　楊朝明指導

劉義峰　孔子與《書》教
曲阜師範大學專門史專業碩士論文　2005 年 4 月　楊朝明指導

陳　霞　孔子「詩教」思想研究
曲阜師範大學專門史專業碩士論文　2006 年 4 月　楊朝明指導

趙玉強　孔子與老子「無為」思想比較研究
曲阜師範大學專門史專業碩士論文　2006 年 4 月　李景明指導

張長勝　《論語集解》研究
曲阜師範大學專門史專業碩士論文　2006 年 4 月　黃懷信指導

劉詠梅　皇侃《論語義疏》研究
曲阜師範大學歷史學專門史專業碩士論文　2006 年 4 月　黃懷信指導

劉　萍　《孔子家語》與孔子弟子研究——以《弟子行》和《七十二弟子解》為中心
曲阜師範大學專門史專業碩士論文　2006 年 4 月　楊朝明指導

孫海輝　孔子與老子關係研究——以《孔子家語》為中心
曲阜師範大學專門史專業碩士論文　2004 年 3 月　楊朝明指導

陳建磊　魏晉孔氏家學及《孔子家語》公案
曲阜師範大學專門史專業碩士論文　2007 年　黃懷史指導

王政之　王肅《孔子家語注》研究
曲阜師範大學專門史專業碩士論文　2006 年 4 月　楊朝明指導

化　濤　清代《孔子家語》研究考述
曲阜師範大學專門史專業碩士論文　2006 年 4 月　楊朝明指導

中國儒學史專業

許家遠　開一代新學風的常州公羊學派
曲阜師範大學中國儒學史專業碩士論文　2000 年 3 月　姜林祥指導

中國古代史專業

孔凡華　王莽、劉秀以儒治國之比較
曲阜師範大學中國古代史專業碩士論文　2006 年 4 月　張秋升指導

楊振梅　東漢經學世家述論
曲阜師範大學中國古代史專業碩士論文　2006 年 4 月　張秋升指導

李　燕　孔子「春秋教」研究
曲阜師範大學中國古代史專業碩士論文　2006 年 4 月　楊朝明指導

馬文戈　《呂氏春秋》與《淮南子》孔子觀之比較
曲阜師範大學中國古代史專業碩士論文　2006 年 4 月　修建軍指導

崔冠華　孔子的「五帝」「三王」觀研究
曲阜師範大學中國古代史專業碩士論文　2006 年 4 月　楊朝明指導

漢語言文字學

孫英梅　唐蘭先生文字學理論研究
曲阜師範大學漢語言文字學專業碩士論文　2006年4月　闞景忠指導

文藝學專業

黃振濤　「夫子氣象」：對孔子人格魅力的美學稱述
曲阜師範大學文藝學專業碩士論文　2006年4月　崔茂新指導

趙紅霞　論孔子生命美學的當代價值
曲阜師範大學文藝學專業碩士論文　2006年4月　吳紹全指導

中國古代文學專業

范瑞紅　殷商王畿故地《詩經》「風詩」與殷商文化
曲阜師範大學中國古代文學專業碩士論文　2005年4月　趙東栓指導

孔德凌　《詩經》宴飲詩與周代禮樂文化的變遷
曲阜師範大學中國古代文學專業碩士論文　2004年4月　趙東栓、鄭傑文指導

王培臣　《詩經》與先周部族文化
曲阜師範大學中國古代文學專業碩士論文　2007年　趙東栓指導

王培友　《韓詩外傳》研究
曲阜師範大學中國古代文學專業碩士論文　2005年4月　張稔穰、楊樹增指導

孫峻旭　文學與歷史之間——從春秋筆法說起
曲阜師範大學中國古代文學專業碩士論文　2006年4月　單承彬指導

趙奉蓉　《左傳》預言研究
曲阜師範大學中國古代文學專業碩士論文　2006年4月　楊樹增指導

郭洪波　《左傳》巫術宗教文化研究
曲阜師範大學中國古代文學專業碩士論文　2007年　趙東栓指導

高慶峰　論《史記》中孔子形象之獨特性
曲阜師範大學中國古代文學專業碩士論文　2007年　單承彬指導

張　艷　古代文化人格與文學品格——從孟子散文說起
曲阜師範大學中國古代文學專業碩士論文　2005年4月　單承彬指導

中國現當代文學專業

朱　雯　　腴厚之美　平淡呈現——朱自清論
　　　　　曲阜師範大學中國現當代文學專業碩士論文　2006 年 4 月　卜召林指導

青島大學

中國古典文學專業

張雪梅　　《詩經》時代女性審美論
　　　　　青島大學中國古典文學專業碩士論文　2007 年　郭芳指導

中國古代文學專業

段開正　　論春秋戰爭禮儀與軍事文化——以《左傳》為中心
　　　　　青島大學中國古代文學專業碩士論文　2005 年 6 月　張樹國指導

成佳妮　　春秋晉國歷史文學研究——以《左傳》為中心
　　　　　青島大學中國古代文學專業碩士論文　2007 年 6 月　張樹國指導

王　超　　《論語》「信」辨與現代誠信管理體系探索
　　　　　青島大學中國古代文學專業碩士論文　2006 年 6 月　徐宏力指導

陳　霞　　《論語》「禮」辨及其管理思想研究
　　　　　青島大學中國古代文學專業碩士論文　2005 年 6 月　徐宏力指導

張運磊　　《論語》「和」辨及「和諧管理思想」研究
　　　　　青島大學中國古代文學專業碩士論文　2005 年 6 月　徐宏力指導

李　強　　《論語》「樂」辨及其管理思想研究
　　　　　青島大學中國古代文學專業碩士論文　2004 年 4 月　徐宏力指導

王竹昌　　《論語》「仁」辨及其管理學價值
　　　　　青島大學中國古代文學專業碩士論文　2007 年　徐宏力指導

張晨鐘　　《論語》「利」論及其現代管理學價值
　　　　　青島大學中國古代文學專業碩士論文　2007 年　徐宏力指導

中國現當代文學專業

李　亮　　論魯迅與鄉邦文獻——關於魯迅治學起點的探究
　　　　　青島大學中國現當代文學專業碩士論文　2006年6月　張傑、魏韶華指導

李雲濤　　論多重身份的馮雪峰與魯迅的關係
　　　　　青島大學中國現當代文學專業碩士論文　2006年6月　黃喬生、魏韶華指導

李紅玲　　魯迅形象的演變——以魯迅傳記為中心
　　　　　青島大學中國現當代文學專業碩士論文　2006年6月　魏韶華指導

聊城大學

中國古典文獻學專業

呂維棟　　《周易》的用人思想研究
　　　　　聊城大學中國古典文獻學專業碩士論文　2006年4月　王文清指導

李　明　　《周易》與傳統養生思想研究
　　　　　聊城大學中國古典文獻學專業碩士論文　2007年5月　王文清指導

范知歐　　上博簡《孔子詩論》的作者及撰著時代研究
　　　　　聊城大學中國古典文獻學專業碩士論文　2005年4月　王文清指導

課程與教學論專業

王旻霞　　孔子與蘇格拉底對話教學語言藝術比較研究
　　　　　聊城大學課程與教學論專業碩士論文　2006年4月　于源溟指導

藝術學專業

李婷婷　　《詩經》與器樂
　　　　　聊城大學藝術學專業碩士論文　2007年　呂雲路指導

魯東大學

專門史專業

薛立芳　毛奇齡《經問》研究
魯東大學專門史專業碩士論文　2005 年 5 月　程奇立指導

程　紅　毛奇齡《春秋》學研究
魯東大學專門史專業碩士論文　2006 年 6 月　程奇立、丁鼎指導

房姍姍　試論毛奇齡的禮學成就
魯東大學專門史專業碩士論文　2007 年 6 月　程奇立指導

河北省

河北大學

中國哲學專業

趙　敏　賈誼仁政思想簡論
河北大學中國哲學專業碩士論文　2004 年　王永祥指導

張巧霞　試論王充「疾虛妄」的批判精神
河北大學中國哲學專業碩士論文　2003 年　王永祥指導

王宏海　李翱思想研究
河北大學中國哲學專業碩士論文　2004 年 6 月　孟曉路指導

郝亞飛　張載人性論思想詮釋
河北大學中國哲學專業碩士論文　2004 年　盧子震指導

劉燕飛　葉適思想的中和特徵
河北大學中國哲學專業碩士論文　2003 年　商聚德指導

田智忠　朱熹論「曾點氣象」研究
河北大學中國哲學專業碩士論文　2003 年　韓進軍指導

盧瑞強　王畿哲學的本體論與工夫論思想

河北大學中國哲學專業碩士論文　2003 年　盧子震指導

劉建如　一代狂儒何心隱的思想意蘊

河北大學中國哲學專業碩士論文　2005 年 6 月　盧子震指導

趙春霞　孫奇逢的實學思想

河北大學中國哲學專業碩士論文　2001 年 6 月　盧子震指導

呂巧英　陳確的學術思想和學術風格

河北大學中國哲學專業碩士論文　2004 年 6 月　李振綱指導

邢靖懿　批判與構建──顏元實學思想研究

河北大學中國哲學專業碩士論文　2005 年 6 月　韓進軍指導

甄金輝　李塨對顏元思想的繼承與發展

河北大學中國哲學專業碩士論文　2006 年　韓進軍指導

李映霞　戴震哲學思想研究

河北大學中國哲學專業碩士論文　2004 年 6 月　盧子震指導

段紅智　張之洞中西文化觀研究

河北大學中國哲學專業碩士論文　2005 年 6 月　李振綱指導

謝恩廷　熊十力哲學研究

河北大學中國哲學專業碩士論文　2001 年 6 月　李振綱指導

袁錫宏　馮友蘭人生哲學研究

河北大學中國哲學專業碩士論文　2005 年 6 月　程志華指導

楊淑敏　馮友蘭文化類型說述評

河北大學中國哲學專業碩士論文　2000 年 6 月　王永祥指導

李國明　張岱年文化綜合創新論研究

河北大學中國哲學專業碩士論文　2005 年 6 月　程志華指導

宋錫同　王弼易學思想初探

河北大學中國哲學專業碩士論文　2004 年 6 月　段景蓮指導

儲秀彥　孔子人生哲學及其現代意義

河北大學中國哲學專業碩士論文　2004 年 5 月　李振綱指導

劉艷琴　孔子倫理思想與當代道德建設

河北大學中國哲學專業碩士論文　2004 年 5 月　商聚德指導

寧麗新　孟荀人性論之比較

河北大學中國哲學專業碩士論文　2005 年 6 月　李振綱指導

董曉宇　孟子的德治思想及其現實意義

河北大學中國哲學專業碩士論文　2003年6月　盧子震指導
劉光育　《中庸》思想研究
河北大學中國哲學專業碩士論文　2001年6月　商聚德指導

中國古代史專業

高丁國　北宋前期經學家——孫奭初探
河北大學中國古代史專業碩士論文　2006年　姜錫東、王善軍指導
顯靜莉　真德秀政法思想研究
河北大學中國古代史專業碩士論文　2006年　郭東旭、汪聖鐸指導
楊倩描　王安石《易》學研究
河北大學中國古代史專業博士論文　2004年6月　郭東旭指導
保定　河北大學出版社　257頁　2006年11月（宋史研究叢刊）
王曉薇　宋代《中庸》學研究
河北大學中國古代史專業博士論文　2005年6月　漆俠、姜錫東指導

中國近現代史專業

彭小舟　曾國藩與近代湖湘文化
河北大學中國近現代史專業碩士論文　2001年6月　成曉軍指導
把增強　張之洞備荒賑災思想與實踐
河北大學中國近現代史專業碩士論文　2004年6月　黎仁凱指導
史　敏　論辜鴻銘文化保守主義
河北大學中國近現代史專業碩士論文　2003年　黎仁凱指導

漢語言文字學專業

梁松濤　梁啟超文獻學思想研究
河北大學漢語言文字學專業碩士論文　2005年6月　時永樂指導
李冰燕　鄭振鐸文獻學思想研究
河北大學漢語言文字學專業碩士論文　2006年　時永樂指導
宋麗琴　《左傳》行人辭令中委婉語研究
河北大學漢語言文字學專業碩士論文　2005年6月　王占福指導

中國古代文學專業

張　淏　論《詩經》的憂患意識
河北大學中國古代文學專業碩士論文　2005 年 6 月　李金善指導

董雪靜　《詩經》男女春秋盛會與周代禮俗
河北大學中國古代文學專業碩士論文　2003 年 5 月　李金善指導

李　琳　《詩經》中的色彩運用及其文化意蘊
河北大學中國古代文學專業碩士論文　2005 年 6 月　李金善指導

河北師範大學

普通心理學專業

鄭興娟　孟子的心理學思想研究
河北師範大學普通心理學專業碩士論文　1998 年 5 月　鄒大炎指導

基礎心理學專業

劉宗利　王充心理學思想探析
河北師範大學基礎心理學專業碩士論文　2001 年 9 月　鄒大炎指導

鄭　鬱　顏元的實學教育思想與素質教育
河北師範大學基礎心理學專業碩士論文　2001 年 5 月　鄒大炎指導

翟紅娟　曾國藩的性格特徵論——歷史心理學的解析
河北師範大學基礎心理學專業碩士論文　2001 年 5 月　鄒大炎指導

趙清海　孔子的教育心理學思想研究
河北師範大學基礎心理學專業碩士論文　1999 年 4 月　鄒大炎指導

趙笑梅　孔子的管理心理學思想探討
河北師範大學基礎心理學專業碩士論文　2002 年 5 月　鄒大炎指導

蔡　青　孟子人性論思想與素質教育
河北師範大學基礎心理學專業碩士論文　2001 年 5 月　鄒大炎指導

倫理學專業

李　紅　劉宗周「誠意」道德論探析
河北師範大學倫理學專業碩士論文　2007 年 6 月　趙忠祥指導

中國古代史專業

吳寶峰　象數易學與西漢政治、自然科學研究
河北師範大學中國古代史專業碩士論文　2007 年　王文濤指導

李　晶　春秋官制與《周禮》職官系統比較研究——以《周禮》成書年代的考察為目的
河北師範大學中國古代史專業碩士論文　2004 年 5 月　沈長雲指導

中國近現代史專業

申學鋒　張之洞涉外經濟思想研究
河北師範大學中國近現代史專業碩士論文　2000 年 5 月　苑書義指導

王　新　梁啟超貨幣金融改革思想初探
河北師範大學中國近現代史專業碩士論文　2000 年 4 月　苑書義指導

漢語言文字學專業

安蘭朋　論王筠的《說文句讀》
河北師範大學漢語言文字學專業碩士論文　2002 年　趙伯義指導

郭照川　試論王筠的《說文》表意字研究
河北師範大學漢語言文字學專業碩士論文　2004 年　張標指導

樊俊利　鄭珍《說文逸字》研究
河北師範大學漢語言文字學專業碩士論文　2005 年　馬恒君指導

婁　博　唐蘭之甲骨文研究
河北師範大學漢語言文字學專業碩士論文　2006 年　鄭振峰指導

韓忠治　《韓詩外傳》雙音詞研究
河北師範大學漢語言文字學專業碩士論文　2005 年 5 月　蘇寶榮指導

徐春紅　《左傳》告論類動詞詞義特點和結構功能研究
河北師範大學漢語言文字學專業碩士論文　2007 年 5 月　田恒金指導

宋　崢　《左傳》中使令動詞詞義特點對其句法結構和功能的影響
河北師範大學漢語言文字學專業碩士論文　2007 年 5 月　王軍指導

李　智　《孟子》的雙音複合詞研究
河北師範大學漢語言文字學專業碩士論文　2004年4月　蘇寶榮指導

趙　君　《孟子》、《荀子》比較句研究
河北師範大學漢語言文字學專業碩士論文　2003年4月　李索指導

路飛飛　《孟子》主謂句句型系統研究
河北師範大學漢語言文字學專業碩士論文　2003年4月　李索指導

郭　偉　現代語義學視角下的《爾雅》單音節普通語詞訓釋
河北師範大學漢語言文字學專業碩士論文　2006年　蘇寶榮指導

孫美紅　郝氏《義疏》方俗語料研究
河北師範大學漢語言文字學專業碩士論文　2007年4月　田恒金指導

英語語言文學專業

劉小葉　論文化翻譯——《關雎》英譯中西對比研究
河北師範大學英語語言文學專業碩士論文　2007年3月　李正栓指導

中國古代文學專業

李玲玲　先秦諸子書中的堯舜禹傳說研究
河北師範大學中國古代文學專業碩士論文　2006年　王長華指導

易衛華　《詩經》祭祀詩研究
河北師範大學中國古代文學專業碩士論文　2003年4月　王長華指導

山西省

山西大學

科學技術哲學專業

辛　？　象數易的合自然性思維模式探析
山西大學科學技術哲學專業碩士論文　2003年6月　張培富指導

倫理學專業

安利麗　試論戴震的理欲觀
山西大學倫理學專業碩士論文　2005 年　趙繼明指導

專門史專業

李海林　薛瑄對程朱理學的體認與實踐
山西大學專門史專業碩士論文　2007 年　馬玉山指導

中國古代史專業

宋宜林　孫奇逢研究：歷史地位、理學思想、學術史建樹
山西大學中國古代史專業碩士論文　2005 年　趙瑞民指導

馮素梅　試論清代「三禮」學研究
山西大學中國古代史專業碩士論文　2007 年 5 月　馬玉山指導

漢語言文字學專業

郝躍鳳　《左傳》謙敬語考察
山西大學漢語言文字學專業碩士論文　2007 年 6 月　張儒指導

索燁丹　《春秋公羊傳》副詞研究
山西大學漢語言文字學專業碩士論文　2007 年 6 月　白平指導

王麗霞　《春秋穀梁傳》副詞研究
山西大學漢語言文字學專業碩士論文　2007 年 6 月　白平指導

王利花　雅學研究綜述
山西大學漢語言文字學專業碩士論文　2006 年 6 月　白平指導

中國古代文學專業

李勇五　《詩經》「周南」「召南」名義、地域及時代考
山西大學中國古代文學專業碩士論文　2004 年 6 月　劉毓慶指導

楊文娟　《詩經》中的採摘意象及採摘詩研究
山西大學中國古代文學專業碩士論文　2003 年 6 月　劉毓慶指導

張　潔　《詩經新義》研究
山西大學中國古代文學專業碩士論文　2007 年 6 月　劉毓慶指導

高曉成　鄭樵詩經學簡論
山西大學中國古代文學專業碩士論文　2007 年 6 月　劉毓慶指導

孫改芳　戴震「以詩證詩」的《詩》學研究
山西大學中國古代文學專業碩士論文　2005 年 6 月　劉毓慶指導

馬　瑜　俞樾《詩經》研究的成就及影響
山西大學中國古代文學專業碩士論文　2006 年 6 月　劉毓慶指導

李晉娜　現代《詩》學的曙光——方玉潤及其《詩經原始》
山西大學中國古代文學專業碩士論文　2005 年 6 月　劉毓慶指導

郭萬金　西學東漸下的現代《詩》學發軔——清季民初《詩經》研究初探
山西大學中國古代文學專業碩士論文　2004 年 6 月　劉毓慶指導

英語語言文學專業

喬　潔　魯迅翻譯思想轉變之文化探索
山西大學英語語言文學專業碩士論文　2006 年 6 月　紀墨芳指導

陝西省

西安理工大學

馬克思主義理論與思想政治教育專業

李成增　張之洞近代教育模式研究
西安理工大學馬克思主義理論與思想政治教育專業碩士論文　2006 年　趙華朋指導

西安電子科技大學

外國語言學及應用語言學專業

敬　洪　五種《論語》英譯本的比較研究

西安電子科技大學外國語言學及應用語言學專業碩士論文　2007 年　高瑜指導

陝西師範大學

中國古典文獻學專業

趙　蕾　《孟子疏》研究
陝西師範大學中國古典文獻學專業碩士論文　2007 年 4 月　周淑萍指導

中國哲學專業

魏　濤　張載「以禮為教」思想探析
陝西師範大學中國哲學專業碩士論文　2005 年　林樂昌指導

郭　勝　呂柟哲學思想及其特色研究
陝西師範大學中國哲學專業碩士論文　2007 年 5 月　劉學智指導

鄭　艷　藍田呂氏禮學思想及鄉村實踐研究
陝西師範大學中國哲學專業碩士論文　2007 年　林樂昌指導

高立梅　儒家「仁義」思想的形成及其意義
陝西師範大學中國哲學專業碩士論文　2003 年 4 月　丁為祥指導

馬鑫焱　張載《橫渠易說》研究芻議
陝西師範大學中國哲學專業碩士論文　2007 年　劉學智指導

馬克思主義哲學專業

王　銘　唐宋之際「四書」的升格運動
陝西師範大學馬克思主義哲學專業碩士論文　2002 年 5 月　劉學智指導

陳　卓　呂坤道論思想探析
陝西師範大學馬克思主義哲學專業碩士論文　2004 年 4 月　劉學智指導

美學專業

龐　飛　王夫之「興」的美學意義
陝西師範大學美學專業碩士論文　2002 年 4 月　王磊、劉恒健指導

基礎心理學專業

李雅琴　荀子的人性論與人格教育心理思想探析
陝西師範大學基礎心理學專業碩士論文　2002 年　郭祖儀指導

歷史地理學專業

王華梅　周秦時期黃河中下游地區植被分布及其變遷——以《詩經》十五國風為線索
陝西師範大學歷史地理學專業碩士論文　2007 年　侯甬堅指導

中國古代史專業

趙　瑜　從《禮記・內則》等篇看周代婦女的社會地位
陝西師範大學中國古代史專業碩士論文　2007 年 5 月　王暉指導

歷史文獻學專業

呼東燕　論孔子史學思想的幾個問題
陝西師範大學歷史文獻學專業碩士論文　2002 年 5 月　王暉指導

漢語言文字學專業

李秀芹　《經典釋文》中的舌音初探
陝西師範大學漢語言文字學專業碩士論文　2001 年 5 月　胡安順指導

王　輝　從《經義述聞》看王引之的訓詁方法
陝西師範大學漢語言文字學專業碩士論文　2006 年 4 月　郭芹納指導

蘇瑞琴　陳奐《詩毛氏傳疏》淺析
陝西師範大學漢語言文字學專業碩士論文　2005 年 4 月　郭芹納指導

丁曉丹　試析馬瑞辰《毛詩傳箋通釋》中對假借字的論說
陝西師範大學漢語言文字學專業碩士論文　2006 年 4 月　郭芹納指導

弋丹陽　《左傳》單音節謂語動詞的配價結構淺析
陝西師範大學漢語言文字學專業碩士論文　2005 年 4 月　白玉林指導

楊　麗　從《論語》、《孫臏兵法》看先秦漢語名詞、動詞、形容詞句法功能的多樣化和複雜化
陝西師範大學漢語言文字學專業碩士論文　2003 年 5 月　白玉林指導

劉曉暉　《說文解字系傳》對段玉裁、桂馥《說文》研究的影響舉例

陝西師範大學漢語言文字學專業碩士論文　2004 年 4 月　胡安順、王輝指導

陳　霜　段玉裁在注釋《說文》部首中揭示《說文》體例述略

陝西師範大學漢語言文字學專業碩士論文　2004 年 5 月　胡安順、王輝指導

劉　琨　陳灃《切韻考》所刪《廣韻》小韻考

陝西師範大學漢語言文字學專業碩士論文　2002 年 4 月　胡安順指導

馬　宇　俞樾《兒笘錄》析論

陝西師範大學漢語言文字學專業碩士論文　2005 年 4 月　胡安順、王輝指導

陳　謝　古漢語常用介詞在《禮記》中的語法分析

陝西師範大學漢語言文字學專業碩士論文　2006 年 4 月　白玉林指導

白雁南　淺談《世說新語》語氣副詞的特點和發展——兼與《孟子》比較

陝西師範大學漢語言文字學專業碩士論文　2003 年 4 月　白玉林指導

外國語言學及應用語言學專業

朱麗英　互文符號翻譯方法探析——兼評韋利《論語》英譯本

陝西師範大學外國語言學及應用語言學專業碩士論文　2003 年 5 月　王文指導

王紀紅　論《詩經》中疊字的英譯

陝西師範大學外國語言學及應用語言學專業碩士論文　2003 年 4 月　楊銘指導

文藝學專業

康衛國　揚雄的文學思想——以「因」「革」為中心

陝西師範大學文藝學專業碩士論文　2003 年 5 月　梁道禮指導

中國古代文學專業

劉銀昌　《焦氏易林》四言詩研究

陝西師範大學中國古代文學專業碩士論文　2003 年 5 月　魏耕原指導

劉麗華　《詩經》動物物象探微

陝西師範大學中國古代文學專業碩士論文　2007 年　劉生良指導

汪祚民　《詩經》文學闡釋史（先秦－隋唐）

陝西師範大學中國古代文學專業博士論文　2004 年 5 月　霍松林指導

北京　人民出版社　391 頁　2005 年 3 月

馮曉莉　史蘊《詩》心——「前三史」中的《詩經》氣脈
陝西師範大學中國古代文學專業碩士論文　2006 年 4 月　張新科指導

史繼東　《左傳》敘事觀念及敘事藝術研究
陝西師範大學中國古代文學專業碩士論文　2007 年 4 月　魏耕原指導

張　蓉　《左傳》貴族女性問題初探
陝西師範大學中國古代文學專業碩士論文　2004 年 4 月　張新科指導

陽　清　《論語》文學研究
陝西師範大學中國古代文學專業碩士論文　2005 年 4 月　呂培成指導

劉軍華　司馬遷與士文化
陝西師範大學中國古代文學專業碩士論文　2005 年 4 月　呂培成指導

劉銀昌　蓋事雖《易》，其辭則詩——《焦氏易林》文學研究
陝西師範大學中國古代文學專業博士論文　2006 年 4 月　張新科指導

盧　靜　《禮記》文學研究
陝西師範大學中國古代文學專業博士論文　2007 年　霍松林指導

詹蘇杭　讖緯與漢樂府
陝西師範大學中國古代文學專業碩士論文　2005 年 4 月　張弘指導

音樂學專業

劉健婷　從《禮記》闡述的音樂形式論周代社會的政治內涵
陝西師範大學音樂學專業碩士論文　2006 年 4 月　陳四海指導

甘肅省

西北大學（西北師範大學）

中國古典文獻學專業

周玉秀　《逸周書》的語言特點及其文獻學價值
西北師範大學中國古典文獻學專業博士論文　2004 年 1 月　趙逵夫指導
北京　中華書局　284 頁　2005 年

王　鍔　《禮記》成書考

西北師範大學中國古典文獻學專業博士論文　2004年5月　趙逵夫指導

北京　中華書局　349頁　2007年3月

中國思想史專業

王長坤　先秦儒家孝道研究[13]

西北大學中國思想史專業博士論文　2005年11月　張豈之、黃留珠指導

成都　巴蜀書社　330頁　2007年11月（儒釋道博士論文叢書）

侯步雲　韓愈的儒學思想

西北大學中國思想史專業碩士論文　2006年5月　張茂澤指導

陳戰峰　宋代《詩經》學與理學——關於《詩經》學的思想學術史考察

西北大學中國思想史專業博士論文　2005年4月　張豈之指導

朱　俊　荀子的禮學思想

西北大學中國思想史專業碩士論文　2006年5月　張茂澤指導

李桂民　荀子思想與戰國時期的禮學思潮

西北大學中國思想史專業博士論文　2006年4月　張豈之指導

陸建猷　《四書集注》與南宋四書學

西北大學中國思想史專業博士論文　1999年5月　張豈之指導

西安　陝西人民出版社　283頁　2002年8月

中國哲學專業

辛亞民　論《周易》的理想人格

西北師範大學中國哲學專業碩士論文　2007年6月　陳曉龍指導

倫理學專業

孫　翔　曾國藩家庭倫理思想的現代價值研究

西北師範大學倫理學專業碩士論文　2005年5月　陳曉龍指導

張克政　馮友蘭人生境界說之倫理學分析

西北師範大學倫理學專業碩士論文　2006年5月　范鵬指導

陳叢蘭　《禮記》婚姻倫理思想研究

13　此文討論《孝經》的成書年代並認為此書是對先秦儒家孝道思想系統、完整總結而形成孝道、孝行、孝治的集大成之作，亦是提供統治策略的政治哲學著作。

西北師範大學倫理學專業碩士論文　2005 年 5 月　王翠英指導

劉琳麗　孟子倫理思想的現實價值研究
西北師範大學倫理學專業碩士論文　2006 年 5 月　成曉龍指導

歷史學專業

李江輝　晚清江浙禮學研究——以揚州、浙東、常州為中心
西北大學歷史學專業博士論文　2007 年　方光華指導

鄭　熊　宋儒對《中庸》的研究
西北大學歷史學專業博士論文　2007 年 5 月　張豈之指導

專門史專業

梁安和　賈誼思想研究
西北大學專門史專業博士論文　2006 年 4 月　黃留珠指導
西安　三泰出版社　2007 年

張顯棟　試論董仲舒的天的哲學思想
西北大學專門史專業碩士論文　2006 年　張茂澤指導

馬　毓　司馬遷對歷史的詮釋
西北大學專門史專業碩士論文　2005 年 1 月　張茂澤指導

閆海文　東漢前期的經學思想及其政治實踐
西北大學專門史專業碩士論文　2007 年 5 月　方光華指導

苗彥愷　朱熹與黑格爾倫理思想之比較
西北大學專門史專業碩士論文　2006 年　方光華指導

王寶峰　儒教社會中的獨行者：李贄儒學思想研究
西北大學專門史專業博士論文　2007 年 5 月　張豈之指導

王俊傑　黃宗羲的學術思想史詮釋學思想
西北大學專門史專業碩士論文　2005 年 1 月　張茂澤指導

張彤磊　戴震的儒家經典詮釋學思想
西北大學專門史專業碩士論文　2005 年 1 月　張茂澤指導

陳景聚　姚際恒、崔述與方玉潤的《詩經》學「簡論」
西北大學專門史專業碩士論文　方光華指導

田沐臣　《禮記》的禮治思想
西北大學專門史專業博士論文　2000 年　劉寶才指導

馬增強　　儀禮思想研究

西北大學專門史專業博士論文　2003 年 5 月　劉寶才指導

王建宏　　從內聖外王到心性論

西北大學專門史碩士論文　2002 年 1 月　方光華指導

鄭　熊　　王夫之對孔子的研究

西北大學專門史專業碩士論文　2004 年　張茂澤指導

王　錕　　孔子與 20 世紀三大社會思潮

西北大學專門史專業博士論文　2002 年 1 月　劉寶才指導

濟南　齊魯書社　421 頁　2006 年

季慶陽　　孟子的思想淵源淺探

西北大學專門史專業碩士論文　2002 年 1 月　方光華指導

趙麥茹　　漢唐《孟子》學研究

西北大學專門史專業碩士論文　2004 年 5 月　張茂澤指導

中國古代史專業

文　娟　　范仲淹教育思想研究

西北師範大學中國古代史專業碩士論文　2004 年　劉建麗指導

中國近現代史專業

喬志強　　龔自珍學術思想初探

西北大學中國近現代史專業碩士論文　2002 年 1 月　陳國慶指導

王有紅　　俞樾傳統學術研究

西北大學中國近現代史專業碩士論文　2004 年　陳國慶指導

張國華　　皮錫瑞經學及其變法思想述論

西北大學中國近現代史專業碩士論文　2006 年 5 月　陳國慶指導

李志松　　梁啟超的孔子研究述略

西北大學中國近現代史專業碩士論文　2005 年 1 月　陳國慶指導

安樹彬　　晚清樸學流變研究

西北大學中國近現代史專業碩士論文　2005 年 1 月　陳國慶指導

李志松　　梁啟超的孔子研究述略

西北大學中國近現代史專業碩士論文　2005 年 1 月　陳國慶指導

歷史文獻學專業

漆永祥　試論乾嘉時期的考據學
西北師範大學歷史文獻學專業碩士論文　年 1987 年　李慶善指導

孫紅彬　《詩經・豳風》考釋
西北大學歷史文獻學專業碩士論文　2003 年 5 月　黃懷信指導

侯希文　《孝經》作者考
西北大學歷史文獻學專業碩士論文　2001 年 5 月　李學勤、黃懷信指導

考古學及博物館學專業

張　偉　《周禮》中玉禮器考辨
西北大學考古學及博物館學專業碩士論文　2007 年 5 月　劉雲輝、陳洪海指導

漢語言文字學專業

于　江　《荀子》反義詞研究
西北師範大學漢語言文字學專業碩士論文　2005 年　周玉秀指導

王耀東　《毛詩古音考》研究
西北師範大學漢語言文字學專業碩士論文　2006 年 4 月　周玉秀指導

丁桃源　《論語》修辭研究
西北師範大學漢語言文字學專業碩士論文　2007 年 5 月　周玉秀指導

馮　玉　《孟子》句尾語氣詞研究
西北師範大學漢語言文字學專業碩士論文　2005 年 5 月　周玉秀指導

陳順成　《孟子》複句研究
西北師範大學漢語言文字學專業碩士論文　2007 年 5 月　周玉秀指導

任　堅　《孟子正義》訓詁研究
西北師範大學漢語言文字學專業碩士論文　2007 年 5 月　周玉秀指導

中國古代文學專業

俞志慧　先秦儒家文學思想考論
西北師範大學中國古代文學專業博士論文　2002 年　趙逵夫指導
北京　三聯書店　306 頁　2005 年 3 月（改名為《君子儒與詩教——先秦儒

家文學思想考論》)

胡興華　陸賈及其《新語》研究
西北師範大學中國古代文學專業碩士論文　2003年　趙逵夫指導

李　莉　劉向及其文學成就研究
西北師範大學中國古代文學專業碩士論文　2004年5月　伏俊璉指導

羅家湘　《逸周書》研究
西北師範大學中國古代文學專業博士論文　2002年　趙逵夫指導
上海　上海古籍出版社　304頁　2006年10月

賈海生　周初禮樂文明實證——《詩經・周頌》研究
西北師範大學中國古代文學專業博士論文　2000年5月　趙逵夫指導

劉　強　《韓詩外傳》研究
西北師範大學中國古代文學專業碩士論文　2005年4月　伏俊璉指導

郭樹芹　鄭玄《毛詩譜》新探
西北師範大學中國古代文學專業碩士論文　2001年5月　趙逵夫、伏俊璉指導

喬　麗　柳宗元交遊考
西北大學中國古代文學專業碩士論文　2001年　韓理洲指導

馬春燕　《詩經》國風中幾種興象的原型考察
西北大學中國古代文學專業碩士論文　2003年5月　李志慧指導

牛曉貞　《詩經》婚戀詩意象的文化分析
西北大學中國古代文學專業碩士論文　2007年　劉衛平指導

陳　楠　從曚昧到理性——從《詩經》看原始文化在周代的演化
西北大學中國古代文學專業碩士論文　2007年　劉衛平指導

張　虹　《詩經》生命意識及相關興象系列初探
西北大學中國古代文學專業碩士論文　2006年5月　李志慧指導

張　嘎　《詩經》服飾考論
西北大學中國古代文學專業碩士論文　2007年　劉衛平指導

蘭州大學

中國古典文獻學

陳　娟　高拱及其著作三種考述
蘭州大學中國古典文獻學專業碩士論文　2006年　王傳明指導

張　豔　《毛傳》、《鄭箋》對《詩經》訓詁之比較
蘭州大學中國古典文獻學專業碩士論文　2007年　張文軒指導

漢語言文字學專業

張穎慧　《詩經》重言研究
蘭州大學漢語言文字學專業碩士論文　2007年　趙小剛指導

王　謙　杜預《春秋左傳集解》語境運用研究
蘭州大學漢語言文字學專業碩士論文　2007年　趙小剛指導

李小明　《四書章句集注》訓詁研究
蘭州大學漢語言文字學專業碩士論文　2007年　趙小剛指導

何林英　朱熹和劉寶楠《論語》解釋之比較
蘭州大學漢語言文字學專業碩士論文　2007年　趙小剛指導

劉瑤瑤　《孟子》與《孟子章句》複音詞構詞法比較研究
蘭州大學漢語言文字學專業碩士論文　2007年　趙小剛指導

孫　瑋　《孟子》詞語研究
蘭州大學漢語言文字學專業碩士論文　2007年　張文軒指導

吳榮范　《廣雅疏證》類同引申研究
蘭州大學漢語言文字學專業碩士論文　2007年　趙小剛指導

中國古代文學專業

王光睿　《詩經》戰爭詩研究
蘭州大學中國古代文學專業碩士論文　2007年　張崇琛指導

王紹燕　《左傳》女性形象研究
蘭州大學中國古代文學專業碩士論文　2007年　張崇琛指導

趙建國　孟子散文的論辯藝術研究
蘭州大學中國古代文學專業碩士論文　2007年　張崇琛指導

青海省

青海師範大學

中國古代文學專業

李言統　　中國民歌的口頭傳統研究——「花兒」和《詩經》的程式比較為例
　　　　青海師範大學中國古代文學專業碩士論文　2006 年 6 月　趙宗福指導

江蘇省

東南大學

倫理學專業

彭艷梅　　陸九淵道德思想的研究
　　　　東南大學倫理學專業碩士論文　2006 年　許建良指導

林燕飛　　《周易》的倫理意蘊初探
　　　　東南大學倫理學專業碩士論文　2002 年 3 月　董群指導

河海大學

馬克思主義理論與思想政治教育專業

黃德俊　　荀子政治思想的現代價值
　　　　河海大學馬克思主義理論與思想政治教育專業碩士論文　2006 年　畢霞指導

南京大學

成祖明　西漢河間獻王研究
南京大學中文系碩士論文　2004 年　徐興无指導

張宜遷　劉歆及其作品研究
南京大學中文系碩士論文　1997 年　郭維森、許結指導

周遠富　許慎語文學研究
南京大學中文系碩士論文　1999 年　高小方指導

施　輝　試論朱熹的訓詁特色及其影響
南京大學中文系碩士論文　1995 年　滕志賢指導

李光西　朱熹古音研究
南京大學中文系碩士論文　2000 年　李開指導

周遠富　方以智古音學考論
南京大學中文系博士論文　2001 年　李開指導

張民權　顧炎武古音學考論
南京大學中文系博士論文　1997 年　魯國堯、李開指導

李　文　段玉裁古音學考論
南京大學中文系博士論文　1997 年　魯國堯、李開指導

馮　乾　揚州學派研究
南京大學中文系博士論文　2004 年　張宏生指導

鄒鳳禮　王先謙《詩三家義集疏》初探
南京大學中文系碩士論文　1998 年　滕志賢指導

宮　辰　朱駿聲《說文通訓定聲》研究
南京大學中文系碩士論文　1999 年　李開、高小方指導

郭建花　江永古音學考論
南京大學中文系博士論文　2004 年　李開指導

喬　永　黃侃古音學考論
南京大學中文系博士論文　2004 年　李開指導

武道房　曾國藩理學思想研究
南京大學中文系博士論文　2004 年　蔣廣學指導

郭院林　劉師培年譜

南京大學中文系碩士論文　2004 年　徐有富指導

孫士穀　新加坡儒學的復興運動

南京大學中文系碩士論文　2004 年　徐有富指導

倪　南　象數易道的歷史考察

南京大學中國哲學專業博士論文　2002 年　李書有指導

龔　敏　《禮運》研究

南京大學中文系碩士論文　2002 年　徐興无指導

丁美霞　蘇轍與其《春秋》學

南京大學中文系碩士論文　2004 年　曹虹指導

李　昱　《左傳》《史記》詞彙對比考察

南京大學中文系碩士論文　1998 年　許惟賢指導

侯之虎　劉寶楠《論語正義》研究

南京大學中文系碩士論文　2001 年　李開指導

譚書旺　《孟子》與《孟子章句》詞彙語法比較研究

南京大學中文系碩士論文　2001 年　李開指導

徐興无　論讖緯文獻中的天道聖統

南京大學中文系博士論文　1993 年　周勛初、莫礪鋒指導

中國哲學專業

孫業成　《易傳》的天人觀

南京大學中國哲學專業碩士論文　2004 年 5 月　徐小躍指導

謝金良　周易禪解研究

南京大學哲學專業博士論文　2003 年　洪修平指導

成都　巴蜀書社　328 頁　2006 年 12 月（儒釋道博士論文叢書）

歷史學專業

季芳桐　泰州學派新論

南京大學歷史學專業博士論文　2000 年　魏良弢指導

成都　巴蜀書社　249 頁　2005 年 12 月（儒釋道博士論文叢書）

中國古代史專業

陳明峰　夫唯大雅　既明且哲——揚雄思想及人生形態研究

南京大學中國古代史專業碩士論文　2004 年 5 月　鄒旭光指導

語言文字學專業

黃麗麗　《左傳》複句研究
南京大學語言文字專業碩士論文　1982 年　周鐘靈指導

李　開　《論語》和《莊子》中「我」、「吾」;「其」、「之」;「所」、「者」三對代詞的用法初探
南京大學語言文字專業碩士論文　1982 年　周鐘靈指導

顧　濤　皇侃《論語義疏》研究
南京大學語言文字學專業碩士論文　2004 年　李開指導

漢語言文字學專業

張惠榮　焦循《孟子正義》注釋學研究
南京大學漢語言文字學專業博士論文　2000 年　李開指導

古代漢語專業

滕志賢　讀《毛詩傳箋通釋》初探
南京大學古代漢語專業碩士論文　1982 年　洪誠、徐復指導

南京中醫藥大學

中醫基礎理論專業

楊一木　《周易》與《黃帝內經》思維邏輯共通性研究暨現代科學知識之詮釋
南京中醫藥大學中醫基礎理論專業博士論文　2002 年 6 月　孫桐指導

李志誠　《易》學與中醫學之相通性研究
南京中醫藥大學中醫基礎理論專業博士論文　2004 年　孫桐指導

南京師範大學

中國古典文獻學專業

胡　偉　《鮚埼亭集》校讀劄記
南京師範大學中國古典文獻學專業碩士論文　2006 年 3 月　陳敏傑指導

常虛懷　《禮記正義》校讀札記
南京師範大學中國古典文獻學專業碩士論文　2007 年 5 月　方向東指導

蘇成愛　《陳氏禮記集說》研究
南京師範大學中國古典文獻學專業碩士論文　2007 年 4 月　方向東指導

藍　瑤　朱彬《禮記訓纂》研究
南京師範大學中國古典文獻學專業碩士論文　2007 年 5 月　方向東指導

萬麗文　孫希旦《禮記集解》研究
南京師範大學中國古典文獻學專業碩士論文　2007 年 4 月　王鍔指導

蘇　芃　讀《左》脞錄
南京師範大學中國古典文獻學專業碩士論文　2007 年 5 月　趙生群指導

張黎麗　《國語》、《左傳》比較研究
南京師範大學中國古典文獻學專業碩士論文　2002 年 6 月　方向東指導

余　瓊　試論《左傳》事實對於解經的影響
南京師範大學中國古典文獻學專業碩士論文　2003 年 5 月　趙生群指導

夏維新　楊伯峻《春秋左傳注》商補
南京師範大學中國古典文獻學專業碩士論文　2005 年 5 月　趙生群指導

孫婷婷　《公羊傳》與《春秋繁露》殊異考
南京師範大學中國古典文獻學專業碩士論文　2006 年 3 月　趙生群指導

姜　勝　《論語注疏》校議
南京師範大學中國古典文獻學專業碩士論文　2006 年 3 月　方向東指導

馬克思主義理論與思想政治教育專業

虞斌龍　中國知識分子道德人格研究——以魯迅為例
南京師範大學馬克思主義理論與思想政治教育專業碩士論文　2006 年 12 月
高兆明指導

專門史專業

韓琳琳　《禮記》與西漢社會——以「孝」為中心的考察
南京師範大學專門史專業碩士論文　2004 年 1 月　張進指導

漢語言文字學專業

方向東　孫詒讓訓詁研究
南京師範大學漢語言文字學專業博士論文　2004 年 1 月　馬景侖指導
北京　中華書局　187 頁　2007 年 12 月

顧　珍　《周書》副詞研究
南京師範大學漢語言文字學專業碩士論文　2006 年 3 月　何亞南指導

華　敏　《詩經》毛傳、鄭箋比較研究
南京師範大學漢語言文字學專業碩士論文　2005 年 4 月　馬景侖指導

胡憲麗　朱熹《詩集傳》句法研究
南京師範大學漢語言文字學專業碩士論文　2006 年 3 月　馬景侖指導

傅華辰　《禮記》鄭注訓詁研究
南京師範大學漢語言文字學專業碩士論文　2004 年 5 月　馬景侖指導

王　巍　《春秋左傳》杜預注研究
南京師範大學漢語言文字學專業碩士論文　2004 年 5 月　馬景侖指導

黃　帥　何晏《論語集解》訓詁研究
南京師範大學漢語言文字專業碩士論文　2005 年 4 月　馬景侖指導

唐麗珍　《爾雅》、《方言》郭注研究
南京師範大學漢語言文字學專業碩士論文　2002 年 6 月　馬景侖指導

文藝學專業

劉　墨　乾嘉學術的知識譜系
南京師範大學文藝學專業博士論文　2003 年 4 月　劉夢溪指導

淩　霞　蘇雪林文學道路述評
南京師範大學文藝學專業碩士論文　2004 年 4 月　朱崇才指導

古代文學專業

郭春萍　陳獻章心學與詩歌的交叉研究

南京師範大學古代文學專業碩士論文　2000 年 5 月　陳書錄指導

龍曉英　焦竑研究

南京師範大學古代文學專業碩士論文　2005 年 4 月　沈新林指導

章　玳　屈大均人格及其詩歌創作

南京師範大學古代文學專業碩士論文　2004 年 11 月　陳書錄指導

繆愛紅　《左傳》用《詩》與春秋時期思維的理性化

南京師範大學古代文學專業碩士論文　2004 年 5 月　徐克謙指導

中國古代文學專業

王　鵬　《吳越春秋》與東漢經學

南京師範大學中國古代文學專業碩士論文　2006 年 3 月　徐克謙指導

尤　煒　詮釋學視角中的早期《詩經》研究史——以《毛詩》為中心

南京師範大學中國古代文學專業碩士論文　2002 年 4 月　吳錦、張采民指導

劉立志　先秦引《詩》研究

南京師範大學中國古代文學專業碩士論文　1999 年　張采民指導

劉立志　漢代《詩經》學及其淵源考論

南京師範大學中國古代文學專業博士論文　2002 年 5 月　郁賢皓指導（改名為《漢代詩經學史論》）

北京　中華書局　226 頁　2007 年 4 月

趙生群　春秋經傳研究

南京師範大學中國古代文學專業博士論文　1998 年　陳美林指導

上海　上海古籍出版社　337 頁　2000 年 5 月

任振鎬　《左傳》與中國古典文學

南京師範大學中國古代文學專業博士論文　1998 年　鍾振振指導

宋　鋼　六朝論語學研究

南京師範大學中國古代文學專業博士論文　2005 年 4 月　張采民指導

北京　中華書局　291 頁　2007 年 9 月

美術學專業

單昆軍　民國時期對康有為《廣藝舟雙楫》的批評

南京師範大學美術學（書法）專業碩士論文　2006 年 5 月　常漢平指導

張言夢　漢至清代《考工記》研究和注釋史述論稿

南京師範大學美術學專業博士論文　2005年4月　范景中指導

南京藝術學院

書法篆刻專業

朱友舟　翁方綱書學思想研究
南京藝術學院書法篆刻專業碩士論文　2005年5月　徐利明指導

揚州大學

教育學原理專業

房登科　禮法同行天下治——荀子禮法思想研究
揚州大學教育學原理專業碩士論文　2004年　楊千樸指導

張樹志　董仲舒倫理政治思想研究
揚州大學教育學原理專業碩士論文　2003年　楊千樸指導

程海霞　喚醒沉睡的道德自覺——朱熹修養論研究
揚州大學教育學原理專業碩士論文　2002年　楊千樸指導

徐永蓮　王夫之人文主義思想研究
揚州大學教育學原理專業碩士論文　2005年5月　楊千樸指導

劉　艷　王者有道　仁者無敵——孟子倫理政治思想研究
揚州大學教育學原理（政治學）專業碩士論文　2006年5月　吳鋒指導

課程與教學論專業

郭兆雲　朱熹閱讀教育理論述評
揚州大學課程與教學論專業碩士論文　2002年　顧黃初指導

許　艷　梁啟超與中國語文教育早期現代化
揚州大學課程與教學論（語文）專業碩士論文　2003年5月　徐林祥指導

漢語言文字學專業

楊　飛　　今文《尚書》形容詞研究
　　　　　揚州大學漢語言文字學專業碩士論文　2007 年　錢宗武指導

呂勝男　　今文《尚書》用韻研究
　　　　　揚州大學漢語言文字學專業碩士論文　2007 年　錢宗武指導

孫麗娟　　今文《尚書》動詞研究
　　　　　揚州大學漢語言文字學專業碩士論文　2007 年　錢宗武指導

劉　勇　　清人《尚書》訓詁方法研究
　　　　　揚州大學漢語言文字學專業碩士論文　2007 年　錢宗武指導

文藝學專業

張源旺　　荀子《樂論》的美學思想
　　　　　揚州大學文藝學專業碩士論文　2003 年　佴榮本指導

蔣　斌　　《論語》與《道德經》的美學精神之比較
　　　　　揚州大學文藝學專業碩士論文　2000 年 5 月　姚文放指導

中國古代文學專業

趙　揚　　賈誼《新書》與儒家經傳的思想聯繫
　　　　　揚州大學中國古代文學專業碩士論文　2004 年　田漢雲指導

徐俊祥　　建安學術史研究
　　　　　揚州大學中國古代文學專業博士論文　2004 年　田漢雲指導

高明峰　　北宋經學與文學
　　　　　揚州大學中國古代文學專業博士論文　2005 年 5 月　田漢雲指導

劉建臻　　清代揚州學派經學研究
　　　　　揚州大學中國古代文學專業博士論文　2003 年 5 月　田漢雲指導
　　　　　南京　江蘇人民出版社　333 頁　2004 年 12 月

陳　楠　　敦煌寫本《尚書》異文研究
　　　　　揚州大學中國古代文學專業碩士論文　2006 年 5 月　錢宗武指導

朱淑華　　今文《尚書》詞義引申研究
　　　　　揚州大學中國古代文學專業碩士論文　2006 年 5 月　錢宗武指導

湯莉莉　　今文《尚書》同族詞研究

揚州大學中國古代文學專業碩士論文　2006 年 5 月　錢宗武指導

邱　月　今文《尚書》名詞研究
揚州大學中國古代文學專業碩士論文　2005 年 5 月　錢宗武指導

盧一飛　今文《尚書》文學性研究
揚州大學中國古代文學專業碩士論文　2005 年 5 月　錢宗武指導

馬士遠　周秦《尚書》流變研究
揚州大學中國古代文學專業博士論文　2007 年　錢宗武指導
北京　中華書局　340 頁　2008 年 9 月（改名為《周秦尚書學》）

趙茂林　兩漢三家《詩》研究
揚州大學中國古代文學專業博士論文　2004 年 5 月　田漢雲指導
成都　巴蜀書社　657 頁　2006 年 11 月

鄭　群　《詩經》與周代婚姻禮俗研究
揚州大學中國古代文學專業博士論文　2007 年　錢宗武指導

馬銀琴　西周詩史
揚州大學中國古代文學專業博士論文　2000 年 10 月　王小盾指導
北京　社會科學文獻出版社　524 頁　2006 年 12 月（與作者博士後論文《東周詩史》合併為《兩周詩史》出版）

孫　敏　六朝詩經學研究
揚州大學中國古代文學專業碩士論文　2001 年 5 月　田漢雲指導

王雪萍　《周禮》飲食制度研究
揚州大學中國古代文學專業博士論文　2007 年　田漢雲指導

柳　宏　清代《論語》詮釋史論
揚州大學中國古代文學專業博士論文　2004 年 5 月　田漢雲指導
北京　社會科學文獻出版社　408 頁　2008 年 3 月

劉瑾輝　清代孟子學研究
揚州大學中國古代文學專業博士論文　2005 年　田漢雲指導
北京　社會科學文獻出版社　328 頁　2007 年 9 月

中國現當代文學專業

朱　娟　論二十年代女作家創作中的自傳性——從廬隱、蘇雪林、石評梅談起
揚州大學中國現當代文學專業碩士論文　2004 年 5 月　徐德明指導

揚州師範學院

中國古代文學專業

袁瑾洋　論《左傳》記敘戰爭的藝術
　揚州師範學院中國古代文學專業碩士論文　1978、1979 級　李廷先指導

郭珍玉　《左傳》懲惡勸善思想研究
　揚州師範學院中國古代史專業碩士論文　1978、1979 級　李廷先指導

蘇州大學

中國哲學專業

顧玉萍　荀子性論之內容及性惡界定的目的
　蘇州大學中國哲學專業碩士論文　2006 年　周可真指導

吳　丹　試論李翺《復性書》的心性思想
　蘇州大學中國哲學專業碩士論文　2004 年 4 月　潘桂明指導

方書論　論方以智思想中的科學精神
　蘇州大學中國哲學專業碩士論文　2007 年 4 月　蔣國保指導

宋亞飛　論梁漱溟保守主義思想的個性特徵
　蘇州大學中國哲學專業碩士論文　2005 年 1 月　周可真指導

馬克思主義哲學專業

湯海艷　張岱年「文化綜合創新論」初探
　蘇州大學馬克思主義哲學專業碩士論文　2003 年 1 月　周可真指導

法律史專業

辛以春　孔子「無訟」解
　蘇州大學法律史學專業碩士論文　2007 年　高積順指導

專門史專業

黃正術　重新審視顧頡剛的古史「層累說」
蘇州大學專門史專業碩士論文　2004年4月　葉林生指導

漢語言文字學專業

孟曉妍　《方言》郭璞注雙音詞研究
蘇州大學漢語言文字學專業碩士論文　2005年　蔡鏡浩指導

殷　靜　《爾雅》郭璞注的並列複合詞研究
蘇州大學漢語言文字學專業碩士論文　2005年1月　徐山指導

徐從權　《釋名》雙音詞研究
蘇州大學漢語言文字學專業碩士論文　2003年　徐山指導

英語應用語言學專業

李上榮　論詩歌翻譯中譯者的創造性──《詩經》譯本研究
蘇州大學英語應用語言學專業碩士論文　2007年4月　汪榕培指導

中國古代文學專業

楊旭輝　清代今古文經學的更迭與文學嬗變
蘇州大學中國古代文學專業博士論文　2002年10月　嚴迪昌指導
南京　鳳凰出版社　337頁　2006年7月（改名為《清代經學與文學：以常州文人群體為典範的研究》）

董俊玨　張惠言研究
蘇州大學中國古代文學專業碩士論文　2003年　嚴明指導

彭樹欣　論梁啟超對文獻傳播的貢獻
蘇州大學中國古代文學專業碩士論文　2001年1月　黃鎮偉指導

虎維堯　《詩經・國風》裡的女性世界
蘇州大學古代文學專業碩士論文　2003年9月　曹林娣指導

張建軍　詩經與周文化考論
蘇州大學中國古代文學專業博士論文　2001年5月　王鍾陵指導
濟南　齊魯書社　265頁　2004年9月

陳國安　清初詩經學研究

蘇州大學中國古代文學專業碩士論文　2003年5月　錢仲聯、楊海明指導

袁世杰　禮學重構中的荀子性惡論文藝觀

蘇州大學中國古代文學專業博士論文　2003年　高凱征指導

徐　玲　《左傳》與希羅多德《歷史》比較研究

蘇州大學中國古代文學專業碩士論文　2007年　王鍾陵指導

劉鳳偉　古代白話小說中的孔子形象

蘇州大學中國古代文學專業碩士論文　2005年1月　潘樹廣指導

中國語言文學專業

孔愛峰　錢謙益《列朝詩集》的編纂學研究

蘇州大學中國語言文學專業碩士論文　2005年1月　黃鎮偉指導

英語語言文學專業

郝廣麗　從慣習與場域的角度探究[14]

蘇州大學英語語言文學專業碩士論文　2005年1月　王宏指導

楊　婕　以文化為中心的功能翻譯法與《論語》翻譯

蘇州大學英語語言文學專業碩士論文　2004年3月　王宏指導

安徽省

中國科學技術大學

中國哲學專業

張瑞濤　劉宗周歷史哲學意識探微

中國科學技術大學中國哲學專業碩士論文　2004年5月　張允熠、方同義指導

14 此文以法國社會學家皮埃爾・布迪厄提出的慣習和場域理論分析辜鴻銘其人及其所處的社會文化背景，並探討其選擇翻譯的儒家經典和使用的翻譯策略方法。

科學技術史專業

趙冠鋒　漢代經學中的自然知識——以鄭玄的經學為例
中國科學技術大學科學技術史專業碩士論文　2004 年 5 月　石雲里指導

合肥工業大學

馬克思主義理論與思想政治教育專業

吳文軍　《論語》教育思想及其對當代教育的啟示
合肥工業大學馬克思主義理論與思想政治教育專業碩士論文　2002 年 5 月　鐘玉海指導

安徽大學

中國哲學專業

楊　波　荀子人性學說及其當代價值
安徽大學中國哲學專業碩士論文　2006 年　解光宇指導

陶新宏　漢初復興儒學之先驅——陸賈思想探析
安徽大學中國哲學專業碩士論文　2006 年 5 月　解光宇指導

王　雪　繼承與超越——析漢代經學向魏晉玄學的演變
安徽大學中國哲學專業碩士論文　2002 年 5 月　孫以楷指導

李方澤　理解與融通——論王安石的儒釋調和思想及其影響
安徽大學中國哲學專業碩士論文　2001 年　李霞、李仁群指導

黃世福　朱熹理學與佛學之比較
安徽大學中國哲學專業碩士論文　2003 年　李霞、史向前指導

楊國平　李贄與儒佛
安徽大學中國哲學專業碩士論文　1999 年 5 月　李霞指導

陳多旭　戴震道德哲學評析
安徽大學中國哲學專業碩士論文　2004 年 5 月　李仁群指導

闞紅艷　論馮友蘭「新理學」的哲學思想
安徽大學中國哲學專業碩士論文　2004 年 5 月　鄭明珍指導

周　軍　一位儒家學者眼中的莊子哲學——評馮友蘭《中國哲學史》(兩卷本)
安徽大學中國哲學專業碩士論文　2001 年 6 月　李霞、李仁群指導

俞成義　方東美華嚴思想初探
安徽大學中國哲學專業碩士論文　2003 年 5 月　李霞、史向前指導

孟淑媛　論夏、商、周「神本」思想向孔子「人本」思想的轉變
安徽大學中國哲學專業碩士論文　2006 年 5 月　解光宇指導

朱險峰　孟子的人性論思想及其當代價值
安徽大學中國哲學專業碩士論文　2006 年 5 月　解光宇指導

朱惠莉　李贄人性論思想對孟子「性善說」的復歸與超越——兼論「性」範疇在宋明時期的邏輯演變
安徽大學中國哲學專業碩士論文　2005 年 5 月　解光宇指導

專門史專業

竇余仁　論程大昌學術成就
安徽大學專門史專業碩士論文　2005 年 5 月　周懷宇指導

夏淑娟　徐光啟與明末西學東漸
安徽大學專門史專業碩士論文　2004 年 5 月　湯奇學指導

孟　化　郭嵩燾的文化思想
安徽大學專門史專業碩士論文　2003 年 5 月　湯奇學指導

王志龍　一位儒臣的政治訴求——張之洞政治改革思想的嬗變
安徽大學專門史專業碩士論文　2005 年 5 月　吳春梅指導

寧　寧　論張之洞外交思想
安徽大學專門史專業碩士論文　2005 年 5 月　湯奇學、周乾指導

胡珍貴　論康有為早期文化思想
安徽大學專門史專業碩士論文　2002 年 5 月　湯奇學指導

李義發　梁啟超法律思想的演變
安徽大學專門史專業碩士論文　2006 年 5 月　湯奇學指導

方旭紅　世紀之交梁啟超構建民族新文化設想
安徽大學專門史專業碩士論文　2002 年 5 月　湯奇學指導

文化史專業

李　霞　　梁啟超教育思想的演變
　　　　　安徽大學文化史專業碩士論文　2000 年 6 月　湯奇學指導

歷史文獻學專業

姬孟昭　　顏師古《漢書注》文獻學成就初探
　　　　　安徽大學歷史文獻學專業碩士論文　2004 年 5 月　王鑫義指導

鐘向群　　《文獻通考・經籍考》的文獻價值和學術價值
　　　　　安徽大學歷史文獻學專業碩士論文　2006 年 5 月　盧賢中指導

石開玉　　戴震的歷史文獻學成就初探
　　　　　安徽大學歷史文獻學專業碩士論文　2004 年 5 月　王鑫義指導

朱梅光　　章學誠文獻學成就初探
　　　　　安徽大學歷史文獻學專業碩士論文　2005 年 5 月　周懷宇指導

王慧東　　論張舜徽的文獻學學科理論與方法
　　　　　安徽大學歷史文獻學專業碩士論文　2007 年　周懷宇指導

漢語言文字學專業

朱方瓊　　政治影響下的漢代文獻學
　　　　　安徽大學漢語言文字學專業碩士論文　2006 年 5 月　楊應芹指導

蔡言勝　　《通雅》語文學研究
　　　　　安徽大學漢語言文字學專業碩士論文　2002 年 5 月　楊應芹指導

牛淑平　　皖派樸學家《素問》校詁研究
　　　　　安徽大學漢語言文字學專業博士論文　2003 年 6 月　黃德寬、楊應芹指導

徐道彬　　戴震考據學研究
　　　　　安徽大學漢語言文字學專業博士論文　2004 年 5 月　黃德寬、楊應芹指導
　　　　　合肥　安徽大學出版社　720 頁　2007 年 8 月

張先坦　　王念孫《讀書雜志》語法觀念研究
　　　　　安徽大學漢語言文字學專業博士論文　2006 年 5 月　白兆麟指導
　　　　　成都　巴蜀書社　258 頁　2007 年 6 月（改名為《讀書雜誌詞法觀念研究》）

俞紹宏　　《說文古籀補》研究

安徽大學漢語言文字學專業博士論文　2006 年 5 月　黃德寬指導
北京　中國社會科學出版社　232 頁　2008 年 9 月

包詩林　于省吾《新證》訓詁研究
安徽大學漢語言文字學專業博士論文　2007 年　白兆麟指導

房振三　楚竹書周易彩色符號研究
安徽大學漢語言文字學專業博士論文　2006 年 5 月　何琳儀指導

劉慧梅　《詩經》虛詞淺析
安徽大學漢語言文字學專業碩士論文　2004 年 5 月　楊應芹指導

程　燕　考古文獻《詩經》異文辨析
安徽大學漢語言文字學專業博士論文　2005 年 4 月　何琳儀指導

陳海燕　戴震與朱熹詩經學比較
安徽大學漢語言文字學專業碩士論文　2005 年 5 月　楊應芹指導

程嫩生　戴震《詩》學研究
安徽大學漢語言文字學專業碩士論文　2002 年 6 月　楊應芹指導

陳海燕　戴震與朱熹詩經學比較
安徽大學漢語言文字學專業碩士論文　2005 年 5 月　楊應芹指導

張　琴　鄭玄《禮記注》初探
安徽大學漢語言文字專業碩士論文　2006 年 5 月　陳廣忠指導

張迎春　《孟子字義疏證》研究
安徽大學漢語言文字學專業碩士論文　2004 年 5 月　楊應芹指導

王　慧　魏石經古文集釋
安徽大學漢語言文字學專業碩士論文　2004 年 5 月　徐在國指導

漢語史專業

于峻嶸　《荀子》句式考察
安徽大學漢語史專業碩士論文　2001 年　白兆麟指導

文藝學專業

洪永穩　論荀子的文藝思想
安徽大學文藝學專業碩士論文　2005 年　顧祖釗指導

鄭二利　王充的文藝思想述評
安徽大學文藝學專業碩士論文　2005 年 5 月　顧祖釗指導

鄧志敏　先秦儒家人學與美學淺論——以孔子為主，兼論孟、荀的美學思想
安徽大學文藝學專業碩士論文　2007 年　顧祖釗指導

中國古代文學專業

王　飛　黃生詩學思想初探
安徽大學中國古代文學專業碩士論文　2004 年 9 月　鮑恒指導

陳良中　《今文尚書》文學藝術研究
安徽大學中國古代文學專業碩士論文　2004 年 5 月　孫以昭指導

周良平　「興」義源、流、變
安徽大學古代文學專業碩士論文　1999 年 6 月　孫以昭指導

余全介　荀子詩說研究
安徽大學中國古代文學專業碩士論文　2002 年 5 月　孫以昭指導

丁　進　兩《戴記》考論
安徽大學中國古代文學專業碩士論文　2002 年 5 月　孫以昭指導

宋啟發　《孟子》散文論辯藝術研究
安徽大學中國古代文學專業碩士論文　2003 年 5 月　孫以昭指導

安徽師範大學

中國古典文獻學專業

徐玲英　馬其昶《毛詩學》研究
安徽師範大學中國古典文獻學專業碩士論文　2005 年 4 月　袁傳璋、李先華指導

美學專業

林國兵　試論孔穎達的易學理論與美學智慧
安徽師範大學美學專業碩士論文　2004 年 5 月　汪裕雄指導

中國古代史專業

梁　晨　兩漢讖緯之學的源流與興盛

安徽師範大學中國古代史專業碩士論文　2007 年　裘士京指導

中國古代文學專業

袁　茹　　柳宗元的學術研究與散文創作

安徽師範大學中國古代文學專業碩士論文　2005 年　劉學鍇、余恕誠、胡傳志指導

左川鳳　　姚際恒與戴震《詩經》研究之比較

安徽師範大學中國古代文學專業碩士論文　2003 年 4 月　蔣立甫、袁傳璋、潘嘯龍指導

文藝學專業

董　芬　　朱熹《詩集傳》闡釋方法研究

安徽師範大學文藝學專業碩士論文　2005 年 5 月　李平指導

河南省

河南大學

中國哲學專業

王向東　　荀子「分」論

河南大學中國哲學專業碩士論文　2005 年　徐儀明、耿成鵬指導

徐　蕾　　王弼與郭象玄學方法研究

河南大學中國哲學專業碩士論文　2004 年 5 月　徐儀明指導

高會霞　　朱熹仁學思想研究

河南大學中國哲學專業碩士論文　2003 年　徐儀明指導

曲　巖　　王廷相「氣本論」思想研究

河南大學中國哲學專業碩士論文　2005 年 5 月　徐儀明、陳廣勝指導

周林根　　王畿、鄒守益心學思想之比較

河南大學中國哲學專業碩士論文　2003 年 5 月　徐儀明指導

歐陽雪榕　戴震重知學的傳承與轉變
河南大學中國哲學專業碩士論文　2004 年 5 月　徐儀明指導

李曉虹　孔子禮學思想研究
河南大學中國哲學專業碩士論文　2002 年 5 月　徐儀明指導

趙炎峰　孔子禮學思想的哲學詮釋及其政治文化意義
河南大學中國哲學專業碩士論文　2007 年　耿成鵬指導

趙炎峰　孔子禮學思想的哲學詮釋及其政治文化意義
河南大學中國哲學專業碩士論文　2007 年　耿成鵬指導

孫軍紅　孔子「和」論
河南大學中國哲學專業碩士論文　2007 年　喬鳳杰、朱麗霞指導

王曉燕　論孔子的美學思想
河南大學中國哲學專業碩士論文　2002 年 5 月　徐儀明指導

中國哲學史專業

張楓林　孫奇逢《理學宗傳》研究
河南大學中國哲學史專業碩士論文　2007 年 5 月　高秀昌、耿成鵬指導

教育史專業

李春旺　胡宏教育實踐與教育思想之探析
河南大學教育史專業碩士論文　2007 年 5 月　牛夢琪指導

周　娜　「中體西用」與「和魂洋才」——教育視野下張之洞與福澤諭吉西學思想之比較
河南大學教育史專業碩士論文　2006 年 5 月　李申申、趙國權指導

李琳琳　返於自然與超越歷史——盧梭與梁啟超「賢妻良母」女子教育目的觀之比較
河南大學教育史專業碩士論文　2006 年 5 月　李申申、趙國權指導

王娟華　倫理的政治化與倫理的哲學化——孔子與蘇格拉底的教育目的及其踐行過程之比較
河南大學教育史專業碩士論文　2005 年 5 月　李申申指導

專門史專業

張源遠　論王充的學者氣質
河南大學專門史專業碩士論文　2006 年 5 月　李振宏指導

中國古代史專業

張小穩　孟荀學風之比較
河南大學中國古代史專業碩士論文　2002 年　李振宏、鄭慧生指導

柳素平　荀子、王充思想比較研究
河南大學中國古代史專業碩士論文　2003 年 5 月　李振宏、鄭慧生指導

柳素平　荀子、王充思想比較研究
河南大學中國古代史專業碩士論文　2003 年 5 月　李振宏、鄭慧生指導

褚新國　試論孔子人性思想
河南大學中國古代史專業碩士論文　2002 年 5 月　李振宏、鄭慧生指導

中國近現代史專業

李建中　論張之洞的農商思想及其實踐
河南大學中國近現代史專業碩士論文　2005 年 5 月　張九洲指導

周孟雷　張之洞與近代反洋教運動
河南大學中國近現代史專業碩士論文　2003 年 5 月　張蓮波指導

鞠北平　論張之洞與晚清國防建設
河南大學中國近現代史專業碩士論文　2003 年 5 月　張九洲指導

漢語言文字學專業

郝中嶽　王念孫《詩經小學》研究
河南大學漢語言文字學專業碩士論文　2006 年 5 月　張生漢指導

郝中嶽　王念孫《詩經小學》研究
河南大學漢語言文字學專業碩士論文　2006 年 5 月　張生漢指導

洪　帥　趙岐《孟子章句》複音詞研究
河南大學漢語言文字學專業碩士論文　2007 年　魏清源指導

中國古代文學專業

陳志霞　《周易》之「象」的文化內涵及審美意義
河南大學中國古代文學專業碩士論文　2005 年 5 月　華鋒指導

李琳珂　先秦逸詩研究
河南大學中國古代文學專業碩士論文　2006 年 5 月　華鋒指導

房瑞麗　《上海博物館藏戰國楚竹書・詩論》與《詩經》研究
河南大學中國古代文學專業碩士論文　2004 年 5 月　白本松、華鋒指導

鄭麗娟　《詩經》「二南」與周代禮樂文化
河南大學中國古代文學專業碩士論文　2007 年 5 月　華鋒、姚小鷗指導

胡宏哲　部族文化與《詩經・周頌》祭祀詩的時代特徵
河南大學中國古代文學專業碩士論文　2005 年 5 月　華鋒指導

李賀軍　清代《詩經》學獨立思考派《詩》學研究
河南大學中國古代文學專業碩士論文　2006 年 5 月　華鋒指導

朱金發　聞一多的詩經研究
河南大學中國古代文學專業碩士論文　2001 年 4 月　白本松、華鋒指導

何愛英　《左傳》文體特徵及其文化意蘊
河南大學中國古代文學專業碩士論文　2001 年 1 月　白本松、華鋒指導

李衛軍　兩漢《左傳》學發微
河南大學中國古代文學專業碩士論文　2005 年 5 月　華鋒指導

王曉敏　唐代《左傳》學研究
河南大學中國古代文學專業碩士論文　2005 年 5 月　白本松、華鋒指導

孔漫春　「亞聖」人格透析——兼論《孟子》書中的孟子形象
河南大學中國古代文學專業碩士論文　2000 年 5 月　白本松、華鋒指導

比較文學與世界文學專業

陳會亮　《論語》與《摩西五經》比較研究
河南大學比較文學與世界文學專業碩士論文　2006 年 5 月　賀淯濱指導

新聞學專業

傅乃芹　從《時務報》的創辦看梁啟超的新聞編輯思想與成就
河南大學新聞學專業碩士論文　2004 年 5 月　宋應離指導

音樂學專業

郭　珂　《周禮》樂官辨
河南大學音樂學專業碩士論文　2005 年 5 月　張永傑指導

河南師範大學

科學技術哲學專業

何義霞　　《周易》與《內經》陰陽文化的同構性研究

　　　　　河南師範大學科學技術哲學專業碩士論文　2007年5月　冷天吉指導

課程與教學論專業

陳春梅　　孔子與蘇格拉底啟發式教學思想比較研究

　　　　　河南師範大學課程與教學論專業碩士論文　2002年4月　續潤華、穆嵐指導

歷史文獻學專業

吳　漫　　《困學紀聞》研究

　　　　　河南師範大學歷史文獻學專業碩士論文　2003年5月　王記錄指導

李　峰　　王夫之史學思想若干問題探析

　　　　　河南師範大學歷史文獻學專業碩士論文　2002年6月　王記錄指導

陶玉霞　　《廿二史考異》徵引文獻考

　　　　　河南師範大學歷史文獻學專業碩士論文　2003年5月　呂友仁指導

甘良勇　　阮元《十三經注疏校勘記序》箋證

　　　　　河南師範大學歷史文獻學專業碩士論文　2005年5月　呂友仁指導

李慧玲　　歐陽修〈詩本義〉校注

　　　　　河南師範大學歷史文獻學專業碩士論文　2004年5月　呂友仁指導

左　建　　孫希旦《禮記集解》初探

　　　　　河南師範大學歷史文獻學專業碩士論文　2003年5月　呂友仁指導

顧　飛　　朱子《論語集注》注音釋義考

　　　　　河南師範大學歷史文獻學專業碩士論文　2004年5月　呂友仁指導

中國古代文學專業

翟相君　　《國風》中的怨刺詩

　　　　　河南師範大學中國古代文學專業碩士論文　1978、1979級　華鍾彥指導

楊天宇　論鄭玄《三禮注》[15]
河南師範大學中國古代文學專業碩士論文　1981 年　郭豫才、朱紹侯、郭人民指導
文史　第 21 輯　北京　中華書局　頁 21-42　1983 年 10 月
天津　天津人民出版社　頁 581-645　2007 年 4 月
北京　中國社會科學出版社　頁 155-182　2008 年 2 月

米壽順　論《左傳》的民本思想
河南師範大學中國古代文學專業碩士論文　1978、1979 級　華鍾彥指導

英語語言文學專業

謝艷明　詩歌的敘述模式和程式——以《英格蘭與蘇格蘭民謠》和《詩經》為例
河南師範大學英語語言文學專業博士論文　2007 年　王寶童指導

鄭州大學

中國古典文獻學專業

郭　磊　從孔子到荀子——先秦儒家民本思想的演變
鄭州大學中國古典文獻學專業碩士論文　2006 年　王保國指導

李　迪　范仲淹交遊考略
鄭州大學中國古典文獻學專業碩士論文　2001 年　李之亮指導

王　茜　石介年譜
鄭州大學中國古典文獻學專業碩士論文　2002 年　李之亮指導

屠　青　韓琦交遊考略
鄭州大學中國古典文獻學專業碩士論文　2003 年 5 月　李之亮、徐正英指導

劉麗麗　司馬光交遊考述
鄭州大學中國古典文獻學專業碩士論文　2004 年　李之亮指導

張新紅　王安石交遊考辨
鄭州大學中國古典文獻學專業碩士論文　2004 年　李之亮指導

15　此論文曾刊於《文史》第 21 輯，後在此基礎上增補修改，並更名為《鄭玄三禮注研究》出版，出版後第六章「論鄭玄《三禮注》」即為作者碩士論文原貌。

張俊峰　王筠研究稿
鄭州大學中國文獻學專業碩士論文　2004 年　俞紹初指導

孫向召　《詩經・鄭風》研究
鄭州大學中國古典文獻學專業碩士論文　2005 年 5 月　徐正英指導

毛振華　《左傳》賦詩研究
鄭州大學中國古典文獻學專業碩士論文　2005 年 5 月　徐正英指導

郭　磊　從孔子到荀子——先秦儒家民本思想的演變
鄭州大學中國古典文獻學專業碩士論文　2006 年　王保國指導

彭　慧　廣雅疏證中《文選》通假字研究
鄭州大學中國古典文獻學專業碩士論文　2004 年　李恩江指導

美學專業

史新慧　中國創世神話解讀
鄭州大學美學專業碩士論文　2005 年　劉成紀指導

朱建鋒　禮之「文」化——論荀子「文」的美學思想
鄭州大學美學專業碩士論文　2005 年　史鴻文指導

王珍珍　「正名」與先秦儒家美學
鄭州大學美學專業碩士論文　2005 年 5 月　劉成紀指導

法律專業

馮　濤　梁啟超憲政思想研究
鄭州大學法律專業碩士論文　2005 年 5 月　梁鳳榮指導

歷史學專業

耿鵬坤　談談許慎和《說文解字》的幾個問題
鄭州大學歷史學專業碩士論文　2004 年 5 月　姜建設指導

中國古代史專業

崔紅偉　論商湯滅夏前後所居之亳
鄭州大學中國古代史專業碩士論文　2006 年　李民指導

李向東　談荀子的禮法和民生思想
鄭州大學中國古代史專業碩士論文　2006 年　史建群指導

劉萬雲　經學與漢代的制度建設研究
鄭州大學中國古代史專業碩士論文　2006 年 5 月　楊天宇指導

胡　明　漢元帝時期的經學與政治
鄭州大學中國古代史專業碩士論文　2003 年 5 月　楊天宇指導

逯萬軍　略論東漢前期的經學
鄭州大學中國古代史專業碩士論文　2002 年 10 月　楊天宇指導

張新萍　王充思想融合性研究
鄭州大學中國古代史專業碩士論文　2006 年 5 月　史建群指導

閻秋鳳　論許衡的理學思想及其影響
鄭州大學中國古代史專業碩士論文　2006 年 4 月　安國樓指導

岳紅琴　《禹貢》與夏代社會
鄭州大學中國古代史專業博士論文　2006 年 5 月　李民指導

李軍靖　《洪範》與古代政治文明
鄭州大學中國古代史專業博士論文　2005 年 4 月　李民指導

梁錫鋒　漢代的《詩經》學與政治關係研究
鄭州大學中國古代史專業碩士論文　2001 年 5 月　楊天宇指導

張自慧　禮文化的人文精神與價值研究
鄭州大學中國古代史專業博士論文　2006 年 5 月　楊天宇指導
上海　學林出版社　321 頁　2008 年 9 月（改名為《禮文化的價值與反思》）

白　華　儒家禮學價值觀研究
鄭州大學中國古代史專業博士論文　2004 年 5 月　楊天宇指導

梁錫鋒　鄭玄以禮箋《詩》研究
鄭州大學中國古代史專業博士論文　2004 年 5 月　楊天宇指導
北京　學苑出版社　262 頁　2005 年 1 月

王賀順　論孔子的歷史悲劇
鄭州大學中國古代史專業碩士論文　2000 年 6 月　史建群指導

吳　濤　聖人與真人——孟子、莊子人生理想之比較研究
鄭州大學中國古代史專業碩士論文　2004 年 5 月　姜建設、史建群指導

漢語言文字學專業

程光耀　《釋名》中的同字為訓現象研究
鄭州大學漢語言文字學專業碩士論文　2007 年　胡和平指導

文藝學專業

張翠玲　女媧城祭祀歌舞研究

鄭州大學文藝學專業碩士論文　2002 年　張冠華指導

王　偉　荀子性惡論人學與美學

鄭州大學文藝學專業碩士論文　2000 年　劉成紀指導

中國古代文學專業

王奇峰　戴名世古文研究

鄭州大學中國古代文學專業碩士論文　2006 年 5 月　高黛英指導

孫文持　荀子禮學思想研究

鄭州大學中國古代文學專業碩士論文　2006 年 6 月　賈濱指導

陶運清　《左傳》的敘事特色——以戰爭為中心的考察

鄭州大學中國古代文學專業碩士論文　2006 年 6 月　賈濱指導

郭樹偉　試論孟子的養浩然之氣

鄭州大學中國古代文學專業碩士論文　2004 年 5 月　賈濱指導

湖北省

武漢大學

中國古典文獻學專業

閆平凡　楊守敬《漢書二十三家注鈔・應劭》校補

武漢大學中國古典文獻學專業碩士論文　2004 年 5 月　李步嘉、羅積勇指導

孫亞華　楊守敬《漢書二十三家注鈔・服虔》校補

武漢大學中國古典文獻學專業碩士論文　2004 年 5 月　李步嘉、萬獻初指導

徐　珮　楊守敬《漢書二十三家注鈔・孟康》校補

武漢大學中國古典文獻學專業碩士論文　2004 年 5 月　李步嘉、羅積勇指導

鄭春汛　阮元刻《毛詩注疏》零校

武漢大學中國古典文獻學專業碩士論文　2004 年 5 月　駱瑞鶴指導

田春來　漢代《論語》的流傳與演變

武漢大學中國古典文獻學專業碩士論文　2004 年 5 月　羅積勇指導

圖書館學專業

袁　丹　錢謙益與文獻學

武漢大學圖書館學專業碩士論文　2002 年 5 月　曹之指導

中國哲學專業

儲昭華　明分之道——從荀子看儒家文化與民主政道融通的可能性

武漢大學中國哲學專業博士論文　2005 年　郭齊勇指導

北京　商務印書館　364 頁　2005 年 12 月

劉元青　三教歸儒——方以智哲學思想的終極價值追求

武漢大學中國哲學專業碩士論文　2005 年　吳根友指導

陽　征　陳確思想研究——以《大學辨》為中心

武漢大學中國哲學專業碩士論文　2003 年 5 月　吳根友指導

黃敦兵　《王畿學案》與黃宗羲的哲學史觀

武漢大學中國哲學專業碩士論文　2005 年 5 月　吳根友指導

葉百泉　梁啟超的「新民說」與福澤諭吉

武漢大學中國哲學專業碩士論文　2003 年 5 月　徐水生指導

傅建利　論梁啟超對日譯西學的傳播——以《清議報》、《新民叢報》為中心

武漢大學中國哲學專業碩士論文　2004 年 5 月　徐水生指導

林合華　梁啟超科學觀的三期演變及其意義

武漢大學中國哲學專業碩士論文　2005 年 5 月　李維武指導

祝　薇　晚年梁漱溟與馬克思主義哲學

武漢大學中國哲學專業碩士論文　2003 年 5 月　李維武指導

劉軍平　張岱年哲學思想研究

武漢大學中國哲學專業博士論文　2005 年 4 月　郭齊勇指導

北京　人民出版社　558 頁　2007 年 11 月（改名為《傳統的守望者：張岱年哲學思想研究》）

冀倩如　陳大齊的孔孟荀哲學思想研究

武漢大學中國哲學專業碩士論文　2007 年　郭齊勇指導

張晚林　徐復觀藝術詮釋體系研究
武漢大學中國哲學專業博士論文　2005 年 5 月　李維武指導

劉金鵬　徐復觀民族國家思想研究
武漢大學中國哲學專業碩士論文　2003 年 5 月　李維武指導

陳仁仁　上海博物館藏戰國楚竹書《周易》研究——兼論早期易學相關問題
武漢大學中國哲學專業博士論文　2005 年 5 月　蕭漢明指導

唐　琳　朱震易學思想研究
武漢大學中國哲學專業博士論文　2003 年 4 月　蕭漢明指導
北京　中國書店　180 頁　2007 年 7 月（改名為《朱震的易學視域》）

孫勁松　郭雍易學思想研究
武漢大學中國哲學專業碩士論文　2003 年 4 月　蕭漢明指導

劉體勝　大義入象——來知德易學思想淺繹
武漢大學中國哲學專業碩士論文　2005 年 5 月　蕭漢明指導

鄭朝暉　述者微言——惠棟易學研究
武漢大學中國哲學專業博士論文　2005 年 5 月　蕭漢明指導
北京　人民出版社　296 頁　2008 年 12 月（改名為《述者微言：惠棟易學的邏輯化世界》）

梅珍生　晚周禮的文質論
武漢大學中國哲學專業博士論文　2003 年　蕭漢明指導

樂勝奎　皇侃與六朝禮學
武漢大學中國哲學專業博士論文　2002 年 4 月　郭齊勇指導

龔建平　《禮記》哲學思想研究
武漢大學中國哲學專業博士論文　1998 年　郭齊勇指導
北京　商務印書館　467 頁　2005 年 11 月（改名為《意義的生成與實現：《禮記》哲學思想》）

唐　娜　主體與本體的合一——孟子「盡心」說新詮
武漢大學中國哲學專業碩士論文　2004 年 5 月　田文軍指導

陽　征　陳確思想研究——以《大學辨》為中心
武漢大學中國哲學專業碩士論文　2003 年 5 月　吳根友指導

哲學、美學專業

劉建平　莊子精神與現代藝術——徐復觀藝術思想論

武漢大學哲學、美學專業碩士論文　2004年5月　鄒元江指導

張　宜　《周易》時空觀念與中國古典美學
武漢大學哲學・美學專業碩士論文　2004年4月　陳望衡指導

鄒其昌　朱熹詩經詮釋學美學研究
武漢大學哲學、美學專業博士論文　2002年4月　陳望衡指導
北京　商務印書館　245頁　2004年7月

張完碩　孔子論美與善的關係
武漢大學哲學、美學專業碩士論文　2000年5月　劉綱紀指導

美學專業

陳　碧　《周易》象數美學思想研究
武漢大學美學專業博士論文　2005年5月　陳望衡指導

曹　蕓　論中國古典園林藝術中的《周易》美學思想
武漢大學美學專業碩士論文　2005年5月　范明華指導

科學技術史專業

范　穎　論大禹治水及其影響
武漢大學科學技術史專業碩士論文　2005年　李可可指導

馬克思主義理論與思想政治教育專業

王　娟　孟子荀子德育思想比較研究
武漢大學馬克思主義理論與思想政治教育專業碩士論文　2005年　倪素香指導

政治學理論專業

白　銳　康有為近代中國政治發展觀研究
武漢大學政治學理論專業博士論文　2002年10月　劉德厚指導
北京　知識產權出版社　203頁　2009年1月（改名為《尋求傳統政治的現代轉型：康有為近代中國政治發展觀研究》）

歷史學專業

吳仰湘　通精致用一代師：皮錫瑞生平和思想研究

武漢大學歷史系博士後論文　2001 年　吳劍傑指導
長沙　岳麓書院　342 頁　2002 年 1 月

中國近現代史專業

楊　波　張之洞與近代海南島的早期開發
武漢大學中國近現代史專業碩士論文　2003 年 5 月　吳劍傑指導

漢語言文字學專業

萬獻初　《經典釋文》音切類目研究
武漢大學漢語言文字學專業博士論文　2002 年 5 月　宗福邦指導
北京　商務印書館　393 頁　2004 年 10 月

丁　忱　《詩經》通假字考
武漢大學語言文字專業碩士論文　1978、1979 級　黃焯、周大璞指導

羅慶雲　《詩經》介詞研究
武漢大學漢語言文字學專業碩士論文　2004 年 5 月　楊合鳴指導

王金芳　《詩經》副詞助詞研究
武漢大學漢語言文字學專業博士論文　2003 年 5 月　楊合鳴指導

楊合鳴　《詩經》句法初探
武漢大學語言文字專業碩士論文　1978、1979 級　周大璞指導

駱瑞鶴　《毛詩叶韻補音》研究
武漢大學漢語言文字學專業博士論文　2005 年 5 月　宗福邦指導

曹兆藍　試談《左傳》文句的省略
武漢大學語言文字專業碩士論文　1978、1979 級　周大璞指導

漢語史專業

趙世舉　《孟子》定中結構研究
武漢大學漢語史專業博士論文　1999 年　鄭遠漢指導
北京　中國青年出版社　199 頁　2000 年 10 月

丁　忱　《爾雅》、《毛傳》異同考
武漢大學漢語史專業博士論文　1983 年　黃焯指導
武漢　武漢大學出版社　107 頁　1988 年

新聞學專業

王小海　試論梁啟超對西方新聞自由思想的認知與批判
武漢大學新聞學專業碩士論文　2005 年 4 月　單波指導

普　進　梁啟超：近代報刊與民主啟蒙
武漢大學新聞學專業碩士論文　2005 年 4 月　周光明指導

武漢理工大學

思想政治教育學專業

仝迷鋒　論孔子的道德教育
武漢理工大學思想政治教育學專業碩士論文　2005 年 5 月　雷紹鋒指導

馬克思主義理論與思想政治教育專業

彭菊玲　先秦儒家禮育與現代德育研究
武漢理工大學馬克思主義理論與思想政治教育專業碩士論文　2006 年 11 月　雷紹鋒指導

張　寰　論孔子的「安人」之道
武漢理工大學馬克思主義理論與思想政治教育專業碩士論文　2004 年 5 月　雷紹鋒指導

楊晶晶　孔子的師德理念初探──以《論語》為中心
武漢理工大學馬克思主義理論與思想政治教育專業碩士論文　2006 年 4 月　雷紹鋒指導

教育經濟與管理專業

李雙雙　《大學》的教育思想及其現代意義探析
武漢理工大學教育經濟與管理專業碩士論文　2006 年 5 月　朱喆指導

外國語言學及應用語言學專業

汪　凱　以《孟子》為語料的概念隱喻認知研究

武漢理工大學外國語言學及應用語言學專業碩士論文　2007 年 5 月　高文成指導

設計藝術學專業

鐘正基　《考工記》車的設計思想研究
武漢理工大學設計藝術學專業碩士論文　2007 年　鄒其昌指導

王夢周　《考工記》玉器設計思想研究
武漢理工大學設計藝術學專業碩士論文　2007 年　鄒其昌指導

劉明玉　《考工記》服飾工藝理論研究
武漢理工大學設計藝術學專業碩士論文　2007 年 5 月　鄒其昌指導

湖北大學

中國古典文獻學專業

柳　燕　論《文獻通考・經籍考・集部》的文學史意義
湖北大學中國古典文獻學專業碩士論文　2001 年 1 月　張林川指導

劉小東　王夫之《莊子通》述論
湖北大學中國古典文獻學專業碩士論文　2003 年 5 月　張林川指導

徐道彬　戴震與《屈原賦注》
湖北大學中國古典文獻學專業碩士論文　2002 年 1 月　魯毅指導

劉琳琳　論錢大昕的歷史考據
湖北大學中國古典文獻學專業碩士論文　2004 年 5 月　郭康松指導

李　敏　馬國翰與《玉函山房輯佚書》
湖北大學中國古典文獻學專業碩士論文　2003 年 5 月　魯毅指導

劉旭青　略論王先謙文獻整理的成就與方法
湖北大學中國古典文獻學專業碩士論文　2000 年 4 月　魯毅指導

李和山　梁啟超文獻學述論
湖北大學中國古典文獻學專業碩士論文　2004 年 5 月　魯毅指導

李華斌　張舜徽與《廣校讎略》
湖北大學中國古典文獻學專業碩士論文　2006 年 5 月　魯毅指導

許繼起　鄭玄《周易注》流變考
湖北大學中國古典文獻學專業碩士論文　1999 年 4 月　張林川指導

汪　斌　閻若璩《尚書古文疏證》研究
湖北大學中國古典文獻學專業碩士論文　2006 年 5 月　郭康松指導

蘇文英　《詩》經典地位的確立
湖北大學中國古典文獻學專業碩士論文　1999 年 4 月　汪耀楠指導

左洪濤　〈魯詩〉流變考
湖北大學中國古典文獻學專業碩士論文　2000 年 5 月　張林川指導

何詩海　《詩經》句法探討
湖北大學中國古典文獻學專業碩士論文　1999 年 4 月　嚴承鈞指導

馮　佳　朱熹《詩集傳》散論
湖北大學中國古典文獻學專業碩士論文　2004 年 5 月　張林川指導

周春健　《左傳》引《詩》考析
湖北大學中國古典文獻學專業碩士論文　2001 年 1 月　張林川指導

朱明勛　《孝經》研究史簡論
湖北大學中國古典文獻學專業碩士論文　2001 年 5 月　張林川指導

俞　欣　《爾雅・釋詁》「二義同條」初探
湖北大學中國古典文獻學專業碩士論文　1999 年　張林川指導

李　斐　郭璞《爾雅注》和它的文獻價值
湖北大學中國古典文獻學專業碩士論文　2005 年 5 月　張林川指導

羅　淩　宋代《爾雅》注研究
湖北大學中國古典文獻學專業碩士論文　2003 年 5 月　郭康松指導

中國哲學專業

陳友喬　顧炎武的人格特徵探析
湖北大學中國哲學專業碩士論文　2006 年 5 月　陳道德指導

劉因燦　闡舊邦以輔新命　極高明而道中庸——馮友蘭文化哲學新論
湖北大學中國哲學專業碩士論文　2005 年 5 月　陳道德指導

章　莽　孔子中庸觀與亞里士多德中道觀比較
湖北大學中國哲學專業碩士論文　2005 年 5 月　戴茂堂指導

倫理學專業

唐　琳　韓愈倫理思想基本範疇剖析

湖北大學倫理學專業碩士論文　2000年5月　羅熾、劉澤亮指導

靖小琴　戴震經學思想析論

湖北大學倫理學專業碩士論文　2003年6月　羅熾指導

胡　軍　焦循儒學思想研究

湖北大學倫理學專業碩士論文　2003年5月　羅熾指導

專門史專業

胡曉琴　中國近代文化保守主義的發端——以馮桂芬、王韜、薛福成、馬建忠、鄭觀應為考察中心

湖北大學專門史專業碩士論文　2004年6月　何曉明指導

雷　平　章太炎、梁啟超、錢穆清代學術史論的理路

湖北大學專門史專業碩士論文　2004年6月　周積明指導

中國古代史專業

周　軍　《左傳》歷史文學論略

湖北大學中國古代史專業碩士論文　2007年5月　彭忠德指導

漢語言文字學專業

韓小荊　楊慎小學評議

湖北大學漢語言文字學專業碩士論文　1999年　舒懷指導

謝艷紅　顧炎武古韻分部的方法試析

湖北大學漢語言文字學專業碩士論文　2004年5月　孫玉文指導

胡　翼　段玉裁字義引申說簡論

湖北大學漢語言文字學專業碩士論文　2006年5月　舒懷指導

張春泉　《孟子》中的條件複句

湖北大學漢語言文字學專業碩士論文　2006年1月　黃群建、馮廣藝指導

文藝學專業

陳祥波　論孔子的文藝思想

湖北大學文藝學專業碩士論文　2002 年 5 月　毛正天指導

中國古代文學專業

龔元秀　論《左傳》的行人辭令
湖北大學中國古代文學專業碩士論文　2001 年 5 月　何新文指導

湖北中醫學院

中醫基礎理論專業

劉成漢　從《周易》象數、義理看中醫學的六經、八綱辨證
湖北中醫學院中醫基礎理論專業博士論文　2006 年 5 月　成肇智指導

華中科技大學

中國哲學專業

鄒　新　論孔子的仁學
華中科技大學中國哲學專業碩士論文　2005 年 5 月　趙建功指導

馬克思主義哲學專業

謝潔瑕　論梁漱溟的文化思想與哲學
華中科技大學馬克思主義哲學專業碩士論文　2002 年 1 月　王炯華指導

高青蓮　《周易》人文思想對企業精神文化建設的啟示
華中科技大學馬克思主義哲學專業碩士論文　2003 年 5 月　張峰指導

科學技術哲學專業

李俊莉　試析孔子儒學思想及其對我國現代政治倫理思想的意義
華中科技大學科學技術哲學專業碩士論文　2005 年 11 月　張廷國指導

中國古代史專業

王小平　荀子文學思想及影響研究
華中科技大學中國古代史專業碩士論文　2005 年　何錫章指導

語言學及應用語言學專業

胡海瓊　《爾雅義疏》同族詞研究
華中科技大學語言學及應用語言學專業碩士論文　2004 年 5 月　尉遲治平指導

張瑞朋　《釋名》聲訓性質新論
華中科技大學語言學及應用語言學專業碩士論文　2004 年　尉遲治平指導

甘　勇　《廣雅疏證》的數字化處理及其同源字研究
華中科技大學語言學及應用語言學專業碩士論文　2005 年　尉遲治平指導

中國古代文學專業

任　珏　《詩經》情詩的女性敘事研究
華中科技大學中國古代文學專業碩士論文　2004 年 5 月　何錫章指導

華中師範大學

中國古典文獻學專業

林日波　真德秀年譜
華中師範大學中國古典文獻學專業碩士論文　2006 年　張三夕指導

劉筱紅　張舜徽與清代學術史研究
華中師範大學文獻學專業博士論文　2000 年　熊鐵基指導
武昌　華中師範大學出版社　279 頁　2001 年 10 月

金前文　漢賦與漢代《詩經》學
華中師範大學中國古典文獻學專業博士論文　2006 年 4 月　高華平指導

曾　軍　清前期《禮記》學研究
華中師範大學古典文獻學專業碩士論文　2005 年 6 月　張三夕指導

曾　軍　義理與考據——清中期《禮記》詮釋的兩種策略
華中師範大學中國古典文獻學專業博士論文　2008 年 6 月　張三夕指導

吳崢嶸　《左傳》索取、給予、接受義類詞彙系統研究
華中師範大學漢語言文字學專業博士論文　2006 年 6 月　周光慶指導

沈曙東　朱熹《中庸章句》成書過程研究
華中師範大學中國古典文獻學專業碩士論文　2006 年　高華平指導

馬克思主義理論與思想政治教育專業

史　磊　孔子德育思想及其現代意義
華中師範大學馬克思主義理論與思想政治教育專業碩士論文　2005 年 5 月　陳萬柏指導

教育學原理專業

周　艷　孟子的性善論思想及其現代德育價值
華中師範大學教育學原理專業碩士論文　2007 年　杜時忠指導

課程與教學論專業

萬　偉　孔子的治學思想與當代中學語文教育
華中師範大學課程與教學論專業碩士論文　2007 年 11 月　林繼富指導

學科教學專業

李　奕　荀子教育思想與「完全人」培養——以中學語文教學為中心
華中師範大學學科教學專業碩士論文　2006 年　周禾指導

張華晃　試論朱熹的書院教學思想
華中師範大學學科教育專業碩士論文　2003 年　張全明指導

李步敏　《論語》中君子人格對現代教育的啟迪
華中師範大學學科教學專業碩士論文　2006 年 11 月　劉興林指導

譚　晴　論孔子的教育思想對當代中學生素質教育的啟示
華中師範大學學科教學專業碩士論文　2007 年　佘斯大指導

姜廣錦　《論語》教育理論范疇對當今教育的啟示
華中師範大學學科教學專業碩士論文　2007 年　周光慶指導

學科教學・歷史專業

王　瑜　顏元教育思想研究

華中師範大學學科教學・歷史專業碩士論文　2005 年 4 月　王玉德指導

陳倫兵　張之洞的「中體西用」教育思想與實踐初探

華中師範大學學科教學・歷史專業碩士論文　2006 年 5 月　張全明指導

葉前進　梁啟超的教育現代化思想研究

華中師範大學學科教學・歷史專業碩士論文　2006 年 4 月　王玉德指導

張紅霞　梁啟超家庭教育思想研究

華中師範大學學科教學・歷史專業碩士論文　2006 年 5 月　王玉德指導

饒延俊　張舜徽的治學方法對當前中學歷史教育的啟示

華中師範大學學科教學・歷史專業碩士論文　2006 年 5 月　黃華文指導

語文學科教學專業

榮翠紅　孔子成人思想的現實教育意義

華中師範大學語文學科教學專業碩士論文　2005 年 11 月　佘斯大指導

吳小紅　孔子教育心理與當前語文教學

華中師範大學語文學科教學專業碩士論文　2005 年 11 月　周禾指導

彭惠珍　孔子的教育理論與實踐對當代教育的啟示

華中師範大學語文學科教學專業碩士論文　2005 年 11 月　劉興林指導

萬　磊　孟子思想與中學生人生觀、價值觀的教育

華中師範大學語文學科教學專業碩士論文　2005 年 11 月　佘斯大指導

教育管理專業

文定旭　立足傳統、融匯中西——郭嵩燾洋務教育思想研究

華中師範大學教育管理專業碩士論文　2001 年 1 月　喻本伐指導

史學理論與史學史專業

顏　娜　梁啟超史學認識論思想初探

華中師範大學史學理論與史學史專業碩士論文　2006 年 5 月　鄧鴻光指導

中國古代史專業

朱志先　王夫之秦漢史論研究
華中師範大學中國古代史專業碩士論文　2005年5月　丁毅華指導

中國近現代史專業

張　靜　郭嵩燾與湖湘文化——以其五次歸隱作個案探析
華中師範大學中國近現代史專業碩士論文　2003年5月　何建明指導

童綏寶　張之洞與武漢教育近代化
華中師範大學中國近現代史專業碩士論文　2006年5月　黃華文指導

董恩強　新考據學派：學術與思想（1919-1949）
華中師範大學中國近現代史專業博士論文　2006年10月　羅福惠、何建明指導

劉聯鋒　試論劉師培的多變
華中師範大學中國近現代史專業碩士論文　2006年6月　黃華文指導

張艷國　破與立的文化激流——五四時期孔子及其學說的歷史命運
華中師範大學中國近現代史專業博士論文　2001年6月　章開沅、嚴昌洪指導
廣州　花城出版社　336頁　2003年4月

歷史文獻學專業

張三夕　批判史學的批判：劉知幾及其史通研究
華中師範大學歷史文獻學專業博士論文　1986年　張舜徽指導
臺北　文津出版社　350頁　1992年9月（大陸地區博士論文叢刊）

李勤合　楊慎丹鉛諸錄研究
華中師範大學歷史文獻學專業碩士論文　2003年5月　楊昶指導

王　堅　無聲的北方——夏峰北學及其歷史命運
華中師範大學歷史文獻學專業碩士論文　2006年　譚漢生指導

鄭連聰　阮元與學海堂研究
華中師範大學歷史文獻學專業碩士論文　2003年5月　陳蔚松指導

黃　河　《漢書》引《易》研究
華中師範大學歷史文獻學專業碩士論文　2007年6月　劉韶軍指導

傅道彬　《詩》逸《詩》用通論
華中師範大學歷史文獻學專業博士論文　1988 年　張舜徽指導

馮浩菲　毛詩訓詁研究
華中師範大學歷史文獻學專業博士論文　1988 年　張舜徽、李國祥指導
武昌　華中師範大學出版社　2 冊　1998 年 8 月（博士論文庫）

何海燕　清代《詩經》學研究
華中師範大學歷史文獻學專業博士論文　2005 年 5 月　周國林指導

王春陽　《左傳》吉禮研究
華中師範大學歷史文獻學專業碩士論文　2005 年 5 月　李曉明指導

文廷海　清代春秋穀梁學研究
華中師範大學歷史文獻學專業博士論文　2005 年 5 月　周國林指導
成都　巴蜀書社　392 頁　2006 年 12 月

周春健　元代四書學研究
華中師範大學歷史文獻學專業博士論文　2007 年　周國林指導
上海　華東師範大學出版社　486 頁　2008 年

楊松賀　德在孔子思想體系中的地位
華中師範大學歷史文獻學專業博士論文　2002 年 5 月　熊鐵基、馬良懷指導
武昌　華中師範大學出版社　279 頁　2001 年 10 月（博士論文庫）

朱華忠　清代《論語》簡論
華中師範大學歷史文獻學專業博士論文　2002 年 5 月　周國林指導
成都　巴蜀書社　219 頁　2008 年 2 月

陳一風　《孝經注疏》研究
華中師範大學歷史文獻學專業博士論文　2003 年 5 月　周國林指導
成都　四川大學出版社　228 頁　2007 年

鄒華清　楊守敬學術研究
華中師範大中國歷史文獻學專業博士論文　2001 年 6 月　李國祥指導

漢語言文字學專業

曹海東　朱熹經典解釋學研究
華中師範大學漢語言文字學專業博士論文　2007 年 4 月　周光慶指導

周　娟　《國風》中的隱喻運用和《詩集傳》中的隱喻解釋
華中師範大學漢語言文字學專業碩士論文　2006 年 5 月　周光慶指導

外國語言學與應用語言學專業

周　娟　　林語堂編譯《論語》研究
華中師範大學外國語言學與應用語言學專業碩士論文　2005 年 11 月　陳宏薇指導

文藝學專業

劉　瓊　　論孔子以「和」為美的思想
華中師範大學文藝學專業碩士論文　2006 年 5 月　王濟民指導

文藝理論專業

譚秋雄　　試論孔儒文化及文藝思想的人格價值
華中師範大學文藝理論專業碩士論文　2001 年 1 月　李建中指導

中國古代文學專業

李　丹　　柳文與《國語》
華中師範大學中國古代文學專業碩士論文　2004 年 5 月　戴建業指導

謝　羽　　晚明江南士人群體研究——以陳子龍交遊為中心的考察
華中師範大學中國古代文學專業碩士論文　2006 年　吳琦指導

戴　峰　　論唐甄的啟蒙思想與散文藝術
華中師範大學中國古代文學專業碩士論文　2001 年 1 月　譚邦和指導

歐陽孫琳　戴名世散文研究
華中師範大學中國古代文學專業碩士論文　2006 年 5 月　譚邦和指導

陳英姿　　《詩經》比興研究
華中師範大學中國古代文學專業碩士論文　2007 年　韓維志指導

胡　青　　《詩經》植物起興研究
華中師範大學中國古代文學專業碩士論文　2007 年　劉興林指導

羅　婕　　《詩經》中反映的先秦婚禮
華中師範大學古代文學專業碩士論文　2007 年　韓維志指導

孫海沙　　論《詩經》的悲劇性
華中師範大學中國古代文學專業碩士論文　2001 年 1 月　佘斯大指導

張　鶯　　先秦儒家《詩》學述論

華中師範大學中國古代文學專業碩士論文　2005 年 5 月　高華平指導

陸理原　魏晉南北朝《詩經》研究論

華中師範大學文學專業碩士論文　2000 年 3 月　佘斯大指導

朱志純　從《史記》對《左傳》的取材透視司馬遷的「一家之言」

華中師範大學中國古代文學專業碩士論文　2007 年 5 月　韓維志指導

周　艷　《左傳》敘事研究

華中師範大學中國古代文學專業碩士論文　1999 年 1 月　佘斯大指導

吳竹蕓　《論語》中的孔子形象

華中師範大學中國古代文學專業碩士論文　2006 年 11 月　周禾指導

英語語言文學專業

談　峰　翻譯家梁啟超研究

華中師範大學英語語言文學專業碩士論文　2006 年 4 月　華先發指導

顧小燕　翻譯家胡適研究

華中師範大學英語語言文學專業碩士論文　2004 年 4 月　李亞丹指導

葉惠萍　翻譯家鄭振鐸研究

華中師範大學英語語言文學專業碩士論文　2005 年 4 月　陳宏薇指導

石　瑋　從隱喻到參照

華中師範大學英語語言學專業碩士論文　2006 年 4 月　陳佑林指導

王若維　理雅各英譯《周易》研究

華中師範大學英語語言文學專業碩士論文　1998 年 7 月　華先發指導

余　敏　從理雅各英譯《孟子》看散文風格的傳譯

華中師範大學英語語言文學專業碩士論文　2001 年 5 月　華先發指導

新聞學專業

溫　強　他被定格在歷史的交匯點上——梁啟超報刊活動及其新聞思想述評

華中師範大學新聞學專業碩士論文　2004 年 5 月　劉九洲指導

音樂學專業

葉敦妮　《詩經》樂器考釋

華中師範大學音樂學專業碩士論文　2007 年　李方元指導

中國古代音樂史專業

張玉琴　鄭玄「三禮注」釋樂考釋
華中師範大學中國古代音樂史專業碩士論文　2007年6月　李方元指導

華中農業大學

教育經濟與管理專業

汪夢林　孔子與蘇格拉底師道觀比較研究
華中農業大學教育經濟與管理專業碩士論文　2004年9月　陶美重指導

浙江省

杭州大學

中國古典文獻學專業

沈開生　皮日休繫年考辨
杭州大學中國古代文學專業碩士論文　1978、1979級　蔡義江指導

陳戍國　先秦禮制研究
杭州大學中國古典文獻學專業博士論文　1989年　沈文倬指導
長沙　湖南教育出版社　419頁　1991年12月

吳土法　《周禮》官聯叢考
杭州大學中國古典文獻學專業博士論文　1995年　沈文倬指導

張衛中　《左傳》預言研究
杭州大學中國古典文獻學專業博士論文　1996年　沈文倬指導

杭州師範學院

中國哲學專業

侯　賓　　陳獻章「主靜」思想研究
杭州師範學院中國哲學專業碩士論文　2005 年 4 月　陳銳指導

劉朝閣　　龔自珍的公羊學思想研究
杭州師範學院中國哲學專業碩士論文　2006 年 4 月　黃開國指導

漢語言文字學專業

唐忠海　　《考工記・玉人》名物訓詁與孫疏補證
杭州師範學院[16]漢語言文字學專業碩士論文　2005 年 4 月　汪少華指導

浙江大學

中國古典文獻學專業

過文英　　論漢墓繪畫中的伏羲女媧神話
浙江大學中國古典文獻學專業博士論文　2007 年　崔富章指導

崔　濤　　董仲舒政治哲學發微
浙江大學中國古典文獻學專業博士論文　2004 年　崔富章指導

胡曉華　　郭璞注釋語言詞彙研究
浙江大學中國古典文獻學專業博士論文　2005 年 5 月　王雲路指導

曾建林　　歐陽修經學思想研究
浙江大學中國古典文獻學專業博士論文　2007 年　束景南指導

張玖青　　楊萬里思想研究
浙江大學中國古典文獻學專業博士論文　2005 年　束景南指導

郭娟娟　　盧文弨之訓詁學研究
浙江大學中國古典文獻學專業碩士論文　2007 年 4 月　陳東輝指導

16 現已更名為杭州師範大學。

江　林　《詩經》與宗周禮樂文明
浙江大學中國古典文獻學專業博士論文　2004 年 4 月　束景南指導

劉東影　出土文獻與早期儒家《詩》學思想
浙江大學中國古典文獻學專業博士後論文　2005 年 6 月　崔富章指導

劉　茜　蘇轍的《春秋》學與《詩經》學
浙江大學中國古典文獻學專業博士論文　2007 年 5 月　束景南指導

包麗虹　朱熹《詩集傳》文獻學研究
浙江大學中國古典文獻學專業博士論文　2004 年 5 月　束景南指導

程嫩生　戴震詩經學研究
浙江大學中國古典文獻學專業博士論文　2005 年 5 月　何俊指導

張小蘋　孔孟荀禮學思想論要
浙江大學中國古典文獻學專業碩士論文　2007 年　吳土法指導

季　蒙　主思的理學——王夫之的四書學思想
浙江大學古典文獻學專業博士論文　2000 年　束景南指導
廣州　廣東高等教育出版社　302 頁　2005 年

中國哲學專業

吳凌鷗　孟子的敬畏之心與當前社會道德建設
浙江大學中國哲學專業碩士論文　2007 年　董平指導

教育史專業

朱俊瑞　梁啟超國學教育思想研究
浙江大學教育史專業博士後論文　2006 年 12 月　田正平指導

法學・思想政治教育專業

曹峰旗　理性與情感——蘇格拉底與孔子倫理思想特點之比較
浙江大學法學・思想政治教育專業碩士論文　2001 年 12 月　黃書孟指導

行政管理專業

明　旭　孔子「為政」思想研究
浙江大學行政管理專業碩士論文　2003 年 11 月　周生春指導

中國古代史專業

劉成國　王安石研究
浙江大學博士論文　2002年　蕭瑞峰指導

楊天保　王安石學術史研究——以「金陵王學」（1021～1067）為重點
浙江大學中國古代史專業博士論文　2005年　徐規指導
上海　上海人民出版社　380頁　2008年6月（改名為《金陵王學研究：王安石早期學術思想的歷史考察（1021～1067）》）

邢舒緒　陸九淵研究
浙江大學中國古代史專業博士論文　2005年　何忠禮指導
北京　人民出版社　216頁　2008年10月

漢語言文字學專業

王建莉　《爾雅》同義詞考論
浙江大學漢語言文字學專業博士論文　2004年12月　黃金貴指導

英語語言學與應用語言學專業

閆曉喆　《詩經》四個英譯本的比較研究
浙江大學英語語言學與應用語言學專業碩士論文　2005年11月　陳剛指導

文藝學專業

金　雅　梁啟超美學思想述評
浙江大學文藝學專業博士論文　2003年10月　王元驤指導
北京　商務印書館　356頁　2005年6月（改名為《梁啟超美學思想研究》）

劉毅青　徐復觀解釋學思想研究
浙江大學文藝學專業博士論文　2006年5月　王元驤指導

中國古代文學專業

程　勇　儒家經學與漢代文論
浙江大學中國古代文學專業博士後　2005年6月　束景南指導

葉　璟　徐光啟《詩經》研究三題
浙江大學中國古代文學專業碩士論文　2007年5月　林家驪指導

英語語言文學專業

宋　瑜　On Cultural Translation－A Comparative Study of the English Versions of Shi Jing[17]

浙江大學英語語言文學專業碩士論文　2002 年 11 月　陳剛指導

毛如意　孔子語言觀之重讀

浙江大學英語語言文學專業碩士論文　2006 年 5 月　施旭指導

英語語言文學翻譯專業

張秋林　論翻譯的對話性：兼評《論語》中哲學詞彙的翻譯

浙江大學英語語言文學翻譯專業碩士論文　2005 年 11 月　陳剛指導

浙江師範大學

語文學科教學專業

李慶杏　淺談孟子的論辯藝術

浙江師範大學語文學科教學專業碩士論文　2004 年 5 月　黃靈庚指導

文藝學專業

徐文英　論「得意忘言」哲學命題的美學轉換

浙江師範大學文藝學專業碩士論文　2003 年 5 月　諸葛志指導

王恩波　梁啟超「生活的藝術化」理論研究

浙江師範大學文藝學專業碩士論文　2005 年 5 月　杜衛指導

---

17 此篇論文摘要：該文從跨文化翻譯的角度，通過《詩經》的兩個譯本的比較來論述詩歌翻譯中的文化因素的處理。跨文化翻譯決定了譯者必須要掌握好兩門語言，還要了解兩種文化，由於凝聚著豐富的文化內涵，詩歌的可譯性和不可譯性一直是一個難以定論的問題。《詩經》是中國最古老的詩集，不同譯者對《詩經》的翻譯為分析詩歌的可譯性提供了很好的材料，該文通過對《詩經》翻譯的分析，推斷出詩歌的可譯性和不可譯性都是相對的，在不同的層次上，詩歌既是可譯的，又是不可譯的，翻譯詩歌就是要在不可能中找到可能，以達到最令人滿意的結果。

中國古代文學專業

余華兵　賈誼政論文研究

浙江師範大學中國古代文學專業碩士論文　2006 年　俞樟華指導

俞波恩　黃宗羲傳記寫作及理論之研究

浙江師範大學中國古代文學專業碩士論文　2005 年 5 月　俞樟華指導

江西省

江西師範大學

歷史文獻學專業

易小明　盟會和朝聘禮對春秋時期政治權力下移的影響

江西師範大學歷史文獻學專業碩士論文　2005 年　周洪指導

外國哲學專業

陳淑珍　亞里士多德與孔子中庸思想之比較

江西師範大學外國哲學專業碩士論文　2006 年 5 月　蔣九愚指導

堯必文　柏拉圖與孟子倫理政治思想之比較

江西師範大學外國哲學專業碩士論文　2007 年　蔣九愚指導

陳淑珍　亞里士多德與孔子中庸思想之比較

江西師範大學外國哲學專業碩士論文　2006 年　蔣九愚指導

基礎心理學專業

傅　蓉　論《論語》的心理學思想

江西師範大學基礎心理學專業碩士論文　2007 年　郭斯萍指導

教育學原理專業

劉小珍　孟子學習思想的現代詮釋

江西師範大學教育學原理專業碩士論文　2006 年 4 月　胡青指導

語文教育專業

黃承軍　孔子的因材施教與語文素質教育研究
江西師範大學語文教育專業碩士論文　2006 年 9 月　熊大冶、顏敏指導

馬克思主義理論與思想政治教育專業

鄭　藝　荀子的德治和法治思想及其當代意義
江西師範大學馬克思主義理論與思想政治教育專業碩士論文　2004 年　汪榮有指導

陳勇軍　仁愛之治與自由之治——孔子和梁啟超德治措施比較
江西師範大學馬克思主義理論與思想政治教育專業碩士論文　2004 年 5 月　虞文華指導

中國近現代史專業

尹可雨　魏源與《皇朝經世文編》
江西師範大學中國近現代史專業碩士論文　2003 年 5 月　張英明指導

文字學專業

吳根平　經學背景下的《說文解字》
江西師範大學文字學專業碩士論文　2007 年 4 月　陳順芝指導

中國古代文學專業

曾小任　《韓詩外傳》綜論
江西師範大學中國古代文學專業碩士論文　2005 年 4 月　王以憲指導

陳莉娟　《左傳》與《三國演義》比較研究
江西師範大學中國古代文學專業碩士論文　2003 年 11 月　劉松來指導

江西師範學院

語言文字專業

郭曉雲　　《論語》句法

江西師範學院語言文字專業碩士論文　1978、1979 級　俞心樂指導

南昌大學

古典文獻學專業

胡　琴　　朱熹《詩集傳》研究

南昌大學古典文獻學專業碩士論文　2005 年 5 月　王德保指導

湯慧蘭　　《孟子字義疏證》之文獻學研究

南昌大學中國古典文獻學專業碩士論文　2006 年　王德保指導

中國哲學專業

彭傳華　　論歐陽修的人生哲學

南昌大學中國哲學專業碩士論文　2005 年 5 月　鄭曉江指導

羅來文　　胡宏哲學思想研究

南昌大學中國哲學專業碩士論文　2006 年 6 月　楊柱才指導

劉雪影　　陸九淵哲學的解釋學意義

南昌大學中國哲學專業碩士論文　2005 年　楊柱才指導

葛維春　　陸九淵心性論思想研究

南昌大學中國哲學專業碩士論文　2006 年　鄭曉江指導

鄒建安　　曹端理學思想研究

南昌大學中國哲學專業碩士論文　2007 年　楊柱才指導

戴隆娥　　羅欽順的理欲觀

南昌大學中國哲學專業碩士論文　2007 年　鄭小江指導

羅亮梅　　羅欽順哲學思想研究

南昌大學專國哲學專業碩士論文　2005 年 5 月　李承貴指導

張　勇　　論吳廷翰的氣學思想
　　　　　南昌大學中國哲學專業碩士論文　2006 年 6 月　楊柱才指導
劉海英　　顏鈞哲學思想研究
　　　　　南昌大學中國哲學專業碩士論文　2006 年 6 月　楊柱才指導
胡雪琴　　何心隱聚和思想研究
　　　　　南昌大學中國哲學專業碩士論文　2007 年 5 月　鄭小江指導
陳　群　　論陳確的哲學思想
　　　　　南昌大學中國哲學專業碩士論文　2007 年　尹星凡指導
李燦光　　戴震的人性論研究
　　　　　南昌大學中國哲學專業碩士論文　2006 年 6 月　尹星凡指導
李繼民　　早期現代新儒家直覺思想探析——以梁漱溟、馮友蘭、熊十力、賀麟為例
　　　　　南昌大學中國哲學專業碩士論文　2006 年 7 月　楊雪騁指導
葉小華　　論梁漱溟的政治哲學思想與實踐
　　　　　南昌大學中國哲學專業碩士論文　2005 年 6 月　楊雪騁指導
顏　潔　　孔子人學思想及其現代意義
　　　　　南昌大學中國哲學專業碩士論文　2007 年　尹星凡指導

倫理學專業

程賽杰　　論荀子的教化思想
　　　　　南昌大學倫理學專業碩士論文　2005 年　詹世友指導
胡金榮　　論錢穆的人生哲學思想
　　　　　南昌大學倫理學專業碩士論文　2006 年 5 月　詹世友、徐福來指導
李樹琴　　孟子的道德教化思想探微
　　　　　南昌大學倫理學專業碩士論文　2007 年　詹世友指導

中國古代史專業

陳志偉　　論經學與漢武帝的政治變革
　　　　　南昌大學中國古代史專業碩士論文　2006 年 5 月　袁禮華指導

中國古代文學專業

賴華先　　論劉敞的思想與文學創作
　　　　　南昌大學中國古代文學專業碩士論文　2005 年　文師華指導

吳智勇　王安石與宋神宗暨王安石暮年境遇與心態
南昌大學中國古代文學專業碩士論文　2005 年　文師華指導

設計藝術學專業

范　旭　周易的平衡之數——3/7 在視覺設計中的應用
南昌大學設計藝術學專業碩士論文　2007 年 6 月　黃慧琴指導

湖南省

中南大學

哲學、倫理學專業

秦海珍　馮友蘭道德修養思想研究
中南大學哲學、倫理學專業碩士論文　2004 年 12 月　呂錫琛指導

倫理學專業

周　欣　論董仲舒的人際和諧觀
中南大學倫理學專業碩士論文　2006 年　劉立夫指導

宋湘綺　曾國藩官德思想及其現代啟示
中南大學倫理學專業碩士論文　2003 年 11 月　呂錫琛指導

高等教育學（國防教育）專業

劉鐵銘　論曾國藩治軍思想與現代國防教育
中南大學高等教育學（國防教育）專業碩士論文　2006 年 11 月　喻躍指導

中國近現代史專業

楊錚錚　王夫之與湖湘文化的近代轉換
中南大學中國近現代史專業碩士論文　2004 年 1 月　熊呂茂指導

蕭高華　曾國藩文化思想與中國近代化
中南大學中國近現代史專業碩士論文　2004 年 1 月　熊呂茂指導

湘潭大學

中國哲學專業

萬紹和　孟子荀子政治哲學比較研究
湘潭大學中國哲學專業碩士論文　2000 年　王向清指導

王光輝　荀子「為學」思想研究
湘潭大學中國哲學專業碩士論文　2005 年　蔡四桂指導

廖小東　董仲舒政治哲學試論
湘潭大學中國哲學專業碩士論文　2003 年　王立新指導

胡　萍　王通的哲學思想及其歷史地位
湘潭大學中國哲學專業碩士論文　2005 年　王立新指導

唐運剛　周敦頤誠學思想研究
湘潭大學中國哲學專業碩士論文　2005 年　趙載光指導

李世陽　張載人性論思想研究
湘潭大學中國哲學專業碩士論文　2006 年　趙載光指導

龍　飛　胡宏歷史哲學解讀
湘潭大學中國哲學專業碩士論文　2005 年　趙載光指導

王麗梅　張栻哲學思想研究
湘潭大學中國哲學專業碩士論文　2001 年 5 月　趙載光指導

徐建勇　楊簡哲學思想研究
湘潭大學中國哲學專業碩士論文　2002 年　王立新指導

譚柏華　黃榦思想研究
湘潭大學中國哲學專業碩士論文　2003 年　陳代湘指導

朱理鴻　陳淳哲學思想研究
湘潭大學中國哲學專業碩士論文　2004 年　陳代湘指導

尹業初　真德秀哲學思想研究
湘潭大學中國哲學專業碩士論文　2005 年　陳代湘指導

陳宇宙　王廷相的政治哲學
湘潭大學中國哲學專業碩士論文　2004 年 5 月　王立新指導

王強芬　王艮哲學思想研究

湘潭大學中國哲學專業碩士論文　2005 年　王立新指導

吳學滿　從考據學到新義理學——論戴震實學的理性精神

湘潭大學中國哲學專業碩士論文　2002 年 4 月　趙載光指導

仰和芝　戴震人學思想研究

湘潭大學中國哲學專業碩士論文　2002 年 5 月　王向清指導

余　華　魏源的經世思想

湘潭大學中國哲學專業碩士論文　2000 年 4 月　朱光甫指導

熊鄉江　論郭嵩燾的文化觀

湘潭大學中國哲學專業碩士論文　2000 年 4 月　朱光甫指導

蔣九愚　譚嗣同哲學思想研究

湘潭大學中國哲學專業碩士論文　2000 年 4 月　朱光甫指導

陳元桂　馮友蘭新理學的「理」範疇研究

湘潭大學中國哲學專業碩士論文　2003 年 5 月　趙載光指導

羅　驤　錢穆「士」思想研究

湘潭大學中國哲學專業碩士論文　2006 年　劉啟良指導

羅衛平　超越的真實——論方東美的人生哲學

湘潭大學中國哲學專業碩士論文　2002 年 5 月　劉啟良指導

焦自軍　牟宗三道德形上學研究

湘潭大學中國哲學專業碩士論文　2004 年 5 月　王立新指導

萬紹和　孟子荀子政治哲學比較研究

湘潭大學中國哲學專業碩士論文　2000 年　王向清指導

劉依平　船山《大學》詮釋之研究

湘潭大學中國哲學專業碩士論文　2006 年　鄧輝指導

專門史專業

符　靜　論羅澤南的學術思想

湘潭大學專門史專業碩士論文　2003 年 5 月　王繼平指導

邵　華　郭嵩燾史學思想研究

湘潭大學專門史專業碩士論文　2006 年　郭漢民指導

張小蘭　論王先謙與湖南維新運動

湘潭大學專門史專業碩士論文　2006 年　彭先國指導

史玉華　怪誕背後的真——論辜鴻銘的保守主義文化觀

湘潭大學專門史專業碩士論文　2002 年 5 月　王繼平指導

劉亮紅　梁啟超文化民族主義論
湘潭大學專門史專業碩士論文　2003 年 5 月　章育良指導

李艷紅　論梁啟超的新聞思想
湘潭大學專門史專業碩士論文　2003 年 5 月　章育良指導

張在興　晚清湖南經學思想述論
湘潭大學專門史專業碩士論文　2005 年　王繼平指導

余　敏　胡適思想矛盾的表現與解讀
湘潭大學專門史專業碩士論文　2004 年 5 月　彭先國指導

漢語言文字專業

胡春生　賈誼《新書》反義詞及《漢語大詞典》相關條目研究
湘潭大學漢語言文字專業碩士論文　2006 年　馬固鋼指導

中國古代文學專業

何國平　王夫之詩學情景論研究
湘潭大學中國古代文學專業碩士論文　2001 年 4 月　孟澤指導

石　東　論儒家詩教之謬
湘潭大學古代文學專業碩士論文　2000 年 4 月　楊仲義指導

英語語言文學專業

劉永利　論文化翻譯中譯者的文化主體性——從解釋學角度來看《論語》兩個譯本
湘潭大學英語語言文學專業碩士論文　2006 年 5 月　舒奇志指導

比較文學與世界文學專業

葉仁雄　孔子中和之美的時空闡釋——以《詩經》、《論語》為個案分析
湘潭大學比較文學與世界文學專業碩士論文　2003 年 4 月　季水河指導

湖南大學

中國思想史專業

莫秀珍　王夫之的民族文化觀
湖南大學中國思想史專業碩士論文　2001 年 11 月　章啟輝指導

專門史專業

高　峰　李贄人生簡論
湖南大學專門史專業碩士論文　2002 年 1 月　吳龍輝指導

鄭明星　劉宗周政治思想論
湖南大學專門史專業碩士論文　2002 年 1 月　朱漢民指導

曾帶麗　張之洞與晚清書院的改革及改制
湖南大學專門史專業碩士論文　2006 年 5 月　蕭永明指導

梁　媛　論梁啟超的新聞人才觀
湖南大學專門史專業碩士論文　2002 年 1 月　蕭永明指導

蘭甲雲　周易古禮研究
湖南大學專門史專業博士論文　2007 年　陳戍國指導
長沙　湖南大學出版社　318 頁　2008 年 6 月

趙一靜　張岱的《四書》學與史學
湖南大學專門史碩士論文　2006 年 5 月　蕭永明指導

日語語言文學專業

熊　雯　啟蒙時期福澤諭吉與康有為的民權思想比較——圍繞《勸學篇》與《大同書》
湖南大學日語語言文學專業碩士論文　2006 年　熊沛彪指導

湖南師範大學

中國古典文獻學專業

侯璨敏　毛晉校刻書研究

湖南師範大學中國古典文獻學專業碩士論文　2005 年 4 月　袁慶述指導

吳湘枝　王闓運公羊學思想初探
湖南師範大學古典文獻學專業碩士論文　2007 年 5 月　王建指導

中國哲學專業

賀文峰　張載人性論簡析——兼評對中國傳統人性論的繼承與發展
湖南師範大學中國哲學專業碩士論文　2005 年　張懷承指導

陳偉華　由「仁、善」到「理、氣」——劉基民本思想研究
湖南師範大學中國哲學專業碩士論文　2007 年 6 月　徐孫銘指導

李海兵　黃宗羲政治哲學初探
湖南師範大學中國哲學專業碩士論文　2005 年 5 月　鄧名瑛指導

劉　靜　顏元的功利主義思想探析
湖南師範大學中國哲學專業碩士論文　2006 年 5 月　鄧名瑛指導

卓汴麗　戴東原新理學思想探微——兼論其哲學體系誕生之背景
湖南師範大學中國哲學專業碩士論文　2005 年 5 月　張懷承指導

高齊天　康有為哲學本體論初探
湖南師範大學中國哲學專業碩士論文　2006 年 5 月　鄧名瑛指導

張本江　牟宗三「良知自我坎陷開出科學說」探論
湖南師範大學中國哲學專業碩士論文　2006 年 5 月　王澤應指導

譚小寶　周敦頤易學思想新探
湖南師範大學中國哲學專業碩士論文　2006 年 5 月　徐孫銘指導

曾軍雄　《大學》「道」論及其對儒者價值的承載：在理學範圍內以主要思想家為例
湖南師範大學中國哲學專業碩士論文　2007 年　鄧名瑛指導

倫理學專業

朱鋒華　荀子政治倫理思想研究
湖南師範大學倫理學專業碩士論文　2006 年　彭定光指導

劉文波　王安石倫理思想及其實踐研究
湖南師範大學倫理學專業博士論文　2004 年　唐凱麟、張懷承指導

周俊武　激揚家聲——曾國藩家庭倫理思想研究
湖南師範大學倫理學專業博士論文　2004 年 5 月　劉湘溶指導

教育專業

楊衛紅　《論語》語文教育初探

湖南師範大學教育專業碩士論文　2005 年 4 月　彭光宇指導

劉喜珍　校本課程《論語》研究開發的思考和設計

湖南師範大學教育專業碩士論文　2005 年 3 月　周慶元指導

課程與教學論專業

王　超　孔子語文教育思想的內涵、特徵及現代價值

湖南師範大學課程與教學論專業碩士論文　2005 年 3 月　周慶元指導

歷史學科教學論專業

王強山　試論郭嵩燾的政治思想

湖南師範大學歷史學科教學論專業碩士論文　2006 年 3 月　朱發建指導

專門史專業

鄒　芬　郭嵩燾對國際法的認識及運用

湖南師範大學專門史專業碩士論文　2006 年 5 月　朱漢民指導

中國古代史專業

張江洪　論賈誼的思想

湖南師範大學中國古代史專業碩士論文　2002 年　冷鵬飛指導

陳　世　論王莽的政治理想——儒家內聖外王理論的實踐

湖南師範大學中國古代史專業碩士論文　2003 年 3 月　冷鵬飛指導

李　珊　漢末三國的經學教育

湖南師範大學中國古代史專業碩士論文　2005 年 5 月　冷鵬飛指導

張文明　鄭樵與文獻學淺探

湖南師範大學中國古代史專業碩士論文　2004 年　李紹平指導

陶有浩　朱熹的理欲思想述評

湖南師範大學中國古代史專業碩士論文　2003 年　曹松林指導

李　安　從「真」到「通」：中國古代史學理論的體系化及其終結——以劉知幾、章學誠為中心的考察

湖南師範大學中國古代史專業碩士論文　2004年5月　李紹平指導

中國近現代史專業

吳仰湘　皮錫瑞的生平和思想考述
湖南師範大學中國近代史專業博士論文　1999年　廝天祥指導

余　英　試論康有為的外交思想
湖南師範大學中國近現代史專業碩士論文　2005年4月　李育民指導

黃銀輝　晏陽初新民思想與實踐──兼與梁啟超新民思想的比較
湖南師範大學中國近現代史專業碩士論文　2006年4月　鄭大華指導

趙永進　梁啟超的學校教育思想和實踐
湖南師範大學中國近現代史專業碩士論文　2004年4月　郭漢民指導

賀麗娜　五四前後樑啟超張君勱文化觀比較
湖南師範大學中國近現代史專業碩士論文　2006年5月　莫志斌指導

朱圓滿　梁啟超產業經濟思想研究
湖南師範大學中國近現代史專業博士論文　2002年4月　郭漢民指導

趙慶雲　試論劉師培早期的民族主義思想
湖南師範大學中國近現代史專業碩士論文　2005年4月　饒懷民指導

漢語言文字學專業

霍生玉　《荀子》楊倞注訓詁說略
湖南師範大學漢語言文字學專業碩士論文　2001年　陳健初指導

黃　青　楊樹達先生語源學研究的成就
湖南師範大學漢語言文字學專業碩士論文　2006年　陳建初指導

周　媛　論周秉鈞先生的學術生涯及成就
湖南師範大學漢語言文字學專業碩士論文　2006年3月　陳建初指導

陳　燦　《漢語大字典》釋義引《周易》書證研究
湖南師範大學漢語言文字學專業碩士論文　2006年4月　趙振興指導

李新飛　《漢語大詞典》引今文《尚書》詞語研究
湖南師範大學漢語言文字學專業專業碩士論文　2007年　趙振興指導

柳　菁　《爾雅義疏》「通」研究
湖南師範大學漢語言文字專業碩士論文　2003年4月　陳建初指導

胡世文　黃侃手批《爾雅義疏》「音訓」研究

湖南師範大學漢語言文字學專業碩士論文　2005 年 4 月　陳建初指導

陳建初　《釋名》考論

湖南師範大學漢語言文字學專業博士論文　2005 年　蔣驥騁指導

長沙　湖南師範大學出版社　323 頁　2007 年 4 月

喻　華　《釋名》釋語複音詞研究

湖南師範大學漢語言文字學專業碩士論文　2003 年　陳建初指導

郭文超　劉熙《釋名》訓詁研究

湖南師範大學漢語言文字學專業碩士論文　2001 年　陳建初指導

文藝學專業

王　棟　揚雄文論研究

湖南師範大學文藝學專業碩士論文　2005 年 5 月　李清良指導

劉來春　曾國藩對桐城派文論的發展

湖南師範大學文藝學專業碩士論文　2003 年 10 月　賴力行指導

蕭　力　方玉潤《詩經原始》的文學批評方法研究

湖南師範大學文藝學專業碩士論文　2003 年 4 月　賴力行指導

文藝學・古代文論專業

鄧偉龍　章學誠文論思想研究

湖南師範大學文藝學・古代文論專業碩士論文　2004 年 4 月　賴力行指導

中國古代文學專業

楊　準　從《詩經》看周代婦女的地位

湖南師範大學中國古代文學專業碩士論文　2002 年 3 月　李生龍指導

李　唐　《詩經》的士大夫情感特質與審美趨向研究

湖南師範大學中國古代文學專業碩士論文　2004 年 4 月　李生龍指導

楊　柳　《韓詩外傳》思想研究

湖南師範大學中國古代文學專業碩士論文　2002 年 4 月　陳戍國指導

中國現當代文學專業

曹亞明　論梁啟超對西方人文主義的誤讀及其影響

湖南師範大學中國現當代文學專業碩士論文　2005 年 4 月　宋劍華指導

英語語言文學專業

李　琰　從前見理論角度看《詩經》英譯
湖南師範大學英語語言文學專業碩士論文　2006 年 5 月　蔣堅松指導

楊　暉　辜鴻銘翻譯文化觀研究——以辜譯《論語》為例
湖南師範大學英語語言文學專業碩士論文　2007 年　黃振定指導

新聞學專業

劉　霞　文化傳播視野中的魯迅編輯出版思想與實踐
湖南師範大學新聞學專業碩士論文　2005 年 4 月　羅靈山指導

四川省

四川大學

李　瑩　論《論語》在英美的翻譯與接受
四川大學碩士論文　朱徽指導

劉成國　荊公新學研究
四川大學中文系博士後論文　2004 年　沈松勤指導
上海　上海古籍出版社　318 頁　2006 年 1 月

中國古典文獻學專業

孫先英　論朱學見證人真德秀
四川大學中國古典文獻學專業博士論文　2005 年　謝謙指導
上海　上海人民出版社　342 頁　2008 年 8 月（改名為《真德秀學術思想研究》）

中國哲學專業

李　婭　探析王弼「聖人」觀的玄學底蘊

四川大學中國哲學專業碩士論文　2005年1月　黃德昌指導

張　慧　王弼「言意之辨」的探析

四川大學中國哲學專業碩士論文　2004年　黃德昌指導

曾　林　王弼「崇本息末」思想的哲學意蘊及文化價值

四川大學中國哲學專業碩士論文　2004年　黃德昌指導

杜　霞　儒家良知論問題——評牟宗三「良知坎陷」說

四川大學中國哲學專業碩士論文　2005年　黃玉順指導

郭麗娟　王弼易學哲學思想再探

四川大學中國哲學專業碩士論文　2006年　黃德昌指導

歷史學專業

栗品孝　朱熹與宋代蜀學

四川大學歷史學專業博士論文　胡昭儀指導

北京　高等教育出版社　209頁　1998年10月（高校文科博士文庫）

趙　沛　廖平春秋研究

四川大學歷史文化學院博士後研究　2006年　陳廷湘指導

成都　巴蜀書社　336頁　2007年8月

中國古代史專業

文慧科　杜預研究

四川大學中國古代史專業碩士論文　2002年1月　方北辰指導

楊世文　宋代經學懷疑思潮研究

四川大學中國古代史專業博士論文　2005年1月　蔡崇榜指導

成都　四川大學出版社　687頁　2008年（四川大學儒藏學術叢書）（改名為《走出漢學：宋代經典辨疑思潮研究》）

劉復生　北宋中期儒學復興運動

四川大學中國古代史專業博士論文　1990年　徐中舒、吳天墀指導

臺北　文津出版社　228頁　1991年7月（大陸地區博士論文叢刊）

熊　英　李石及其與宋代蜀學的關係

四川大學中國古代史專業碩士論文　2006年　栗品孝指導

熊　瑜　朱熹倫理教化研究

四川大學中國古代史專業博士論文　2003年　胡昭曦指導

李玉潔　論周代喪葬制度與三《禮》記載的差異和原因
四川大學中國古代史先秦史專業博士論文　1988 年 7 月　徐中舒、唐嘉弘指導
鄭州　中州古籍出版社　270 頁　1991 年 10 月（改名為《先秦喪葬制度研究》）

中國近現代史專業

郭書愚　清末四川存古學堂述略
四川大學中國近現代史專業碩士論文　2002 年 1 月　羅志田指導

周　鼎　「取釜鐵於陶冶」：劉咸炘文化思想研究
四川大學中國近現代史專業博士論文　2007 年　陳廷湘指導
成都　巴蜀書社　433 頁　2008 年 1 月（改名為《劉咸炘學術思想研究》）

歷史文獻學專業

康少峰　《詩經》簡制、簡序及文字釋讀研究
四川大學歷史文獻學專業博士論文　2004 年 4 月　彭裕商指導

李冬梅　蘇轍《詩集傳》新探
四川大學歷史文化學院古籍所計算機與歷史文獻處理研究專業碩士論文　2003 年 4 月　舒大剛指導
成都　四川大學出版社　287 頁　2006 年 1 月（四川大學儒藏學術叢書 11）

張尚英　劉敞《春秋》學述論
四川大學歷史文獻學專業碩士論文　2002 年 1 月　吳洪澤指導

王化平　簡帛文獻中的孔子言論研究
四川大學歷史文獻學專業博士論文　2006 年　彭裕商指導
成都　巴蜀書社　280 頁　2007 年 11 月（改名為《帛書易傳研究》）

張荷群　北宋孟子學案
四川大學歷史文獻學專業碩士論文　2005 年 1 月　王智勇指導

楊　玲　《孝經》學譜
四川大學歷史文獻學專業碩士論文　2006 年　舒大剛指導

霞紹暉　漢唐注疏的遺韻——宋代邢昺《爾雅》疏研究
四川大學歷史文獻學專業碩士論文　2006 年　李文澤指導

漢語言文字學專業

周　娟　《荀子》單音節動詞同義詞研究
四川大學漢語言文字學專業碩士論文　2004年　宋永培指導

史應勇　鄭玄通學研究及鄭、王之爭
四川大學中國語言文學專業博士後研究　2004年6月　祝尚書指導
成都　巴蜀書社　400頁　2007年8月

李　昊　《焦氏易林》詞彙研究
四川大學漢語言文字學專業碩士論文　2003年3月　伍宗文指導

黃奇逸　石鼓文年代及相關問題
四川大學語言文字專業碩士論文　1978級　徐中舒指導

王建華　《韓詩外傳》與其他文獻異文研究
四川大學漢語言文字學專業碩士論文　2004年3月　伍宗文指導

劉興均　《周禮》名物詞研究
四川大學漢語言文字學專業博士論文　2000年　宋永培指導
成都　巴蜀書社　579頁　2001年5月

羅娟娟　《大唐開元禮》喪葬禮詞彙研究
四川大學漢語言文字學專業碩士論文　2007年　譚偉指導

于國良　《大戴禮記》詞彙研究
四川大學漢語言文字學專業碩士論文　2005年1月　伍宗文指導

羅紅昌　《左傳》前置現象及相關虛詞研究
四川大學漢語言文字學專業碩士論文　2004年3月　宋永培指導

沈　林　《左傳》單音節實詞同義詞群研究
四川大學漢語言文字學專業博士論文　2001年　宋永培指導

李　索　敦煌寫卷《春秋經傳集解》異文研究
四川大學漢語言文字學專業博士論文　2004年　宋永培指導
北京　中國社會科學出版社　389頁　2007年

賴積船　《論語》與其漢魏注中的常用詞比較研究
四川大學漢語言文字學專業博士論文　2004年3月　宋永培指導

周文德　《孟子》單音節實詞同義詞研究
四川大學漢語言文字學專業博士論文　2002年5月　宋永培指導

胡繼明　《廣雅疏證》同源詞研究

四川大學漢語言文字學專業博士論文　2002年　胡永培指導
成都　巴蜀書社　595頁　2003年1月

彭　慧　《廣雅疏證》漢語語義學研究
四川大學漢語言文字學專業博士論文　2007年　蔣宗福指導

英語語言學及應用語言學專業

陳宏川　論《詩經》在英美的翻譯和接受
四川大學英語語言學及應用語言學專業碩士論文　2002年1月　朱徽指導

李　霜　理雅各與辜鴻銘《論語》翻譯的比較研究
四川大學外國語言學及應用語言學專業碩士論文　2004年4月　蕭安溥指導

文藝學專業

馬　睿　從經學到美學
四川大學文藝學專業博士論文　2001年　馮憲光指導
成都　四川民族出版社　415頁　2002年7月（改名為《從經學到美學：中國近代文論知識話語的嬗變》）

李　凱　儒家元典與中國詩學
四川大學文藝學專業博士　2002年　曹順慶指導
北京　中國社會科學出版社　387頁　2002年8月（中國社會科學博士論文文庫）

胡曉軍　宋代《詩經》文學闡釋研究
四川大學文藝學專業博士論文　2007年　周裕鍇指導

中國文學專業

楊　琳　《尚書》中幾種句型的研究
四川大學文科碩士論文　1985級　向熹指導

鄧季方　《春秋》經傳異文淺論
四川大學中文系碩士論文　1984年　張永言指導

何毓玲　《毛詩正義》訓詁語言中的雙音節和「然」字式
四川大學中文系碩士論文　1984年　張永言指導

中國古代文學專業

趙　靜　　張惠言研究
　　　　　四川大學中國古代文學專業碩士論文　2004 年　謝謙指導

杜志國　　《焦氏易林》研究
　　　　　四川大學中國古代文學專業碩士論文　2002 年 1 月　劉黎明指導

譚德興　　宋代詩經學研究
　　　　　四川大學古代文學專業博士後論文　2005 年 3 月　曹順慶指導
　　　　　貴陽　貴州人民出版社　315 頁　2005 年 5 月

姚永輝　　朱熹與呂祖謙關於《詩經》的四大論辯平議
　　　　　四川大學中國古代文學專業碩士論文　2005 年 1 月　何江南指導

印寧波　　宋代《左傳》學三論
　　　　　四川大學中國古代文學專業碩士論文　2004 年 3 月　劉黎明指導

美術學專業

劉　淵　　漢代畫像石上伏羲女媧圖像特徵研究
　　　　　四川大學美術學專業碩士論文　2005 年　盧丁指導

四川省社會科學院

中國哲學專業

楊　東　　王弼易學與程頤易學的比較研究
　　　　　四川省社會科學院中國哲學專業碩士論文　2002 年 5 月　蔡方鹿指導

四川師範大學

中國古典文獻學專業

陳　波　　南方《詩經》的流傳及《詩經》文本的相關問題
　　　　　四川師範大學古典文獻學專業碩士論文　2007 年　熊良智指導

李建軍　《詩經》與周代宗教文化研究
四川師範大學中國古典文獻學專業碩士論文　2004年1月　萬光治指導

塗慶紅　《詩經》風俗的歸類研究
四川師範大學中國古典文獻學專業碩士論文　2002年5月　熊良智指導

學科教學專業

周文碧　《論語》中的孔子語文教育思想述評
四川師範大學學科教學專業碩士論文　2006年1月　許書明指導

語言學及應用語言學專業

羅曉燕　從《匡謬正俗》看顏師古的語言文字研究
四川師範大學語言學及應用語言學專業碩士論文　2004年1月　李恕豪指導

胡珮迦　對《釋名》的認知研究
四川師範大學語言學及應用語言學專業碩士論文　2004年　李恕豪指導

中國古代史專業

燕朝西　邵晉涵的生平、著述及其史學成就
四川師範大學中國古代史專業博士論文　2004年　王春淑指導

中國近現代史專業

熊全慧　新民與新國——梁啟超新民思想研究
四川師範大學中國近現代史專業碩士論文　2005年6月　彭久松指導

文藝學專業

劉　瑛　王充的「自然」美學觀
四川師範大學文藝學專業碩士論文　2004年1月　鐘仕倫指導

胡曉紅　顧炎武闡釋思想研究
四川師範大學文藝學專業碩士論文　2006年6月　李凱指導

劉立策　《周易》「白賁」美學思想研究
四川師範大學文藝學專業碩士論文　2002年5月　李天道指導

吳淑賢　論孔子美學思想的超越性
四川師範大學文藝學專業碩士論文　2002年5月　李天道指導

張　意　　孟子接受思想再審視

四川師範大學文藝學專業碩士論文　2004 年 1 月　鐘仕倫指導

古代文學專業

何智慧　　李翺年譜稿

四川師範大學古代文學專業碩士論文　2002 年 5 月　常思春指導

中國古代文學專業

陳朝輝　　揚雄文學思想研究

四川師範大學中國古代文學專業碩士論文　2002 年 5 月　李誠指導

佟　博　　朱彝尊出仕及交遊考論

四川師範大學中國古代文學專業碩士論文　2006 年 6 月　趙曉蘭指導

水　汶　　《詩經》祭祖詩與祭祖禮

四川師範大學中國古代文學專業碩士論文　2007 年　熊良智指導

彭　燕　　《詩經》女性研究

四川師範大學中國古代文學專業碩士論文　2005 年 6 月　李誠指導

四川師範學院

漢語言文字學專業

吳振興　　《爾雅》釋義研究

四川師範學院[18]漢語言文字學專業碩士論文　2002 年 6 月　楊正業指導

四川聯合大學

漢語史專業

張文國　　《左傳》名詞研究

18 現已改名為西華師範大學。

四川聯合大學漢語史專業博士論文　1997 年　趙振鐸指導

福建省

華僑大學

馬克思主義哲學專業

邵長虎　梁漱溟思想與中國傳統文化的現代轉換
華僑大學馬克思主義哲學專業碩士論文　2004 年 4 月　黃海德指導

廈門大學

科學技術哲學專業

周　翔　論張之洞的科技文化觀
廈門大學科學技術哲學專業碩士論文　2006 年 5 月　樂愛國指導

工商管理專業

楊旭迎　孔子思想對現代企業經營管理的啟示
廈門大學工商管理專業碩士論文　2000 年 10 月　孟林明指導

漢語言文字學專業

徐國華　《荀子》名詞同義詞重點辨析
廈門大學漢語言文字學專業碩士論文　2006 年　李國正指導
郭　萍　《孟子》複音詞研究
廈門大學漢語言文字學專業碩士論文　2002 年 6 月　李國正指導

福州大學

科學技術哲學專業

吳挺暹　試論魏源思想對晚清科技的影響

福州大學科學技術哲學專業碩士論文　2005 年　陳寶國指導

福建師範大學

中國古典文獻學專業

湯太祥　《易林》援引《左傳》典語考

福建師範大學中國古典文獻學專業碩士論文　2005 年 4 月　張善文指導

李紹萍　論《焦氏易林》與先秦兩漢文學的融會貫通

福建師範大學中國古代文學專業碩士論文　2004 年 4 月　張善文、郭丹指導

楊天才　《周易正義》研究

福建師範大學中國古典文獻學專業博士論文　2007 年　張善文指導

湯太祥　《易林》援引《左傳》典語考

福建師範大學中國古典文獻學專業碩士論文　2005 年 4 月　張善文、郭丹指導

教育專業

鄢嵐嵐　孔子的自省意識與反思型教師的培養

福建師範大學教育專業碩士論文　2003 年 8 月　郭丹指導

專門史專業

劉佩芝　朱熹德育思想對當代大學教育的啟示

福建師範大學專門史專業碩士論文　2006 年　謝必震指導

陳永正　從《大學衍義補》試析丘濬思想

福建師範大學專門史專業博士論文　2002 年　唐文基指導

中國古代史專業

魏定榔　試論公羊學與漢代社會
福建師範大學中國古代史專業碩士論文　2007 年 4 月　徐心希指導

中國近現代史專業

馬秀平　從倭仁到王先謙——清代同光年間保守主義思想的典型探析
福建師範大學中國近現代史專業碩士論文　2003 年 4 月　王民、王玉華指導

漢語言文字學專業

羅寶珍　淺論俞樾、孫詒讓、于鬯對《素問》的研究
福建師範大學漢語言文字學專業碩士論文　2003 年 4 月　徐啟庭指導

孫　媗　《韓詩外傳》研究論略
福建師範大學中國漢語言文學專業碩士論文　2006 年 4 月　郭丹指導

吳美卿　《左傳》的人文精神對《史記》創作的影響
福建師範大學漢語言文字學專業碩士論文　2002 年 4 月　郭丹指導

樊德華　《論語》語氣研究
福建師範大學漢語言文字學專業碩士論文　2006 年 5 月　徐啟庭、林玉山指導

熊浩莉　《孟子》比喻研究
福建師範大學漢語言文字學專業碩士論文　2006 年 4 月　譚學純指導

劉建明　焦循《孟子正義》訓詁研究
福建師範大學漢語言文字學專業碩士論文　2007 年 4 月　徐啟庭指導

古代文學專業

曾靜蓉　詩經性文化研究
福建師範大學古代文學專業碩士論文　2005 年 4 月　湯化指導

張　琪　經典與解釋——解釋學視野下的《論語集注》
福建師範大學古代文學專業碩士論文　2005 年 4 月　郭丹指導

中國古代文學專業

王晚霞　《漢書》特質三層論——從經學、史學、文學三層審視《漢書》

福建師範大學中國古代文學專業碩士論文　2006年4月　翁銀陶指導

陳建仁　周易文言傳研究

福建師範大學中國古代文學專業碩士論文　2007年4月　張善文指導

黃黎星　《易》學與中國傳統文藝觀

福建師範大學中國古代文學專業博士論文　2003年4月　張善文指導

上海　上海三聯書店　303頁　2008年2月

馬新欽　《焦氏易林》作者版本考

福建師範大學中國古代文學專業博士論文　2005年4月　張善文指導

李　雯　《詩經》婚制婚俗探究

福建師範大學中國古代文學專業碩士論文　2007年　郭丹指導

吳超華　姚際恒的《詩經通論》研究

福建師範大學中國古代文學專業碩士論文　2007年　翁銀陶指導

李春雲　方玉潤《詩經原始》研究

福建師範大學中國古代文學專業碩士論文　2004年5月　郭丹、張善文指導

中國現當代文學專業

陳林男　清華國學院時期王國維述論

福建師範大學中國現當代文學專業碩士論文　2006年9月　鄭家建指導

林　強　個人主義視域下的儒家思想闡釋：以30年代周作人對《論語》的闡釋為個案

福建師範大學中國現當代文學專業碩士論文　2007年　呂若涵指導

英語語言文學專業

鄭和明　理雅各、貝恩斯英譯《周易》比較研究

福建師範大學英語語言文學專業碩士論文　2006年4月　岳峰指導

鄭麗欽　與古典的邂逅：解讀理雅各的《尚書》譯本

福建師範大學英語語言文學專業碩士論文　2006年4月　岳峰指導

劉　瑋　語言美與文化意象的傳遞——《詩經》翻譯研究

福建師範大學英語語言文學專業碩士論文　2007年5月　岳峰指導

宋鐘秀　理雅各英譯《禮記》研究

福建師範大學英語語言文學專業碩士論文　2006年4月　岳峰指導

陳慕華　兩部《左傳》英譯本的比較研究

福建師範大學英語語言文學專業碩士論文　2006年4月　岳峰指導

黃雪霞　《論語》兩個譯本的比較研究
福建師範大學英語語言文學專業碩士論文　2006 年 4 月　岳峰指導

陳琳琳　理雅各英譯《孟子》研究
福建師範大學英語語言文學專業碩士論文　2006 年　岳峰指導

音樂學專業

鄭俊暉　朱熹主要音樂著述的文獻學研究──以《朱文公文集》為中心
福建師範大學音樂學專業碩士論文　2004 年　王耀華指導

廣東省

中山大學

馬克思主義理論與思想政治教育專業

陳文濱　孔子因材施教德育方法研究
中山大學馬克思主義理論與思想政治教育專業碩士論文　2000 年 6 月　李萍指導

中國哲學專業

解麗霞　揚雄與漢代經學
中山大學中國哲學專業博士論文　2006 年 12 月　李宗桂指導

李　開　清代嘉（慶 1796-1820）道（光 1821-1850）經學及其哲學邏輯
中山大學中國哲學專業博士論文　2003 年　賴永海指導

曾國倫　《易傳》中「君子」觀念的研究
中山大學哲學專業碩士論文　2004 年 6 月　張永義指導

曾海軍　易道的神明與幽微──《周易・繫辭》解釋史研究
中山大學哲學專業博士論文　2007 年 6 月　陳少明指導

汪顯超　古易筮法研究
中山大學中國哲學專業博士論文　2000 年 6 月　馮達文指導

謝寶笙　龍、《易經》與中國文化的起源
中山大學中國哲學專業博士論文　1997 年 12 月　李宗桂指導
北京　社會科學文獻出版社　239 頁　1999 年

葉　鷹　易玄合論
中山大學中國哲學專業博士論文　1995 年 11 月　李錦全指導

胡孚琛　中國科學史上的《周易參同契》
中山大學哲學專業碩士論文　1982 年 9 月　黃友謀指導

何潔冰　論《周易》天道觀及其在先秦哲學中的地位作用
中山大學哲學專業碩士論文　1995 年 11 月　李錦全指導

李海龍　王弼《周易注》研究
中山大學哲學專業碩士論文　2004 年 6 月　李宗桂指導

楊海文　孟子與《詩》、《書》文化
中山大學中國哲學專業碩士論文　1996 年 6 月　李宗桂指導

林中堅　西漢禮治思想形成研究
中山大學中國哲學專業博士論文　2005 年 5 月　李宗桂指導

陸建華　荀子禮學研究
中山大學中國哲學專業博士論文　2002 年 6 月　李宗桂指導
合肥　安徽大學出版社　200 頁　2004 年 1 月

惠吉興　宋代禮學研究
中山大學中國哲學專業博士論文　1999 年 5 月　李宗桂指導

陳開先　《禮記》主題思想研究——傳統儒家思想的一種解讀
中山大學中國哲學專業博士論文　1998 年 6 月　馮達文指導

趙進華　論「《春秋》決獄」
中山大學法學專業碩士論文　2004 年 5 月　馬作武指導

吳傑鋒　「春秋決獄」與漢代經典解釋
中山大學哲學專業碩士論文　2003 年 5 月　李宗桂指導

平　飛　《公羊傳》「以義解經」研究
中山大學哲學專業博士論文　2006 年 6 月　李宗桂、黎紅雷指導

唐眉江　漢代公羊學大一統思想研究
中山大學哲學專業博士論文　2006 年 6 月　李宗桂、黎紅雷指導

許雪濤　公羊學解經方法：從《公羊傳》到董仲舒春秋學
中山大學中國哲學專業碩士論文　2003 年 6 月　陳少明指導

景懷斌　孔子人格結構的心理學研究
中山大學中國哲學專業博士論文　2003 年 6 月　馮達文指導

曾子良　孔子思想中命限畫自由之研究
中山大學哲學專業碩士論文　2004 年 12 月　陳立勝指導

葉興仁　推己入群——試論孔子哲學的內在進路
中山大學中國哲學專業碩士論文　2005 年 5 月　張永義指導

謝家敏　論孔子「述而不作」的文化粗承法
中山大學中國哲學專業碩士論文　2005 年 5 月　馮煥珍指導

鄧文輝　孟子對孔子的聖化
中山大學哲學專業碩士論文　2005 年 5 月　李宗桂指導

莊英海　孔子與亞里斯多德理想人格之比較
中山大學哲學專業碩士論文　2006 年 12 月　鍾明華指導

楊中啓　孔子與海德格爾的「生死對話」
中山大學中國哲學專業碩士論文　2003 年 5 月　張永義指導

羅冠聰　孔子思想中「志」之研究——以《論語》為中心
中山大學中國哲學專業碩士論文　2005 年 5 月　馮煥珍指導

余樹蘋　另類聖人——道統之外孔子形象的若干考察
中山大學哲學專業博士論文　2005 年 5 月　陳少明指導

李素卿　《淮南子》中的孔子形象
中山大學中國哲學專業碩士論文　2005 年 6 月　李宗桂指導

鄧思平　經驗主義的孔子道德思想及其歷史演變
中山大學中國哲學專業博士論文　1999 年 5 月　李錦全、李宗桂指導
成都　巴蜀書社　234 頁　2000 年 8 月（儒釋道博士論文叢書）

吳潤儀　從「神」聖到「玄」聖——關於董仲舒、王弼塑造的孔子兩種聖人形象的比較研究
中山大學哲學專業碩士論文　2004 年 6 月　陳少明指導

鄧文輝　孟子對孔子的聖化
中山大學哲學專業碩士論文　2005 年 5 月　李宗桂指導

羅　靜　《孟子・梁惠王》篇詩說集注論評
中山大學哲學專業碩士論文　2005 年 6 月　張豐乾指導

楊海文　孟子文化精神研究
中山大學中國哲學專業博士論文　1999 年 5 月　李宗桂指導

羅香萍　孟子人格美思想研究

中山大學哲學專業碩士論文　2007 年 6 月　黎紅雷指導

羅嘉慧　孟子四端心與性善論關係之研究

中山大學哲學專業碩士論文　2005 年 5 月　陳立勝指導

黃衛榮　孟子「權」說與經典解釋問題

中山大學中國哲學專業碩士論文　2006 年 6 月　張豐乾指導

蘇遠漢　論孟子「王道」思想及兼論其對現代民主政治的啟示

中山大學哲學專業碩士論文　2006 年 5 月　張豐乾指導

楊海文　孟子與《詩》、《書》文化

中山大學中國哲學專業碩士論文　1996 年 6 月　李宗桂指導

荊　琳　戴震《孟子字義疏證》之思想詮釋

中山大學中國哲學專業碩士論文　2003 年 5 月　馮達文指導

李文波　論中庸——思想、文本與傳統

中山大學哲學專業博士論文　2005 年 5 月　黎紅雷、陳少明指導

任婉芬　《中庸》誠的哲學之研究

中山大學哲學專業碩士論文　2005 年 5 月　馮煥珍指導

法學專業

楊　昂　從經學到律學：中國古代法律詮釋學的形成

中山大學法學專業碩士論文　2002 年 6 月　馬作武指導

思想政治教育專業

孫衛東　孔子道德教育中的研究性學習方法

中山大學思想政治教育專業碩士論文　2004 年 12 月　吳育林指導

歷史學專業

劉少虎　王闓運春秋學思想研究

中山大學歷史學專業博士論文　2006 年 6 月　周興樑指導

北京　華夏出版社　360 頁　2007 年 8 月（改名為《經學以自治：王闓運春秋學思想研究》）

伍典彬　杜預《春秋左傳》義例學與魏晉「史家義例學」

中山大學歷史學專業碩士論文　2004 年 6 月　曾憲禮指導

中國近現代史專業

朱圓滿　梁啟超早期經濟思想研究
中山大學中國近現代史專業博士後論文　2004 年 1 月　邱捷指導

語言文字專業

周錫䪖　《詩經》句法研究——兼論中國詩歌句法的特點
中山大學語言文字專業碩士論文　1981 年 9 月　潘允中指導

漢語言文字學專業

林志強　古本《尚書》文字研究
中山大學漢語言文字學專業博士論文　2003 年 6 月　曾憲通指導
廣州　中山大學出版社　139 頁　2005 年

漢語史專業

阮幗儀　《孔子家語》複音詞研究
中山大學漢語史專業碩士論文　2007 年 5 月　譚步雲指導

文學專業

陳穎聰　《左傳》對《毛詩》的影響研究
中山大學文學專業碩士論文　2007 年 5 月　孫立指導
馮　荊　從《左傳》看春秋禮文化與春秋貴族說辭
中山大學文學專業碩士論文　2005 年 6 月　師飆指導

中國古代文學專業

徐正英　上博簡《孔子詩論》研究
中山大學中國古代文學專業博士後論文　2006 年 6 月

民俗學專業

朱培坤　嶺南建築民俗的易學解讀
中山大學民俗學專業博士論文　2006 年 12 月　葉春生指導

中共廣東省委黨校

馬克思主義哲學專業

王彥威　　王弼人生哲學思想探析
中共廣東省委黨校馬克思主義哲學專業碩士論文　2006 年 4 月　吳燦新指導

汕頭大學

漢語言文字學專業

黃偉德　　傳播學視野下的《孟子》
汕頭大學漢語言文字學專業碩士論文　吳信訓指導

中國古代文學專業

賈軍仕　　《周易》、《尚書》思想比較研究
汕頭大學中國古代文學專業碩士論文　劉坤生指導

夏　雲　　《易》、《老》辨
汕頭大學中國古代文學專業碩士論文　劉坤生指導

深圳大學

中國古代文學專業

張　靜　　詩騷合流　繼往開來——論漢詩在中國詩歌發展史上的地位與作用
深圳大學中國古代文學專業碩士論文　2005 年 4 月　章必功指導

華南師範大學

馬克思主義哲學專業

黃曉榮　胡宏心性論探微
華南師範大學馬克思主義哲學專業碩士論文　2002 年　龔雋、周熾成指導

戴繼誠　戴震程朱理學批判研究
華南師範大學馬克思主義哲學專業碩士論文　2002 年 1 月　張尚仁指導

羅立軍　章學誠道學史觀研究
華南師範大學馬克思主義哲學專業碩士論文　2002 年 1 月　龔雋、陳開先指導

中國哲學專業

王辛方　窮源竟委，易于不易——李鏡池易學思想通覽
華南師範大學中國哲學專業碩士論文　2007 年　陳開先指導

心理學專業

張　敏　《詩經》的認知詩學與心理分析研究
華南師範大學應用心理學專業博士論文　2007 年　申荷永指導

教育史專業

朱海龍　張之洞與癸卯學制
華南師範大學教育史專業碩士論文　2004 年　黃明喜指導

專門史專業

杜　娟　試論唐玄宗《孝經注》
華南師範大學專門史專業碩士論文　2007 年　代繼華指導

中國古代史專業

唐洪志　上博簡（五）孔子文獻校理
華南師範大學中國古代史專業碩士論文　2007 年　白于藍指導

漢語言文字學專業

姚慶保　《左傳》及物動詞作使動用考察
華南師範大學漢語言文字學專業碩士論文　2002 年 1 月　吳辛丑指導

劉　斌　《孟子》補語研究
華南師範大學漢語言文字學專業碩士論文　2007 年　吳辛丑指導

孫菊芳　《廣雅・釋沽》初探
華南師範大學漢語言文字學專業碩士論文　2003 年　魏達純指導

中國古代文學專業

易定軍　試論郭嵩燾詩學主張的理學實學特徵
華南師範大學中國古代文學專業碩士論文　2005 年　閔定慶指導

黃炎蓮　上博楚簡《孔子詩論》所涉《詩經》篇目研究
華南師範大學中國古代文學專業碩士論文　2007 年　傅劍平指導

英語語言文學專業

鄒春媚　《論語》語篇體裁的系統功能語言學分析
華南師範大學英語語言文學專業碩士論文　2007 年　何恒幸指導

暨南大學

中國古典文獻學專業

黃洪明　宋代《尚書》學
暨南大學中國古典文獻學專業碩士論文　2006 年 5 月　張玉春指導

余　琳　《禮記・月令》篇禁忌研究
暨南大學中國古典文獻學專業碩士論文　2007 年　張玉春指導

郭　進　焦循《孟子正義》研究
暨南大學中國古典文獻學專業碩士論文　2007 年　陸勇強指導

漢語言文字學專業

卞仁海　楊樹達訓詁研究
暨南大學漢語言文字學專業博士論文　2007年4月　王彥坤指導

劉衛寧　《毛詩故訓傳》、《毛詩箋》與《詩集傳》訓詁比較研究
暨南大學漢語言文字學專業碩士論文　2005年1月　王彥坤指導

梁　樺　《左傳》方位詞研究
暨南大學漢語言文字學專業碩士論文　2006年5月　張家文指導

高留香　《左傳》「所」字及「所」字結構研究
暨南大學漢語言文字學專業碩士論文　2007年　朱承平指導

蘇延燁　《左傳》主謂謂語句研究
暨南大學漢語言文字學專業碩士論文　2007年　張家文指導

梁葉春　《左傳》構詞法研究
暨南大學漢語言文字學專業碩士論文　2005年1月　朱承平指導

劉　敏　由《爾雅》、《方言》、《說文》、《釋名》看漢代訓詁的發展
暨南大學漢語言文字學專業碩士論文　2003年5月　王彥坤指導

魏宇文　《釋名》名源研究
暨南大學漢語言文字學專業博士論文　2006年　王彥坤指導

劉　敏　由《爾雅》、《方言》、《說文》、《釋名》看漢代訓詁的發展
暨南大學漢語言文字學專業碩士論文　2003年5月　王彥坤指導

文藝學專業

張俊嶺　吳大瀓的金石研究及其書學成就
暨南大學文藝學專業碩士論文　2005年1月　曹寶麟指導

陳麗虹　對「賦、比、興」的現代闡釋
暨南大學文藝學專業博士論文　2000年5月　饒芃子指導
杭州　中國美術學院出版社　204頁　2002年3月（改名為《賦比興的現代闡釋》）

李茵茵　《詩經》婚戀詩葡萄牙語譯本研究
暨南大學文藝學專業碩士論文　2007年　蔣述卓指導

石了英　劉勰的《詩經》闡釋與《文心雕龍》詩學建構
暨南大學文藝學專業碩士論文　2007年　賈益民指導

黃貞權　孔穎達《毛詩正義》的文學闡釋思想
暨南大學文藝學專業碩士論文　2005 年 1 月　劉紹瑾指導

謝中元　古史辨視野下的《詩經》闡釋
暨南大學文藝學專業碩士論文　2006 年 5 月　劉紹瑾指導

郭錦玲　意蘊不同的經典——從《詩經》與《聖經》看中西方文化精神與藝術思維的原始差異
暨南大學文藝學專業博士論文　2001 年 11 月　蔣述卓指導

中國古代文學專業

李　禕　戴名世散文研究
暨南大學中國古代文學專業碩士論文　2006 年　史小君指導

陳　冬　《國風》作者問題的研究
暨南大學中國古代文學專業碩士論文　2006 年 5 月　張玉春指導

陸銀湘　《詩經》「頌」詩的研究
暨南大學中國古代文學專業碩士論文　2002 年 1 月　劉紹瑾指導

聶　雙　《詩經‧魯頌》研究
暨南大學中國古代文學專業碩士論文　2007 年　張玉春指導

廣州大學

專門史專業

皮志強　張之洞市政建設思想與實踐
廣州大學專門史專業碩士論文　2002 年 6 月　趙春晨指導

語言學及應用語言學專業

張　穎　賈誼文詞語研究
廣州大學語言學及應用語言學專業碩士論文　2006 年　張雍長指導

李存周　《大戴禮記》詞彙研究
廣州大學語言學及應用語言學專業碩士論文　2006 年 4 月　羅維明指導

陳冠蘭　《論語》、《孟子》複音詞研究

廣州大學語言學及應用語言學專業碩士論文　2002 年 6 月　孫雍長指導

李　煜　《爾雅》辭書學研究

廣州大學語言學及應用語言學專業碩士論文　2003 年 6 月　孫雍長指導

廣東外語外貿大學

外國語言學及應用語言學專業

倪蓓鋒　從譯者主體性角度看《論語》譯本的多樣性

廣東外語外貿大學外國語言學及應用語言學專業碩士論文　2005 年 4 月　王友貴指導

貴州省

貴州大學

美學專業

王　進　自我的轉化與審美主體的生成——張載美學思想研究

貴州大學美學專業碩士論文　2006 年　李朝龍指導

漢語言文字學專業

程亞恒　《左傳》兼語句研究

貴州大學漢語言文字學專業碩士論文　2006 年 3 月　袁本良指導

韓紅星　《左傳》比喻句研究

貴州大學漢語言文字學專業碩士論文　2005 年 5 月　袁本良指導

中國古代文學專業

郭付利　《詩經》之詩樂觀研究

貴州大學中國古代文學專業碩士論文　2007 年　譚德興指導

陸躍升　《春秋左氏傳》解釋學研究
貴州大學中國古代文學專業碩士論文　2006 年 5 月　黃永堂指導

英語語言文學專業

章亞瓊　《論語・學而第一》英譯文的解構策略研究
貴州大學英語語言文學專業碩士論文　2007 年 5 月　費小平指導

貴州師範大學

中國近現代史專業

曹素璋　試論郭嵩燾的洋務思想——以郭嵩燾「使西日記」為中心線索展開的研究
貴州師範大學中國近現代史專業碩士論文　2002 年　張新民指導

侯昂妤　王韜：中國在「地球合一之天下」中的地位與作用
貴州師範大學中國近現代史專業碩士論文　2001 年　吳雁南指導

歷史文獻學專業

安尊華　試論梁啟超的史料思想
貴州師範大學歷史文獻學專業碩士論文　2005 年 5 月　張新民指導

雲南省

雲南大學

倫理學專業

伍志燕　顏元與邊沁功利主義倫理思想的比較研究及現代價值
雲南大學倫理學專業碩士論文　2006 年 4 月　劉家志指導

陳光連　論分的思想是荀子禮學體系中的經脈
雲南大學倫理學專業碩士論文　2005 年 12 月　曾健指導

政治學理論專業

劉長庚　魏源政治思想的邏輯
雲南大學政治學理論專業碩士論文　2001 年 5 月　金子強指導

文藝學專業

孫興義　詮釋學視野中的先秦兩漢《詩經》學
雲南大學文藝學專業碩士論文　2001 年 6 月　張國慶指導

雲南師範大學

中國哲學專業

龔成杰　賈誼的政論與哲學思想
雲南師範大學中國哲學專業碩士論文　2004 年　雷昀指導

陸繼萍　王充思想的體系詮釋和重建
雲南師範大學中國哲學專業碩士論文　2006 年 5 月　楊志明指導

朱正西　韓愈的世界觀對倫理思想的影響
雲南師範大學中國哲學專業碩士論文　2006 年 6 月　雷昀指導

郭應傳　李翺《復性書》思想研究
雲南師範大學中國哲學專業碩士論文　2002 年 7 月　李廣良指導

李煌明　念與天理——柏拉圖與朱熹
雲南師範大學中國哲學專業碩士論文　2001 年　伍雄武指導

張永忠　從《明夷待訪錄》看黃宗羲的國家哲學思想
雲南師範大學中國哲學專業碩士論文　2002 年 7 月　王興國指導

王智汪　論戴震的義理之學
雲南師範大學中國哲學專業碩士論文　2005 年 8 月　伍雄武指導

周朗生　戴震倫理思想管窺
雲南師範大學中國哲學專業碩士論文　2003 年　楊志明指導

劉維蘭　試論譚嗣同哲學思想的特徵
雲南師範大學中國哲學專業碩士論文　2006 年 5 月　伍雄武指導

楊　勇　　以儒攝佛，援佛入儒——熊十力以心學對唯識學的改造和融攝
雲南師範大學中國哲學專業碩士論文　2004 年 6 月　王興國指導

李秀妮　　馮友蘭孔子研究初探
雲南師範大學中國哲學專業碩士論文　2006 年 7 月　雷昀指導

畢文勝　　「抽象繼承法」研究批判[19]
雲南師範大學中國哲學專業碩士論文　2004 年 6 月　王興國指導

楊　勇　　天道性命相貫通——論牟宗三對張載哲學思想的研究
雲南師範大學中國哲學專業碩士論文　2006 年 5 月　李廣良指導

陳良武　　荀子的禮學思想及其歷史影響
雲南師範大學中國哲學專業碩士論文　2006 年 5 月　王興國指導

李秀妮　　馮友蘭孔子研究初探
雲南師範大學中國哲學專業碩士論文　2006 年 7 月　雷昀指導

唐詩龍　　孟子仁政之哲學透視
雲南師範大學中國哲學專業碩士論文　2006 年 5 月　雷昀指導

馬克思主義哲學專業

于　東　　用唯物史觀看中國歷史上的「黃宗羲定律」
雲南師範大學馬克思主義哲學專業碩士論文　2004 年 6 月　李以國指導

馬克思主義理論與思想政治教育專業

胡　偉　　論荀子的「禮法」法思想及其現實意義
雲南師範大學馬克思主義理論與思想政治教育專業碩士論文　2005 年　畢國明指導

楊澤樹　　孟子政治思想研究
雲南師範大學馬克思主義理論與思想政治教育專業碩士論文　2004 年 5 月畢國明指導

學科教學論專業

周　雲　　孔子教育思想對當代小學語文教學的啟示
雲南師範大學學科教學論專業碩士論文　2005 年 6 月　王興中指導

19 此文為討論馮友蘭的中國哲學史研究法「抽象繼承法」。

中國古代史專業

戚紅斌　　楊慎謫滇及其對雲南文化的貢獻
雲南師範大學中國古代史專業碩士論文　2005 年 5 月　吳寶璋指導

海南省

海南大學

馬克思主義與思想政治教育專業

楊　麗　　張之洞與清末學制變遷
海南大學馬克思主義理論與思想政治教育專業碩士論文　2006 年 5 月　曹錫仁指導

鐘平艷　　從激進到保守——從康有為個案分析看晚清知識分子的心路歷程
海南大學馬克思主義與思想政治教育專業碩士論文　2006 年 6 月　曹錫仁指導

陳　瀟　　早期空想社會主義思想及其對現代中國社會影響的研究——康有為的大同理想與莫爾的烏托邦思想之比較
海南大學馬克思主義理論與思想政治教育專業碩士論文　2005 年 5 月　趙康太指導

新疆維吾爾自治區

新疆大學

馬克思主義哲學專業

鄭麗娟　　孔子仁愛思想的當代重構及價值

新疆大學馬克思主義哲學專業碩士論文　2006 年 6 月　趙新居指導

中國近現代史專業

何方昱　錢穆教育思想初探

新疆大學中國近現代史專業碩士論文　2003 年　莊鴻鑄指導

語言學及應用語言學專業

王　靜　《荀子》介詞研究

新疆大學語言學及應用語言學專業碩士論文　2004 年　張新武指導

欒建珊　《荀子》連詞研究

新疆大學語言學及應用語言學專業碩士論文　2004 年　張新武指導

歐陽戎元　《荀子》句型研究

新疆大學語言學及應用語言學專業碩士論文　2005 年　張新武指導

文藝學專業

卞維婭　王夫之詩歌理論研究

新疆大學文藝學專業碩士論文　2006 年 6 月　王開元指導

雷瓊芳　論荀子禮學思想的美學訴求

新疆大學文藝學專業碩士論文　2007 年　張立斌指導

新疆師範大學

漢語言文字學專業

鞏玲玲　《春秋・穀梁傳》正文訓詁研究

新疆師範大學漢語言文字學專業碩士論文　2006 年　饒尚寬指導

國建強　《四書章句集注》訓詁研究

新疆師範大學漢語言文字學專業碩士論文　2005 年　饒尚寬指導

中國古代文學專業

楊　延　呂祖謙《呂氏家塾讀詩記》的宗毛傾向

新疆師範大學中國古代文學專業碩士論文　2006 年　張玉聲指導

葉洪珍　王質《詩總聞》考論
新疆師範大學中國古代文學專業碩士論文　2007 年　王佑夫指導

內蒙古自治區

內蒙古大學

中國古代史專業

武　躍　早期公羊學派民族觀念的發展
內蒙古大學中國古代史專業碩士論文　2007 年　趙英指導

白　雷　略論戰國秦漢間公羊學派的歷史認識問題
內蒙古大學中國古代史專業碩士論文　2007 年　趙英指導

中國近現代史專業

敖福軍　試論張之洞的外交思想
內蒙古大學中國近現代史專業碩士論文　2005 年 1 月　張鳳翔指導

蒙古史專業

趙　琦　大蒙古國時期的儒士境遇與文化傳承
內蒙古大學蒙古史研究所博士論文　2001 年 6 月　周清澍指導
北京　人民出版社　345 頁　2004 年 9 月（改名為《金元之際之儒士與漢文化》）

漢語言文字學專業

周春霞　《荀子》名詞同義關係研究
內蒙古大學漢語言文字學專業碩士論文　2006 年　道爾吉指導

黃　輝　《左傳》反義詞探析
內蒙古大學漢語言文字學專業碩士論文　2004 年 5 月　道爾吉指導

陶建芳　《論語》複音詞研究
內蒙古大學漢語言文字學專業碩士論文　2007年　道爾吉指導

王雪燕　稱謂・家族・婚姻・宗法——《爾雅・釋親》的文化學研究
內蒙古大學漢語言文字學專業碩士論文　2007年　道爾吉指導

曹　燕　《爾雅》動物專名研究
內蒙古大學漢語言文字學專業碩士論文　2007年　道爾吉指導

中國古代文學專業

安雪飛　論歐陽修散文的儒家思想取向
內蒙古大學中國古代文學專業碩士論文　2002年5月　楊新民指導

外國語言文學專業

姜伊敏　孔子及其《論語》英譯研究
內蒙古大學外國語言文學專業碩士論文　2002年5月　吳持哲指導

內蒙古師範大學

馬克思主義哲學專業

張　忠　論《周易》的整體性思維方法
內蒙古師範大學馬克思主義哲學專業碩士論文　2000年5月　格・孟和指導

馬克思主義理論與思想政治教育專業

李貴中　康有為、章太炎政治思想比較研究
內蒙古師範大學馬克思主義理論與思想政治教育專業碩士論文　2002年5月　阿明布和指導

科學技術史專業

張　祺　清代學者對西方天文曆法的闡釋與發揮——江永《翼梅》研究
內蒙古師範大學科學技術史專業碩士　論文　2006年6月　郭世榮、王榮彬指導

歷史文獻學專業

李紅權　徐光啟《亟遣使臣監護朝鮮》研究
內蒙古師範大學歷史文獻學專業碩士論文　2006 年 6 月　邱瑞中、曹永年指導

文藝學專業

白建忠　《文心雕龍》楊批中的創作論研究——兼及楊評《文心雕龍》中的五色圈點
內蒙古師範大學文藝學專業碩士論文　2004 年 4 月　王志彬指導

漢語言文字學專業

宋彩霞　《經傳釋詞》研究
內蒙古師範大學漢語言文字學專業碩士論文　2003 年 5 月　章也指導

張瑞芳　《易經》動詞配價研究
內蒙古師範大學漢語言文字學專業碩士論文　2005 年 6 月　章也指導

任曉彤　《易經》虛詞研究
內蒙古師範大學漢語言文字學專業碩士論文　2004 年 4 月　章也指導

劉　旭　《易經》詞法初探
內蒙古師範大學漢語言文字學專業碩士論文　2004 年 4 月　章也指導

張雲濤　《左傳》《史記》異文研究
內蒙古師範大學漢語言文字學專業碩士論文　2007 年 6 月　章也指導

張文蕾　《左傳》中表處置的「以」字句研究
內蒙古師範大學漢語言文字學專業碩士論文　2006 年 6 月　章也指導

于麗萍　《爾雅義疏》研究
內蒙古師範大學漢語言文字學專業碩士論文　2003 年 5 月　章也指導

中國現當代文學專業

王俊義　論新月詩人陳夢家
內蒙古師範大學中國現當代文學專業碩士論文　2004 年 4 月　傅中丁指導

寧夏回族自治區

寧夏大學

專門史專業

武香蘭　范仲淹的儒學價值觀與馭邊之術
寧夏大學專門史專業碩士論文　2005 年 4 月　王天順指導

漢語言文字學專業

任國俊　顏師古《漢書注》研究
寧夏大學漢語言文字學專業碩士論文　2005 年 5 月　馮玉濤指導

王　波　張舜徽《說文解字約注》綜論
寧夏大學漢語言文字學專業碩士論文　2004 年　劉世俊、馮玉濤指導

羅榮華　《詩經》三家注的語法觀及其發展
寧夏大學漢語言文字學專業碩士論文　2004 年 4 月　東炎指導

楊　皎　《詩經》疊音詞及其句法功能研究
寧夏大學漢語言文字學專業碩士論文　2005 年 3 月　東炎指導

馬君花　論鄭玄《禮記注》在訓詁學史上的成就
寧夏大學漢語言文字學專業碩士論文　2005 年 5 月　馮玉濤、劉世俊指導

貢桂勇　《春秋公羊傳》正文訓詁研究
寧夏大學漢語言文字學專業碩士論文　2003 年 4 月　東炎指導

羅小如　論朱熹《論語集注》的訓詁價值
寧夏大學漢語言文字學專業碩士論文　2003 年 4 月　劉世俊指導

蔡淑梅　邢昺《爾雅疏》綜論
寧夏大學漢語言文字學專業碩士論文　2004 年 4 月　劉世俊指導

劉鴻雁　《小爾雅》綜論
寧夏大學漢語言文字學專業碩士論文　2003 年 4 月　劉世俊指導

廣西壯族自治區

廣西大學

工商管理專業

田輝鵬　《論語》管理思想在自我管理型團隊中的應用
廣西大學工商管理專業碩士論文　2006 年 6 月　唐平秋指導

漢語言文字學專業

劉宗永　論語通注——兼論《論語詞典》的編纂
廣西大學漢語言文字學專業碩士論文　2003 年 5 月　林仲湘指導

黃鵬麗　從《論語》譯文看對譯法在古文今譯中的地位——兼論計算機技術在對譯法中的運用
廣西大學漢語言文字學專業碩士論文　2002 年 5 月　潘琦、林仲湘指導

中國古代文學專業

李　娟　復調變奏曲——鍾惺《詩經》評點析論
廣西大學中國古代文學專業碩士論文　2007 年　謝明仁指導

梁新興　在因循傳統下的創新思變——對《詩經原始》的自我認知
廣西大學中國古代文學專業碩士論文　2007 年　謝明仁指導

廣西師範大學

中國古典文獻學專業

馬艷輝　王應麟學術研究
廣西師範大學古典文獻學專業碩士論文　2006 年　杜海軍指導

陳玉東　宋濂交遊及文學思想考論

廣西師範大學中國古典文獻學專業碩士論文　2007年　杜海軍指導

黃　玲　《詩經・豳風》研究

廣西師範大學中國古典文獻學專業碩士論文　2007年　力之指導

倫理學專業

楊青利　《管子》與《孟子》經濟倫理思想之比較

廣西師範大學倫理學專業碩士論文　2006年4月　譚培文指導

專門史專業

郭　暉　薛瑄教育思想研究

廣西師範大學專門史專業碩士論文　2007年　崔鳳春指導

侯俊雲　陳宏謀胥吏管理思想研究

廣西師範大學專門史專業碩士論文　2004年　錢宗范指導

章　潔　魏源經世致用的教育思想

廣西師範大學專門史專業碩士論文　2004年　任冠文指導

中國古代史專業

彭　越　讖緯與兩漢政治

廣西師範大學中國古代史專業碩士論文　2007年　周長山指導

中國近現代史專業

崔昆侖　胡適歷史觀研究

廣西師範大學中國近現代史專業碩士論文　2002年1月　譚肇毅指導

黃家安　胡適文獻整理思想研究

廣西師範大學中國近現代史專業碩士論文　2000年1月　張家璠指導

楊天保　聞一多與古典文獻研究

廣西師範大學中國近現代史專業碩士論文　2000年1月　張家璠、龐祖喜、任冠文指導

漢語言文字學專業

唐智燕　今文《尚書》動詞語法研究

廣西師範大學漢語言文字學專業碩士論文　2003年4月　王志瑛指導

高雅潔　今文《尚書》的特殊句式和關聯詞語研究
廣西師範大學漢語言文字學專業碩士論文　2002 年 1 月　王志瑛指導

陳勤香　《周禮》祭祀詞語研究
廣西師範大學漢語言文字學專業碩士論文　2006 年 4 月　劉興均指導

路瀝雲　《禮記》事名詞研究
廣西師範大學漢語言文字學專業碩士論文　2003 年　4 月　劉興均指導

羅蓓蕾　《左傳》軍事詞語研究
廣西師範大學漢語言文字學專業碩士論文　2004 年 4 月　劉興均指導

陸懷南　《論語》住所名詞近義關係研究
廣西師範大學漢語言文字學專業碩士論文　2005 年 2 月　劉興均指導

王潤吉　論《釋名》的理據
廣西師範大學漢語言文字學專業碩士論文　2001 年　黎良君指導

漢語史專業

黎氏秋姮　《孟子》因果類複句研究
廣西師範大學漢語史專業碩士論文　2002 年 5 月　王志瑛指導

中國古代文學專業

潘子健　先唐禪讓文化與文學——禪讓應用文研究
廣西師範大學中國古代文學專業碩士論文　2006 年　李乃龍指導

王　博　揚雄《法言》研究
廣西師範大學中國古代文學專業碩士論文　2004 年　李乃龍指導

黃倫峰　周代婚俗下的《詩經》婚戀詩研究
廣西師範大學中國古代文學專業碩士論文　2007 年　周葦風指導

艾海青　《左傳》引《詩》研究
廣西師範大學中國古代文學專業碩士論文　2007 年　周葦風指導

體育人文社會學專業

陳　明　論孔子體育思想對我國後世體育發展的影響
廣西師範大學體育人文社會學專業碩士論文　2007 年　梁柱平指導

年代別分類

1978、1979 年

吳慶峰　論並列式雙音詞——鄭玄注詞彙研究
山東大學語言文字專業碩士論文　1978、1979 級　殷孟倫指導

沈開生　皮日休繫年考辨
杭州大學中國古代文學專業碩士論文　1978、1979 級　蔡義江指導

李恕豪　論顧炎武古音學研究的貢獻及影響
復旦大學語言文字專業碩士論文　1978、1979 級　吳文祺、濮之珍指導

黃奇逸　石鼓文年代及相關問題
四川大學語言文字專業碩士論文　1978 級　徐中舒指導

翟相君　《國風》中的怨刺詩
河南師範大學中國古代文學專業碩士論文　1978、1979 級　華鐘彥指導

許志剛　《詩經》祭祀詩概論
遼寧大學中國古代文學專業碩士論文　1978、1979 級　張震澤指導

郭雲生　《詩經》合韻與上古方音
華東師範大學語言文字專業碩士論文　1978、1979 級　史存直指導

丁　忱　《詩經》通假字考
武漢大學語言文字專業碩士論文　1978、1979 級　黃焯、周大璞指導

朱廣祁　《詩經》雙音詞研究
山東大學語言文字專業碩士論文　1978、1979 級　殷煥先指導

賈寶麟　詩騷聯綿字辨議
北京大學語言文字專業碩士論文　1978、1979 級　王力、郭錫良、唐作藩指導

楊合鳴　《詩經》句法初探
武漢大學語言文字專業碩士論文　1978、1979 級　周大璞指導

周錫韍　《詩經》句法研究——兼論中國詩歌句法的特點
中山大學語言文字專業碩士論文　1981 年 9 月　潘允中指導

黃志強　關於《左傳》複合詞的幾個問題
復旦大學古漢語專業碩士論文　1978、1979 級　張世祿、顏修指導

曹兆藍　試談《左傳》文句的省略
武漢大學語言文字專業碩士論文　1978、1979 級　周大璞指導

米壽順　論《左傳》的民本思想
河南師範大學中國古代文學專業碩士論文　1978、1979 級　華鐘彥指導

楊佐義　《左傳》中的戰爭描寫
東北師範大學中國古代文學專業碩士論文　1978、1979 級　楊公驥指導

袁瑾洋　論《左傳》記敘戰爭的藝術
揚州師範學院中國古代文學專業碩士論文　1978、1979 級　李廷先指導

郭珍玉　《左傳》懲惡勸善思想研究
揚州師範學院中國古代史專業碩士論文　1978、1979 級　李廷先指導

郭曉雲　《論語》句法
江西師範學院語言文字專業碩士論文　1978、1979 級　俞心樂指導

1981 年

姜廣輝　反理學的思想家顏元
中國社會科學院研究生院中國思想專業碩士論文　1981 年　侯外廬、邱漢生指導
北京　中國社會科學出版社　258 頁　1987 年 12 月（改名為《顏李學派》）

楊天宇　論鄭玄《三禮注》[1]
河南師範大學中國古代文學專業碩士論文　1981 年　郭豫才、朱紹侯、郭人民指導
文史　第 21 輯　北京　中華書局　頁 21-42　1983 年 10 月
天津　天津人民出版社　頁 581-645　2007 年 4 月
北京　中國社會科學出版社　頁 155-182　2008 年 2 月

1982 年

胡孚琛　中國科學史上的《周易參同契》
中山大學哲學專業碩士論文　1982 年 9 月　黃友謀指導

滕志賢　讀《毛詩傳箋通釋》初探

1　此論文曾刊於《文史》第21輯，後在此基礎上增補修改，並更名為《鄭玄三禮注研究》出版，出版後第六章「論鄭玄《三禮注》」即為作者碩士論文原貌。

南京大學古代漢語專業碩士論文　1982 年　洪誠、徐復指導

黃麗麗　《左傳》複句研究

南京大學語言文字專業碩士論文　1982 年　周鐘靈指導

李　開　《論語》和《莊子》中「我」、「吾」;「其」、「之」;「所」、「者」三對代詞的用法初探

南京大學語言文字專業碩士論文　1982 年　周鐘靈指導

1983 年

丁　忱　《爾雅》、《毛傳》異同考

武漢大學漢語史專業博士論文　1983 年　黃焯指導

武漢　武漢大學出版社　107 頁　1988 年

1984 年

呂　藝　試論先秦《詩經》理論的內容及其發展

北京大學古典文獻專業碩士論文　1984 年 1 月　褚斌傑指導

何毓玲　《毛詩正義》訓詁語言中的雙音節和「然」字式

四川大學中文系碩士論文　1984 年　張永言指導

鄧季方　《春秋》經傳異文淺論

四川大學中文系碩士論文　1984 年　張永言指導

崔立斌　《孟子》的述賓結構

北京大學漢語史專業碩士論文　1984 年 1 月　郭錫良、李行健指導

1985 年

陳　來　朱熹哲學體系及其形成和發展

北京大學中國哲學史專業博士論文　1985 年　張岱年指導

北京　中國社會科學出版社　358 頁　1988 年（中國社會科學博士論文文庫）（改名為《朱熹哲學研究》）

臺北　文津出版社　414 頁　1990 年 12 月（文史哲大系 30）（改名為《朱熹哲學研究》）

北京　中國社會科學出版社　358 頁　1993 年
上海　華東師範大學出版社　450 頁　2000 年

楊　琳　《尚書》中幾種句型的研究
四川大學文科碩士論文　1985 級　向熹指導

葉友文　《左傳》「于／於」字句分析
北京大學漢語史專業碩士論文　1985 年 6 月　郭錫良、曹先耀指導

1986 年

張三夕　批判史學的批判：劉知幾及其史通研究
華中師範大學歷史文獻學專業博士論文　1986 年　張舜徽指導
臺北　文津出版社　350 頁　1992 年 9 月（大陸地區博士論文叢刊）

許志剛　論《大雅》、《小雅》的藝術形象
東北師範大學中國古代文學專業博士論文　1986 年　楊公驥指導

郝際陶　《雅典政制》與《周官》
東北師範大學世界上古史專業博士論文　1986 年　林志純指導

孫綠怡　中國古代文學發展中「史」的傳統：《左傳》與中國古典小說
東北師範大學中國古代文學專業博士論文　1986 年　楊公驥指導
北京　北京大學出版社　143 頁　1992 年 4 月

1987 年

漆永祥　試論乾嘉時期的考據學
西北師範大學歷史文獻學專業碩士論文　年 1987 年　李慶善指導

1988 年

杜成憲　早期儒家學習範疇研究
華東師範大學中國教育史專業博士論文　1988 年　沈灌群、孫培青指導
臺北　文津出版社　168 頁　1994 年 7 月

俞啟定　獨尊儒術與漢代教育
北京師範大學中國教育史專業博士論文　1988 年　毛禮銳指導

黃朴民　董仲舒與新儒學
山東大學歷史學博士論文　1988年　楊向奎、田昌五指導
臺北　文津出版社　231頁　1992年7月（大陸地區博士論文叢刊）

程方平　隋唐五代儒學教育思想研究
北京師範大學中國教育史專業博士論文　1988年　毛禮鋭、王炳照指導
昆明　雲南教育出版社　347頁　1991年12月（改名為《隋唐五代的儒學：前理學教育思想研究》）

于化民　明中晚期理學的對峙與合流
山東大學中國古代思想史專業博士論文　1988年　楊向奎、田昌五指導
臺北　文津出版社　194頁　1993年2月（大陸地區博士論文叢刊）

陳　捷　清代古籍
北京大學古典文獻專業碩士論文　1988年6月　孫欽善指導

傅道彬　《詩》逸《詩》用通論
華中師範大學歷史文獻學專業博士論文　1988年　張舜徽指導

趙敏俐　兩漢詩歌研究
東北師範大學文學博士論文　1988年　楊公驥指導
臺北　文津出版社　270頁　1993年5月（大陸地區博士論文叢刊）

馮浩菲　毛詩訓詁研究
華中師範大學歷史文獻學專業博士論文　1988年　張舜徽、李國祥指導
武昌　華中師範大學出版社　2冊　1998年8月（博士論文庫）

李玉潔　論周代喪葬制度與三《禮》記載的差異和原因
四川大學中國古代史先秦史專業博士論文　1988年7月　徐中舒、唐嘉弘指導
鄭州　中州古籍出版社　270頁　1991年10月（改名為《先秦喪葬制度研究》）

申小龍　《左傳》句型研究
復旦大學漢語史專業博士論文　1988年　張世祿指導

邵永海　從《左傳》和《史記》看上古漢語雙賓語結構及其發展
北京大學漢語專業碩士論文　1988年5月　郭錫良指導

1989 年

窪田忍　中國先秦儒家聖人觀探討：殷商時代的「聖」觀念及其在先秦儒家思想中的演變和展開
北京大學中國哲學史專業博士論文　1989 年　張岱年指導

張　躍　唐代後期儒學的新趨向
北京大學中國哲學專業博士論文　1989 年　馮友蘭指導
臺北　文津出版社　266 頁　1993 年
上海　上海人民出版社　204 頁　1994 年（改名為《唐代後期儒學》）

龐萬里　程顥、程頤及其二程學派
北京大學中國哲學史專業博士論文　1989 年 7 月　張岱年指導
北京　北京航空航天大學出版社　431 頁　1992 年 12 月（改名為《二程哲學體系》）

汪業芬　論胡宏
北京大學中國哲學史專業碩士論文　1989 年 7 月　陳來指導

陳小蘭　羅欽順哲學思想研究
北京大學中國哲學史專業碩士論文　1989 年 6 月　陳來指導

陳戍國　先秦禮制研究
杭州大學中國古典文獻學專業博士論文　1989 年　沈文倬指導
長沙　湖南教育出版社　419 頁　1991 年 12 月

蘇志宏　秦漢禮樂教化論
中國社會科學院文藝學專業博士論文　1989 年　蔡儀指導
成都　四川人民出版社　449 頁　1991 年 5 月

彭　林　《周禮》主體思想與成書年代研究
北京師範大學中國古代史專業博士論文　1989 年　趙光賢指導
北京　中國社會科學出版社　258 頁　1991 年 9 月

劉曉英　民間傳說中孔子的形象及其與統治階級塑造的孔子形象的比較研究
北京大學民間文學專業碩士論文　1989 年 7 月　段寶林指導

1990 年

劉復生　北宋中期儒學復興運動
四川大學中國古代史專業博士論文　1990 年　徐中舒、吳天墀指導
臺北　文津出版社　228 頁　1991 年 7 月（大陸地區博士論文叢刊）

房德鄰　儒學的危機與嬗變：康有為與近代儒學
北京大學中國近現代史專業博士論文　1990 年　龔書鐸指導
臺北　文津出版社　271 頁　1992 年 1 月（大陸地區博士論文叢刊）

浦衛忠　春秋三傳之比較研究
中國社會科學院中國古代史專業博士論文　1990 年 8 月　楊向奎指導
臺北　文津出版社　261 頁　1995 年 4 月（大陸地區博士論文叢刊）（改名為《春秋三傳綜合研究》）

陳應寧　孔子復禮和禮制的復興——兼論法治的失敗
北京大學法律思想史專業碩士論文　1990 年 6 月　張國華指導

王法周　孔孟朱熹與王心學——儒家心性之學簡議
北京大學中國哲學史專業碩士論文　1990 年 6 月　許抗生指導

劉文靜　孔子《論語》與柏拉圖《理想國》比較研究
北京大學中國哲學史專業碩士論文　1990 年 6 月　陳鼓應指導

董洪利　孟子研究學史概述
北京大學中國古典文獻學專業博士論文　1990 年 5 月　金開誠指導
南京　江蘇古籍出版社　358 頁　1997 年 10 月（改名為《孟子研究》）

1991 年

孫尚揚　明末天主教與儒學的交流和衝突
北京大學哲學博士論文　1991 年 7 月　湯一介指導
臺北　文津出版社　259 頁　1992 年 2 月（大陸地區博士論文叢刊）

鄭師渠　國粹・國學・國魂：晚清國粹派文化思想研究
北京師範大學中國近現代史專業博士論文　1991 年　龔書鐸指導
臺北　文津出版社　370 頁　1992 年 8 月（大陸地區博士論文叢刊）

謝　謙　古代宗教與禮樂文化

北京師範大學中國古典文學專業博士論文　1991 年　啟功指導
成都　四川人民出版社　281 頁　1996 年 7 月（改名為《中國古代宗教與禮樂文化》）

鄒昌林　從《禮記》看中國禮文化的特徵
中國社會科學院中國哲學專業博士論文　1991 年 7 月　余敦康指導
臺北　文津出版社　271 頁　1992 年 9 月（大陸地區博士論文叢刊）（改名為《中國古禮研究》）

張風雷　春秋人文主義思潮的勃興與孔子倫理哲學的建立
北京大學中國哲學專業碩士論文　1991 年 6 月　許抗生指導

康學偉　先秦孝道研究
吉林大學中國古代史專業博士論文　1991 年　金景芳指導
臺北　文津出版社　257 頁　1992 年 10 月（大陸地區博士論文叢刊）

1992 年

吳龍輝　原始儒家考述
北京師範大學文學博士論文　1992 年　啟功指導
北京　中國社會科學出版社　261 頁　1996 年 2 月（中國社會科學博士論文文庫）
臺北　文津出版社　282 頁　1995 年 5 月（大陸地區博士論文叢刊）

陳　明　儒學的歷史文化功能——從中古士族現象看
中國社會科學院中國哲學專業博士論文　1992 年 7 月　余敦康指導
臺北　文津出版社　363 頁　1994 年 3 月（大陸地區博士論文叢刊）（改名為《中古士族現象研究：儒學的歷史文化功能初探》）
上海　學林出版社　423 頁　1997 年（改名為《儒學的歷史文化功能：士族－特殊形態的知識份子研究》）
北京　中國社會科學出版社　349 頁　2005 年（改名為《儒學的歷史文化功能：以中古士族現象為個案》）

王志耀　先秦儒學「天人合一」觀念的歷史考察
中國社會科學院研究生院中國哲學專業博士論文　1992 年 7 月　孔繁指導
臺北　文津出版社　342 頁　1994 年 10 月（大陸地區博士論文叢刊）（改名為《先秦儒學史概述》）

廖名春　荀子新探
吉林大學歷史學專業博士論文　1992年　金景芳指導
臺北　文津出版社　353頁　1994年2月（大陸地區博士論文叢刊）

王　健　對朱熹解釋思想的思考
中國社會科學院研究生院中國哲學專業博士論文　1992年7月　余敦康指導

喬清舉　湛若水哲學思想研究
北京大學中國哲學史專業博士論文　1992年　朱伯崑指導
臺北　文津出版社　284頁　1993年3月（大陸地區博士論文叢刊）

黃君良　《周易》與興的藝術手法
北京大學中國文學批評史專業碩士論文　1992年6月　張少康指導

李雪山　《周禮》中所反映的村社土地制度
北京大學中國古代史專業碩士論文　1992年4月　吳榮曾指導

梁韋弦　孟子研究
吉林大學中國古代史專業博士論文　1992年　金景芳指導
臺北　文津出版社　154頁　1993年7月（大陸地區博士論文叢刊）

楊澤波　孟子性善論研究
復旦大學哲學專業博士論文　1992年　嚴北溟、潘富恩指導
北京　中國社會科學出版社　331頁　1995年5月（中國社會科學博士論文文庫）

1993年

陳亞軍　通行本《易經》卦畫卦形問題研究史略
北京大學中國哲學專業博士論文　1993年　朱伯崑指導

姚小鷗　《詩經》「三頌」與先秦禮樂文化的演變
東北師範大學中國古代文學專業博士論文　1993年　楊公驥指導
北京　北京廣播學院　273頁　2000年1月（改名為《詩經三訟與先秦禮樂文化》）

錢　華　淺論明代《詩經》研究
北京大學古代文學專業碩士論文　1993年6月　費振剛指導

徐興无　論讖緯文獻中的天道聖統
南京大學中文系博士論文　1993年　周勛初、莫礪鋒指導

1994 年

顧永新　蘇軾的古文獻學
北京大學古典文學專業碩士論文　1994 年 1 月　孫欽善指導

徐儀明　性理與岐黃
復旦大學哲學專業博士論文　1994 年　潘富恩指導
北京　中國社會科學出版社　314 頁　1997 年 9 月（中國社會科學博士論文文庫）

王　菁　《尚書》探論
北京大學中國古代文學專業博士論文　1994 年 6 月　褚斌傑指導

張　真　試論《詩經》「六義」之興
北京大學古代文學專業碩士論文　1994 年 6 月　費振剛指導

戴維・賽納《孟子》的述語研究
北京大學漢語史專業碩士論文　1994 年 1 月　郭錫良指導

1995 年

徐醒生　漢代經學與文學
北京大學中國古代文學專業博士論文　1995 年　褚斌傑指導

施　輝　試論朱熹的訓詁特色及其影響
南京大學中文系碩士論文　1995 年　滕志賢指導

葉　鷹　易玄合論
中山大學中國哲學專業博士論文　1995 年 11 月　李錦全指導

何潔冰　論《周易》天道觀及其在先秦哲學中的地位作用
中山大學哲學專業碩士論文　1995 年 11 月　李錦全指導

黃永憲　《詩經》婚戀詩論
北京大學中國古代文學專業碩士論文　1995 年 6 月　費振剛指導

吳土法　《周禮》官聯叢考
杭州大學中國古典文獻學專業博士論文　1995 年　沈文倬指導

崔立斌　《孟子》動詞、形容詞、名詞研究
北京大學漢語史專業博士論文　1995 年 6 月　郭錫良指導

開封　河南大學出版社　299 頁　2004 年 2 月（改名為《孟子詞類研究》）

1996 年

韓德民　荀子與儒家的社會理想

中國社會科學院研究生院中國哲學專業博士論文　1996 年 7 月　余敦康指導

濟南　齊魯書社　582 頁　2001 年 8 月

趙　峰　朱熹的終極關懷

中國社會科學院研究生院中國哲學專業博士論文　1996 年 7 月　孔繁指導

上海　華東師範大學出版社　380 頁　2004 年 10 月

漆永祥　乾嘉考據學研究

北京大學古文獻學專業博士論文　1996 年 5 月　孫欽善指導

北京　中國社會科學出版社　339 頁　1998 年（中國社會科學博士論文文庫）

邢　文　帛書《周易》與古代學術

中國社會科學院研究生院歷史文獻學專業博士論文　1996 年 7 月　李學勤指導

北京　人民出版社　1997 年 11 月、1998 年 12 月（改名為《帛書周易研究》）

杜　勇　《尚書》周初八誥研究

北京師範大學中國古代史專業博士論文　1996 年　趙光賢指導

北京　中國社會科學出版社　229 頁　1998 年 12 月

張衛中　《左傳》預言研究

杭州大學中國古典文獻學專業博士論文　1996 年　沈文倬指導

于建福　孔子的中庸教育哲學探微

北京師範大學教育學原理專業博士論文　1996 年　黃濟指導

楊海文　孟子與《詩》、《書》文化

中山大學中國哲學專業碩士論文　1996 年 6 月　李宗桂指導

陳　勇　孟子的道德形上學之研究

北京大學中國倫理學專業博士論文　1996 年 6 月　陳少峰指導

1997 年

張宜遷　劉歆及其作品研究
南京大學中文系碩士論文　1997 年　郭維森、許結指導

顧永新　歐陽修學術研究
北京大學古典文獻專業博士論文　1997 年 5 月　孫欽善指導
北京　人民文學出版社　341 頁　2003 年 8 月

文炳翼　張載「神」概念之研究
北京大學中國哲學專業碩士論文　1997 年 9 月　陳來指導

東鴻俊　《北溪字義》與陳淳哲學思想研究
北京大學中國哲學專業碩士論文　1997 年 1 月　陳來指導

張民權　顧炎武古音學考論
南京大學中文系博士論文　1997 年　魯國堯、李開指導

李　文　段玉裁古音學考論
南京大學中文系博士論文　1997 年　魯國堯、李開指導

吳銘能　梁任公的古文獻思想研究初稿——以目錄學、辨偽學、清代學術史及諸子學為中心的考察
北京大學古典文獻專業博士論文　1997 年 5 月　孫欽善指導

劉東超　生命的層級：馮友蘭人生境界說研究
中國社會科學院研究生院中國哲學專業博士論文　1997 年 7 月　方克力、牟鐘鑒、錢遜指導
成都　巴蜀書社　317 頁　2002 年 10 月（儒釋道博士論文叢書）

謝寶笙　龍、《易經》與中國文化的起源
中山大學中國哲學專業博士論文　1997 年 12 月　李宗桂指導
北京　社會科學文獻出版社　239 頁　1999 年

任　爽　唐代禮制研究概要
東北師範大學中國古代史專業博士論文　1997 年　李洵、楊志玖指導
長春　東北師範大學出版社　307 頁　1999 年 9 月（改名為《唐代禮制研究》）

虞聖強　荀子禮義之學研究
復旦大學中國哲學專業博士論文　1997 年　潘富恩指導

張全民　《周禮》所見法制研究（刑法篇）

吉林大學中國古代史專業博士論文　1997年　金景芳、陳恩林指導

北京　法律出版社　211頁　2004年5月（湘潭大學法學院博士文庫）

梁曉雲　《史記》與《左傳》的比較研究

北京師範大學中國古代文學專業博士論文　1997年　韓兆琦指導

歐陽雪梅　論《左傳》的敘事藝術

重慶師範學院[2]中古文學專業碩士論文　1997年5月　何明新指導

王思平　《左傳》人名與金文人名比較研究

中國社會科學院研究生院歷史文獻學專業博士論文　1997年7月　李學勤指導

張文國　《左傳》名詞研究

四川聯合大學漢語史專業博士論文　1997年　趙振鐸指導

邊瀅雨　《論語》的動詞、名詞研究

北京大學漢語史專業博士論文　1997年9月　郭錫良指導

1998年

章偉文　吳澄易學思想研究

北京師範大學哲學專業碩士論文　1998年　鄭萬耕指導

彭國翔　王龍溪的先天學及其定位

北京大學中國哲學專業碩士論文　1998年6月　陳來指導

彭迎喜　方以智與《周易時論合編》小考

中國社會科學院研究生院歷史文獻學專業博士論文　1998年6月　李學勤指導

廣州　中山大學出版社　248頁　2007年6月

殷小勇　論牟宗三融通中西哲學的理論與成果

復旦大學中國哲學專業碩士論文　1998年11月　施忠連指導

王若維　理雅各英譯《周易》研究

華中師範大學英語語言文學專業碩士論文　1998年7月　華先發指導

趙長征　論《詩經》美刺諷諭說的形成

2　現已更名為重慶師範大學。

北京大學中國古代文學專業碩士論文　1998年6月　費振剛指導

鄒鳳禮　王先謙《詩三家義集疏》初探
南京大學中文系碩士論文　1998年　滕志賢指導

王　雅　周代禮樂文化研究
吉林大學中國古代史專業博士論文　1998年　金景芳指導

龔建平　《禮記》哲學思想研究
武漢大學中國哲學專業博士論文　1998年　郭齊勇指導
北京　商務印書館　467頁　2005年11月（改名為《意義的生成與實現：《禮記》哲學思想》）

陳開先　《禮記》主題思想研究——傳統儒家思想的一種解讀
中山大學中國哲學專業博士論文　1998年6月　馮達文指導

趙生群　春秋經傳研究
南京師範大學中國古代文學專業博士論文　1998年　陳美林指導
上海　上海古籍出版社　337頁　2000年5月

張　猛　《左傳》謂語動詞研究
北京大學漢語史專業博士論文　1998年7月　郭錫良指導

李　昱　《左傳》《史記》詞彙對比考察
南京大學中文系碩士論文　1998年　許惟賢指導

朴晟鎮　《左傳》文學價值研究
北京師範大學中國古代文學專業博士論文　1998年　韓兆琦指導

任振鎬　《左傳》與中國古典文學
南京師範大學中國古代文學專業博士論文　1998年　鍾振振指導

劉麗文　左傳研究
北京師範大學中國古代文學專業博士論文　1998年　韓兆琦指導

張　勁　孔子教育哲學探究
復旦大學中國哲學專業博士論文　1998年　潘富恩指導

鄭興娟　孟子的心理學思想研究
河北師範大學普通心理學專業碩士論文　1998年5月　鄒大炎指導

黃棕源　孟子天人關係思想新探
北京大學中國哲學專業碩士論文　1998年6月　樓宇烈指導

沈莉華　《孝經》的結集和漢迄唐的流傳
復旦大學中國古代史專業碩士論文　1998年5月　許道勛、王頲指導

朱國理　《廣雅疏證》的語源研究

復旦大學漢語史專業博士論文　1998 年　胡奇光指導

1999 年

周遠富　許慎語文學研究

南京大學中文系碩士論文　1999 年　高小方指導

胡敕瑞　《論衡》與東漢佛典詞語比較

北京大學漢語史專業博士論文　1999 年　蔣紹愚指導

高雄　佛光山文教基金會　2002 年 8 月（法藏文庫中國佛教學術論典碩博士學位論文）

橋本秀美　南北朝至初唐義疏學研究

北京大學古典文獻專業博士論文　1999 年 6 月　倪其心指導

東京　白楓社　283 頁　2001 年 2 月 9 日（日文本，作者用中文名「喬秀岩」，書名改作《義疏學衰亡史論》）

李祥俊　王安石學術思想研究

北京師範大學中國古代思想史專業博士論文　1999 年　周桂鈿指導

北京　北京師範大學出版社　381 頁　2000 年 11 月

韓小荊　楊慎小學評議

湖北大學漢語言文字學專業碩士論文　1999 年　舒懷指導

楊國平　李贄與儒佛

安徽大學中國哲學專業碩士論文　1999 年 5 月　李霞指導

張德偉　李顒哲學研究

北京大學中國哲學專業博士論文　1999 年 3 月　陳來指導

安　載　王船山歷史哲學研究

北京大學中國哲學專業博士論文　1999 年 8 月　陳來指導

宮　辰　朱駿聲《說文通訓定聲》研究

南京大學中文系碩士論文　1999 年　李開、高小方指導

吳仰湘　皮錫瑞的生平和思想考述

湖南師範大學中國近代史專業博士論文　1999 年　麻天祥指導

董鐵松　19 世紀：今文經學與匡世救國思潮

東北師範大學中國古代史專業博士論文　1999 年　趙毅教指導

藤井隆　馮友蘭（新理學）的基本概念及其結構的考察
北京大學中國哲學專業碩士論文　1999 年 3 月　陳來、許抗生指導

陳秀雲　論魯迅的人生哲學
遼寧師範大學中國現當代文學專業碩士論文　1999 年 6 月　王吉鵬指導

許繼起　鄭玄《周易注》流變考
湖北大學中國古典文獻學專業碩士論文　1999 年 4 月　張林川指導

溫海明　朱子易學基本問題之演變
北京大學中國哲學專業碩士論文　1999 年 6 月　陳來指導

臧克和　《尚書》文字校詁
華東師範大學中國古代史專業博士論文　1999 年　李玲璞指導
上海　上海教育出版社　767 頁　1999 年 1 月

蘇文英　《詩》經典地位的確立
湖北大學中國古典文獻學專業碩士論文　1999 年 4 月　汪耀楠指導

周良平　「興」義源、流、變
安徽大學古代文學專業碩士論文　1999 年 6 月　孫以昭指導

何詩海　《詩經》句法探討
湖北大學中國古典文獻學專業碩士論文　1999 年 4 月　嚴承鈞指導

陸錫興　詩經異文研究
首都師範大學中國古代文學專業碩士論文　1999 年 5 月　魯洪生指導

李春華　《詩經》思鄉戀土主題研究
首都師範大學中國古代文學專業碩士論文　1999 年 5 月　魯洪生指導

劉立志　先秦引《詩》研究
南京師範大學中國古代文學專業碩士論文　1999 年　張采民指導

常　森　《詩》的崇高與汨沒：兩漢《詩經》學研究
北京大學中國古代文學專業博士論文　1999 年 5 月　褚斌傑指導

劉毓慶　從經學到文學——明代詩經學史論
北京大學中文系博士論文　1999 年　褚斌傑指導
北京　商務印書館　467 頁　2001 年 6 月
北京　商務印書館　467 頁　2003 年 11 月

惠吉興　宋代禮學研究
中山大學中國哲學專業博士論文　1999 年 5 月　李宗桂指導

周　艷　《左傳》敘事研究

華中師範大學中國古代文學專業碩士論文　1999年1月　佘斯大指導

陸建猷　《四書集注》與南宋四書學

西北大學中國思想史專業博士論文　1999年5月　張豈之指導

西安　陝西人民出版社　283頁　2002年8月

向　農　焦循《春秋左傳補疏》對杜注義理的研究

北京大學古典文獻學專業碩士論文　1999年6月　董洪利指導

顧歆藝　《四書章句集注》研究

北京大學古典文獻專業博士論文　1999年5月　金開誠指導

鄧思平　經驗主義的孔子道德思想及其歷史演變

廣州中山大學中國哲學專業博士論文　1999年5月　李錦全、李宗桂指導

成都　巴蜀書社　234頁　2000年8月（儒釋道博士論文叢書）

孔德海　里仁為美的現代闡釋——論孔子仁學與企業文化建設

山東師範大學文藝學企業文化專業碩士論文　1999年5月　張繼升、李衍柱指導

劉和忠　孔子德育思想研究

吉林大學政治學理論專業博士論文　1999年　陳秉公指導

趙清海　孔子的教育心理學思想研究

河北師範大學基礎心理學專業碩士論文　1999年4月　鄒大炎指導

趙世舉　《孟子》定中結構研究

武漢大學漢語史專業博士論文　1999年　鄭遠漢指導

北京　中國青年出版社　199頁　2000年10月

楊海文　孟子文化精神研究

中山大學中國哲學專業博士論文　1999年5月　李宗桂指導

蔣德陽　彪炳千古的「大丈夫」形象論《孟子》對理想人格的探索、詮釋與塑造

重慶師範學院古代文學專業碩士論文　1999年4月　董運庭指導

朴永鎭　人性與道德之考究——以《孟子》和《荀子》為主

北京大學倫理學專業碩士論文　1999年6月　魏英敏指導

毛東英　試論《中庸》人生和諧思想

曲阜師範大學碩士論文　1999年

俞　欣　《爾雅・釋詁》「二義同條」初探

湖北大學中國古典文獻學專業碩士論文　1999年　張林川指導

2000 年

楊朝明　書籍新識－周公事跡考證
中國社會科學院研究生院歷史文獻學專業博士論文　2000 年　李學勤指導
鄭州　中州古籍出版社　314 頁　2002 年（改名為《周公事跡研究》）

萬紹和　孟子荀子政治哲學比較研究
湘潭大學中國哲學專業碩士論文　2000 年　王向清指導

王　偉　荀子性惡論人學與美學
鄭州大學文藝學專業碩士論文　2000 年　劉成紀指導

彭歲楓　《荀子》思想政治教育環境理論研究
首都師範大學馬克思主義理論與思想政治教育專業碩士論文　2000 年　鄧球柏指導

唐　琳　韓愈倫理思想基本範疇剖析
湖北大學倫理學專業碩士論文　2000 年 5 月　羅熾、劉澤亮指導

姜真碩　朱子體用論研究
北京大學中國哲學專業博士論文　2000 年 12 月　陳來指導

李光西　朱熹古音研究
南京大學中文系碩士論文　2000 年　李開指導

李紅軍　朱熹與退溪的人性論之比較
延邊大學東方哲學專業碩士論文　2000 年　柳長鉉指導

吳冬梅　朱熹的「持敬」說讀解
山東師範大學教育學原理專業碩士論文　2000 年　于述勝指導

常建勇　朱熹自我教育思想探析
首都師範大學馬克思主義理論與思想專業碩士論文　2000 年　隋淑芬指導

池俊鎬　黃榦哲學思想研究
北京大學中國哲學專業博士論文　2000 年 12 月　陳來指導

孫美貞　吳澄理學思想研究
中國社會科學院研究生院中國哲學專業博士論文　2000 年 1 月　徐遠和指導

郭春萍　陳獻章心學與詩歌的交叉研究
南京師範大學古代文學專業碩士論文　2000 年 5 月　陳書錄指導

季芳桐　泰州學派新論

南京大學歷史學專業博士論文　2000 年　魏良弢指導
成都　巴蜀書社　249 頁　2005 年 12 月（儒釋道博士論文叢書）

李志學　論黃宗羲反專制政治思想
遼寧師範大學中外政治思想專業碩士論文　2000 年 6 月　朱誠如指導

陳　凱　論顧炎武反封建專制政治思想
遼寧師範大學中外政治思想專業碩士論文　2000 年 6 月　朱誠如指導

余　華　魏源的經世思想
湘潭大學中國哲學專業碩士論文　2000 年 4 月　朱光甫指導

熊鄉江　論郭嵩燾的文化觀
湘潭大學中國哲學專業碩士論文　2000 年 4 月　朱光甫指導

馮　菁　試論張之洞的政治法律思想
復旦大學中國法制史專業碩士論文　2000 年 6 月　葉孝信指導

申學鋒　張之洞涉外經濟思想研究
河北師範大學中國近現代史專業碩士論文　2000 年 5 月　苑書義指導

劉旭青　略論王先謙文獻整理的成就與方法
湖北大學中國古典文獻學專業碩士論文　2000 年 4 月　魯毅指導

蔣九愚　譚嗣同哲學思想研究
湘潭大學中國哲學專業碩士論文　2000 年 4 月　朱光甫指導

李　霞　梁啟超教育思想的演變
安徽大學文化史專業碩士論文　2000 年 6 月　湯奇學指導

王　新　梁啟超貨幣金融改革思想初探
河北師範大學中國近現代史專業碩士論文　2000 年 4 月　苑書義指導

王如晨　劉師培語言學成就論衡
復旦大學漢語史專業碩士論文　2000 年 6 月　楊劍橋指導

劉貴福　錢玄同思想研究
中國社會科學院研究生院中國近現代史專業博士論文　2000 年 1 月　楊天石指導

黃家安　胡適文獻整理思想研究
廣西師範大學中國近現代史專業碩士論文　2000 年 1 月　張家璠指導

楊淑敏　馮友蘭文化類型說述評
河北大學中國哲學專業碩士論文　2000 年 6 月　王永祥指導

楊天保　聞一多與古典文獻研究

廣西師範大學中國近現代史專業碩士論文　2000 年 1 月　張家璠、龐祖喜、任冠文指導

劉筱紅　張舜徽與清代學術史研究
華中師範大學文獻學專業博士論文　2000 年　熊鐵基指導
武昌　華中師範大學出版社　279 頁　2001 年 10 月（博士論文庫）

徐國利　錢穆史學思想研究
中國社會科學院研究生院中國近現代史專業博士論文　2000 年 1 月　蔣大椿指導
臺北　臺灣商務印書館　360 頁　2004 年 2 月

王興國　從邏輯思辯到哲學架構——牟宗三哲學思想進路[3]
南開大學中國哲學專業博士論文　2000 年　方克立指導
北京　光明日報出版社　210 頁　2006 年 8 月
北京　人民出版社　832 頁　2007 年 2 月

汪顯超　古易筮法研究
中山大學中國哲學專業博士論文　2000 年 6 月　馮達文指導

張　忠　論《周易》的整體性思維方法
內蒙古師範大學馬克思主義哲學專業碩士論文　2000 年 5 月　格・孟和指導

陳京偉　時遇與人生——《伊川易傳》時的哲學發微
山東大學中國哲學專業碩士論文　2000 年 9 月　王新春指導

于海棠　《周易》與中國上古文學
東北師範大學中國古代文學專業博士論文　2000 年　李炳海指導

林亨錫　漢前周易易傳佚篇之研究
清華大學專門史專業碩士論文　2000 年　錢遜指導

林亨錫　王船山《周易內傳》研究
北京大學中國哲學專業博士論文　2000 年 12 月　朱伯崑指導

陳麗虹　對「賦、比、興」的現代闡釋
暨南大學文藝學專業博士論文　2000 年 5 月　饒芃子指導
杭州　中國美術學院出版社　204 頁　2002 年 3 月（改名為《賦比興的現代

3　此論文原有六十萬字，提交論文答辯時，僅提出部分內容，北京光明日報出版社出版者，為答辯時未提出之部分，書名作《契接中西哲學之主流——牟宗三哲學思想淵源探要》（2006 年 8 月）。作者又將答辯時提出之部分，加首尾二章，交人民出版社出版，書名作《牟宗三哲學思想研究：從邏輯思辨到哲學架構》（2007 年 2 月）。

闡釋》）

石　東　　論儒家詩教之謬
　　湘潭大學古代文學專業碩士論文　2000 年 4 月　楊仲義指導

左洪濤　　〈魯詩〉流變考
　　湖北大學中國古典文獻學專業碩士論文　2000 年 5 月　張林川指導

賈海生　　周初禮樂文明實證——《詩經・周頌》研究
　　西北師範大學中國古代文學專業博士論文　2000 年 5 月　趙逵夫指導

猶家仲　　《詩經》的解釋學研究
　　北京大學比較文學及世界文學專業博士論文　2000 年　樂黛雲指導
　　桂林　廣西師範大學出版社　261 頁　2005 年

馬銀琴　　西周詩史
　　揚州大學中國古代文學專業博士論文　2000 年 10 月　王小盾指導
　　北京　社會科學文獻出版社　524 頁　2006 年 12 月（與作者博士後論文《東周詩史》合併為《兩周詩史》出版）

陸理原　　魏晉南北朝《詩經》研究論
　　華中師範大學文學專業碩士論文　2000 年 3 月　佘斯大指導

劉　源　　商周祭祖禮研究
　　南開大學中國古代史專業博士論文　2000 年　朱鳳瀚指導
　　北京　商務印書館　379 頁　2004 年 10 月

張奇偉　　荀子禮學思想研究
　　北京師範大學中國古代思想史專業博士論文　2000 年　周桂鈿指導

李　傑　　論荀子的禮學思想
　　中共中央黨校中國哲學專業碩士論文　2000 年 1 月　傅雲龍指導

史應勇　　鄭玄禮學的經學史考察
　　復旦大學中國文化史專業博士論文　2000 年 10 月　朱維錚指導

林存陽　　清初三禮學
　　中國社會科學院中國古代思想史專業博士論文　2000 年 1 月　陳祖武指導
　　北京　社會科學文獻出版社　375 頁　2002 年

劉興均　　《周禮》名物詞研究
　　四川大學漢語言文字學專業博士論文　2000 年　宋永培指導
　　成都　巴蜀書社　579 頁　2001 年 5 月

程奇立　　《儀禮・喪服》研究

吉林大學中國古代史專業博士論文　2000 年　金景芳指導

楊　陽　　鄭玄《禮記》注釋研究

西南師範大學中國古典文獻學專業碩士論文　2000 年 5 月　蔣宗福指導

田沐臣　　《禮記》的禮治思想

西北大學專門史專業博士論文　2000 年　劉寶才指導

李宇哲　　《禮記》句子及主語研究

北京師範大學漢語言文字學專業博士論文　2000 年　王寧指導

陳興安　　荀子與大小戴記相同篇章關係的比較研究

清華大學專門史專業碩士論文　2000 年　廖名春指導

陳蘇鎮　　《春秋》學對漢代政治變遷的影響

北京大學中國古代史專業博士論文　2000 年 12 月　祝總斌指導

北京　中國廣播電視出版社　453 頁　2001 年 3 月（改名為《漢代政治與《春秋》學》）

宋豔萍　　公羊學與兩漢政治

山東大學中國古代史專業博士論文　2000 年　孟祥才指導

許家遠　　開一代新學風的常州公羊學派

曲阜師範大學中國儒學史專業碩士論文　2000 年 3 月　姜林祥指導

季　蒙　　主思的理學——王夫之的四書學思想

浙江大學古典文獻學專業博士論文　2000 年　束景南指導

廣州　廣東高等教育出版社　302 頁　2005 年

陳文濱　　孔子因材施教德育方法研究

中山大學馬克思主義理論與思想政治教育專業碩士論文　2000 年 6 月　李萍指導

李冬君　　孔子聖化與秦漢儒者的外王運動

南開大學專門史專業博士論文　2000 年　劉澤華指導

北京　中國人民大學出版社　299 頁　2004 年 4 月（改名為《孔子聖化與儒者革命》）

王賀順　　論孔子的歷史悲劇

鄭州大學中國古代史專業碩士論文　2000 年 6 月　史建群指導

武氏紅蓮　從越南的傳統道德思想談孔子思想在越南的傳播與影響

北京語言文化大學中國文化專業碩士論文　2000 年 5 月　關立勛指導

楊旭迎　　孔子思想對現代企業經營管理的啟示

廈門大學工商管理專業碩士論文　2000 年 10 月　孟林明指導

蔣　斌　《論語》與《道德經》的美學精神之比較
揚州大學文藝學專業碩士論文　2000 年 5 月　姚文放指導

張完碩　孔子論美與善的關係
武漢大學哲學、美學專業碩士論文　2000 年 5 月　劉綱紀指導

陳　芳　孔子和柏拉圖美學思想之比較
復旦大學文藝學專業碩士論文　2000 年 5 月　朱立元指導

柳　穎　《論語》兩種英譯本的對比研究
上海海運學院外國語言學及應用語言學專業碩士論文　2000 年 5 月　王大偉指導

趙源一　孟子道德哲學研究
北京大學中國哲學專業博士論文　2000 年 6 月　樓宇烈指導

孔漫春　「亞聖」人格透析——兼論《孟子》書中的孟子形象
河南大學中國古代文學專業碩士論文　2000 年 5 月　白本松、華鋒指導

薛彬彬　「保民而王」——孟子的思想政治教育目標
首都師範大學馬克思主義理論與思想政治教育專業碩士論文　2000 年　4 月　鄧球柏指導

萬紹和　孟子荀子政治哲學比較研究
湘潭大學中國哲學專業碩士論文　2000 年　王向清指導

李香奇　戰國社會變遷與孟荀人性論及人的社會化思想
重慶師範學院思想史專業碩士論文　2000 年 4 月　李禹階指導

李暢然　焦循《孟子正義》曲護趙注問題辨析
北京大學中國古典文獻學專業碩士論文　2000 年 6 月　董洪利指導

張惠榮　焦循《孟子正義》注釋學研究
南京大學漢語言文字學專業博士論文　2000 年　李開指導

姜仁濤　《爾雅・釋詁》同義詞研究
北京大學漢語言文字學專業碩士論文　2000 年 6 月　張聯榮指導

2001 年

馬　睿　從經學到美學
四川大學文藝學專業博士論文　2001 年　馮憲光指導

成都　四川民族出版社　415 頁　2002 年 7 月（改名為《從經學到美學：中國近代文論知識話語的嬗變》）

妮娜絲　「人」的發現及其意義——從《五經》到《四書》
中國社會科學院研究生院中國哲學專業碩士論文　2001 年　徐遠和指導

于峻嶸　《荀子》句式考察
安徽大學漢語史專業碩士論文　2001 年　白兆麟指導

霍生玉　《荀子》楊倞注訓詁說略
湖南師範大學漢語言文字學專業碩士論文　2001 年　陳健初指導

郝　虹　王肅經學研究
山東大學中國古代史專業博士論文　2001 年　王曉毅指導

徐　君　王充對有神論的批判及其現實價值
首都師範大學馬克思主義理論與思想政治教育專業碩士論文　2001 年 5 月　隋淑芬指導

劉宗利　王充心理學思想探析
河北師範大學基礎心理學專業碩士論文　2001 年 9 月　鄒大炎指導

盧　敏　文中子和宋儒
復旦大學中國哲學專業碩士論文　2001 年 5 月　徐洪興指導

李秀芹　《經典釋文》中的舌音初探
陝西師範大學漢語言文字學專業碩士論文　2001 年 5 月　胡安順指導

喬　麗　柳宗元交遊考
西北大學中國古代文學專業碩士論文　2001 年　韓理洲指導

李　迪　范仲淹交遊考略
鄭州大學中國古典文獻學專業碩士論文　2001 年　李之亮指導

李根德　謝良佐《上蔡語錄》研究
北京大學中國哲學專業碩士論文　2001 年 6 月　陳來指導

李方澤　理解與融通——論王安石的儒釋調和思想及其影響
安徽大學中國哲學專業碩士論文　2001 年　李霞、李仁群指導

閆　杰　朱熹省察思想評析
山東師範大學教育學原理專業碩士論文　2001 年　馬永慶指導

李煌明　念與天理——柏拉圖與朱熹
雲南師範大學中國哲學專業碩士論文　2001 年　伍雄武指導

王麗梅　張栻哲學思想研究

湘潭大學中國哲學專業碩士論文　2001 年 5 月　趙載光指導

柳　燕　論《文獻通考・經籍考・集部》的文學史意義

湖北大學中國古典文獻學專業碩士論文　2001 年 1 月　張林川指導

吳雲霞　民本與師道的復歸——明代平民儒者王艮的思想內涵

北京語言文化大學學科教學論專業碩士論文　2001 年　杜道明指導

趙春霞　孫奇逢的實學思想

河北大學中國哲學專業碩士論文　2001 年 6 月　盧子震指導

趙　琦　大蒙古國時期的儒士境遇與文化傳承

內蒙古大學蒙古各研究所博士論文　2001 年 6 月　周清澍指導

北京　人民出版社　345 頁　2004 年 9 月（改名為《金元之際之儒士與漢文化》）

方旭東　吳澄哲學思想研究

北京大學中國哲學專業博士論文　2001 年 6 月　陳來指導

北京　人民出版社　318 頁　2005 年 3 月（改名為《尊德性與道問學——吳澄哲學思想研究》）

朱玉紅　王夫之的義利觀

延邊大學專門史專業碩士論文　2001 年　梁韋弦、李宗勛指導

何國平　王夫之詩學情景論研究

湘潭大學中國古代文學專業碩士論文　2001 年 4 月　孟澤指導

莫秀珍　王夫之的民族文化觀

湖南大學中國思想史專業碩士論文　2001 年 11 月　章啟輝指導

彭高翔（彭國翔）　王龍溪與中晚明陽明學的展開

北京大學中國哲學史專業博士論文　2001 年 6 月　陳來指導

臺北　臺灣學生書局　712 頁　2003 年 6 月（改名為《良知學的展開：王龍溪與中晚明的陽明學》）

李　強　陸隴其述論

遼寧大學史學理論及史學史專業碩士論文　2001 年 5 月　李春光指導

戴　峰　論唐甄的啟蒙思想與散文藝術

華中師範大學中國古代文學專業碩士論文　2001 年 1 月　譚邦和指導

鄭　鬱　顏元的實學教育思想與素質教育

河北師範大學基礎心理學專業碩士論文　2001 年 5 月　鄒大炎指導

周遠富　方以智古音學考論

南京大學中文系博士論文　2001 年　李開指導

劉長庚　魏源政治思想的邏輯
雲南大學政治學理論專業碩士論文　2001 年 5 月　金子強指導

彭小舟　曾國藩與近代湖湘文化
河北大學中國近現代史專業碩士論文　2001 年 6 月　成曉軍指導

張亞寧　論曾國藩的家庭教育思想
曲阜師範大學專門史（思想史）　專業碩士論文　2001 年 4 月　王鈞林指導

翟紅娟　曾國藩的性格特徵論——歷史心理學的解析
河北師範大學基礎心理學專業碩士論文　2001 年 5 月　鄒大炎指導

文定旭　立足傳統、融匯中西——郭嵩燾洋務教育思想研究
華中師範大學教育管理專業碩士論文　2001 年 1 月　喻本伐指導

侯昂好　王韜：中國在「地球合一之天下」中的地位與作用
貴州師範大學中國近現代史專業碩士論文　2001 年　吳雁南指導

張力群　張之洞《勸學篇》的再研究
復旦大學專門史專業碩士論文　2001 年 6 月　朱維錚指導

鄒華清　楊守敬學術研究
華中師範大中國歷史文獻學專業博士論文　2001 年 6 月　李國祥指導

郗志群　楊守敬學術研究
首都師範大學歷史學、中國古代史專業博士論文　2001 年 5 月　寧可指導

吳仰湘　通精致用一代師：皮錫瑞生平和思想研究
武漢大學歷史系博士後論文　2001 年　吳劍傑指導
長沙　岳麓書院　342 頁　2002 年 1 月

曹寧華　論沈曾植的史學
復旦大學中國近現代史專業碩士論文　2001 年 5 月　張榮華指導

張興明　梁漱溟儒學之思探微
北京大學中國馬克思主義哲學專業碩士論文　2001 年 6 月　郭建寧指導

范玉秋　解構與重構——論康有為的儒學改革
山東大學中國哲學專業碩士論文　2001 年 5 月　顏炳罡指導

馬金華　論康有為的科學思想
山東師範大學中國近現代史專業碩士論文　2001 年 4 月　李宏生指導

彭樹欣　論梁啟超對文獻傳播的貢獻
蘇州大學中國古代文學專業碩士論文　2001 年 1 月　黃鎮偉指導

蔡國兆　「群」與梁啟超新聞思想——兼論中、西思想資源對梁啟超報學體系的作用
復旦大學新聞傳播學專業碩士論文　2001 年 5 月　顏志剛指導

朱　嫣　魯迅與夏目漱石
西南師範大學中國現當代文學專業碩士論文　2001 年 4 月　王本朝指導

謝恩廷　熊十力哲學研究
河北大學中國哲學專業碩士論文　2001 年 6 月　李振綱指導

周　軍　一位儒家學者眼中的莊子哲學——評馮友蘭《中國哲學史》(兩卷本)
安徽大學中國哲學專業碩士論文　2001 年 6 月　李霞、李仁群指導

蔣連華　徐復觀思想研究——學術與政治之間
華東師範大學史學理論與史學史專業博士論文　2001 年 7 月　盛邦和指導
上海　上海三聯書店　179 頁　2006 年 2 月(改名為《學術與政治：徐復觀思想研究》)

戴和冰　《漢書・藝文志》至《宋史・藝文志》易類書目研究
中國科學院文獻情報中心圖書館學專業碩士論文　2001 年 1 月　羅琳指導

張麗華　帛書易傳的解易特色
北京大學哲學專業碩士論文　2001 年 6 月　陳來指導

陶維彬　論《周易》之象
遼寧大學文藝學專業碩士論文　2001 年 5 月　王向峰指導

丁彰炫　中醫學與周易的科學思想研究——醫易學的時空觀
北京中醫藥大學中醫學專業博士後論文　2001 年 2 月　張其成指導

劉　彬　禮出於象——論先秦兩漢易學中的禮
山東大學中國哲學專業碩士論文　2001 年 5 月　林忠軍指導

李樹軍　《周頌》的神靈意識與先秦祭祀文化
遼寧大學中國古代文學專業碩士論文　2001 年 5 月　王巍指導

陳遠丁　《詩經》棄婦詩研究
首都師範大學中國古代文學專業碩士論文　2001 年 5 月　魯洪生指導

張春霞　《詩經》農事詩研究
首都師範大學中國古代文學專業碩士論文　2001 年 5 月　魯洪生指導

張建軍　詩經與周文化考論
蘇州大學中國古代文學專業博士論文　2001 年 5 月　王鍾陵指導
濟南　齊魯書社　265 頁　2004 年 9 月

徐艷霞　《詩經》樂器研究

山東師範大學音樂學專業碩士論文　2001 年 4 月　劉再生指導

孫海沙　論《詩經》的悲劇性
華中師範大學中國古代文學專業碩士論文　2001 年 1 月　佘斯大指導

孫興義　詮釋學視野中的先秦兩漢《詩經》學
雲南大學文藝學專業碩士論文　2001 年 6 月　張國慶指導

梁錫鋒　漢代的《詩經》學與政治關係研究
鄭州大學中國古代史專業碩士論文　2001 年 5 月　楊天宇指導

郭樹芹　鄭玄《毛詩譜》新探
西北師範大學中國古代文學專業碩士論文　2001 年 5 月　趙逵夫、伏俊璉指導

孫　敏　六朝詩經學研究
揚州大學中國古代文學專業碩士論文　2001 年 5 月　田漢雲指導

寧　宇　明代《詩經》的文學接受
山東大學古代文學專業碩士論文　2001 年 4 月　廖群指導

朱金發　聞一多的詩經研究
河南大學中國古代文學專業碩士論文　2001 年 4 月　白本松、華鋒指導

郭錦玲　意蘊不同的經典——從《詩經》與《聖經》看中西方文化精神與藝術思維的原始差異
暨南大學文藝學專業博士論文　2001 年 11 月　蔣述卓指導

王啟發　禮義新探
中國社會科學院研究生院中國古代史專業博士論文　2001 年 4 月　盧鐘鋒指導
鄭州　中州古籍出版社　380 頁　2005 年 1 月（改名為《禮學思想體系探源》）

張靜互　先秦儒家禮教思想研究
北京師範大學中國教育史專業博士論文　2001 年　郭齊家指導

劉　豐　先秦禮學思想及其與中國傳統社會的整合
南開大學中國思想史專業博士論文　2001 年　劉澤華指導
北京　中國人民大學出版社　316 頁　2003 年 12 月（改名為《先秦禮思想與社會的整合》）

梁　勇　萬斯大及其禮學研究
中國社會科學院研究生院清代學術史專業碩士論文　2001 年　陳祖武指導

王連成　啖助、趙匡和陸淳的春秋學研究

北京大學古典文獻學專業碩士論文　2001 年 6 月　顧歆藝指導

何愛英　《左傳》文體特徵及其文化意蘊

河南大學中國古代文學專業碩士論文　2001 年 1 月　白本松、華鋒指導

趙大明　《左傳》介詞研究

北京大學漢語言文字學專業博士論文　2001 年 5 月　郭錫良指導

北京　首都師範大學出版社　529 頁　2007 年 12 月

沈　林　《左傳》單音節實詞同義詞群研究

四川大學漢語言文字學專業博士論文　2001 年　宋永培指導

龔元秀　論《左傳》的行人辭令

湖北大學中國古代文學專業碩士論文　2001 年 5 月　何新文指導

周春健　《左傳》引《詩》考析

湖北大學中國古典文獻學專業碩士論文　2001 年 1 月　張林川指導

劉　瑛　《左傳》方術研究

北京大學中國古典文獻學專業博士論文　2001 年 5 月　倪其心指導

北京　人民文學出版社　231 頁　2006 年 6 月（改名為《左傳、國語方術研究》）

周　旻　《左傳》研究

北京師範大學中國古代文學專業博士論文　2001 年　韓兆琦指導

鄭任釗　何休公羊學思想

中國社會科學院研究生院中國古代史專業碩士論文　2001 年 5 月　姜廣輝指導

唐名輝　從孔子到董仲舒：儒家天人觀的演變及其影響下的西漢儒學的新發展

山東大學中國哲學專業碩士論文　2001 年 5 月　丁原明指導

楊　茹　孔子德育思想及其現代意義

中國礦業大學馬克思主義理論與思想政治教育專業碩士論文　2001 年 6 月　鄒放鳴指導

張　娜　孔子理想人格的現代重塑

中國礦業大學（北京）　馬克思主義理論與思想政治教育專業碩士論文　2001 年 5 月　費英秋指導

譚秋雄　試論孔儒文化及文藝思想的人格價值

華中師範大學文藝理論專業碩士論文　2001 年 1 月　李建中指導

曹峰旗　理性與情感——蘇格拉底與孔子倫理思想特點之比較

浙江大學法學・思想政治教育專業碩士論文　2001 年 12 月　黃書孟指導

夏　莉　道德的內在實踐與理性認知——孔子和蘇格拉底道德教育方法比較
首都師範大學馬克思主義理論與思想政治教育專業碩士論文　2001 年 4 月　秦英君指導

張艷國　破與立的文化激流——五四時期孔子及其學說的歷史命運
華中師範大學中國近現代史專業博士論文　2001 年 6 月　章開沅、嚴昌洪指導
廣州　花城出版社　336 頁　2003 年 4 月

厲才茂　《論語》孔子之道的現象學研究
北京大學外國哲學專業博士論文　2001 年 8 月　靳希平、許抗生指導

劉耘華　先秦儒家意義生成研究——以《論語》、《孟子》、《荀子》為個案
北京大學比較文學與世界文學專業博士論文　2001 年 5 月　樂黛雲指導
上海　上海譯文出版社　235 頁　2002 年 3 月（改名為《詮譯學與先秦儒家之意義生成：《論語》、《孟子》、《荀子》對古代傳統的解釋》）

侯之虎　劉寶楠《論語正義》研究
南京大學中文系碩士論文　2001 年　李開指導

譚書旺　《孟子》與《孟子章句》詞彙語法比較研究
南京大學中文系碩士論文　2001 年　李開指導

余　敏　從理雅各英譯《孟子》看散文風格的傳譯
華中師範大學英語語言文學專業碩士論文　2001 年 5 月　華先發指導

雷淑娟　《孟子》類比
黑龍江大學漢語言文字學專業碩士論文　2001 年 5 月　李先耕指導

蔡　青　孟子人性論思想與素質教育
河北師範大學基礎心理學專業碩士論文　2001 年 5 月　鄒大炎指導

汪　蕾　《商君書》與《孟子》經濟思想及其理論基礎的比較研究
重慶師範學院思想史專業碩士論文　2001 年 4 月　李禹階指導

劉光育　《中庸》思想研究
河北大學中國哲學專業碩士論文　2001 年 6 月　商聚德指導

侯希文　《孝經》作者考
西北大學歷史文獻學專業碩士論文　2001 年 5 月　李學勤、黃懷信指導

朱明勛　《孝經》研究史簡論
湖北大學中國古典文獻學專業碩士論文　2001 年 5 月　張林川指導

王潤吉　論《釋名》的理據

廣西師範大學漢語言文字學專業碩士論文　2001 年　黎良君指導

郭文超　劉熙《釋名》訓詁研究

湖南師範大學漢語言文字學專業碩士論文　2001 年　陳建初指導

2002 年

楊　昂　從經學到律學：中國古代法律詮釋學的形成

中山大學法學專業碩士論文　2002 年 6 月　馬作武指導

許美平　早期儒家天道觀——以郭店儒簡為中心

北京大學中國哲學專業碩士論文　2002 年 6 月　王博指導

聶保平　先秦儒家情思想初探

北京大學中國哲學專業博士論文　2002 年 6 月　許抗生指導

俞志慧　先秦儒家文學思想考論

西北師範大學中國古代文學專業博士論文　2002 年　趙逵夫指導

北京　三聯書店　306 頁　2005 年 3 月（改名為《君子儒與詩教——先秦儒家文學思想考論》）

李　凱　儒家元典與中國詩學

四川大學文藝學專業博士　2002 年　曹順慶指導

北京　中國社會科學出版社　387 頁　2002 年 8 月（中國社會科學博士論文文庫）

張翠玲　女媧城祭祀歌舞研究

鄭州大學文藝學專業碩士論文　2002 年　張冠華指導

張小穩　孟荀學風之比較

河南大學中國古代史專業碩士論文　2002 年　李振宏、鄭慧生指導

可凌瑋　論荀子「性惡」倫理觀的理論特色及社會影響

東北師範大學倫理學專業碩士論文　2002 年　郭學賢指導

李雅琴　荀子的人性論與人格教育心理思想探析

陝西師範大學基礎心理學專業碩士論文　2002 年　郭祖儀指導

張　宇　先秦荀子的富國論

東北財經大學經濟思想史專業碩士論文　2002 年　于邱華指導

張江洪　論賈誼的思想

湖南師範大學中國古代史專業碩士論文　2002 年　冷鵬飛指導

汪高鑫　董仲舒與兩漢史學思想研究
北京師範大學史學理論及史學史專業博士論文　2002 年　吳懷祺指導

周向峰　王莽時代的太學
復旦大學專門史專業碩士論文　2002 年 5 月　朱維錚指導

陳朝輝　揚雄文學思想研究
四川師範大學中國古代文學專業碩士論文　2002 年 5 月　李誠指導

張　兵　揚雄《法言》研究
山東大學中國古典文獻學專業碩士論文　2002 年 5 月　張濤指導

張麗霞　揚雄《方言》詞彙嬗變研究
山東師範大學漢語言文字學專業碩士論文　2002 年 4 月　董紹克指導

逯萬軍　略論東漢前期的經學
鄭州大學中國古代史專業碩士論文　2002 年 10 月　楊天宇指導

王　雪　繼承與超越——析漢代經學向魏晉玄學的演變
安徽大學中國哲學專業碩士論文　2002 年 5 月　孫以楷指導

文慧科　杜預研究
四川大學中國古代史專業碩士論文　2002 年 1 月　方北辰指導

叢曉靜　郭璞訓詁學研究
山東師範大學漢語言文字學專業碩士論文　2002 年 4 月　吳慶峰指導

郭　穎　中說校釋
東北師範大學漢語言文字學專業碩士論文　2002 年 1 月　傅亞庶指導

萬獻初　《經典釋文》音切類目研究
武漢大學漢語言文字學專業博士論文　2002 年 5 月　宗福邦指導
北京　商務印書館　393 頁　2004 年 10 月

張金霞　顏師古語言學研究
山東大學漢語言文字學專業博士論文　2002 年 4 月　楊端志指導

何智慧　李翱年譜稿
四川師範大學古代文學專業碩士論文　2002 年 5 月　常思春指導

郭應傳　李翱《復性書》思想研究
雲南師範大學中國哲學專業碩士論文　2002 年 7 月　李廣良指導

于海平　柳宗元與中唐儒學
曲阜師範大學專門史專業碩士論文　2002 年 3 月　王洪軍指導

王　茜　　石介年譜
鄭州大學中國古典文獻學專業碩士論文　2002年　李之亮指導
劉成國　　王安石研究
浙江大學博士論文　2002年　蕭瑞峰指導
安雪飛　　論歐陽修散文的儒家思想取向
內蒙古大學中國古代文學專業碩士論文　2002年5月　楊新民指導
謝寒楓　　程顥哲學研究
中國社會科學院研究生院中國哲學專業博士論文　2002年　蒙培元指導
黃曉榮　　胡宏心性論探微
華南師範大學馬克思主義哲學專業碩士論文　2002年　龔雋、周熾成指導
程海霞　　喚醒沉睡的道德自覺——朱熹修養論研究
揚州大學教育學原理專業碩士論文　2002年　楊千樸指導
郭兆雲　　朱熹閱讀教育理論述評
揚州大學課程與教學論專業碩士論文　2002年　顧黃初指導
劉子瑜　　《朱子語類》述補結構研究
北京大學漢語言文字學專業博士論文　2002年5月　蔣紹愚指導
北京　商務印書館　401頁　2008年7月
蘇鉉盛　　張栻哲學思想研究
北京大學中國哲學專業博士論文　2002年6月　陳來指導
徐建勇　　楊簡哲學思想研究
湘潭大學中國哲學專業碩士論文　2002年　王立新指導
房秀麗　　羅欽順心性哲學探微
山東大學中國哲學專業碩士論文　2002年5月　王新春指導
高　峰　　李贄人生簡論
湖南大學專門史專業碩士論文　2002年1月　吳龍輝指導
鄭明星　　劉宗周政治思想論
湖南大學專門史專業碩士論文　2002年1月　朱漢民指導
蔡言勝　　《通雅》語文學研究
安徽大學漢語言文字學專業碩士論文　2002年5月　楊應芹指導
楊旭輝　　清代今古文經學的更迭與文學嬗變
蘇州大學中國古代文學專業博士論文　2002年10月　嚴迪昌指導
南京　鳳凰出版社　337頁　2006年7月（改名為《清代經學與文學：以常

州文人群體為典範的研究》）

袁　丹　　錢謙益與文獻學
武漢大學圖書館學專業碩士論文　2002 年 5 月　曹之指導

張永忠　　從《明夷待訪錄》看黃宗羲的國家哲學思想
雲南師範大學中國哲學專業碩士論文　2002 年 7 月　王興國指導

李　峰　　王夫之史學思想若干問題探析
河南師範大學歷史文獻學專業碩士論文　2002 年 6 月　王記錄指導

龐　飛　　王夫之「興」的美學意義
陝西師範大學美學專業碩士論文　2002 年 4 月　王磊、劉恒健指導

侯小強　　王夫之非議「詩史說」原因初探——兼論王夫之對明代詩學思想的整合
首都師範大學中國古代文學專業碩士論文　2002 年 5 月　左東嶺指導

王　廣　　重構內聖與外王——顏元習行哲學初探
山東大學中國哲學專業碩士論文　2002 年 5 月　王新春指導

陳修亮　　盧文弨校勘學研究
山東大學中國古典文獻學專業碩士論文　2002 年 5 月　杜澤遜指導

王　勇　　論乾嘉時期非考據學派學者對考據學的批評
北京大學中國古典文獻學專業碩士論文　2002 年 6 月　漆永祥指導

吳學滿　　從考據學到新義理學——論戴震實學的理性精神
湘潭大學中國哲學專業碩士論文　2002 年 4 月　趙載光指導

李紅英　　戴震治經方法考論
北京大學中國古典文獻學專業博士論文　2002 年 6 月　楊忠指導

戴繼誠　　戴震程朱理學批判研究
華南師範大學馬克思主義哲學專業碩士論文　2002 年 1 月　張尚仁指導

仰和芝　　戴震人學思想研究
湘潭大學中國哲學專業碩士論文　2002 年 5 月　王向清指導

徐道彬　　戴震與《屈原賦注》
湖北大學中國古典文獻學專業碩士論文　2002 年 1 月　魯毅指導

樂　怡　　翁方綱纂《四庫全書提要稿》研究
復旦大學中國古典文獻學專業碩士論文　2002 年 5 月　吳格指導

羅立軍　　章學誠道學史觀研究
華南師範大學馬克思主義哲學專業碩士論文　2002 年 1 月　龔雋、陳開先指導

羅雄飛　俞樾的經學及其思想
北京師範大學中國近現代史專業博士論文　2002 年　史革新指導
北京　中國文史出版社　239 頁　2005 年 12 月（當代學者人文論叢第 10 輯）

王新宇　阮元與金石學
首都師範大學美術學專業碩士論文　2002 年 6 月　劉守安指導

安蘭朋　論王筠的《說文句讀》
河北師範大學漢語言文字學專業碩士論文　2002 年　趙伯義指導

喬志強　龔自珍學術思想初探
西北大學中國近現代史專業碩士論文　2002 年 1 月　陳國慶指導

劉　琨　陳澧《切韻考》所刪《廣韻》小韻考
陝西師範大學漢語言文字學專業碩士論文　2002 年 4 月　胡安順指導

曹素璋　試論郭嵩燾的洋務思想——以郭嵩燾「使西日記」為中心線索展開的研究
貴州師範大學中國近現代史專業碩士論文　2002 年　張新民指導

李懷芝　對胡澍、俞樾校詁《素問》的研究
山東中醫藥大學中醫文獻專業碩士論文　2002 年 4 月　田代華指導

郭書愚　清末四川存古學堂述略
四川大學中國近現代史專業碩士論文　2002 年 1 月　羅志田指導

皮志強　張之洞市政建設思想與實踐
廣州大學專門史專業碩士論文　2002 年 6 月　趙春晨指導

梁　雲　張之洞與近代中國教育創新
東北師範大學中國近現代史專業碩士論文　2002 年 1 月　胡赤軍指導

李海英　孫詒讓研究
山東大學中國古典文獻學專業博士論文　2002 年 5 月　鄭傑文指導

史玉華　怪誕背後的真——論辜鴻銘的保守主義文化觀
湘潭大學專門史專業碩士論文　2002 年 5 月　王繼平指導

白　銳　康有為近代中國政治發展觀研究
武漢大學政治學理論專業博士論文　2002 年 10 月　劉德厚指導
北京　知識產權出版社　203 頁　2009 年 1 月（改名為《尋求傳統政治的現代轉型：康有為近代中國政治發展觀研究》）

李貴中　康有為、章太炎政治思想比較研究
內蒙古師範大學馬克思主義理論與思想政治教育專業碩士論文　2002 年 5 月
阿明布和指導

胡珍貴　論康有為早期文化思想
安徽大學專門史專業碩士論文　2002 年 5 月　湯奇學指導

李赫亞　傅立葉、康有為社會烏托邦思想比較研究
中國礦業大學馬克思主義理論與思想政治教育專業碩士論文　2002 年 4 月　張善信指導

李　娜　從活潑的時代取得活潑的真理——梁啟超文藝思想論
上海大學中國現當代文學專業碩士論文　2002 年 12 月　哈九指導

方旭紅　世紀之交梁啟超構建民族新文化設想
安徽大學專門史專業碩士論文　2002 年 5 月　湯奇學指導

梁　媛　論梁啟超的新聞人才觀
湖南大學專門史專業碩士論文　2002 年 1 月　蕭永明指導

朱圓滿　梁啟超產業經濟思想研究
湖南師範大學中國近現代史專業博士論文　2002 年 4 月　郭漢民指導

于九濤　魯迅與孔子思想比較研究
遼寧師範大學中國現當代文學專業碩士論文　2002 年 6 月　王吉鵬指導

沙志利　論黃侃的語源學研究
山東大學中國古典文獻學專業碩士論文　2002 年 5 月　劉曉東指導

崔昆侖　胡適歷史觀研究
廣西師範大學中國近現代史專業碩士論文　2002 年 1 月　譚肇毅指導

李揚眉　胡適、顧頡剛、傅斯年之關係管窺——以顧頡剛日記書信為中心的探討
山東大學史學理論及史學史專業碩士論文　2002 年 5 月　王學典指導

謝潔瑕　論梁漱溟的文化思想與哲學
華中科技大學馬克思主義哲學專業碩士論文　2002 年 1 月　王炯華指導

馬亞男　論馮友蘭的人倫學說
黑龍江大學中國哲學專業碩士論文　2002 年 1 月　柴文華指導

李揚眉　胡適、顧頡剛、傅斯年之關係管窺——以顧頡剛日記書信為中心的探討
山東大學史學理論及史學史專業碩士論文　2002 年 5 月　王學典指導

王鳳青　傅斯年與中國傳統文化
山東師範大學中國近現代史專業專業碩士論文　2002 年　田海林指導

羅衛平　超越的真實——論方東美的人生哲學
湘潭大學中國哲學專業碩士論文　2002 年 5 月　劉啟良指導

劉　青　《易經》心理類詞研究

復旦大學漢語言文字學專業博士論文　2002年　胡奇光指導
昆明　雲南人民出版社　146頁　2006年12月

劉玉平　《周易》人生價值論研究
山東大學中國哲學專業博士論文　2002年10月　劉大鈞指導

林燕飛　《周易》的倫理意蘊初探
東南大學倫理學專業碩士論文　2002年3月　董群指導

徐松巖　論《周易》的政治思想
遼寧師範大學歷史專業碩士論文　2002年6月　楊英傑指導

吳世彩　易經管理哲學研究
山東大學中國哲學專業博士論文　2002年11月　劉大鈞指導

劉立策　《周易》「白賁」美學思想研究
四川師範大學文藝學專業碩士論文　2002年5月　李天道指導

王　浩　「感」與「象」——從《周易》經傳與漢代易學看審美的形上學基礎
北京大學美學專業碩士論文　2002年6月　王錦民指導

羅會斌　中醫運氣學說與漢代象數易學
北京中醫藥大學中醫醫史文獻專業碩士論文　2002年5月　張其成指導

楊一木　《周易》與《黃帝內經》思維邏輯共通性研究暨現代科學知識之詮釋
南京中醫藥大學中醫基礎理論專業博士論文　2002年6月　孫桐指導

倪　南　象數易道的歷史考察
南京大學中國哲學專業博士論文　2002年　李書有指導

張文智　京氏易學初探
山東大學中國哲學專業碩士論文　2002年5月　劉大鈞指導

杜志國　《焦氏易林》研究
四川大學中國古代文學專業碩士論文　2002年1月　劉黎明指導

楊　東　王弼易學與程頤易學的比較研究
四川省社會科學院中國哲學專業碩士論文　2002年5月　蔡方鹿指導

金演宰　宋明理學和心學派的易學與道德形上學
北京大學中國哲學專業博士論文　2002年　朱伯崑指導

謝榮華　《橫渠易說》的天人關係論
北京大學中國哲學專業碩士論文　2002年6月　陳來指導

高雅潔　今文《尚書》的特殊句式和關聯詞語研究
廣西師範大學漢語言文字學專業碩士論文　2002年1月　王志瑛指導

羅家湘　《逸周書》研究
西北師範大學中國古代文學專業博士論文　2002年　趙逵夫指導
上海　上海古籍出版社　304頁　2006年10月

宋　瑜　On Cultural Translation—A Comparative Study of the English Versions of Shi Jing[4]
浙江大學英語語言文學專業碩士論文　2002年11月　陳剛指導

陳宏川　論《詩經》在英美的翻譯和接受
四川大學英語語言學及應用語言學專業碩士論文　2002年1月　朱徽指導

安性栽　《國風》之婚姻觀念辨析
北京大學中國古代文學專業碩士論文　2002年5月　費振剛指導

陸銀湘　《詩經》「頌」詩的研究
暨南大學中國古代文學專業碩士論文　2002年1月　劉紹瑾指導

李小軍　《詩經》變換句研究
西南師範大學[5]漢語史專業碩士論文　2002年5月　方有國指導

劉雅傑　《詩經》水意象綜論
東北師範大學中國古代文學專業碩士論文　2002年4月　李炳海指導

孫　瑩　《詩經》植物意象探微
東北師範大學中國古代文學專業碩士論文　2002年1月　盛廣智指導

楊　準　從《詩經》看周代婦女的地位
湖南師範大學中國古代文學專業碩士論文　2002年3月　李生龍指導

塗慶紅　《詩經》風俗的歸類研究
四川師範大學中國古典文獻學專業碩士論文　2002年5月　熊良智指導

孫世洋　周代詩樂文化與《詩經》
東北師範大學中國古代文學專業碩士論文　2002年1月　李炳海指導

王曉敏　從《易》之「象」到《詩》之「興」——《詩經》比興之詩學內涵研究
重慶師範學院中國古代文學專業碩士論文　2002年1月　董運庭指導

4　此篇論文摘要：該文從跨文化翻譯的角度，通過《詩經》的兩個譯本的比較來論述詩歌翻譯中的文化因素的處理。跨文化翻譯決定了譯者必須要掌握好兩門語言，還要了解兩種文化，由於凝聚著豐富的文化內涵，詩歌的可譯性和不可譯性一直是一個難以定論的問題。《詩經》是中國最古老的詩集，不同譯者對《詩經》的翻譯為分析詩歌的可譯性提供了很好的材料，該文通過對《詩經》翻譯的分析，推斷出詩歌的可譯性和不可譯性都是相對的，在不同的層次上，詩歌既是可譯的，又是不可譯的，翻譯詩歌就是要在不可能中找到可能，以達到最令人滿意的結果。

5　現已更名為西南大學。

尤　煒　　詮釋學視角中的早期《詩經》研究史——以《毛詩》為中心

南京師範大學中國古代文學專業碩士論文　2002 年 4 月　吳錦、張采民指導

余全介　　荀子詩說研究

安徽大學中國古代文學專業碩士論文　2002 年 5 月　孫以昭指導

劉立志　　漢代《詩經》學及其淵源考論

南京師範大學中國古代文學專業博士論文　2002 年 5 月　郁賢皓指導

北京　中華書局　226 頁　2007 年 4 月（改名為《漢代詩經學史論》）

楊　柳　　《韓詩外傳》思想研究

湖南師範大學中國古代文學專業碩士論文　2002 年 4 月　陳戍國指導

艾春明　　論《韓詩外傳》的經學價值

東北師範大學中國古代文學專業碩士論文　2002 年 1 月　盛廣智、周奇文指導

郝桂敏　　宋代詩經文獻研究

山東大學中國古典文獻學專業博士論文　2002 年 4 月　馮浩菲指導

北京　中國社會科學院出版社　243 頁　2006 年 2 月（中國社會科學博士論文文庫）

鄒其昌　　朱熹詩經詮釋學美學研究

武漢大學哲學、美學專業博士論文　2002 年 4 月　陳望衡指導

北京　商務印書館　245 頁　2004 年 7 月

程嫩生　　戴震《詩》學研究

安徽大學漢語言文字學專業碩士論文　2002 年 6 月　楊應芹指導

朴相泳　　從《詩三家義集疏》看王先謙的訓詁學

山東大學漢語言文字學專業碩士論文　2002 年 5 月　徐超指導

張　勇　　《毛》據《左氏》以斷章為本義——論《詩經》解讀模式的淵源變遷及影響

重慶師範學院[6]文學專業碩士論文　2002 年 4 月　董運庭指導

李曉虹　　孔子禮學思想研究

河南大學中國哲學專業碩士論文　2002 年 5 月　徐儀明指導

陸建華　　荀子禮學研究

中山大學中國哲學專業博士論文　2002 年 6 月　李宗桂指導

合肥　安徽大學出版社　200 頁　2004 年 1 月

6　現已更名為重慶師範大學。

樂勝奎　皇侃與六朝禮學
武漢大學中國哲學專業博士論文　2002 年 4 月　郭齊勇指導

龔　敏　《禮運》研究
南京大學中文系碩士論文　2002 年　徐興无指導

余　瑾　先秦儒家樂教思想研究——兼論《禮記・樂記》的成書年代
清華大學專門史專業碩士論文　2002 年　彭林指導

龍斯釗　內聖外王——《禮記》的思想政治教育目標
首都師範大學馬克思主義理論與思想政治教育專業碩士論文　2002 年 4 月　鄧球柏指導

丁　進　兩《戴記》考論
安徽大學中國古代文學專業碩士論文　2002 年 5 月　孫以昭指導

張尚英　劉敞《春秋》學述論
四川大學歷史文獻學專業碩士論文　2002 年 1 月　吳洪澤指導

王紅霞　左丘明思想研究
曲阜師範大學專門史專業碩士論文　2002 年 3 月　楊朝明指導

張黎麗　《國語》、《左傳》比較研究
南京師範大學中國古典文獻學專業碩士論文　2002 年 6 月　方向東指導

吳美卿　《左傳》的人文精神對《史記》創作的影響
福建師範大學漢語言文字學專業碩士論文　2002 年 4 月　郭丹指導

姚慶保　《左傳》及物動詞作使動用考察
華南師範大學漢語言文字學專業碩士論文　2002 年 1 月　吳辛丑指導

王澤文　春秋時期的紀年銅器銘文與《左傳》的對照研究
中國社會科學院研究生院歷史文獻學專業博士論文　2002 年 1 月　李學勤、席澤宗指導

呂小霞　清前期《左傳》接受史研究
山東大學中國古代文學專業碩士論文　2002 年 5 月　王洲明指導

田中千壽　《春秋公羊疏》研究
北京大學中國古典文獻學專業博士論文　2002 年 6 月　孫欽善指導

王建宏　從內聖外王到心性論
西北大學專門史碩士論文　2002 年 1 月　方光華指導

王　銘　唐宋之際「四書」的升格運動
陝西師範大學馬克思主義哲學專業碩士論文　2002 年 5 月　劉學智指導

王公山　朱熹《四書章句集注》闡釋方法研究
山東大學中國古典文獻學專業碩士論文　2002 年 5 月　馮浩菲指導

章啟輝　王夫之的《四書》研究及其早期啟蒙思想
中國社會科學院研究生院中國古代史專業博士論文　2002 年 1 月　盧鐘鋒指導

呼東燕　論孔子史學思想的幾個問題
陝西師範大學歷史文獻學專業碩士論文　2002 年 5 月　王暉指導

黃鵬麗　從《論語》譯文看對譯法在古文今譯中的地位——兼論計算機技術在對譯法中的運用
廣西大學漢語言文字學專業碩士論文　2002 年 5 月　潘琦、林仲湘指導

陳冠蘭　《論語》、《孟子》複音詞研究
廣州大學語言學及應用語言學專業碩士論文　2002 年 6 月　孫雍長指導

褚新國　試論孔子人性思想
河南大學中國古代史專業碩士論文　2002 年 5 月　李振宏、鄭慧生指導

楊松賀　德在孔子思想體系中的地位
華中師範大學歷史文獻學專業博士論文　2002 年 5 月　熊鐵基、馬良懷指導

潘　焱　孔子的「人本」德育思想及其對當代中學德育的意義探析
山東師範大學學科教學（思政）專業碩士論文　2002 年 4 月　馬永慶指導

趙笑梅　孔子的管理心理學思想探討
河北師範大學基礎心理學專業碩士論文　2002 年 5 月　鄒大炎指導

陳　懋　孔子法思想解讀
西南政法大學法律思想史專業碩士論文　2002 年 1 月　陳金全指導

吳文軍　《論語》教育思想及其對當代教育的啟示
合肥工業大學馬克思主義理論與思想政治教育專業碩士論文　2002 年 5 月　鐘玉海指導

陳祥波　論孔子的文藝思想
湖北大學文藝學專業碩士論文　2002 年 5 月　毛正天指導

王曉燕　論孔子的美學思想
河南大學中國哲學專業碩士論文　2002 年 5 月　徐儀明指導

吳淑賢　論孔子美學思想的超越性
四川師範大學文藝學專業碩士論文　2002 年 5 月　李天道指導

陳春梅　孔子與蘇格拉底啟發式教學思想比較研究

河南師範大學課程與教學論專業碩士論文　2002 年 4 月　續潤華、穆嵐指導

龔　成　孔子與柏拉圖教育思想比較研究

中國礦業大學馬克思主義理論與思想政治教育專業碩士論文　2002 年 4 月　鄒放鳴指導

朱華忠　清代《論語》簡論

華中師範大學歷史文獻學專業博士論文　2002 年 5 月　周國林指導

成都　巴蜀書社　219 頁　2008 年 2 月

于九濤　魯迅與孔子思想比較研究

遼寧師範大學中國現當代文學專業碩士論文　2002 年 6 月　王吉鵬指導

王　錕　孔子與 20 世紀三大社會思潮

西北大學專門史專業博士論文　2002 年 1 月　劉寶才指導

濟南　齊魯書社　421 頁　2006 年

徐慶文　近五十年大陸孔子研究的流變及其省察

山東大學中國哲學專業博士論文　2002 年 5 月　顏炳罡指導

濟南　山東人民出版社　257 頁　2004 年 1 月（改名為《批判與傳承：20 世紀後半期的中國孔子》）

楊天旻　《論語》六個英文譯本的比較研究

天津師範大學英語語言文學專業碩士論文　2002 年 4 月　李家榮指導

姜伊敏　孔子及其《論語》英譯研究

內蒙古大學外國語言文學專業碩士論文　2002 年 5 月　吳持哲指導

張小穩　孟荀學風之比較

河南大學中國古代史專業碩士論文　2002 年 5 月　李振宏、鄭慧生指導

張之鋒　孟子對君子的人格設計

北京大學倫理學專業碩士論文　2002 年 6 月　王海明指導

陳代波　孟子命論研究

復旦大學中國哲學專業博士論文　2002 年　潘富恩指導

周文德　《孟子》單音節實詞同義詞研究

四川大學漢語言文字學專業博士論文　2002 年 5 月　宋永培指導

郭　萍　《孟子》複音詞研究

廈門大學漢語言文字學專業碩士論文　2002 年 6 月　李國正指導

黎氏秋姮　《孟子》因果類複句研究

廣西師範大學漢語史專業碩士論文　2002 年 5 月　王志瑛指導

季慶陽　孟子的思想淵源淺探
西北大學專門史專業碩士論文　2002 年 1 月　方光華指導

戴兆國　孟子德性倫理思想研究
華東師範大學中國哲學專業博士論文　2002 年 1 月　楊國榮指導
合肥　安徽人民出版社　302 頁　2005 年 10 月（博士文叢第一輯）（改名為《心性與德性：孟子倫理思想的現代闡釋》）

張　量　趙岐《孟子章句》研究
北京大學古典文獻專業碩士論文　2002 年 6 月　董洪利指導

趙　剛　李材止修思想研究[7]
復旦大學中國哲學史專業碩士論文　2002 年 5 月　吳震指導

陳永正　從《大學衍義補》試析丘濬思想
福建師範大學專門史專業博士論文　2002 年　唐文基指導

李紅霞　呂大臨《中庸解》研究
北京大學中國哲學專業碩士論文　2002 年 6 月　陳來指導

吳振興　《爾雅》釋義研究
四川師範學院[8]漢語言文字學專業碩士論文　2002 年 6 月　楊正業指導

唐麗珍　《爾雅》、《方言》郭注研究
南京師範大學漢語言文字學專業碩士論文　2002 年 6 月　馬景侖指導

李潤生　郝懿行《爾雅義疏》同族詞研究
西南師範大學漢語言文字學專業碩士論文　2002 年 4 月　李茂康指導

宋　琳　《小爾雅》今注
東北師範大學中國古典文獻學專業碩士論文　2002 年 4 月　董蓮池指導

胡繼明　《廣雅疏證》同源詞研究
四川大學漢語言文字學專業博士論文　2002 年　胡永培指導
成都　巴蜀書社　595 頁　2003 年 1 月

2003 年

鄭淑媛　先秦儒家的精神修養學
南開大學中國哲學專業博士論文　2003 年　劉文英指導

7　本文分析李材的《大學》改本，並將其與朱子的《大學章句》相互比較探討其異同。
8　現已改名為西華師範大學。

北京　人民出版社　235 頁　2006 年 12 月（改名為《先秦儒家的精神修養》）

柳素平　荀子、王充思想比較研究
河南大學中國古代史專業碩士論文　2003 年 5 月　李振宏、鄭慧生指導

李艷嬌　荀子的政治思想
遼寧師範大學專門史專業碩士論文　2003 年　楊英傑指導

李寶勇　荀子管理心理思想研究
山東師範大學基礎心理學專業碩士論文　2003 年　李壽欣指導

于正安　《荀子》動詞語法研究
西南師範大學漢語言文字學專業碩士論文　2003 年　毛遠明指導

張源旺　荀子《樂論》的美學思想
揚州大學文藝學專業碩士論文　2003 年　佴榮本指導

程　勇　漢代經學視野中的儒家文論敘述
復旦大學中國古代文學專業博士論文　2003 年 4 月　蔣凡指導
濟南　齊魯書社　296 頁　2005 年 4 月（改名為《漢代經學文論敘述研究》）

胡　明　漢元帝時期的經學與政治
鄭州大學中國古代史專業碩士論文　2003 年 5 月　楊天宇指導

胡興華　陸賈及其《新語》研究
西北師範大學中國古代文學專業碩士論文　2003 年　趙逵夫指導

劉國民　董仲舒的經學詮釋及天的哲學
首都師範大學中國古代文學專業博士論文　2003 年　趙敏俐指導
北京　中國社會科學出版社　404 頁　2007 年 8 月

張樹志　董仲舒倫理政治思想研究
揚州大學教育學原理專業碩士論文　2003 年　楊千樸指導

廖小東　董仲舒政治哲學試論
湘潭大學中國哲學專業碩士論文　2003 年　王立新指導

張　鵬　論董仲舒的大一統政治思想
遼寧師範大學政治學理論專業碩士論文　2003 年　趙文忠指導

趙　麗　論司馬遷在中國儒學思想史上的地位
曲阜師範大學專門史專業碩士論文　2003 年 3 月　許凌雲指導

鄧駿捷　劉向研究——文獻學家劉向及其學術成就

山東大中國古代文學專業博士論文　2003年4月　董治安指導

陳　世　論王莽的政治理想——儒家內聖外王理論的實踐

湖南師範大學中國古代史專業碩士論文　2003年3月　冷鵬飛指導

康衛國　揚雄的文學思想——以「因」「革」為中心

陝西師範大學文藝學專業碩士論文　2003年5月　梁道禮指導

柳素平　荀子、王充思想比較研究

河南大學中國古代史專業碩士論文　2003年5月　李振宏、鄭慧生指導

張巧霞　試論王充「疾虛妄」的批判精神

河北大學中國哲學專業碩士論文　2003年　王永祥指導

徐文英　論「得意忘言」哲學命題的美學轉換

浙江師範大學文藝學專業碩士論文　2003年5月　諸葛志指導

屠　青　韓琦交遊考略

鄭州大學中國古典文獻學專業碩士論文　2003年5月　李之亮、徐正英指導

楊新勛　宋代疑經研究

北京大學中國古文獻學專業博士論文　2003年5月　楊忠指導

北京　中華書局　378頁　2007年3月

權相佑　朱熹理一分殊思想研究

中國社會科學院研究生院中國哲學專業博士論文　2003年　余敦康指導

陶有浩　朱熹的理欲思想述評

湖南師範大學中國古代史專業碩士論文　2003年　曹松林指導

毛哲山　朱熹和栗谷理氣論之比較研究

延邊大學外國哲學專業碩士論文　2003年　金哲洙指導

高會霞　朱熹仁學思想研究

河南大學中國哲學專業碩士論文　2003年　徐儀明指導

熊　瑜　朱熹倫理教化研究

四川大學中國古代史專業博士論文　2003年　胡昭曦指導

黃世福　朱熹理學與佛學之比較

安徽大學中國哲學專業碩士論文　2003年　李霞、史向前指導

田智忠　朱熹論「曾點氣象」研究

河北大學中國哲學專業碩士論文　2003年　韓進軍指導

張華冕　試論朱熹的書院教學思想

華中師範大學學科教育專業碩士論文　2003年　張全明指導

劉燕飛　葉適思想的中和特徵
河北大學中國哲學專業碩士論文　2003 年　商聚德指導

譚柏華　黃榦思想研究
湘潭大學中國哲學專業碩士論文　2003 年　陳代湘指導

吳　漫　《困學紀聞》研究
河南師範大學歷史文獻學專業碩士論文　2003 年 5 月　王記錄指導

李勤合　楊慎丹鉛諸錄研究
華中師範大學歷史文獻學專業碩士論文　2003 年 5 月　楊昶指導

周林根　王畿、鄒守益心學思想之比較
河南大學中國哲學專業碩士論文　2003 年 5 月　徐儀明指導

盧瑞強　王畿哲學的本體論與工夫論思想
河北大學中國哲學專業碩士論文　2003 年　盧子震指導

馬曉英　顏鈞思想研究
中央民族大學專門史專業博士論文　2003 年　牟鐘鑒指導
銀川　寧夏人民出版社　240 頁　2007 年 12 月

陽　征　陳確思想研究——以《大學辨》為中心
武漢大學中國哲學專業碩士論文　2003 年 5 月　吳根友指導

李鐘武　王夫之詩學範疇研究
復旦大學中國文學批評史專業博士論文　2003 年 11 月　顧易生指導

劉小東　王夫之《莊子通》述論
湖北大學中國古典文獻學專業碩士論文　2003 年 5 月　張林川指導

楊朝亮　李紱與《陸子學譜》
中國社會科學院研究生院中國古代史專業博士論文　2003 年　陳祖武指導
北京　中國社會科學出版社　276 頁　2005 年 12 月（聊城大學博士文庫）

魚宏亮　明清之際經世之學研究
北京大學中國古代史專業博士論文　2003 年 5 月　徐凱指導

林國標　清初朱子學研究
中國人民大學中國哲學專業博士論文　2003 年　宋志明指導
長沙　湖南人民出版社　287 頁　2004 年 9 月

李　開　清代嘉（慶 1796-1820）道（光 1821-1850）經學及其哲學邏輯
中山大學中國哲學專業博士論文　2003 年　賴永海指導

劉　鵬　清代朱一新學術思想試析

北京大學清史專業碩士論文　2003 年 6 月　徐凱指導

劉　墨　乾嘉學術的知識譜系

南京師範大學文藝學專業博士論文　2003 年 4 月　劉夢溪指導

王明芳　乾嘉「學者社會」研究

山東大學中國古代史專業博士論文　2003 年 4 月　王學典指導

牛淑平　皖派樸學家《素問》校詁研究

安徽大學漢語言文字學專業博士論文　2003 年 6 月　黃德寬、楊應芹指導

劉建臻　清代揚州學派經學研究

揚州大學中國古代文學專業博士論文　2003 年 5 月　田漢雲指導

南京　江蘇人民出版社　333 頁　2004 年

靖小琴　戴震經學思想析論

湖北大學倫理學專業碩士論文　2003 年 6 月　羅熾指導

王艷秋　戴震重知哲學研究

華東師範大學中國哲學專業博士論文　2003 年 5 月　陳衛平指導

周朗生　戴震倫理思想管窺

雲南師範大學中國哲學專業碩士論文　2003 年　楊志明指導

陶玉霞　《廿二史考異》徵引文獻考

河南師範大學歷史文獻學專業碩士論文　2003 年 5 月　呂友仁指導

張龍秋　「六經皆史」說考論

北京語言大學專門史專業碩士論文　2003 年 1 月　杜道明指導

董俊玨　張惠言研究

蘇州大學中國古代文學專業碩士論文　2003 年　嚴明指導

胡　軍　焦循儒學思想研究

湖北大學倫理學專業碩士論文　2003 年 5 月　羅熾指導

鄭連聰　阮元與學海堂研究

華中師範大學歷史文獻學專業碩士論文　2003 年 5 月　陳蔚松指導

宋彩霞　《經傳釋詞》研究

內蒙古師範大學漢語言文字學專業碩士論文　2003 年 5 月　章也指導

孫運君　劉逢祿的公羊學研究

遼寧大學中國古代史專業碩士論文　2003 年 5 月　李春光指導

于　慧　詩與人為一——論龔自珍詩與人格的關係

山東師範大學中國古代文學專業碩士論文　2003 年 6 月　裴世俊指導

尹可雨　魏源與《皇朝經世文編》
江西師範大學中國近現代史專業碩士論文　2003 年 5 月　張英明指導

李　敏　馬國翰與《玉函山房輯佚書》
湖北大學中國古典文獻學專業碩士論文　2003 年 5 月　魯毅指導

馬秀平　從倭仁到王先謙——清代同光年間保守主義思想的典型探析
福建師範大學中國近現代史專業碩士論文　2003 年 4 月　王民、王玉華指導

楊瑞芳　鄭珍《說文新附考》研究
首都師範大學漢語言文字學專業碩士論文　2003 年 5 月　宋均芬指導

符　靜　論羅澤南的學術思想
湘潭大學專門史專業碩士論文　2003 年 5 月　王繼平指導

宋湘綺　曾國藩官德思想及其現代啟示
中南大學倫理學專業碩士論文　2003 年 11 月　呂錫琛指導

劉來春　曾國藩對桐城派文論的發展
湖南師範大學文藝學專業碩士論文　2003 年 10 月　賴力行指導

孟　化　郭嵩燾的文化思想
安徽大學專門史專業碩士論文　2003 年 5 月　湯奇學指導

張　靜　郭嵩燾與湖湘文化——以其五次歸隱作個案探析
華中師範大學中國近現代史專業碩士論文　2003 年 5 月　何建明指導

羅寶珍　淺論俞樾、孫詒讓、于鬯對《素問》的研究
福建師範大學漢語言文字學專業碩士論文　2003 年 4 月　徐啟庭指導

梁繼紅　章學誠學術研究
北京大學中國古典文獻學專業博士論文　2003 年 5 月　孫欽善指導

楊　波　張之洞與近代海南島的早期開發
武漢大學中國近現代史專業碩士論文　2003 年 5 月　吳劍傑指導

周孟雷　張之洞與近代反洋教運動
河南大學中國近現代史專業碩士論文　2003 年 5 月　張蓮波指導

鞠北平　論張之洞與晚清國防建設
河南大學中國近現代史專業碩士論文　2003 年 5 月　張九洲指導

李瑞明　雅人深致——沈曾植詩學略論稿
華東師範大學文藝學專業博士論文　2003 年 4 月　胡曉明指導

史　敏　論辜鴻銘文化保守主義
河北大學中國近現代史專業碩士論文　2003 年　黎仁凱指導

宋麗艷　康有為大同思想與全球化

黑龍江大學中國哲學專業碩士論文　2003年　魏義霞指導

梁景松　康有為與福澤諭吉的啟蒙思想比較

延邊大學外國哲學專業碩士論文　2003年　潘暢和指導

葉百泉　梁啟超的「新民說」與福澤諭吉

武漢大學中國哲學專業碩士論文　2003年5月　徐水生指導

許　艷　梁啟超與中國語文教育早期現代化

揚州大學課程與教學論（語文）專業碩士論文　2003年5月　徐林祥指導

焦勇勤　梁啟超美學思想研究

山東大學文藝學專業博士論文　2003年4月　梁一儒指導

金　雅　梁啟超美學思想述評

浙江大學文藝學專業博士論文　2003年10月　王元驤指導

北京　商務印書館　356頁　2005年6月（改名為《梁啟超美學思想研究》）

劉亮紅　梁啟超文化民族主義論

湘潭大學專門史專業碩士論文　2003年5月　章育良指導

李艷紅　論梁啟超的新聞思想

湘潭大學專門史專業碩士論文　2003年5月　章育良指導

劉再華　晚清時期的文學與經學

復旦大學中國古代文學專業博士論文　2003年4月　黃霖指導

北京　東方出版社　412頁　2004年11月（改名為《近代經學與文學》）

田　剛　魯迅與中國士人傳統

山東大學文學博士論文　2003年　孔范今指導

北京　中國社會科學出版社　429頁　2005年1月（中國社會科學博士論文文庫）

郭美華　熊十力本體論哲學研究

華東師範大學中國哲學史專業博士論文　2003年5月　楊國榮指導

成都　巴蜀書社　277頁　2004年11月

唐建軍　論顧頡剛的疑古史觀及其對現代史學的貢獻

山東大學中國近現代史專業碩士論文　2003年10月　呂偉俊指導

祝　薇　晚年梁漱溟與馬克思主義哲學

武漢大學中國哲學專業碩士論文　2003年5月　李維武指導

陳元桂　馮友蘭新理學的「理」範疇研究

湘潭大學中國哲學專業碩士論文　2003 年 5 月　趙載光指導

湯海艷　張岱年「文化綜合創新論」初探
蘇州大學馬克思主義哲學專業碩士論文　2003 年 1 月　周可真指導

何方昱　錢穆教育思想初探
新疆大學中國近現代史專業碩士論文　2003 年　莊鴻鑄指導

俞成義　方東美華嚴思想初探
安徽大學中國哲學專業碩士論文　2003 年 5 月　李霞、史向前指導

劉金鵬　徐復觀民族國家思想研究
武漢大學中國哲學專業碩士論文　2003 年 5 月　李維武指導

郭榮麗　中西哲學會通的中介與道德形上學建構的基石──牟宗三「智的直覺」理論疏析
黑龍江大學中國哲學專業碩士論文　2003 年　樊志輝指導

陳迎年　感應與心物──牟宗三研究
復旦大學中國哲學專業博士論文　2003 年 4 月　潘富恩指導
上海　上海三聯書店　559 頁　2005 年 11 月（改名為《感應與心物：牟宗三哲學批判》）

張健捷　牟宗三哲學中「智的直覺」與儒家的道德形上學
山東大學中國哲學專業碩士論文　2003 年 4 月　顏炳罡指導

閔仕君　牟宗三「道德的形而上學」研究
華東師範大學中國哲學專業博士論文　2003 年 4 月　楊國榮指導
成都　巴蜀書社　261 頁　2005 年 12 月（儒釋道博士論文叢書）

呂書寶　滿眼風物入卜書
東北師範大學中國古代文學專業博士論文　2003 年 4 月　李炳海指導

趙榮波　卦主說探微
山東大學中國哲學碩士論文　2003 年 4 月　劉玉建指導

孫熙國　周易古經與諸子之學
山東大學中國哲學專業博士論文　2003 年 4 月　傅有德、劉大鈞指導

具隆會　關於《周易》哲理與《內經》思維幾點認識
中國社會科學院研究生院中國古代思想史專業碩士論文　2003 年 5 月　姜廣輝指導

辛　？　象數易的合自然性思維模式探析
山西大學科學技術哲學專業碩士論文　2003 年 6 月　張培富指導

高青蓮　《周易》人文思想對企業精神文化建設的啟示
華中科技大學馬克思主義哲學專業碩士論文　2003 年 5 月　張峰指導

黃黎星　《易》學與中國傳統文藝觀
福建師範大學中國古代文學專業博士論文　2003 年 4 月　張善文指導
上海　上海三聯書店　303 頁　2008 年 2 月

蘇永利　論京房五行易學思想
山東大學中國哲學專業博士論文　2003 年 4 月　劉大鈞指導

劉銀昌　《焦氏易林》四言詩研究
陝西師範大學中國古代文學專業碩士論文　2003 年 5 月　魏耕原指導

李　昊　《焦氏易林》詞彙研究
四川大學漢語言文字學專業碩士論文　2003 年 3 月　伍宗文指導

唐　琳　朱震易學思想研究
武漢大學中國哲學專業博士論文　2003 年 4 月　蕭漢明指導
北京　中國書店　180 頁　2007 年 7 月（改名為《朱震的易學視域》）

孫勁松　郭雍易學思想研究
武漢大學中國哲學專業碩士論文　2003 年 4 月　蕭漢明指導

胡元玲　張載易學及道學研究——以《橫渠易說》與《正蒙》為主的探討
北京大學古典文獻學專業碩士論文　2003 年 5 月　孫欽善指導

楊慶波　從《東坡易傳》看蘇軾的創作主體論
吉林大學文藝學專業碩士論文　2003 年 5 月　張錫坤指導

程　林　胡煦與朱熹易學辯正
北京大學中國哲學專業碩士論文　2003 年 6 月　李中華指導

李秋麗　朱熹易學思想研究
山東大學中國哲學專業碩士論文　2003 年 4 月　林忠軍指導

謝金良　周易禪解研究
南京大學哲學專業博士論文　2003 年　洪修平指導
成都　巴蜀書社　328 頁　2006 年 12 月（儒釋道博士論文叢書）

唐智燕　今文《尚書》動詞語法研究
廣西師範大學漢語言文字學專業碩士論文2003 年 4 月　王志瑛指導

林志強　古本《尚書》文字研究
中山大學漢語言文字學專業博士論文　2003 年 6 月　曾憲通指導
廣州　中山大學出版社　139 頁　2005 年

王　妍　　經學以前的《詩經》

哈爾濱師範大學古代文學專業博士論文　2003 年　傅道彬指導

北京　東方出版社　302 頁　2007 年 3 月

劉冬穎　　「變風變雅」考論

東北師範大學中國古代史專業博士論文　2003 年 4 月　詹子慶指導

北京　中國社會科學出版社　242 頁　2005 年（改名為《詩經「變風變雅」考論》）

李玉良　　《詩經》英譯研究

南開大學英語語言文學專業博士論文　2003 年　王宏印、劉士聰、崔永祿指導

濟南　齊魯書社　396 頁　2007 年 11 月

馬春燕　　《詩經》國風中幾種興象的原型考察

西北大學中國古代文學專業碩士論文　2003 年 5 月　李志慧指導

孫紅彬　　《詩經・豳風》考釋

西北大學歷史文獻學專業碩士論文　2003 年 5 月　黃懷信指導

易衛華　　《詩經》祭祀詩研究

河北師範大學中國古代文學專業碩士論文　2003 年 4 月　王長華指導

楊文娟　　《詩經》中的採摘意象及採摘詩研究

山西大學中國古代文學專業碩士論文　2003 年 6 月　劉毓慶指導

王紀紅　　論《詩經》中疊字的英譯

陝西師範大學外國語言學及應用語言學專業碩士論文　2003 年 4 月　楊銘指導

王金芳　　《詩經》副詞助詞研究

武漢大學漢語言文字學專業博士論文　2003 年 5 月　楊合鳴指導

虎維堯　　《詩經・國風》裡的女性世界

蘇州大學古代文學專業碩士論文　2003 年 9 月　曹林娣指導

董雪靜　　《詩經》男女春秋盛會與周代禮俗

河北大學中國古代文學專業碩士論文　2003 年 5 月　李金善指導

曲　丹　　《詩經》的音樂性審美

東北師範大學漢語語言文字學專業碩士論文　2003 年 12 月　李炳海、周奇文指導

劉明怡　　先秦《詩經》的傳播學研究

山東大學中國古代文學專業碩士論文　2003 年 5 月　王培元指導

葉仁雄　孔子中和之美的時空闡釋——以《詩經》、《論語》為個案分析

湘潭大學比較文學與世界文學專業碩士論文　2003 年 4 月　季水河指導

劉　剛　《詩毛傳》語法研究

西南師範大學漢語言文字學專業碩士論文　2003 年 4 月　毛遠明指導

李冬梅　蘇轍《詩集傳》新探

四川大學歷史文化學院古籍所計算機與歷史文獻處理研究專業碩士論文 2003 年 4 月　舒大剛指導

成都　四川大學出版社　287 頁　2006 年 1 月（四川大學儒藏學術叢書 11）

陳國安　清初詩經學研究

蘇州大學中國古代文學專業碩士論文　2003 年 5 月　錢仲聯、楊海明指導

左川鳳　姚際恒與戴震《詩經》研究之比較

安徽師範大學中國古代文學專業碩士論文　2003 年 4 月　蔣立甫、袁傳璋、潘嘯龍指導

蕭　力　方玉潤《詩經原始》的文學批評方法研究

湖南師範大學文藝學專業碩士論文　2003 年 4 月　賴力行指導

袁世杰　禮學重構中的荀子性惡論文藝觀

蘇州大學中國古代文學專業博士論文　2003 年　高凱征指導

高春花　荀子禮學思想及其現代價值

中國人民大學馬克思主義理論與思想政治教育專業博士論文　2003 年　許啟賢指導

北京　人民出版社　258 頁　2004 年 12 月

梅珍生　晚周禮的文質論

武漢大學中國哲學專業博士論文　2003 年　蕭漢明指導

馬增強　儀禮思想研究

西北大學專門史專業博士論文　2003 年 5 月　劉寶才指導

孟美菊　武威漢簡《儀禮》異文研究

西南師範大學[9]漢語言文字學專業碩士論文　2003 年 4 月　喻遂生指導

路瀝雲　《禮記》事名詞研究

廣西師範大學漢語言文字學專業碩士論文　2003 年　4 月　劉興均指導

9　現已改為西南大學。

左　建　孫希旦《禮記集解》初探
河南師範大學歷史文獻學專業碩士論文　2003 年 5 月　呂友仁指導

吳傑鋒　「春秋決獄」與漢代經典解釋
中山大學哲學專業碩士論文　2003 年 5 月　李宗桂指導

葛煥禮　八世紀中葉至十二世紀初的「新《春秋》學」
山東大學中國古代史專業博士論文　2003 年 5 月　王育濟指導

劉愛菊　漢語連詞從上古到中古的演變——以《左傳》、《魏書》為例
北京大學漢語言文字學專業博士論文　2003 年 8 月　朱慶之指導

陳莉娟　《左傳》與《三國演義》比較研究
江西師範大學中國古代文學專業碩士論文　2003 年 11 月　劉松來指導

王清珍　《左傳》用詩研究
北京大學中國古代文學專業博士論文　2003 年 5 月　費振剛指導

余　瓊　試論《左傳》事實對於解經的影響
南京師範大學中國古典文獻學專業碩士論文　2003 年 5 月　趙生群指導

許雪濤　公羊學解經方法：從《公羊傳》到董仲舒春秋學
中山大學中國哲學專業碩士論文　2003 年 6 月　陳少明指導

貢桂勇　《春秋公羊傳》正文訓詁研究
寧夏大學漢語言文字學專業碩士論文　2003 年 4 月　東炎指導

孫運君　劉逢祿的公羊學研究
遼寧大學中國古代史專業碩士論文　2003 年 5 月　李春光指導

袁佳紅　《穀梁》學在西漢的興起及意義
重慶師範大學專門史專業碩士論文　2003 年 4 月　李禹階指導

朱修春　四書學史研究
中國人民大學中國古代史專業博士論文　2003 年　黃愛平指導

劉宗永　論語通注——兼論《論語詞典》的編纂
廣西大學漢語言文字學專業碩士論文　2003 年 5 月　林仲湘指導

鐘發遠　《論語》動詞研究
西南師範大學漢語言文字學專業碩士論文　2003 年 6 月　李茂康指導

楊　麗　從《論語》、《孫臏兵法》看先秦漢語名詞、動詞、形容詞句法功能的多樣化和複雜化
陝西師範大學漢語言文字學專業碩士論文　2003 年 5 月　白玉林指導

唐建立　《論語》名詞語法研究

西南師範大學[10]漢語言文字學專業碩士論文　2003年4月　喻遂生指導

羅　琦　《論語》異文研究

復旦大學漢語言文字學專業碩士論文　2003年5月　傅傑指導

高立梅　儒家「仁義」思想的形成及其意義

陝西師範大學中國哲學專業碩士論文　2003年4月　丁為祥指導

景懷斌　孔子人格結構的心理學研究

中山大學中國哲學專業博士論文　2003年6月　馮達文指導

鮑彩蓮　試論孔子的理想人格——君子

遼寧師範大學專門史專業碩士論文　2003年6月　楊英傑指導

明　旭　孔子「為政」思想研究

浙江大學行政管理專業碩士論文　2003年11月　周生春指導

楊芷英　孔子的社會心理思想及其現代價值

首都師範大學馬克思主義理論與思想政治教育專業碩士論文　2003年4月　隋淑芬指導

鄢嵐嵐　孔子的自省意識與反思型教師的培養

福建師範大學教育專業碩士論文　2003年8月　郭丹指導

郭　敏　試論孔子與柏拉圖的教學方法

北京第二外國語學院英語語言文學專業碩士論文　2003年9月　王柯平指導

楊中啓　孔子與海德格爾的「生死對話」

中山大學中國哲學專業碩士論文　2003年5月　張永義指導

徐百柯　中魂西魄——孔子與耶穌在二十世紀早期的相會

北京大學比較文學與世界文學專業碩士論文　2003年6月　劉東指導

路　東　德性之思——孔子與亞里士多德德性觀比較

復旦大學倫理學專業碩士論文　2003年5月　陳根法指導

羅小如　論朱熹《論語集注》的訓詁價值

寧夏大學漢語言文字學專業碩士論文　2003年4月　劉世俊指導

朱麗英　互文符號翻譯方法探析——兼評韋利《論語》英譯本

陝西師範大學外國語言學及應用語言學專業碩士論文　2003年5月　王文指導

蘇　丹　《孟子》中有標記的指稱化結構研究

10 現已更名為西南大學。

北京大學漢語言文字學專業碩士論文　2003年6月　宋紹年、邵永海指導

陳　陣　《孟子》管窺：空疏的整體觀思維
中國社會科學院研究生院中國古代史專業碩士論文　2003年4月　孫開泰指導

白雁南　淺談《世說新語》語氣副詞的特點和發展——兼與《孟子》比較
陝西師範大學漢語言文字學專業碩士論文　2003年4月　白玉林指導

柴興東　《孟子》定中結構中「之」字隱現考察
復旦大學漢語言文字學專業碩士論文　2003年5月　孫錫信指導

趙　君　《孟子》、《荀子》比較句研究
河北師範大學漢語言文字學專業碩士論文　2003年4月　李索指導

路飛飛　《孟子》主謂句句型系統研究
河北師範大學漢語言文字學專業碩士論文　2003年4月　李索指導

張立宏　論孟子的「權」
北京大學倫理學專業碩士論文　2003年6月　陳少峰指導

董曉宇　孟子的德治思想及其現實意義
河北大學中國哲學專業碩士論文　2003年6月　盧子震指導

李　斌　論孟子的仁政學說及其對新時期以德治國的啟示
首都師範大學馬克思主義理論與思想政治教育專業碩士論文　2003年4月　鄧球柏指導

李亞彬　孟子荀子的儒家道德哲學建構
中國人民大學中國哲學專業博士論文　2003年　張立文指導

宋啟發　《孟子》散文論辯藝術研究
安徽大學中國古代文學專業碩士論文　2003年5月　孫以昭指導

李峻岫　隋唐孟子學史
北京大學古典文獻專業碩士論文　2003年5月　董洪利指導

方　麟　朱熹孟子學研究——以《孟子集注》為中心
北京大學古典文獻專業碩士論文　2003年5月　董洪利指導

荊　琳　戴震《孟子字義疏證》之思想詮釋
中山大學中國哲學專業碩士論文　2003年5月　馮達文指導

陽　征　陳確思想研究——以《大學辨》為中心
武漢大學中國哲學專業碩士論文　2003年5月　吳根友指導

陳一風　《孝經注疏》研究

華中師範大學歷史文獻學專業博士論文　2003 年 5 月　周國林指導
成都　四川大學出版社　228 頁　2007 年

晁　瑞　《爾雅》原文與郭注同語素雙音節詞語義研究
山東大學漢語言文字學專業碩士論文　2003 年 5 月　楊端志指導

李　煜　《爾雅》辭書學研究
廣州大學語言學及應用語言學專業碩士論文　2003 年 6 月　孫雍長指導

劉　敏　由《爾雅》、《方言》、《說文》、《釋名》看漢代訓詁的發展
暨南大學漢語言文字學專業碩士論文　2003 年 5 月　王彥坤指導

羅　淩　宋代《爾雅》注研究
湖北大學中國古典文獻學專業碩士論文　2003 年 5 月　郭康松指導

柳　菁　《爾雅義疏》「通」研究
湖南師範大學漢語言文字學專業碩士論文　2003 年 4 月　陳建初指導

于麗萍　《爾雅義疏》研究
內蒙古師範大學漢語言文字學專業碩士論文　2003 年 5 月　章也指導

劉鴻雁　《小爾雅》綜論
寧夏大學漢語言文字學專業碩士論文　2003 年 4 月　劉世俊指導

徐從權　《釋名》雙音詞研究
蘇州大學漢語言文字學專業碩士論文　2003 年　徐山指導

喻　華　《釋名》釋語複音詞研究
湖南師範大學漢語言文字學專業碩士論文　2003 年　陳建初指導

劉　敏　由《爾雅》、《方言》、《說文》、《釋名》看漢代訓詁的發展
暨南大學漢語言文字學專業碩士論文　2003 年 5 月　王彥坤指導

林海鷹　《太平御覽》引《釋名》校釋
東北師範大學中國古典文獻學專業碩士論文　2003 年　韓格平指導

孫菊芳　《廣雅・釋沽》初探
華南師範大學漢語言文字學專業碩士論文　2003 年　魏達純指導

賈立霞　《孝經緯》研究
山東大學中國古典文獻學專業碩士論文　2003 年 4 月　鄭傑文指導

李梅訓　讖緯文獻史略
山東大學中國古典文獻學專業博士論文　2003 年 5 月　鄭傑文指導

2004 年

董海洲　論周公「敬德保民」思想與實踐
首都師範大學馬克思主義理論與思想政治教育專業碩士論文　2004年　鄧球柏指導

姜　紅　荀子「敬一情二」思想新議
東北師範大學專門史專業碩士論文　2004 年　韓東育指導

喬安水　荀子禮論研究
華東師範大學中國哲學專業博士論文　2004 年　陳衛平指導

房登科　禮法同行天下治——荀子禮法思想研究
揚州大學教育學原理專業碩士論文　2004 年　楊千樸指導

王曉寧　君子之道的外化歷程——荀子理想人格的現世功用
東北師範大學專門史專業碩士論文　2004 年　韓東育指導

鄭　藝　荀子的德治和法治思想及其當代意義
江西師範大學馬克思主義理論與思想政治教育專業碩士論文　2004 年　汪榮有指導

王　靜　《荀子》介詞研究
新疆大學語言學及應用語言學專業碩士論文　2004 年　張新武指導

周　娟　《荀子》單音節動詞同義詞研究
四川大學漢語言文字學專業碩士論文　2004 年　宋永培指導

欒建珊　《荀子》連詞研究
新疆大學語言學及應用語言學專業碩士論文　2004 年　張新武指導

張偉歧　西漢前期的經學與儒家政教文學觀
北京大學中國古代文學專業博士論文　2004 年 11 月　費振剛指導

成祖明　西漢河間獻王研究
南京大學中文系碩士論文　2004 年　徐興无指導

趙　揚　賈誼《新書》與儒家經傳的思想聯繫
揚州大學中國古代文學專業碩士論文　2004 年　田漢雲指導

趙　敏　賈誼仁政思想簡論
河北大學中國哲學專業碩士論文　2004 年　王永祥指導

龔成杰　賈誼的政論與哲學思想

雲南師範大學中國哲學專業碩士論文　2004 年　雷昀指導

崔　濤　董仲舒政治哲學發微

浙江大學中國古典文獻學專業博士論文　2004 年　崔富章指導

陳宗權　董仲舒政治哲學思想探源

西南師範大學中國哲學專業碩士論文　2004 年　楊志明指導

周紹華　董仲舒君主觀念研究

曲阜師範大學專門史專業碩士論文　2004 年　張秋升指導

李　莉　劉向及其文學成就研究

西北師範大學中國古代文學專業碩士論文　2004 年 5 月　伏俊璉指導

李小平　劉向及其文學成就

北京語言大學中國古代文學專業碩士論文　2004 年 6 月　方銘指導

陳明峰　夫唯大雅　既明且哲——揚雄思想及人生形態研究

南京大學中國古代史專業碩士論文　2004 年 5 月　鄒旭光指導

王　博　揚雄《法言》研究

廣西師範大學中國古代文學專業碩士論文　2004 年　李乃龍指導

張煥新　《法言》複音詞研究

東北師範大學漢語言文字學專業碩士論文　2004 年　傅亞庶指導

楊雲峰　王充與東漢的社會批判思潮

山東大學中國古代史專業碩士論文　2004 年 4 月　曾振宇指導

劉　瑛　王充的「自然」美學觀

四川師範大學文藝學專業碩士論文　2004 年 1 月　鐘仕倫指導

靳　寶　王充有關史學的理論建樹

北京師範大學史學理論及史學史專業碩士論文　2004 年 5 月　許殿才指導

耿鵬坤　談談許慎和《說文解字》的幾個問題

鄭州大學歷史學專業碩士論文　2004 年 5 月　姜建設指導

李春英　班固的經學思想與其辭賦創作

山東大學中國古代文學專業碩士論文　2004 年 4 月　王洲明指導

李俊嶺　論馬融

山東大學中國古典文獻學專業碩士論文　2004 年 4 月　王承略指導

趙冠鋒　漢代經學中的自然知識——以鄭玄的經學為例

中國科學技術大學科學技術史專業碩士論文　2004 年 5 月　石雲里指導

史應勇　鄭玄通學研究及鄭、王之爭

四川大學中國語言文學專業博士後研究　2004 年 6 月　祝尚書指導
成都　巴蜀書社　400 頁　2007 年 8 月

徐俊祥　建安學術史研究
揚州大學中國古代文學專業博士論文　2004 年　田漢雲指導

郭付軍　杜預史學研究
山東大學史學理論及史學史專業碩士論文　2004 年 5 月　周曉瑜指導

徐　蕾　王弼與郭象玄學方法研究
河南大學中國哲學專業碩士論文　2004 年 5 月　徐儀明指導

王　航　論王弼人性論中儒道合流的特徵
西南師範大學倫理學專業碩士論文　2004 年 5 月　潘佳銘指導

張　慧　王弼「言意之辨」的探析
四川大學中國哲學專業碩士論文　2004 年　黃德昌指導

曾　林　王弼「崇本息末」思想的哲學意蘊及文化價值
四川大學中國哲學專業碩士論文　2004 年　黃德昌指導

黃奕霖　王弼言意觀研究
華東師範大學中國哲學專業碩士論文　2004 年　晉榮東指導

張　妮　《經典釋文》陸德明反切的類相關研究
首都師範大學漢語言文字學專業碩士論文　2004 年 4 月　馮蒸指導

姬孟昭　顏師古《漢書注》文獻學成就初探
安徽大學歷史文獻學專業碩士論文　2004 年 5 月　王鑫義指導

王智群　顏師古注引方俗語研究
華東師範大學漢語言文字學專業碩士論文　2004 年　華學誠指導

羅曉燕　從《匡謬正俗》看顏師古的語言文字研究
四川師範大學語言學及應用語言學專業碩士論文　2004 年 1 月　李恕豪指導

程艷梅　賈公彥語言學研究
山東師範大學漢語言文字學專業碩士論文　2004 年 4 月　吳慶峰指導

孫小泉　論劉知幾的學術風格
曲阜師範大學專門史專業碩士論文　2004 年 4 月　許淩雲、張秋升指導

王宏海　李翱思想研究
河北大學中國哲學專業碩士論文　2004 年 6 月　孟曉路指導

吳　丹　試論李翱《復性書》的心性思想
蘇州大學中國哲學專業碩士論文　2004 年 4 月　潘桂明指導

李　丹　　柳文與《國語》

華中師範大學中國古代文學專業碩士論文　2004 年 5 月　戴建業指導

文　娟　　范仲淹教育思想研究

西北師範大學中國古代史專業碩士論文　2004 年　劉建麗指導

卞國鳳　　范仲淹宗族福利思想研究

吉林大學社會學專業碩士論文　2004 年　田毅鵬指導

陳天林　　周敦頤思想探微

復旦大學中國哲學專業博士論文　2004 年　潘富恩指導

劉麗麗　　司馬光交遊考述

鄭州大學中國古典文獻學專業碩士論文　2004 年　李之亮指導

郝亞飛　　張載人性論思想詮釋

河北大學中國哲學專業碩士論文　2004 年　盧子震指導

劉成國　　荊公新學研究

四川大學中文系博士後論文　2004 年　沈松勤指導

上海　上海古籍出版社　318 頁　2006 年 1 月

張新紅　　王安石交遊考辨

鄭州大學中國古典文獻學專業碩士論文　2004 年　李之亮指導

劉文波　　王安石倫理思想及其實踐研究

湖南師範大學倫理學專業博士論文　2004 年　唐凱麟、張懷承指導

方笑一　　北宋新學與文學：以王安石為中心

華東師範大學博士論文　2004 年　劉永翔指導

上海　上海古籍出版社　231 頁　2008 年 6 月

張　敏　　程顥「識仁」思想管見

吉林大學中國哲學專業碩士論文　2004 年　張連良指導

鄭　婕　　蘇轍經學成就研究

華東師範大學古典文獻學專業碩士論文　2004 年　王鐵指導

張文明　　鄭樵與文獻學淺探

湖南師範大學中國古代史專業碩士論文　2004 年　李紹平指導

谷　建　　蘇轍學術研究——以經史之學為中心

北京大學中國古典文獻學專業博士論文　2004 年 5 月　孫欽善指導

印宗煥　　朱熹與李退溪之理氣性情論比較研究

吉林大學中國哲學專業碩士論文　2004 年　張連良指導

鄭俊暉　朱熹主要音樂著述的文獻學研究——以《朱文公文集》為中心
福建師範大學音樂學專業碩士論文　2004 年　王耀華指導

朱理鴻　陳淳哲學思想研究
湘潭大學中國哲學專業碩士論文　2004 年　陳代湘指導

李月華　《大學衍義補》中的天、君、臣、民觀
東北師範大學中國古代史專業碩士論文　2004 年 5 月　趙軼峰指導

虞瀟浩　湛甘泉學說中的理氣與心
復旦大學中國哲學專業碩士論文　2004 年 5 月　林宏星指導

蔡世昌　羅近溪哲學思想研究
北京大學中國哲學專業博士論文　2004 年 5 月　陳來指導

陳宇宙　王廷相的政治哲學
湘潭大學中國哲學專業碩士論文　2004 年 5 月　王立新指導

白建忠　《文心雕龍》楊批中的創作論研究——兼及楊評《文心雕龍》中的五色圈點
內蒙古師範大學文藝學專業碩士論文　2004 年 4 月　王志彬指導

牛寒婷　人性的復歸——論李贄的個性解放思想
遼寧大學文藝學專業碩士論文　2004 年 5 月　崔海峰指導

秦學智　李贄明德教育思想研究[11]
北京師範大學教育學專業博士論文　2004 年 4 月　王炳照指導
北京　中國傳媒大學出版社　262 頁　2007 年 7 月（文史博士文庫）

陳　卓　呂坤道論思想探析
陝西師範大學馬克思主義哲學專業碩士論文　2004 年 4 月　劉學智指導

夏淑娟　徐光啟與明末西學東漸
安徽大學專門史專業碩士論文　2004 年 5 月　湯奇學指導

張瑞濤　劉宗周歷史哲學意識探微
中國科學技術大學中國哲學專業碩士論文　2004 年 5 月　張允熠、方同義指導

呂巧英　陳確的學術思想和學術風格
河北大學中國哲學專業碩士論文　2004 年 6 月　李振綱指導

馮　乾　揚州學派研究
南京大學中文系博士論文　2004 年　張宏生指導

11 此論文分為教育論與精神論兩部份，後來更名為《李贄大學明德精神論》出版。

吳海蘭　經學與黃宗羲史學

北京師範大學歷史學——史學理論及史學史專業博士論文　2004 年 4 月　吳懷祺指導

于　東　用唯物史觀看中國歷史上的「黃宗羲定律」

雲南師範大學馬克思主義哲學專業碩士論文　2004 年 6 月　李以國指導

焦玉琴　比較中的審視——試論黃宗羲與孟德斯鳩啟蒙思想之異同

中央民族大學馬克思主義哲學專業碩士論文　2004 年　趙士琳指導

謝艷紅　顧炎武古韻分部的方法試析

湖北大學漢語言文字學專業碩士論文　2004 年 5 月　孫玉文指導

楊錚錚　王夫之與湖湘文化的近代轉換

中南大學中國近現代史專業碩士論文　2004 年 1 月　熊呂茂指導

王　飛　黃生詩學思想初探

安徽大學中國古代文學專業碩士論文　2004 年 9 月　鮑恒指導

沈貴松　朱彝尊的金石學研究

北京師範大學中國古典文獻學專業碩士論文　2004 年 5 月　樊善國指導

時　娜　從朱彝尊詞風的演化看順康年間文人心態

北京師範大學中國古代文學專業碩士論文　2004 年 5 月　李真瑜指導

章　玳　屈大均人格及其詩歌創作

南京師範大學古代文學專業碩士論文　2004 年 11 月　陳書錄指導

鄭金霞　顏元倫理思想與實踐——社會性別角度的考察

天津師範大學專門史專業碩士論文　2004 年 4 月　杜芳琴指導

李永賢　廖燕研究

復旦大學中國古代文學專業博士論文　2004 年 4 月　汪湧豪指導

成都　巴蜀書社　307 頁　2006 年 6 月

王　緒　邵廷采學術思想述論

遼寧大學中國古代史專業碩士論文　2004 年 5 月　李春光指導

王玉辭　清代國家「非正規制約」控制的典範——陳宏謀的社會教化思想與實踐

北京師範大學中國古代史專業碩士論文　2004 年 5 月　曹大為指導

侯俊雲　陳宏謀胥吏管理思想研究

廣西師範大學專門史專業碩士論文　2004 年　錢宗范指導

呂　芹　全祖望歷史文獻學研究

北京師範大學歷史學專業碩士論文　2004 年 4 月　鄧瑞全指導

馮曉麗　戴震、盧文弨《方言》校勘比較研究
吉林大學歷史文獻專業碩士論文　2004 年　李無未指導

李映霞　戴震哲學思想研究
河北大學中國哲學專業碩士論文　2004 年 6 月　盧子震指導

陳多旭　戴震道德哲學評析
安徽大學中國哲學專業碩士論文　2004 年 5 月　李仁群指導

歐陽雪榕　戴震重知學的傳承與轉變
河南大學中國哲學專業碩士論文　2004 年 5 月　徐儀明指導

徐道彬　戴震考據學研究
安徽大學漢語言文字學專業博士論文　2004 年 5 月　黃德寬、楊應芹指導
合肥　安徽大學出版社　720 頁　2007 年 8 月

石開玉　戴震的歷史文獻學成就初探
安徽大學歷史文獻學專業碩士論文　2004 年 5 月　王鑫義指導

陳偉文　紀昀與《四庫全書總目》的文學批評
北京師範大學中國古典文獻學專業碩士論文　2004 年 5 月　李山指導

劉琳琳　論錢大昕的歷史考據
湖北大學中國古典文獻學專業碩士論文　2004 年 5 月　郭康松指導

劉曉暉　《說文解字系傳》對段玉裁、桂馥《說文》研究的影響舉例
陝西師範大學漢語言文字學專業碩士論文　2004 年 4 月　胡安順、王輝指導

陳　霜　段玉裁在注釋《說文》部首中揭示《說文》體例述略
陝西師範大學漢語言文字學專業碩士論文　2004 年 5 月　胡安順、王輝指導

何曉濤　經學與章學誠的史學
北京師範大學歷史學——史學理論及史學史專業博士論文　2004 年 5 月　吳懷祺指導

李　安　從「真」到「通」：中國古代史學理論的體系化及其終結——以劉知幾、章學誠為中心的考察
湖南師範大學中國古代史專業碩士論文　2004 年 5 月　李紹平指導

鄧偉龍　章學誠文論思想研究
湖南師範大學文藝學・古代文論專業碩士論文　2004 年 4 月　賴力行指導

燕朝西　邵晉涵的生平、著述及其史學成就
四川師範大學中國古代史專業碩士論文　2004 年　王春淑指導

李苑靜　王念孫《讀書雜志》校勘方法研究

西南師範大學中國古典文獻學專業碩士論文　2004年4月　蔣宗福指導

趙　靜　張惠言研究

四川大學中國古代文學專業碩士論文　2004年　謝謙指導

王應憲　《國朝漢學師承記》研究——兼論江藩學術思想

華東師範大學史學理論與史學史專業碩士論文　2004年　路新生指導

張俊峰　王筠研究稿

鄭州大學中國文獻學專業碩士論文　2004年　俞紹初指導

郭照川　試論王筠的《說文》表意字研究

河北師範大學漢語言文字學專業碩士論文　2004年　張標指導

章　潔　魏源經世致用的教育思想

廣西師範大學專門史專業碩士論文　2004年　任冠文指導

周俊武　激揚家聲——曾國藩家庭倫理思想研究

湖南師範大學倫理學專業博士論文　2004年5月　劉湘溶指導

蕭高華　曾國藩文化思想與中國近代化

中南大學中國近現代史專業碩士論文　2004年1月　熊呂茂指導

王全育　曾國藩閱讀教育思想述評

首都師範大學教育專業碩士論文　2004年4月　汪龍麟指導

郭建花　江永古音學考論

南京大學中文系博士論文　2004年　李開指導

喬　永　黃侃古音學考論

南京大學中文系博士論文　2004年　李開指導

武道房　曾國藩理學思想研究

南京大學中文系博士論文　2004年　蔣廣學指導

郭院林　劉師培年譜

南京大學中文系碩士論文　2004年　徐有富指導

衛敏麗　郭嵩燾與西方新聞媒介研究

北京師範大學新聞學專業碩士論文　2004年5月　于翠玲指導

王有紅　俞樾傳統學術研究

西北大學中國近現代史專業碩士論文　2004年　陳國慶指導

胡曉琴　中國近代文化保守主義的發端——以馮桂芬、王韜、薛福成、馬建忠、鄭觀應為考察中心

湖北大學專門史專業碩士論文　2004年6月　何曉明指導

馬傳軍　「地球合一」時代的「中國」——王韜與中國現代民族－國家觀念的興起
北京師範大學文藝學專業碩士論文　2004 年 5 月　王一川指導

朱海龍　張之洞與癸卯學制
華南師範大學教育史專業碩士論文　2004 年　黃明喜指導

把增強　張之洞備荒賑災思想與實踐
河北大學中國近現代史專業碩士論文　2004 年 6 月　黎仁凱指導

閆平凡　楊守敬《漢書二十三家注鈔・應劭》校補
武漢大學中國古典文獻學專業碩士論文　2004 年 5 月　李步嘉、羅積勇指導

孫亞華　楊守敬《漢書二十三家注鈔・服虔》校補
武漢大學中國古典文獻學專業碩士論文　2004 年 5 月　李步嘉、萬獻初指導

徐　珮　楊守敬《漢書二十三家注鈔・孟康》校補
武漢大學中國古典文獻學專業碩士論文　2004 年 5 月　李步嘉、羅積勇指導

方向東　孫詒讓訓詁研究
南京師範大學漢語言文字學專業博士論文　2004 年 1 月　馬景侖指導
北京　中華書局　187 頁　2007 年 2 月

程邦雄　孫詒讓文字學之研究
華東師範大學漢語言文字學專業博士論文　2004 年 4 月　李玲璞指導

許全勝　沈曾植年譜長編
華東師範大學中國古代文學專業博士論文　2004 年 5 月　劉永翔指導
北京　中華書局　615 頁　2007 年 8 月

毛文鳳　近代儒家終極關懷研究——從康有為到熊十力
華東師範大學中國哲學專業博士論文　2004 年 11 月　高瑞泉指導

陳勇軍　仁愛之治與自由之治——孔子和梁啟超德治措施比較
江西師範大學馬克思主義理論與思想政治教育專業碩士論文　2004 年 5 月　虞文華指導

李和山　梁啟超文獻學述論
湖北大學中國古典文獻學專業碩士論文　2004 年 5 月　魯毅指導

雷　平　章太炎、梁啟超、錢穆清代學術史論的理路
湖北大學專門史專業碩士論文　2004 年 6 月　周積明指導

陶建新　一種文化的選擇——論梁啟超的法治思想
西南政法大學法理學專業碩士論文　2004 年 4 月　卓澤淵指導

趙永進　梁啟超的學校教育思想和實踐

湖南師範大學中國近現代史專業碩士論文　2004 年 4 月　郭漢民指導

王佳磊　梁啟超語文教育思想初探

首都師範大學教育專業碩士論文　2004 年 4 月　汪龍麟指導

李茂民　梁啟超五四時期的新文化建設思想研究

北京師範大學文藝學專業博士論文　2004 年 4 月　李春青指導

北京　社會科學文獻出版社　373 頁　2006 年 4 月（改名為《在激進與保守之間：梁啟超五四時期的新文化思想》）

溫　強　他被定格在歷史的交匯點上——梁啟超報刊活動及其新聞思想述評

華中師範大學新聞學專業碩士論文　2004 年 5 月　劉九洲指導

傅乃芹　從《時務報》的創辦看梁啟超的新聞編輯思想與成就

河南大學新聞學專業碩士論文　2004 年 5 月　宋應離指導

傅建利　論梁啟超對日譯西學的傳播——以《清議報》、《新民叢報》為中心

武漢大學中國哲學專業碩士論文　2004 年 5 月　徐水生指導

朱圓滿　梁啟超早期經濟思想研究

中山大學中國近現代史專業博士後論文　2004 年 1 月　邱捷指導

李演都　康有為「大同」思想研究——以《大同書》為中心

北京大學中國哲學專業博士論文　2004 年 12 月　樓宇烈指導

王　亮　《續修四庫全書總目提要》研究

復旦大學中國古典文獻學專業博士論文　2004 年　吳格指導

張九波　論作為教育家的魯迅

天津師範大學中國現當代文學專業碩士論文　2004 年 4 月　王國綬指導

阮和平　魯迅研究在越南

北京師範大學中國現當代文學專業碩士論文　2004 年 5 月　黃開發指導

楊　勇　以儒攝佛，援佛入儒——熊十力以心學對唯識學的改造和融攝

雲南師範大學中國哲學專業碩士論文　2004 年 6 月　王興國指導

孟令兵　圓融無礙的生生之美——論熊十力的佛學思想及其詩性精神

復旦大學中國哲學專業博士論文　2004 年 11 月　潘富恩、王雷泉指導

顧小燕　翻譯家胡適研究

華中師範大學英語語言文學專業碩士論文　2004 年 4 月　李亞丹指導

余　敏　胡適思想矛盾的表現與解讀

湘潭大學專門史專業碩士論文　2004 年 5 月　彭先國指導

汪廣松　關於胡適傳記的研究

復旦大學中國現當代文學專業碩士論文　2004 年 4 月　朱文華指導

黃正術　重新審視顧頡剛的古史「層累說」
蘇州大學專門史專業碩士論文　2004 年 4 月　葉林生指導

邵長虎　梁漱溟思想與中國傳統文化的現代轉換
華僑大學馬克思主義哲學專業碩士論文　2004 年 4 月　黃海德指導

秦海珍　馮友蘭道德修養思想研究
中南大學哲學、倫理學專業碩士論文　2004 年 12 月　呂錫琛指導

畢文勝　「抽象繼承法」研究批判[12]
雲南師範大學中國哲學專業碩士論文　2004 年 6 月　王興國指導

闞紅艷　論馮友蘭「新理學」的哲學思想
安徽大學中國哲學專業碩士論文　2004 年 5 月　鄭明珍指導

張國義　朱謙之學術研究
華東師範大學史學理論及史學史專業博士論文　2004 年 5 月　盛邦和指導

王俊義　論新月詩人陳夢家
內蒙古師範大學中國現當代文學專業碩士論文　2004 年 4 月　傅中丁指導

王　波　張舜徽《說文解字約注》綜論
寧夏大學漢語言文字學專業碩士論文　2004 年　劉世俊、馮玉濤指導

雷　平　章太炎、梁啟超、錢穆清代學術史論的理路
湖北大學專門史專業碩士論文　2004 年 6 月　周積明指導

顧春梅　錢穆與抗戰時期的文化民族主義思潮
上海大學專門史專業碩士論文　2004 年 5 月　陳勇指導

芮宏明　錢穆文學研究述略
華東師範大學文藝學專業博士論文　2004 年 4 月　胡曉明指導

孫慶鶴　蘇雪林論
上海師範大學中國現當代文學專業碩士論文　2004 年 4 月　楊劍龍指導

王衛平　蘇雪林的思想與創作
中央民族大學中國少數民族語言文學專業碩士論文　2004 年　白薇指導

淩　霞　蘇雪林文學道路述評
南京師範大學文藝學專業碩士論文　2004 年 4 月　朱崇才指導

朱　娟　論二十年代女作家創作中的自傳性——從廬隱、蘇雪林、石評梅談起

12　此文為討論馮友蘭的中國哲學史研究法「抽象繼承法」。

揚州大學中國現當代文學專業碩士論文　2004 年 5 月　徐德明指導

柳聞鶯　現代性與儒家心性之學——徐復觀新儒學探析

黑龍江大學中國哲學專業碩士論文　2004 年　樊志輝指導

劉建平　莊子精神與現代藝術——徐復觀藝術思想論

武漢大學哲學、美學專業碩士論文　2004 年 5 月　鄒元江指導

王守雪　心的文學——徐復觀與中國文學思想經脈的疏通

華東師範大學文藝學專業博士論文　2004 年 4 月　胡曉明指導

鄭州　鄭州大學出版社　238 頁　2005 年 9 月（改名為《人心與文學：錢復觀文學思想研究》）

耿　波　自由之遠與藝術世界的價值根源——徐復觀藝術思想的擴展研究

北京師範大學文藝學專業博士論文　2005 年 5 月　童慶炳指導

北京　中國傳媒大學出版社　355 頁　2007 年 7 月（改名為《徐復觀心性與藝術思想研究》）

黃富雄　心之文——徐復觀所謂「中國藝術精神的主體」之內在紋理

北京師範大學文藝學專業碩士論文　2004 年 5 月　李春青指導

馮慶東　屈萬里研究

山東師範大學中國近現代史專業碩士論文　2004 年　田海林指導

焦自軍　牟宗三道德形上學研究

湘潭大學中國哲學專業碩士論文　2004 年 5 月　王立新指導

武立波　牟宗三心學困境與道德重建的反思

哈爾濱工業大學馬克思主義哲學專業碩士論文　2004 年 6 月　徐惠茹指導

孫士穀　新加坡儒學的復興運動

南京大學中文系碩士論文　2004 年　徐有富指導

曾國倫　《易傳》中「君子」觀念的研究

中山大學哲學專業碩士論文　2004 年 6 月　張永義指導

孫業成　《易傳》的天人觀

南京大學中國哲學專業碩士論文　2004 年 5 月　徐小躍指導

任曉彤　《易經》虛詞研究

內蒙古師範大學漢語言文字學專業碩士論文　2004 年 4 月　章也指導

劉　旭　《易經》詞法初探

內蒙古師範大學漢語言文字學專業碩士論文　2004 年 4 月　章也指導

吳克峰　易學邏輯研究

南開大學邏輯學專業博士論文　2004 年 10 月　崔清田指導
北京　人民出版社　429 頁　2005 年 12 月

楊愷鈞　《周易》管理思想研究
復旦大學產業經濟學專業博士論文　2004 年 5 月　蘇東水指導

張　宜　《周易》時空觀念與中國古典美學
武漢大學哲學・美學專業碩士論文　2004 年 4 月　陳望衡指導

田友山　《周易》直覺思維模式對中醫學的影響及運用
長春中醫藥大學[13]中醫基礎理論專業碩士論文　2004 年 6 月　許永貴指導

李志誠　《易》學與中醫學之相通性研究
南京中醫藥大學中醫基礎理論專業博士論文　2004 年　孫桐指導

韓慧英　荀氏易學初探
山東大學中國哲學專業碩士論文　2004 年 4 月　劉大鈞指導

李紹萍　論《焦氏易林》與先秦兩漢文學的融會貫通
福建師範大學中國古代文學專業碩士論文　2004 年 4 月　張善文、郭丹指導

黎心平　《周易虞氏消息》研究
山東大學中國哲學專業博士論文　2004 年 5 月　劉大鈞指導

王　帆　虞翻易學的哲學思考
山東大學中國哲學專業碩士論文　2004 年 5 月　林忠軍指導

宋錫同　王弼易學思想初探
河北大學中國哲學專業碩士論文　2004 年 6 月　段景蓮指導

李海龍　王弼《周易注》研究
中山大學哲學專業碩士論文　2004 年 6 月　李宗桂指導

張　軼　象數易學與東晉南朝官方哲學
山東大學中國古代史專業碩士論文　2004 年 5 月　王曉毅指導

林國兵　試論孔穎達的易學理論與美學智慧
安徽師範大學美學專業碩士論文　2004 年 5 月　汪裕雄指導

章偉文　宋元道教易學初探
北京師範大學中國古代史專業博士論文　2004 年 5 月　鄭萬耕指導
成都　巴蜀書社　390 頁　2005 年 12 月（儒釋道博士論文叢書）

楊倩描　王安石《易》學研究

---

13 長春中醫藥大學前身為長春中醫學院。

河北大學中國古代史專業博士論文　2004年6月　郭東旭指導
保定　河北大學出版社　257頁　2006年11月（宋史研究叢刊）

林　雨　天道人道之貫通——朱震易學思想研究
山東大學中國哲學專業碩士論文　2004年5月　劉玉建指導

史少博　朱熹理學與易學的關係
山東大學中國哲學專業博士論文　2004年5月　劉大鈞指導
哈爾濱　黑龍江人民出版社　330頁　2006年3月

陳良中　《今文尚書》文學藝術研究
安徽大學中國古代文學專業碩士論文　2004年5月　孫以昭指導

吳建偉　宋代《洪範》研究
華東師範大學古典文獻學專業碩士論文　2004年　王鐵指導

劉　威　《東坡書傳》研究
華東師範大學古典文獻學專業碩士論文　2004年5月　王鐵指導

周玉秀　《逸周書》的語言特點及其文獻學價值
西北師範大學中國古典文獻學專業博士論文　2004年1月　趙逵夫指導
北京　中華書局　284頁　2005年

馬銀琴　東周詩史
上海師範大學人文學院博士後論文　2004年　孫遜指導
北京　社會科學文獻出版社　524頁　2006年12月（與作者博士論文《西周詩史》合併為《兩周詩史》出版）

張偉保　《詩三百》的形成與流傳研究
北京師範大學中國古典文獻學專業博士論文　2004年5月　郭英德指導

房瑞麗　《上海博物館藏戰國楚竹書・詩論》與《詩經》研究
河南大學中國古代文學專業碩士論文　2004年5月　白本松、華鋒指導

趙茂林　兩漢三家《詩》研究
揚州大學中國古代文學專業博士論文　2004年5月　田漢雲指導
成都　巴蜀書社　657頁　2006年11月

羅榮華　《詩經》三家注的語法觀及其發展
寧夏大學漢語言文字學專業碩士論文　2004年4月　東炎指導

李勇五　《詩經》「周南」「召南」名義、地域及時代考
山西大學中國古代文學專業碩士論文　2004年6月　劉毓慶指導

李兆祿　《詩經・齊風》研究

山東師範大學中國古代文學專業碩士論文　2004年4月　王志民指導

張柳明　周代禮樂文化與《詩經·大雅》頌美詩
首都師範大學中國古代文學專業碩士論文　2004年4月　趙敏俐指導

丁秀傑　《詩經》婚戀詩研究
中央民族大學中國古代文學專業碩士論文　2004年5月　劉棣民指導

任　珏　《詩經》情詩的女性敘事研究
華中科技大學中國古代文學專業碩士論文　2004年5月　何錫章指導

孔德凌　《詩經》宴飲詩與周代禮樂文化的變遷
曲阜師範大學中國古代文學專業碩士論文　2004年4月　趙東栓、鄭傑文指導

荊亞玲　《詩經》同義詞研究
遼寧師範大學漢語言文字學專業碩士論文　2004年5月　陳榴指導

于　潔　《詩經》重言詞研究
北京師範大學漢語言文字學專業碩士論文　2004年5月　朱小健指導

羅慶雲　《詩經》介詞研究
武漢大學漢語言文字學專業碩士論文　2004年5月　楊合鳴指導

劉慧梅　《詩經》虛詞淺析
安徽大學漢語言文字學專業碩士論文　2004年5月　楊應芹指導

時世平　出土文獻與《詩經》詞義訓詁研究
山東大學漢語言文字學專業碩士論文　2004年4月　徐超指導

李建軍　《詩經》與周代宗教文化研究
四川師範大學中國古典文獻學專業碩士論文　2004年1月　萬光治指導

江　林　《詩經》與宗周禮樂文明
浙江大學中國古典文獻學專業博士論文　2004年4月　束景南指導

康少峰　《詩經》簡制、簡序及文字釋讀研究
四川大學歷史文獻學專業博士論文　2004年4月　彭裕商指導

李　唐　《詩經》的士大夫情感特質與審美趨向研究
湖南師範大學中國古代文學專業碩士論文　2004年4月　李生龍指導

汪祚民　《詩經》文學闡釋史（先秦－隋唐）
陝西師範大學中國古代文學專業博士論文　2004年5月　霍松林指導
北京　人民出版社　391頁　2005年3月

曹建國　出土文獻與先秦《詩》學研究

復旦大學中國古代文學專業博士論文　2004年4月　蔣凡指導

李寶龍　《詩經》與孔子思想

延邊大學中國現當代文學專業碩士論文　2004年6月　于衍存指導

賈學鴻　從《詩經》的君子之樂到孔子的人生之樂

東北師範大學中國古代文學專業碩士論文　2004年5月　周奇文指導

王建華　《韓詩外傳》與其他文獻異文研究

四川大學漢語言文字學專業碩士論文　2004年3月　伍宗文指導

李慧玲　歐陽修《詩本義》校注

河南師範大學歷史文獻學專業碩士論文　2004年5月　呂友仁指導

姜亞林　鄭樵詩經學研究

中央民族大學中國古代文學專業碩士論文　2004年5月　劉棣民指導

包麗虹　朱熹《詩集傳》文獻學研究

浙江大學中國古典文獻學專業博士論文　2004年5月　束景南指導

馮　佳　朱熹《詩集傳》散論

湖北大學中國古典文獻學專業碩士論文　2004年5月　張林川指導

寧　宇　清代文學派《詩》學研究

山東大學古代文學專業博士論文　2004年4月　王洲明指導

孫雪萍　《詩經》顏氏學[14]

山東大學中國古典文獻學專業碩士論文　2004年8月　王承略指導

鄭春汛　阮元刻《毛詩注疏》零校

武漢大學中國古典文獻學專業碩士論文　2004年5月　駱瑞鶴指導

李春雲　方玉潤《詩經原始》研究

福建師範大學中國古代文學專業碩士論文　2004年5月　郭丹、張善文指導

郭萬金　西學東漸下的現代《詩》學發軔——清季民初《詩經》研究初探

山西大學中國古代文學專業碩士論文　2004年6月　劉毓慶指導

章　原　古史辨《詩經》學研究

復旦大學中國古代文學專業博士論文　2004年4月　蔣凡指導

白　華　儒家禮學價值觀研究

鄭州大學中國古代史專業博士論文　2004年5月　楊天宇指導

朱鋒剛　荀子禮學探源

14 此篇論文研究顏師古之《詩經》學。

復旦大學中國哲學專業碩士論文　2004 年 5 月　楊澤波指導

邵長梅　荀子禮學思想研學
山東大學中國哲學專業碩士論文　2004 年 5 月　顏炳罡指導

張煥君　魏晉南北朝喪服制度研究
清華大學專門史專業博士論文　2004 年　彭林指導

梁錫鋒　鄭玄以禮箋《詩》研究
鄭州大學中國古代史專業博士論文　2004 年 5 月　楊天宇指導
北京　學苑出版社　262 頁　2005 年

楊　君　晚清今文禮學研究
山東師範大學中國近現代史專業碩士論文　2004 年 4 月　田海林指導

李　晶　春秋官制與《周禮》職官系統比較研究——以《周禮》成書年代的考察為目的
河北師範大學中國古代史專業碩士論文　2004 年 5 月　沈長雲指導

安秀榮　《周禮・秋官・司寇》元語言分析
天津師範大學漢語言文字學專業碩士論文　2004 年 4 月　楊光榮指導

鄧聲國　清代《儀禮》文獻研究
山東大學中國古典文獻學專業博士論文　2004 年 3 月　馮浩菲指導
上海　上海古籍出版社　530 頁　2006 年 4 月

王　鍔　《禮記》成書考
西北師範大學中國古典文獻學專業博士論文　2004 年 5 月　趙逵夫指導
北京　中華書局　349 頁　2007 年 3 月

韓琳琳　《禮記》與西漢社會——以「孝」為中心的考察
南京師範大學專門史專業碩士論文　2004 年 1 月　張進指導

傅華辰　《禮記》鄭注訓詁研究
南京師範大學漢語言文字學專業碩士論文　2004 年 5 月　馬景侖指導

張　磊　《大戴禮記》「曾子十篇」研究
曲阜師範大學專門史專業碩士論文　2004 年 3 月　楊朝明指導

趙進華　論「《春秋》決獄」
中山大學法學專業碩士論文　2004 年 5 月　馬作武指導

趙建林　魏晉「春秋決獄」研究
清華大學專門史專業碩士論文　2004 年　王曉毅指導

丁美霞　蘇轍與其《春秋》學
南京大學中文系碩士論文　2004 年　曹虹指導

伍典彬　杜預《春秋左傳》義例學與魏晉「史家義例學」
中山大學歷史學專業碩士論文　2004 年 6 月　曾憲禮指導

李曉明　春秋時期君子文化人格研究——以《國語》、《左傳》為中心
北京師範大學中國古典文獻學專業碩士論文　2004 年 5 月　李山指導

關立新　《左傳》名詞動用現象分析
黑龍江大學漢語言文字學專業碩士論文　2004 年 6 月　李先耕指導

黃　輝　《左傳》反義詞探析
內蒙古大學漢語言文字學專業碩士論文　2004 年 5 月　道爾吉指導

羅蓓蕾　《左傳》軍事詞語研究
廣西師範大學漢語言文字學專業碩士論文　2004 年 4 月　劉興均指導

羅紅昌　《左傳》前置現象及相關虛詞研究
四川大學漢語言文字學專業碩士論文　2004 年 3 月　宋永培指導

解植永　《左傳》、《史記》判斷句比較研究
北京師範大學漢語言文字學專業碩士論文　2004 年 5 月　劉利指導

劉　澍　《左傳》中家臣形象的分析及文學表現
東北師範大學中國古代文學專業碩士論文　2004 年 5 月　傅亞庶指導

繆愛紅　《左傳》用《詩》與春秋時期思維的理性化
南京師範大學古代文學專業碩士論文　2004 年 5 月　徐克謙指導

張　蓉　《左傳》貴族女性問題初探
陝西師範大學中國古代文學專業碩士論文　2004 年 4 月　張新科指導

傅希亮　道德史觀與《左傳》文學研究
首都師範大學中國古代文學專業博士論文　2004 年 4 月　趙敏俐指導

王　巍　《春秋左傳》杜預注研究
南京師範大學漢語言文字學專業碩士論文　2004 年 5 月　馬景侖指導

李　索　敦煌寫卷《春秋經傳集解》異文研究
四川大學漢語言文字學專業博士論文　2004 年　宋永培指導
北京　中國社會科學出版社　389 頁　2007 年

印寧波　宋代《左傳》學三論
四川大學中國古代文學專業碩士論文　2004 年 3 月　劉黎明指導

白春雨　儒家誠信之德及其現代意義——以「四書」為中心的闡釋
復旦大學倫理學專業博士論文　2004 年 5 月　陳根法指導

洪　崢　元代的四書研究

復旦大學中國古代史專業碩士論文　2004 年 5 月　姚大力指導

吳小立　孔子與弟子交往現象分析

首都師範大學學科教學專業碩士論文　2004 年 4 月　劉占泉指導

沈　鴻　孔子弟子形象在先秦兩漢的演變

東北師範大學中國古代文學專業碩士論文　2004 年 5 月　李炳海、周奇文指導

賈學鴻　從《詩經》的君子之樂到孔子的人生之樂

東北師範大學中國古代文學專業碩士論文　2004 年 5 月　周奇文指導

曾子良　孔子思想中命限畫自由之研究

中山大學哲學專業碩士論文　2004 年 12 月　陳立勝指導

孫衛東　孔子道德教育中的研究性學習方法

中山大學思想政治教育專業碩士論文　2004 年 12 月　吳育林指導

鄭　熊　王夫之對孔子的研究

西北大學專門史專業碩士論文　2004 年　張茂澤指導

于　洋　孔子服飾風貌剖析

東華大學服裝設計專業碩士論文　2004 年 2 月　劉曉剛指導

吳潤儀　從「神」聖到「玄」聖——關於董仲舒、王弼塑造的孔子兩種聖人形象的比較研究

中山大學哲學專業碩士論文　2004 年 6 月　陳少明指導

賴積船　《論語》與其漢魏注中的常用詞比較研究

四川大學漢語言文字學專業博士論文　2004 年 3 月　宋永培指導

嚴蓓雯　《論語》的兩個早期英譯本研究

北京大學比較文學與世界文學專業碩士論文　2004 年 5 月　張輝指導

彭耀光　下學而上達：內在的超越——孔子形上學之價值本原與教化意義

北京師範大學中國哲學專業碩士論文　2004 年 5 月　鄭萬耕指導

羅　珍　春秋霸王盟誓行為性質變化與孔子若干學說形成關係探源

上海大學專門史專業碩士論文　2004 年 4 月　田兆元指導

儲秀彥　孔子人生哲學及其現代意義

河北大學中國哲學專業碩士論文　2004 年 5 月　李振綱指導

劉艷琴　孔子倫理思想與當代道德建設

河北大學中國哲學專業碩士論文　2004 年 5 月　商聚德指導

王世明　孔子倫理思想發微——現代生活語境中的《論語》解讀

清華大學倫理學專業博士論文　2004 年 4 月　萬俊人指導

馬　斌　孔子的仁學思想及其現代意義

山東大學中國哲學專業碩士論文　2004 年 11 月　顏炳罡指導

張　寰　論孔子的「安人」之道

武漢理工大學馬克思主義理論與思想政治教育專業碩士論文　2004 年 5 月　雷紹鋒指導

李　強　《論語》「樂」辨及其管理思想研究

青島大學古代文學專業碩士論文　2004 年 4 月　徐宏力指導

張大文　孔子的教育目的及方法對素質教育的啟示

首都師範大學語文教學論專業碩士論文　2004 年 10 月　魯洪生指導

趙　瑩　孔子美學的生命意蘊

東北師範大學文藝學專業碩士論文　2004 年 5 月　王確指導

左　蕾　孔子美育思想的現代闡釋

山東師範大學文藝學專業碩士論文　2004 年 4 月　楊存昌指導

汪夢林　孔子與蘇格拉底師道觀比較研究

華中農業大學教育經濟與管理專業碩士論文　2004 年 9 月　陶美重指導

鄧文華　孔子與柏拉圖論美：跨文化比較研究與批評

北京第二外國語學院英語語言文學專業碩士論文　2004 年 5 月　王柯平指導

唐明貴　《論語》學的形成、發展與中衰——漢魏六朝隋唐《論語》研究

南開大學歷史學專業博士論文　2004 年　趙伯雄指導

北京　中國社會科學出版社　300 頁　2005 年 2 月（聊城大學博士文庫）

田春來　漢代《論語》的流傳與演變

武漢大學中國古典文獻學專業碩士論文　2004 年 5 月　羅積勇指導

閆春新　魏晉論語學研究

山東大學中國古代史專業博士論文　2004 年 4 月　王曉毅指導

顧　濤　皇侃《論語義疏》研究

南京大學語言文字學專業碩士論文　2004 年　李開指導

顧　飛　朱子《論語集注》注音釋義考

河南師範大學歷史文獻學專業碩士論文　2004 年 5 月　呂友仁指導

柳　宏　清代《論語》詮釋史論

揚州大學中國古代文學專業博士論文　2004 年 5 月　田漢雲指導

北京　社會科學文獻出版社　408 頁　2008 年 3 月

楊　婕　以文化為中心的功能翻譯法與《論語》翻譯
蘇州大學英語語言文學專業碩士論文　2004 年 3 月　王宏指導

李紅梅　多視點分析《論語》三部英文譯本
上海大學英語語言文學專業碩士論文　2004 年 5 月　唐述宗指導

李　霜　理雅各與辜鴻銘《論語》翻譯的比較研究
四川大學外國語言學及應用語言學專業碩士論文　2004 年 4 月　蕭安溥指導

張　巖　《孔子家語》之《子路初見》篇、《論禮》篇研究
清華大學專門史專業碩士論文　2004 年　廖名春指導

孫海輝　孔子與老子關係研究——以《孔子家語》為中心
曲阜師範大學專門史專業碩士論文　2004 年 3 月　楊朝明指導

吳　濤　聖人與真人——孟子、莊子人生理想之比較研究
鄭州大學中國古代史專業碩士論文　2004 年 5 月　姜建設、史建群指導

李暢然　清代《孟子》學研究
北京大學中國古典文獻學專業博士論文　2004 年 5 月　董洪利指導
濟南　齊魯書社　2007 年（改名為《清代孟子學史》）

李　智　《孟子》的雙音複合詞研究
河北師範大學漢語言文字學專業碩士論文　2004 年 4 月　蘇寶榮指導

唐　娜　主體與本體的合一——孟子「盡心」說新詮
武漢大學中國哲學專業碩士論文　2004 年 5 月　田文軍指導

郭樹偉　試論孟子的養浩然之氣
鄭州大學中國古代文學專業碩士論文　2004 年 5 月　賈濱指導

張　意　孟子接受思想再審視
四川師範大學文藝學專業博士論文　2004 年 1 月　鐘仕倫指導

魯學軍　「天命之謂性」——論孟子性善論形上根源及其意義
復旦大學中國哲學專業碩士論文　2004 年 5 月　錢憲民指導

楊澤樹　孟子政治思想研究
雲南師範大學馬克思主義理論與思想政治教育專業碩士論文　2004 年 5 月　畢國明指導

毛新青　孟子德性學說的審美維度
山東大學文藝學專業碩士論文　2004 年 5 月　程相占指導

李慶杏　淺談孟子的論辯藝術
浙江師範大學語文學科教學專業碩士論文　2004 年 5 月　黃靈庚指導

朱松美　《孟子》詮釋比較研究

山東大學中國古代史專業碩士論文　2004 年 4 月　曾振宇指導

趙滿海　孟子與亞里士多德倫理思想之比較

北京師範大學世界史專業博士論文　2004 年 5 月　劉家和指導

趙麥茹　漢唐《孟子》學研究

西北大學專門史專業碩士論文　2004 年 5 月　張茂澤指導

杜　敏　趙岐、朱熹《孟子》注釋的傳意研究

北京師範大學漢語言文字學專業博士論文　2004 年 4 月　王寧指導

北京　中國社會科學出版社　360 頁　2004 年 1 月

張迎春　《孟子字義疏證》研究

安徽大學漢語言文字學專業碩士論文　2004 年 5 月　楊應芹指導

李庚子　兩漢的「孝教」思想研究

北京師範大學教育學教育史專業碩士論文　2004 年 4 月　郭齊家指導

楊　峰　移孝作忠——《孝經》的政治意義

北京大學中國哲學專業碩士論文　2004 年 5 月　陳來指導

王建莉　《爾雅》同義詞考論

浙江大學漢語言文字學專業博士論文　2004 年 12 月　黃金貴指導

趙家棟　《爾雅》法律使用域詞語研究

西南師範大學漢語言文字學專業碩士論文　2004 年 5 月　李茂康指導

江玉君　《經典釋文・爾雅音義》孫炎反切研究

北京師範大學漢語言文字學專業碩士論文　2004 年 5 月　崔樞華指導

蔡淑梅　邢昺《爾雅疏》綜論

寧夏大學漢語言文字學專業碩士論文　2004 年 4 月　劉世俊指導

王小婷　《爾雅正義》與《爾雅義疏》比較研究

山東大學中國古典文獻學專業碩士論文　2004 年 4 月　劉曉東指導

胡海瓊　《爾雅義疏》同族詞研究

華中科技大學語言學及應用語言學專業碩士論文　2004 年 5 月　尉遲治平指導

胡珮迦　對《釋名》的認知研究

四川師範大學語言學及應用語言學專業碩士論文　2004 年　李恕豪指導

張瑞朋　《釋名》聲訓性質新論

華中科技大學語言學及應用語言學專業碩士論文　2004 年　尉遲治平指導

彭　慧　廣雅疏證中《文選》通假字研究
鄭州大學中國古典文獻學專業碩士論文　2004 年　李恩江指導

王　慧　魏石經古文集釋
安徽大學漢語言文字學專業碩士論文　2004 年 5 月　徐在國指導

吳麗君　《唐開成石經》研究
北京師範大學漢語言文字學專業碩士論文　2004 年 5 月　齊元濤指導

鄺向雄　唐代讖謠初探
首都師範大學中國古代史專業碩士論文　2004 年 5 月　王永平指導

劉　震　《易緯・乾鑿度》天人之學
山東大學中國哲學專業碩士論文　2004 年 5 月　王新春指導

劉　彬　《易緯》占術研究
山東大學中國哲學專業博士論文　2004 年 4 月　劉大鈞指導

2005 年

張德良　上博藏戰國楚竹書《容成氏》研究
清華大學歷史學專業碩士論文　2005 年　廖名春指導

史新慧　中國創世神話解讀
鄭州大學美學專業碩士論文　2005 年　劉成紀指導

劉　淵　漢代畫像石上伏羲女媧圖像特徵研究
四川大學美術學專業碩士論文　2005 年　盧丁指導

范　穎　論大禹治水及其影響
武漢大學科學技術史專業碩士論文　2005 年　李可可指導

畢曉樂　齊文化與陰陽五行
山東師範大學專門史專業碩士論文　2005 年　王克奇指導

李宗全　從歷代目錄著錄之稷下先生著述看稷下學學術地位
華東師範大學中國古典文獻學專業碩士論文　2005 年　王貽梁指導

王　旭　荀子學派屬性述評
東北師範大學中國古代史專業碩士論文　2005 年　韓東育指導

王向東　荀子「分」論
河南大學中國哲學專業碩士論文　2005 年　徐儀明、耿成鵬指導

王　娟　孟子荀子德育思想比較研究

武漢大學馬克思主義理論與思想政治教育專業碩士論文　2005 年　倪素香指導

朱建鋒　禮之「文」化——論荀子「文」的美學思想
鄭州大學美學專業碩士論文　2005 年　史鴻文指導

胡　偉　論荀子的「禮法」法思想及其現實意義
雲南師範大學馬克思主義理論與思想政治教育專業碩士論文　2005 年　畢國明指導

程賽杰　論荀子的教化思想
南昌大學倫理學專業碩士論文　2005 年　詹世友指導

王光輝　荀子「為學」思想研究
湘潭大學中國哲學專業碩士論文　2005 年　蔡四桂指導

儲昭華　明分之道——從荀子看儒家文化與民主政道融通的可能性
武漢大學中國哲學專業博士論文　2005 年　郭齊勇指導
北京　商務印書館　364 頁　2005 年 12 月

歐陽戎元　《荀子》句型研究
新疆大學語言學及應用語言學專業碩士論文　2005 年　張新武指導

于　江　《荀子》反義詞研究
西北師範大學漢語言文字學專業碩士論文　2005 年　周玉秀指導

盧春紅　荀子複音詞研究
遼寧師範大學漢語言文字學專業碩士論文　2005 年　陳榴指導

魯　六　《荀子》詞彙研究
山東大學漢語言文字學專業博士論文　2005 年　楊端志指導
鄭州　河南人民出版社　238 頁　2007 年 6 月

洪永穩　論荀子的文藝思想
安徽大學文藝學專業碩士論文　2005 年　顧祖釗指導

王小平　荀子文學思想及影響研究
華中科技大學中國古代史專業碩士論文　2005 年　何錫章指導

程　勇　儒家經學與漢代文論
浙江大學中國古代文學專業博士後2005 年 6 月　束景南指導

陳　倩　陸賈思想研究
重慶師範大學專門史專業碩士論文　2005 年 4 月　趙昆生指導

王廣勇　陸賈《新語》在儒家思想史上的地位初探

山東大學中國古代史專業碩士論文　2005 年 5 月　曾振宇指導

何廣華　賈誼《新書》研究
東北師範大學中國古代文學專業碩士論文　2005 年　傅亞庶指導

李書瑋　賈誼《新書》研究
山東大學中國古典文獻學專業碩士論文　2005 年　劉心明指導

郭　暘　賈誼經濟思想探微
東北財經大學經濟思想史專業碩士論文　2005 年　張守軍指導

張文英　試論董仲舒的天人觀
吉林大學政治學理論專業碩士論文　2005 年　孫曉春指導

尹曉彬　論董仲舒皇權制衡思想及其倫理形態特徵
西南師範大學倫理學專業碩士論文　2005 年　潘佳銘、彭自強指導

馬　毓　司馬遷對歷史的詮釋
西北大學專門史專業碩士論文　2005 年 1 月　張茂澤指導

劉軍華　司馬遷與士文化
陝西師範大學中國古代文學專業碩士論文　2005 年 4 月　呂培成指導

郜積意　劉歆與兩漢今古文學之爭
復旦大學專門史專業博士論文　2005 年 4 月　朱維錚指導

王　棟　揚雄文論研究
湖南師範大學文藝學專業碩士論文　2005 年 5 月　李清良指導

郭君銘　揚雄《法言》思想研究
北京師範大學中國哲學專業博士論文　2005 年 5 月　鄭萬耕指導
成都　巴蜀書社　216 頁　2006 年 12 月（儒釋道博士論文叢書）

李　敏　《白虎通義》與東漢經學
北京語言大學中國古代文學專業碩士論文　2005 年 6 月　方銘指導

李　珊　漢末三國的經學教育
湖南師範大學中國古代史專業碩士論文　2005 年 5 月　冷鵬飛指導

鄭二利　王充的文藝思想述評
安徽大學文藝學專業碩士論文　2005 年 5 月　顧祖釗指導

李　婭　探析王弼「聖人」觀的玄學底蘊
四川大學中國哲學專業碩士論文　2005 年 1 月　黃德昌指導

楊鑒生　王弼及其文學研究
復旦大學中國古代文學專業博士論文　2005 年 4 月　楊明指導

胡曉華　郭璞注釋語言詞彙研究

浙江大學中國古典文獻學專業博士論文　2005 年 5 月　王雲路指導

孟曉妍　《方言》郭璞注雙音詞研究

蘇州大學漢語言文字學專業碩士論文　2005 年　蔡鏡浩指導

胡　萍　王通的哲學思想及其歷史地位

湘潭大學中國哲學專業碩士論文　2005 年　王立新指導

孫照海　陸德明考論

山東大學古典文獻學專業碩士論文　2005 年 5 月　莊大鈞指導

胡保國　談孔穎達考證詞義的方法

延邊大學漢語言文字學專業碩士論文　2005 年 5 月　崔泰吉指導

任國俊　顏師古《漢書注》研究

寧夏大學漢語言文字學專業碩士論文　2005 年 5 月　馮玉濤指導

潘昱州　韓愈反佛思想溯源——「惠民」的「有為之道」

西南師範大學倫理學專業碩士論文　2005 年 5 月　彭自強、潘佳銘指導

袁　茹　柳宗元的學術研究與散文創作

安徽師範大學中國古代文學專業碩士論文　2005 年　劉學鍇、余恕誠、胡傳志指導

吳國武　北宋經學與理學之關係研究

北京大學中國古典文獻學專業博士論文　2005 年 6 月　楊忠指導

楊世文　宋代經學懷疑思潮研究

四川大學中國古代史專業博士論文　2005 年 1 月　蔡崇榜指導

成都　四川大學出版社　687 頁　2008 年（四川大學儒藏學術叢書）（改名為《走出漢學：宋代經典辨疑思潮研究》）

高明峰　北宋經學與文學

揚州大學中國古代文學專業博士論文　2005 年 5 月　田漢雲指導

武香蘭　范仲淹的儒學價值觀與馭邊之術

寧夏大學專門史專業碩士論文　2005 年 4 月　王天順指導

余敏輝　歐陽修文獻學研究

北京師範大學歷史文獻學專業博士論文　2005 年 5 月　曾貽芬指導

彭傳華　論歐陽修的人生哲學

南昌大學中國哲學專業碩士論文　2005 年 5 月　鄭曉江指導

唐運剛　周敦頤誠學思想研究
湘潭大學中國哲學專業碩士論文　2005 年　趙載光指導

賴華先　論劉敞的思想與文學創作
南昌大學中國古代文學專業碩士論文　2005 年　文師華指導

魏　濤　張載「以禮為教」思想探析
陝西師範大學中國哲學專業碩士論文　2005 年　林樂昌指導

王小丁　張載人性論思想研究
吉林大學中國哲學專業碩士論文　2005 年　張連良指導

賀文峰　張載人性論簡析——兼評對中國傳統人性論的繼承與發展
湖南師範大學中國哲學專業碩士論文　2005 年　張懷承指導

吳智勇　王安石與宋神宗暨王安石暮年境遇與心態
南昌大學中國古代文學專業碩士論文　2005 年　文師華指導

楊天保　王安石學術史研究——以「金陵王學」（1021～1067）為重點
浙江大學中國古代史專業博士論文　2005 年　徐規指導
上海　上海人民出版社　380 頁　2008 年 6 月（改名為《金陵王學研究：王安石早期學術思想的歷史考察（1021-1067）》）

龍　飛　胡宏歷史哲學解讀
湘潭大學中國哲學專業碩士論文　2005 年　趙載光指導

竇余仁　論程大昌學術成就
安徽大學專門史專業碩士論文　2005 年 5 月　周懷宇指導

張玖青　楊萬里思想研究
浙江大學中國古典文獻學專業博士論文　2005 年　束景南指導

王　廣　「理一分殊」理念下的朱熹哲學
山東大學中國哲學專業博士論文　2005 年　王新春指導

延在欽　朱熹心論研究
北京大學中國哲學專業博士論文　2005 年 6 月　陳來指導

何慶群　朱熹理欲思想研究
上海師範大學中國哲學專業碩士論文　2005 年　馬德鄰指導

王淑霞　聖賢——朱熹的思想政治教育目標
首都師範大學馬克思主義理論與思想政治教育專業碩士論文　2005 年　鄧球柏指導

袁寶宇　朱熹創作理論研究

長春理工大學漢語言文字學專業碩士論文　2005 年　董宇指導

朱光鎬　朱熹太極觀研究——以《太極圖說解》為中心

北京大學中國哲學專業博士論文　2005 年 5 月　朱伯崑指導

邢舒緒　陸九淵研究

浙江大學中國古代史專業博士論文　2005 年　何忠禮指導

北京　人民出版社　216 頁　2008 年 10 月

劉雪影　陸九淵哲學的解釋學意義

南昌大學中國哲學專業碩士論文　2005 年　楊柱才指導

王新營　本心與自由——陸九淵哲學思想研究

華東師範大學中國哲學專業博士論文　2005 年　楊國榮指導

孫先英　論朱學見證人真德秀

四川大學中國古典文獻學專業博士論文　2005 年　謝謙指導

上海　上海人民出版社　342 頁　2008 年 8 月（改名為《真德秀學術思想研究》）

尹業初　真德秀哲學思想研究

湘潭大學中國哲學專業碩士論文　2005 年　陳代湘指導

李小茹　王應麟《急就篇補注》及相關問題研究

西南師範大學中國古典文獻學專業碩士論文　2005 年 6 月　蔣宗福指導

侯　賓　陳獻章「主靜」思想研究

杭州師範學院中國哲學專業碩士論文　2005 年 4 月　陳銳指導

羅亮梅　羅欽順哲學思想研究

南昌大學專國哲學專業碩士論文　2005 年 5 月　李承貴指導

朱露陸　羅欽順理氣哲學探微

復旦大學中國哲學專業碩士論文　2005 年 5 月　徐洪興、林宏星指導

曲　巖　王廷相「氣本論」思想研究

河南大學中國哲學專業碩士論文　2005 年 5 月　徐儀明、陳廣勝指導

王強芬　王艮哲學思想研究

湘潭大學中國哲學專業碩士論文　2005 年　王立新指導

戚紅斌　楊慎謫滇及其對雲南文化的貢獻

雲南師範大學中國古代史專業碩士論文　2005 年 5 月　吳寶璋指導

高小慧　楊慎文學思想研究

北京大學文藝學專業博士論文　2005 年 6 月　陳熙中、盧永璘指導

趙麗君　見在良知與一念之微——論王畿的心學及其對美學的影響
北京大學美學專業碩士論文　2005 年 6 月　王錦民指導

黃　熹　焦竑三教會通思想研究
北京大學中國哲學專業博士論文　2005 年 6 月　陳來指導

劉建如　一代狂儒何心隱的思想意蘊
河北大學中國哲學專業碩士論文　2005 年 6 月　盧子震指導

龍曉英　焦竑研究
南京師範大學古代文學專業碩士論文　2005 年 4 月　沈新林指導

劉海濱　焦竑與晚明會通思潮
復旦大學專門史專業博士論文　2005 年 4 月　朱維錚指導

侯璨敏　毛晉校刻書研究
湖南師範大學中國古典文獻學專業碩士論文　2005 年 4 月　袁慶述指導

張文恒　陳子龍雅正詩學精神考論
北京語言大學中國古代文學專業碩士論文　2005 年　徐江指導

劉元青　三教歸儒——方以智哲學思想的終極價值追求
武漢大學中國哲學專業碩士論文　2005 年　吳根友指導

劉　娟　方以智語言學研究
山東師範大學漢語言文字學專業碩士論文　2005 年　吳慶峰指導

孔愛峰　錢謙益《列朝詩集》的編纂學研究
蘇州大學中國語言文學專業碩士論文　2005 年 1 月　黃鎮偉指導

宋宜林　孫奇逢研究：歷史地位、理學思想、學術史建樹
山西大學中國古代史專業碩士論文　2005 年　趙瑞民指導

劉岐梅　走出中世紀——黃宗羲早期啟蒙思想研究
山東大學中國古代史專業博士論文　2005 年 5 月　晁中辰指導

王俊傑　黃宗羲的學術思想史詮釋學思想
西北大學專門史專業碩士論文　2005 年 1 月　張茂澤指導

張永忠　聖賢救世——黃宗羲政治哲學思想研究
復旦大學中國哲學專業博士論文　2005 年 11 月　謝遐齡指導

李海兵　黃宗羲政治哲學初探
湖南師範大學中國哲學專業碩士論文　2005 年 5 月　鄧名瑛指導

張繼蘭　黃宗羲政治思想研究
大連理工大學馬克思主義理論與思想政治教育專業碩士論文　2005 年 6 月

劉鴻鶴指導

俞波恩　黃宗羲傳記寫作及理論之研究
浙江師範大學中國古代文學專業碩士論文　2005 年 5 月　俞樟華指導

黃敦兵　《王畿學案》與黃宗羲的哲學史觀
武漢大學中國哲學專業碩士論文　2005 年 5 月　吳根友指導

徐永蓮　王夫之人文主義思想研究
揚州大學教育學原理專業碩士論文　2005 年 5 月　楊千樸指導

朱志先　王夫之秦漢史論研究
華中師範大學中國古代史專業碩士論文　2005 年 5 月　丁毅華指導

劉曉紅　王夫之人格審美分析
南開大學美學專業碩士論文　2005 年 4 月　薛富興指導

余　鋼　王夫之「情景」論的美學探微
北京師範大學文藝學專業碩士論文　2005 年 5 月　李壯鷹指導

薛立芳　毛奇齡《經問》研究
魯東大學專門史專業碩士論文　2005 年 5 月　程奇立指導

邢靖懿　批判與構建——顏元實學思想研究
河北大學中國哲學專業碩士論文　2005 年 6 月　韓進軍指導

王　瑜　顏元教育思想研究
華中師範大學學科教學・歷史專業碩士論文　2005 年 4 月　王玉德指導

張彤磊　戴震的儒家經典詮釋學思想
西北大學專門史專業碩士論文　2005 年 1 月　張茂澤指導

王智汪　論戴震的義理之學
雲南師範大學中國哲學專業碩士論文　2005 年 8 月　伍雄武指導

安利麗　試論戴震的理欲觀
山西大學倫理學專業碩士論文　2005 年　趙繼明指導

卓汴麗　戴東原新理學思想探微——兼論其哲學體系誕生之背景
湖南師範大學中國哲學專業碩士論文　2005 年 5 月　張懷承指導

周　玲　論戴震的自由精神及其意義
西南師範大學倫理學專業碩士論文　2005 年 5 月　彭自強、潘佳銘指導

劉巧芝　戴震《方言疏證》同族詞研究
西南師範大學漢語言文字學專業碩士論文　2005 年 5 月　李茂康指導

樸英美　戴震的「治學」與「明道」

北京大學中國哲學專業博士論文　2005 年 12 月　魏常海指導

朱友舟　翁方綱書學思想研究
南京藝術學院書法篆刻專業碩士論文　2005 年 5 月　徐利明指導

李陽洪　梁章鉅的書法題跋與翁方綱的關係
西南師範大學美術學專業碩士論文　2005 年 5 月　周永健指導

朱梅光　章學誠文獻學成就初探
安徽大學歷史文獻學專業碩士論文　2005 年 5 月　周懷宇指導

弓海濤　關於王念孫俞樾《廣雅疏證》補正的比較研究
北京師範大學漢語言文字學專業碩士論文　2005 年 5 月　崔樞華指導

甘良勇　阮元《十三經注疏校勘記序》箋證
河南師範大學歷史文獻學專業碩士論文　2005 年 5 月　呂友仁指導

鐘玉發　阮元學術思想研究
北京師範大學中國近現代史專業博士論文　2005 年 5 月　龔書鐸指導

柳向春　陳奐交遊研究
復旦大學中國古典文獻學專業博士論文　2005 年 4 月　吳格指導

宋　平　王筠文字學研究
山東師範大學漢語言文字學專業碩士論文　2005 年　吳慶峰指導

郭常艷　朱駿聲《說文通訓定聲》對大徐本《說文》中之形聲字的改訂研究
首都師範大學漢語言文字學專業碩士論文　2005 年　宋均芬指導

龍　江　龔自珍變法思想研究
西南政法大學法律史專業碩士論文　2005 年 4 月　陳金全指導

黃勇軍　外在斷裂與內在延續——傳統與現代雙重變奏視閾下的魏源與魏源政治思想研究
中國政法大學政治學理論專業碩士論文　2005 年　楊陽指導

吳挺暹　試論魏源思想對晚清科技的影響
福州大學科學技術哲學專業碩士論文　2005 年　陳寶國指導

陳旭東　魏源美學思想初探
北京語言大學專門史專業碩士論文　2005 年 6 月　杜道明指導

樊俊利　鄭珍《說文逸字》研究
河北師範大學漢語言文字學專業碩士論文　2005 年　馬恒君指導

王艷輝　曾國藩與道咸同年間傳統文化的嬗變
遼寧師範大學專門史專業碩士論文　2005 年 5 月　喻大華指導

孫　翔　曾國藩家庭倫理思想的現代價值研究
西北師範大學倫理學專業碩士論文　2005 年 5 月　陳曉龍指導

易定軍　試論郭嵩燾詩學主張的理學實學特徵
華南師範大學中國古代文學專業碩士論文　2005 年　閔定慶指導

馬　宇　俞樾《兒笘錄》析論
陝西師範大學漢語言文字學專業碩士論文　2005 年 4 月　胡安順、王輝指導

高書勤　晚清金石學視野中的吳大澂
復旦大學專門史專業碩士論文　2005 年 5 月　張榮華指導

張俊嶺　吳大澂的金石研究及其書學成就
暨南大學文藝學專業碩士論文　2005 年 1 月　曹寶麟指導

段紅智　張之洞中西文化觀研究
河北大學中國哲學專業碩士論文　2005 年 6 月　李振綱指導

王志龍　一位儒臣的政治訴求——張之洞政治改革思想的嬗變
安徽大學專門史專業碩士論文　2005 年 5 月　吳春梅指導

寧　寧　論張之洞外交思想
安徽大學專門史專業碩士論文　2005 年 5 月　湯奇學、周乾指導

敖福軍　試論張之洞的外交思想
內蒙古大學中國近現代史專業碩士論文　2005 年 1 月　張鳳翔指導

康永忠　清末存古學堂考述——以湖北存古學堂為重點
復旦大學專門史專業碩士論文　2005 年 5 月　張榮華指導

李建中　論張之洞的農商思想及其實踐
河南大學中國近現代史專業碩士論文　2005 年 5 月　張九洲指導

方家峰　錯位與磨合——楊守敬學術生涯及其當代影響的教育學研究
西南師範大學課程與教學論專業碩士論文　2005 年 5 月　張詩亞指導

孫玉敏　王先謙學術思想研究
北京師範大學中國近現代史專業博士論文　2005 年 4 月　史革新指導

徐　淩　孫詒讓《劄迻》文獻校讀研究
西南師範大學中國古典文獻學專業碩士論文　2005 年 6 月　蔣宗福指導

郝廣麗　從慣習與場域的角度探究[15]
蘇州大學英語語言文學專業碩士論文　2005 年 1 月　王宏指導

15 此文以法國社會學家皮埃爾·布迪厄提出的慣習和場域理論分析辜鴻銘其人及其所處的社會文化背景，並探討其選擇翻譯的儒家經典和使用的翻譯策略方法。

曲巧艷　辜鴻銘翻譯活動初探——儒家思想對辜氏翻譯及其思想的影響
南開大學英語語言文學專業碩士論文　2005 年 2 月　呂世生指導

李　喆　《大同書》與傳統儒家之關係——兼論康有為在儒學史上的地位與意義
北京大學中國哲學專業碩士論文　2005 年 6 月　胡軍指導

崔善鋒　康有為的變革思想
山東大學中國近現代史專業碩士論文　2005 年 5 月　張禮恒指導

陳　瀟　早期空想社會主義思想及其對現代中國社會影響的研究——康有為的大同理想與莫爾的烏托邦思想之比較
海南大學馬克思主義理論與思想政治教育專業碩士論文　2005 年 5 月　趙康太指導

施曉燕　戊戌維新前康有為交遊考
復旦大學中國近現代史專業碩士論文　2005 年 5 月　張榮華指導

余　英　試論康有為的外交思想
湖南師範大學中國近現代史專業碩士論文　2005 年 4 月　李育民指導

石新艷　譚嗣同平等思想研究
首都師範大學馬克思主義理論與思想政治教育專業碩士論文　2005 年 4 月　隋淑芬指導

李志松　梁啟超的孔子研究述略
西北大學中國近現代史專業碩士論文　2005 年 1 月　陳國慶指導

陸信禮　梁啟超中國哲學史研究述論
南開大學中國哲學專業博士論文　2005 年 4 月　方克立指導

梁松濤　梁啟超文獻學思想研究
河北大學漢語言文字學專業碩士論文　2005 年 6 月　時永樂指導

安尊華　試論梁啟超的史料思想
貴州師範大學歷史文獻學專業碩士論文　2005 年 5 月　張新民指導

馮　濤　梁啟超憲政思想研究
鄭州大學法律專業碩士論文　2005 年 5 月　梁鳳榮指導

杜旅軍　1898-1911：梁啟超立憲思想的萌生與轉變
西南政法大學法理學專業碩士論文　2005 年 4 月　王威指導

熊全慧　新民與新國——梁啟超新民思想研究
四川師範大學中國近現代史專業碩士論文　2005 年 6 月　彭久松指導

王恩波　梁啟超「生活的藝術化」理論研究

浙江師範大學文藝學專業碩士論文　2005 年 5 月　杜衛指導

曹亞明　論梁啟超對西方人文主義的誤讀及其影響

湖南師範大學中國現當代文學專業碩士論文　2005 年 4 月　宋劍華指導

王小海　試論梁啟超對西方新聞自由思想的認知與批判

武漢大學新聞學專業碩士論文　2005 年 4 月　單波指導

普　進　梁啟超：近代報刊與民主啟蒙

武漢大學新聞學專業碩士論文　2005 年 4 月　周光明指導

林合華　梁啟超科學觀的三期演變及其意義

武漢大學中國哲學專業碩士論文　2005 年 5 月　李維武指導

張在興　晚清湖南經學思想述論

湘潭大學專門史專業碩士論文　2005 年　王繼平指導

安樹彬　晚清樸學流變研究

西北大學中國近現代史專業碩士論文　2005 年 1 月　陳國慶指導

李生濱　晚清思想文化與魯迅——關於魯迅思想文化個性的考察

復旦大學中國現當代文學專業博士論文　2005 年 4 月　朱文華指導

劉　霞　文化傳播視野中的魯迅編輯出版思想與實踐

湖南師範大學新聞學專業碩士論文　2005 年 4 月　羅靈山指導

趙慶雲　試論劉師培早期的民族主義思想

湖南師範大學中國近現代史專業碩士論文　2005 年 4 月　饒懷民指導

王　威　嬗變與重構中的傳承——劉師培的文化哲學

南開大學中國哲學專業博士論文　2005 年 4 月　韓強指導

韓　琳　黃侃字詞關係研究

北京師範大學漢語言文字學專業博士論文　2005 年 5 月　李運富指導

北京　中央民族大學出版社　338 頁　2007 年 8 月（《黃侃手批《說文解字》字詞關係研究》）

宋亞飛　論梁漱溟保守主義思想的個性特徵

蘇州大學中國哲學專業碩士論文　2005 年 1 月　周可真指導

葉小華　論梁漱溟的政治哲學思想與實踐

南昌大學中國哲學專業碩士論文　2005 年 6 月　楊雪騁指導

曹駿揚　在「個人本位」與「社會本位」間探索「第三條道路」——論梁漱溟「關係本位」的群己觀

華東師範大學中國哲學專業碩士論文　2005 年 5 月　顧紅亮指導

袁錫宏　馮友蘭人生哲學研究
河北大學中國哲學專業碩士論文　2005 年 6 月　程志華指導

劉因燦　闡舊邦以輔新命　極高明而道中庸——馮友蘭文化哲學新論
湖北大學中國哲學專業碩士論文　2005 年 5 月　陳道德指導

葉惠萍　翻譯家鄭振鐸研究
華中師範大學英語語言文學專業碩士論文　2005 年 4 月　陳宏薇指導

焦　晗　鄭振鐸編輯出版思想研究
北京師範大學新聞學・編輯出版專業碩士論文　2005 年 5 月　李桂福指導

李國明　張岱年文化綜合創新論研究
河北大學中國哲學專業碩士論文　2005 年 6 月　程志華指導

劉靜芳　綜合創造的哲學與哲學的綜合創造——張岱年《天人五論》研究
華東師範大學中國哲學專業博士論文　2005 年 4 月　陳衛平指導

劉軍平　張岱年哲學思想研究
武漢大學中國哲學專業博士論文　2005 年 4 月　郭齊勇指導
北京　人民出版社　558 頁　2007 年 11 月（改名為《傳統的守望者：張岱年哲學思想研究》）

白紅兵　「一生為故國招魂」——錢穆「文化文學觀」研究
北京師範大學文藝學專業碩士論文　2005 年 5 月　劉謙指導

張晚林　徐復觀藝術詮釋體系研究
武漢大學中國哲學專業博士論文　2005 年 5 月　李維武指導
上海　上海古籍出版社　409 頁　2007 年 9 月

杜　霞　儒家良知論問題——評牟宗三「良知坎陷」說
四川大學中國哲學專業碩士論文　2005 年　黃玉順指導

陳仁仁　上海博物館藏戰國楚竹書《周易》研究——兼論早期易學相關問題
武漢大學中國哲學專業博士論文　2005 年 5 月　蕭漢明指導

林　萍　《易傳》在中華民族精神塑造中的地位和作用
山東大學馬克思主義理論與思想政治教育專業碩士論文　2005 年 4 月　孫熙國指導

張瑞芳　《易經》動詞配價研究
內蒙古師範大學漢語言文字學專業碩士論文　2005 年 6 月　章也指導

郭勝坡　周易生命哲學論綱：從天人關係到群己關係、身心關係
清華大學哲學專業碩士論文　2005 年　胡偉希指導

楊　震　論「易簡」思想及其對中國藝術的影響

北京大學美學專業碩士論文　2005 年 5 月　彭鋒指導

劉　珺　談《周易》與中國畫審美之淵源

天津大學美術學專業碩士論文　2005 年 8 月　孫征指導

陳　碧　《周易》象數美學思想研究

武漢大學美學專業博士論文　2005 年 5 月　陳望衡指導

陳志霞　《周易》之「象」的文化內涵及審美意義

河南大學中國古代文學專業碩士論文　2005 年 5 月　華鋒指導

曹　蕓　論中國古典園林藝術中的《周易》美學思想

武漢大學美學專業碩士論文　2005 年 5 月　范明華指導

馬新欽　《焦氏易林》作者版本考

福建師範大學中國古代文學專業博士論文　2005 年 4 月　張善文指導

湯太祥　《易林》援引《左傳》典語考

福建師範大學中國古典文獻學專業碩士論文　2005 年 4 月　張善文指導

南金花　王肅《周易注》及其易學思想

中國人民大學中國哲學專業碩士論文　2005 年 5 月　楊慶中指導

劉興明　《東坡易傳》易學思想研究

山東大學中國哲學專業碩士論文　2005 年 4 月　林忠軍指導

劉雲超　王申子《大易緝說》探微

山東大學中國哲學專業碩士論文　2005 年 5 月　王新春指導

劉體勝　大義入象——來知德易學思想淺繹

武漢大學中國哲學專業碩士論文　2005 年 5 月　蕭漢明指導

陳修亮　乾嘉易學三大家研究

山東大學中國古典文獻學專業博士論文　2005 年 5 月　劉曉東指導

鄭朝暉　述者微言——惠棟易學研究

武漢大學中國哲學專業博士論文　2005 年 5 月　蕭漢明指導

北京　人民出版社　296 頁　2008 年 12 月（改名為《述者微言：惠棟易學的邏輯化世界》）

李軍靖　《洪範》與古代政治文明

鄭州大學中國古代史專業博士論文　2005 年 4 月　李民指導

張　兵　《洪範》詮釋研究

山東大學中國古典文獻學專業博士論文　2005 年　馮浩菲指導

濟南　齊魯書社　269頁　2007年1月

邱　月　今文《尚書》名詞研究
揚州大學中國古代文學專業碩士論文　2005年5月　錢宗武指導

高光新　《今文尚書》周公話語的詞彙研究
山東大學漢語言文字學專業碩士論文　2005年4月　楊端志指導

盧一飛　今文《尚書》文學性研究
揚州大學中國古代文學專業碩士論文　2005年5月　錢宗武指導

潘　亮　從漢語史角度試論古文《尚書》的語料時代性——以《尚書古文疏證》為中心
復旦大學漢語言文字學專業碩士論文　2005年6月　吳金華指導

劉義峰　孔子與《書》教
曲阜師範大學專門史專業碩士論文　2005年4月　楊朝明指導

谷　穎　伏生及《尚書大傳》研究
東北師範大學中國古典文獻學專業碩士論文　2005年5月　曹書杰指導

張志香　論「風」、「雅」、「頌」的文學性及其特點
延邊大學中國古代文學專業碩士論文　2005年5月　于衍存指導

張秀英　從《詩序》與先秦舊說的關係看其作者與時代
首都師範大學中國古代文學專業碩士論文　2005年5月　魯洪生指導

張青雲　中學詩教的現代轉換
北京師範大學語文學科教學專業碩士論文　2005年5月　曹衛東指導

曹洪洋　「《詩》無達詁」與「《詩》言志」——在解釋學意義上的思考
首都師範大學比較文學專業碩士論文　2005年　楊乃喬、劉耘華指導

黃獻慧　《孟子》用《詩》與《詩》意解讀
北京師範大學漢語言文字學專業碩士論文　2005年5月　易敏指導

范知歐　上博簡《孔子詩論》的作者及撰著時代研究
聊城大學中國古典文獻學專業碩士論文　2005年4月　王文清指導

閆曉喆　《詩經》四個英譯本的比較研究
浙江大學英語語言學與應用語言學專業碩士論文　2005年11月　陳剛指導

范瑞紅　殷商王畿故地《詩經》「風詩」與殷商文化
曲阜師範大學中國古代文學專業碩士論文　2005年4月　趙東栓指導

吳曉峰　《詩經》「二南」篇所載禮俗研究
吉林大學中國古代史專業碩士論文　2005年4月　陳恩林指導

簡良如　王者之風——《詩經・周南》研究

北京師範大學古典文獻學專業博士論文　2005 年 4 月　郭英德指導

孫向召　《詩經・鄭風》研究

鄭州大學中國古典文獻學專業碩士論文　2005 年 5 月　徐正英指導

胡宏哲　部族文化與《詩經・周頌》祭祀詩的時代特徵

河南大學中國古代文學專業碩士論文　2005 年 5 月　華鋒指導

李瑾華　《詩經・周頌》考論——周代的祭祀儀式與歌詩關係研究

首都師範大學中國古代文學專業博士論文　2005 年 4 月　趙敏俐指導

何春雷　《詩經》政治怨刺詩研究

首都師範大學中國古代文學專業碩士論文　2005 年 5 月　魯洪生指導

楊　皎　《詩經》疊音詞及其句法功能研究

寧夏大學漢語言文字學專業碩士論文　2005 年 3 月　東炎指導

程　燕　考古文獻《詩經》異文辨析

安徽大學漢語言文字學專業博士論文　2005 年 4 月　何琳儀指導

張　淏　論《詩經》的憂患意識

河北大學中國古代文學專業碩士論文　2005 年 6 月　李金善指導

彭　燕　《詩經》女性研究

四川師範大學中國古代文學專業碩士論文　2005 年 6 月　李誠指導

孫芳輝　出其東門，有女如雲——《詩經》中所反映的女性世界

遼寧師範大學中國古代史專業碩士論文　2005 年 5 月　趙玉寶指導

曾靜蓉　詩經性文化研究

福建師範大學古代文學專業碩士論文　2005 年 4 月　湯化指導

李　琳　《詩經》中的色彩運用及其文化意蘊

河北大學中國古代文學專業碩士論文　2005 年 6 月　李金善指導

張　蕊　《詩經》教本考論

北京師範大學教育史專業博士論文　2005 年 4 月　俞啟定指導

張　鶯　先秦儒家《詩》學述論

華中師範大學中國古代文學專業碩士論文　2005 年 5 月　高華平指導

劉東影　出土文獻與早期儒家《詩》學思想

浙江大學中國古典文獻學專業博士後論文　2005 年 6 月　崔富章指導

張　靜　詩騷合流　繼往開來——論漢詩在中國詩歌發展史上的地位與作用

深圳大學中國古代文學專業碩士論文　2005 年 4 月　章必功指導

周丙華　《毛詩故訓傳》義理初探

山東師範大學中國古典文獻學專業碩士論文　2005 年 4 月　張茂華指導

劉衛寧　《毛詩故訓傳》、《毛詩箋》與《詩集傳》訓詁比較研究
暨南大學漢語言文字學專業碩士論文　2005 年 1 月　王彥坤指導

陳炳哲　《毛傳》、《鄭箋》訓詁術語比較研究
首都師範大學漢語言文字學專業碩士論文　2005 年 5 月　宋金藍指導

曾小任　《韓詩外傳》綜論
江西師範大學中國古代文學專業碩士論文　2005 年 4 月　王以憲指導

劉　強　《韓詩外傳》研究
西北師範大學中國古代文學專業碩士論文　2005 年 4 月　伏俊璉指導

王培友　《韓詩外傳》研究
曲阜師範大學中國古代文學專業碩士論文　2005 年 4 月　張稔穰、楊樹增指導

韓忠治　《韓詩外傳》雙音詞研究
河北師範大學漢語言文字學專業碩士論文　2005 年 5 月　蘇寶榮指導

華　敏　《詩經》毛傳、鄭箋比較研究
南京師範大學漢語言文字學專業碩士論文　2005 年 4 月　馬景侖指導

黃貞權　孔穎達《毛詩正義》的文學闡釋思想
暨南大學文藝學專業碩士論文　2005 年 1 月　劉紹瑾指導

譚德興　宋代詩經學研究
四川大學古代文學專業博士後論文　2005 年 3 月　曹順慶指導
貴陽　貴州人民出版社　315 頁　2005 年 5 月

陳戰峰　宋代《詩經》學與理學——關於《詩經》學的思想學術史考察
西北大學中國思想史專業博士論文　2005 年 4 月　張豈之指導

駱瑞鶴　《毛詩叶韻補音》研究
武漢大學漢語言文字學專業博士論文　2005 年 5 月　宗福邦指導

胡　琴　朱熹《詩集傳》研究
南昌大學古典文獻學專業碩士論文　2005 年 5 月　王德保指導

董　芬　朱熹《詩集傳》闡釋方法研究
安徽師範大學文藝學專業碩士論文　2005 年 5 月　李平指導

姚永輝　朱熹與呂祖謙關於《詩經》的四大論辯平議
四川大學中國古代文學專業碩士論文　2005 年 1 月　何江南指導

陳海燕　戴震與朱熹詩經學比較

安徽大學漢語言文字學專業碩士論文　2005 年 5 月　楊應芹指導

何海燕　清代《詩經》學研究

華中師範大學歷史文獻學專業博士論文　2005 年 5 月　周國林指導

孫改芳　戴震「以詩證詩」的《詩》學研究

山西大學中國古代文學專業碩士論文　2005 年 6 月　劉毓慶指導

程嫩生　戴震詩經學研究

浙江大學中國古典文獻學專業博士論文　2005 年 5 月　何俊指導

陳海燕　戴震與朱熹詩經學比較

安徽大學漢語言文字學專業碩士論文　2005 年 5 月　楊應芹指導

蘇瑞琴　陳奐《詩毛氏傳疏》淺析

陝西師範大學漢語言文字學專業碩士論文　2005 年 4 月　郭芹納指導

李晉娜　現代《詩》學的曙光——方玉潤及其《詩經原始》

山西大學中國古代文學專業碩士論文　2005 年 6 月　劉毓慶指導

徐玲英　馬其昶《毛詩學》研究

安徽師範大學中國古典文獻學專業碩士論文　2005 年 4 月　袁傳璋、李先華指導

葛　鋼　經學與文學——錢穆《讀詩經》研究

北京師範大學文藝心理學專業碩士論文　2005 年 5 月　李春青指導

董國文　漢學家葛蘭言的詩經研究及其與貴州田野資料的比照考察

華東師範大學中國古代文學專業碩士論文　2005 年 4 月　林在勇指導

張永平　日本明治《詩經》學史論（1868～1912）

山東大學中國古代文學專業碩士論文　2005 年 4 月　王培元指導

王秀臣　三禮用詩考論

哈爾濱師範大學中國古代文學專業博士論文　2005 年　傅道彬指導

北京　中國社會科學出版社　374 頁　2007 年 5 月（中國社會科學博士論文文庫）

黃　輝　略論先秦禮學的三次發展

上海師範大學中國哲學專業碩士論文　2005 年 5 月　吾敬東指導

陳光連　論分的思想是荀子禮學體系中的經脈

雲南大學倫理學專業碩士論文　2005 年 12 月　曾健指導

張言夢　漢至清代《考工記》研究和注釋史述論稿

南京師範大學美術學專業博士論文　2005 年 4 月　范景中指導

唐忠海　《考工記・玉人》名物訓詁與孫疏補證
　　杭州師範學院[16]漢語言文字學專業碩士論文　2005 年 4 月　汪少華指導

林中堅　西漢禮治思想形成研究
　　中山大學中國哲學專業博士論文　2005 年 5 月　李宗桂指導

丁　進　周禮與文學
　　復旦大學中國古代文學專業博士論文　2005 年 4 月　蔣凡指導
　　上海　上海人民出版社　425 頁　2008 年 7 月（改名為《周禮考論：周禮與中國文學》）

郭　珂　《周禮》樂官辨
　　河南大學音樂學專業碩士論文　2005 年 5 月　張永傑指導

李　莉　胡培翬《儀禮正義》「四例」研究——以喪禮四篇為例
　　清華大學專門史專業博士論文　2005 年　彭林指導

易小明　盟會和朝聘禮對春秋時期政治權力下移的影響
　　江西師範大學歷史文獻學專業碩士論文　2005 年　周洪指導

王　薇　《儀禮》名物詞研究
　　東北師範大學漢語言文字學專業碩士論文　2005 年 5 月　傅亞庶指導

陳叢蘭　《禮記》婚姻倫理思想研究
　　西北師範大學倫理學專業碩士論文　2005 年 5 月　王翠英指導

馬君花　論鄭玄《禮記注》在訓詁學史上的成就
　　寧夏大學漢語言文字學專業碩士論文　2005 年 5 月　馮玉濤、劉世俊指導

曾　軍　清前期《禮記》學研究
　　華中師範大學古典文獻學專業碩士論文　2005 年 6 月　張三夕指導

于國良　《大戴禮記》詞彙研究
　　四川大學漢語言文字學專業碩士論文　2005 年 1 月　伍宗文指導

邢子民　左丘明與《左傳》關係考
　　山東師範大學中國古典文獻學專業碩士論文　2005 年 4 月　張漢東指導

劉志敬　《左傳》單雙音節同義動詞的選擇及原因考察
　　北京語言大學漢語言文字學專業碩士論文　2005 年 6 月　魏德勝指導

弋丹陽　《左傳》單音節謂語動詞的配價結構淺析
　　陝西師範大學漢語言文字學專業碩士論文　2005 年 4 月　白玉林指導

16 現已更名為杭州師範大學。

陳珠珠　《左傳》連動結構研究
北京大學漢語言文字學專業碩士論文　2005 年 6 月　宋紹年、邵永海指導

宋麗琴　《左傳》行人辭令中委婉語研究
河北大學漢語言文字學專業碩士論文　2005 年 6 月　王占福指導

韓紅星　《左傳》比喻句研究
貴州大學漢語言文字學專業碩士論文　2005 年 5 月　袁本良指導

梁葉春　《左傳》構詞法研究
暨南大學漢語言文字學專業碩士論文　2005 年 1 月　朱承平指導

毛振華　《左傳》賦詩研究
鄭州大學中國古典文獻學專業碩士論文　2005 年 5 月　徐正英指導

段開正　論春秋戰爭禮儀與軍事文化——以《左傳》為中心
青島大學中國古代文學專業碩士論文　2005 年 6 月　張樹國指導

馮　荊　從《左傳》看春秋禮文化與春秋貴族說辭
中山大學文學專業碩士論文　2005 年 6 月　師飆指導

王春陽　《左傳》吉禮研究
華中師範大學歷史文獻學專業碩士論文　2005 年 5 月　李曉明指導

李衛軍　兩漢《左傳》學發微
河南大學中國古代文學專業碩士論文　2005 年 5 月　華鋒指導

湯太祥　《易林》援引《左傳》典語考
福建師範大學中國古典文獻學專業碩士論文　2005 年 4 月　張善文、郭丹指導

王曉敏　唐代《左傳》學研究
河南大學中國古代文學專業碩士論文　2005 年 5 月　白本松、華鋒指導

夏維新　楊伯峻《春秋左傳注》商補
南京師範大學中國古典文獻學專業碩士論文　2005 年 5 月　趙生群指導

王琨雙　歷史典籍中特殊文化因素的翻譯策略——目的論對《左傳》英譯的啟示
大連理工大學外國語言學及應用語言學專業碩士論文　2005 年 12 月　李秀英指導

黃迎周　《春秋公羊傳》、《穀梁傳》詮釋方法比較研究
山東大學中國古典文獻學專業碩士論文　2005 年 5 月　馮浩菲指導

文廷海　清代春秋穀梁學研究
華中師範大學歷史文獻學專業博士論文　2005 年 5 月　周國林指導

成都　巴蜀書社　392 頁　2006 年 12 月

袁立新　《四書》「誠」析
華東師範大學中國哲學專業碩士論文　2005 年 4 月　楊國榮指導

國建強　《四書章句集注》訓詁研究
新疆師範大學漢語言文字學專業碩士論文　2005 年　饒尚寬指導

周　兵　天人之際的理學新詮釋——王夫之《讀四書大全說》思想研究
北京師範大學中國哲學專業博士論文　2005 年 3 月　周桂鈿指導
成都　巴蜀書社　414 頁　2006 年 12 月（儒釋道博士論文叢書）

徐宇宏　呂留良理學思想初探——以《四書講義》為中心
復旦大學中國哲學專業碩士論文　2005 年 5 月　陳居淵、張汝綸指導

劉　斌　民國四書文獻研究
山東師範大學中國近現代史專業碩士論文　2005 年 4 月　魏永生指導

單　良　子夏研究
遼寧大學中國古代文學專業碩士論文　2005 年 5 月　胡勝指導

劉義峰　孔子與《書》教
曲阜師範大學專門史專業碩士論文　2005 年 4 月　楊朝明指導

劉鳳偉　古代白話小說中的孔子形象
蘇州大學中國古代文學專業碩士論文　2005 年 1 月　潘樹廣指導

葉興仁　推己入群——試論孔子哲學的內在進路
中山大學中國哲學專業碩士論文　2005 年 5 月　張永義指導

崔益豪　從商周到孔子天的義蘊的改變
北京大學中國哲學專業碩士論文　2005 年 6 月　張學智指導

謝家敏　論孔子「述而不作」的文化粗承法
中山大學中國哲學專業碩士論文　2005 年 5 月　馮煥珍指導

鄧文輝　孟子對孔子的聖化
中山大學哲學專業碩士論文　2005 年 5 月　李宗桂指導

王　偉　孔子、柏拉圖傳播觀比較研究
北京大學傳播學專業碩士論文　2005 年 6 月　呂藝指導

羅冠聰　孔子思想中「志」之研究——以《論語》為中心
中山大學中國哲學專業碩士論文　2005 年 5 月　馮煥珍指導

余樹蘋　另類聖人——道統之外孔子形象的若干考察
中山大學哲學專業博士論文　2005 年 5 月　陳少明指導

李素卿　《淮南子》中的孔子形象
中山大學哲學專業碩士論文　2005 年 6 月　李宗桂指導

劉　暢　《論語》注釋歧解研究
北京師範大學漢語言文字學專業博士論文　2005 年 5 月　李運富指導

周　娟　林語堂編譯《論語》研究
華中師範大學外國語言學與應用語言學專業碩士論文　2005 年 11 月　陳宏薇指導

陽　清　《論語》文學研究
陝西師範大學中國古代文學專業碩士論文　2005 年 4 月　呂培成指導

陸懷南　《論語》住所名詞近義關係研究
廣西師範大學漢語言文字學專業碩士論文　2005 年 2 月　劉興均指導

王銀娜　從認知角度看《論語》中的隱喻和換喻
上海外國語大學英語語言文學專業碩士論文　2005 年 12 月　束定芳指導

仝迷鋒　論孔子的道德教育
武漢理工大學思想政治教育學專業碩士論文　2005 年 5 月　雷紹鋒指導

史　磊　孔子德育思想及其現代意義
華中師範大學馬克思主義理論與思想政治教育專業碩士論文　2005 年 5 月　陳萬柏指導

鄒　新　論孔子的仁學
華中科技大學中國哲學專業碩士論文　2005 年 5 月　趙建功指導

陳　霞　《論語》「禮」辨及其管理思想研究
青島大學中國古代文學專業碩士論文　2005 年 6 月　徐宏力指導

張運磊　《論語》「和」辨及「和諧管理思想」研究
青島大學中國古代文學專業碩士論文　2005 年 6 月　徐宏力指導

榮翠紅　孔子成人思想的現實教育意義
華中師範大學語文學科教學專業碩士論文　2005 年 11 月　佘斯大指導

吳小紅　孔子教育心理與當前語文教學
華中師範大學語文學科教學專業碩士論文　2005 年 11 月　周禾指導

彭惠珍　孔子的教育理論與實踐對當代教育的啟示
華中師範大學語文學科教學專業碩士論文　2005 年 11 月　劉興林指導

楊衛紅　《論語》語文教育初探
湖南師範大學教育專業碩士論文　2005 年 4 月　彭光宇指導

劉喜珍　校本課程《論語》研究開發的思考和設計
湖南師範大學教育專業碩士論文　2005 年 3 月　周慶元指導

周　雲　孔子教育思想對當代小學語文教學的啟示
雲南師範大學學科教學論專業碩士論文　2005 年 6 月　王興中指導

王　超　孔子語文教育思想的內涵、特徵及現代價值
湖南師範大學課程與教學論專業碩士論文　2005 年 3 月　周慶元指導

李俊莉　試析孔子儒學思想及其對我國現代政治倫理思想的意義
華中科技大學科學技術哲學專業碩士論文　2005 年 11 月　張廷國指導

王珍珍　「正名」與先秦儒家美學
鄭州大學美學專業碩士論文　2005 年 5 月　劉成紀指導

王娟華　倫理的政治化與倫理的哲學化——孔子與蘇格拉底的教育目的及其踐行過程之比較
河南大學教育史專業碩士論文　2005 年 5 月　李申申指導

章　莽　孔子中庸觀與亞里士多德中道觀比較
湖北大學中國哲學專業碩士論文　2005 年 5 月　戴茂堂指導

何元國　孔子仁孝友學說與亞里士多德友愛論之比較
北京師範大學世界史專業博士論文　2005 年 4 月　劉家和指導

宋　鋼　六朝論語學研究
南京師範大學中國古代文學專業博士論文　2005 年 4 月　張采民指導
北京　中華書局　291 頁　2007 年 9 月

黃　帥　何晏《論語集解》訓詁研究
南京師範大學漢語言文字專業碩士論文　2005 年 4 月　馬景侖指導

張　琪　經典與解釋——解釋學視野下的《論語集注》
福建師範大學古代文學專業碩士論文　2005 年 4 月　郭丹指導

李志松　梁啟超的孔子研究述略
西北大學中國近現代史專業碩士論文　2005 年 1 月　陳國慶指導

倪蓓鋒　從譯者主體性角度看《論語》譯本的多樣性
廣東外語外貿大學外國語言學及應用語言學碩士論文　2005 年 4 月　王友貴指導

張秋林　論翻譯的對話性：兼評《論語》中哲學詞彙的翻譯
浙江大學英語語言文學翻譯專業碩士論文　2005 年 11 月　陳剛指導

趙文源　文化詞語的翻譯——比較《孟子》的兩個英譯本

中國海洋大學外國語言學及應用語言學專業碩士論文　2005 年 6 月　楊連瑞指導

馮　玉　《孟子》句尾語氣詞研究

西北師範大學漢語言文字學專業碩士論文　2005 年 5 月　周玉秀指導

鄧文輝　孟子對孔子的聖化

中山大學哲學專業碩士論文　2005 年 5 月　李宗桂指導

羅　靜　《孟子・梁惠王》篇詩說集注論評

中山大學哲學專業碩士論文　2005 年 6 月　張豐乾指導

羅嘉慧　孟子四端心與性善論關係之研究

中山大學哲學專業碩士論文　2005 年 5 月　陳立勝指導

寧麗新　孟荀人性論之比較

河北大學中國哲學專業碩士論文　2005 年 6 月　李振綱指導

朱惠莉　李贄人性論思想對孟子「性善說」的復歸與超越　　兼論「性」範疇在宋明時期的邏輯演變

安徽大學中國哲學專業碩士論文　2005 年 5 月　解光宇指導

修艷竹　孟子政治思想研究

大連理工大學馬克思主義理論與思想政治教育專業碩士論文　2005 年 12 月　劉鴻鶴指導

魏延梅　孟子民族觀研究

中央民族大學馬克思主義民族理論與政策專業碩士論文　2005 年 5 月　余梓東指導

萬　磊　孟子思想與中學生人生觀、價值觀的教育

華中師範大學語文學科教學專業碩士論文　2005 年 11 月　佘斯大指導

張　艷　古代文化人格與文學品格——從孟子散文說起

曲阜師範大學中國古代文學專業碩士論文　2005 年 4 月　單承彬指導

沈振奇　《孟子》與《莊子》文學的比較研究

復旦大學中國古代文學專業博士論文　2005 年 3 月　蔣凡指導

李　凱　孟子的詮釋理論與實踐——以孟子引論《詩》、《書》為例

山東大學中國哲學專業碩士論文　2005 年 5 月　顏炳罡指導

張荷群　北宋孟子學案

四川大學歷史文獻學專業碩士論文　2005 年 1 月　王智勇指導

劉瑾輝　清代孟子研究

揚州大學中國古代文學專業博士論文　2005年　田漢雲指導
北京　社會科學文獻出版社　328頁　2007年9月

王博識　論《大學》的管理哲學思想
遼寧大學中國哲學專業碩士論文　2005年5月　王雅指導

孟威龍　《大學》鄭玄本與朱熹本之異同考
山東大學古代漢語語言文獻學專業碩士論文　2005年3月　劉曉東指導

劉　微　《大學直解》《中庸直解》口語詞語研究[17]
吉林大學歷史文獻學專業碩士論文　2005年4月　李無未指導

李文波　論中庸——思想、文本與傳統
中山大學哲學專業博士論文　2005年5月　黎紅雷、陳少明指導

任婉芬　《中庸》誠的哲學之研究
中山大學哲學專業碩士論文　2005年5月　馮煥珍指導

王曉薇　宋代《中庸》學研究
河北大學中國古代史專業博士論文2005年6月　漆俠、姜錫東指導

王長坤　先秦儒家孝道研究[18]
西北大學中國思想史專業博士論文　2005年11月　張豈之、黃留珠指導
成都　巴蜀書社　330頁　2007年11月（儒釋道博士論文叢書）

車珊珊　《爾雅・釋詁》訓釋研究
山東師範大學漢語言文字學專業碩士論文　2005年4月　吳慶峰指導

殷　靜　《爾雅》郭璞注的並列複合詞研究
蘇州大學漢語言文字學專業碩士論文　2005年1月　徐山指導

李　斐　郭璞《爾雅注》和它的文獻價值
湖北大學中國古典文獻學專業碩士論文　2005年5月　張林川指導

季自軍　陸佃《爾雅新義》研究
上海師範大學古典文獻學專業碩士論文　2005年5月　王禮賢指導

胡世文　黃侃手批《爾雅義疏》「音訓」研究
湖南師範大學漢語言文字學專業碩士論文　2005年4月　陳建初指導

陳建初　《釋名》考論

17 《大學直解》《中庸直解》是元代初期漢族儒士許衡為向少數民族傳授儒家文化而著的兩部教學講義。

18 此文討論《孝經》的成書年代並認為此書是對先秦儒家孝道思想系統、完整總結而形成孝道、孝行、孝治的集大成之作，亦是提供統治策略的政治哲學著作。

湖南師範大學漢語言文字學專業博士論文　2005 年　蔣驥騁指導
長沙　湖南師範大學出版社　323 頁　2007 年 4 月

甘　勇　《廣雅疏證》的數字化處理及其同源字研究
華中科技大學語言學及應用語言學專業碩士論文　2005 年　尉遲治平指導

朱子輝　《廣雅疏證》同源聯綿詞音轉規律研究
北京大學漢語言文字學專業碩士論文　2005 年 6 月　楊榮祥指導

詹蘇杭　讖緯與漢樂府
陝西師範大學中國古代文學專業碩士論文　2005 年 4 月　張弘指導

2006 年

梁綺文　「六經」與史學關係探源
北京師範大學史學理論暨史學史專業博士論文　2006 年 11 月　許殿才指導

汪　洋　論女媧神話中的靈石信仰
東北師範大學中國古代文學專業碩士論文　2006 年　傅亞庶指導

高　婧　山西東南部地區炎帝傳說與文化初探
上海師範大學中國古代文學專業碩士論文　2006 年　王從仁指導

李玲玲　先秦諸子書中的堯舜禹傳說研究
河北師範大學中國古代文學專業碩士論文　2006 年　王長華指導

潘子健　先唐禪讓文化與文學——禪讓應用文研究
廣西師範大學中國古代文學專業碩士論文　2006 年　李乃龍指導

倪平英　相似外表下的不同內核——白鳥庫吉與顧頡剛就「堯、舜、禹」問題研究比較
華東師範大學中國古代文學專業碩士論文　2006 年　林在勇指導

崔紅偉　論商湯滅夏前後所居之亳
鄭州大學中國古代史專業碩士論文　2006 年　李民指導

郭　磊　從孔子到荀子——先秦儒家民本思想的演變
鄭州大學中國古典文獻學專業碩士論文　2006 年　王保國指導

楊　波　荀子人性學說及其當代價值
安徽大學中國哲學專業碩士論文　2006 年　解光宇指導

顧玉萍　荀子性論之內容及性惡界定的目的
蘇州大學中國哲學專業碩士論文　2006 年　周可真指導

董祥勇　論荀子的天人觀——以《荀子・天論》為核心
華東師範大學中國哲學專業碩士論文　2006 年　楊國榮指導

張菊芳　論荀子的理想人格
上海師範大學專業碩士論文　2006 年　陳衛平指導

張榮貴　論荀子的禮法思想
上海社會科學院中國哲學專業碩士論文　2006 年　何錫蓉指導

李向東　談荀子的禮法和民生思想
鄭州大學中國古代史專業碩士論文　2006 年　史建群指導

高春海　試析荀子的倫理制度思想
東北師範大學專門史專業碩士論文　2006 年　韓東育指導

竇海寧　荀子行政倫理思想研究
中央民族大學中國哲學專業碩士論文　2006 年　劉成有指導

李　奕　荀子教育思想與「完全人」培養——以中學語文教學為中心
華中師範大學學科教學專業碩士論文　2006 年　周禾指導

黃德俊　荀子政治思想的現代價值
河海大學馬克思主義理論與思想政治教育專業碩士論文　2006 年　畢霞指導

朱鋒華　荀子政治倫理思想研究
湖南師範大學倫理學專業碩士論文　2006 年　彭定光指導

徐國華　《荀子》名詞同義詞重點辨析
廈門大學漢語言文字學專業碩士論文　2006 年　李國正指導

劉獻琦　《荀子》反義詞研究
山東師範大學漢語言文字學專業碩士論文　2006 年　吳慶峰指導

李永芳　《荀子》單音節反義詞研究
吉林大學漢語言文字學專業碩士論文　2006 年　徐正考指導

張　俊　《荀子》謂詞轉指研究
西南大學漢語言文字學專業碩士論文　2006 年　方有國指導

周春霞　《荀子》名詞同義關係研究
內蒙古大學漢語言文字學專業碩士論文　2006 年　道爾吉指導

陳家春　《荀子》副詞研究
西南大學漢語言文字學專業碩士論文　2006 年　方有國指導

解麗霞　揚雄與漢代經學
中山大學中國哲學專業博士論文　2006 年 12 月　李宗桂指導

黃敬愚　從兩漢經學到魏晉玄學——以情性論為中心

北京大學中國古代文學專業博士論文　2006 年 6 月　袁行霈指導

馬小方　兩漢家學研究

山東大學中國古典文獻學專業碩士論文　2006 年 5 月　王承略指導

朱方瓊　政治影響下的漢代文獻學

安徽大學漢語言文字學專業碩士論文　2006 年 5 月　楊應芹指導

劉萬雲　經學與漢代的制度建設研究

鄭州大學中國古代史專業碩士論文　2006 年 5 月　楊天宇指導

陳志偉　論經學與漢武帝的政治變革

南昌大學中國古代史專業碩士論文　2006 年 5 月　袁禮華指導

王晚霞　《漢書》特質三層論——從經學、史學、文學三層審視《漢書》

福建師範大學中國古代文學專業碩士論文　2006 年 4 月　翁銀陶指導

陶新宏　漢初復興儒學之先驅－陸賈思想探析

安徽大學中國哲學專業碩士論文　2006 年 5 月　解光宇指導

史　娟　陸賈及《新語》研究

首都師範大學古代文學專業碩士論文　2006 年 5 月　趙敏俐指導

梁安和　賈誼思想研究

西北大學專門史專業博士論文　2006 年 4 月　黃留珠指導

余華兵　賈誼政論文研究

浙江師範大學中國古代文學專業碩士論文　2006 年　俞樟華指導

胡春生　賈誼《新書》反義詞及《漢語大詞典》相關條目研究

湘潭大學漢語言文字專業碩士論文　2006 年　馬固鋼指導

西安　三泰出版社　2007 年

張　穎　賈誼文詞語研究

廣州大學語言學及應用語言學專業碩士論文　2006 年　張雍長指導

李靜賢　董仲舒法律思想研究

山東大學法律專業碩士論文　2006 年　馬建紅指導

張顯棟　試論董仲舒的天的哲學思想

西北大學專門史專業碩士論文　2006 年　張茂澤指導

祁向文　論董仲舒的天人感應思想

遼寧師範大學專門史專業碩士論文　2006 年　楊英傑指導

周　欣　論董仲舒的人際和諧觀

中南大學倫理學專業碩士論文　2006 年　劉立夫指導

孔凡華　王莽、劉秀以儒治國之比較
曲阜師範大學中國古代史專業碩士論文　2006 年 4 月　張秋升指導

方　丹　劉歆思想與《白虎通義》思想之比較
山東大學中國古典文獻學專業碩士論文　2006 年　鄭傑文指導

路　廣　《法言》詞類研究
華東師範大學漢語言文字學專業博士論文　2006 年　華學誠指導

楊振梅　東漢經學世家述論
曲阜師範大學中國古代史專業碩士論文　2006 年 4 月　張秋升指導

王　鵬　《吳越春秋》與東漢經學
南京師範大學中國古代文學專業碩士論文　2006 年 3 月　徐克謙指導

王正一　《後漢書・儒林傳》考論並補遺
山東大學中國古典文獻學專業碩士論文　2006 年 4 月　王承略指導

張源遠　論王充的學者氣質
河南大學專門史專業碩士論文　2006 年 5 月　李振宏指導

李永洪　辨析王充思想體系中的矛盾——探討王充人性論思想的基礎和前提
西南大學倫理學專業碩士論文　2006 年 4 月　彭自強、潘佳銘指導

陸繼萍　王充思想的體系詮釋和重建
雲南師範大學中國哲學專業碩士論文　2006 年 5 月　楊志明指導

張新萍　王充思想融合性研究
鄭州大學中國古代史專業碩士論文　2006 年 5 月　史建群指導

殷鳴放　王充的理性精神與人文精神——兼論二者的失衡
山東大學中國哲學專業碩士論文　2006 年 5 月　丁原明指導

岳宗偉　《論衡》引書研究
復旦大學專門史專業博士論文　2006 年 4 月　朱維錚指導

汪　泓　樂於本道——經學玄學化視域中的嵇康音樂美學思想
首都師範大學比較文學與世界文學專業碩士論文　2006 年　楊乃喬指導

王政之　王肅《孔子家語注》研究
曲阜師範大學專門史專業碩士論文　2006 年 4 月　楊朝明指導

王彥威　王弼人生哲學思想探析
中共廣東省委黨校馬克思主義哲學專業碩士論文　2006 年 4 月　吳燦新指導

程　遼　王弼政治倫理思想研究

重慶師範大學倫理學專業碩士論文　2006年　孔毅指導

劉海波　郭璞游仙詩中憂患意識研究

延邊大學中國古代文學專業碩士論文　2006年　趙玉霞指導

焦桂美　南北朝經學史

山東大學中國古典文獻學專業博士論文　2006年4月　徐傳武指導

周　征　劉知幾《史通》敘事理論研究

山東大學文藝學專業碩士論文　2006年5月　程相占指導

侯步雲　韓愈的儒學思想

西北大學中國思想史專業碩士論文　2006年5月　張茂澤指導

朱正西　韓愈的世界觀對倫理思想的影響

雲南師範大學中國哲學專業碩士論文　2006年6月　雷昀指導

金基元　韓愈、白居易比較研究——以處世觀與交遊為中心

復旦大學中國古代文學專業碩士論文　2006年4月　查屏球指導

王耀祖　孫復、石介與宋代儒學復興

山東師範大學專門史專業碩士論文　2006年　仝晰綱指導

高丁國　北宋前期經學家——孫奭初探

河北大學中國古代史專業碩士論文　2006年　姜錫東、王善軍指導

張理峰　天道性命的貫通——周敦頤哲學思想探析

山東大學中國哲學專業碩士論文　2006年　王新春指導

李世陽　張載人性論思想研究

湘潭大學中國哲學專業碩士論文　2006年　趙載光指導

王　進　自我的轉化與審美主體的生成——張載美學思想研究

貴州大學美學專業碩士論文　2006年　李朝龍指導

陳瑞波　天理與仁的貫通——程顥思想研究

山東大學中國哲學專業碩士論文　2006年　王新春指導

熊　英　李石及其與宋代蜀學的關係

四川大學中國古代史專業碩士論文　2006年　粟品孝指導

羅來文　胡宏哲學思想研究

南昌大學中國哲學專業碩士論文　2006年6月　楊柱才指導

郭艷華　楊萬里文學思想研究

首都師範大學中國古代文學專業博士論文　2006年　左東嶺指導

朴經勛　朱熹與李栗谷理氣觀之比較研究

吉林大學中國哲學專業碩士論文　2006 年　張連良指導

宋秀清　朱熹「中和說」研究
曲阜師範大學專門史專業碩士論文　2006 年　修建軍指導

江勇仲　《朱子語類》詞彙研究
北京大學漢語言文字學專業博士論文　2006 年 6 月　蔣紹愚指導

江　山　從《朱文公文集》看朱熹的管理哲學思想
華東師範大學中國古典文獻學專業碩士論文　2006 年　周瀚光指導

李　鋒　論朱熹的王道思想
吉林大學政治學理論專業碩士論文　2006 年　孫曉春指導

田智忠　朱子論曾點氣象研究
北京師範大學中國哲學史專業博士論文　2006 年　李景林指導
成都　巴蜀書社　407 頁　2007 年 11 月（儒釋道博士論文叢書）

劉佩芝　朱熹德育思想對當代大學教育的啟示
福建師範大學專門史專業碩士論文　2006 年　謝必震指導

苗彥愷　朱熹與黑格爾倫理思想之比較
西北大學專門史專業碩士論文　2006 年　方光華指導

楊　延　呂祖謙《呂氏家塾讀詩記》的宗毛傾向
新疆師範大學中國古代文學專業碩士論文　2006 年　張玉聲指導

葛維春　陸九淵心性論思想研究
南昌大學中國哲學專業碩士論文　2006 年　鄭曉江指導

彭艷梅　陸九淵道德思想的研究
東南大學倫理學專業碩士論文　2006 年　許建良指導

蔣偉勝　習學成德——葉適的外王內聖之道
復旦大學中國哲學專業博士論文　2006 年 4 月　謝遐齡指導

林日波　真德秀年譜
華中師範大學中國古典文獻學專業碩士論文　2006 年　張三夕指導

鼂靜莉　真德秀政法思想研究
河北大學中國古代史專業碩士論文　2006 年　郭東旭、汪聖鐸指導

廖　穎　元人諸經纂疏研究
華東師範大學古典文獻學專業碩士論文　2006 年 5 月　王鐵指導

閻秋鳳　論許衡的理學思想及其影響
鄭州大學中國古代史專業碩士論文　2006 年 4 月　安國樓指導

馬艷輝　王應麟學術研究
廣西師範大學古典文獻學專業碩士論文　2006 年　杜海軍指導

孟凡明　吳澄的政治經歷及其思想
復旦大學中國古代史專業碩士論文　2006 年 5 月　姚大力指導

張國洪　吳澄的象數義理之學
山東大學中國哲學專業博士論文　2006 年 4 月　劉大鈞指導

鐘向群　《文獻通考・經籍考》的文獻價值和學術價值
安徽大學歷史文獻學專業碩士論文　2006 年 5 月　盧賢中指導

方順姬　丘濬的「相業」研究
東北師範大學中國古代史專業碩士論文　2006 年 5 月　趙玉田指導

孔　軍　泰州學派與晚明儒學教育的平民化
北京師範大學教育史專業碩士論文　2006 年 5 月　喬衛平指導

張　勇　論吳廷翰的氣學思想
南昌大學中國哲學專業碩士論文　2006 年 6 月　楊柱才指導

劉海英　顏鈞哲學思想研究
南昌大學中國哲學專業碩士論文　2006 年 6 月　楊柱才指導

陳　娟　高拱及其著作三種考述
蘭州大學中國古典文獻學專業碩士論文　2006 年　王傳明指導

李　濤　論李贄對歷史人物的評價：以《藏書》、《續藏書》為中心
東北師範大學史學理論及史學史專業碩士論文　2006 年 6 月　董鐵松指導

李紅權　徐光啟《亟遣使臣監護朝鮮》研究
內蒙古師範大學歷史文獻學專業碩士論文　2006 年 6 月　邱瑞中、曹永年指導

謝　羽　晚明江南士人群體研究——以陳子龍交遊為中心的考察
華中師範大學中國古代文學專業碩士論文　2006 年　吳琦指導

梁　萍　評方以智《通雅》對聯綿詞的研究
遼寧師範大學漢語言文字學專業碩士論文　2006 年 5 月　王功龍指導

田愿靜激　余英時的明清學術史研究——以《方以智晚節考》、《論戴震與章學誠》為例
華東師範大學史學理論與史學史專業碩士論文　2006 年 4 月　路新生指導

王　堅　無聲的北方——夏峰北學及其歷史命運
華中師範大學歷史文獻學專業碩士論文　2006 年　譚漢生指導

陳友喬　顧炎武的人格特徵探析

湖北大學中國哲學專業碩士論文　2006年5月　陳道德指導

胡曉紅　顧炎武闡釋思想研究
四川師範大學文藝學專業碩士論文　2006年6月　李凱指導

任利偉　從《日知錄》看顧炎武歷史編纂思想
東北師範大學史學理論及史學史專業碩士論文　2006年6月　董鐵松指導

李　慧　顧炎武與《天下郡國利病書》
遼寧大學中國古代史專業碩士論文　2006年5月　馮季昌指導

卞維婭　王夫之詩歌理論研究
新疆大學文藝學專業碩士論文　2006年6月　王開元指導

佟　博　朱彝尊出仕及交遊考論
四川師範大學中國古代文學專業碩士論文　2006年6月　趙曉蘭指導

朱珊珊　朱彝尊《曝書亭集》的文獻學價值
山東大學中國古典文獻學專業碩士論文　2006年5月　杜澤遜指導

蕭君平　顏元和荻生徂徠哲學思想之比較
延邊大學外國哲學專業碩士論文　2006年5月　潘暢和指導

劉　靜　顏元的功利主義思想探析
湖南師範大學中國哲學專業碩士論文　2006年5月　鄧名瑛指導

伍志燕　顏元與邊沁功利主義倫理思想的比較研究及現代價值
雲南大學倫理學專業碩士論文　2006年4月　劉家志指導

王奇峰　戴名世古文研究
鄭州大學中國古代文學專業碩士論文　2006年5月　高黛英指導

李　禕　戴名世散文研究
暨南大學中國古代文學專業碩士論文　2006年　史小君指導

歐陽孫琳　戴名世散文研究
華中師範大學中國古代文學專業碩士論文　2006年5月　譚邦和指導

甄金輝　李塨對顏元思想的繼承與發展
河北大學中國哲學專業碩士論文　2006年　韓進軍指導

金玉萍　清代乾嘉新義理學研究——以「以禮代理」說為中心
復旦大學中國哲學專業碩士論文　2006年5月　陳居淵指導

張　祺　清代學者對西方天文曆法的闡釋與發揮——江永《翼梅》研究
內蒙古師範大學科學技術史專業碩士　論文　2006年6月　郭世榮、王榮彬指導

胡　偉　《鮚埼亭集》校讀劄記

南京師範大學中國古典文獻學專業碩士論文　2006年3月　陳敏傑指導

李燦光　戴震的人性論研究

南昌大學中國哲學專業碩士論文　2006年6月　尹星凡指導

田愿靜激　余英時的明清學術史研究——以《方以智晚節考》、《論戴震與章學誠》為例

華東師範大學史學理論與史學史專業碩士論文　2006年　路新生指導

胡　翼　段玉裁字義引申說簡論

湖北大學漢語言文字學專業碩士論文　2006年5月　舒懷指導

曹麗娜　章學誠的明道經世史學

東北師範大學中國古代史專業碩士論文　2006年5月　董鐵松指導

杜冉冉　章學誠的文學思想

山東大學文藝學專業碩士論文　2006年5月　張義賓指導

郝中嶽　王念孫《詩經小學》研究

河南大學漢語言文字學專業碩士論文　2006年5月　張生漢指導

林清林　王念孫聲轉理論研究

北京師範大學漢語言文字學專業碩士論文　2006年5月　崔樞華指導

張先坦　王念孫《讀書雜志》語法觀念研究

安徽大學漢語言文字學專業博士論文　2006年5月　白兆麟指導

成都　巴蜀書社　258頁　2007年6月（改名為《讀書雜誌詞法觀念研究》）

王　輝　從《經義述聞》看王引之的訓詁方法

陝西師範大學漢語言文字學專業碩士論文　2006年4月　郭芹納指導

張玉梅　王筠漢字學思想述論

華東師範大學漢語言文字學專業博士論文　2006年　許嘉璐指導

韓　軍　龔自珍的文化意識及其曲折

北京師範大學文藝學專業博士論文　2006年5月　李春青指導

劉鐵銘　論曾國藩治軍思想與現代國防教育

中南大學高等教育學（國防教育）專業碩士論文　2006年11月　喻躍指導

李　蕓　曾國藩、曾紀澤外交思想之比較研究

華東師範大學中國近現代史專業碩士論文　2006年5月　易惠莉指導

李銘瑜　曾國藩的閱讀教育思想

首都師範大學課程與教學論・語文專業碩士論文　2006年5月　饒傑騰指導

邵　華　郭嵩燾史學思想研究

湘潭大學專門史專業碩士論文　2006年　郭漢民指導

王強山　試論郭嵩燾的政治思想
湖南師範大學歷史學科教學論專業碩士論文　2006年3月　朱發建指導

鄒　芬　郭嵩燾對國際法的認識及運用
湖南大學專門史專業碩士論文　2006年5月　朱漢民指導

蕭永宏　王韜主持《循環日報》筆政史事考辨
復旦大學中國近現代史專業博士論文　2006年9月　姜義華指導

夏紅娣　文化認同和自我建構的兩種方式——從王韜的政論文和小說談起
華東師範大學中國古代文學專業碩士論文　2006年5月　程華平指導

俞紹宏　《說文古籀補》研究
安徽大學漢語言文字學專業博士論文　2006年5月　黃德寬指導
北京　中國社會科學出版社　232頁　2008年9月

張　利　戴望學論
華東師範大學史學理論及史學史專業碩士論文　2006年　路新生指導

周　翔　論張之洞的科技文化觀
廈門大學科學技術哲學專業碩士論文　2006年5月　樂愛國指導

楊　麗　張之洞與清末學制變遷
海南大學馬克思主義理論與思想政治教育專業碩士論文　2006年5月　曹錫仁指導

周　娜　「中體西用」與「和魂洋才」——教育視野下張之洞與福澤諭吉西學思想之比較
河南大學教育史專業碩士論文　2006年5月　李申申、趙國權指導

曾帶麗　張之洞與晚清書院的改革及改制
湖南大學專門史專業碩士論文　2006年5月　蕭永明指導

李成增　張之洞近代教育模式研究
西安理工大學馬克思主義理論與思想政治教育專業碩士論文　2006年　趙華朋指導

童綏寶　張之洞與武漢教育近代化
華中師範大學中國近現代史專業碩士論文　2006年5月　黃華文指導

陳倫兵　張之洞的「中體西用」教育思想與實踐初探
華中師範大學學科教學・歷史專業碩士論文　2006年5月　張全明指導

趙際芳　楊守敬對日本書法的影響

北京師範大學美術學書法方向專業碩士論文　2006年5月　倪文東指導

張小蘭　論王先謙與湖南維新運動

湘潭大學專門史專業碩士論文　2006年　彭先國指導

張國華　皮錫瑞經學及其變法思想述論

西北大學中國近現代史專業碩士論文　2006年5月　陳國慶指導

朱寶鋒　辜鴻銘翻譯思想研究

大連理工大學外國語言學及應用語言學專業碩士論文　2006年12月　汪榕培指導

鐘平艷　從激進到保守——從康有為個案分析看晚清知識分子的心路歷程

海南大學馬克思主義與思想政治教育專業碩士論文　2006年6月　曹錫仁指導

單昆軍　民國時期對康有為《廣藝舟雙楫》的批評

南京師範大學美術學（書法）專業碩士論文　2006年5月　常漢平指導

李強華　康有為人道主義思想研究

華東師範大學中國哲學專業博士論文　2006年11月　高瑞泉指導

高齊天　康有為哲學本體論初探

湖南師範大學中國哲學專業碩士論文　2006年5月　鄧名瑛指導

張克威　康有為憲政思想研究

遼寧師範大學歷史學專門史專業碩士論文　2006年5月　喻大華指導

羅怡明　康有為君主思想研究——康有為君主思想的演變及探析

重慶師範大學專門史專業碩士論文　2006年4月　李禹階指導

熊　雯　啟蒙時期福澤諭吉與康有為的民權思想比較——圍繞《勸學篇》與《大同書》

湖南大學日語語言文學專業碩士論文　2006年　熊沛彪指導

劉維蘭　試論譚嗣同哲學思想的特徵

雲南師範大學中國哲學專業碩士論文　2006年5月　伍雄武指導

談　峰　翻譯家梁啟超研究

華中師範大學英語語言文學專業碩士論文　2006年4月　華先發指導

朱俊瑞　梁啟超國學教育思想研究

浙江大學教育史專業博士後論文　2006年12月　田正平指導

顏　娜　梁啟超史學認識論思想初探

華中師範大學史學理論與史學史專業碩士論文　2006年5月　鄧鴻光指導

宋學勤　梁啟超史學新論
北京師範大學史學理論暨史學史專業博士論文　2006 年 5 月　陳其泰指導

常　剛　梁啟超歷史教育思想研究
西南大學教育史專業碩士論文　2006 年 4 月　彭澤平指導

姜　瑩　梁啟超「新史學」觀念生成論析
東北師範大學史學理論與史學史專業碩士論文　2006 年 6 月　董鐵松指導

陳　強　梁啟超民權思想研究
山東大學法律專業碩士論文　2006 年 3 月　齊延平、葛明珍指導

李義發　梁啟超法律思想的演變
安徽大學專門史專業碩士論文　2006 年 5 月　湯奇學指導

黄銀輝　晏陽初新民思想與實踐——兼與梁啟超新民思想的比較
湖南師範大學中國近現代史專業碩士論文　2006 年 4 月　鄭大華指導

段江波　危機・革命・重建——梁啟超論「過渡時代」的中國道德
華東師範大學中國哲學專業博士論文　2006 年 4 月　陳衛平指導

董　俊　梁啟超近代國家觀形成的日本因素
東北師範大學歷史學專門史專業碩士論文　2006 年 6 月　韓東育指導

耿　勵　梁啟超國民性改造思想及其現代價值
首都師範大學馬克思主義理論與思想政治教育專業碩士論文　2006 年 5 月
隋淑芬指導

葉前進　梁啟超的教育現代化思想研究
華中師範大學學科教學・歷史專業碩士論文　2006 年 4 月　王玉德指導

張紅霞　梁啟超家庭教育思想研究
華中師範大學學科教學・歷史專業碩士論文　2006 年 5 月　王玉德指導

李琳琳　返於自然與超越歷史——盧梭與梁啟超「賢妻良母」女子教育目的觀之比較
河南大學教育史專業碩士論文　2006 年 5 月　李申申、趙國權指導

傅　榮　梁啟超文學思想的大眾化取向
東北師範大學文藝學專業碩士論文　2006 年 5 月　王確指導

張秋艷　梁啟超美學思想的意識形態性及對後世的影響
東北師範大學文藝學專業碩士論文　2006 年 5 月　王確指導

賀麗娜　五四前後梁啟超張君勱文化觀比較
湖南師範大學中國近現代史專業碩士論文　2006 年 5 月　莫志斌指導

朱淑君　咸同士風研究[19]

首都師範大學中國近現代史專業碩士論文　2006 年　魏光奇指導

董恩強　新考據學派：學術與思想（1919－1949）

華中師範大學中國近現代史專業博士論文　2006 年 10 月　羅福惠、何建明指導

張晶華　唐文治學術思想研究

山東師範大學中國近現代史專業碩士論文　2006 年　魏永生指導

陳林男　清華國學院時期王國維述論

福建師範大學中國現當代文學專業碩士論文　2006 年 9 月　鄭家建指導

虞斌龍　中國知識分子道德人格研究——以魯迅為例

南京師範大學馬克思主義理論與思想政治教育專業碩士論文　2006 年 12 月　高兆明指導

錢　偉　魯迅與中國古代思想和文學

復旦大學中國文學古今演變專業博士論文　2006 年 4 月　章培恒指導

喬　潔　魯迅翻譯思想轉變之文化探索

山西大學英語語言文學專業碩士論文　2006 年 6 月　紀墨芳指導

李　亮　論魯迅與鄉邦文獻——關於魯迅治學起點的探究

青島大學中國現當代文學專業碩士論文　2006 年 6 月　張傑、魏韶華指導

李雲濤　論多重身份的馮雪峰與魯迅的關係

青島大學中國現當代文學專業碩士論文　2006 年 6 月　黃喬生、魏韶華指導

李紅玲　魯迅形象的演變——以魯迅傳記為中心

青島大學中國現當代文學專業碩士論文　2006 年 6 月　魏韶華指導

劉聯鋒　試論劉師培的多變

華中師範大學中國近現代史專業碩士論文　2006 年 6 月　黃華文指導

黃　青　楊樹達先生語源學研究的成就

湖南師範大學漢語言文字學專業碩士論文　2006 年　陳建初指導

李繼民　早期現代新儒家直覺思想探析——以梁漱溟、馮友蘭、熊十力、賀麟為例

南昌大學中國哲學專業碩士論文　2006 年 7 月　楊雪騁指導

劉連朋　在佛學與哲學之間——熊十力與牟宗三哲學方法論研究

南開大學中國哲學專業博士論文　2006 年　方克立指導

19 此篇論文以咸豐、同治時代今文學家戴望和他的《戴氏注論語》為基本材料作個案分析，探討咸同時代的今文經學興盛之因及當時的學社風氣。

周柏紅　杜國庠邏輯思想述評
北京師範大學邏輯學專業碩士論文　2006 年 5 月　董志鐵指導

倪平英　相似外表下的不同內核——白鳥庫吉與顧頡剛就「堯、舜、禹」問題研究比較
華東師範大學中國古代文學專業碩士論文　2006 年 5 月　林在勇指導

李秀妮　馮友蘭孔子研究初探
雲南師範大學中國哲學專業碩士論文　2006 年 7 月　雷昀指導

陳　珊　馮友蘭哲學思想的唯物主義傾向探析
山東大學史學理論及史學史專業碩士論文　2006 年 4 月　王學典指導

張克政　馮友蘭人生境界說之倫理學分析
西北師範大學倫理學專業碩士論文　2006 年 5 月　范鵬指導

劉燕霞　談鄭振鐸對中國古典文獻學的貢獻
山東大學中國古典文獻學專業碩士論文　2006 年 5 月　劉曉東指導

李冰燕　鄭振鐸文獻學思想研究
河北大學漢語言文字學專業碩士論文　2006 年　時永樂指導

高　偉　朱自清《詩言志辨》研究
山東大學文藝學專業碩士論文　2006 年 4 月　程相占指導

朱　雯　腴厚之美　平淡呈現——朱自清論
曲阜師範大學中國現當代文學專業碩士論文　2006 年 4 月　卜召林指導

孫英梅　唐蘭先生文字學理論研究
曲阜師範大學漢語言文字學專業碩士論文　2006 年 4 月　闞景忠指導

婁　博　唐蘭之甲骨文研究
河北師範大學漢語言文字學專業碩士論文　2006 年　鄭振峰指導

楊　峰　張岱年文化觀及其評析
華東師範大學馬克思主義理論專業碩士論文　2006 年 4 月　鄭憶石指導

李華斌　張舜徽與《廣校讎略》
湖北大學中國古典文獻學專業碩士論文　2006 年 5 月　魯毅指導

饒延俊　張舜徽的治學方法對當前中學歷史教育的啟示
華中師範大學學科教學・歷史專業碩士論文　2006 年 5 月　黃華文指導

周　媛　論周秉鈞先生的學術生涯及成就
湖南師範大學漢語言文字學專業碩士論文　2006 年 3 月　陳建初指導

羅　驤　錢穆「士」思想研究
湘潭大學中國哲學專業碩士論文　2006 年　劉啟良指導

胡金榮　論錢穆的人生哲學思想
南昌大學倫理學專業碩士論文　2006 年 5 月　詹世友、徐福來指導

翁旻玥　即彼顯我——從錢穆對西方文學的解讀看其文學觀
華東師範大學文藝學專業碩士論文　2006 年 4 月　胡曉明指導

李　薇　徐復觀莊子思想儒家化傾向研究
華東師範大學文藝學專業碩士論文　2006 年 5 月　胡曉明指導

法　帥　試述徐復觀先生的歷史觀思想
曲阜師範大學專門史專業碩士論文　2006 年 4 月　苗潤田指導

孫文婷　論徐復觀「為人生而藝術」的文藝思想
山東師範大學文藝學專業碩士論文　2006 年　楊守森指導

劉毅青　徐復觀解釋學思想研究
浙江大學文藝學專業博士論文　2006 年 5 月　王元驤指導

楊　勇　天道性命相貫通——論牟宗三對張載哲學思想的研究
雲南師範大學中國哲學專業碩士論文　2006 年 5 月　李廣良指導

朱曉明　牟宗三論現象與物自身
吉林大學中國哲學專業碩士論文　2006 年　劉連朋指導

張本江　牟宗三「良知自我坎陷開出科學說」探論
湖南師範大學中國哲學專業碩士論文　2006 年 5 月　王澤應指導

劉連朋　在佛學與哲學之間——熊十力與牟宗三哲學方法論研究
南開大學中國哲學專業博士論文　2006 年　方克立指導

陶　悅　道德形而上學——牟宗三與康德之間
黑龍江大學中國哲學專業博士論文　2006 年　柴文華指導

吳小玲　王叔岷《莊子校釋》訂補稿
華東師範大學古典文學專業碩士論文　2006 年 4 月　方勇指導

韓　軍　上海博物館藏戰國楚竹書《易經》異文研究
山東大學漢語史專業碩士論文　2006 年 5 月　徐超指導

張　巍　《易傳》人文教化思想研究
山東大學馬克思主義理論與思想政治教育專業碩士論文　2006 年 4 月　孫熙國指導

鄭和明　理雅各、貝恩斯英譯《周易》比較研究
福建師範大學英語語言文學專業碩士論文　2006 年 4 月　岳峰指導

劉元春　馬王堆帛書《周易》本經通假字研究

復旦大學漢語言文字學專業碩士論文　2006 年 5 月　吳金華指導

陳　燦　《漢語大字典》釋義引《周易》書證研究
湖南師範大學漢語言文字學專業碩士論文　2006 年 4 月　趙振興指導

王　新　論《皇極經世》的「內數」
華東師範大學中國哲學專業碩士論文　2006 年 5 月　李似珍指導

姜　穎　論《周易》「時」的哲學思想
遼寧大學中國哲學專業碩士論文　2006 年 5 月　王雅指導

喬宗方　《周易折中》易學思想評析
山東大學中國哲學專業碩士論文　2006 年 4 月　劉大鈞指導

趙榮波　《周易正義》思想研究
山東大學中國哲學專業博士論文　2006 年 4 月　劉大鈞指導

徐艷雲　《易經》與殷周法制研究
山東大學法律專業碩士論文　2006 年 9 月　林明指導

閻　潔　從象數角度談《周易》的管理思想
山東大學中國哲學專業碩士論文　2006 年 4 月　李尚信指導

呂維棟　《周易》的用人思想研究
聊城大學中國古典文獻學專業碩士論文　2006 年 4 月　王文清指導

高　亮　《周易》與現代教育管理
曲阜師範大學教育經濟與管理專業碩士論文　2006 年 4 月　張良才指導

吳文才　從古代經學教材《易經》的象數理探究語文教育中育人對策的建構
華東師範大學語文學科教學專業碩士論文　2006 年 10 月　周震和指導

房振三　楚竹書周易彩色符號研究
安徽大學漢語言文字學專業博士論文　2006 年 5 月　何琳儀指導

劉成漢　從《周易》象數、義理看中醫學的六經、八綱辨證
湖北中醫學院中醫基礎理論專業博士論文　2006 年 5 月　成肇智指導

朱培坤　嶺南建築民俗的易學解讀
中山大學民俗學專業博士論文　2006 年 12 月　葉春生指導

宋立林　孔子「易教」思想研究
曲阜師範大學歷史學專門史專業碩士論文　2006 年 4 月　楊朝明指導

井海明　漢易象數學研究
山東大學中國哲學專業博士論文　2006 年　劉大鈞指導

劉銀昌　蓋事雖《易》，其辭則詩——《焦氏易林》文學研究

陝西師範大學中國古代文學專業博士論文　2006 年 4 月　張新科指導

劉會齊　《周易參同契》易學思想研究——以「月體納甲」說為中心

復旦大學中國哲學專業碩士論文　2006 年 5 月　劉康得指導

馬宗軍　《周易參同契》思想研究

山東大學中國哲學專業博士論文　2006 年 4 月　丁原明指導

郭麗娟　王弼易學哲學思想再探

四川大學中國哲學專業碩士論文　2006 年　黃德昌指導

尹錫珉　王弼易學解經體例探源

北京大學哲學專業博士論文　2006 年 1 月　朱伯崑指導

成都　巴蜀書社　237 頁　2006 年 12 月（儒釋道博士論文叢書）

杜曉華　邵雍易學研究：從宇宙圖式到人文關懷

復旦大學中國哲學專業碩士論文　2006 年 4 月　徐洪興指導

譚小寶　周敦頤易學思想新探

湖南師範大學中國哲學專業碩士論文　2006 年 5 月　徐孫銘指導

劉樂恒　《程氏易傳》研究

華東師範大學中國哲學專業碩士論文　2006 年 5 月　劉仲宇指導

曾凡朝　楊簡易學思想研究

山東大學中國哲學專業博士論文　2006 年 4 月　林忠軍指導

李秋麗　胡一桂易學思想研究

山東大學中國哲學專業博士論文　2006 年 4 月　林忠軍指導

王　棋　來知德易學思想探微

山東大學中國哲學專業碩士論文　2006 年 4 月　林忠軍指導

查　純　從《周易口義》看胡瑗哲學思想

北京大學中國哲學專業碩士論文　2006 年 6 月　張學智指導

蘇曉晗　船山易學思想研究

山東大學中國哲學專業博士論文　2006 年 10 月　王新春指導

秦　峰　黃宗羲的易學思想與明清學術轉型——《易學象數論》的思想史解讀

北京大學中國哲學專業碩士論文　2006 年 6 月　王守常指導

陳　楠　敦煌寫本《尚書》異文研究

揚州大學中國古代文學專業碩士論文　2006 年 5 月　錢宗武指導

鄭麗欽　與古典的邂逅：解讀理雅各的《尚書》譯本

福建師範大學英語語言文學專業碩士論文　2006 年 4 月　岳峰指導

岳紅琴　《禹貢》與夏代社會
鄭州大學中國古代史專業博士論文　2006年5月　李民指導

顧　珍　《周書》副詞研究
南京師範大學漢語言文字學專業碩士論文　2006年3月　何亞南指導

朱淑華　今文《尚書》詞義引申研究
揚州大學中國古代文學專業碩士論文　2006年5月　錢宗武指導

湯莉莉　今文《尚書》同族詞研究
揚州大學中國古代文學專業碩士論文　2006年5月　錢宗武指導

汪　斌　閻若璩《尚書古文疏證》研究
湖北大學中國古典文獻學專業碩士論文　2006年5月　郭康松指導

黃洪明　宋代《尚書》學
暨南大學中國古典文獻學專業碩士論文　2006年5月　張玉春指導

黃　利　「王官采詩」再探討——從上博簡《詩論》說起
北京師範大學中國古典文獻學專業碩士論文　2006年5月　李山指導

李琳珂　先秦逸詩研究
河南大學中國古代文學專業碩士論文　2006年5月　華鋒指導

安性栽　《詩經》「比、興」研究史論——自先秦至宋代
北京大學中國古代文學專業博士論文　2006年6月　褚斌傑指導

王　磊　《詩經》興象的文化探源
延邊大學中國古代文學專業碩士論文　2006年5月　于衍存指導

石　瑋　從隱喻到參照
華中師範大學英語語言學專業碩士論文　2006年4月　陳佑林指導

詹　看　《毛詩序》創作年代及作者之考證
華東師範大學古典文獻學專業碩士論文　2006年5月　王鐵指導

徐正英　上博簡《孔子詩論》研究
中山大學中國古代文學專業博士後論文　2006年6月

李　琰　從前見理論角度看《詩經》英譯
湖南師範大學英語語言文學專業碩士論文　2006年5月　蔣堅松指導

陳　冬　《國風》作者問題的研究
暨南大學中國古代文學專業碩士論文　2006年5月　張玉春指導

周　娟　《國風》中的隱喻運用和《詩集傳》中的隱喻解釋
華中師範大學漢語言文字學專業碩士論文　2006年5月　周光慶指導

張春珍　二南詩論

山東大學中國古典文獻學專業碩士論文　2006 年 5 月　王承略指導

賴旭輝　溫厚醇正　婉麗清柔——《詩・周南》地域風格研究

上海大學中國古代文學專業碩士論文　2006 年 5 月　邵炳軍指導

王精明　龍馬精神　秋聲朝氣——《秦風》地域風格研究

上海大學中國古代文學專業碩士論文　2006 年 4 月　邵炳軍指導

張利軍　《詩經・木瓜》與春秋時期的「贄見禮」

北京師範大學中國古代史專業碩士論文　2006 年 5 月　羅新慧指導

米　亞　《詩經・王風》義理之學與儒家倫理思想考辨

天津師範大學中國古代文學專業碩士論文　2006 年 4 月　周延良指導

宮海婷　《詩經》婚戀詩的原始文化溯源

東北師範大學中國古代文學專業碩士論文　2006 年 5 月　傅亞庶指導

劉　楊　《詩經》戰爭徭役詩研究

中央民族大學中國古代文學專業碩士論文　2006 年 5 月　劉棣民指導

魏　昕　滲透於《詩經》中的原始宗教意識

東北師範大學中國古代文學專業碩士論文　2006 年 5 月　傅亞庶指導

趙　宏　《詩經》女性的修飾美

東北師範大學古代文學專業碩士論文　2006 年 5 月　傅亞庶指導

張　虹　《詩經》生命意識及相關興象系列初探

西北大學中國古代文學專業碩士論文　2006 年 5 月　李志慧指導

馮曉莉　史蘊《詩》心——「前三史」中的《詩經》氣脈

陝西師範大學中國古代文學專業碩士論文　2006 年 4 月　張新科指導

潘春艷　漢代《齊詩》學考論

北京師範大學中國古代文學專業碩士論文　2006 年 5 月　尚學鋒指導

金前文　漢賦與漢代《詩經》學

華中師範大學中國古典文獻學專業博士論文　2006 年 4 月　高華平指導

謝建忠　《毛詩》及其經學闡釋對唐詩的影響

首都師範大學中國古代文學專業博士論文　2006 年 5 月　鄧小軍指導

成都　巴蜀書社　421 頁　2007 年 12 月

孫　娟　《韓詩外傳》研究論略

福建師範大學中國漢語言文學專業碩士論文　2006 年 4 月　郭丹指導

陳錦春　毛傳鄭箋比較研究

山東大學中國古典文獻學專業碩士論文　2006年　王承略指導

王耀東　《毛詩古音考》研究
西北師範大學漢語言文字學專業碩士論文　2006年4月　周玉秀指導

丁　玲　建安詩歌與《詩經》關係研究
北京師範大學中國古代文學專業碩士論文　2006年5月　尚學鋒指導

焦雪梅　宋代《詩經》學研究的新變
山東大學中國古代文學專業碩士論文　2006年5月　王培元指導

楊秀娟　范處義及其《詩補傳》研究
華東師範大學中國古代文學專業碩士論文　2006年4月　曾抗美指導

王　倩　朱熹「《詩》教」思想研究
北京師範大學教育學教育史專業博士論文　2006年5月　俞啟定指導

胡憲麗　朱熹《詩集傳》句法研究
南京師範大學漢語言文字學專業碩士論文　2006年3月　馬景侖指導

李賀軍　清代《詩經》學獨立思考派《詩》學研究
河南大學中國古代文學專業碩士論文　2006年5月　華鋒指導

郝中嶽　王念孫《詩經小學》研究
河南大學漢語言文字學專業碩士論文　2006年5月　張生漢指導

丁曉丹　試析馬瑞辰《毛詩傳箋通釋》中對假借字的論說
陝西師範大學漢語言文字學專業碩士論文　2006年4月　郭芹納指導

曹志敏　魏源《詩古微》研究
北京師範大學中國近現代史專業博士論文　2006年4月　龔書鐸指導

馬　瑜　俞樾《詩經》研究的成就及影響
山西大學中國古代文學專業碩士論文　2006年6月　劉毓慶指導

白憲娟　20世紀二三十年代的《詩經》研究——以胡適、顧頡剛、聞一多《詩經》研究為例
山東大學中國古代文學專業碩士論文　2006年5月　王洲明指導

謝中元　古史辨視野下的《詩經》闡釋
暨南大學文藝學專業碩士論文　2006年5月　劉紹瑾指導

張亞欣　夏傳才《詩經》研究綜論
山東大學中國古代文學專業碩士論文　2006年4月　王洲明指導

智　惠　《詩經》、《楚辭》重言同源詞研究
北京師範大學漢語言文字學專業碩士論文　2006年5月　黃易青指導

趙　翔　　時物和遠隔——論《詩經》審美意象中的生命困境
北京大學美學專業碩士論文　2006 年 5 月　王錦民指導

衣淑艷　　先秦詩歌中的祭禮[20]
東北師範大學古代文學專業碩士論文　2006 年 5 月　傅亞庶指導

李言統　　中國民歌的口頭傳統研究——「花兒」和《詩經》的程式比較為例
青海師範大學中國古代文學專業碩士論文　2006 年 6 月　趙宗福指導

龍　娟　　《詩經》與《十四行詩集》中愛情詩比較
重慶師範大學比較文學與世界文學專業碩士論文　2006 年 4 月　蘇敏指導

張自慧　　禮文化的人文精神與價值研究
鄭州大學中國古代史專業博士論文　2006 年 5 月　楊天宇指導
上海　學林出版社　321 頁　2008 年 9 月（改名為《禮文化的價值與反思》）

彭菊玲　　先秦儒家禮育與現代德育研究
武漢理工大學馬克思主義理論與思想政治教育專業碩士論文　2006 年 11 月　雷紹鋒指導

郭　舒　　我國漢族成年禮的歷史沿革及現代意義
清華大學專門史專業碩士論文　2006 年　程剛指導

孫文持　　荀子禮學思想研究
鄭州大學中國古代文學專業碩士論文　2006 年 6 月　賈濱指導

吳樹勤　　禮學視野中的荀子人學思想研究——以「知通統類」為核心
北京師範大學中國哲學專業博士論文　2006 年 5 月　李景林指導
濟南　齊魯書社　287 頁　2007 年 9 月

陳良武　　荀子的禮學思想及其歷史影響
雲南師範大學中國哲學專業碩士論文　2006 年 5 月　王興國指導

史鵬力　　荀子的霸道與禮學
北京師範大學中國古典文獻學專業碩士論文　2006 年 5 月　李山指導

朱　俊　　荀子的禮學思想
西北大學中國思想史專業碩士論文　2006 年 5 月　張茂澤指導

李桂民　　荀子思想與戰國時期的禮學思潮
西北大學中國思想史專業博士論文　2006 年 4 月　張豈之指導

---

20 此文從對《詩經》和《楚辭》兩者中祭祀詩歌比較，探討先秦詩歌中祭禮的異同。

李玉平　《周禮》複音詞鄭注研究
　北京師範大學漢語言文字學專業博士論文　2006年5月　李運富指導

陳勤香　《周禮》祭祀詞語研究
　廣西師範大學漢語言文字學專業碩士論文　2006年4月　劉興均指導

李文娟　《儀禮》倫理思想研究
　中央民族大學中國哲學專業碩士論文　2006年5月　王文東指導

宋鐘秀　理雅各英譯《禮記》研究
　福建師範大學英語語言文學專業碩士論文　2006年4月　岳峰指導

劉健婷　從《禮記》闡述的音樂形式論周代社會的政治內涵
　陝西師範大學音樂學專業碩士論文　2006年4月　陳四海指導

林　琳　《禮記》成語研究
　東北師範大學漢語言文字學專業碩士論文　2006年5月　傅亞庶指導

陳　謝　古漢語常用介詞在《禮記》中的語法分析
　陝西師範大學漢語言文字學專業碩士論文　2006年4月　白玉林指導

沙　瑩　《禮記》婚、喪二禮文化詞語語義系統研究
　山東大學漢語言文字學專業碩士論文　2006年4月　楊端志指導

張　琴　鄭玄《禮記注》初探
　安徽大學漢語言文字專業碩士論文　2006年5月　陳廣忠指導

錢慧真　《禮記》鄭玄注釋中的同源詞研究
　山東大學漢語言文字學專業碩士論文　2006年5月　徐超、張業法指導

李存周　《大戴禮記》詞彙研究
　廣州大學語言學及應用語言學專業碩士論文　2006年4月　羅維明指導

劉少虎　王闓運春秋學思想研究
　中山大學歷史學專業博士論文　2006年6月　周興樑指導
　北京　華夏出版社　360頁　2007年8月（改名為《經學以自治：王闓運春秋學思想研究》）

陳才訓　源遠流長——論《春秋》、《左傳》對古典小說的影響
　山東大學中國古代文學專業博士論文　2006年5月　馬瑞芳指導

孫峻旭　文學與歷史之間——從春秋筆法說起
　曲阜師範大學中國古代文學專業碩士論文　2006年4月　單承彬指導

程　紅　毛奇齡《春秋》學研究
　魯東大學專門史專業碩士論文　2006年6月　程奇立、丁鼎指導

趙　沛　　廖平春秋研究
四川大學歷史文化學院博士後研究　2006年　陳廷湘指導
成都　巴蜀書社　336頁　2007年8月

孫晨陽　　道德・身體・權力——《左傳》與《史記》的身體語言
復旦大學中國古代文學專業碩士論文　2006年5月　汪耀明指導

吳崢嶸　　《左傳》索取、給予、接受義類詞彙系統研究
華中師範大學漢語言文字學專業博士論文　2006年6月　周光慶指導

張文蕾　　《左傳》中表處置的「以」字句研究
內蒙古師範大學漢語言文字學專業碩士論文　2006年6月　章也指導

梁　樺　　《左傳》方位詞研究
暨南大學漢語言文字學專業碩士論文　2006年5月　張家文指導

史維國　　《左傳》中的處所詞研究
黑龍江大學漢語言文字學專業碩士論文2006年　李先耕指導

馬麗娟　　《左傳》時間詞語初探
東北師範大學漢語言文字學專業碩士論文　2006年5月　傅亞庶指導

李偉群　　《左傳》中的主謂謂語句
北京大學漢語言文字學專業碩士論文　2006年6月　楊榮祥指導

程亞恒　　《左傳》兼語句研究
貴州大學漢語言文字學專業碩士論文　2006年3月　袁本良指導

陶運清　　《左傳》的敘事特色——以戰爭為中心的考察
鄭州大學中國古代文學專業碩士論文　2006年6月　賈濱指導

王小梅　　論《左傳》因果敘事模式
北京師範大學中國古代文學專業碩士論文　2006年5月　尚學鋒指導

安　建　　試論《左傳》中的紀傳體雛形
北京師範大學歷史學中國古代史專業碩士論文　2006年5月　易寧指導

唐　沙　　《左傳》故事「經典化」探研
西南大學中國古代文學專業碩士論文　2006年4月　熊憲光指導

陸躍升　　《春秋左氏傳》解釋學研究
貴州大學中國古代文學專業碩士論文　2006年5月　黃永堂指導

王新英　　《左傳》中的賄賂
吉林大學中國古代史專業碩士論文　2006年　陳恩林指導

陳才訓　　源遠流長——論《春秋》、《左傳》對古典小說的影響

山東大學中國古代文學專業博士論文　2006年5月　馬瑞芳指導

黃　鳴　春秋時代的文學與文學活動——《左傳》研究劄記
復旦大學中國古代文學專業博士論文　2006年4月　蔣凡指導

趙奉蓉　《左傳》預言研究
曲阜師範大學中國古代文學專業碩士論文　2006年4月　楊樹增指導

張懷民　論《左傳》中的預言——春秋時期天命、占卜和禮的平衡
北京師範大學古代文學專業碩士論文　2006年4月　李山指導

劉麗華　杜預《春秋經傳集解》研究
山東師範大學中國古典文獻學專業碩士論文　2006年　晁嶽佩指導

李　平　楊伯峻《春秋左傳注》研究
山東大學中國古典文獻學專業碩士論文　2006年5月　馮浩菲指導

馬秀琴　《左傳譯文》獻疑
東北師範大學古典文獻學專業碩士論文　2006年5月　曹書杰指導

孫赫男　《左氏會箋》研究——與杜預《春秋經傳集解》及楊伯峻《春秋左傳注》之比較
吉林大學中國古代史專業博士論文　2006年　陳恩林指導

馮秋香　華茲生英譯《左傳》可讀性分析
大連理工大學外國語言學及應用語言學專業碩士論文　2006年12月　李秀英指導

陳慕華　兩部《左傳》英譯本的比較研究
福建師範大學英語語言文學專業碩士論文　2006年4月　岳峰指導

張　振　歷史與詮釋——公羊學「三科九旨」的歷史哲學解讀
首都師範大學文藝學專業博士論文　2006年5月　楊乃喬指導

孫婷婷　《公羊傳》與《春秋繁露》殊異考
南京師範大學中國古典文獻學專業碩士論文　2006年3月　趙生群指導

平　飛　《公羊傳》「以義解經」研究
中山大學哲學專業博士論文　2006年6月　李宗桂、黎紅雷指導

唐眉江　漢代公羊學大一統思想研究
中山大學哲學專業博士論文　2006年6月　李宗桂、黎紅雷指導

劉朝閣　龔自珍的公羊學思想研究
杭州師範學院中國哲學專業碩士論文　2006年4月　黃開國指導

鞏玲玲　《春秋・穀梁傳》正文訓詁研究

新疆師範大學漢語言文字學專業碩士論文　2006 年　饒尚寬指導

趙一靜　張岱的《四書》學與史學
湖南大學專門史碩士論文　2006 年 5 月　蕭永明指導

謝志超　愛默生、梭羅對《四書》的接受
上海師範大學比較文學和世界文學專業博士論文　2006 年　葉華年、孫景堯指導

王化平　簡帛文獻中的孔子言論研究
四川大學歷史文獻學專業博士論文　2006 年　彭裕商指導
成都　巴蜀書社　280 頁　2007 年 11 月（改名為《帛書易傳研究》）

高新華　先秦儒者的精神性格及其文學呈現——以孔、孟、荀為中心
北京大學中國古代文學專業碩士論文　2006 年 6 月　于迎春指導

莊英海　孔子與亞里斯多德理想人格之比較
中山大學哲學專業碩士論文　2006 年 12 月　鍾明華指導

宋立林　孔子「易教」思想研究
曲阜師範大學專門史專業碩士論文　2006 年 4 月　楊朝明指導

陳　霞　孔子「詩教」思想研究
曲阜師範大學專門史專業碩士論文　2006 年 4 月　楊朝明指導

李　燕　孔子「春秋教」研究
曲阜師範大學中國古代史專業碩士論文　2006 年 4 月　楊朝明指導

趙玉強　孔子與老子「無為」思想比較研究
曲阜師範大學專門史專業碩士論文　2006 年 4 月　李景明指導

馬文戈　《呂氏春秋》與《淮南子》孔子觀之比較
曲阜師範大學中國古代史專業碩士論文　2006 年 4 月　修建軍指導

唐潤熙　韓國現存《論語》注釋書版本研究
北京大學中國古典文獻學專業博士論文　2006 年 12 月　孫欽善指導

吳竹蕓　《論語》中的孔子形象
華中師範大學中國古代文學專業碩士論文　2006 年 11 月　周禾指導

萬　蕊　《論語》同義詞考辨
遼寧師範大學漢語言文字學專業碩士論文　2006 年 5 月　陳榴指導

樊德華　《論語》語氣研究
福建師範大學漢語言文字學專業碩士論文　2006 年 5 月　徐啟庭、林玉山指導

崔冠華　孔子的「五帝」「三王」觀研究
曲阜師範大學中國古代史專業碩士論文　2006 年 4 月　楊朝明指導

孟淑媛　論夏、商、周「神本」思想向孔子「人本」思想的轉變
安徽大學中國哲學專業碩士論文　2006 年 5 月　解光宇指導

張德蘇　周室衰亂與孔子救世的人性思索
山東大學中國古代文學專業博士論文　2006 年 9 月　王洲明指導

夏慧傑　試論孔子「孝」的思想及其意義
復旦大學中國哲學專業碩士論文　2006 年 5 月　錢憲民指導

王萌萌　「自然」之情：孔子仁說的起點與歸宿
遼寧大學中國哲學專業碩士論文　2006 年 5 月　王雅指導

鄭麗娟　孔子仁愛思想的當代重構及價值
新疆大學馬克思主義哲學專業碩士論文　2006 年 6 月　趙新居指導

李步敏　《論語》中君子人格對現代教育的啟迪
華中師範大學學科教學專業碩士論文　2006 年 11 月　劉興林指導

田輝鵬　《論語》管理思想在自我管理型團隊中的應用
廣西大學工商管理專業碩士論文　2006 年 6 月　唐平秋指導

王　超　《論語》「信」辨與現代誠信管理體系探索
青島大學中國古代文學專業碩士論文　2006 年 6 月　徐宏力指導

汪雙琴　《論語》「和諧」思想及其對構建社會主義和諧社會的意義
首都師範大學馬克思主義理論與思想政治教育專業碩士論文　2006 年 5 月　鄧球柏指導

徐曉磊　孔子傳播思想的價值準則及當代意義——以《論語》為文本
北京師範大學新聞學專業碩士論文　2006 年 5 月　毛峰指導

黃承軍　孔子的因材施教與語文素質教育研究
江西師範大學語文教育專業碩士論文　2006 年 9 月　熊大冶、顏敏指導

季　美　試論昆體良的教學思想——兼與孔子教學思想比較
中央民族大學專門史專業碩士論文　2006 年 4 月　劉愛蘭指導

楊晶晶　孔子的師德理念初探——以《論語》為中心
武漢理工大學馬克思主義理論與思想政治教育專業碩士論文　2006 年 4 月　雷紹鋒指導

周文碧　《論語》中的孔子語文教育思想述評
四川師範大學學科教學專業碩士論文　2006 年 1 月　許書明指導

武　進　孔子主體性德育思想對中學德育的啟示

北京師範大學學科教學（思想政治教育）專業碩士論文　2006年5月　王慶英指導

毛如意　孔子語言觀之重讀

浙江大學英語語言文學專業碩士論文　2006年5月　施旭指導

黃振濤　「夫子氣象」：對孔子人格魅力的美學稱述

曲阜師範大學文藝學專業碩士論文　2006年4月　崔茂新指導

趙紅霞　論孔子生命美學的當代價值

曲阜師範大學文藝學專業碩士論文　2006年4月　吳紹全指導

劉　瓊　論孔子以「和」為美的思想

華中師範大學文藝學專業碩士論文　2006年5月　王濟民指導

王旻霞　孔子與蘇格拉底對話教學語言藝術比較研究

聊城大學課程與教學論專業碩士論文　2006年4月　丁源溟指導

陳淑珍　亞里士多德與孔子中庸思想之比較

江西師範大學外國哲學專業碩士論文　2006年5月　蔣九愚指導

王　歡　克拉申的輸入理論與孔子的教學思想的對比研究

遼寧師範大學英語語言文學專業碩士論文　2006年5月　成曉光指導

張中寧　從海爾和松下的行為準則透視孔子思想對中日企業管理倫理的影響

對外經濟貿易大學英語專業碩士論文　2006年4月　丁崇文指導

陳可培　偏見與寬容　翻譯與吸納——理雅各的漢學研究與《論語》英譯

上海師範大學比較文學與世界文學專業博士論文　2006年　孫景堯指導

劉永利　論文化翻譯中譯者的文化主體性——從解釋學角度來看《論語》兩個譯本

湘潭大學英語語言文學專業碩士論文　2006年5月　舒奇志指導

蔣煥芹　《論語》及其在漢代的流傳

東北師範大學古典文獻學專業碩士論文　2006年5月　曹書杰指導

劉曉霞　唐寫本《論語鄭氏注》相關問題探析

曲阜師範大學歷史學專門史專業碩士論文　2006年4月　黃懷信指導

汪　楠　魏晉論語學述論

東北師範大學古典文獻學專業碩士論文　2006年5月　曹書杰、劉奉文指導

王亦旻　《論語集解》研究

北京師範大學歷史學歷史文獻學專業博士論文　2006年3月　曾貽芬指導

張長勝　《論語集解》研究

曲阜師範大學專門史專業碩士論文　2006 年 4 月　黃懷信指導

劉詠梅　皇侃《論語義疏》研究
曲阜師範大學歷史學專門史專業碩士論文　2006 年 4 月　黃懷信指導

姜　勝　《論語注疏》校議
南京師範大學中國古典文獻學專業碩士論文　2006 年 3 月　方向東指導

劉宗永　論清代寶應劉氏家學之《論語》研究
北京大學中國古典文獻學專業博士論文　2006 年 6 月　董洪利指導

莊小蕾　劉寶楠《論語正義》研究
復旦大學漢語言文字學專業碩士論文　2006 年 5 月　傅傑指導

陳倩倩　楊伯峻《論語譯注》研究
山東大學古典文獻學專業碩士論文　2006 年 5 月　馮浩菲指導

李秀妮　馮友蘭孔子研究初探
雲南師範大學中國哲學專業碩士論文　2006 年 7 月　雷昀指導

王　芳　闡釋的多元與《論語》的復譯
對外經濟貿易大學外國語言學與應用語言學專業碩士論文　2006 年 4 月　賈文浩指導

陳會亮　《論語》與《摩西五經》比較研究
河南大學比較文學與世界文學專業碩士論文　2006 年 5 月　賀淯濱指導

黃雪霞　《論語》兩個譯本的比較研究
福建師範大學英語語言文學專業碩士論文　2006 年 4 月　岳峰指導

劉　萍　《孔子家語》與孔子弟子研究——以《弟子行》和《七十二弟子解》為中心
曲阜師範大學專門史專業碩士論文　2006 年 4 月　楊朝明指導

王政之　王肅《孔子家語注》研究
曲阜師範大學專門史專業碩士論文　2006 年 4 月　楊朝明指導

化　濤　清代《孔子家語》研究考述
曲阜師範大學專門史專業碩士論文　2006 年 4 月　楊朝明指導

陳琳琳　理雅各英譯《孟子》研究
福建師範大學英語語言文學專業碩士論文　2006 年　岳峰指導

熊浩莉　《孟子》比喻研究
福建師範大學漢語言文字學專業碩士論文　2006 年 4 月　譚學純指導

張春泉　《孟子》中的條件複句
湖北大學漢語言文字學專業碩士論文　2006 年 1 月　黃群建、馮廣藝指導

張　俊　《孟子》、《韓非子》三類詞句法功能的多樣化和復雜化研究——兼論兩個相關問題

西南大學漢語言文字學專業碩士論文　2006年5月　方有國指導

胡明峰　「善」的形上之思——從《孟子》「可欲之謂善」章談起

北京師範大學中國哲學專業碩士論文　2006年5月　張奇偉指導

周元俠　論孟子士的精神

山東大學中國哲學專業碩士論文　2006年4月　顏炳罡指導

李　娟　孟莊心性論比較研究

山東大學中國哲學專業博士論文　2006年10月　顏炳罡指導

朱險峰　孟子的人性論思想及其當代價值

安徽大學中國哲學專業碩士論文　2006年5月　解光宇指導

毛術芳　從「人禽之辨」看孟子的性善論

北京師範大學中國哲學專業碩士論文　2006年5月　李景林指導

王美玲　孟子正義思想研究

中央民族大學中國哲學專業碩士論文　2006年5月　劉成有指導

趙楠楠　在人性展開中解讀孟子的「義利之辨」

遼寧大學中國哲學專業碩士論文　2006年5月　王雅指導

劉琳麗　孟子倫理思想的現實價值研究

西北師範大學倫理學專業碩士論文　2006年5月　成曉龍指導

徐曉宇　試論孟子的道德選擇理論——從經權說開去

北京師範大學中國哲學專業碩士論文　2006年5月　李景林指導

馬宏偉　孟子的歷史變化觀

北京師範大學中國古代史專業碩士論文　2006年5月　蔣重躍指導

史　穎　從「三個文明」視角解析孟子的仁政思想

遼寧大學中國哲學專業碩士論文　2006年5月　王雅指導

唐詩龍　孟子仁政之哲學透視

雲南師範大學中國哲學專業碩士論文　2006年5月　雷昀指導

張文波　孟子「仁政」思想述評

西南政法大學法律專業碩士論文　2006年4月　朱學平指導

劉　艷　王者有道　仁者無敵——孟子倫理政治思想研究

揚州大學教育學原理（政治學）專業碩士論文　2006年5月　吳鋒指導

王　豁　孟子論仁

北京大學倫理學專業碩士論文　2006年6月　陳少峰指導

黃衛榮　孟子「權」說與經典解釋問題
中山大學中國哲學專業碩士論文　2006年6月　張豐乾指導

蘇遠漢　論孟子「王道」思想及兼論其對現代民主政治的啟示
中山大學哲學專業碩士論文　2006年5月　張豐乾指導

何建紅　孟子民本輿論觀的傳播學分析
北京師範大學新聞學專業碩士論文　2006年5月　毛峰指導

楊青利　《管子》與《孟子》經濟倫理思想之比較
廣西師範大學倫理學專業碩士論文　2006年4月　譚培文指導

任彥智　孟荀引詩論證中的傳播方式
東北師範大學傳播學專業碩士論文　2006年5月　張恩普指導

劉小珍　孟子學習思想的現代詮釋
江西師範大學教育學原理專業碩士論文　2006年4月　胡青指導

李峻岫　漢唐孟子學述論
北京大學中國古典文獻學專業博士論文　2006年6月　董洪利指導

湯慧蘭　《孟子字義疏證》之文獻學研究
南昌大學中國古典文獻學專業碩士論文　2006年　王德保指導

張　蓓　從《孟子論心》論瑞恰慈的跨文化解讀策略
首都師範大學比較文學與世界文學專業碩士論文　2006年5月　周榮勝指導

趙　傑　兩種生命的學問——孟子與保羅人生觀比較研究
山東大學中國哲學博士論文　2006年10月　傅有德指導

李雙雙　《大學》的教育思想及其現代意義探析
武漢理工大學教育經濟與管理專業碩士論文　2006年5月　朱喆指導

穆琳琳　以生命為本的教化結構《大學》的傳播學分析
北京師範大學新聞學專業碩士論文　2006年5月　毛峰指導

劉依平　船山《大學》詮釋之研究
湘潭大學中國哲學專業碩士論文　2006年　鄧輝指導

劉道嶺　《中庸》的哲學思想
山東大學中國哲學專業碩士論文　2006年5月　顏炳罡指導

張立潔　「中庸」觀念的傳播結構研究[21]

21　此文在第三章著重論述朱熹將《中庸》、《大學》從《禮記》中提出，與《論語》、《孟子》並列為四書，達到與五經同尊甚至凌駕於五經之上的地步，使中庸觀念形成了穩定的

北京師範大學新聞學專業碩士論文　2006年5月　毛峰指導

陳淑珍　亞里士多德與孔子中庸思想之比較

江西師範大學外國哲學專業碩士論文　2006年　蔣九愚指導

沈曙東　朱熹《中庸章句》成書過程研究

華中師範大學中國古典文獻學專業碩士論文　2006年　高華平指導

楊　玲　《孝經》學譜

四川大學歷史文獻學專業碩士論文　2006年　舒大剛指導

鄒清泉　北魏孝子畫像研究——《孝經》與北魏孝子畫像圖像內涵的改變及墓葬功能的實現

中央美術學院美術學專業碩士論文　2006年　尹吉男、賀西林指導

邱道義　《爾雅》「釋類」部分語義初探

山東大學漢語言文字學專業碩士論文　2006年5月　楊端志指導

郭　偉　現代語義學視角下的《爾雅》單音節普通語詞訓釋

河北師範大學漢語言文字學專業碩士論文　2006年　蘇寶榮指導

王利花　雅學研究綜述

山西大學漢語言文字學專業碩士論文　2006年6月　白平指導

馮　華　爾雅新證

首都師範大學漢語言文字學專業博士論文　2006年4月　黃天樹指導

甄亞歌　郭璞《爾雅注》「今語」研究

北京師範大學漢語言文字學專業碩士論文　2006年5月　易敏指導

霞紹暉　漢唐注疏的遺韻——宋代邢昺《爾雅》疏研究

四川大學歷史文獻學專業碩士論文　2006年　李文澤指導

孫　瑩　郝懿行《爾雅義疏》訓詁研究

山東師範大學中國古典文獻學專業碩士論文　2006年　張金霞指導

梁　紅　《小爾雅》述評

遼寧師範大學漢語言文字學專業碩士論文　2006年5月　王功龍指導

吳　錘　《釋名》聲訓研究

上海師範大學漢語言文字學專業博士論文　2006年　潘悟雲指導

魏宇文　《釋名》名源研究

暨南大學漢語言文字學專業博士論文　2006年　王彥坤指導

傳播結構和傳播系統。

2007 年

彭玉珊　《史記》《漢書》論贊比較研究——從經學、史學、文學三層面探討
北京師範大學中國古代文學專業碩士論文　2007 年　尚學鋒指導

過文英　論漢墓繪畫中的伏羲女媧神話
浙江大學中國古典文獻學專業博士論文　2007 年　崔富章指導

馬　興　堯舜時代研究
東北師範大學中國古代文學專業博士論文　2007 年　詹子慶指導

王德成　儒學與秦代社會
曲阜師範大學專門史專業碩士論文　2007 年　楊朝明指導

雷　霞　經學在秦代的遭遇與漢初的復興
山東大學中國古典文獻學專業碩士論文　2007 年 4 月　鄭傑文指導

王　帥　經學影響下的漢代賦論
北京語言大學中國古代文學碩士論文　2007 年　方銘指導

鄒應龍　從地方到中央：西漢前期經學主導地位的形成
山東大學中國古典文獻學專業碩士論文　2007 年 4 月　鄭傑文指導

李　丹　司馬遷經學思想研究
延邊大學中國古代文學專業碩士論文　2007 年　張強指導

閆海文　東漢前期的經學思想及其政治實踐
西北大學專門史專業碩士論文　2007 年 5 月　方光華指導

陳金麗　論許慎的經學思想與經學成就
山東大學中國古典文獻學專業碩士論文　2007 年 4 月　王承略指導

吳根平　經學背景下的《說文解字》
江西師範大學文字學專業碩士論文　2007 年 4 月　陳順芝指導

石　靜　蔡邕思想與學術研究
山東大學中國古典文獻學專業碩士論文　2007 年　莊大鈞指導

李春旺　胡宏教育實踐與教育思想之探析
河南大學教育史專業碩士論文　2007 年 5 月　牛夢琪指導

曾建林　歐陽修經學思想研究
浙江大學中國古典文獻學專業博士論文　2007 年　束景南指導

曹海東　朱熹經典解釋學研究

華中師範大學漢語言文字學專業博士論文　2007 年 4 月　周光慶指導

陳玉東　宋濂交遊及文學思想考論

廣西師範大學中國古典文獻學專業碩士論文　2007 年　杜海軍指導

陳偉華　由「仁、善」到「理、氣」——劉基民本思想研究

湖南師範大學中國哲學專業碩士論文　2007 年 6 月　徐孫銘指導

鄒建安　曹端理學思想研究

南昌大學中國哲學專業碩士論文　2007 年　楊柱才指導

李海林　薛瑄對程朱理學的體認與實踐

山西大學專門史專業碩士論文　2007 年　馬玉山指導

郭　暉　薛瑄教育思想研究

廣西師範大學專門史專業碩士論文　2007 年　崔鳳春指導

戴隆娥　羅欽順的理欲觀

南昌大學中國哲學專業碩士論文　2007 年　鄭小江指導

江　新　羅欽順理氣心性論研究

北京大學哲學專業碩士論文　2007 年　楊立華指導

郭　勝　呂柟哲學思想及其特色研究

陝西師範大學中國哲學專業碩士論文　2007 年 5 月　劉學智指導

張路園　王艮思想研究

山東大學中國哲學專業博士論文　2007 年 3 月　王新春指導

胡雪琴　何心隱聚和思想研究

南昌大學中國哲學專業碩士論文　2007 年 5 月　鄭小江指導

王寶峰　儒教社會中的獨行者：李贄儒學思想研究

西北大學專門史專業博士論文　2007 年 5 月　張豈之指導

王　琴　李贄哲學思想研究

南開大學中國哲學專業碩士論文　2007 年 5 月　吳學國指導

王東生　徐光啟：科學、宗教與儒學的奇異融合

山東大學科學技術哲學專業碩士論文　2007 年 4 月　馬來平指導

李　紅　劉宗周「誠意」道德論探析

河北師範大學倫理學專業碩士論文　2007 年 6 月　趙忠祥指導

張亭立　陳子龍研究

華東師範大學文藝學專業博士論文　2007 年 4 月　齊森華指導

方書論　論方以智思想中的科學精神

蘇州大學中國哲學專業碩士論文　2007年4月　蔣國保指導

張世亮　方以智《東西均・三征》哲學思想研究——以「統泯隨，交輪幾」為切入點
北京師範大學中國哲學專業碩士論文　2007年5月　周桂鈿指導

劉　奕　清代中期經學家文學思想研究
復旦大學中國古代文學專業博士論文　2007年4月　陳廣宏指導

雍　琦　朱彝尊年譜
復旦大學中國古典文獻學專業碩士論文　2007年6月　錢振民指導

類成普　戴望學行述略
清華大學專門史專業碩士論文　2007年　張勇指導

郭娟娟　盧文弨之訓詁學研究
浙江大學浙江大學專業碩士論文　2007年4月　陳東輝指導

鄭春汛　清末民初專科目錄研究——以經學目錄、文學目錄為中心
華東師範大學中國古典文獻學專業博士論文　2007年4月　嚴佐之指導

張楓林　孫奇逢《理學宗傳》研究
河南大學中國哲學史專業碩士論文　2007年5月　高秀昌、耿成鵬指導

陳　群　論陳確的哲學思想
南昌大學中國哲學專業碩士論文　2007年　尹星凡指導

卞仁海　楊樹達訓詁研究
暨南大學漢語言文字學專業博士論文　2007年4月　王彥坤指導

趙　慧　黃侃對中國訓詁學理論的傳承與發展
遼寧師範大學漢語言文字學專業碩士論文　2007年　于志培指導

林國華　范文瀾與中國馬克思主義史學
山東大學中國古代史專業碩士論文　2007年5月　王學典指導

彭國良　顧頡剛史學思想的認識論解析
山東大學中國古代史專業博士論文　2007年5月　王學典指導

周　鼎　「取釜鐵於陶冶」：劉咸炘文化思想研究
四川大學中國近現代史專業博士論文　2007年　陳廷湘指導
成都　巴蜀書社　433頁　2008年1月（改名為《劉咸炘學術思想研究》）

包詩林　于省吾《新證》訓詁研究
安徽大學漢語言文字學專業博士論文　2007年　白兆麟指導

李　鵬　潘景鄭文獻活動研究
東北師範大學中國古典文獻學專業碩士論文　2007年　曹書杰指導

夏紅俠　童書業史學研究
華東師範大學中國古代史專業碩士論文　2007 年 5 月　張耕華指導
王慧東　論張舜徽的文獻學學科理論與方法
安徽大學歷史文獻學專業碩士論文　2007 年　周懷宇指導
冀倩如　陳大齊的孔孟荀哲學思想研究
武漢大學中國哲學專業碩士論文　2007 年　郭齊勇指導
朱　紅　方東美生命哲學評述
吉林大學中國哲學專業碩士論文　2007 年　劉連朋指導
李尚信　今、帛、竹書《周易》卦序研究
山東大學中國哲學專業博士論文　2007 年 4 月　劉大鈞指導
張汝金　解經與弘道——《易傳》之形上學研究
山東大學中國哲學專業博士論文　2007 年　顏炳罡指導
濟南　齊魯書社　338 頁　2007 年 11 月（文史哲博士文叢）
張克賓　帛書《易傳》詮釋理路論要
山東大學中國哲學專業碩士論文　2007 年　劉保貞指導
劉　震　帛書《易傳》卦爻辭研究
山東大學中國哲學專業博士論文　2007 年　蒙培元指導
陳建仁　周易文言傳研究
福建師範大學中國古代文學專業碩士論文　2007 年 4 月　張善文指導
辛亞民　論《周易》的理想人格
西北師範大學中國哲學專業碩士論文　2007 年 6 月　陳曉龍指導
蘭甲雲　周易古禮研究
湖南大學專門史專業博士論文　2007 年　陳戍國指導
長沙　湖南大學出版社　318 頁　2008 年 6 月
朱婷婷　《周易》古歌研究
北京師範大學中國古代文學專業碩士論文　2007 年 5 月　過常寶指導
馬　驤　《易經》的取象思維方式對詠物詩的影響
延邊大學中國古代文學專業碩士論文　2007 年　于春海指導
陳壯維　「方陣」卦序的構擬及《周易》初始形態研究
吉林大學歷史文獻學專業博士論文　2007 年 10 月　呂文鬱指導
曾海軍　易道的神明與幽微——《周易・繫辭》解釋史研究
中山大學哲學專業博士論文　2007 年 6 月　陳少明指導

王永平　先秦的卜筮與《周易》研究
吉林大學中國古代史專業博士論文　2007年12月　陳恩林指導

吳寶峰　象數易學與西漢政治、自然科學研究
河北師範大學中國古代史專業碩士論文　2007年　王文濤指導

邱曉亮　論中國書籍裝幀藝術中的《易》學文化傳統
北京印刷學院設計藝術學專業碩士論文　2007年　張涵指導

閆鵬凌　宮廷《易》蘊——周易視閾中的清朝宮廷裝飾與陳設研究
吉林藝術學院設計藝術學專業碩士論文　2007年　董赤、祝普文指導

范　旭　周易的平衡之數——3／7在視覺設計中的應用
南昌大學設計藝術學專業碩士論文　2007年6月　黃慧琴指導

何義霞　《周易》與《內經》陰陽文化的同構性研究
河南師範大學科學技術哲學專業碩士論文　2007年5月　冷天吉指導

李　明　《周易》與傳統養生思想研究
聊城大學中國古典文獻學專業碩士論文　2007年5月　王文清指導

白效詠　漢代的易學與政治
中國人民大學中國古代史專業博士論文　2007年　黃樸民指導

黃　河　《漢書》引《易》研究
華中師範大學歷史文獻學專業碩士論文　2007年6月　劉韶軍指導

張　軼　漢唐之間鄭玄易學研究
清華大學歷史學專業博士論文　2007年　王曉毅指導

吳學哲　論司馬遷與《周易》
遼寧師範大學古代文學專業碩士論文　2007年5月　邊家珍指導

王天彤　魏晉易學研究
山東大學中國古典文獻學專業博士論文　2007年　徐傳武指導

楊天才　《周易正義》研究
福建師範大學中國古典文獻學專業博士論文　2007年　張善文指導

胡長芳　韓康伯易學思想研究
山東大學中國哲學專業碩士論文　2007年　林忠軍指導

馬鑫焱　張載《橫渠易說》研究芻議
陝西師範大學中國哲學專業碩士論文　2007年　劉學智指導

傅中英　章學誠史學評論與《易》教
東北師範大學史學理論及史學史專業碩士論文　2007年5月　董鐵松指導

韓慧英　尚秉和易學思想研究
山東大學中國哲學專業博士論文　2007 年　劉大鈞指導

辛　翀　丁超五科學易學思想研究
山東大學中國哲學專業博士論文　2007 年 4 月　林忠軍指導

王辛方　窮源竟委，易于不易——李鏡池易學思想通覽
華南師範大學中國哲學專業碩士論文　2007 年　陳開先指導

楊　飛　今文《尚書》形容詞研究
揚州大學漢語言文字學專業碩士論文　2007 年　錢宗武指導

呂勝男　今文《尚書》用韻研究
揚州大學漢語言文字學專業碩士論文　2007 年　錢宗武指導

孫麗娟　今文《尚書》動詞研究
揚州大學漢語言文字學專業碩士論文　2007 年　錢宗武指導

李新飛　《漢語大詞典》引今文《尚書》詞語研究
湖南師範大學湖南師範大學專業碩士論文　2007 年　趙振興指導

房　曄　鄭玄所注《古文尚書》性質研究
南開大學歷史文獻學專業碩士論文　2007 年 5 月　王薇指導

陳以鳳　西漢孔氏家學及「偽書」公案
曲阜師範大學專門史專業碩士論文　2007 年　黃懷信指導

馬士遠　周秦《尚書》流變研究[22]
揚州大學中國古代文學專業博士論文　2007 年　錢宗武指導
北京　中華書局　340 頁　2008 年 9 月（改名為《周秦尚書學研究》）

陳良中　朱子《尚書》學研究
華東師範大學中國古典文獻學專業博士論文　2007 年　朱杰人指導

劉　勇　清人《尚書》訓詁方法研究
揚州大學漢語言文字學專業碩士論文　2007 年　錢宗武指導

陳　波　南方《詩經》的流傳及《詩經》文本的相關問題
四川師範大學古典文獻學專業碩士論文　2007 年　熊良智指導

孫宗琴　詩經與楚辭裡「求不可得」詩篇現象的研究
東北師範大學中國古代文學專業碩士論文　2007 年　陳向春指導

陳英姿　《詩經》比興研究

22 此論文出版後更名為。

華中師範大學中國古代文學專業碩士論文　2007 年　韓維志指導

李梅梅　從文化到文學：《詩經》「興」原始義解讀
東北師範大學中國古代文學專業碩士論文　2007 年　陳向春指導

鐘厚濤　文本的敞開與意義的轉換——由「詩言志」意義生成機制對《詩》被經學化的闡釋學觀照
首都師範大學比較文學與世界文學專業碩士論文　2007 年 5 月　楊乃喬、王柏華指導

黃炎蓮　上博楚簡《孔子詩論》所涉《詩經》篇目研究
華南師範大學中國古代文學專業碩士論文　2007 年　傅劍平指導

譚中華　《孔子詩論》編聯分章問題研究綜述
吉林大學歷史文獻學專業碩士論文　2007 年　馮勝君指導

杜春龍　《孔子詩論》與漢四家《詩》研究
延邊大學中國現當代文學專業碩士論文　2007 年　張強指導

劉　瑋　語言美與文化意象的傳遞——《詩經》翻譯研究
福建師範大學英語語言文學專業碩士論文　2007 年 5 月　岳峰指導

仁　利　論詩歌翻譯批評——《詩經》各譯本比較研究
上海外國語大學英語語言文學專業碩士論文　2007 年　史志康指導

李上榮　論詩歌翻譯中譯者的創造性——《詩經》譯本研究
蘇州大學英語應用語言學專業碩士論文　2007 年 4 月　汪榕培指導

李茵茵　《詩經》婚戀詩葡萄牙語譯本研究
暨南大學文藝學專業碩士論文　2007 年　蔣述卓指導

王華梅　周秦時期黃河中下游地區植被分布及其變遷——以《詩經》十五國風為線索
陝西師範大學歷史地理學專業碩士論文　2007 年　侯甬堅指導

張春嬋　《詩經・國風》與周代齊、晉、秦地域文化研究
遼寧師範大學中國古代文學專業碩士論文　2007 年 5 月　邊家珍指導

黃冬珍　《風》詩藝術特質研究
首都師範大學中國古代文學專業博士論文　2007 年　趙敏俐指導

鄭麗娟　《詩經》「二南」與周代禮樂文化
河南大學中國古代文學專業碩士論文　2007 年 5 月　華鋒、姚小鷗指導

劉小葉　論文化翻譯——《關雎》英譯中西對比研究
河北師範大學英語語言文學專業碩士論文　2007 年 3 月　李正栓指導

史培爭　論《關雎》的雙重解讀

東北師範大學中國古代文學專業碩士論文　2007 年 5 月　陳向春指導

黃國輝　《詩經・葛覃》與周代「歸寧」禮俗
北京師範大學中國古代史先秦史專業碩士論文　2007 年 5 月　晁福林指導

邵立志　《詩經・齊風》「刺襄詩」主旨研究
首都師範大學中國古代文學專業碩士論文　2007 年　魯洪生指導

黃　玲　《詩經・豳風》研究
廣西師範大學中國古典文獻學專業碩士論文　2007 年　力之指導

劉　麗　《詩經・秦風》研究
中央民族大學中國古代文學專業碩士論文　2007 年　劉棣民指導

聶　雙　《詩經・魯頌》研究
暨南大學中國古代文學專業碩士論文　2007 年　張玉春指導

黃倫峰　周代婚俗下的《詩經》婚戀詩研究
廣西師範大學中國古代文學專業碩士論文　2007 年　周葦風指導

牛曉貞　《詩經》婚戀詩意象的文化分析
西北大學中國古代文學專業碩士論文　2007 年　劉衛平指導

張慶霞　《詩經》婚戀詩的文化解讀
東北師範大學中國古代文學專業碩士論文　2007 年　傅亞庶指導

馬海敏　《詩經》宴饗詩考論
首都師範大學中國古代文學專業博士論文　2007 年　魯洪生指導

王光睿　《詩經》戰爭詩研究
蘭州大學中國古代文學專業碩士論文　2007 年　張崇琛指導

姜亞林　《詩經》戰爭詩研究
首都師範大學中國古代文學專業博士論文　2007 年　魯洪生指導

周　弘　《伊利亞特》和《詩經》中戰爭詩比較
重慶師範大學比較文學與世界文學專業碩士論文　2007 年　蘇敏指導

水　汶　《詩經》祭祖詩與祭祖禮
四川師範大學中國古代文學專業碩士論文　2007 年　熊良智指導

張穎慧　《詩經》重言研究
蘭州大學漢語言文字學專業碩士論文　2007 年　趙小剛指導

畢秀潔　《詩經》「到達」義動詞研究
吉林大學漢語言文字學專業碩士論文　2007 年　武振玉指導

李　飛　《詩經》天觀念研究

中央民族大學中國古代文學專業碩士論文　2007 年　劉棣民指導

張　新　論《詩經》中的時間
首都師範大學比較文學與世界文學專業碩士論文　2007 年　王柏華指導

劉麗華　《詩經》動物物象探微
陝西師範大學中國古代文學專業碩士論文　2007 年　劉生良指導

胡　青　《詩經》植物起興研究
華中師範大學中國古代文學專業碩士論文　2007 年　劉興林指導

鄭　群　《詩經》與周代婚姻禮俗研究
揚州大學中國古代文學專業博士論文　2007 年　錢宗武指導

羅　婕　《詩經》中反映的先秦婚禮
華中師範大學古代文學專業碩士論文　2007 年　韓維志指導

張雪梅　《詩經》時代女性審美論
青島大學中國古典文學專業碩士論文　2007 年　郭芳指導

郝秀榮　論《詩經》中的女性意識
延邊大學中國古代文學專業碩士論文　2007 年　于衍存指導

姚志國　《詩經》「女性作品」研究
東北師範大學中國古代文學專業碩士論文　2007 年　李立指導

王培臣　《詩經》與先周部族文化
曲阜師範大學中國古代文學專業碩士論文　2007 年　趙東栓指導

陳　楠　從矇昧到理性——從《詩經》看原始文化在周代的演化
西北大學中國古代文學專業碩士論文　2007 年　劉衞平指導

王志芳　《詩經》中生活習俗研究——文獻記載與考古發現的綜合考察分析
山東大學中國古代史專業博士論文　2007 年　劉鳳君指導

李　雯　《詩經》婚制婚俗探究
福建師範大學中國古代文學專業碩士論文　2007 年　郭丹指導

張　敏　《詩經》的認知詩學與心理分析研究
華南師範大學應用心理學專業博士論文　2007 年　申荷永指導

郭付利　《詩經》之詩樂觀研究
貴州大學中國古代文學專業碩士論文　2007 年　譚德興指導

李婷婷　《詩經》與器樂
聊城大學藝術學專業碩士論文　2007 年　呂雲路指導

葉敦妮　《詩經》樂器考釋

華中師範大學音樂學專業碩士論文　2007 年　李方元指導

張　嘎　《詩經》服飾考論

西北大學中國古代文學專業碩士論文　2007 年　劉衞平指導

喬麗敏　文質彬彬——《詩經》服飾描寫的審美理想

東北師範大學中國古代文學專業碩士論文　2007 年　陳向春指導

趙　琳　春秋時期《詩》的傳播及《詩》學觀念的變化

山東大學中國古典文學專業碩士論文　2007 年　鄭傑文指導

張　豔　《毛傳》、《鄭箋》對《詩經》訓詁之比較

蘭州大學中國古典文獻學專業碩士論文　2007 年　張文軒指導

關小彬　班固《詩經》師承考

首都師範大學中國古代文學專業碩士論文　2007 年　魯洪生指導

孔德凌　鄭玄《詩經》學研究

山東大學中國古典文獻學專業博士論文　2007 年　鄭傑文指導

石了英　劉勰的《詩經》闡釋與《文心雕龍》詩學建構

暨南大學文藝學專業碩士論文　2007 年　賈益民指導

胡曉軍　宋代《詩經》文學闡釋研究

四川大學文藝學專業博士論文　2007 年　周裕鍇指導

張　潔　《詩經新義》研究

山西大學中國古代文學專業碩士論文　2007 年 6 月　劉毓慶指導

劉　茜　蘇轍的《春秋》學與《詩經》學

浙江大學中國古典文獻學專業博士論文　2007 年 5 月　束景南指導

高曉成　鄭樵詩經學簡論

山西大學中國古代文學專業碩士論文　2007 年 6 月　劉毓慶指導

葉洪珍　王質《詩總聞》考論

新疆師範大學中國古代文學專業碩士論文　2007 年　王佑夫指導

葉　璟　徐光啟《詩經》研究三題

浙江大學中國古代文學專業碩士論文　2007 年 5 月　林家驪指導

李　娟　復調變奏曲——鍾惺《詩經》評點析論

廣西大學中國古代文學專業碩士論文　2007 年　謝明仁指導

吳超華　姚際恒的《詩經通論》研究

福建師範大學中國古代文學專業碩士論文　2007 年　翁銀陶指導

梁新興　在因循傳統下的創新思變——對《詩經原始》的自我認知

廣西大學中國古代文學專業碩士論文　2007 年　謝明仁指導

謝艷明　詩歌的敘述模式和程式——以《英格蘭與蘇格蘭民謠》和《詩經》為例
河南師範大學英語語言文學專業博士論文　2007 年　王寶童指導

黃　妍　朝鮮上古詩歌對《詩經》的接受及其影響——以《公無渡河》、《黃鳥歌》、《龜旨歌》為例
延邊大學中國古代文學專業碩士論文　2007 年　于衍存指導

張小蘋　孔孟荀禮學思想論要
浙江大學中國古典文獻學專業碩士論文　2007 年　吳土法指導

趙炎峰　孔子禮學思想的哲學詮釋及其政治文化意義
河南大學中國哲學專業碩士論文　2007 年　耿成鵬指導

雷瓊芳　論荀子禮學思想的美學訴求
新疆大學文藝學專業碩士論文　2007 年　張立斌指導

刁小龍　鄭玄禮學及其時代
清華大學專門史專業博士論文　2007 年　彭林指導

張玉琴　鄭玄「三禮注」釋樂考釋
華中師範大學中國古代音樂史專業碩士論文　2007 年 6 月　李方元指導

羅娟娟　《大唐開元禮》喪葬禮詞彙研究
四川大學漢語言文字學專業碩士論文　2007 年　譚偉指導

鄭　艷　藍田呂氏禮學思想及鄉村實踐研究
陝西師範大學中國哲學專業碩士論文　2007 年　林樂昌指導

馮素梅　試論清代「三禮」學研究
山西大學中國古代史專業碩士論文　2007 年 5 月　馬玉山指導

房姍姍　試論毛奇齡的禮學成就
魯東大學專門史專業碩士論文　2007 年 6 月　程奇立指導

魏立帥　晚清漢學派禮學研究
山東師範大學中國近現代史專業碩士論文　2007 年　田海林指導

李江輝　晚清江浙禮學研究——以揚州、浙東、常州為中心
西北大學歷史學專業博士論文　2007 年　方光華指導

蓋志芳　民國禮學的歷史考察
山東師範大學中國近現代史專業碩士論文　2007 年　田海林指導

李　晶　《周禮》成書時代與國別問題研究——基於《周禮》所見若干制度的考察
南開大學中國古代史專業博士論文　2007 年 4 月　趙伯雄指導

鐘正基　《考工記》車的設計思想研究

武漢理工大學設計藝術學專業碩士論文　2007 年　鄒其昌指導

王夢周　《考工記》玉器設計思想研究

武漢理工大學設計藝術學專業碩士論文　2007 年　鄒其昌指導

劉明玉　《考工記》服飾工藝理論研究

武漢理工大學設計藝術學專業碩士論文　2007 年 5 月　鄒其昌指導

段大龍　《考工記》的「材美」「工巧」設計思想及其現實意義

東北師範大學設計藝術學專業碩士論文　2007 年　李奇飛指導

孫　琛　《考工記・磬氏》驗證

中國藝術研究院音樂學專業碩士論文　2007 年 4 月　王子初指導

張學濤　注釋書中名物詞訓詁方法的歷史演變——以《周禮》鄭玄注、賈公彥注疏和孫詒讓正義為例

北京師範大學漢語言文字學專業碩士論文　2007 年 5 月　朱小健指導

楊　瑤　《周禮》中所載戶籍制度及相關問題初探

吉林大學中國古代史專業碩士論文　2007 年　朱紅林指導

張　偉　《周禮》中玉禮器考辨

西北大學考古學及博物館學專業碩士論文　2007 年 5 月　劉雲輝、陳洪海指導

洪　曦　檔案學視角下的《周禮》研究

遼寧大學檔案學專業碩士論文　2007 年　丁海斌指導

王雪萍　《周禮》飲食制度研究

揚州大學中國古代文學專業博士論文　2007 年　田漢雲指導

余　琳　《禮記・月令》篇禁忌研究

暨南大學中國古典文獻學專業碩士論文　2007 年　張玉春指導

趙　瑜　從《禮記・內則》等篇看周代婦女的社會地位

陝西師範大學中國古代史專業碩士論文　2007 年 5 月　王暉指導

何清藍　西周禮制初探——以《禮記》所載祭祀制度為中心的分析

西南政法大學法律史專業碩士論文　2007 年　陳金全指導

盧　靜　《禮記》文學研究

陝西師範大學中國古代文學專業博士論文　2007 年　霍松林指導

武宇嫦　禮與俗的演繹——民俗學視野下的《禮記》研究

北京師範大學民俗學專業博士論文　2007 年　劉鐵梁指導

楊丙濤　從《禮記》鄭玄注看戰國時期齊魯方音
北京師範大學漢語言文字學專業碩士論文　2007 年 5 月　黃易青指導

呂雲生　《禮記》動詞的語義分類研究
北京師範大學漢語言文字學專業博士論文　2007 年 4 月　王寧指導

常虛懷　《禮記正義》校讀札記
南京師範大學中國古典文獻學專業碩士論文　2007 年 5 月　方向東指導

蘇成愛　《陳氏禮記集說》研究
南京師範大學中國古典文獻學專業碩士論文　2007 年 4 月　方向東指導

藍　瑤　朱彬《禮記訓纂》研究
南京師範大學中國古典文獻學專業碩士論文　2007 年 5 月　方向東指導

萬麗文　孫希旦《禮記集解》研究
南京師範大學中國古典文獻學專業碩士論文　2007 年 4 月　王鍔指導

曲　輝　宋代春秋學研究——以孫復、程頤、胡安國、朱熹為中心
華東師範大學中國古典文獻學專業碩士論文　2007 年　嚴文儒指導

邱　鋒　《春秋》及「三傳」歷史觀研究
北京師範大學史學理論及史學史專業博士論文　2007 年 5 月　瞿林東指導

王學峰　春秋時期的神靈觀——以《左傳》、《國語》為例
上海師範大學宗教學專業碩士論文　2007 年 5 月　吾敬東指導

周國琴　程端學《春秋》三書研究
南開大學中國古代史專業博士論文　2007 年 4 月　趙伯雄指導

楊　泠　從與《左傳》的比較看《史記》連詞的特點
北京師範大學漢語言文字學專業碩士論文　2007 年 5 月　劉利指導

張曉燕　從與《左傳》的比較看《史記》特指疑問句的特點
北京師範大學漢語言文字學專業碩士論文　2007 年 5 月　劉利指導

許　霞　從《左傳》《史記》看上古漢語稱數法
北京師範大學漢語言文字學專業碩士論文　2007 年 5 月　劉利指導

黃二寧　《左傳》、《史記》寫人之比較研究
北京師範大學中國古代文學專業碩士論文　2007 年 5 月　過常寶指導

張雲濤　《左傳》《史記》異文研究
內蒙古師範大學漢語言文字學專業碩士論文　2007 年 6 月　章也指導

朱志純　從《史記》對《左傳》的取材透視司馬遷的「一家之言」
華中師範大學中國古代文學專業碩士論文　2007 年 5 月　韓維志指導

黃　耀　《國語》《左傳》所敘晉史比較研究
重慶師範大學中國古代文學專業碩士論文　2007 年　董運庭指導

蘇　芃　讀《左》脞錄
南京師範大學中國古典文獻學專業碩士論文　2007 年 5 月　趙生群指導

徐春紅　《左傳》告論類動詞詞義特點和結構功能研究
河北師範大學漢語言文字學專業碩士論文　2007 年 5 月　田恒金指導

楊曉粉　《左傳》杜注聯合式雙音結構研究
北京師範大學漢語言文字學專業碩士論文　2007 年 5 月　崔樞華指導

高留香　《左傳》「所」字及「所」字結構研究
暨南大學漢語言文字學專業碩士論文　2007 年　朱承平指導

蘇延煒　《左傳》主謂謂語句研究
暨南大學漢語言文字學專業碩士論文　2007 年　張家文指導

宋　崢　《左傳》中使令動詞詞義特點對其句法結構和功能的影響
河北師範大學漢語言文字學專業碩士論文　2007 年 5 月　王軍指導

尹　潔　《春秋左氏傳》正文訓詁研究
北京師範大學漢語言文字學專業碩士論文　2007 年 5 月　李運富指導

郝躍鳳　《左傳》謙敬語考察
山西大學漢語言文字學專業碩士論文　2007 年 6 月　張儒指導

吳秉坤　《左傳》敘事與弒君凡例之關係
清華大學專門史專業博士論文　2007 年　方朝暉指導

劉鳳俠　《左傳》的敘事學研究
山東大學中國古代文學專業碩士論文　2007 年　廖群指導

史繼東　《左傳》敘事觀念及敘事藝術研究
陝西師範大學中國古代文學專業碩士論文　2007 年 4 月　魏耕原指導

艾海青　《左傳》引《詩》研究
廣西師範大學中國古代文學專業碩士論文　2007 年　周葦風指導

陳穎聰　《左傳》對《毛詩》的影響研究
中山大學文學專業碩士論文　2007 年 5 月　孫立指導

陳金海　論《左傳》的「求真」精神
北京師範大學中國古代史專業碩士論文　2007 年 5 月　易寧指導

周　軍　《左傳》歷史文學論略
湖北大學中國古代史專業碩士論文　2007 年 5 月　彭忠德指導

孟繁強　《左傳》城邑與邦國關係研究
北京師範大學古典文獻學專業碩士論文　2007 年 5 月　李山指導
寧全紅　《左傳》刑罰適用研究
西南政法大學法律史專業博士論文　2007 年 3 月　俞榮根指導
張　芬　《左傳》中貴族女性形象的文化闡釋
北京師範大學古典文獻學專業碩士論文　2007 年 5 月　李山指導
王紹燕　《左傳》女性形象研究
蘭州大學中國古代文學專業碩士論文　2007 年　張崇琛指導
張蓓蓓　論《左傳》敘事中的「禮」
北京師範大學中國古代文學專業碩士論文　2007 年 5 月　尚學鋒指導
成佳妮　春秋晉國歷史文學研究——以《左傳》為中心
青島大學中國古代文學專業碩士論文　2007 年 6 月　張樹國指導
韓　霞　《左傳》夢占預言的文學價值
延邊大學中國古代文學專業碩士論文　2007 年 5 月　孫德彪指導
郭洪波　《左傳》巫術宗教文化研究
曲阜師範大學中國古代文學專業碩士論文　2007 年　趙東栓指導
孟憲嶺　《左傳》中的孔子言語研究
首都師範大學中國古代文學專業碩士論文　2007 年　趙敏俐指導
王　謙　杜預《春秋左傳集解》語境運用研究
蘭州大學漢語言文字學專業碩士論文　2007 年　趙小剛指導
許慶江　呂祖謙《左氏博議》研究
北京師範大學中國古典文獻學專業碩士論文　2007 年 5 月　郭英德指導
郭院林　從「以禮治左」到「援古經世」——清代儀徵劉氏《左傳》家學研究
北京大學中國古典文獻學專業博士論文　2007 年　安平秋指導
北京　中華書局　301 頁　2008 年 3 月（改名為《清代儀徵劉氏《左傳》家學研究》）
金曉東　劉師培的《左傳》學研究
山東大學中國古典文獻學專業碩士論文　2007 年 4 月　劉曉東指導
徐　玲　《左傳》與希羅多德《歷史》比較研究
蘇州大學中國古代文學專業碩士論文　2007 年　王鍾陵指導
武　躍　早期公羊學派民族觀念的發展
內蒙古大學中國古代史專業碩士論文　2007 年　趙英指導

白　雷　　略論戰國秦漢間公羊學派的歷史認識問題
　　　　　內蒙古大學中國古代史專業碩士論文　2007 年　趙英指導

索燁丹　　《春秋公羊傳》副詞研究
　　　　　山西大學漢語言文字學專業碩士論文　2007 年 6 月　白平指導

魏定榔　　試論公羊學與漢代社會
　　　　　福建師範大學中國古代史專業碩士論文　2007 年　徐心希指導

吳　濤　　論西漢的《穀梁》學——兼論《穀梁》與《公羊》之間的升降關係
　　　　　復旦大學專門史專業博士論文　2007 年 4 月　朱維錚指導

吳湘枝　　王闓運公羊學思想初探
　　　　　湖南師範大學古典文獻學專業碩士論文　2007 年 5 月　王建指導

楊德春　　《春秋穀梁傳》研究
　　　　　北京語言大學中國古代文學專業博士論文　2007 年　方銘指導

王麗霞　　《春秋穀梁傳》副詞研究
　　　　　山西大學漢語言文字學專業碩士論文　2007 年 6 月　白平指導

吳　濤　　論西漢的《穀梁》學——兼論《穀梁》與《公羊》之間的升降關係
　　　　　復旦大學專門史專業博士論文　2007 年 4 月　朱維錚指導

李小明　　《四書章句集注》訓詁研究
　　　　　蘭州大學漢語言文字學專業碩士論文　2007 年　趙小剛指導

周春健　　元代四書學研究
　　　　　華中師範大學歷史文獻學專業博士論文　2007 年　周國林指導
　　　　　上海　華東師範大學出版社　486 頁　2008 年

朱　冶　　倪士毅《四書輯釋》研究——元代「四書學」發展演變示例
　　　　　北京師範大學歷史文獻學專業碩士論文　2007 年 5 月　邱居里指導

唐洪志　　上博簡（五）孔子文獻校理
　　　　　華南師範大學中國古代史專業碩士論文　2007 年　白于藍指導

孔　賓　　孔子弟子與魯國政治
　　　　　曲阜師範大學專門史專業碩士論文　2007 年　楊朝明指導

王林萍　　引仁入禮——孔子對周禮的超越
　　　　　東北師範大學中國哲學專業碩士論文　2007 年　胡海波指導

趙炎峰　　孔子禮學思想的哲學詮釋及其政治文化意義
　　　　　河南大學中國哲學專業碩士論文　2007 年　耿成鵬指導

王立傑　　素王法哲學

清華大學法學專業碩士論文　2007 年　江山指導

萬　偉　孔子的治學思想與當代中學語文教育
華中師範大學課程與教學論專業碩士論文　2007 年 11 月　林繼富指導

孟憲嶺　《左傳》中的孔子言語研究
首都師範大學中國古代文學專業碩士論文　2007 年　趙敏俐指導

高慶峰　論《史記》中孔子形象之獨特性
曲阜師範大學中國古代文學專業碩士論文　2007 年　單承彬指導

答　浩　論孔子的修身之道
上海社會科學院中國哲學專業碩士論文　2007 年　周山指導

楊　暉　辜鴻銘翻譯文化觀研究——以辜譯《論語》為例
湖南師範大學英語語言文學專業碩士論文　2007 年　黃振定指導

敬　洪　五種《論語》英譯本的比較研究
西安電子科技大學外國語言學及應用語言學專業碩士論文　2007 年　高瑜指導

陳　琳　《論語》英譯中補償的比較研究
華東師範大學語言學及應用語言學專業碩士論文　2007 年　陸鈺明指導

章亞瓊　《論語・學而第一》英譯文的解構策略研究
貴州大學英語語言文學專業碩士論文　2007 年 5 月　費小平指導

倪吉華　社會符號學視角下《論語》英語翻譯中的對等
外交學院外國語言學與應用語言學專業碩士論文　2007 年　衡孝軍指導

曹　慧　論文化語境在《論語》英譯本中的傳達
大連理工大學外國語言學及應用語言學專業碩士論文　2007 年 12 月　劉卉指導

丁桃源　《論語》修辭研究
西北師範大學漢語言文字學專業碩士論文　2007 年 5 月　周玉秀指導

解文光　《論語》中「禮」與「仁」關係的再探析
清華大學哲學專業碩士論文　2007 年　胡偉希指導

陶建芳　《論語》複音詞研究
內蒙古大學漢語言文字學專業碩士論文　2007 年　道爾吉指導

金　夢　《論語》狀中結構研究
西南大學漢語言文字學專業碩士論文　2007 年　方有國指導

鄒春娟　《論語》語篇體裁的系統功能語言學分析

華南師範大學英語語言文學專業碩士論文　2007 年　何恒幸指導

顏　潔　孔子人學思想及其現代意義

南昌大學中國哲學專業碩士論文　2007 年　尹星凡指導

孫漢杰　論孔子的「成人」思想

東北師範大學中國哲學專業碩士論文　2007 年　胡海波指導

高麗波　孔子立志思想研究

東北師範大學馬克思主義理論與思想政治教育專業碩士論文　2007 年　王平指導

相桓振　孔子孝德思想探析

山東大學倫理學專業碩士論文　2007 年　張代芹指導

李智霞　從《論語》君子人格探析現代道德人格塑造

首都師範大學倫理學專業碩士論文　2007 年　吳來蘇指導

孫軍紅　孔子「和」論

河南大學中國哲學專業碩士論文　2007 年　喬鳳杰、朱麗霞指導

郭　清　論孔子思想中的和諧理念

天津師範大學政治學理論專業碩士論文　2007 年　邸彥莉指導

張凱作　孔子之「仁」新解

遼寧大學中國哲學專業碩士論文　2007 年　王雅指導

賈景峰　孔子政治思想的基礎——從周代政治、宗教、哲學等角度分析

吉林大學政治學理論專業博士論文　2007 年　王彩波指導

王竹昌　《論語》「仁」辨及其管理學價值

青島大學中國古代文學專業碩士論文　2007 年　徐宏力指導

張晨鐘　《論語》「利」論及其現代管理學價值

青島大學中國古代文學專業碩士論文　2007 年　徐宏力指導

辛以春　孔子「無訟」解

蘇州大學法律史學專業碩士論文　2007 年　高積順指導

傅　蓉　論《論語》的心理學思想

江西師範大學基礎心理學專業碩士論文　2007 年　郭斯萍指導

譚　晴　論孔子的教育思想對當代中學生素質教育的啟示

華中師範大學學科教學專業碩士論文　2007 年　佘斯大指導

姜廣錦　《論語》教育理論範疇對當今教育的啟示

華中師範大學學科教學專業碩士論文　2007 年　周光慶指導

蘇　悅　高中語文「經典誦讀」——《論語》的教學實踐與研究
東北師範大學教育專業碩士論文　2007 年　黃凡中指導

徐麗穎　《論語》在高中思想政治課中的應用研究
東北師範大學思想政治專業碩士論文　2007 年　紀良指導

陳　明　論孔子體育思想對我國後世體育發展的影響
廣西師範大學體育人文社會學專業碩士論文　2007 年　梁柱平指導

張　磊　論《論語》的文學性
延邊大學中國古代文學專業碩士論文　2007 年　于衍存指導

孫玉梅　周代禮樂制度與孔子的音樂思想
東北師範大學中國古代文學專業碩士論文　2007 年　高長山指導

鄧志敏　先秦儒家人學與美學淺論——以孔子為主，兼論孟、荀的美學思想
安徽大學文藝學專業碩士論文　2007 年　顧祖釗指導

徐加利　詮釋與創造——西方詮釋學視野下的孔子詮釋理論
山東師範大學外國哲學專業碩士論文　2007 年　趙衛東指導

石書蔚　安樂哲孔子哲學研究與中西哲學會通
吉林大學中國哲學專業碩士論文　2007 年　張連良指導

許　鶩　美國學者對孔子思想的研究
華東師範大學中國古代文學專業碩士論文　2007 年　陳曉芬指導

阿哈萊姆　《論語》與《古蘭經》比較
北京語言大學思想史專業碩士論文　2007 年　方銘指導

楊麗君　歷代石經《論語》考
曲阜師範大學古典文獻學專業碩士論文　2007 年 4 月　單承彬指導

何林英　朱熹和劉寶楠《論語》解釋之比較
蘭州大學漢語言文字學專業碩士論文　2007 年　趙小剛指導

周豐堇　皇侃性情論——《論語義疏》性情思想探討
北京大學中國哲學專業碩士論文　2007 年　李中華指導

林　強　個人主義視域下的儒家思想闡釋：以 30 年代周作人對《論語》的闡釋為個案
福建師範大學中國現當代文學專業碩士論文　2007 年　呂若涵指導

李仲慶　大眾傳媒語境下的于丹熱解讀：《于丹《論語》心得》紛爭的背後
吉林大學中國現當代文學專業碩士論文　2007 年　靳叢林指導

趙燦良　《孔子家語》研究
吉林大學歷史文獻學專業碩士論文　2007 年　張固也指導

阮幗儀　《孔子家語》複音詞研究
中山大學漢語史專業碩士論文　2007 年 5 月　譚步雲指導

陳建磊　魏晉孔氏家學及《孔子家語》公案
曲阜師範大學專門史專業碩士論文　2007 年　黃懷史指導

王杜鵑　孟子遊歷與其思想歷程之考察
首都師範大學馬克思主義哲學專業碩士論文　2007 年　白奚指導

劉瑤瑤　《孟子》與《孟子章句》複音詞構詞法比較研究
蘭州大學漢語言文字學專業碩士論文　2007 年　趙小剛指導

洪　帥　趙岐《孟子章句》複音詞研究
河南大學漢語言文字學專業碩士論文　2007 年　魏清源指導

孫　瑋　《孟子》詞語研究
蘭州大學漢語言文字學專業碩士論文　2007 年　張文軒指導

張嬋娟　《孟子》動詞配價研究
遼寧師範大學漢語言文字學專業碩士論文　2007 年 5 月　陳榴指導

劉　斌　《孟子》補語研究
華南師範大學漢語言文字學專業碩士論文　2007 年　吳辛丑指導

陳順成　《孟子》複句研究
西北師範大學漢語言文字學專業碩士論文　2007 年 5 月　周玉秀指導

汪　凱　以《孟子》為語料的概念隱喻認知研究
武漢理工大學外國語言學及應用語言學專業碩士論文　2007 年 5 月　高文成指導

王　維　「盡心知性」與「即心即佛」：　孟子與慧能心性論之異同的形而上學思考
山東大學中國哲學專業碩士論文　2007 年　沈順福指導

羅香萍　孟子人格美思想研究
中山大學哲學專業碩士論文　2007 年 6 月　黎紅雷指導

周　艷　孟子的性善論思想及其現代德育價值
華中師範大學教育學原理專業碩士論文　2007 年　杜時忠指導

李樹琴　孟子的道德教化思想探微
南昌大學倫理學專業碩士論文　2007 年　詹世友指導

吳淩鷗　孟子的敬畏之心與當前社會道德建設
浙江大學中國哲學專業碩士論文　2007 年　董平指導

朱慧玲　孟子道德生成論及其現代價值研究

首都師範大學倫理學專業碩士論文　2007 年　安雲鳳指導

田　野　《孟子》中所載孟軻所述史實真偽問題辯正
遼寧師範大學歷史文獻學專業碩士論文　2007 年 5 月　梅顯懋指導

祁麗華　試論《孟子》人文精神及其教育價值
山東師範大學教育學原理專業碩士論文　2007 年　高偉指導

趙建國　孟子散文的論辯藝術研究
蘭州大學中國古代文學專業碩士論文　2007 年　張崇琛指導

蕘必文　柏拉圖與孟子倫理政治思想之比較
江西師範大學外國哲學專業碩士論文　2007 年　蔣九愚指導

張緒峰　兩漢孟子學簡史
山東大學中國古典文獻學專業碩士論文　2007 年　王承略指導

王元元　趙岐《孟子章句》釋句過程中的詞義訓釋
北京師範大學漢語言文字學專業碩士論文　2007 年 5 月　易敏指導

趙　蕾　《孟子疏》研究
陝西師範大學中國古典文獻學專業碩士論文　2007 年 4 月　周淑萍指導

朱媛鳳　朱熹《孟子》三書研究
山東大學中國古典文獻學專業碩士論文　2007 年　馮浩菲指導

張佳佳　《孟子節文》研究
清華大學專門史專業碩士論文　2007 年　葛兆光指導

郭　進　焦循《孟子正義》研究
暨南大學中國古典文獻學專業碩士論文　2007 年　陸勇強指導

劉建明　焦循《孟子正義》訓詁研究
福建師範大學漢語言文字學專業碩士論文　2007 年 4 月　徐啟庭指導

任　堅　《孟子正義》訓詁研究
西北師範大學漢語言文字學專業碩士論文　2007 年 5 月　周玉秀指導

屠建達　《大學》的張力：經典與詮釋之學理探索
北京大學古典文獻學專業碩士論文　2007 年　劉玉才指導

曾軍雄　《大學》「道」論及其對儒者價值的承載：在理學範圍內以主要思想家為例
湖南師範大學中國哲學專業碩士論文　2007 年　鄧名瑛指導

耿　松　《大學衍義補》研究
華東師範大學中國古典文獻學專業碩士論文　2007 年　吳宣德指導

呂東波　《大學衍義補》與明中期社會變遷

東北師範大學中國古代史專業碩士論文　2007 年　趙玉田指導

姜勝男　「崇朱辟王」：呂留良「《大學》評語」研究

東北師範大學中國古代史專業碩士論文　2007 年　趙軼峰指導

郭曉東　孔子「中庸」思想的現代闡釋

中國石油大學馬克思主義哲學專業碩士論文　2007 年　江華指導

鄭　熊　宋儒對《中庸》的研究

西北大學歷史學專業博士論文　2007 年 5 月　張豈之指導

劉紅麗　中庸思想及其現代德育價值研究

東北師範大學馬克思主義理論與思想政治教育專業碩士論文　2007 年　王平指導

賈　宇　玄儒思想影響下的兩晉孝觀念演變

清華大學專門史專業碩士論文　2007 年　王曉毅指導

杜　娟　試論唐玄宗《孝經注》

華南師範大學專門史專業碩士論文　2007 年　代繼華指導

趙景雪　清代《孝經》文獻研究

山東大學中國古典文獻學專業碩士論文　2007 年　馮浩菲指導

陸雅茹　《孝經直解》「把／將」字句研究

上海大學漢語言文字學專業碩士論文　2007 年 4 月　沈益洪指導

盧永維　《爾雅・釋詁》「至也」詞條探析

吉林大學漢語言文字學專業碩士論文　2007 年　武振玉指導

王雪燕　稱謂・家族・婚姻・宗法——《爾雅・釋親》的文化學研究

內蒙古大學漢語言文字學專業碩士論文　2007 年　道爾吉指導

曹　燕　《爾雅》動物專名研究

內蒙古大學漢語言文字學專業碩士論文　2007 年　道爾吉指導

章承董　《爾雅》疊音詞研究

北京師範大學漢語言文字學專業碩士論文　2007 年 5 月　李運富指導

趙　瑩　《爾雅義疏》引用《說文》研究

北京師範大學漢語言文字學專業碩士論文　2007 年 6 月　李運富指導

孫美紅　郝氏《義疏》方俗語料研究

河北師範大學漢語言文字學專業碩士論文　2007 年 4 月　田恒金指導

程光耀　《釋名》中的同字為訓現象研究

鄭州大學漢語言文字學專業碩士論文　2007 年　胡和平指導

吳榮范　《廣雅疏證》類同引申研究
　　蘭州大學漢語言文字學專業碩士論文　2007年　趙小剛指導

彭　慧　《廣雅疏證》漢語語義學研究
　　四川大學漢語言文字學專業博士論文　2007年　蔣宗福指導

朱玉周　漢代讖緯天論研究
　　山東大學專門史專業博士論文　2007年5月　曾振宇指導

彭　越　讖緯與兩漢政治
　　廣西師範大學中國古代史專業碩士論文　2007年　周長山指導

梁　晨　兩漢讖緯之學的源流與興盛
　　安徽師範大學中國古代史專業碩士論文　2007年　龔士京指導

曾　軍　義理與考據——清中期《禮記》詮釋的兩種策略
　　華中師範大學中國古典文獻學專業博士論文　2008年6月　張三夕指導

傅麗敏　中晚唐《春秋》學研究
　　吉林大學歷史文獻學專業碩士論文　2008年5月　張固也指導

安炫澤　孟子「士」的精神自覺
　　清華大學哲學專業碩士論文　2008年　王中江指導

年份不明

欒保群　西漢經今古文之爭與王莽的改制
　　中國社會科學院研究生院中國古代文學專業碩士論文　王毓銓指導

栗品孝　朱熹與宋代蜀學
　　四川大學歷史學專業博士論文　胡昭儀指導
　　北京　高等教育出版社　209頁　1998年10月（高校文科博士文庫）

庾濰誠　馬王堆帛書《易傳》所反映出的孔子思想
　　吉林大學中國古代史專業碩士論文　呂紹剛指導

賈軍仕　《周易》、《尚書》思想比較研究
　　汕頭大學中國古代文學專業碩士論文　劉坤生指導

夏　雲　《易》、《老》辨
　　汕頭大學中國古代文學專業碩士論文　劉坤生指導

陳景聚　姚際恒、崔述與方玉潤的《詩經》學「簡論」
　　西北大學專門史專業碩士論文　方光華指導

于永玉　《儀禮・喪服》研究

吉林大學中國古代文學專業碩士論文　金景芳指導

陳思林　關於《春秋》若干問題的探索

吉林大學中國古代文學專業碩士論文　金景芳指導

李天琦　論孔子的文質統一思想

吉林大學中國哲學專業碩士論文　李景林指導

李　銳　孔孟之間「性」論研究

清華大學專門史專業博士論文　李學勤指導

李　瑩　論《論語》在英美的翻譯與接受

四川大學碩士論文　朱徽指導

黃偉德　傳播學視野下的《孟子》

汕頭大學漢語言文字學專業碩士論文　吳信訓指導

張　東　《孟子字義疏證》發微

中共中央黨校中國哲學專業碩士論文　喬清舉指導

呂宗力　東漢碑刻與讖緯神學

中國社會科學院研究生院中國古代文學專業碩士論文　張政烺、李學勤指導

陳穎飛　緯書兩大妖星系統考辨

清華大學專門史專業碩士論文　劉國忠指導

導師別分類

二畫

丁

丁為祥

高立梅　儒家「仁義」思想的形成及其意義
陝西師範大學中國哲學專業碩士論文　2003 年 4 月　丁為祥指導

丁原明

殷鳴放　王充的理性精神與人文精神——兼論二者的失衡
山東大學中國哲學專業碩士論文　2006 年 5 月　丁原明指導

馬宗軍　《周易參同契》思想研究
山東大學中國哲學專業博士論文　2006 年 4 月　丁原明指導

唐名輝　從孔子到董仲舒：儒家天人觀的演變及其影響下的西漢儒學的新發展
山東大學中國哲學專業碩士論文　2001 年 5 月　丁原明指導

丁海斌

洪　曦　檔案學視角下的《周禮》研究
遼寧大學檔案學專業碩士論文　2007 年　丁海斌指導

丁崇文

張中寧　從海爾和松下的行為準則透視孔子思想對中日企業管理倫理的影響
對外經濟貿易大學英語專業碩士論文　2006 年 4 月　丁崇文指導

丁　鼎

程　紅　毛奇齡《春秋》學研究
魯東大學專門史專業碩士論文　2006 年 6 月　程奇立、丁鼎指導

丁毅華

朱志先　王夫之秦漢史論研究
華中師範大學中國古代史專業碩士論文　2005 年 5 月　丁毅華指導

力

力　之

黃　玲　《詩經‧豳風》研究
廣西師範大學中國古典文獻學專業碩士論文　2007 年　力之指導

卜

卜召林

朱　雯　腴厚之美　平淡呈現——朱自清論
曲阜師範大學中國現當代文學專業碩士論文　2006 年 4 月　卜召林指導

三畫

于

于志培

趙　慧　黃侃對中國訓詁學理論的傳承與發展
遼寧師範大學漢語言文字學專業碩士論文　2007 年　于志培指導

于迎春

高新華　先秦儒者的精神性格及其文學呈現——以孔、孟、荀為中心
北京大學中國古代文學專業碩士論文　2006 年 6 月　于迎春指導

于邱華

張　宇　先秦荀子的富國論
東北財經大學經濟思想史專業碩士論文　2002 年　于邱華指導

于春海

馬　驥　《易經》的取象思維方式對詠物詩的影響
延邊大學中國古代文學專業碩士論文　2007 年　于春海指導

于衍存

張志香　論「風」、「雅」、「頌」的文學性及其特點
延邊大學中國古代文學專業碩士論文　2005 年 5 月　于衍存指導

王　磊　《詩經》興象的文化探源
延邊大學中國古代文學專業碩士論文　2006 年 5 月　于衍存指導

郝秀榮　論《詩經》中的女性意識
延邊大學中國古代文學專業碩士論文　2007 年　于衍存指導

李寶龍　《詩經》與孔子思想
延邊大學中國現當代文學專業碩士論文　2004 年 6 月　于衍存指導

黄　妍　朝鮮上古詩歌對《詩經》的接受及其影響——以《公無渡河》、《黃鳥歌》、《龜旨歌》為例
延邊大學中國古代文學專業碩士論文　2007 年　于衍存指導

張　磊　論《論語》的文學性
延邊大學中國古代文學專業碩士論文　2007 年　于衍存指導

于述勝

吳冬梅　朱熹的「持敬」說讀解
山東師範大學教育學原理專業碩士論文　2000 年　于述勝指導

于源溟

王旻霞　孔子與蘇格拉底對話教學語言藝術比較研究
聊城大學課程與教學論專業碩士論文　2006 年 4 月　于源溟指導

于翠玲

衛敏麗　郭嵩燾與西方新聞媒介研究
北京師範大學新聞學專業碩士論文　2004 年 5 月　于翠玲指導

四畫

尹

尹吉男

鄒清泉　北魏孝子畫像研究——《孝經》與北魏孝子畫像圖像內涵的改變及墓葬功能的實現
中央美術學院美術學專業碩士論文　2006 年　尹吉男、賀西林指導

尹星凡

陳　群　論陳確的哲學思想
南昌大學中國哲學專業碩士論文　2007 年　尹星凡指導

李燦光　戴震的人性論研究
南昌大學中國哲學專業碩士論文　2006 年 6 月　尹星凡指導

顏　潔　孔子人學思想及其現代意義
南昌大學中國哲學專業碩士論文　2007 年　尹星凡指導

孔

孔范今

田　剛　魯迅與中國士人傳統
山東大學文學博士論文　2003 年　孔范今指導
北京　中國社會科學出版社　429 頁　2005 年 1 月（中國社會科學博士論文文庫）

孔　毅

程　遼　王弼政治倫理思想研究
重慶師範大學倫理學專業碩士論文　2006 年　孔毅指導

孔　繁

王志耀　先秦儒學「天人合一」觀念的歷史考察
中國社會科學院研究生院中國哲學專業博士論文　1992 年 7 月　孔繁指導
臺北　文津出版社　342 頁　1994 年 10 月（大陸地區博士論文叢刊）（改名為《先秦儒學史概述》）

趙　峰　朱熹的終極關懷
中國社會科學院研究生院中國哲學專業博士論文　1996 年 7 月　孔繁指導
上海　華東師範大學出版社　380 頁　2004 年 10 月

文師華

賴華先　論劉敞的思想與文學創作
南昌大學中國古代文學專業碩士論文　2005 年　文師華指導

吳智勇　王安石與宋神宗暨王安石暮年境遇與心態
南昌大學中國古代文學專業碩士論文　2005 年　文師華指導

方

方北辰

文慧科　杜預研究
四川大學中國古代史專業碩士論文　2002 年 1 月　方北辰指導

方光華

閆海文　東漢前期的經學思想及其政治實踐
西北大學專門史專業碩士論文　2007 年 5 月　方光華指導

苗彥愷　朱熹與黑格爾倫理思想之比較
西北大學專門史專業碩士論文　2006 年　方光華指導

陳景聚　姚際恒、崔述與方玉潤的《詩經》學「簡論」
西北大學專門史專業碩士論文　方光華指導

李江輝　晚清江浙禮學研究——以揚州、浙東、常州為中心
西北大學歷史學專業博士論文　2007 年　方光華指導

王建宏　從內聖外王到心性論
西北大學專門史碩士論文　2002 年 1 月　方光華指導

季慶陽　孟子的思想淵源淺探
西北大學專門史專業碩士論文　2002 年 1 月　方光華指導

方同義

張瑞濤　劉宗周歷史哲學意識探微
中國科學技術大學中國哲學專業碩士論文　2004 年 5 月　張允熠、方同義指導

方向東

常虛懷　《禮記正義》校讀札記
南京師範大學中國古典文獻學專業碩士論文　2007 年 5 月　方向東指導

蘇成愛　《陳氏禮記集說》研究
南京師範大學中國古典文獻學專業碩士論文　2007 年 4 月　方向東指導

藍　瑤　　朱彬《禮記訓纂》研究

南京師範大學中國古典文獻學專業碩士論文　2007年5月　方向東指導

張黎麗　　《國語》、《左傳》比較研究

南京師範大學中國古典文獻學專業碩士論文　2002年6月　方向東指導

姜　勝　　《論語注疏》校議

南京師範大學中國古典文獻學專業碩士論文　2006年3月　方向東指導

方有國

張　俊　　《荀子》謂詞轉指研究

西南大學漢語言文字學專業碩士論文　2006年　方有國指導

陳家春　　《荀子》副詞研究

西南大學漢語言文字學專業碩士論文　2006年　方有國指導

李小軍　　《詩經》變換句研究

西南師範大學[1]漢語史專業碩士論文　2002年5月　方有國指導

金　夢　　《論語》狀中結構研究

西南大學漢語言文字學專業碩士論文　2007年　方有國指導

張　俊　　《孟子》、《韓非子》三類詞句法功能的多樣化和複雜化研究——兼論兩個相關問題

西南大學漢語言文字學專業碩士論文　2006年5月　方有國指導

方克立

陸信禮　　梁啟超中國哲學史研究述論

南開大學中國哲學專業博士論文　2005年4月　方克立指導

劉連朋　　在佛學與哲學之間——熊十力與牟宗三哲學方法論研究

南開大學中國哲學專業博士論文　2006年　方克立指導

劉東超　　生命的層級：馮友蘭人生境界說研究

中國社會科學院研究生院中國哲學專業博士論文　1997年7月　方克力、牟鐘鑒、錢遜指導

成都　巴蜀書社　317頁　2002年

王興國　　從邏輯思辯到哲學架構——牟宗三哲學思想進路[2]

1　現已更名為西南大學。

2　此論文原有六十萬字，提交論文答辯時，僅提出部分內容，北京光明日報出版社出版者，

南開大學中國哲學專業博士論文　2000 年　方克立指導
北京　光明日報出版社　210 頁　2006 年 8 月
北京　人民出版社　832 頁　2007 年 2 月

方　勇

吳小玲　王叔岷《莊子校釋》訂補稿
華東師範大學古典文學專業碩士論文　2006 年 4 月　方勇指導

方朝暉

吳秉坤　《左傳》敘事與弒君凡例之關係
清華大學專門史專業博士論文　2007 年　方朝暉指導

方　銘

王　帥　經學影響下的漢代賦論
北京語言大學中國古代文學碩士論文　2007 年　方銘指導

李小平　劉向及其文學成就
北京語言大學中國古代文學專業碩士論文　2004 年 6 月　方銘指導

李　敏　《白虎通義》與東漢經學
北京語言大學中國古代文學專業碩士論文　2005 年 6 月　方銘指導

楊德春　《春秋穀梁傳》研究
北京語言大學中國古代文學專業博士論文　2007 年　方銘指導

阿哈萊姆　《論語》與《古蘭經》比較
北京語言大學思想史專業碩士論文　2007 年　方銘指導

毛正天

陳祥波　論孔子的文藝思想

為答辯時未提出之部分，書名作《契接中西哲學之主流——牟宗三哲學思想淵源探要》（2006 年 8 月）。作者又將答辯時提出之部分，加首尾二章，交人民出版社出版，書名作《牟宗三哲學思想研究：從邏輯思辨到哲學架構》（2007 年 2 月）。

湖北大學文藝學專業碩士論文　2002 年 5 月　毛正天指導

毛　峰

徐曉磊　孔子傳播思想的價值準則及當代意義——以《論語》為文本

北京師範大學新聞學專業碩士論文　2006 年 5 月　毛峰指導

何建紅　孟子民本輿論觀的傳播學分析

北京師範大學新聞學專業碩士論文　2006 年 5 月　毛峰指導

穆琳琳　以生命為本的教化結構《大學》的傳播學分析

北京師範大學新聞學專業碩士論文　2006 年 5 月　毛峰指導

張立潔　「中庸」觀念的傳播結構研究[3]

北京師範大學新聞學專業碩士論文　2006 年 5 月　毛峰指導

毛遠明

于正安　《荀子》動詞語法研究

西南師範大學漢語言文字學專業碩士論文　2003 年　毛遠明指導

劉　剛　《詩毛傳》語法研究

西南師範大學漢語言文字學專業碩士論文　2003 年 4 月　毛遠明指導

毛禮銳

程方平　隋唐五代儒學教育思想研究

北京師範大學中國教育史專業博士論文　1988 年　毛禮銳、王炳照指導

昆明　雲南教育出版社　347 頁　1991 年 12 月（改名為《隋唐五代的儒學：前理學教育思想研究》）

俞啟定　獨尊儒術與漢代教育

北京師範大學中國教育史專業博士論文　1988 年　毛禮銳指導

3　此文在第三章著重論述朱熹將《中庸》、《大學》從《禮記》中提出，與《論語》、《孟子》並列為四書，達到與五經同尊甚至凌駕於五經之上的地步，使中庸觀念形成了穩定的傳播結構和傳播系統。

牛

牛夢琪

李春旺　胡宏教育實踐與教育思想之探析
河南大學教育史專業碩士論文　2007 年 5 月　牛夢琪指導

王

王一川

馬傳軍　「地球合一」時代的「中國」——王韜與中國現代民族－國家觀念的興起
北京師範大學文藝學專業碩士論文　2004 年 5 月　王一川指導

王　力

賈寶麟　詩騷聯綿字辨議
北京大學語言文字專業碩士論文　1978、1979 級　王力、郭錫良、唐作藩指導

王大偉

柳　穎　《論語》兩種英譯本的對比研究
上海海運學院外國語言學及應用語言學專業碩士論文　2000 年 5 月　王大偉指導

王子初

孫　琛　《考工記・磬氏》驗證
中國藝術研究院音樂學專業碩士論文　2007 年 4 月　王子初指導

王小盾

馬銀琴　西周詩史
揚州大學中國古代文學專業博士論文　2000 年 10 月　王小盾指導

北京　社會科學文獻出版社　524 頁　2006 年 12 月（與作者博士後論文《東周詩史》合併為《兩周詩史》出版）

王中江

安炫澤　孟子「士」的精神自覺
清華大學哲學專業碩士論文　2008 年　王中江指導

王元驤

金　雅　梁啟超美學思想述評
浙江大學文藝學專業博士論文　2003 年 10 月　王元驤指導
北京　商務印書館　356 頁　2005 年 6 月（改名為《梁啟超美學思想研究》）

劉毅青　徐復觀解釋學思想研究
浙江大學文藝學專業博士論文　2006 年 5 月　王元驤指導

王友貴

倪蓓鋒　從譯者主體性角度看《論語》譯本的多樣性
廣東外語外貿大學外國語言學及應用語言學碩士論文　2005 年 4 月　王友貴指導

王天順

武香蘭　范仲淹的儒學價值觀與馭邊之術
寧夏大學專門史專業碩士論文　2005 年 4 月　王天順指導

王　文

朱麗英　互文符號翻譯方法探析——兼評韋利《論語》英譯本
陝西師範大學外國語言學及應用語言學專業碩士論文　2003 年 5 月　王文指導

王文東

李文娟　《儀禮》倫理思想研究
中央民族大學中國哲學專業碩士論文　2006 年 5 月　王文東指導

王文清

呂維棟　《周易》的用人思想研究
聊城大學中國古典文獻學專業碩士論文　2006 年 4 月　王文清指導

李　明　《周易》與傳統養生思想研究
聊城大學中國古典文獻學專業碩士論文　2007 年 5 月　王文清指導

范知歐　上博簡《孔子詩論》的作者及撰著時代研究
聊城大學中國古典文獻學專業碩士論文　2005 年 4 月　王文清指導

王文濤

吳寶峰　象數易學與西漢政治、自然科學研究
河北師範大學中國古代史專業碩士論文　2007 年　王文濤指導

王以憲

曾小任　《韓詩外傳》綜論
江西師範大學中國古代文學專業碩士論文　2005 年 4 月　王以憲指導

王功龍

梁　萍　評方以智《通雅》對聯綿詞的研究
遼寧師範大學漢語言文字學專業碩士論文　2006 年 5 月　王功龍指導

梁　紅　《小爾雅》述評
遼寧師範大學漢語言文字學專業碩士論文　2006 年 5 月　王功龍指導

王占福

宋麗琴　《左傳》行人辭令中委婉語研究
河北大學漢語言文字學專業碩士論文　2005 年 6 月　王占福指導

王　平

高麗波　孔子立志思想研究
東北師範大學馬克思主義理論與思想政治教育專業碩士論文　2007 年　王平指導

劉紅麗　中庸思想及其現代德育價值研究

東北師範大學馬克思主義理論與思想政治教育專業碩士論文　2007 年　王平指導

王本朝

朱　嫣　魯迅與夏目漱石

西南師範大學中國現當代文學專業碩士論文　2001 年 4 月　王本朝指導

王　民

馬秀平　從倭仁到王先謙——清代同光年間保守主義思想的典型探析

福建師範大學中國近現代史專業碩士論文　2003 年 4 月　王民、王玉華指導

王永平

鄺向雄　唐代讖謠初探

首都師範大學中國古代史專業碩士論文　2004 年 5 月　王永平指導

王永祥

趙　敏　賈誼仁政思想簡論

河北大學中國哲學專業碩士論文　2004 年　王永祥指導

張巧霞　試論王充「疾虛妄」的批判精神

河北大學中國哲學專業碩士論文　2003 年　王永祥指導

楊淑敏　馮友蘭文化類型說述評

河北大學中國哲學專業碩士論文　2000 年 6 月　王永祥指導

王玉華

馬秀平　從倭仁到王先謙——清代同光年間保守主義思想的典型探析

福建師範大學中國近現代史專業碩士論文　2003 年 4 月　王民、王玉華指導

王玉德

王　瑜　顏元教育思想研究

華中師範大學學科教學・歷史專業碩士論文　2005 年 4 月　王玉德指導

葉前進　梁啟超的教育現代化思想研究

華中師範大學學科教學・歷史專業碩士論文　2006 年 4 月　王玉德指導

張紅霞　梁啟超家庭教育思想研究
華中師範大學學科教學・歷史專業碩士論文　2006年5月　王玉德指導

王立新

廖小東　董仲舒政治哲學試論
湘潭大學中國哲學專業碩士論文　2003年　王立新指導

胡　萍　王通的哲學思想及其歷史地位
湘潭大學中國哲學專業碩士論文　2005年　王立新指導

徐建勇　楊簡哲學思想研究
湘潭大學中國哲學專業碩士論文　2002年　王立新指導

陳宇宙　王廷相的政治哲學
湘潭大學中國哲學專業碩士論文　2004年5月　王立新指導

王強芬　王艮哲學思想研究
湘潭大學中國哲學專業碩士論文　2005年　王立新指導

焦自軍　牟宗三道德形上學研究
湘潭大學中國哲學專業碩士論文　2004年5月　王立新指導

王吉鵬

于九濤　魯迅與孔子思想比較研究
遼寧師範大學中國現當代文學專業碩士論文　2002年6月　王吉鵬指導

陳秀雲　論魯迅的人生哲學
遼寧師範大學中國現當代文學專業碩士論文　1999年6月　王吉鵬指導

王向峰

陶維彬　論《周易》之象
遼寧大學文藝學專業碩士論文　2001年5月　王向峰指導

王向清

萬紹和　孟子荀子政治哲學比較研究
湘潭大學中國哲學專業碩士論文　2000年　王向清指導

仰和芝　戴震人學思想研究
湘潭大學中國哲學專業碩士論文　2002年5月　王向清指導

王守常

秦　峰　黃宗羲的易學思想與明清學術轉型——《易學象數論》的思想史解讀
北京大學中國哲學專業碩士論文　2006 年 6 月　王守常指導

王佑夫

葉洪珍　王質《詩總聞》考論
新疆師範大學中國古代文學專業碩士論文　2007 年　王佑夫指導

王伯崑

林亨錫　王船山《周易內傳》研究
北京大學中國哲學專業博士論文　2000 年 12 月　王伯崑指導

王克奇

畢曉樂　齊文化與陰陽五行
山東師範大學專門史專業碩士論文　2005 年　王克奇指導

王　宏

郝廣麗　從慣習與場域的角度探究[4]
蘇州大學英語語言文學專業碩士論文　2005 年 1 月　王宏指導
楊　婕　以文化為中心的功能翻譯法與《論語》翻譯
蘇州大學英語語言文學專業碩士論文　2004 年 3 月　王宏指導

王宏印

李玉良　《詩經》英譯研究
南開大學英語語言文學專業博士論文　2003 年　王宏印、劉士聰、崔永祿指導
濟南　齊魯書社　396 頁　2007 年 11 月

4　此文以法國社會學家皮埃爾・布迪厄提出的慣習和場域理論分析辜鴻銘其人及其所處的社會文化背景，並探討其選擇翻譯的儒家經典和使用的翻譯策略方法。

王志民

李兆祿　《詩經・齊風》研究
山東師範大學中國古代文學專業碩士論文　2004 年 4 月　王志民指導

王志彬

白建忠　《文心雕龍》楊批中的創作論研究——兼及楊評《文心雕龍》中的五色圈點
內蒙古師範大學文藝學專業碩士論文　2004 年 4 月　王志彬指導

王志瑛

唐智燕　今文《尚書》動詞語法研究
廣西師範大學漢語言文字學專業碩士論文　2003 年 4 月　王志瑛指導

黎氏秋姮　《孟子》因果類複句研究
廣西師範大學漢語史專業碩士論文　2002 年 5 月　王志瑛指導

高雅潔　今文《尚書》的特殊句式和關聯詞語研究
廣西師範大學漢語言文字學專業碩士論文　2002 年 1 月　王志瑛指導

王育濟

葛煥禮　八世紀中葉至十二世紀初的「新《春秋》學」
山東大學中國古代史專業博士論文　2003 年 5 月　王育濟指導

王承略

馬小方　兩漢家學研究
山東大學中國古典文獻學專業碩士論文　2006 年 5 月　王承略指導

王正一　《後漢書・儒林傳》考論並補遺
山東大學中國古典文獻學專業碩士論文　2006 年 4 月　王承略指導

陳金麗　論許慎的經學思想與經學成就
山東大學中國古典文獻學專業碩士論文　2007 年 4 月　王承略指導

李俊嶺　論馬融
山東大學中國古典文獻學專業碩士論文　2004 年 4 月　王承略指導

張春珍　二南詩論
山東大學中國古典文獻學專業碩士論文　2006 年 5 月　王承略指導

陳錦春　毛傳鄭箋比較研究

山東大學中國古典文獻學專業碩士論文　2006年　王承略指導

孫雪萍　《詩經》顏氏學

山東大學中國古典文獻學專業碩士論文　2004年8月　王承略指導

張緒峰　兩漢孟子學簡史

山東大學中國古典文獻學專業碩士論文　2007年　王承略指導

王長華

李玲玲　先秦諸子書中的堯舜禹傳說研究

河北師範大學中國古代文學專業碩士論文　2006年　王長華指導

易衛華　《詩經》祭祀詩研究

河北師範大學中國古代文學專業碩士論文　2003年4月　王長華指導

王保國

郭　磊　從孔子到荀子——先秦儒家民本思想的演變

鄭州大學中國古典文獻學專業碩士論文　2006年　王保國指導

王　威

杜旅軍　1898－1911：梁啟超立憲思想的萌生與轉變

西南政法大學法理學專業碩士論文　2005年4月　王威指導

王　建

吳湘枝　王闓運公羊學思想初探

湖南師範大學古典文獻學專業碩士論文　2007年5月　王建指導

王彥坤

卞仁海　楊樹達訓詁研究

暨南大學漢語言文字學專業博士論文　2007年4月　王彥坤指導

劉衛寧　《毛詩故訓傳》、《毛詩箋》與《詩集傳》訓詁比較研究

暨南大學漢語言文字學專業碩士論文　2005年1月　王彥坤指導

劉　敏　由《爾雅》、《方言》、《說文》、《釋名》看漢代訓詁的發展

暨南大學漢語言文字學專業碩士論文　2003年5月　王彥坤指導

魏宇文　《釋名》名源研究
暨南大學漢語言文字學專業博士論文　2006 年　王彥坤指導

劉　敏　由《爾雅》、《方言》、《說文》、《釋名》看漢代訓詁的發展
暨南大學漢語言文字學專業碩士論文　2003 年 5 月　王彥坤指導

王春淑

燕朝西　邵晉涵的生平、著述及其史學成就
四川師範大學中國古代史專業碩士論文　2004 年　王春淑指導

王柯平

鄧文華　孔子與柏拉圖論美：跨文化比較研究與批評
北京第二外國語學院英語語言文學專業碩士論文　2004 年 5 月　王柯平指導

郭　敏　試論孔子與柏拉圖的教學方法
北京第二外國語學院英語語言文學專業碩士論文　2003 年 9 月　王柯平指導

王柏華

鐘厚濤　文本的敞開與意義的轉換——由「詩言志」意義生成機制對《詩》被經學化的闡釋學觀照
首都師範大學比較文學與世界文學專業碩士論文　2007 年 5 月　楊乃喬、王柏華指導

張　新　論《詩經》中的時間
首都師範大學比較文學與世界文學專業碩士論文　2007 年　王柏華指導

王洲明

李春英　班固的經學思想與其辭賦創作
山東大學中國古代文學專業碩士論文　2004 年 4 月　王洲明指導

寧　宇　清代文學派《詩》學研究
山東大學古代文學專業博士論文　2004 年 4 月　王洲明指導

白憲娟　20 世紀二三十年代的《詩經》研究——以胡適、顧頡剛、聞一多《詩經》研究為例
山東大學中國古代文學專業碩士論文　2006 年 5 月　王洲明指導

張亞欣　夏傳才《詩經》研究綜論

山東大學中國古代文學專業碩士論文　2006 年 4 月　王洲明指導

呂小霞　清前期《左傳》接受史研究

山東大學中國古代文學專業碩士論文　2002 年 5 月　王洲明指導

張德蘇　周室衰亂與孔子救世的人性思索

山東大學中國古代文學專業博士論文　2006 年 9 月　王洲明指導

王洪軍

于海平　柳宗元與中唐儒學

曲阜師範大學專門史專業碩士論文　2002 年 3 月　王洪軍指導

王炳照

程方平　隋唐五代儒學教育思想研究

北京師範大學中國教育史專業博士論文　1988 年　毛禮銳．王炳照指導

昆明　雲南教育出版社　347 頁　1991 年 12 月（改名為《隋唐五代的儒學：前理學教育思想研究》）

秦學智　李贄明德教育思想研究[5]

北京師範大學教育學專業博士論文　2004 年 4 月　王炳照指導

北京　中國傳媒大學出版社　262 頁　2007 年 7 月（文史博士文庫）

王炯華

謝潔瑕　論梁漱溟的文化思想與哲學

華中科技大學馬克思主義哲學專業碩士論文　2002 年 1 月　王炯華指導

王　軍

宋　崢　《左傳》中使令動詞詞義特點對其句法結構和功能的影響

河北師範大學漢語言文字學專業碩士論文　2007 年 5 月　王軍指導

王海明

張之鋒　孟子對君子的人格設計

北京大學倫理學專業碩士論文　2002 年 6 月　王海明指導

5　此論文分為教育論與精神論兩部份，後來更名為《李贄大學明德精神論》出版。

王記錄

吳　漫　《困學紀聞》研究
河南師範大學歷史文獻學專業碩士論文　2003 年 5 月　王記錄指導

李　峰　王夫之史學思想若干問題探析
河南師範大學歷史文獻學專業碩士論文　2002 年 6 月　王記錄指導

王國綬

張九波　論作為教育家的魯迅
天津師範大學中國現當代文學專業碩士論文　2004 年 4 月　王國綬指導

王培元

劉明怡　先秦《詩經》的傳播學研究
山東大學中國古代文學專業碩士論文　2003 年 5 月　王培元指導

張永平　日本明治《詩經》學史論（1868～1912）
山東大學中國古代文學專業碩士論文　2005 年 4 月　王培元指導

焦雪梅　宋代《詩經》學研究的新變
山東大學中國古代文學專業碩士論文　2006 年 5 月　王培元指導
北京　中國社會科學院出版社　243 頁　2006 年 2 月（中國社會科學博士論文文庫）

王彩波

賈景峰　孔子政治思想的基礎——從周代政治、宗教、哲學等角度分析
吉林大學政治學理論專業博士論文　2007 年　王彩波指導

王從仁

高　婧　山西東南部地區炎帝傳說與文化初探
上海師範大學中國古代文學專業碩士論文　2006 年　王從仁指導

王　博

許美平　早期儒家天道觀——以郭店儒簡為中心
北京大學中國哲學專業碩士論文　2002 年 6 月　王博指導

王智勇

張荷群　北宋孟子學案

四川大學歷史文獻學專業碩士論文　2005 年 1 月　王智勇指導

王善軍

高丁國　北宋前期經學家——孫奭初探

河北大學中國古代史專業碩士論文　2006 年　姜錫東、王善軍指導

王貽梁

李宗全　從歷代目錄著錄之稷下先生著述看稷下學學術地位

華東師範大學中國古典文獻學專業碩士論文　2005 年　王貽梁指導

王鈞林

張亞寧　論曾國藩的家庭教育思想

曲阜師範大學專門史（思想史）　專業碩士論文　2001 年 4 月　王鈞林指導

王開元

卞維婭　王夫之詩歌理論研究

新疆大學文藝學專業碩士論文　2006 年 6 月　王開元指導

王　雅

姜　穎　論《周易》「時」的哲學思想

遼寧大學中國哲學專業碩士論文　2006 年 5 月　王雅指導

王萌萌　「自然」之情：孔子仁說的起點與歸宿

遼寧大學中國哲學專業碩士論文　2006 年 5 月　王雅指導

張凱作　孔子之「仁」新解

遼寧大學中國哲學專業碩士論文　2007 年　王雅指導

趙楠楠　在人性展開中解讀孟子的「義利之辨」

遼寧大學中國哲學專業碩士論文　2006 年 5 月　王雅指導

史　穎　從「三個文明」視角解析孟子的仁政思想

遼寧大學中國哲學專業碩士論文　2006 年 5 月　王雅指導

王博識　論《大學》的管理哲學思想
遼寧大學中國哲學專業碩士論文　2005年5月　王雅指導

王雲路

胡曉華　郭璞注釋語言詞彙研究
浙江大學中國古典文獻學專業博士論文　2005年5月　王雲路指導

王傳明

陳　娟　高拱及其著作三種考述
蘭州大學中國古典文獻學專業碩士論文　2006年　王傳明指導

王新春

張理峰　天道性命的貫通——周敦頤哲學思想探析
山東大學中國哲學專業碩士論文　2006年　王新春指導

陳瑞波　天理與仁的貫通——程顥思想研究
山東大學中國哲學專業碩士論文　2006年　王新春指導

王　廣　「理一分殊」理念下的朱熹哲學
山東大學中國哲學專業博士論文　2005年　王新春指導

房秀麗　羅欽順心性哲學探微
山東大學中國哲學專業碩士論文　2002年5月　王新春指導

張路園　王艮思想研究
山東大學中國哲學專業博士論文　2007年3月　王新春指導

王　廣　重構內聖與外王——顏元習行哲學初探
山東大學中國哲學專業碩士論文　2002年5月　王新春指導

陳京偉　時遇與人生——《伊川易傳》時的哲學發微
山東大學中國哲學專業碩士論文　2000年9月　王新春指導

劉雲超　王申子《大易緝說》探微
山東大學中國哲學專業碩士論文　2005年5月　王新春指導

蘇曉晗　船山易學思想研究
山東大學中國哲學專業博士論文　2006年10月　王新春指導

劉　震　《易緯・乾鑿度》天人之學
山東大學中國哲學專業碩士論文　2004年5月　王新春指導

王　暉

趙　瑜　　從《禮記・內則》等篇看周代婦女的社會地位
陝西師範大學中國古代史專業碩士論文　2007 年 5 月　王暉指導

呼東燕　　論孔子史學思想的幾個問題
陝西師範大學歷史文獻學專業碩士論文　2002 年 5 月　王暉指導

王毓銓

欒保群　　西漢經今古文之爭與王莽的改制
中國社會科學院研究生院中國古代文學專業碩士論文　王毓銓指導

王雷泉

孟令兵　　圓融無礙的生生之美——論熊十力的佛學思想及其詩性精神
復旦大學中國哲學專業博士論文　2004 年 11 月　潘富恩、王雷泉指導

王　寧

李宇哲　　《禮記》句子及主語研究
北京師範大學漢語言文字學專業博士論文　2000 年　王寧指導

呂雲生　　《禮記》動詞的語義分類研究
北京師範大學漢語言文字學專業博士論文　2007 年 4 月　王寧指導

杜　敏　　趙岐、朱熹《孟子》注釋的傳意研究
北京師範大學漢語言文字學專業博士論文　2004 年 4 月　王寧指導
北京　中國社會科學出版社　360 頁　2004 年 1 月

王榮彬

張　祺　　清代學者對西方天文曆法的闡釋與發揮——江永《翼梅》研究
內蒙古師範大學科學技術史專業碩士論文　2006 年 6 月　郭世榮、王榮彬指導

王翠英

陳叢蘭　　《禮記》婚姻倫理思想研究
西北師範大學倫理學專業碩士論文　2005 年 5 月　王翠英指導

王德保

胡　琴　朱熹《詩集傳》研究
南昌大學古典文獻學專業碩士論文　2005 年 5 月　王德保指導

湯慧蘭　《孟子字義疏證》之文獻學研究
南昌大學中國古典文獻學專業碩士論文　2006 年　王德保指導

王慶英

武　進　孔子主體性德育思想對中學德育的啟示
北京師範大學學科教學（思想政治教育）專業碩士論文　2006 年 5 月　王慶英指導

王　確

傅　榮　梁啟超文學思想的大眾化取向
東北師範大學文藝學專業碩士論文　2006 年 5 月　王確指導

張秋艷　梁啟超美學思想的意識形態性及對後世的影響
東北師範大學文藝學專業碩士論文　2006 年 5 月　王確指導

趙　瑩　孔子美學的生命意蘊
東北師範大學文藝學專業碩士論文　2004 年 5 月　王確指導

王　磊

龐　飛　王夫之「興」的美學意義
陝西師範大學美學專業碩士論文　2002 年 4 月　王磊、劉恒健指導

王　輝

劉曉暉　《說文解字繫傳》對段玉裁、桂馥《說文》研究的影響舉例
陝西師範大學漢語言文字學專業碩士論文　2004 年 4 月　胡安順、王輝指導

陳　霜　段玉裁在注釋《說文》部首中揭示《說文》體例述略
陝西師範大學漢語言文字學專業碩士論文　2004 年 5 月　胡安順、王輝指導

馬　宇　俞樾《兒笘錄》析論
陝西師範大學漢語言文字學專業碩士論文　2005 年 4 月　胡安順、王輝指導

王學典

王明芳　乾嘉「學者社會」研究

山東大學中國古代史專業博士論文　2003 年 4 月　王學典指導

林國華　范文瀾與中國馬克思主義史學

山東大學中國古代史專業碩士論文　2007 年 5 月　王學典指導

李揚眉　胡適、顧頡剛、傅斯年之關係管窺——以顧頡剛日記書信為中心的探討

山東大學史學理論及史學史專業碩士論文　2002 年 5 月　王學典指導

彭國良　顧頡剛史學思想的認識論解析

山東大學中國古代史專業博士論文　2007 年 5 月　王學典指導

陳　珊　馮友蘭哲學思想的唯物主義傾向探析

山東大學史學理論及史學史專業碩士論文　2006 年 4 月　王學典指導

王曉毅

郝　虹　王肅經學研究

山東大學中國古代史專業博士論文　2001 年　王曉毅指導

張　軼　象數易學與東晉南朝官方哲學

山東大學中國古代史專業碩士論文　2004 年 5 月　王曉毅指導

張　軼　漢唐之間鄭玄易學研究

清華大學歷史學專業博士論文　2007 年　王曉毅指導

趙建林　魏晉「春秋決獄」研究

清華大學專門史專業碩士論文　2004 年　王曉毅指導

閆春新　魏晉論語學研究

山東大學中國古代史專業博士論文　2004 年 4 月　王曉毅指導

賈　宇　玄儒思想影響下的兩晉孝觀念演變

清華大學專門史專業碩士論文　2007 年　王曉毅指導

王澤應

張本江　牟宗三「良知自我坎陷開出科學說」探論

湖南師範大學中國哲學專業碩士論文　2006 年 5 月　王澤應指導

王興中

周　雲　孔子教育思想對當代小學語文教學的啟示
雲南師範大學學科教學論專業碩士論文　2005 年 6 月　王興中指導

王興國

張永忠　從《明夷待訪錄》看黃宗羲的國家哲學思想
雲南師範大學中國哲學專業碩士論文　2002 年 7 月　王興國指導

楊　勇　以儒攝佛，援佛入儒——熊十力以心學對唯識學的改造和融攝
雲南師範大學中國哲學專業碩士論文　2004 年 6 月　王興國指導

畢文勝　「抽象繼承法」研究批判[6]
雲南師範大學中國哲學專業碩士論文　2004 年 6 月　王興國指導

陳良武　荀子的禮學思想及其歷史影響
雲南師範大學中國哲學專業碩士論文　2006 年 5 月　王興國指導

王錦民

趙麗君　見在良知與一念之微——論王畿的心學及其對美學的影響
北京大學美學專業碩士論文　2005 年 6 月　王錦民指導

王　浩　「感」與「象」——從《周易》經傳與漢代易學看審美的形上學基礎
北京大學美學專業碩士論文　2002 年 6 月　王錦民指導

趙　翔　時物和遠隔——論《詩經》審美意象中的生命困境
北京大學美學專業碩士論文　2006 年 5 月　王錦民指導

王　頲

沈莉華　《孝經》的結集和漢迄唐的流傳
復旦大學中國古代史專業碩士論文　1998 年 5 月　許道勛、王頲指導

王濟民

劉　瓊　論孔子以「和」為美的思想
華中師範大學文藝學專業碩士論文　2006 年 5 月　王濟民指導

6　此文為討論馮友蘭的中國哲學史研究法「抽象繼承法」。

王　薇

房　曄　　鄭玄所注《古文尚書》性質研究
南開大學歷史文獻學專業碩士論文　2007 年 5 月　王薇指導

王鍾陵

張建軍　　詩經與周文化考論
蘇州大學中國古代文學專業博士論文　2001 年 5 月　王鍾陵指導
濟南　齊魯書社　265 頁　2004 年 9 月

徐　玲　　《左傳》與希羅多德《歷史》比較研究
蘇州大學中國古代文學專業碩士論文　2007 年　王鍾陵指導

王　鍔

萬麗文　　孫希旦《禮記集解》研究
南京師範大學中國古典文獻學專業碩士論文　2007 年 4 月　王鍔指導

王禮賢

季自軍　　陸佃《爾雅新義》研究
上海師範大學古典文獻學專業碩士論文　2005 年 5 月　王禮賢指導

王寶童

謝艷明　　詩歌的敘述模式和程式——以《英格蘭與蘇格蘭民謠》和《詩經》為例
河南師範大學英語語言文學專業博士論文　2007 年　王寶童指導

王繼平

符　靜　　論羅澤南的學術思想
湘潭大學專門史專業碩士論文　2003 年 5 月　王繼平指導

史玉華　　怪誕背後的真——論辜鴻銘的保守主義文化觀
湘潭大學專門史專業碩士論文　2002 年 5 月　王繼平指導

張在興　　晚清湖南經學思想述論
湘潭大學專門史專業碩士論文　2005 年　王繼平指導

王耀華

鄭俊暉　朱熹主要音樂著述的文獻學研究——以《朱文公文集》為中心
福建師範大學音樂學專業碩士論文　2004 年　王耀華指導

王　巍

李樹軍　《周頌》的神靈意識與先秦祭祀文化
遼寧大學中國古代文學專業碩士論文　2001 年 5 月　王巍指導

王　鐵

鄭　婕　蘇轍經學成就研究
華東師範大學古典文獻學專業碩士論文　2004 年　王鐵指導

廖　穎　元人諸經纂疏研究
華東師範大學古典文獻學專業碩士論文　2006 年 5 月　王鐵指導

吳建偉　宋代《洪範》研究
華東師範大學古典文獻學專業碩士論文　2004 年　王鐵指導

劉　威　《東坡書傳》研究
華東師範大學古典文獻學專業碩士論文　2004 年 5 月　王鐵指導

詹　看　《毛詩序》創作年代及作者之考證
華東師範大學古典文獻學專業碩士論文　2006 年 5 月　王鐵指導

王鑫義

姬孟昭　顏師古《漢書注》文獻學成就初探
安徽大學歷史文獻學專業碩士論文　2004 年 5 月　王鑫義指導

石開玉　戴震的歷史文獻學成就初探
安徽大學歷史文獻學專業碩士論文　2004 年 5 月　王鑫義指導

五畫

代

代繼華

杜　娟　　試論唐玄宗《孝經注》

華南師範大學專門史專業碩士論文　2007 年　代繼華指導

史

史小君

李　禕　　戴名世散文研究

暨南大學中國古代文學專業碩士論文　2006 年　史小君指導

史向前

黃世福　　朱熹理學與佛學之比較

安徽大學中國哲學專業碩士論文　2003 年　李霞、史向前指導

俞成義　　方東美華嚴思想初探

安徽大學中國哲學專業碩士論文　2003 年 5 月　李霞、史向前指導

史存直

郭雲生　　《詩經》合韻與上古方音

華東師範大學語言文字專業碩士論文　1978、1979 級　史存直指導

史志康

仁　利　　論詩歌翻譯批評——《詩經》各譯本比較研究

上海外國語大學英語語言文學專業碩士論文　2007 年　史志康指導

史建群

李向東　談荀子的禮法和民生思想
鄭州大學中國古代史專業碩士論文　2006 年　史建群指導

張新萍　王充思想融合性研究鄭州大學中國古代史專業碩士論文　2006 年 5 月　史建群指導

王賀順　論孔子的歷史悲劇
鄭州大學中國古代史專業碩士論文　2000 年 6 月　史建群指導

吳　濤　聖人與真人——孟子、莊子人生理想之比較研究
鄭州大學中國古代史專業碩士論文　2004 年 5 月　姜建設、史建群指導

史革新

孫玉敏　王先謙學術思想研究
北京師範大學中國近現代史專業博士論文　2005 年 4 月　史革新指導

羅雄飛　俞樾的經學及其思想
北京師範大學中國近現代史專業博士論文　2002 年　史革新指導
北京　中國文史出版社　239 頁　2005 年 12 月（當代學者人文論叢第 10 輯）

史鴻文

朱建鋒　禮之「文」化——論荀子「文」的美學思想
鄭州大學美學專業碩士論文　2005 年　史鴻文指導

左

左東嶺

郭艷華　楊萬里文學思想研究
首都師範大學中國古代文學專業博士論文　2006 年　左東嶺指導

侯小強　王夫之非議「詩史說」原因初探——兼論王夫之對明代詩學思想的整合
首都師範大學中國古代文學專業碩士論文　2002 年 5 月　左東嶺指導

田

田文軍

唐　娜　　主體與本體的合一——孟子「盡心」說新詮
武漢大學中國哲學專業碩士論文　2004 年 5 月　田文軍指導

田代華

李懷芝　　對胡澍、俞樾校詁《素問》的研究
山東中醫藥大學中醫文獻專業碩士論文　2002 年 4 月　田代華指導

田正平

朱俊瑞　　梁啟超國學教育思想研究
浙江大學教育史專業博士後論文　2006 年 12 月　田正平指導

田兆金

羅　珍　　春秋霸王盟誓行為性質變化與孔子若干學說形成關係探源
上海大學專門史專業碩士論文　2004 年 4 月　田兆元指導

田昌五

于化民　　明中晚期理學的對峙與合流
山東大學中國古代思想史專業博士論文　1988 年　楊向奎、田昌五指導
臺北　文津出版社　194 頁　1993 年 2 月（大陸地區博士論文叢刊）

黃朴民　　董仲舒與新儒學
山東大學歷史學博士論文　1988 年　楊向奎、田昌五指導
臺北　文津出版社　231 頁　1992 年 7 月（大陸地區博士論文叢刊）

田恒金

徐春紅　　《左傳》告諭類動詞詞義特點和結構功能研究
河北師範大學漢語言文字學專業碩士論文　2007 年 5 月　田恒金指導

孫美紅　　郝氏《義疏》方俗語料研究

河北師範大學漢語言文字學專業碩士論文　2007 年 4 月　田恒金指導

田海林

王鳳青　傅斯年與中國傳統文化
山東師範大學中國近現代史專業專業碩士論文　2002 年　田海林指導

馮慶東　屈萬里研究
山東師範大學中國近現代史專業碩士論文　2004 年　田海林指導

楊　君　晚清今文禮學研究
山東師範大學中國近現代史專業碩士論文　2004 年 4 月　田海林指導

魏立帥　晚清漢學派禮學研究
山東師範大學中國近現代史專業碩士論文　2007 年　田海林指導

蓋志芳　民國禮學的歷史考察
山東師範大學中國近現代史專業碩士論文　2007 年　田海林指導

田漢雲

趙　揚　賈誼《新書》與儒家經傳的思想聯繫
揚州大學中國古代文學專業碩士論文　2004 年　田漢雲指導

徐俊祥　建安學術史研究
揚州大學中國古代文學專業博士論文　2004 年　田漢雲指導

高明峰　北宋經學與文學
揚州大學中國古代文學專業博士論文　2005 年 5 月　田漢雲指導

劉建臻　清代揚州學派經學研究
揚州大學中國古代文學專業博士論文　2003 年 5 月　田漢雲指導
南京　江蘇人民出版社　333 頁　2004 年

趙茂林　兩漢三家《詩》研究
揚州大學中國古代文學專業博士論文　2004 年 5 月　田漢雲指導
成都　巴蜀書社　657 頁　2006 年 11 月

孫　敏　六朝詩經學研究
揚州大學中國古代文學專業碩士論文　2001 年 5 月　田漢雲指導

王雪萍　《周禮》飲食制度研究
揚州大學中國古代文學專業博士論文　2007 年　田漢雲指導

柳　宏　清代《論語》詮釋史論

揚州大學中國古代文學專業博士論文　2004 年 5 月　田漢雲指導

北京　社會科學文獻出版社　408 頁　2008 年 3 月

劉瑾輝　清代孟子研究

揚州大學中國古代文學專業博士論文　2005 年　田漢雲指導

北京　社會科學文獻出版社　328 頁　2007 年 9 月

田毅鵬

卞國鳳　范仲淹宗族福利思想研究

吉林大學社會學專業碩士論文　2004 年　田毅鵬指導

申

申荷永

張　敏　《詩經》的認知詩學與心理分析研究

華南師範大學應用心理學專業博士論文　2007 年　申荷永指導

白

白　平

索燁丹　《春秋公羊傳》副詞研究

山西大學漢語言文字學專業碩士論文　2007 年 6 月　白平指導

王利花　雅學研究綜述

山西大學漢語言文字學專業碩士論文　2006 年 6 月　白平指導

王麗霞　《春秋穀梁傳》副詞研究

山西大學漢語言文字學專業碩士論文　2007 年 6 月　白平指導

白本松

孔漫春　「亞聖」人格透析——兼論《孟子》書中的孟子形象

河南大學中國古代文學專業碩士論文　2000 年 5 月　白本松、華鋒指導

房瑞麗　《上海博物館藏戰國楚竹書・詩論》與《詩經》研究
河南大學中國古代文學專業碩士論文　2004 年 5 月　白本松、華鋒指導

朱金發　聞一多的詩經研究
河南大學中國古代文學專業碩士論文　2001 年 4 月　白本松、華鋒指導

何愛英　《左傳》文體特徵及其文化意蘊
河南大學中國古代文學專業碩士論文　2001 年 1 月　白本松、華鋒指導

王曉敏　唐代《左傳》學研究
河南大學中國古代文學專業碩士論文　2005 年 5 月　白本松、華鋒指導

白玉林

陳　謝　古漢語常用介詞在《禮記》中的語法分析
陝西師範大學漢語言文字學專業碩士論文　2006 年 4 月　白玉林指導

弋丹陽　《左傳》單音節謂語動詞的配價結構淺析
陝西師範大學漢語言文字學專業碩士論文　2005 年 4 月　白玉林指導

楊　麗　從《論語》、《孫臏兵法》看先秦漢語名詞、動詞、形容詞句法功能的多樣化和複雜化
陝西師範大學漢語言文字學專業碩士論文　2003 年 5 月　白玉林指導

白雁南　淺談《世說新語》語氣副詞的特點和發展——兼與《孟子》比較
陝西師範大學漢語言文字學專業碩士論文　2003 年 4 月　白玉林指導

白兆麟

于峻嶸　《荀子》句式考察
安徽大學漢語史專業碩士論文　2001 年　白兆麟指導

張先坦　王念孫《讀書雜志》語法觀念研究
安徽大學漢語言文字學專業博士論文　2006 年 5 月　白兆麟指導
成都　巴蜀書社　258 頁　2007 年 6 月（改名為《讀書雜誌詞法觀念研究》）

包詩林　于省吾《新證》訓詁研究
安徽大學漢語言文字學專業博士論文　2007 年　白兆麟指導

白于藍

唐洪志　上博簡（五）孔子文獻校理
華南師範大學中國古代史專業碩士論文　2007 年　白于藍指導

白　奚

王杜鵑　　孟子遊歷與其思想歷程之考察

首都師範大學馬克思主義哲學專業碩士論文　2007 年　白奚指導

白　薇

王衛平　　蘇雪林的思想與創作

中央民族大學中國少數民族語言文學專業碩士論文　2004 年　白薇指導

石

石雲里

趙冠鋒　　漢代經學中的自然知識——以鄭玄的經學為例

中國科學技術大學科學技術史專業碩士論文　2004 年 5 月　石雲里指導

仝

仝晰綱

王耀祖　　孫復、石介與宋代儒學復興

山東師範大學專門史專業碩士論文　2006 年　仝晰綱指導

六畫

伍

伍宗文

李　昊　　《焦氏易林》詞彙研究

四川大學漢語言文字學專業碩士論文　2003 年 3 月　伍宗文指導

王建華　《韓詩外傳》與其他文獻異文研究
四川大學漢語言文字學專業碩士論文　2004 年 3 月　伍宗文指導

于國良　《大戴禮記》詞彙研究
四川大學漢語言文字學專業碩士論文　2005 年 1 月　伍宗文指導

伍雄武

李煌明　念與天理——柏拉圖與朱熹
雲南師範大學中國哲學專業碩士論文　2001 年　伍雄武指導

王智汪　論戴震的義理之學
雲南師範大學中國哲學專業碩士論文　2005 年 8 月　伍雄武指導

劉維蘭　試論譚嗣同哲學思想的特徵
雲南師範大學中國哲學專業碩士論文　2006 年 5 月　伍雄武指導

伏

伏俊璉

郭樹芹　鄭玄《毛詩譜》新探
西北師範大學中國古代文學專業碩士論文　2001 年 5 月　趙逵夫、伏俊璉指導

李　莉　劉向及其文學成就研究
西北師範大學中國古代文學專業碩士論文　2004 年 5 月　伏俊璉指導

劉　強　《韓詩外傳》研究
西北師範大學中國古代文學專業碩士論文　2005 年 4 月　伏俊璉指導

任

任冠文

楊天保　聞一多與古典文獻研究

廣西師範大學中國近現代史專業碩士論文　2000 年 1 月　張家璠、龐祖喜、任冠文指導

章　潔　　魏源經世致用的教育思想
廣西師範大學專門史專業碩士論文　2004 年　任冠文指導

向

向　熹

楊　琳　　《尚書》中幾種句型的研究
四川大學文科碩士論文　1985 級　向熹指導

安雲鳳

朱慧玲　　孟子道德生成論及其現代價值研究
首都師範大學倫理學專業碩士論文　2007 年　安雲鳳指導

安平秋

郭院林　　從「以禮治左」到「援古經世」——清代儀徵劉氏《左傳》家學研究
北京大學中國古典文獻學專業博士論文　2007 年　安平秋指導
北京　中華書局　301 頁　2008 年 3 月（改名為《清代儀徵劉氏《左傳》家學研究》）

安國樓

閻秋鳳　　論許衡的理學思想及其影響
鄭州大學中國古代史專業碩士論文　2006 年 4 月　安國樓指導
成都　巴蜀書社　249 頁　2005 年 12 月（儒釋道博士論文叢書）

成

成肇智

劉成漢　從《周易》象數、義理看中醫學的六經、八綱辨證
湖北中醫學院中醫基礎理論專業博士論文　2006 年 5 月　成肇智指導

成曉光

王　歡　克拉申的輸入理論與孔子的教學思想的對比研究
遼寧師範大學英語語言文學專業碩士論文　2006 年 5 月　成曉光指導

成曉軍

彭小舟　曾國藩與近代湖湘文化
河北大學中國近現代史專業碩士論文　2001 年 6 月　成曉軍指導

成曉龍

劉琳麗　孟子倫理思想的現實價值研究
西北師範大學倫理學專業碩士論文　2006 年 5 月　成曉龍指導

朱小健

于　潔　《詩經》重言詞研究
北京師範大學漢語言文字學專業碩士論文　2004 年 5 月　朱小健指導

張學濤　注釋書中名物詞訓詁方法的歷史演變——以《周禮》鄭玄注、賈公彥　注疏和孫詒讓正義為例
北京師範大學漢語言文字學專業碩士論文　2007 年 5 月　朱小健指導

朱文華

李生濱　晚清思想文化與魯迅——關於魯迅思想文化個性的考察

復旦大學中國現當代文學專業博士論文　2005 年 4 月　朱文華指導

汪廣松　關於胡適傳記的研究

復旦大學中國現當代文學專業碩士論文　2004 年 4 月　朱文華指導

朱立元

陳　芳　孔子和柏拉圖美學思想之比較

復旦大學文藝學專業碩士論文　2000 年 5 月　朱立元指導

朱光甫

余　華　魏源的經世思想

湘潭大學中國哲學專業碩士論文　2000 年 4 月　朱光甫指導

熊鄉江　論郭嵩燾的文化觀

湘潭大學中國哲學專業碩士論文　2000 年 4 月　朱光甫指導

蔣九愚　譚嗣同哲學思想研究

湘潭大學中國哲學專業碩士論文　2000 年 4 月　朱光甫指導

朱伯崑

朱光鎬　朱熹太極觀研究——以《太極圖說解》為中心

北京大學中國哲學專業博士論文　2005 年 5 月　朱伯崑指導

喬清舉　湛若水哲學思想研究

北京大學中國哲學史專業博士論文　1992 年　朱伯崑指導

臺北　文津出版社　284 頁　1993 年 3 月（大陸地區博士論文叢刊）

陳亞軍　通行本《易經》卦畫卦形問題研究史略

北京大學中國哲學專業博士論文　1993 年　朱伯崑指導

尹錫珉　王弼易學解經體例探源

北京大學哲學專業博士論文　2006 年 1 月　朱伯崑指導

成都　巴蜀書社　237 頁　2006 年 12 月（儒釋道博士論文叢書）

金演宰　宋明理學和心學派的易學與道德形上學

北京大學中國哲學專業博士論文　2002 年　朱伯崑指導

林亨錫　王船山《周易內傳》研究

北京大學中國哲學專業博士論文　2000 年 12 月　朱伯崑指導

朱承平

高留香　《左傳》「所」字及「所」字結構研究
暨南大學漢語言文字學專業碩士論文　2007 年　朱承平指導

梁葉春　《左傳》構詞法研究
暨南大學漢語言文字學專業碩士論文　2005 年 1 月　朱承平指導

朱杰人

陳良中　朱子《尚書》學研究
華東師範大學中國古典文獻學專業博士論文　2007 年　朱杰人指導

朱紅林

楊　瑶　《周禮》中所載戶籍制度及相關問題初探
吉林大學中國古代史專業碩士論文　2007 年　朱紅林指導

朱崇才

淩　霞　蘇雪林文學道路述評
南京師範大學文藝學專業碩士論文　2004 年 4 月　朱崇才指導

朱紹侯

楊天宇　論鄭玄《三禮注》[7]
河南師範大學中國古代文學專業碩士論文　1981 年　郭豫才、朱紹侯、郭人民指導
文史　第 21 輯　北京　中華書局　頁 21-42　1983 年 10 月
天津　天津人民出版社　頁 581-645　2007 年 4 月
北京　中國社會科學出版社　頁 155-182　2008 年 2 月

朱發建

王強山　試論郭嵩燾的政治思想
湖南師範大學歷史學科教學論專業碩士論文　2006 年 3 月　朱發建指導

7　此論文曾刊於《文史》第21輯，後在此基礎上增補修改，並改名為《鄭玄三禮注研究》出版，出版後第六章「論鄭玄《三禮注》」即為作者碩士論文原貌。

朱誠如

李志學　論黃宗羲反專制政治思想
遼寧師範大學中外政治思想專業碩士論文　2000 年 6 月　朱誠如指導

陳　凱　論顧炎武反封建專制政治思想
遼寧師範大學中外政治思想專業碩士論文　2000 年 6 月　朱誠如指導

朱漢民

鄭明星　劉宗周政治思想論
湖南大學專門史專業碩士論文　2002 年 1 月　朱漢民指導

鄒　芬　郭嵩燾對國際法的認識及運用
湖南大學專門史專業碩士論文　2006 年 5 月　朱漢民指導

朱維錚

周向峰　王莽時代的太學
復旦大學專門史專業碩士論文　2002 年 5 月　朱維錚指導

部積意　劉歆與兩漢今古文學之爭
復旦大學專門史專業博士論文　2005 年 4 月　朱維錚指導

岳宗偉　《論衡》引書研究
復旦大學專門史專業博士論文　2006 年 4 月　朱維錚指導

劉海濱　焦竑與晚明會通思潮
復旦大學專門史專業博士論文　2005 年 4 月　朱維錚指導

張力群　張之洞《勸學篇》的再研究
復旦大學專門史專業碩士論文　2001 年 6 月　朱維錚指導

史應勇　鄭玄禮學的經學史考察
復旦大學中國文化史專業博士論文　2000 年 10 月　朱維錚指導

吳　濤　論西漢的《穀梁》學——兼論《穀梁》與《公羊》之間的升降關係
復旦大學專門史專業博士論文　2007 年 4 月　朱維錚指導

朱鳳瀚

劉　源　商周祭祖禮研究
南開大學中國古代史專業博士論文　2000 年　朱鳳瀚指導

北京　商務印書館　379 頁　2004 年 10 月

朱慶之

劉愛菊　漢語連詞從上古到中古的演變——以《左傳》、《魏書》為例
北京大學漢語言文字學專業博士論文　2003 年 8 月　朱慶之指導

朱學平

張文波　孟子「仁政」思想述評
西南政法大學法律專業碩士論文　2006 年 4 月　朱學平指導

朱　徽

陳宏川　論《詩經》在英美的翻譯和接受
四川大學英語語言學及應用語言學專業碩士論文　2002 年 1 月　朱徽指導

李　瑩　論《論語》在英美的翻譯與接受
四川大學四川大學專業碩士論文　朱徽指導

朱麗霞

孫軍紅　孔子「和」論
河南大學中國哲學專業碩士論文　2007 年　喬鳳杰、朱麗霞指導

朱　喆

李雙雙　《大學》的教育思想及其現代意義探析
武漢理工大學教育經濟與管理專業碩士論文　2006 年 5 月　朱喆指導

江

江　山

王立傑　素王法哲學
清華大學法學專業碩士論文　2007 年　江山指導

江　華

郭曉東　孔子「中庸」思想的現代闡釋

中國石油大學馬克思主義哲學專業碩士論文　2007年　江華指導

牟

牟鐘鑒

劉東超　生命的層級：馮友蘭人生境界說研究

中國社會科學院研究生院中國哲學專業博士論文　1997年7月　方克力、牟鐘鑒、錢遜指導

成都　巴蜀書社　317頁　2002年10月

馬曉英　顏鈞思想研究

中央民族大學專門史專業博士論文　2003年　牟鐘鑒指導

銀川　寧夏人民出版社　240頁　2007年12月

七畫

何

何江南

姚永輝　朱熹與呂祖謙關於《詩經》的四大論辯平議

四川大學中國古代文學專業碩士論文　2005年1月　何江南指導

何亞南

顧　珍　《周書》副詞研究

南京師範大學漢語言文字學專業碩士論文　2006年3月　何亞南指導

何忠禮

邢舒緒　陸九淵研究
浙江大學中國古代史專業博士論文　2005 年　何忠禮指導
北京　人民出版社　216 頁　2008 年 10 月

何明新

歐陽雪梅　論《左傳》的敘事藝術
重慶師範學院[8]中古文學專業碩士論文　1997 年 5 月　何明新指導

何　俊

程嫩生　戴震詩經學研究
浙江大學中國古典文獻學專業博士論文　2005 年 5 月　何俊指導

何建明

董恩強　新考據學派：學術與思想（1919－1949）
華中師範大學中國近現代史專業博士論文　2006 年 10 月　羅福惠、何建明指導

張　靜　郭嵩燾與湖湘文化——以其五次歸隱作個案探析
華中師範大學中國近現代史專業碩士論文　2003 年 5 月　何建明指導

何恒幸

鄒春媚　《論語》語篇體裁的系統功能語言學分析
華南師範大學英語語言文學專業碩士論文　2007 年　何恒幸指導

何琳儀

房振三　楚竹書周易彩色符號研究
安徽大學漢語言文字學專業博士論文　2006 年 5 月　何琳儀指導

程　燕　考古文獻《詩經》異文辨析
安徽大學漢語言文字學專業博士論文　2005 年 4 月　何琳儀指導

8　現已更名為重慶師範大學。

何新文

龔元秀　論《左傳》的行人辭令
湖北大學中國古代文學專業碩士論文　2001 年 5 月　何新文指導

何曉明

胡曉琴　中國近代文化保守主義的發端——以馮桂芬、王韜、薛福成、馬建忠、鄭觀應為考察中心
湖北大學專門史專業碩士論文　2004 年 6 月　何曉明指導

何錫章

王小平　荀子文學思想及影響研究
華中科技大學中國古代史專業碩士論文　2005 年　何錫章指導

任　玨　《詩經》情詩的女性敘事研究
華中科技大學中國古代文學專業碩士論文　2004 年 5 月　何錫章指導

何錫蓉

張榮貴　論荀子的禮法思想
上海社會科學院中國哲學專業碩士論文　2006 年　何錫蓉指導

佘

佘斯大

萬　磊　孟子思想與中學生人生觀、價值觀的教育
華中師範大學語文學科教學專業碩士論文　2005 年 11 月　佘斯大指導

孫海沙　論《詩經》的悲劇性
華中師範大學中國古代文學專業碩士論文　2001 年 1 月　佘斯大指導

陸理原　魏晉南北朝《詩經》研究論
華中師範大學文學專業碩士論文　2000 年 3 月　佘斯大指導

周　艷　《左傳》敘事研究

華中師範大學中國古代文學專業碩士論文　1999年1月　佘斯大指導

譚　晴　論孔子的教育思想對當代中學生素質教育的啟示
華中師範大學學科教學專業碩士論文　2007年　佘斯大指導

榮翠紅　孔子成人思想的現實教育意義
華中師範大學語文學科教學專業碩士論文　2005年11月　佘斯大指導

余恕誠

袁　茹　柳宗元的學術研究與散文創作
安徽師範大學中國古代文學專業碩士論文　2005年　劉學鍇、余恕誠、胡傳志指導

余梓東

魏延梅　孟子民族觀研究
中央民族大學馬克思主義民族理論與政策專業碩士論文　2005年5月　余梓東指導

余敦康

陳　明　儒學的歷史文化功能——從中古士族現象看
中國社會科學院中國哲學專業博士論文　1992年7月　余敦康指導
臺北　文津出版社　363頁　1994年3月（大陸地區博士論文叢刊）（改名為《中古士族現象研究：儒學的歷史文化功能初探》）
上海　學林出版社　423頁　1997年（改名為《儒學的歷史文化功能：士族－特殊形態的知識份子研究》）
北京　中國社會科學出版社　349頁　2005年（改名為《儒學的歷史文化功能：以中古士族現象為個案》）

鄒昌林　從《禮記》看中國禮文化的特徵
中國社會科學院中國哲學專業博士論文　1991年7月　余敦康指導
臺北　文津出版社　271頁　1992年9月（改名為《中國古禮研究》）（大陸

地區博士論文叢刊）

韓德民　荀子與儒家的社會理想

中國社會科學院研究生院中國哲學專業博士論文　1996年7月　余敦康指導

濟南　齊魯書社　582頁　2001年8月

王　健　對朱熹解釋思想的思考

中國社會科學院研究生院中國哲學專業博士論文　1992年7月　余敦康指導

權相佑　朱熹理一分殊思想研究

中國社會科學院研究生院中國哲學專業博士論文　2003年　余敦康指導

冷

冷天吉

何義霞　《周易》與《內經》陰陽文化的同構性研究

河南師範大學科學技術哲學專業碩士論文　2007年5月　冷天吉指導

冷鵬飛

張江洪　論賈誼的思想

湖南師範大學中國古代史專業碩士論文　2002年　冷鵬飛指導

陳　世　論王莽的政治理想——儒家內聖外王理論的實踐

湖南師範大學中國古代史專業碩士論文　2003年3月　冷鵬飛指導

李　珊　漢末三國的經學教育

湖南師範大學中國古代史專業碩士論文　2005年5月　冷鵬飛指導

吾

吾敬東

黃　輝　略論先秦禮學的三次發展

上海師範大學中國哲學專業碩士論文　2005年5月　吾敬東指導

王學峰　春秋時期的神靈觀——以〈左傳〉、〈國語〉為例

上海師範大學宗教學專業碩士論文　2007 年 5 月　吾敬東指導

吳

吳土法

張小蘋　孔孟荀禮學思想論要
浙江大學中國古典文獻學專業碩士論文　2007 年　吳土法指導

吳文祺

李恕豪　論顧炎武古音學研究的貢獻及影響
復旦大學語言文字專業碩士論文　1978、1979 級　吳文祺、濮之珍指導

吳天墀

劉復生　北宋中期儒學復興運動
四川大學中國古代史專業博士論文　1990 年　徐中舒、吳天墀指導
臺北　文津出版社　228 頁　1991 年 7 月（大陸地區博士論文叢刊）

吳辛丑

劉　斌　《孟子》補語研究
華南師範大學漢語言文字學專業碩士論文　2007 年　吳辛丑指導

姚慶保　《左傳》及物動詞作使動用考察
華南師範大學漢語言文字學專業碩士論文　2002 年 1 月　吳辛丑指導

吳育林

孫衛東　孔子道德教育中的研究性學習方法
中山大學思想政治教育專業碩士論文　2004 年 12 月　吳育林指導

吳來蘇

李智霞　從《論語》君子人格探析現代道德人格塑造
首都師範大學倫理學專業碩士論文　2007 年　吳來蘇指導

吳金華

潘　亮　從漢語史角度試論古文《尚書》的語料時代性——以《尚書古文疏證》為中心
復旦大學漢語言文字學專業碩士論文　2005 年 6 月　吳金華指導

劉元春　馬王堆帛書《周易》本經通假字研究
復旦大學漢語言文字學專業碩士論文　2006 年 5 月　吳金華指導

吳信訓

黃偉德　傳播學視野下的《孟子》
汕頭大學漢語言文字學專業碩士論文　吳信訓指導

吳宣德

耿　松　《大學衍義補》研究
華東師範大學中國古典文獻學專業碩士論文　2007 年　吳宣德指導

吳持哲

姜伊敏　孔子及其《論語》英譯研究
內蒙古大學外國語言文學專業碩士論文　2002 年 5 月　吳持哲指導

吳春梅

王志龍　一位儒臣的政治訴求——張之洞政治改革思想的嬗變
安徽大學專門史專業碩士論文　2005 年 5 月　吳春梅指導

吳洪澤

張尚英　劉敞《春秋》學述論
四川大學歷史文獻學專業碩士論文　2002 年 1 月　吳洪澤指導

吳根友

劉元青　三教歸儒——方以智哲學思想的終極價值追求
武漢大學中國哲學專業碩士論文　2005 年　吳根友指導

陽　征　陳確思想研究——以《大學辨》為中心
武漢大學中國哲學專業碩士論文　2003 年 5 月　吳根友指導

黃敦兵　　《王畿學案》與黃宗羲的哲學史觀
　　　　　武漢大學中國哲學專業碩士論文　2005 年 5 月　吳根友指導

吳　格

欒　怡　　翁方綱纂《四庫全書提要稿》研究
　　　　　復旦大學中國古典文獻學專業碩士論文　2002 年 5 月　吳格指導

柳向春　　陳奐交遊研究
　　　　　復旦大學中國古典文獻學專業博士論文　2005 年 4 月　吳格指導

王　亮　　《續修四庫全書總目提要》研究
　　　　　復旦大學中國古典文獻學專業博士論文　2004 年　吳格指導

吳紹全

趙紅霞　　論孔子生命美學的當代價值
　　　　　曲阜師範大學文藝學專業碩士論文　2006 年 4 月　吳紹全指導

吳　琦

謝　羽　　晚明江南士人群體研究——以陳子龍交遊為中心的考察
　　　　　華中師範大學中國古代文學專業碩士論文　2006 年　吳琦指導

吳雁南

侯昂妤　　王韜：中國在「地球合一之天下」中的地位與作用
　　　　　貴州師範大學中國近現代史專業碩士論文　2001 年　吳雁南指導

吳榮曾

李雪山　　《周禮》中所反映的村社土地制度
　　　　　北京大學中國古代史專業碩士論文　1992 年 4 月　吳榮曾指導

吳劍傑

楊　波　　張之洞與近代海南島的早期開發
　　　　　武漢大學中國近現代史專業碩士論文　2003 年 5 月　吳劍傑指導

吳仰湘　　通精致用一代師：皮錫瑞生平和思想研究
　　　　　武漢大學歷史系博士後論文　2001 年　吳劍傑指導

長沙　岳麓書院　342 頁　2002 年 1 月

吳慶峰

劉獻琦　《荀子》反義詞研究
山東師範大學漢語言文字學專業碩士論文　2006 年　吳慶峰指導

叢曉靜　郭璞訓詁學研究
山東師範大學漢語言文字學專業碩士論文　2002 年 4 月　吳慶峰指導

程艷梅　賈公彥語言學研究
山東師範大學漢語言文字學專業碩士論文　2004 年 4 月　吳慶峰指導

劉　娟　方以智語言學研究
山東師範大學漢語言文字學專業碩士論文　2005 年　吳慶峰指導

宋　平　王筠文字學研究
山東師範大學漢語言文字學專業碩士論文　2005 年　吳慶峰指導

車珊珊　《爾雅・釋詁》訓釋研究
山東師範大學漢語言文字學專業碩士論文　2005 年 4 月　吳慶峰指導

吳　鋒

劉　艷　王者有道　仁者無敵——孟子倫理政治思想研究
揚州大學教育學原理（政治學）專業碩士論文　2006 年 5 月　吳鋒指導

吳　震

趙　剛　李材止修思想研究[9]
復旦大學中國哲學史專業碩士論文　2002 年 5 月　吳震指導

吳學國

王　琴　李贄哲學思想研究
南開大學中國哲學專業碩士論文　2007 年 5 月　吳學國指導

吳　錦

尤　煒　詮釋學視角中的早期《詩經》研究史——以《毛詩》為中心

9　本文分析了李材的《大學》改本，並將其與朱子的《大學章句》相互比較探討其異同。

南京師範大學中國古代文學專業碩士論文　2002 年 4 月　吳錦、張采民指導

吳龍輝

高　峰　李贄人生簡論
湖南大學專門史專業碩士論文　2002 年 1 月　吳龍輝指導

吳燦新

王彥威　王弼人生哲學思想探析
中共廣東省委黨校馬克思主義哲學專業碩士論文　2006 年 4 月　吳燦新指導

吳懷祺

汪高鑫　董仲舒與兩漢史學思想研究
北京師範大學史學理論及史學史專業博士論文　2002 年　吳懷祺指導

吳海蘭　經學與黃宗羲史學
北京師範大學歷史學——史學理論及史學史專業博士論文　2004 年 4 月　吳懷祺指導

何曉濤　經學與章學誠的史學
北京師範大學歷史學——史學理論及史學史專業博士論文　2004 年 5 月　吳懷祺指導

吳寶璋

戚紅斌　楊慎謫滇及其對雲南文化的貢獻
雲南師範大學中國古代史專業碩士論文　2005 年 5 月　吳寶璋指導

呂

呂雲路

李婷婷　《詩經》與器樂
聊城大學藝術學專業碩士論文　2007 年　呂雲路指導

呂友仁

陶玉霞　《廿二史考異》徵引文獻考

河南師範大學歷史文獻學專業碩士論文　2003 年 5 月　呂友仁指導

甘良勇　阮元《十三經注疏校勘記序》箋證

河南師範大學歷史文獻學專業碩士論文　2005 年 5 月　呂友仁指導

李慧玲　歐陽修《詩本義》校注

河南師範大學歷史文獻學專業碩士論文　2004 年 5 月　呂友仁指導

左　建　孫希旦《禮記集解》初探

河南師範大學歷史文獻學專業碩士論文　2003 年 5 月　呂友仁指導

顧　飛　朱子《論語集注》注音釋義考

河南師範大學歷史文獻學專業碩士論文　2004 年 5 月　呂友仁指導

呂文鬱

陳壯維　「方陣」卦序的構擬及《周易》初始形態研究

吉林大學歷史文獻學專業博士論文　2007 年 10 月　呂文鬱指導

呂世生

曲巧艷　辜鴻銘翻譯活動初探——儒家思想對辜氏翻譯及其思想的影響

南開大學英語語言文學專業碩士論文　2005 年 2 月　呂世生指導

呂若涵

林　強　個人主義視域下的儒家思想闡釋：以 30 年代周作人對《論語》的闡釋為個案

福建師範大學中國現當代文學專業碩士論文　2007 年　呂若涵指導

呂偉俊

唐建軍　論顧頡剛的疑古史觀及其對現代史學的貢獻

山東大學中國近現代史專業碩士論文　2003 年 10 月　呂偉俊指導

呂培成

劉軍華　司馬遷與士文化

陝西師範大學中國古代文學專業碩士論文　2005 年 4 月　呂培成指導

陽　清　《論語》文學研究
陝西師範大學中國古代文學專業碩士論文　2005 年 4 月　呂培成指導

呂紹剛

庾濰誠　馬王堆帛書《易傳》所反映出的孔子思想
吉林大學中國古代史專業碩士論文　呂紹剛指導

呂錫琛

宋湘綺　曾國藩官德思想及其現代啟示
中南大學倫理學專業碩士論文　2003 年 11 月　呂錫琛指導

秦海珍　馮友蘭道德修養思想研究
中南大學哲學、倫理學專業碩士論文　2004 年 12 月　呂錫琛指導

呂　藝

王　偉　孔子、柏拉圖傳播觀比較研究
北京大學傳播學專業碩士論文　2005 年 6 月　呂藝指導

宋

宋永培

周　娟　《荀子》單音節動詞同義詞研究
四川大學漢語言文字學專業碩士論文　2004 年　宋永培指導

劉興均　《周禮》名物詞研究
四川大學漢語言文字學專業博士論文　2000 年　宋永培指導
成都　巴蜀書社　579 頁　2001 年 5 月

沈　林　《左傳》單音節實詞同義詞群研究
四川大學漢語言文字學專業博士論文　2001 年　宋永培指導

羅紅昌　《左傳》前置現象及相關虛詞研究
四川大學漢語言文字學專業碩士論文　2004 年 3 月　宋永培指導

李　索　敦煌寫卷《春秋經傳集解》異文研究
四川大學漢語言文字學專業博士論文　2004 年　宋永培指導
北京　中國社會科學出版社　389 頁　2007 年

賴積船　《論語》與其漢魏注中的常用詞比較研究
四川大學漢語言文字學專業博士論文　2004 年 3 月　宋永培指導

周文德　《孟子》單音節實詞同義詞研究
四川大學漢語言文字學專業博士論文　2002 年 5 月　宋永培指導

宋均芬

郭常艷　朱駿聲《說文通訓定聲》對大徐本《說文》中之形聲字的改訂研究
首都師範大學漢語言文字學專業碩士論文　2005 年　宋均芬指導

楊瑞芳　鄭珍《說文新附考》研究
首都師範大學漢語言文字學專業碩士論文　2003 年 5 月　宋均芬指導

宋志明

林國標　清初朱子學研究
中國人民大學中國哲學專業博士論文　2003 年　宋志明指導
長沙　湖南人民出版社　287 頁　2004 年 9 月

宋金藍

陳炳哲　《毛傳》、《鄭箋》訓詁術語比較研究
首都師範大學漢語言文字學專業碩士論文　2005 年 5 月　宋金藍指導

宋紹年

陳珠珠　《左傳》連動結構研究
北京大學漢語言文字學專業碩士論文　2005 年 6 月　宋紹年、邵永海指導

蘇　丹　《孟子》中有標記的指稱化結構研究
北京大學漢語言文字學專業碩士論文　2003 年 6 月　宋紹年、邵永海指導

宋劍華

曹亞明　論梁啟超對西方人文主義的誤讀及其影響
湖南師範大學中國現當代文學專業碩士論文　2005 年 4 月　宋劍華指導

宋應離

傅乃芹　從《時務報》的創辦看梁啟超的新聞編輯思想與成就
河南大學新聞學專業碩士論文　2004 年 5 月　宋應離指導

束

束定芳

王銀娜　從認知角度看《論語》中的隱喻和換喻
上海外國語大學英語語言文學專業碩士論文　2005 年 12 月　束定芳指導

束景南

張玖青　楊萬里思想研究
浙江大學中國古典文獻學專業博士論文　2005 年　束景南指導

江　林　《詩經》與宗周禮樂文明
浙江大學中國古典文獻學專業博士論文　2004 年 4 月　束景南指導

曾建林　歐陽修經學思想研究
浙江大學中國古典文獻學專業博士論文　2007 年　束景南指導

劉　茜　蘇轍的《春秋》學與《詩經》學
浙江大學中國古典文獻學專業博士論文　2007 年 5 月　束景南指導

包麗虹　朱熹《詩集傳》文獻學研究
浙江大學中國古典文獻學專業博士論文　2004 年 5 月　束景南指導

季　蒙　主思的理學——王夫之的四書學思想
浙江大學古典文獻學專業博士論文　2000 年　束景南指導
廣州　廣東高等教育出版社　302 頁　2005 年

程　勇　儒家經學與漢代文論
浙江大學中國古代文學專業博士後2005 年 6 月　束景南指導

李

李乃龍

潘子健　先唐禪讓文化與文學——禪讓應用文研究

廣西師範大學中國古代文學專業碩士論文　2006年　李乃龍指導

王　博　揚雄《法言》研究

廣西師範大學中國古代文學專業碩士論文　2004年　李乃龍指導

李　山

陳偉文　紀昀與《四庫全書總目》的文學批評

北京師範大學中國古典文獻學專業碩士論文　2004年5月　李山指導

黃　利　「王官采詩」再探討——從上博簡《詩論》說起

北京師範大學中國古典文獻學專業碩士論文　2006年5月　李山指導

史鵬力　荀子的霸道與禮學

北京師範大學中國古典文獻學專業碩士論文　2006年5月　李山指導

李曉明　春秋時期君子文化人格研究——以《國語》、《左傳》為中心

北京師範大學中國古典文獻學專業碩士論文　2004年5月　李山指導

孟繁強　《左傳》城邑與邦國關係研究

北京師範大學古典文獻學專業碩士論文　2007年5月　李山指導

張　芬　《左傳》中貴族女性形象的文化闡釋

北京師範大學古典文獻學專業碩士論文　2007年5月　李山指導

張懷民　論《左傳》中的預言——春秋時期天命、占卜和禮的平衡

北京師範大學古代文學專業碩士論文　2006年4月　李山指導

李中華

程　林　胡煦與朱熹易學辯正

北京大學中國哲學專業碩士論文　2003年6月　李中華指導

周豐堇　皇侃性情論——《論語義疏》性情思想探討

北京大學中國哲學專業碩士論文　2007年　李中華指導

李之亮

李　迪　范仲淹交遊考略
鄭州大學中國古典文獻學專業碩士論文　2001 年　李之亮指導

王　茜　石介年譜
鄭州大學中國古典文獻學專業碩士論文　2002 年　李之亮指導

劉麗麗　司馬光交遊考述
鄭州大學中國古典文獻學專業碩士論文　2004 年　李之亮指導

張新紅　王安石交遊考辨
鄭州大學中國古典文獻學專業碩士論文　2004 年　李之亮指導

屠　青　韓琦交遊考略
鄭州大學中國古典文獻學專業碩士論文　2003 年 5 月　李之亮、徐正英指導

李仁群

李方澤　理解與融通——論王安石的儒釋調和思想及其影響
安徽大學中國哲學專業碩士論文　2001 年　李霞、李仁群指導

陳多旭　戴震道德哲學評析
安徽大學中國哲學專業碩士論文　2004 年 5 月　李仁群指導

周　軍　一位儒家學者眼中的莊子哲學——評馮友蘭《中國哲學史》（兩卷本）
安徽大學中國哲學專業碩士論文　2001 年 6 月　李霞、李仁群指導

李天道

劉立策　《周易》「白賁」美學思想研究
四川師範大學文藝學專業碩士論文　2002 年 5 月　李天道指導

吳淑賢　論孔子美學思想的超越性
四川師範大學文藝學專業碩士論文　2002 年 5 月　李天道指導

李文澤

霞紹暉　漢唐注疏的遺韻——宋代邢昺《爾雅》疏研究
四川大學歷史文獻學專業碩士論文　2006 年　李文澤指導

李方元

葉敦妮　《詩經》樂器考釋

華中師範大學音樂學專業碩士論文　2007 年　李方元指導

張玉琴　鄭玄「三禮注」釋樂考釋

華中師範大學中國古代音樂史專業碩士論文　2007 年 6 月　李方元指導

李以國

于　東　用唯物史觀看中國歷史上的「黃宗羲定律」

雲南師範大學馬克思主義哲學專業碩士論文　2004 年 6 月　李以國指導

李可可

范　穎　論大禹治水及其影響

武漢大學科學技術史專業碩士論文　2005 年　李可可指導

李　平

董　芬　朱熹《詩集傳》闡釋方法研究

安徽師範大學文藝學專業碩士論文　2005 年 5 月　李平指導

李正栓

劉小葉　論文化翻譯——《關雎》英譯中西對比研究

河北師範大學英語語言文學專業碩士論文　2007 年 3 月　李正栓指導

李　民

崔紅偉　論商湯滅夏前後所居之亳

鄭州大學中國古代史專業碩士論文　2006 年　李民指導

岳紅琴　《禹貢》與夏代社會

鄭州大學中國古代史專業博士論文　2006 年 5 月　李民指導

李軍靖　《洪範》與古代政治文明

鄭州大學中國古代史專業博士論文　2005 年 4 月　李民指導

李生龍

楊　準　從《詩經》看周代婦女的地位
湖南師範大學中國古代文學專業碩士論文　2002 年 3 月　李生龍指導

李　唐　《詩經》的士大夫情感特質與審美趨向研究
湖南師範大學中國古代文學專業碩士論文　2004 年 4 月　李生龍指導

李申申

周　娜　「中體西用」與「和魂洋才」——教育視野下張之洞與福澤諭吉西學思想之比較
河南大學教育史專業碩士論文　2006 年 5 月　李申申、趙國權指導

李琳琳　返於自然與超越歷史——盧梭與梁啟超「賢妻良母」女子教育目的觀之比較
河南大學教育史專業碩士論文　2006 年 5 月　李申申、趙國權指導

王娟華　倫理的政治化與倫理的哲學化——孔子與蘇格拉底的教育目的及其踐行過程之比較
河南大學教育史專業碩士論文　2005 年 5 月　李申申指導

李　立

姚志國　《詩經》「女性作品」研究
東北師範大學中國古代文學專業碩士論文　2007 年　李立指導

李先耕

史維國　《左傳》中的處所詞研究
黑龍江大學漢語言文字學專業碩士論文　2006 年　李先耕指導

闞立新　《左傳》名詞動用現象分析
黑龍江大學漢語言文字學專業碩士論文　2004 年 6 月　李先耕指導

雷淑娟　《孟子》類比
黑龍江大學漢語言文字學專業碩士論文　2001 年 5 月　李先耕指導

李先華

徐玲英　馬其昶《毛詩學》研究
安徽師範大學中國古典文獻學專業碩士論文　2005 年 4 月　袁傳璋、李先華

指導

李行健

崔立斌　《孟子》的述賓結構

北京大學漢語史專業碩士論文　1984 年 1 月　郭錫良、李行健指導

李似珍

王　新　論《皇極經世》的「內數」

華東師範大學中國哲學專業碩士論文　2006 年 5 月　李似珍指導

李壯鷹

余　鋼　王夫之「情景」論的美學探微

北京師範大學文藝學專業碩士論文　2005 年 5 月　李壯鷹指導

李宏生

馬金華　論康有為的科學思想

山東師範大學中國近現代史專業碩士論文　2001 年 4 月　李宏生指導

李廷先

袁瑾洋　論《左傳》記敘戰爭的藝術

揚州師範學院中國古代文學專業碩士論文　1978、1979 級　李廷先指導

郭珍玉　《左傳》懲惡勸善思想研究

揚州師範學院中國古代史專業碩士論文　1978、1979 級　李廷先指導

李志慧

馬春燕　《詩經》國風中幾種興象的原型考察

西北大學中國古代文學專業碩士論文　2003 年 5 月　李志慧指導

張　虹　《詩經》生命意識及相關興象系列初探

西北大學中國古代文學專業碩士論文　2006 年 5 月　李志慧指導

李步嘉

閆平凡　楊守敬《漢書二十三家注鈔・應劭》校補

武漢大學中國古典文獻學專業碩士論文　2004 年 5 月　李步嘉、羅積勇指導

孫亞華　楊守敬《漢書二十三家注鈔・服虔》校補

武漢大學中國古典文獻學專業碩士論文　2004 年 5 月　李步嘉、萬獻初指導

徐　珮　楊守敬《漢書二十三家注鈔・孟康》校補

武漢大學中國古典文獻學專業碩士論文　2004 年 5 月　李步嘉、羅積勇指導

李秀英

馮秋香　華茲生英譯《左傳》可讀性分析

大連理工大學外國語言學及應用語言學專業碩士論文　2006 年 12 月　李秀英指導

王琨雙　歷史典籍中特殊文化因素的翻譯策略——目的論對《左傳》英譯的啟示

大連理工大學外國語言學及應用語言學專業碩士論文　2005 年 12 月　李秀英指導

李育民

余　英　試論康有為的外交思想

湖南師範大學中國近現代史專業碩士論文　2005 年 4 月　李育民指導

李亞丹

顧小燕　翻譯家胡適研究

華中師範大學英語語言文學專業碩士論文　2004 年 4 月　李亞丹指導

李奇飛

段大龍　《考工記》的「材美」「工巧」設計思想及其現實意義

東北師範大學設計藝術學專業碩士論文　2007 年　李奇飛指導

李宗桂

解麗霞　揚雄與漢代經學

中山大學中國哲學專業博士論文　2006 年 12 月　李宗桂指導

謝寶笙　龍、《易經》與中國文化的起源

中山大學中國哲學專業博士論文　1997 年 12 月　李宗桂指導

北京　社會科學文獻出版社　239 頁　1999 年

李海龍　王弼《周易注》研究

中山大學哲學專業碩士論文　2004 年 6 月　李宗桂指導

楊海文　孟子與《詩》、《書》文化

中山大學中國哲學專業碩士論文　1996 年 6 月　李宗桂指導

林中堅　西漢禮治思想形成研究

中山大學中國哲學專業博士論文　2005 年 5 月　李宗桂指導

陸建華　荀子禮學研究

中山大學中國哲學專業博士論文　2002 年 6 月　李宗桂指導

合肥　安徽大學出版社　200 頁　2004 年 1 月

惠吉興　宋代禮學研究

中山大學中國哲學專業博士論文　1999 年 5 月　李宗桂指導

吳傑鋒　「春秋決獄」與漢代經典解釋

中山大學哲學專業碩士論文　2003 年 5 月　李宗桂指導

平　飛　《公羊傳》「以義解經」研究

中山大學哲學專業博士論文　2006 年 6 月　李宗桂、黎紅雷指導

唐眉江　漢代公羊學大一統思想研究

中山大學哲學專業博士論文　2006 年 6 月　李宗桂、黎紅雷指導

鄧思平　經驗主義的孔子道德思想及其歷史演變

廣州中山大學中國哲學專業博士論文　1999 年 5 月　李錦全、李宗桂指導

成都　巴蜀書社234 頁　2000 年 8 月（儒釋道博士論文叢書）

李素卿　《淮南子》中的孔子形象

中山大學哲學專業碩士論文　2005 年 6 月　李宗桂指導

鄧文輝　孟子對孔子的聖化

中山大學哲學專業碩士論文　2005 年 5 月　李宗桂指導

楊海文　孟子文化精神研究

中山大學中國哲學專業博士論文　1999 年 5 月　李宗桂指導

李宗勛

朱玉紅　王夫之的義利觀

延邊大學專門史專業碩士論文　2001 年　梁韋弦、李宗勛指導

李尚信

閻　潔　從象數角度談《周易》的管理思想
山東大學中國哲學專業碩士論文　2006 年 4 月　李尚信指導

李承貴

羅亮梅　羅欽順哲學思想研究
南昌大學專國哲學專業碩士論文　2005 年 5 月　李承貴指導

李金善

董雪靜　《詩經》男女春秋盛會與周代禮俗
河北大學中國古代文學專業碩士論文　2003 年 5 月　李金善指導

李　琳　《詩經》中的色彩運用及其文化意蘊
河北大學中國古代文學專業碩士論文　2005 年 6 月　李金善指導

張　淏　論《詩經》的憂患意識
河北大學中國古代文學專業碩士論文　2005 年 6 月　李金善指導

李建中

譚秋雄　試論孔儒文化及文藝思想的人格價值
華中師範大學文藝理論專業碩士論文　2001 年 1 月　李建中指導

李春光

李　強　陸隴其述論
遼寧大學史學理論及史學史專業碩士論文　2001 年 5 月　李春光指導

王　緒　邵廷采學術思想述論
遼寧大學中國古代史專業碩士論文　2004 年 5 月　李春光指導

孫運君　劉逢祿的公羊學研究
遼寧大學中國古代史專業碩士論文　2003 年 5 月　李春光指導

李春青

韓　軍　龔自珍的文化意識及其曲折
北京師範大學文藝學專業博士論文　2006 年 5 月　李春青指導

李茂民　梁啟超五四時期的新文化建設思想研究
北京師範大學文藝學專業博士論文　2004 年 4 月　李春青指導
北京　社會科學文獻出版社　373 頁　2006 年 4 月（改名為《在激進與保守之間：梁啟超五四時期的新文化思想》）

黃富雄　心之文——徐復觀所謂「中國藝術精神的主體」之內在紋理
北京師範大學文藝學專業碩士論文　2004 年 5 月　李春青指導

葛　鋼　經學與文學——錢穆《讀詩經》研究
北京師範大學文藝心理學專業碩士論文　2005 年 5 月　李春青指導

李　洵

任　爽　唐代禮制研究概要
東北師範大學中國古代史專業博士論文　1997 年　李洵、楊志玖指導
長春　東北師範大學出版社　307 頁　1999 年 9 月（改名為《唐代禮制研究》）

李炳海

曲　丹　《詩經》的音樂性審美
東北師範大學漢語語言文字學專業碩士論文　2003 年 12 月　李炳海、周奇文指導

沈　鴻　孔子弟子形象在先秦兩漢的演變
東北師範大學中國古代文學專業碩士論文　2004 年 5 月　李炳海、周奇文指導

于海棠　《周易》與中國上古文學
東北師範大學中國古代文學專業博士論文　2000 年　李炳海指導

呂書寶　滿眼風物入卜書
東北師範大學中國古代文學專業博士論文　2003 年 4 月　李炳海指導

劉雅傑　《詩經》水意象綜論
東北師範大學中國古代文學專業碩士論文　2002 年 4 月　李炳海指導

孫世洋　周代詩樂文化與《詩經》
東北師範大學中國古代文學專業碩士論文　2002 年 1 月　李炳海指導

李玲璞

程邦雄　孫詒讓文字學之研究

華東師範大學漢語言文字學專業博士論文　2004年4月　李玲璞指導

臧克和　《尚書》文字校詁

華東師範大學中國古代史專業博士論文　1999年　李玲璞指導

上海　上海教育出版社　767頁　1999年1月

李禹階

羅怡明　康有為君主思想研究——康有為君主思想的演變及探析

重慶師範大學專門史專業碩士論文　2006年4月　李禹階指導

袁佳紅　《穀梁》學在西漢的興起及意義

重慶師範大學專門史專業碩士論文　2003年4月　李禹階指導

汪　蕾　《商君書》與《孟子》經濟思想及其理論基礎的比較研究

重慶師範學院思想史專業碩士論文　2001年4月　李禹階指導

李香奇　戰國社會變遷與孟荀人性論及人的社會化思想

重慶師範學院思想史專業碩士論文　2000年4月　李禹階指導

李茂康

鐘發遠　《論語》動詞研究

西南師範大學漢語言文字學專業碩士論文　2003年6月　李茂康指導

李潤生　郝懿行《爾雅義疏》同族詞研究

西南師範大學漢語言文字學專業碩士論文　2002年4月　李茂康指導

劉巧芝　戴震《方言疏證》同族詞研究

西南師範大學漢語言文字學專業碩士論文　2005年5月　李茂康指導

趙家棟　《爾雅》法律使用域詞語研究

西南師範大學漢語言文字學專業碩士論文　2004年5月　李茂康指導

李衍柱

孔德海　里仁為美的現代闡釋——論孔子仁學與企業文化建設

山東師範大學文藝學企業文化專業碩士論文　1999年5月　張繼升、李衍柱指導

李家榮

楊天旻　《論語》六個英文譯本的比較研究

天津師範大學英語語言文學專業碩士論文　2002 年 4 月　李家榮指導

李恕豪

羅曉燕　從《匡謬正俗》看顏師古的語言文字研究

四川師範大學語言學及應用語言學專業碩士論文　2004 年 1 月　李恕豪指導

胡珮迦　對《釋名》的認知研究

四川師範大學語言學及應用語言學專業碩士論文　2004 年　李恕豪指導

李恩江

彭　慧　廣雅疏證中《文選》通假字研究

鄭州大學中國古典文獻學專業碩士論文　2004 年　李恩江指導

李振宏

張源遠　論王充的學者氣質

河南大學專門史專業碩士論文　2006 年 5 月　李振宏指導

張小穩　孟荀學風之比較

河南大學中國古代史專業碩士論文　2002 年 5 月　李振宏、鄭慧生指導

柳素平　荀子、王充思想比較研究

河南大學中國古代史專業碩士論文　2003 年 5 月　李振宏、鄭慧生指導

褚新國　試論孔子人性思想

河南大學中國古代史專業碩士論文　2002 年 5 月　李振宏、鄭慧生指導

李振綱

段紅智　張之洞中西文化觀研究

河北大學中國哲學專業碩士論文　2005 年 6 月　李振綱指導

呂巧英　陳確的學術思想和學術風格

河北大學中國哲學專業碩士論文　2004 年 6 月　李振綱指導

謝恩廷　熊十力哲學研究

河北大學中國哲學專業碩士論文　2001 年 6 月　李振綱指導

儲秀彥　孔子人生哲學及其現代意義

河北大學中國哲學專業碩士論文　2004 年 5 月　李振綱指導

寧麗新　孟荀人性論之比較

河北大學中國哲學專業碩士論文　2005 年 6 月　李振綱指導

李書有

倪　南　象數易道的歷史考察
南京大學中國哲學專業博士論文　2002 年　李書有指導

李桂福

焦　晗　鄭振鐸編輯出版思想研究
北京師範大學新聞學・編輯出版專業碩士論文　2005 年 5 月　李桂福指導

李真瑜

時　娜　從朱彝尊詞風的演化看順康年間文人心態
北京師範大學中國古代文學專業碩士論文　2004 年 5 月　李真瑜指導

李　索

趙　君　《孟子》、《荀子》比較句研究
河北師範大學漢語言文字學專業碩士論文　2003 年 4 月　李索指導

路飛飛　《孟子》主謂句句型系統研究
河北師範大學漢語言文字學專業碩士論文　2003 年 4 月　李索指導

李國正

徐國華　《荀子》名詞同義詞重點辨析
廈門大學漢語言文字學專業碩士論文　2006 年　李國正指導

郭　萍　《孟子》複音詞研究
廈門大學漢語言文字學專業碩士論文　2002 年 6 月　李國正指導

李國祥

鄒華清　楊守敬學術研究
華中師範大中國歷史文獻學專業博士論文　2001 年 6 月　李國祥指導

馮浩菲　毛詩訓詁研究
華中師範大學歷史文獻學專業博士論文　1988 年　張舜徽、李國祥指導
武昌　華中師範大學出版社　2 冊　1998 年 8 月（博士論文庫）

李清良

王　楝　揚雄文論研究

湖南師範大學文藝學專業碩士論文　2005 年 5 月　李清良指導

李紹平

張文明　鄭樵與文獻學淺探

湖南師範大學中國古代史專業碩士論文　2004 年　李紹平指導

李　安　從「真」到「通」：中國古代史學理論的體系化及其終結——以劉知幾、章學誠為中心的考察

湖南師範大學中國古代史專業碩士論文　2004 年 5 月　李紹平指導

李　凱

胡曉紅　顧炎武闡釋思想研究

四川師範大學文藝學專業碩士論文　2006 年 6 月　李凱指導

李景明

趙玉強　孔子與老子「無為」思想比較研究

曲阜師範大學專門史專業碩士論文　2006 年 4 月　李景明指導

李景林

田智忠　朱子論曾點氣象研究

北京師範大學中國哲學史專業博士論文　2006 年　李景林指導

成都　巴蜀書社　407 頁　2007 年 11 月（儒釋道博士論文叢書）

吳樹勤　禮學視野中的荀子人學思想研究——以「知通統類」為核心

北京師範大學中國哲學專業博士論文　2006 年 5 月　李景林指導

濟南　齊魯書社　287 頁　2007 年 9 月

李天琦　論孔子的文質統一思想

吉林大學中國哲學專業碩士論文　李景林指導

毛術芳　從「人禽之辨」看孟子的性善論

北京師範大學中國哲學專業碩士論文　2006 年 5 月　李景林指導

徐曉宇　試論孟子的道德選擇理論——從經權說開去

北京師範大學中國哲學專業碩士論文　2006 年 5 月　李景林指導

李朝龍

王　進　自我的轉化與審美主體的生成——張載美學思想研究
貴州大學美學專業碩士論文　2006 年　李朝龍指導

李無未

馮曉麗　戴震、盧文弨《方言》校勘比較研究
吉林大學歷史文獻專業碩士論文　2004 年　李無未指導

劉　微　《大學直解》《中庸直解》口語詞語研究[10]
吉林大學歷史文獻學專業碩士論文　2005 年 4 月　李無未指導

李　萍

陳文濱　孔子因材施教德育方法研究
中山大學馬克思主義理論與思想政治教育專業碩士論文　2000 年 6 月　李萍指導

李　開

李光西　朱熹古音研究
南京大學中文系碩士論文　2000 年　李開指導

周遠富　方以智古音學考論
南京大學中文系博士論文　2001 年　李開指導

張民權　顧炎武古音學考論
南京大學中文系博士論文　1997 年　魯國堯、李開指導

李　文　段玉裁古音學考論
南京大學中文系博士論文　1997 年　魯國堯、李開指導

郭建花　江永古音學考論
南京大學中文系博士論文　2004 年　李開指導

宮　辰　朱駿聲《說文通訓定聲》研究
南京大學中文系碩士論文　1999 年　李開、高小方指導

10 《大學直解》《中庸直解》是元代初期漢族儒士許衡為向少數民族傳授儒家文化而著的兩部教學講義。

喬　永　黃侃古音學考論

南京大學中文系博士論文　2004 年　李開指導

顧　濤　皇侃《論語義疏》研究

南京大學語言文字學專業碩士論文　2004 年　李開指導

侯之虎　劉寶楠《論語正義》研究

南京大學中文系碩士論文　2001 年　李開指導

譚書旺　《孟子》與《孟子章句》詞彙語法比較研究

南京大學中文系碩士論文　2001 年　李開指導

張惠榮　焦循《孟子正義》注釋學研究

南京大學漢語言文字學專業博士論文　2000 年　李開指導

李　誠

陳朝輝　揚雄文學思想研究

四川師範大學中國古代文學專業碩士論文　2002 年 5 月　李誠指導

彭　燕　《詩經》女性研究

四川師範大學中國古代文學專業碩士論文　2005 年 6 月　李誠指導

李運富

韓　琳　黃侃字詞關係研究

北京師範大學漢語言文字學專業博士論文　2005 年 5 月　李運富指導

北京　中央民族大學出版社　338 頁　2007 年 8 月（改名為《黃侃手批《說文解字》字詞關係研究》）

李玉平　《周禮》複音詞鄭注研究

北京師範大學漢語言文字學專業博士論文　2006 年 5 月　李運富指導

尹　潔　《春秋左氏傳》正文訓詁研究

北京師範大學漢語言文字學專業碩士論文　2007 年 5 月　李運富指導

劉　暢　《論語》注釋歧解研究

北京師範大學漢語言文字學專業博士論文　2005 年 5 月　李運富指導

章承董　《爾雅》疊音詞研究

北京師範大學漢語言文字學專業碩士論文　2007 年 5 月　李運富指導

趙　瑩　《爾雅義疏》引用《說文》研究

北京師範大學漢語言文字學專業碩士論文　2007 年 6 月　李運富指導

李維武

祝　薇　晚年梁漱溟與馬克思主義哲學
武漢大學中國哲學專業碩士論文　2003 年 5 月　李維武指導

林合華　梁啟超科學觀的三期演變及其意義
武漢大學中國哲學專業碩士論文　2005 年 5 月　李維武指導

張晚林　徐復觀藝術詮釋體系研究
武漢大學中國哲學專業博士論文　2005 年 5 月　李維武指導
上海　上海古籍出版社　409 頁　2007 年 9 月

劉金鵬　徐復觀民族國家思想研究
武漢大學中國哲學專業碩士論文　2003 年 5 月　李維武指導

李廣良

郭應傳　李翱《復性書》思想研究
雲南師範大學中國哲學專業碩士論文　2002 年 7 月　李廣良指導

楊　勇　天道性命相貫通——論牟宗三對張載哲學思想的研究
雲南師範大學中國哲學專業碩士論文　2006 年 5 月　李廣良指導

李壽欣

李寶勇　荀子管理心理思想研究
山東師範大學基礎心理學專業碩士論文　2003 年　李壽欣指導

李慶善

漆永祥　試論乾嘉時期的考據學
西北師範大學歷史文獻學專業碩士論文　年 1987 年　李慶善指導

李學勤

楊朝明　書籍新識——周公事跡考證
中國社會科學院研究生院歷史文獻學專業博士論文　2000 年　李學勤指導
鄭州　中州古籍出版社　314 頁　2002 年（改名為《周公事跡研究》）

侯希文　《孝經》作者考
西北大學歷史文獻學專業碩士論文　2001 年 5 月　李學勤、黃懷信指導

邢　文　帛書《周易》與古代學術

中國社會科學院研究生院歷史文獻學專業博士論文　1996 年 7 月　李學勤指導

北京　人民出版社　1997 年 11 月、1998 年 12 月（改名為《帛書周易研究》）

彭迎喜　方以智與《周易時論合編》小考

中國社會科學院研究生院歷史文獻學專業博士論文　1998 年 6 月　李學勤指導

廣州　中山大學出版社　248 頁　2007 年 6 月

王思平　《左傳》人名與金文人名比較研究

中國社會科學院研究生院歷史文獻學專業博士論文　1997 年 7 月　李學勤指導

王澤文　春秋時期的紀年銅器銘文與《左傳》的對照研究

中國社會科學院研究生院歷史文獻學專業博士論文　2002 年 1 月　李學勤．席澤宗指導

李　銳　孔孟之間「性」論研究

清華大學專門史專業博士論文　李學勤指導

呂宗力　東漢碑刻與讖緯神學

中國社會科學院研究生院中國古代文學專業碩士論文　張政烺、李學勤指導

李曉明

王春陽　《左傳》吉禮研究

華中師範大學歷史文獻學專業碩士論文　2005 年 5 月　李曉明指導

趙　君　《孟子》、《荀子》比較句研究

河北師範大學漢語言文字學專業碩士論文　2003 年 4 月　李索指導

李錦全

鄧思平　經驗主義的孔子道德思想及其歷史演變

中山大學哲學專業博士論文　1999 年　李錦全、李宗桂指導

成都　巴蜀書社　234 頁　2000 年 8 月（儒釋道博士論文叢書）

何潔冰　論《周易》天道觀及其在先秦哲學中的地位作用

中山大學哲學專業碩士論文　1995 年 11 月　李錦全指導

葉　鷹　易玄合論

中山大學中國哲學專業博士論文　1995年11月　李錦全指導

李　霞

楊國平　李贄與儒佛
安徽大學中國哲學專業碩士論文　1999年5月　李霞指導

李方澤　理解與融通——論王安石的儒釋調和思想及其影響
安徽大學中國哲學專業碩士論文　2001年　李霞、李仁群指導

黃世福　朱熹理學與佛學之比較
安徽大學中國哲學專業碩士論文　2003年　李霞、史向前指導

周　軍　一位儒家學者眼中的莊子哲學——評馮友蘭《中國哲學史》（兩卷本）
安徽大學中國哲學專業碩士論文　2001年6月　李霞、李仁群指導

俞成義　方東美華嚴思想初探
安徽大學中國哲學專業碩士論文　2003年5月　李霞、史向前指導

杜

杜芳琴

鄭金霞　顏元倫理思想與實踐——社會性別角度的考察
天津師範大學專門史專業碩士論文　2004年4月　杜芳琴指導

杜時忠

周　艷　孟子的性善論思想及其現代德育價值
華中師範大學教育學原理專業碩士論文　2007年　杜時忠指導

杜海軍

馬艷輝　王應麟學術研究
廣西師範大學古典文獻學專業碩士論文　2006年　杜海軍指導

陳玉東　宋濂交遊及文學思想考論
廣西師範大學中國古典文獻學專業碩士論文　2007年　杜海軍指導

杜道明

吳雲霞　民本與師道的復歸——明代平民儒者王艮的思想內涵

北京語言文化大學學科教學論專業碩士論文　2001 年　杜道明指導

張龍秋　「六經皆史」說考論

北京語言大學專門史專業碩士論文　2003 年 1 月　杜道明指導

陳旭東　魏源美學思想初探

北京語言大學專門史專業碩士論文　2005 年 6 月　杜道明指導

杜　衛

王恩波　梁啟超「生活的藝術化」理論研究

浙江師範大學文藝學專業碩士論文　2005 年 5 月　杜衛指導

杜澤遜

朱珊珊　朱彝尊《曝書亭集》的文獻學價值

山東大學中國古典文獻學專業碩士論文　2006 年 5 月　杜澤遜指導

陳修亮　盧文弨校勘學研究

山東大學中國古典文獻學專業碩士論文　2002 年 5 月　杜澤遜指導

沈文倬

陳戍國　先秦禮制研究

杭州大學中國古典文獻學專業博士論文　1989 年　沈文倬指導

長沙　湖南教育出版社　419 頁　1991 年 12 月

吳土法　《周禮》官聯叢考

杭州大學中國古典文獻學專業博士論文　1995 年　沈文倬指導

張衛中　《左傳》預言研究

杭州大學中國古典文獻學專業博士論文　1996 年　沈文倬指導

沈長雲

李　晶　春秋官制與《周禮》職官系統比較研究——以《周禮》成書年代的考察為目的
河北師範大學中國古代史專業碩士論文　2004 年 5 月　沈長雲指導

沈松勤

劉成國　荊公新學研究
四川大學中文系博士後論文　2004 年　沈松勤指導
上海　上海古籍出版社　318 頁　2006 年 1 月

沈益洪

陸雅茹　《孝經直解》「把／將」字句研究
上海大學漢語言文字學專業碩士論文　2007 年 4 月　沈益洪指導

沈順福

王　維　「盡心知性」與「即心即佛」：孟子與慧能心性論之異同的形而上學思考
山東大學中國哲學專業碩士論文　2007 年　沈順福指導

沈新林

龍曉英　焦竑研究
南京師範大學古代文學專業碩士論文　2005 年 4 月　沈新林指導

沈灌群

杜成憲　早期儒家學習範疇研究
華東師範大學中國教育史專業博士論文　1988 年　沈灌群、孫培青指導
臺北　文津出版社　160 頁　1994 年 7 月

汪

汪少華

唐忠海　《考工記・玉人》名物訓詁與孫疏補證

杭州師範學院[11]漢語言文字學專業碩士論文　2005年4月　汪少華指導

汪聖鐸

顯靜莉　真德秀政法思想研究

河北大學中國古代史專業碩士論文　2006年　郭東旭、汪圣鐸指導

汪湧豪

李永賢　廖燕研究

復旦大學中國古代文學專業博士論文　2004年4月　汪湧豪指導

成都　巴蜀書社　307頁　2006年

汪裕雄

林國兵　試論孔穎達的易學理論與美學智慧

安徽師範大學美學專業碩士論文　2004年5月　汪裕雄指導

汪榕培

朱寶鋒　辜鴻銘翻譯思想研究

大連理工大學外國語言學及應用語言學專業碩士論文　2006年12月　汪榕培指導

李上榮　論詩歌翻譯中譯者的創造性——《詩經》譯本研究

蘇州大學英語應用語言學專業碩士論文　2007年4月　汪榕培指導

汪榮有

鄭　藝　荀子的德治和法治思想及其當代意義

江西師範大學馬克思主義理論與思想政治教育專業碩士論文　2004年　汪榮有指導

汪龍麟

王全育　曾國藩閱讀教育思想述評

首都師範大學教育專業碩士論文　2004年4月　汪龍麟指導

11 現已更名為杭州師範大學。

王佳磊　梁啟超語文教育思想初探
首都師範大學教育專業碩士論文　2004 年 4 月　汪龍麟指導

汪耀明

孫晨陽　道德・身體・權力——《左傳》與《史記》的身體語言
復旦大學中國古代文學專業碩士論文　2006 年 5 月　汪耀明指導

汪耀楠

蘇文英　《詩》經典地位的確立
湖北大學中國古典文獻學專業碩士論文　1999 年 4 月　汪耀楠指導

八畫

卓

卓澤淵

陶建新　一種文化的選擇——論梁啟超的法治思想
西南政法大學法理學專業碩士論文　2004 年 4 月　卓澤淵指導

周

周大璞

丁　忱　《詩經》通假字考
武漢大學語言文字專業碩士論文　1978、1979 級　黃焯、周大璞指導

楊合鳴　《詩經》句法初探
武漢大學語言文字專業碩士論文　1978、1979 級　周大璞指導

曹兆藍　試談《左傳》文句的省略
武漢大學語言文字專業碩士論文　1978、1979 級　周大璞指導

周　山

答　浩　論孔子的修身之道
上海社會科學院中國哲學專業碩士論文　2007 年　周山指導

周可真

顧玉萍　荀子性論之內容及性惡界定的目的
蘇州大學中國哲學專業碩士論文　2006 年　周可真指導

宋亞飛　論梁漱溟保守主義思想的個性特徵
蘇州大學中國哲學專業碩士論文　2005 年 1 月　周可真指導

湯海艷　張岱年「文化綜合創新論」初探
蘇州大學馬克思主義哲學專業碩士論文　2003 年 1 月　周可真指導

周永健

李陽洪　梁章鉅的書法題跋與翁方綱的關係
西南師範大學美術學專業碩士論文　2005 年 5 月　周永健指導

周玉秀

于　江　《荀子》反義詞研究
西北師範大學漢語言文字學專業碩士論文　2005 年　周玉秀指導

王耀東　《毛詩古音考》研究
西北師範大學漢語言文字學專業碩士論文　2006 年 4 月　周玉秀指導

丁桃源　《論語》修辭研究
西北師範大學漢語言文字學專業碩士論文　2007 年 5 月　周玉秀指導

馮　玉　《孟子》句尾語氣詞研究
西北師範大學漢語言文字學專業碩士論文　2005 年 5 月　周玉秀指導

陳順成　《孟子》複句研究
西北師範大學漢語言文字學專業碩士論文　2007 年 5 月　周玉秀指導

任　堅　《孟子正義》訓詁研究
西北師範大學漢語言文字學專業碩士論文　2007 年 5 月　周玉秀指導

周生春

明　旭　孔子「為政」思想研究
浙江大學行政管理專業碩士論文　2003 年 11 月　周生春指導

周　禾

李　奕　荀子教育思想與「完全人」培養——以中學語文教學為中心
華中師範大學學科教學專業碩士論文　2006 年　周禾指導

吳竹藝　《論語》中的孔子形象
華中師範大學中國古代文學專業碩士論文　2006 年 11 月　周禾指導

吳小紅　孔子教育心理與當前語文教學
華中師範大學語文學科教學專業碩士論文　2005 年 11 月　周禾指導

周光明

普　進　梁啟超：近代報刊與民主啟蒙
武漢大學新聞學專業碩士論文　2005 年 4 月　周光明指導

周光慶

曹海東　朱熹經典解釋學研究
華中師範大學漢語言文字學專業博士論文　2007 年 4 月　周光慶指導

吳崢嶸　《左傳》索取、給予、接受義類詞彙系統研究
華中師範大學漢語言文字學專業博士論文　2006 年 6 月　周光慶指導

周　娟　《國風》中的隱喻運用和《詩集傳》中的隱喻解釋
華中師範大學漢語言文字學專業碩士論文　2006 年 5 月　周光慶指導

姜廣錦　《論語》教育理論範疇對當今教育的啟示
華中師範大學學科教學專業碩士論文　2007 年　周光慶指導

周奇文

曲　丹　《詩經》的音樂性審美
東北師範大學漢語語言文字學專業碩士論文　2003 年 12 月　李炳海、周奇文指導

賈學鴻　從《詩經》的君子之樂到孔子的人生之樂

東北師範大學中國古代文學專業碩士論文　2004 年 5 月　周奇文指導

艾春明　論《韓詩外傳》的經學價值

東北師範大學中國古代文學專業碩士論文　2002 年 1 月　盛廣智、周奇文指導

沈　鴻　孔子弟子形象在先秦兩漢的演變

東北師範大學中國古代文學專業碩士論文　2004 年 5 月　李炳海、周奇文指導

周延良

米　亞　《詩經・王風》義理之學與儒家倫理思想考辨

天津師範大學中國古代文學專業碩士論文　2006 年 4 月　周延良指導

周長山

彭　越　讖緯與兩漢政治

廣西師範大學中國古代史專業碩士論文　2007 年　周長山指導

周　洪

易小明　盟會和朝聘禮對春秋時期政治權力下移的影響

江西師範大學歷史文獻學專業碩士論文　2005 年　周洪指導

周桂鈿

張世亮　方以智《東西均・三征》哲學思想研究——以「統泯隨，交輪幾」為切入點

北京師範大學中國哲學專業碩士論文　2007 年 5 月　周桂鈿指導

張奇偉　荀子禮學思想研究

北京師範大學中國古代思想史專業博士論文　2000 年　周桂鈿指導

李祥俊　王安石學術思想研究

北京師範大學中國古代思想史專業博士論文　1999 年　周桂鈿指導

北京　北京師範大學出版社　381 頁　2000 年 11 月

周　兵　天人之際的理學新詮釋——王夫之《讀四書大全說》思想研究

北京師範大學中國哲學專業博士論文　2005 年 3 月　周桂鈿指導

成都　巴蜀書社　414 頁　2006 年 12 月（儒釋道博士論文叢書）

周清澍

趙　琦　大蒙古國時期的儒士境遇與文化傳承
內蒙古大學蒙古各研究所博士論文　2001 年 6 月　周清澍指導
北京　人民出版社　345 頁　2004 年 9 月（改名為《金元之際之儒士與漢文化》）

周　乾

寧　寧　論張之洞外交思想
安徽大學專門史專業碩士論文　2005 年 5 月　湯奇學、周乾指導

周國林

何海燕　清代《詩經》學研究
華中師範大學歷史文獻學專業博士論文　2005 年 5 月　周國林指導

文廷海　清代春秋穀梁學研究
華中師範大學歷史文獻學專業博士論文　2005 年 5 月　周國林指導
成都　巴蜀書社　392 頁　2006 年 12 月

周春健　元代四書學研究
華中師範大學歷史文獻學專業博士論文　2007 年　周國林指導
上海　華東師範大學出版社　486 頁　2008 年

朱華忠　清代《論語》簡論
華中師範大學歷史文獻學專業博士論文　2002 年 5 月　周國林指導
成都　巴蜀書社　219 頁　2008 年 2 月

陳一風　《孝經注疏》研究
華中師範大學歷史文獻學專業博士論文　2003 年 5 月　周國林指導
成都　四川大學出版社　228 頁　2007 年

周淑萍

趙　蕾　《孟子疏》研究
陝西師範大學中國古典文獻學專業碩士論文　2007 年 4 月　周淑萍指導

周勛初

徐興无　論讖緯文獻中的天道聖統
　　南京大學中文系博士論文　1993 年　周勛初、莫礪鋒指導

周葦風

黃倫峰　周代婚俗下的《詩經》婚戀詩研究
　　廣西師範大學中國古代文學專業碩士論文　2007 年　周葦風指導
艾海青　《左傳》引《詩》研究
　　廣西師範大學中國古代文學專業碩士論文　2007 年　周葦風指導

周裕鍇

胡曉軍　宋代《詩經》文學闡釋研究
　　四川大學文藝學專業博士論文　2007 年　周裕鍇指導

周榮勝

張　蓓　從《孟子論心》論瑞恰慈的跨文化解讀策略
　　首都師範大學比較文學與世界文學專業碩士論文　2006 年 5 月　周榮勝指導

周慶元

劉喜珍　校本課程《論語》研究開發的思考和設計
　　湖南師範大學教育專業碩士論文　2005 年 3 月　周慶元指導
王　超　孔子語文教育思想的內涵、特徵及現代價值
　　湖南師範大學課程與教學論專業碩士論文　2005 年 3 月　周慶元指導

周震和

吳文才　從古代經學教材《易經》的象數理探究語文教育中育人對策的建構
　　華東師範大學語文學科教學專業碩士論文　2006 年 10 月　周震和指導

周曉瑜

郭付軍　杜預史學研究
　　山東大學史學理論及史學史專業碩士論文　2004 年 5 月　周曉瑜指導

周熾成

黃曉榮　胡宏心性論探微
華南師範大學馬克思主義哲學專業碩士論文　2002 年　龔雋、周熾成指導

周積明

雷　平　章太炎、梁啟超、錢穆清代學術史論的理路
湖北大學專門史專業碩士論文　2004 年 6 月　周積明指導

周興樑

劉少虎　王闓運春秋學思想研究
中山大學歷史學專業博士論文　2006 年 6 月　周興樑指導
北京　華夏出版社　360 頁　2007 年 8 月（改名為《經學以自治：王闓運春秋學思想研究》）

周懷宇

竇余仁　論程大昌學術成就
安徽大學專門史專業碩士論文　2005 年 5 月　周懷宇指導

朱梅光　章學誠文獻學成就初探
安徽大學歷史文獻學專業碩士論文　2005 年 5 月　周懷宇指導

王慧東　論張舜徽的文獻學學科理論與方法
安徽大學歷史文獻學專業碩士論文　2007 年　周懷宇指導

周瀚光

江　山　從《朱文公文集》看朱熹的管理哲學思想
華東師範大學中國古典文獻學專業碩士論文　2006 年　周瀚光指導

周鐘靈

黃麗麗　《左傳》複句研究
南京大學語言文字專業碩士論文　1982 年　周鐘靈指導

李　開　《論語》和《莊子》中「我」、「吾」；「其」、「之」；「所」、「者」三對代詞的用法初探

南京大學語言文字專業碩士論文　1982 年　周鐘靈指導

孟

孟林明

楊旭迎　　孔子思想對現代企業經營管理的啟示
　　　　　廈門大學工商管理專業碩士論文　2000 年 10 月　孟林明指導

孟祥才

宋豔萍　　公羊學與兩漢政治
　　　　　山東大學中國古代史專業博士論文　2000 年　孟祥才指導

孟曉路

王宏海　　李翺思想研究
　　　　　河北大學中國哲學專業碩士論文　2004 年 6 月　孟曉路指導

孟　澤

何國平　　王夫之詩學情景論研究
　　　　　湘潭大學中國古代文學專業碩士論文　2001 年 4 月　孟澤指導

季水河

葉仁雄　　孔子中和之美的時空闡釋——以《詩經》、《論語》為個案分析
　　　　　湘潭大學比較文學與世界文學專業碩士論文　2003 年 4 月　季水河指導

宗

宗福邦

萬獻初　《經典釋文》音切類目研究
武漢大學漢語言文字學專業博士論文　2002 年 5 月　宗福邦指導
北京　商務印書館　393 頁　2004 年 10 月

駱瑞鶴　《毛詩叶韻補音》研究
武漢大學漢語言文字學專業博士論文　2005 年 5 月　宗福邦指導

尚

尚學鋒

彭玉珊　《史記》《漢書》論贊比較研究——從經學、史學、文學三層面探討
北京師範大學中國古代文學專業碩士論文　2007 年　尚學鋒指導

潘春艷　漢代《齊詩》學考論
北京師範大學中國古代文學專業碩士論文　2006 年 5 月　尚學鋒指導

丁　玲　建安詩歌與《詩經》關係研究
北京師範大學中國古代文學專業碩士論文　2006 年 5 月　尚學鋒指導

王小梅　論《左傳》因果敘事模式
北京師範大學中國古代文學專業碩士論文　2006 年 5 月　尚學鋒指導

張蓓蓓　論《左傳》敘事中的「禮」
北京師範大學中國古代文學專業碩士論文　2007 年 5 月　尚學鋒指導

岳

岳　峰

劉　瑋　語言美與文化意象的傳遞——《詩經》翻譯研究

福建師範大學英語語言文學專業碩士論文　2007 年 5 月　岳峰指導

陳琳琳　理雅各英譯《孟子》研究

福建師範大學英語語言文學專業碩士論文　2006 年　岳峰指導

鄭和明　理雅各、貝恩斯英譯《周易》比較研究

福建師範大學英語語言文學專業碩士論文　2006 年 4 月　岳峰指導

鄭麗欽　與古典的邂逅：解讀理雅各的《尚書》譯本

福建師範大學英語語言文學專業碩士論文　2006 年 4 月　岳峰指導

宋鐘秀　理雅各英譯《禮記》研究

福建師範大學英語語言文學專業碩士論文　2006 年 4 月　岳峰指導

陳慕華　兩部《左傳》英譯本的比較研究

福建師範大學英語語言文學專業碩士論文　2006 年 4 月　岳峰指導

黃雪霞　《論語》兩個譯本的比較研究

福建師範大學英語語言文學專業碩士論文　2006 年 4 月　岳峰指導

易

易　敏

黃獻慧　《孟子》用《詩》與《詩》意解讀

北京師範大學漢語言文字學專業碩士論文　2005 年 5 月　易敏指導

王元元　趙岐《孟子章句》釋句過程中的詞義訓釋

北京師範大學漢語言文字學專業碩士論文　2007 年 5 月　易敏指導

甄亞歌　郭璞《爾雅注》「今語」研究

北京師範大學漢語言文字學專業碩士論文　2006 年 5 月　易敏指導

易惠莉

李　蕓　曾國藩、曾紀澤外交思想之比較研究

華東師範大學中國近現代史專業碩士論文　2006 年 5 月　易惠莉指導

易　寧

安　建　試論《左傳》中的紀傳體雛形

北京師範大學歷史學中國古代史專業碩士論文　2006年5月　易寧指導

陳金海　論《左傳》的「求真」精神
北京師範大學中國古代史專業碩士論文　2007年5月　易寧指導

東

東　炎

羅榮華　《詩經》三家注的語法觀及其發展
寧夏大學漢語言文字學專業碩士論文　2004年4月　東炎指導

楊　皎　《詩經》疊音詞及其句法功能研究
寧夏大學漢語言文字學專業碩士論文　2005年3月　東炎指導

貢桂勇　《春秋公羊傳》正文訓詁研究
寧夏大學漢語言文字學專業碩士論文　2003年4月　東炎指導

林

林玉山

樊德華　《論語》語氣研究
福建師範大學漢語言文字學專業碩士論文　2006年5月　徐啟庭、林玉山指導

林仲湘

劉宗永　論語通注——兼論《論語詞典》的編纂
廣西大學漢語言文字學專業碩士論文　2003年5月　林仲湘指導

黃鵬麗　從《論語》譯文看對譯法在古文今譯中的地位——兼論計算機技術在對譯法中的運用
廣西大學漢語言文字學專業碩士論文　2002年5月　潘琦、林仲湘指導

林在勇

倪平英　相似外表下的不同內核——白鳥庫吉與顧頡剛就「堯、舜、禹」問題研究比較

華東師範大學中國古代文學專業碩士論文　2006 年 5 月　林在勇指導

董國文　漢學家葛蘭言的詩經研究及其與貴州田野資料的比照考察

華東師範大學中國古代文學專業碩士論文　2005 年 4 月　林在勇指導

林宏星

朱露陸　羅欽順理氣哲學探微

復旦大學中國哲學專業碩士論文　2005 年 5 月　徐洪興、林宏星指導

虞瀟浩　湛甘泉學說中的理氣與心

復旦大學中國哲學專業碩士論文　2004 年 5 月　林宏星指導

林志純

郝際陶　《雅典政制》與《周官》

東北師範大學世界上古史專業博士論文　1986 年　林志純指導

林忠軍

劉　彬　禮出於象——論先秦兩漢易學中的禮

山東大學中國哲學專業碩士論文　2001 年 5 月　林忠軍指導

王　帆　虞翻易學的哲學思考

山東大學中國哲學專業碩士論文　2004 年 5 月　林忠軍指導

胡長芳　韓康伯易學思想研究

山東大學中國哲學專業碩士論文　2007 年　林忠軍指導

劉興明　《東坡易傳》易學思想研究

山東大學中國哲學專業碩士論文　2005 年 4 月　林忠軍指導

李秋麗　朱熹易學思想研究

山東大學中國哲學專業碩士論文　2003 年 4 月　林忠軍指導

曾凡朝　楊簡易學思想研究

山東大學中國哲學專業博士論文　2006 年 4 月　林忠軍指導

李秋麗　胡一桂易學思想研究

山東大學中國哲學專業博士論文　2006 年 4 月　林忠軍指導

王　棋　來知德易學思想探微

山東大學中國哲學專業碩士論文　2006 年 4 月　林忠軍指導

辛　翀　丁超五科學易學思想研究

山東大學中國哲學專業博士論文　2007 年 4 月　林忠軍指導

林　明

徐艷雲　《易經》與殷周法制研究

山東大學法律專業碩士論文　2006 年 9 月　林明指導

林家驪

葉　璟　徐光啟《詩經》研究三題

浙江大學中國古代文學專業碩士論文　2007 年 5 月　林家驪指導

林樂昌

魏　濤　張載「以禮為教」思想探析

陝西師範大學中國哲學專業碩士論文　2005 年　林樂昌指導

鄭　艷　藍田呂氏禮學思想及鄉村實踐研究

陝西師範大學中國哲學專業碩士論文　2007 年　林樂昌指導

林繼富

萬　偉　孔子的治學思想與當代中學語文教育

華中師範大學課程與教學論專業碩士論文　2007 年 11 月　林繼富指導

武振玉

畢秀潔　《詩經》「到達」義動詞研究

吉林大學漢語言文字學專業碩士論文　2007 年　武振玉指導

盧永維　《爾雅・釋詁》「至也」詞條探析

吉林大學漢語言文字學專業碩士論文　2007 年　武振玉指導

邵

邵永海

陳珠珠　《左傳》連動結構研究

北京大學漢語言文字學專業碩士論文　2005 年 6 月　宋紹年、邵永海指導

蘇　丹　《孟子》中有標記的指稱化結構研究

北京大學漢語言文字學專業碩士論文　2003 年 6 月　宋紹年、邵永海指導

邵炳軍

賴旭輝　溫厚醇正　婉麗清柔——《詩・周南》地域風格研究

上海大學中國古代文學專業碩士論文　2006 年 5 月　邵炳軍指導

王精明　龍馬精神　秋聲朝氣——《秦風》地域風格研究

上海大學中國古代文學專業碩士論文　2006 年 4 月　邵炳軍指導

邸

邸彥莉

郭　清　論孔子思想中的和諧理念

天津師範大學政治學理論專業碩士論文　2007 年　邸彥莉指導

邱

邱居里

朱　冶　倪士毅《四書輯釋》研究——元代「四書學」發展演變示例

北京師範大學歷史文獻學專業碩士論文　2007 年 5 月　邱居里指導

邱　捷

朱圓滿　梁啟超早期經濟思想研究
中山大學中國近現代史專業博士後論文　2004 年 1 月　邱捷指導

邱漢生

姜廣輝　反理學的思想家顏元
中國社會科學院研究生院中國思想專業碩士論文　1981 年　侯外廬、邱漢生指導
北京　中國社會科學出版社　258 頁　1987 年 12 月（改名為《顏李學派》）

金子強

劉長庚　魏源政治思想的邏輯
雲南大學政治學理論專業碩士論文　2001 年 5 月　金子強指導

金哲洙

毛哲山　朱熹和栗谷理氣論之比較研究
延邊大學外國哲學專業碩士論文　2003 年　金哲洙指導

金景芳

廖名春　荀子新探
吉林大學歷史學專業博士論文　1992 年　金景芳指導
臺北　文津出版社　353 頁　1994 年 2 月（大陸地區博士論文叢刊）
王　雅　周代禮樂文化研究
吉林大學中國古代史專業博士論文　1998 年　金景芳指導
張全民　《周禮》所見法制研究（刑法篇）
吉林大學中國古代史專業博士論文　1997 年　金景芳、陳恩林指導
北京　法律出版社　211 頁　2004 年 5 月（湘潭大學法學院博士文庫）
程奇立　《儀禮・喪服》研究

吉林大學中國古代史專業博士論文　2000年　金景芳指導

于永玉　《儀禮·喪服》研究

吉林大學中國古代文學專業碩士論文　金景芳指導

陳思林　關於《春秋》若干問題的探索

吉林大學中國古代文學專業碩士論文　金景芳指導

梁韋弦　孟子研究

吉林大學中國古代史專業博士論文　1992年　金景芳指導

臺北　文津出版社　154頁　1993年7月（大陸地區博士論文叢刊）

康學偉　先秦孝道研究

吉林大學中國古代史專業博士論文　1991年　金景芳指導

臺北　文津出版社　257頁　1992年10月（大陸地區博士論文叢刊）

金開誠

顧歆藝　《四書章句集注》研究

北京大學古典文獻專業博士論文　1999年5月　金開誠指導

董洪利　孟子研究學史概述

北京大學中國古典文獻學專業博士論文　1990年5月　金開誠指導

南京　江蘇古籍出版社　358頁　1997年10月（改名為《孟子研究》）

阿

阿明布和

李貴中　康有為、章太炎政治思想比較研究

內蒙古師範大學馬克思主義理論與思想政治教育專業碩士論文　2002年5月　阿明布和指導

佴

佴榮本

張源旺　荀子《樂論》的美學思想
揚州大學文藝學專業碩士論文　2003 年　佴榮本指導

九畫

侯

侯外廬

姜廣輝　反理學的思想家顏元
中國社會科學院研究生院中國思想專業碩士論文　1981 年　侯外廬、邱漢生指導
北京　中國社會科學出版社　258 頁　1987 年 12 月（改名為《顏李學派》）

侯甬堅

王華梅　周秦時期黃河中下游地區植被分布及其變遷——以《詩經》十五國風為線索
陝西師範大學歷史地理學專業碩士論文　2007 年　侯甬堅指導

俞

俞心樂

郭曉雲　《論語》句法
江西師範學院語言文字專業碩士論文　1978、1979 級　俞心樂指導

俞啟定

張　蕊　《詩經》教本考論

北京師範大學教育史專業博士論文　2005 年 4 月　俞啟定指導

王　倩　朱熹「《詩》教」思想研究

北京師範大學教育學教育史專業博士論文　2006 年 5 月　俞啟定指導

俞紹初

張俊峰　王筠研究稿

鄭州大學中國文獻學專業碩士論文　2004 年　俞紹初指導

俞榮根

寧全紅　《左傳》刑罰適用研究

西南政法大學法律史專業博士論文　2007 年 3 月　俞榮根指導

俞樟華

余華兵　賈誼政論文研究

浙江師範大學中國古代文學專業碩士論文　2006 年　俞樟華指導

俞波恩　黃宗羲傳記寫作及理論之研究

浙江師範大學中國古代文學專業碩士論文　2005 年 5 月　俞樟華指導

哈　九

李　娜　從活潑的時代取得活潑的真理——梁啟超文藝思想論

上海大學中國現當代文學專業碩士論文　2002 年 12 月　哈九指導

姜

姜林祥

許家遠　開一代新學風的常州公羊學派
曲阜師範大學中國儒學史專業碩士論文　2000 年 3 月　姜林祥指導

姜建設

耿鵬坤　談談許慎和《說文解字》的幾個問題
鄭州大學歷史學專業碩士論文　2004 年 5 月　姜建設指導

姜義華

蕭永宏　王韜主持《循環日報》筆政史事考辨
復旦大學中國近現代史專業博士論文　2006 年 9 月　姜義華指導

姜廣輝

具隆會　關於《周易》哲理與《內經》思維幾點認識
中國社會科學院研究生院中國古代思想史專業碩士論文　2003 年 5 月　姜廣輝指導

鄭任釗　何休公羊學思想
中國社會科學院研究生院中國古代史專業碩士論文　2001 年 5 月　姜廣輝指導

姜錫東

高丁國　北宋前期經學家——孫奭初探
河北大學中國古代史專業碩士論文　2006 年　姜錫東、王善軍指導

王曉薇　宋代《中庸》學研究
河北大學中國古代史專業博士論文　2005 年 6 月　漆俠、姜錫東指導

姚

姚大力

孟凡明　吳澄的政治經歷及其思想
復旦大學中國古代史專業碩士論文　2006 年 5 月　姚大力指導
臺北　文津出版社　259 頁　1992 年 2 月（大陸地區博士論文叢刊）

洪　崢　元代的四書研究
復旦大學中國古代史專業碩士論文　2004 年 5 月　姚大力指導

姚小鷗

鄭麗娟　《詩經》「二南」與周代禮樂文化
河南大學中國古代文學專業碩士論文　2007 年 5 月　華鋒、姚小鷗指導

姚文放

蔣　斌　《論語》與《道德經》的美學精神之比較
揚州大學文藝學專業碩士論文　2000 年 5 月　姚文放指導

施

施　旭

毛如意　孔子語言觀之重讀
浙江大學英語語言文學專業碩士論文　2006 年 5 月　施旭指導

施忠連

殷小勇　論牟宗三融通中西哲學的理論與成果
復旦大學中國哲學專業碩士論文　1998 年 11 月　施忠連指導

查

查屏球

金基元　韓愈、白居易比較研究——以處世觀與交遊為中心
復旦大學中國古代文學專業碩士論文　2006年4月　查屏球指導

柳

柳長鉉

李紅軍　朱熹與退溪的人性論之比較
延邊大學東方哲學專業碩士論文　2000年　柳長鉉指導

段

段景蓮

宋錫同　王弼易學思想初探
河北大學中國哲學專業碩士論文　2004年6月　段景蓮指導

段寶林

劉曉英　民間傳說中孔子的形象及其與統治階級塑造的孔子形象的比較研究
北京大學民間文學專業碩士論文　1989年7月　段寶林指導

洪

洪修平

謝金良　周易禪解研究

南京大學哲學專業博士論文　2003 年　洪修平指導
成都　巴蜀書社　328 頁　2006 年 12 月（儒釋道博士論文叢書）

洪　誠

滕志賢　讀《毛詩傳箋通釋》初探
南京大學古代漢語專業碩士論文　1982 年　洪誠、徐復指導

紀

紀　良

徐麗穎　《論語》在高中思想政治課中的應用研究
東北師範大學思想政治專業碩士論文　2007 年　紀良指導

紀墨芳

喬　潔　魯迅翻譯思想轉變之文化探索
山西大學英語語言文學專業碩士論文　2006 年 6 月　紀墨芳指導

胡

胡永培

胡繼明　《廣雅疏證》同源詞研究
四川大學漢語言文字學專業博士論文　2002 年　胡永培指導
成都　巴蜀書社　595 頁　2003 年 1 月

胡安順

劉曉暉　《說文解字繫傳》對段玉裁、桂馥《說文》研究的影響舉例
陝西師範大學漢語言文字學專業碩士論文　2004 年 4 月　胡安順、王輝指導
陳　霜　段玉裁在注釋《說文》部首中揭示《說文》體例述略
陝西師範大學漢語言文字學專業碩士論文　2004 年 5 月　胡安順、王輝指導

李秀芹　《經典釋文》中的舌音初探
陝西師範大學漢語言文字學專業碩士論文　2001 年 5 月　胡安順指導

劉　琨　陳澧《切韻考》所刪《廣韻》小韻考
陝西師範大學漢語言文字學專業碩士論文　2002 年 4 月　胡安順指導

胡赤軍

梁　雲　張之洞與近代中國教育創新
東北師範大學中國近現代史專業碩士論文　2002 年 1 月　胡赤軍指導

胡和平

程光耀　《釋名》中的同字為訓現象研究
鄭州大學漢語言文字學專業碩士論文　2007 年　胡和平指導

胡奇光

劉　青　《易經》心理類詞研究
復旦大學漢語言文字學專業博士論文　2002 年　胡奇光指導
昆明　雲南人民出版社　146 頁　2006 年 12 月

朱國理　《廣雅疏證》的語源研究
復旦大學漢語史專業博士論文　1998 年　胡奇光指導

胡　青

劉小珍　孟子學習思想的現代詮釋
江西師範大學教育學原理專業碩士論文　2006 年 4 月　胡青指導

胡昭儀

粟品孝　朱熹與宋代蜀學
四川大學歷史學專業博士論文　胡昭儀指導
北京　高等教育出版社　209 頁　1998 年 10 月（高校文科博士文庫）

胡昭曦

熊　瑜　朱熹倫理教化研究
四川大學中國古代史專業博士論文　2003 年　胡昭曦指導

胡　軍

李　喆　《大同書》與傳統儒家之關係——兼論康有為在儒學史上的地位與意義
北京大學中國哲學專業碩士論文　2005 年 6 月　胡軍指導

胡海波

王林萍　引仁入禮——孔子對周禮的超越
東北師範大學中國哲學專業碩士論文　2007 年　胡海波指導

孫漢杰　論孔子的「成人」思想
東北師範大學中國哲學專業碩士論文　2007 年　胡海波指導

胡偉希

郭勝坡　周易生命哲學論綱：從天人關係到群己關係、身心關係
清華大學哲學專業碩士論文　2005 年　胡偉希指導

解文光　《論語》中「禮」與「仁」關係的再探析
清華大學哲學專業碩士論文　2007 年　胡偉希指導

胡　勝

單　良　子夏研究
遼寧大學中國古代文學專業碩士論文　2005 年 5 月　胡勝指導

胡傳志

袁　茹　柳宗元的學術研究與散文創作
安徽師範大學中國古代文學專業碩士論文　2005 年　劉學鍇、余恕誠、胡傳志指導

胡曉明

李瑞明　雅人深致——沈曾植詩學略論稿
華東師範大學文藝學專業博士論文　2003 年 4 月　胡曉明指導

翁旻玥　即彼顯我——從錢穆對西方文學的解讀看其文學觀
華東師範大學文藝學專業碩士論文　2006 年 4 月　胡曉明指導

芮宏明　錢穆文學研究述略

華東師範大學文藝學專業博士論文　2004 年 4 月　胡曉明指導

李　薇　徐復觀莊子思想儒家化傾向研究
華東師範大學文藝學專業碩士論文　2006 年 5 月　胡曉明指導

王守雪　心的文學——徐復觀與中國文學思想經脈的疏通
華東師範大學文藝學專業博士論文　2004 年 4 月　胡曉明指導
鄭州　鄭州大學出版社　238 頁　2005 年 9 月（改名為《人心與文學：錢復觀文學思想研究》）

范

范明華

曹　蕓　論中國古典園林藝術中的《周易》美學思想
武漢大學美學專業碩士論文　2005 年 5 月　范明華指導

范景中

張言夢　漢至清代《考工記》研究和注釋史述論稿
南京師範大學美術學專業博士論文　2005 年 4 月　范景中指導

范　鵬

張克政　馮友蘭人生境界說之倫理學分析
西北師範大學倫理學專業碩士論文　2006 年 5 月　范鵬指導

苗

苗潤田

法　帥　試述徐復觀先生的歷史觀思想
曲阜師範大學專門史專業碩士論文　2006 年 4 月　苗潤田指導

苑

苑書義

申學鋒　張之洞涉外經濟思想研究

河北師範大學中國近現代史專業碩士論文　2000 年 5 月　苑書義指導

王　新　梁啟超貨幣金融改革思想初探

河北師範大學中國近現代史專業碩士論文　2000 年 4 月　苑書義指導

臺北　文津出版社　370 頁　1992 年 8 月（大陸地區博士論文叢刊）

北京　中國社會科學出版社　429 頁　2005 年 1 月（中國社會科學博士論文文庫）

郁

郁賢皓

劉立志　漢代《詩經》學及其淵源考論

南京師範大學中國古代文學專業博士論文　2002 年 5 月　郁賢皓指導

北京　中華書局　226 頁　2007 年 4 月（改名為《漢代詩經學史論》）

十畫

修

修建軍

宋秀清　朱熹「中和說」研究

曲阜師範大學專門史專業碩士論文　2006 年　修建軍指導

馬文戈　《呂氏春秋》與《淮南子》孔子觀之比較

曲阜師範大學中國古代史專業碩士論文　2006 年 4 月　修建軍指導

倪

倪文東

趙際芳　楊守敬對日本書法的影響
北京師範大學美術學書法方向專業碩士論文　2006 年 5 月　倪文東指導

倪其心

橋本秀美　南北朝至初唐義疏學研究
北京大學古典文獻專業博士論文　1999 年 6 月　倪其心指導
東京　白楓社　283 頁　2001 年 2 月 9 日（日文本，作者用中文名「喬秀岩」，書名改作《義疏學衰亡史論》）

劉　瑛　《左傳》方術研究
北京大學中國古典文獻學專業博士論文　2001 年 5 月　倪其心指導
北京　人民文學出版社　231 頁　2006 年 6 月（改名為《左傳、國語方術研究》）

倪素香

王　娟　孟子荀子德育思想比較研究
武漢大學馬克思主義理論與思想政治教育專業碩士論文　2005 年　倪素香指導

王　娟　孟子荀子德育思想比較研究
武漢大學馬克思主義理論與思想政治教育專業碩士論文　2005 年 5 月　倪素香指導

唐文基

陳永正　從《大學衍義補》試析丘濬思想
福建師範大學專門史專業博士論文　2002 年　唐文基指導

唐平秋

田輝鵬　《論語》管理思想在自我管理型團隊中的應用
　　廣西大學工商管理專業碩士論文　2006 年 6 月　唐平秋指導

唐作藩

賈寶麟　詩騷聯綿字辨議
　　北京大學語言文字專業碩士論文　1978、1979 級　王力、郭錫良、唐作藩指導

唐述宗

李紅梅　多視點分析《論語》三部英文譯本
　　上海大學英語語言文學專業碩士論文　2004 年 5 月　唐述宗指導

唐嘉弘

李玉潔　論周代喪葬制度與三《禮》記載的差異和原因
　　四川大學中國古代史先秦史專業博士論文　1988 年 7 月　徐中舒、唐嘉弘指導
　　鄭州　中州古籍出版社　270 頁　1991 年 10 月（改名為《先秦喪葬制度研究》）

孫

孫以昭

陳良中　《今文尚書》文學藝術研究
　　安徽大學中國古代文學專業碩士論文　2004 年 5 月　孫以昭指導

周良平　「興」義源、流、變
　　安徽大學古代文學專業碩士論文　1999 年 6 月　孫以昭指導

余全介　荀子詩說研究
　　安徽大學中國古代文學專業碩士論文　2002 年 5 月　孫以昭指導

丁　進　　兩《戴記》考論
安徽大學中國古代文學專業碩士論文　2002 年 5 月　孫以昭指導

宋啟發　　《孟子》散文論辯藝術研究
安徽大學中國古代文學專業碩士論文　2003 年 5 月　孫以昭指導

孫以楷

王　雪　　繼承與超越——析漢代經學向魏晉玄學的演變
安徽大學中國哲學專業碩士論文　2002 年 5 月　孫以楷指導

孫玉文

謝艷紅　　顧炎武古韻分部的方法試析
湖北大學漢語言文字學專業碩士論文　2004 年 5 月　孫玉文指導

孫　立

陳穎聰　　《左傳》對《毛詩》的影響研究
中山大學文學專業碩士論文　2007 年 5 月　孫立指導

孫　征

劉　珺　　談《周易》與中國畫審美之淵源
天津大學美術學專業碩士論文　2005 年 8 月　孫征指導

孫　桐

楊一木　　《周易》與《黃帝內經》思維邏輯共通性研究暨現代科學知識之詮釋
南京中醫藥大學中醫基礎理論專業博士論文　2002 年 6 月　孫桐指導

李志誠　　《易》學與中醫學之相通性研究
南京中醫藥大學中醫基礎理論專業博士論文　2004 年　孫桐指導

孫培青

杜成憲　　早期儒家學習範疇研究
華東師範大學中國教育史專業博士論文　1988 年　沈灌群、孫培青指導
臺北　文津出版社　168 頁　1994 年 7 月

孫景堯

謝志超　愛默生、梭羅對《四書》的接受
上海師範大學比較文學和世界文學專業博士論文　2006 年　葉華年、孫景堯指導

陳可培　偏見與寬容　翻譯與吸納——理雅各的漢學研究與《論語》英譯
上海師範大學比較文學與世界文學專業博士論文　2006 年　孫景堯指導

孫欽善

顧永新　蘇軾的古文獻學
北京大學古典文學專業碩士論文　1994 年 1 月　孫欽善指導

顧永新　歐陽修學術研究
北京大學古典文獻專業博士論文　1997 年 5 月　孫欽善指導
北京　人民文學出版社　341 頁　2003 年 8 月

谷　建　蘇轍學術研究——以經史之學為中心
北京大學中國古典文獻學專業博士論文　2004 年 5 月　孫欽善指導

陳　捷　清代古籍
北京大學古典文獻專業碩士論文　1988 年 6 月　孫欽善指導

漆永祥　乾嘉考據學研究
北京大學古文獻學專業博士論文　1996 年 5 月　孫欽善指導
北京　中國社會科學出版社　339 頁　1998 年（中國社會科學博士論文文庫）

梁繼紅　章學誠學術研究
北京大學中國古典文獻學專業博士論文　2003 年 5 月　孫欽善指導

吳銘能　梁任公的古文獻思想研究初稿——以目錄學、辨偽學、清代學術史及諸子學為中心的考察
北京大學古典文獻專業博士論文　1997 年 5 月　孫欽善指導

胡元玲　張載易學及道學研究——以《橫渠易說》與《正蒙》為主的探討
北京大學古典文獻學專業碩士論文　2003 年 5 月　孫欽善指導

田中千壽　《春秋公羊疏》研究
北京大學中國古典文獻學專業博士論文　2002 年 6 月　孫欽善指導

唐潤熙　韓國現存《論語》注釋書版本研究

北京大學中國古典文獻學專業博士論文　2006 年 12 月　孫欽善指導

孫開泰

陳　陣　《孟子》管窺：空疏的整體觀思維
中國社會科學院研究生院中國古代史專業碩士論文　2003 年 4 月　孫開泰指導

孫雍長

陳冠蘭　《論語》、《孟子》複音詞研究
廣州大學語言學及應用語言學專業碩士論文　2002 年 6 月　孫雍長指導

李　煜　《爾雅》辭書學研究
廣州大學語言學及應用語言學專業碩士論文　2003 年 6 月　孫雍長指導

孫　遜

馬銀琴　東周詩史
上海師範大學人文學院博士後論文　2004 年　孫遜指導
北京　社會科學文獻出版社　524 頁　2006 年 12 月（與作者博士論文《西周詩史》合併為《兩周詩史》出版）

孫熙國

張　巍　《易傳》人文教化思想研究
山東大學馬克思主義理論與思想政治教育專業碩士論文　2006 年 4 月　孫熙國指導

林　萍　《易傳》在中華民族精神塑造中的地位和作用
山東大學馬克思主義理論與思想政治教育專業碩士論文　2005 年 4 月　孫熙國指導

孫德彪

韓　霞　《左傳》夢占預言的文學價值
延邊大學中國古代文學專業碩士論文　2007 年 5 月　孫德彪指導

孫曉春

張文英　試論董仲舒的天人觀

吉林大學政治學理論專業碩士論文　2005 年　孫曉春指導

李　鋒　論朱熹的王道思想

吉林大學政治學理論專業碩士論文　2006 年　孫曉春指導

孫錫信

柴興東　《孟子》定中結構中「之」字隱現考察

復旦大學漢語言文字學專業碩士論文　2003 年 5 月　孫錫信指導

席

席澤宗

王澤文　春秋時期的紀年銅器銘文與《左傳》的對照研究

中國社會科學院研究生院歷史文獻學專業博士論文　2002 年 1 月　李學勤、席澤宗指導

祝

祝尚書

史應勇　鄭玄通學研究及鄭、王之爭

四川大學中國語言文學專業博士後研究　2004 年 6 月　祝尚書指導

成都　巴蜀書社　400 頁　2007 年 8 月

祝普文

閆鵬凌　宮廷《易》蘊——周易視閾中的清朝宮廷裝飾與陳設研究

吉林藝術學院設計藝術學專業碩士論文　2007 年　董赤、祝普文指導

祝總斌

陳蘇鎮　《春秋》學對漢代政治變遷的影響
北京大學中國古代史專業博士論文　2000 年 12 月　祝總斌指導
北京　中國廣播電視出版社　453 頁　2001 年 3 月（改名為《漢代政治與《春秋》學》）

師

師　飆

馮　荊　從《左傳》看春秋禮文化與春秋貴族說辭
中山大學文學專業碩士論文　2005 年 6 月　師飆指導

徐

徐小躍

孫業成　《易傳》的天人觀
南京大學中國哲學專業碩士論文　2004 年 5 月　徐小躍指導

徐　山

殷　靜　《爾雅》郭璞注的並列複合詞研究
蘇州大學漢語言文字學專業碩士論文　2005 年 1 月　徐山指導
徐從權　《釋名》雙音詞研究
蘇州大學漢語言文字學專業碩士論文　2003 年　徐山指導

徐中舒

黃奇逸　石鼓文年代及相關問題
四川大學語言文字專業碩士論文　1978 級　徐中舒指導
劉復生　北宋中期儒學復興運動

四川大學中國古代史專業博士論文　1990 年　徐中舒、吳天墀指導

臺北　文津出版社　228 頁　1991 年 7 月（大陸地區博士論文叢刊

李玉潔　論周代喪葬制度與三《禮》記載的差異和原因

四川大學中國古代史先秦史專業博士論文　1988 年 7 月　徐中舒、唐嘉弘指導

鄭州　中州古籍出版社　270 頁　1991 年 10 月（改名為《先秦喪葬制度研究》）

徐心希

魏定榔　試論公羊學與漢代社會

福建師範大學中國古代史專業碩士論文　2007 年 4 月　徐心希指導

徐水生

葉百泉　梁啟超的「新民說」與福澤諭吉

武漢大學中國哲學專業碩士論文　2003 年 5 月　徐水生指導

傅建利　論梁啟超對日譯西學的傳播——以《清議報》、《新民叢報》為中心

武漢大學中國哲學專業碩士論文　2004 年 5 月　徐水生指導

徐正考

李永芳　《荀子》單音節反義詞研究

吉林大學漢語言文字學專業碩士論文　2006 年　徐正考指導

徐正英

孫向召　《詩經・鄭風》研究

鄭州大學中國古典文獻學專業碩士論文　2005 年 5 月　徐正英指導

毛振華　《左傳》賦詩研究

鄭州大學中國古典文獻學專業碩士論文　2005 年 5 月　徐正英指導

屠　青　韓琦交遊考略

鄭州大學中國古典文獻學專業碩士論文　2003 年 5 月　李之亮、徐正英指導

徐正英　上博簡《孔子詩論》研究

中山大學中國古代文學專業博士後論文　2006 年 6 月

徐在國

王　慧　　魏石經古文集釋
　　　　　安徽大學漢語言文字學專業碩士論文　2004 年 5 月　徐在國指導

徐有富

孫士穀　　新加坡儒學的復興運動
　　　　　南京大學中文系碩士論文　2004 年　徐有富指導

郭院林　　劉師培年譜
　　　　　南京大學中文系碩士論文　2004 年　徐有富指導

徐　江

張文恒　　陳子龍雅正詩學精神考論
　　　　　北京語言大學中國古代文學專業碩士論文　2005 年　徐江指導

徐克謙

王　鵬　　《吳越春秋》與東漢經學
　　　　　南京師範大學中國古代文學專業碩士論文　2006 年 3 月　徐克謙指導

繆愛紅　　《左傳》用《詩》與春秋時期思維的理性化
　　　　　南京師範大學古代文學專業碩士論文　2004 年 5 月　徐克謙指導

徐利明

朱友舟　　翁方綱書學思想研究
　　　　　南京藝術學院書法篆刻專業碩士論文　2005 年 5 月　徐利明指導

徐宏力

王　超　　《論語》「信」辨與現代誠信管理體系探索
　　　　　青島大學中國古代文學專業碩士論文　2006 年 6 月　徐宏力指導

陳　霞　　《論語》「禮」辨及其管理思想研究
　　　　　青島大學中國古代文學專業碩士論文　2005 年 6 月　徐宏力指導

張運磊　　《論語》「和」辨及「和諧管理思想」研究
　　　　　青島大學中國古代文學專業碩士論文　2005 年 6 月　徐宏力指導

李　強　《論語》「樂」辨及其管理思想研究

青島大學古代文學專業碩士論文　2004 年 4 月　徐宏力指導

王竹昌　《論語》「仁」辨及其管理學價值

青島大學中國古代文學專業碩士論文　2007 年　徐宏力指導

張晨鐘　《論語》「利」論及其現代管理學價值

青島大學中國古代文學專業碩士論文　2007 年　徐宏力指導

徐林祥

許　艷　梁啟超與中國語文教育早期現代化

揚州大學課程與教學論（語文）專業碩士論文　2003 年 5 月　徐林祥指導

徐洪興

盧　敏　文中子和宋儒

復旦大學中國哲學專業碩士論文　2001 年 5 月　徐洪興指導

杜曉華　邵雍易學研究：從宇宙圖式到人文關懷

復旦大學中國哲學專業碩士論文　2006 年 4 月　徐洪興指導

朱露陸　羅欽順理氣哲學探微

復旦大學中國哲學專業碩士論文　2005 年 5 月　徐洪興、林宏星指導

徐孫銘

陳偉華　由「仁、善」到「理、氣」──劉基民本思想研究

湖南師範大學中國哲學專業碩士論文　2007 年 6 月　徐孫銘指導

譚小寶　周敦頤易學思想新探

湖南師範大學中國哲學專業碩士論文　2006 年 5 月　徐孫銘指導

徐　規

楊天保　王安石學術史研究──以「金陵王學」（1021～1067）為重點

浙江大學中國古代史專業博士論文　2005 年　徐規指導

上海　上海人民出版社　380 頁　2008 年 6 月（改名為《金陵王學研究：王安石早期學術思想的歷史考察（1021～1067）》）

徐傳武

焦桂美　南北朝經學史
山東大學中國古典文獻學專業博士論文　2006年4月　徐傳武指導

王天彤　魏晉易學研究
山東大學中國古典文獻學專業博士論文　2007年　徐傳武指導

徐　凱

魚宏亮　明清之際經世之學研究
北京大學中國古代史專業博士論文　2003年5月　徐凱指導
北京　北京大學出版社　264頁　2008年8月（改名為《知識與救世：明清之際經世之學研究》）

劉　鵬　清代朱一新學術思想試析
北京大學清史專業碩士論文　2003年6月　徐凱指導

徐　復

滕志賢　讀《毛詩傳箋通釋》初探
南京大學古代漢語專業碩士論文　1982年　洪誠、徐復指導

徐惠茹

武立波　牟宗三心學困境與道德重建的反思
哈爾濱工業大學馬克思主義哲學專業碩士論文　2004年6月　徐惠茹指導

徐　超

韓　軍　上海博物館藏戰國楚竹書《易經》異文研究
山東大學漢語史專業碩士論文　2006年5月　徐超指導

時世平　出土文獻與《詩經》詞義訓詁研究
山東大學漢語言文字學專業碩士論文　2004年4月　徐超指導

朴相泳　從《詩三家義集疏》看王先謙的訓詁學
山東大學漢語言文字學專業碩士論文　2002年5月　徐超指導

錢慧真　《禮記》鄭玄注釋中的同源詞研究
山東大學漢語言文字學專業碩士論文　2006年5月　徐超、張業法指導

徐福來

胡金榮　論錢穆的人生哲學思想
南昌大學倫理學專業碩士論文　2006 年 5 月　詹世友、徐福來指導

徐遠和

妮娜絲　「人」的發現及其意義——從《五經》到《四書》
中國社會科學院研究生院中國哲學專業碩士論文　2001 年　徐遠和指導

孫美貞　吳澄理學思想研究
中國社會科學院研究生院中國哲學專業博士論文　2000 年 1 月　徐遠和指導

徐儀明

徐　蕾　王弼與郭象玄學方法研究
河南大學中國哲學專業碩士論文　2004 年 5 月　徐儀明指導

高會霞　朱熹仁學思想研究
河南大學中國哲學專業碩士論文　2003 年　徐儀明指導

周林根　王畿、鄒守益心學思想之比較
河南大學中國哲學專業碩士論文　2003 年 5 月　徐儀明指導

歐陽雪榕　戴震重知學的傳承與轉變
河南大學中國哲學專業碩士論文　2004 年 5 月　徐儀明指導

李曉虹　孔子禮學思想研究
河南大學中國哲學專業碩士論文　2002 年 5 月　徐儀明指導

王曉燕　論孔子的美學思想
河南大學中國哲學專業碩士論文　2002 年 5 月　徐儀明指導

曲　巖　王廷相「氣本論」思想研究
河南大學中國哲學專業碩士論文　2005 年 5 月　徐儀明、陳廣勝指導

王向東　荀子「分」論
河南大學中國哲學專業碩士論文　2005 年　徐儀明、耿成鵬指導

徐德明

朱　娟　論二十年代女作家創作中的自傳性——從廬隱、蘇雪林、石評梅談起
揚州大學中國現當代文學專業碩士論文　2004 年 5 月　徐德明指導

徐興无

成祖明　西漢河間獻王研究
南京大學中文系碩士論文　2004 年　徐興无指導

龔　敏　《禮運》研究
南京大學中文系碩士論文　2002 年　徐興无指導

徐啟庭

羅寶珍　淺論俞樾、孫詒讓、于鬯對《素問》的研究
福建師範大學漢語言文字學專業碩士論文　2003 年 4 月　徐啟庭指導

劉建明　焦循《孟子正義》訓詁研究
福建師範大學漢語言文字學專業碩士論文　2007 年 4 月　徐啟庭指導

時

時永樂

梁松濤　梁啟超文獻學思想研究
河北大學漢語言文字學專業碩士論文　2005 年 6 月　時永樂指導

李冰燕　鄭振鐸文獻學思想研究
河北大學漢語言文字學專業碩士論文　2006 年　時永樂指導

晉

晉榮東

黃奕霖　王弼言意觀研究
華東師範大學中國哲學專業碩士論文　2004 年　晉榮東指導

晁

晁中辰

劉岐梅　　走出中世紀——黃宗羲早期啟蒙思想研究
山東大學中國古代史專業博士論文　2005 年 5 月　晁中辰指導

晁福林

黃國輝　　《詩經・葛覃》與周代「歸寧」禮俗
北京師範大學中國古代史先秦史專業碩士論文　2007 年 5 月　晁福林指導

晁嶽佩

劉麗華　　杜預《春秋經傳集解》研究
山東師範大學中國古典文獻學專業碩士論文　2006 年　晁嶽佩指導

栗

栗品孝

熊　英　　李石及其與宋代蜀學的關係
四川大學中國古代史專業碩士論文　2006 年　栗品孝指導

柴

柴文華

馬亞男　　論馮友蘭的人倫學說
黑龍江大學中國哲學專業碩士論文　2002 年 1 月　柴文華指導
成都　巴蜀書社　433 頁　2008 年 1 月

陶　悅　　道德形而上學——牟宗三與康德之間

黑龍江大學中國哲學專業博士論文　2006 年　柴文華指導

格

格・孟和

張　忠　論《周易》的整體性思維方法
內蒙古師範大學馬克思主義哲學專業碩士論文　2000 年 5 月　格・孟和指導

殷

殷孟倫

吳慶峰　論並列式雙音詞——鄭玄注詞彙研究
山東大學語言文字專業碩士論文　1978、1979 級　殷孟倫指導

殷煥先

朱廣祁　《詩經》雙音詞研究
山東大學語言文字專業碩士論文　1978、1979 級　殷煥先指導

秦

秦英君

夏　莉　道德的內在實踐與理性認知——孔子和蘇格拉底道德教育方法比較
首都師範大學馬克思主義理論與思想政治教育專業碩士論文　2001 年 4 月
秦英君指導

翁

翁銀陶

王晚霞　　《漢書》特質三層論——從經學、史學、文學三層審視《漢書》
　　　　　福建師範大學中國古代文學專業碩士論文　2006 年 4 月　翁銀陶指導

吳超華　　姚際恒的《詩經通論》研究
　　　　　福建師範大學中國古代文學專業碩士論文　2007 年　翁銀陶指導

耿

耿成鵬

王向東　　荀子「分」論
　　　　　河南大學中國哲學專業碩士論文　2005 年　徐儀明、耿成鵬指導

張楓林　　孫奇逢《理學宗傳》研究
　　　　　河南大學中國哲學史專業碩士論文　2007 年 5 月　高秀昌、耿成鵬指導

趙炎峰　　孔子禮學思想的哲學詮釋及其政治文化意義
　　　　　河南大學中國哲學專業碩士論文　2007 年　耿成鵬指導

袁

袁本良

程亞恒　　《左傳》兼語句研究
　　　　　貴州大學漢語言文字學專業碩士論文　2006 年 3 月　袁本良指導

韓紅星　　《左傳》比喻句研究
　　　　　貴州大學漢語言文字學專業碩士論文　2005 年 5 月　袁本良指導

袁行霈

黃敬愚　從兩漢經學到魏晉玄學——以情性論為中心
北京大學中國古代文學專業博士論文　2006 年 6 月　袁行霈指導

袁傳璋

徐玲英　馬其昶《毛詩學》研究
安徽師範大學中國古典文獻學專業碩士論文　2005 年 4 月　袁傳璋、李先華指導

左川鳳　姚際恒與戴震《詩經》研究之比較
安徽師範大學中國古代文學專業碩士論文　2003 年 4 月　蔣立甫、袁傳璋、潘嘯龍指導

袁慶述

侯璨敏　毛晉校刻書研究
湖南師範大學中國古典文獻學專業碩士論文　2005 年 4 月　袁慶述指導

袁禮華

陳志偉　論經學與漢武帝的政治變革
南昌大學中國古代史專業碩士論文　2006 年 5 月　袁禮華指導

馬永慶

閆　杰　朱熹省察思想評析
山東師範大學教育學原理專業碩士論文　2001 年　馬永慶指導

潘　焱　孔子的「人本」德育思想及其對當代中學德育的意義探析
山東師範大學學科教學（思政）專業碩士論文　2002 年 4 月　馬永慶指導

馬玉山

李海林　薛瑄對程朱理學的體認與實踐

山西大學專門史專業碩士論文　2007 年　馬玉山指導

馮素梅　試論清代「三禮」學研究

山西大學中國古代史專業碩士論文　2007 年 5 月　馬玉山指導

馬作武

楊　昂　從經學到律學：中國古代法律詮釋學的形成

中山大學法學專業碩士論文　2002 年 6 月　馬作武指導

趙進華　論「《春秋》決獄」

中山大學法學專業碩士論文　2004 年 5 月　馬作武指導

馬良懷

楊松賀　德在孔子思想體系中的地位

華中師範大學歷史文獻學專業博士論文　2002 年 5 月　熊鐵基、馬良懷指導

馬來平

王東生　徐光啟：科學、宗教與儒學的奇異融合

山東大學科學技術哲學專業碩士論文　2007 年 4 月　馬來平指導

馬固鋼

胡春生　賈誼《新書》反義詞及《漢語大詞典》相關條目研究

湘潭大學漢語言文字專業碩士論文　2006 年　馬固鋼指導

馬建紅

李靜賢　董仲舒法律思想研究

山東大學法律專業碩士論文　2006 年　馬建紅指導

馬恒君

樊俊利　鄭珍《說文逸字》研究

河北師範大學漢語言文字學專業碩士論文　2005 年　馬恒君指導

馬景侖

方向東　孫詒讓訓詁研究
南京師範大學漢語言文字學專業博士論文　2004年1月　馬景侖指導
北京　中華書局　187頁　2007年2月

華　敏　《詩經》毛傳、鄭箋比較研究
南京師範大學漢語言文字學專業碩士論文　2005年4月　馬景侖指導

胡憲麗　朱熹《詩集傳》句法研究
南京師範大學漢語言文字學專業碩士論文　2006年3月　馬景侖指導

傅華辰　《禮記》鄭注訓詁研究
南京師範大學漢語言文字學專業碩士論文　2004年5月　馬景侖指導

王　巍　《春秋左傳》杜預注研究
南京師範大學漢語言文字學專業碩士論文　2004年5月　馬景侖指導

黃　帥　何晏《論語集解》訓詁研究
南京師範大學漢語言文字專業碩士論文　2005年4月　馬景侖指導

唐麗珍　《爾雅》、《方言》郭注研究
南京師範大學漢語言文字學專業碩士論文　2002年6月　馬景侖指導

馬瑞芳

陳才訓　源遠流長——論《春秋》、《左傳》對古典小說的影響
山東大學中國古代文學專業博士論文　2006年5月　馬瑞芳指導

馬德鄰

何慶群　朱熹理欲思想研究
上海師範大學中國哲學專業碩士論文　2005年　馬德鄰指導

高

高小方

周遠富　許慎語文學研究

南京大學中文系碩士論文　1999 年　高小方指導

宮　辰　朱駿聲《說文通訓定聲》研究

南京大學中文系碩士論文　1999 年　李開、高小方指導

高文成

汪　凱　以《孟子》為語料的概念隱喻認知研究

武漢理工大學外國語言學及應用語言學專業碩士論文　2007 年 5 月　高文成指導

高兆明

虞斌龍　中國知識分子道德人格研究——以魯迅為例

南京師範大學馬克思主義理論與思想政治教育專業碩士論文　2006 年 12 月　高兆明指導

高秀昌

張楓林　孫奇逢《理學宗傳》研究

河南大學中國哲學史專業碩士論文　2007 年 5 月　高秀昌、耿成鵬指導

高長山

孫玉梅　周代禮樂制度與孔子的音樂思想

東北師範大學中國古代文學專業碩士論文　2007 年　高長山指導

高　偉

祁麗華　試論《孟子》人文精神及其教育價值

山東師範大學教育學原理專業碩士論文　2007 年　高偉指導

高凱征

袁世杰　禮學重構中的荀子性惡論文藝觀

蘇州大學中國古代文學專業博士論文　2003 年　高凱征指導

高華平

張　鶯　先秦儒家《詩》學述論

華中師範大學中國古代文學專業碩士論文　2005 年 5 月　高華平指導

金前文　漢賦與漢代《詩經》學

華中師範大學中國古典文獻學專業博士論文　2006 年 4 月　高華平指導

沈曙東　朱熹《中庸章句》成書過程研究

華中師範大學中國古典文獻學專業碩士論文　2006 年　高華平指導

高瑞泉

李強華　康有為人道主義思想研究

華東師範大學中國哲學專業博士論文　2006 年 11 月　高瑞泉指導

毛文鳳　近代儒家終極關懷研究——從康有為到熊十力

華東師範大學中國哲學專業博士論文　2004 年 11 月　高瑞泉指導

高　瑜

敬　洪　五種《論語》英譯本的比較研究

西安電子科技大學外國語言學及應用語言學專業碩士論文　2007 年　高瑜指導

高積順

辛以春　孔子「無訟」解

蘇州大學法律史學專業碩士論文　2007 年　高積順指導

高黛英

王奇峰　戴名世古文研究

鄭州大學中國古代文學專業碩士論文　2006 年 5 月　高黛英指導

十一畫

麻

麻天祥

吳仰湘　皮錫瑞的生平和思想考述
湖南師範大學中國近代史專業博士論文　1999 年　麻天祥指導

商

商聚德

劉燕飛　葉適思想的中和特徵
河北大學中國哲學專業碩士論文　2003 年　商聚德指導

劉豔琴　孔子倫理思想與當代道德建設
河北大學中國哲學專業碩士論文　2004 年 5 月　商聚德指導

劉光育　《中庸》思想研究
河北大學中國哲學專業碩士論文　2001 年 6 月　商聚德指導

尉遲

尉遲治平

胡海瓊　《爾雅義疏》同族詞研究
華中科技大學語言學及應用語言學專業碩士論文　2004 年 5 月　尉遲治平指導

張瑞朋　《釋名》聲訓性質新論
華中科技大學語言學及應用語言學專業碩士論文　2004 年　尉遲治平指導

甘　勇　《廣雅疏證》的數字化處理及其同源字研究
華中科技大學語言學及應用語言學專業碩士論文　2005 年　尉遲治平指導

崔永祿

李玉良　《詩經》英譯研究
南開大學英語語言文學專業博士論文　2003 年　王宏印、劉士聰、崔永祿指導
濟南　齊魯書社　396 頁　2007 年 11 月

崔茂新

黃振濤　「夫子氣象」：對孔子人格魅力的美學稱述
曲阜師範大學文藝學專業碩士論文　2006 年 4 月　崔茂新指導

崔泰吉

胡保國　談孔穎達考證詞義的方法
延邊大學漢語言文字學專業碩士論文　2005 年 5 月　崔泰吉指導

崔海峰

牛寒婷　人性的復歸——論李贄的個性解放思想
遼寧大學文藝學專業碩士論文　2004 年 5 月　崔海峰指導

崔清田

吳克峰　易學邏輯研究
南開大學邏輯學專業博士論文　2004 年 10 月　崔清田指導
北京　人民出版社　429 頁　2005 年 12 月

崔富章

過文英　論漢墓繪畫中的伏羲女媧神話

　　　　浙江大學中國古典文獻學專業博士論文　2007 年　崔富章指導

崔　濤　董仲舒政治哲學發微

　　　　浙江大學中國古典文獻學專業博士論文　2004 年　崔富章指導

劉東影　出土文獻與早期儒家《詩》學思想

　　　　浙江大學中國古典文獻學專業博士後論文　2005 年 6 月　崔富章指導

崔鳳春

郭　暉　薛瑄教育思想研究

　　　　廣西師範大學專門史專業碩士論文　2007 年　崔鳳春指導

崔樞華

弓海濤　關於王念孫俞樾《廣雅疏證》補正的比較研究

　　　　北京師範大學漢語言文字學專業碩上論文　2005 年 5 月　崔樞華指導

林清林　王念孫聲轉理論研究

　　　　北京師範大學漢語言文字學專業碩士論文　2006 年 5 月　崔樞華指導

楊曉粉　《左傳》杜注聯合式雙音結構研究

　　　　北京師範大學漢語言文字學專業碩士論文　2007 年 5 月　崔樞華指導

江玉君　《經典釋文・爾雅音義》孫炎反切研究

　　　　北京師範大學漢語言文字學專業碩士論文　2004 年 5 月　崔樞華指導

常思春

何智慧　李翺年譜稿

　　　　四川師範大學古代文學專業碩士論文　2002 年 5 月　常思春指導

常漢平

單昆軍　民國時期對康有為《廣藝舟雙楫》的批評

　　　　南京師範大學美術學（書法）專業碩士論文　2006 年 5 月　常漢平指導

張

張九洲

李建中　論張之洞的農商思想及其實踐
河南大學中國近現代史專業碩士論文　2005 年 5 月　張九洲指導

鞠北平　論張之洞與晚清國防建設
河南大學中國近現代史專業碩士論文　2003 年 5 月　張九洲指導

張三夕

林日波　真德秀年譜
華中師範大學中國古典文獻學專業碩士論文　2006 年　張三夕指導

曾　軍　清前期《禮記》學研究
華中師範大學古典文獻學專業碩士論文　2005 年 6 月　張三夕指導

曾　軍　義理與考據——清中期《禮記》詮釋的兩種策略
華中師範大學中國古典文獻學專業博士論文　2008 年 6 月　張三夕指導

張允熠

張瑞濤　劉宗周歷史哲學意識探微
中國科學技術大學中國哲學專業碩士論文　2004 年 5 月　張允熠、方同義指導

張少康

黃君良　《周易》與興的藝術手法
北京大學中國文學批評史專業碩士論文　1992 年 6 月　張少康指導

張文軒

張　豔　《毛傳》、《鄭箋》對《詩經》訓詁之比較
蘭州大學中國古典文獻學專業碩士論文　2007 年　張文軒指導

孫　瑋　《孟子》詞語研究
蘭州大學漢語言文字學專業碩士論文　2007 年　張文軒指導

張世祿

黃志強　關於《左傳》複合詞的幾個問題

復旦大學古漢語專業碩士論文　1978、1979 級　張世祿、顏修指導

申小龍　《左傳》句型研究

復旦大學漢語史專業博士論文　1988 年　張世祿指導

張代芹

相桓振　孔子孝德思想探析

山東大學倫理學專業碩士論文　2007 年　張代芹指導

張　弘

詹蘇杭　讖緯與漢樂府

陝西師範大學中國古代文學專業碩士論文　2005 年 4 月　張弘指導

張永言

鄧季方　《春秋》經傳異文淺論

四川大學中文系碩士論文　1984 年　張永言指導

何毓玲　《毛詩正義》訓詁語言中的雙音節和「然」字式

四川大學中文系碩士論文　1984 年　張永言指導

張永傑

郭　珂　《周禮》樂官辨

河南大學音樂學專業碩士論文　2005 年 5 月　張永傑指導

張永義

曾國倫　《易傳》中「君子」觀念的研究

中山大學哲學專業碩士論文　2004 年 6 月　張永義指導

葉興仁　推己入群——試論孔子哲學的內在進路

中山大學中國哲學專業碩士論文　2005 年 5 月　張永義指導

楊中啟　孔子與海德格爾的「生死對話」

中山大學中國哲學專業碩士論文　2003 年 5 月　張永義指導

張玉春

黃洪明　宋代《尚書》學
暨南大學中國古典文獻學專業碩士論文　2006 年 5 月　張玉春指導

陳　冬　《國風》作者問題的研究
暨南大學中國古代文學專業碩士論文　2006 年 5 月　張玉春指導

聶　雙　《詩經・魯頌》研究
暨南大學中國古代文學專業碩士論文　2007 年　張玉春指導

余　琳　《禮記・月令》篇禁忌研究
暨南大學中國古典文獻學專業碩士論文　2007 年　張玉春指導

張玉聲

楊　延　呂祖謙《呂氏家塾讀詩記》的宗毛傾向
新疆師範大學中國古代文學專業碩士論文　2006 年　張玉聲指導

張生漢

郝中嶽　王念孫《詩經小學》研究
河南大學漢語言文字學專業碩士論文　2006 年 5 月　張生漢指導

張立文

李亞彬　孟子荀子的儒家道德哲學建構
中國人民大學中國哲學專業博士論文　2003 年　張立文指導

張立斌

雷瓊芳　論荀子禮學思想的美學訴求
新疆大學文藝學專業碩士論文　2007 年　張立斌指導

張全明

張華冕　試論朱熹的書院教學思想
華中師範大學學科教育專業碩士論文　2003 年　張全明指導

陳倫兵　張之洞的「中體西用」教育思想與實踐初探
華中師範大學學科教學・歷史專業碩士論文　2006 年 5 月　張全明指導

張守軍

郭　暘　賈誼經濟思想探微

東北財經大學經濟思想史專業碩士論文　2005 年　張守軍指導

張汝綸

徐宇宏　呂留良理學思想初探——以《四書講義》為中心

復旦大學中國哲學專業碩士論文　2005 年 5 月　陳居淵、張汝綸指導

張宏生

馮　乾　揚州學派研究

南京大學中文系博士論文　2004 年　張宏生指導

張廷國

李俊莉　試析孔子儒學思想及其對我國現代政治倫理思想的意義

華中科技大學科學技術哲學專業碩士論文　2005 年 11 月　張廷國指導

張良才

高　亮　《周易》與現代教育管理

曲阜師範大學教育經濟與管理專業碩士論文　2006 年 4 月　張良才指導

張其成

羅會斌　中醫運氣學說與漢代象數易學

北京中醫藥大學中醫醫史文獻專業碩士論文　2002 年 5 月　張其成指導

丁彰炫　中醫學與周易的科學思想研究——醫易學的時空觀

北京中醫藥大學中醫學專業博士後論文　2001 年 2 月　張其成指導

張固也

傅麗敏　中晚唐《春秋》學研究

吉林大學歷史文獻學專業碩士論文　2008 年 5 月　張固也指導

趙燦良　《孔子家語》研究

吉林大學歷史文獻學專業碩士論文　2007 年　張固也指導

張奇偉

胡明峰　「善」的形上之思——從《孟子》「可欲之謂善」章談起
北京師範大學中國哲學專業碩士論文　2006 年 5 月　張奇偉指導

張尚仁

戴繼誠　戴震程朱理學批判研究
華南師範大學馬克思主義哲學專業碩士論文　2002 年 1 月　張尚仁指導

張岱年

漥田忍　中國先秦儒家聖人觀探討：殷商時代的「聖」觀念及其在先秦儒家思想中的演變和展開
北京大學中國哲學史專業博士論文　1989 年　張岱年指導

陳　來　朱熹哲學體系及其形成和發展
北京大學中國哲學史專業博士論文　1985 年　張岱年指導
北京　中國社會科學出版社　358 頁　1988 年（改名為《朱熹哲學研究》）（中國社會科學博士論文文庫）
臺北　文津出版社　414 頁　1990 年 12 月（改名為《朱熹哲學研究》）（文史哲大系 30）
北京　中國社會科學出版社　358 頁　1993 年
上海　華東師範大學出版社　450 頁　2000 年

龐萬里　程顥、程頤及其二程學派
北京大學中國哲學史專業博士論文　1989 年 7 月　張岱年指導
北京　北京航空航天大學出版社　431 頁　1992 年 12 月（改名為《二程哲學體系》）

張林川

柳　燕　論《文獻通考・經籍考・集部》的文學史意義
湖北大學中國古典文獻學專業碩士論文　2001 年 1 月　張林川指導

劉小東　王夫之《莊子通》述論
湖北大學中國古典文獻學專業碩士論文　2003 年 5 月　張林川指導

許繼起　鄭玄《周易注》流變考

湖北大學中國古典文獻學專業碩士論文　1999年4月　張林川指導

左洪濤　〈魯詩〉流變考

湖北大學中國古典文獻學專業碩士論文　2000年5月　張林川指導

馮　佳　朱熹《詩集傳》散論

湖北大學中國古典文獻學專業碩士論文　2004年5月　張林川指導

周春健　《左傳》引《詩》考析

湖北大學中國古典文獻學專業碩士論文　2001年1月　張林川指導

朱明勛　《孝經》研究史簡論

湖北大學中國古典文獻學專業碩士論文　2001年5月　張林川指導

俞　欣　《爾雅・釋詁》「二義同條」初探

湖北大學中國古典文獻學專業碩士論文　1999年　張林川指導

李　斐　郭璞《爾雅注》和它的文獻價值

湖北大學中國古典文獻學專業碩士論文　2005年5月　張林川指導

張采民

尤　煒　詮釋學視角中的早期《詩經》研究史——以《毛詩》為中心

南京師範大學中國古代文學專業碩士論文　2002年4月　吳錦、張采民指導

劉立志　先秦引《詩》研究

南京師範大學中國古代文學專業碩士論文　1999年　張采民指導

宋　鋼　六朝論語學研究

南京師範大學中國古代文學專業博士論文　2005年4月　張采民指導

北京　中華書局　291頁　2007年9月

張金霞

孫　瑩　郝懿行《爾雅義疏》訓詁研究

山東師範大學中國古典文獻學專業碩士論文　2006年　張金霞指導

張冠華

張翠玲　女媧城祭祀歌舞研究

鄭州大學文藝學專業碩士論文　2002年　張冠華指導

張　勇

類成普　　戴望學行述略
　　清華大學專門史專業碩士論文　2007 年　張勇指導

張政烺

呂宗力　　東漢碑刻與讖緯神學
　　中國社會科學院研究生院中國古代文學專業碩士論文　張政烺、李學勤指導

張秋升

周紹華　　董仲舒君主觀念研究
　　曲阜師範大學專門史專業碩士論文　2004 年　張秋升指導

孔凡華　　王莽、劉秀以儒治國之比較
　　曲阜師範大學中國古代史專業碩士論文　2006 年 4 月　張秋升指導

楊振梅　　東漢經學世家述論
　　曲阜師範大學中國古代史專業碩士論文　2006 年 4 月　張秋升指導

孫小泉　　論劉知幾的學術風格
　　曲阜師範大學專門史專業碩士論文　2004 年 4 月　許淩雲、張秋升指導

張茂華

周丙華　　《毛詩故訓傳》義理初探
　　山東師範大學中國古典文獻學專業碩士論文　2005 年 4 月　張茂華指導

張茂澤

張顯棟　　試論董仲舒的天的哲學思想
　　西北大學專門史專業碩士論文　2006 年　張茂澤指導

馬　毓　　司馬遷對歷史的詮釋
　　西北大學專門史專業碩士論文　2005 年 1 月　張茂澤指導

侯步雲　　韓愈的儒學思想
　　西北大學中國思想史專業碩士論文　2006 年 5 月　張茂澤指導

王俊傑　　黃宗羲的學術思想史詮釋學思想
　　西北大學專門史專業碩士論文　2005 年 1 月　張茂澤指導

張彤磊　戴震的儒家經典詮釋學思想
西北大學專門史專業碩士論文　2005年1月　張茂澤指導

朱　俊　荀子的禮學思想
西北大學中國思想史專業碩士論文　2006年5月　張茂澤指導
曲阜師範大學中國古代史專業碩士論文　2006年4月　修建軍指導

鄭　熊　王夫之對孔子的研究
西北大學專門史專業碩士論文　2004年　張茂澤指導

趙麥茹　漢唐《孟子》學研究
西北大學專門史專業碩士論文　2004年5月　張茂澤指導

張英明

尹可雨　魏源與《皇朝經世文編》
江西師範大學中國近現代史專業碩士論文　2003年5月　張英明指導

張家文

梁　樺　《左傳》方位詞研究
暨南大學漢語言文字學專業碩士論文　2006年5月　張家文指導

蘇延燁　《左傳》主謂謂語句研究
暨南大學漢語言文字學專業碩士論文　2007年　張家文指導

張家璠

黃家安　胡適文獻整理思想研究
廣西師範大學中國近現代史專業碩士論文　2000年1月　張家璠指導

楊天保　聞一多與古典文獻研究
廣西師範大學中國近現代史專業碩士論文　2000年1月　張家璠、龐祖喜、任冠文指導

張　峰

高青蓮　《周易》人文思想對企業精神文化建設的啟示
華中科技大學馬克思主義哲學專業碩士論文　2003年5月　張峰指導

張恩普

任彥智　孟荀引詩論證中的傳播方式
東北師範大學傳播學專業碩士論文　2006 年 5 月　張恩普指導

張耕華

夏紅俠　童書業史學研究
華東師範大學中國古代史專業碩士論文　2007 年 5 月　張耕華指導

張豈之

王寶峰　儒教社會中的獨行者：李贄儒學思想研究
西北大學專門史專業博士論文　2007 年 5 月　張豈之指導

陳戰峰　宋代《詩經》學與理學——關於《詩經》學的思想學術史考察
西北大學中國思想史專業博士論文　2005 年 4 月　張豈之指導

李桂民　荀子思想與戰國時期的禮學思潮
西北大學中國思想史專業博士論文　2006 年 4 月　張豈之指導

陸建猷　《四書集注》與南宋四書學
西北大學中國思想史專業博士論文　1999 年 5 月　張豈之指導
西安　陝西人民出版社　283 頁　2002 年 8 月

鄭　熊　宋儒對《中庸》的研究
西北大學歷史學專業博士論文　2007 年 5 月　張豈之指導

王長坤　先秦儒家孝道研究[12]
西北大學中國思想史專業博士論文　2005 年 11 月　張豈之、黃留珠指導
成都　巴蜀書社　330 頁　2007 年 11 月（儒釋道博士論文叢書）

張國華

陳應寧　孔子復禮和禮制的復興——兼論法治的失敗
北京大學法律思想史專業碩士論文　1990 年 6 月　張國華指導

12 此文討論《孝經》的成書年代並認為此書是對先秦儒家孝道思想系統、完整總結而形成孝道、孝行、孝治的集大成之作，亦是提供統治策略的政治哲學著作。

張國慶

孫興義　詮釋學視野中的先秦兩漢《詩經》學

雲南大學文藝學專業碩士論文　2001 年 6 月　張國慶指導

張培富

辛　？　象數易的合自然性思維模式探析

山西大學科學技術哲學專業碩士論文　2003 年 6 月　張培富指導

張崇琛

王光睿　《詩經》戰爭詩研究

蘭州大學中國古代文學專業碩士論文　2007 年　張崇琛指導

王紹燕　《左傳》女性形象研究

蘭州大學中國古代文學專業碩士論文　2007 年　張崇琛指導

趙建國　孟子散文的論辯藝術研究

蘭州大學中國古代文學專業碩士論文　2007 年　張崇琛指導

張　強

李　丹　司馬遷經學思想研究

延邊大學中國古代文學專業碩士論文　2007 年　張強指導

杜春龍　《孔子詩論》與漢四家《詩》研究

延邊大學中國現當代文學專業碩士論文　2007 年　張強指導

張　涵

邱曉亮　論中國書籍裝幀藝術中的《易》學文化傳統

北京印刷學院設計藝術學專業碩士論文　2007 年　張涵指導

張連良

王小丁　張載人性論思想研究

吉林大學中國哲學專業碩士論文　2005 年　張連良指導

張　敏　程顥「識仁」思想管見

吉林大學中國哲學專業碩士論文　2004 年　張連良指導

朴經勛　朱熹與李栗谷理氣觀之比較研究
　　吉林大學中國哲學專業碩士論文　2006 年　張連良指導

印宗煥　朱熹與李退溪之理氣性情論比較研究
　　吉林大學中國哲學專業碩士論文　2004 年　張連良指導

石書蔚　安樂哲孔子哲學研究與中西哲學會通
　　吉林大學中國哲學專業碩士論文　2007 年　張連良指導

張　傑

李　亮　論魯迅與鄉邦文獻——關於魯迅治學起點的探究
　　青島大學中國現當代文學專業碩士論文　2006 年 6 月　張傑、魏韶華指導

張善文

陳建仁　周易文言傳研究
　　福建師範大學中國古代文學專業碩士論文　2007 年 4 月　張善文指導

黃黎星　《易》學與中國傳統文藝觀
　　福建師範大學中國古代文學專業博士論文　2003 年 4 月　張善文指導
　　上海　上海三聯書店　303 頁　2008 年 2 月

馬新欽　《焦氏易林》作者版本考
　　福建師範大學中國古代文學專業博士論文　2005 年 4 月　張善文指導

湯太祥　《易林》援引《左傳》典語考
　　福建師範大學中國古典文獻學專業碩士論文　2005 年 4 月　張善文指導

李紹萍　論《焦氏易林》與先秦兩漢文學的融會貫通
　　福建師範大學中國古代文學專業碩士論文　2004 年 4 月　張善文、郭丹指導

楊天才　《周易正義》研究
　　福建師範大學中國古典文獻學專業博士論文　2007 年　張善文指導

李春雲　方玉潤《詩經原始》研究
　　福建師範大學中國古代文學專業碩士論文　2004 年 5 月　郭丹、張善文指導

湯太祥　《易林》援引《左傳》典語考
　　福建師範大學中國古典文獻學專業碩士論文　2005 年 4 月　張善文、郭丹指導

張善信

李赫亞　傅立葉、康有為社會烏托邦思想比較研究
中國礦業大學馬克思主義理論與思想政治教育專業碩士論文　2002 年 4 月
張善信指導

張舜徽

張三夕　批判史學的批判：劉知幾及其史通研究
華中師範大學歷史文獻學專業博士論文　1986 年　張舜徽指導
臺北　文津出版社　350 頁　1992 年 9 月（大陸地區博士論文叢刊）

傅道彬　《詩》逸《詩》用通論
華中師範大學歷史文獻學專業博士論文　1988 年　張舜徽指導

馮浩菲　毛詩訓詁研究
華中師範大學歷史文獻學專業博士論文　1988 年　張舜徽、李國祥指導
武昌　華中師範大學出版社　2 冊　1998 年 8 月（博士論文庫）

張　進

韓琳琳　《禮記》與西漢社會——以「孝」為中心的考察
南京師範大學專門史專業碩士論文　2004 年 1 月　張進指導

張新民

曹素璋　試論郭嵩燾的洋務思想——以郭嵩燾「使西日記」為中心線索展開的研究
貴州師範大學中國近現代史專業碩士論文　2002 年　張新民指導

安尊華　試論梁啟超的史料思想
貴州師範大學歷史文獻學專業碩士論文　2005 年 5 月　張新民指導

張新武

王　靜　《荀子》介詞研究
新疆大學語言學及應用語言學專業碩士論文　2004 年　張新武指導

欒建珊　《荀子》連詞研究
新疆大學語言學及應用語言學專業碩士論文　2004 年　張新武指導

歐陽戎元　《荀子》句型研究

新疆大學語言學及應用語言學專業碩士論文　2005 年　張新武指導

張新科

劉銀昌　蓋事雖《易》，其辭則詩——《焦氏易林》文學研究
陝西師範大學中國古代文學專業博士論文　2006 年 4 月　張新科指導

馮曉莉　史蘊《詩》心——「前三史」中的《詩經》氣脈
陝西師範大學中國古代文學專業碩士論文　2006 年 4 月　張新科指導

張　蓉　《左傳》貴族女性問題初探
陝西師範大學中國古代文學專業碩士論文　2004 年 4 月　張新科指導

張業法

錢慧真　《禮記》鄭玄注釋中的同源詞研究
山東大學漢語言文字學專業碩士論文　2006 年 5 月　徐超、張業法指導

張稔穰

王培友　《韓詩外傳》研究
曲阜師範大學中國古代文學專業碩士論文　2005 年 4 月　張稔穰、楊樹增指導

張義賓

杜冉冉　章學誠的文學思想
山東大學文藝學專業碩士論文　2006 年 5 月　張義賓指導

張詩亞

方家峰　錯位與磨合——楊守敬學術生涯及其當代影響的教育學研究
西南師範大學課程與教學論專業碩士論文　2005 年 5 月　張詩亞指導

張雍長

張　穎　賈誼文詞語研究
廣州大學語言學及應用語言學專業碩士論文　2006 年　張雍長指導

張榮華

高書勤　晚清金石學視野中的吳大澂
復旦大學專門史專業碩士論文　2005 年 5 月　張榮華指導

康永忠　清末存古學堂考述——以湖北存古學堂為重點
復旦大學專門史專業碩士論文　2005 年 5 月　張榮華指導

曹寧華　論沈曾植的史學
復旦大學中國近現代史專業碩士論文　2001 年 5 月　張榮華指導

施曉燕　戊戌維新前康有為交遊考
復旦大學中國近現代史專業碩士論文　2005 年 5 月　張榮華指導

張漢東

邢了民　左丘明與《左傳》關係考
山東師範大學中國古典文獻學專業碩士論文　2005 年 4 月　張漢東指導

張鳳翔

敖福軍　試論張之洞的外交思想
內蒙古大學中國近現代史專業碩士論文　2005 年 1 月　張鳳翔指導

張　標

郭照川　試論王筠的《說文》表意字研究
河北師範大學漢語言文字學專業碩士論文　2004 年　張標指導

張蓮波

周孟雷　張之洞與近代反洋教運動
河南大學中國近現代史專業碩士論文　2003 年 5 月　張蓮波指導

張　輝

嚴蓓雯　《論語》的兩個早期英譯本研究
北京大學比較文學與世界文學專業碩士論文　2004 年 5 月　張輝指導

張震澤

許志剛　《詩經》祭祀詩概論
遼寧大學中國古代文學專業碩士論文　1978、1979 級　張震澤指導

張　儒

郝躍鳳　《左傳》謙敬語考察
山西大學漢語言文字學專業碩士論文　2007 年 6 月　張儒指導

張學智

查　純　從《周易口義》看胡瑗哲學思想
北京大學中國哲學專業碩士論文　2006 年 6 月　張學智指導

崔益豪　從商周到孔子天的義蘊的改變
北京大學中國哲學專業碩士論文　2005 年 6 月　張學智指導

張樹國

段開正　論春秋戰爭禮儀與軍事文化——以《左傳》為中心
青島大學中國古代文學專業碩士論文　2005 年 6 月　張樹國指導

成佳妮　春秋晉國歷史文學研究——以《左傳》為中心
青島大學中國古代文學專業碩士論文　2007 年 6 月　張樹國指導

張錫坤

楊慶波　從《東坡易傳》看蘇軾的創作主體論
吉林大學文藝學專業碩士論文　2003 年 5 月　張錫坤指導

張　濤

張　兵　揚雄《法言》研究
山東大學中國古典文獻學專業碩士論文　2002 年 5 月　張濤指導

張聯榮

姜仁濤　《爾雅・釋詁》同義詞研究
北京大學漢語言文字學專業碩士論文　2000 年 6 月　張聯榮指導

張禮恒

崔善鋒　康有為的變革思想

山東大學中國近現代史專業碩士論文　2005 年 5 月　張禮恒指導

張豐乾

羅　靜　《孟子・梁惠王》篇詩說集注論評

中山大學哲學專業碩士論文　2005 年 6 月　張豐乾指導

黃衛榮　孟子「權」說與經典解釋問題

中山大學中國哲學專業碩士論文　2006 年 6 月　張豐乾指導

蘇遠漢　論孟子「王道」思想及兼論其對現代民主政治的啟示

中山大學哲學專業碩士論文　2006 年 5 月　張豐乾指導

張懷承

賀文峰　張載人性論簡析——兼評對中國傳統人性論的繼承與發展

湖南師範大學中國哲學專業碩士論文　2005 年　張懷承指導

劉文波　王安石倫理思想及其實踐研究

湖南師範大學倫理學專業博士論文　2004 年　唐凱麟、張懷承指導

卓汴麗　戴東原新理學思想探微——兼論其哲學體系誕生之背景

湖南師範大學中國哲學專業碩士論文　2005 年 5 月　張懷承指導

師範大學馬克思主義哲學專業碩士論文　2002 年 1 月　張尚仁指導

張繼升

孔德海　里仁為美的現代闡釋——論孔子仁學與企業文化建設

山東師範大學文藝學企業文化專業碩士論文　1999 年 5 月　張繼升、李衍柱指導

啟

啟　功

吳龍輝　原始儒家考述

北京師範大學文學博士論文　1992 年　啟功指導
北京　中國社會科學出版社　261 頁　1996 年 2 月（中國社會科學博士論文文庫）
臺北　文津出版社　282 頁　1995 年 5 月（大陸地區博士論文叢刊）

謝　謙　古代宗教與禮樂文化
北京師範大學中國古典文學專業博士論文　1991 年　啟功指導
成都　四川人民出版社　281 頁　1996 年 7 月（改名為《中國古代宗教與禮樂文化》）

曹大為

王玉辭　清代國家「非正規制約」控制的典範——陳宏謀的社會教化思想與實踐
北京師範大學中國古代史專業碩士論文　2004 年 5 月　曹大為指導

曹　之

袁　丹　錢謙益與文獻學
武漢大學圖書館學專業碩士論文　2002 年 5 月　曹之指導

曹永年

李紅權　徐光啟《亟遣使臣監護朝鮮》研究
內蒙古師範大學歷史文獻學專業碩士論文　2006 年 6 月　邱瑞中、曹永年指導

曹先耀

葉友文　《左傳》「于/於」字句分析
北京大學漢語史專業碩士論文　1985 年 6 月　郭錫良、曹先耀指導

曹林娣

虎維堯　《詩經・國風》裡的女性世界

蘇州大學古代文學專業碩士論文　2003 年 9 月　曹林娣指導

曹松林

陶有浩　朱熹的理欲思想述評

湖南師範大學中國古代史專業碩士論文　2003 年　曹松林指導

曹　虹

丁美霞　蘇轍與其《春秋》學

南京大學中文系碩士論文　2004 年　曹虹指導

曹書杰

李　鵬　潘景鄭文獻活動研究

東北師範大學中國古典文獻學專業碩士論文　2007 年　曹書杰指導

谷　穎　伏生及《尚書大傳》研究

東北師範大學中國古典文獻學專業碩士論文　2005 年 5 月　曹書杰指導

馬秀琴　《左傳譯文》獻疑

東北師範大學古典文獻學專業碩士論文　2006 年 5 月　曹書杰指導

蔣煥芹　《論語》及其在漢代的流傳

東北師範大學古典文獻學專業碩士論文　2006 年 5 月　曹書杰指導

汪　楠　魏晉論語學述論

東北師範大學古典文獻學專業碩士論文　2006 年 5 月　曹書杰、劉奉文指導

曹順慶

李　凱　儒家元典與中國詩學

四川大學文藝學專業博士　2002 年　曹順慶指導

北京　中國社會科學出版社　387 頁　2002 年 8 月（中國社會科學博士論文文庫）

譚德興　宋代詩經學研究

四川大學古代文學專業博士後論文　2005 年 3 月　曹順慶指導

貴陽　貴州人民出版社　315 頁　2005 年 5 月

曹衛東

張青雲　中學詩教的現代轉換
北京師範大學語文學科教學專業碩士論文　2005 年 5 月　曹衛東指導

曹錫仁

楊　麗　張之洞與清末學制變遷
海南大學馬克思主義理論與思想政治教育專業碩士論文　2006 年 5 月　曹錫仁指導

鐘平艷　從激進到保守——從康有為個案分析看晚清知識分子的心路歷程
海南大學馬克思主義與思想政治教育專業碩士論文　2006 年 6 月　曹錫仁指導

曹寶麟

張俊嶺　吳大澂的金石研究及其書學成就
暨南大學文藝學專業碩士論文　2005 年 1 月　曹寶麟指導

梁

梁一儒

焦勇勤　梁啟超美學思想研究
山東大學文藝學專業博士論文　2003 年 4 月　梁一儒指導

梁柱平

陳　明　論孔子體育思想對我國後世體育發展的影響
廣西師範大學體育人文社會學專業碩士論文　2007 年　梁柱平指導

梁韋弦

朱玉紅　王夫之的義利觀
延邊大學專門史專業碩士論文　2001 年　梁韋弦、李宗勛指導

梁道禮

康衛國　揚雄的文學思想——以「因」「革」為中心
　陝西師範大學文藝學專業碩士論文　2003 年 5 月　梁道禮指導

梁鳳榮

馮　濤　梁啟超憲政思想研究
鄭州大學法律專業碩士論文　2005 年 5 月　梁鳳榮指導

梅

梅顯懋

田　野　《孟子》中所載孟軻所述史實真偽問題辯正
遼寧師範大學歷史文獻學專業碩士論文　2007 年 5 月　梅顯懋指導

畢

畢國明

胡　偉　論荀子的「禮法」法思想及其現實意義
雲南師範大學馬克思主義理論與思想政治教育專業碩士論文　2005 年　畢國明指導

楊澤樹　孟子政治思想研究
雲南師範大學馬克思主義理論與思想政治教育專業碩士論文　2004 年 5 月　畢國明指導

畢　霞

黃德俊　荀子政治思想的現代價值
河海大學馬克思主義理論與思想政治教育專業碩士論文　2006 年　畢霞指導

盛

盛邦和

張國義　朱謙之學術研究
華東師範大學史學理論及史學史專業博士論文　2004年5月　盛邦和指導

蔣連華　徐復觀思想研究——學術與政治之間
華東師範大學史學理論與史學史專業博士論文　2001年7月　盛邦和指導
上海　上海三聯書店　179頁　2006年2月（改名為《學術與政治：徐復觀思想研究》）

盛廣智

艾春明　論《韓詩外傳》的經學價值
東北師範大學中國古代文學專業碩士論文　2002年1月　盛廣智、周奇文指導

孫　瑩　《詩經》植物意象探微
東北師範大學中國古代文學專業碩士論文　2002年1月　盛廣智指導

莫

莫志斌

賀麗娜　五四前後梁啟超張君勱文化觀比較
湖南師範大學中國近現代史專業碩士論文　2006年5月　莫志斌指導

莫礪鋒

徐興无　論讖緯文獻中的天道聖統
南京大學中文系博士論文　1993年　周勛初、莫礪鋒指導

莊

莊大鈞

石　靜　蔡邕思想與學術研究

山東大學中國古典文獻學專業碩士論文　2007 年　莊大鈞指導

孫照海　陸德明考論

山東大學古典文獻學專業碩士論文　2005 年 5 月　莊大鈞指導

莊鴻鑄

何方昱　錢穆教育思想初探

新疆大學中國近現代史專業碩士論文　2003 年　莊鴻鑄指導

許

許永貴

田友山　《周易》直覺思維模式對中醫學的影響及運用

長春中醫藥大學[13]中醫基礎理論專業碩士論文　2004 年 6 月　許永貴指導

許抗生

聶保平　先秦儒家情思想初探

北京大學中國哲學專業博士論文　2002 年 6 月　許抗生指導

藤井隆　馮友蘭（新理學）的基本概念及其結構的考察

北京大學中國哲學專業碩士論文　1999 年 3 月　陳來、許抗生指導

王法周　孔孟朱熹與王心學——儒家心性之學簡議

北京大學中國哲學史專業碩士論文　1990 年 6 月　許抗生指導

張風雷　春秋人文主義思潮的勃興與孔子倫理哲學的建立

北京大學中國哲學專業碩士論文　1991 年 6 月　許抗生指導

---

13 長春中醫藥大學前身為長春中醫學院。

厲才茂　《論語》孔子之道的現象學研究
北京大學外國哲學專業博士論文　2001 年 8 月　靳希平、許抗生指導

許建良

彭艷梅　陸九淵道德思想的研究
東南大學倫理學專業碩士論文　2006 年　許建良指導

許凌雲

趙　麗　論司馬遷在中國儒學思想史上的地位
曲阜師範大學專門史專業碩士論文　2003 年 3 月　許凌雲指導

許書明

周文碧　《論語》中的孔子語文教育思想述評
四川師範大學學科教學專業碩士論文　2006 年 1 月　許書明指導

許惟賢

李　昱　《左傳》《史記》詞彙對比考察
南京大學中文系碩士論文　1998 年　許惟賢指導

許　結

張宜遷　劉歆及其作品研究
南京大學中文系碩士論文　1997 年　郭維森、許結指導

許殿才

梁綺文　「六經」與史學關係探源
北京師範大學史學理論暨史學史專業博士論文　2006 年 11 月　許殿才指導

靳　寶　王充有關史學的理論建樹
北京師範大學史學理論及史學史專業碩士論文　2004 年 5 月　許殿才指導

許道勛

沈莉華　《孝經》的結集和漢迄唐的流傳
復旦大學中國古代史專業碩士論文　1998 年 5 月　許道勛、王頲指導

許嘉璐

張玉梅　王筠漢字學思想述論

華東師範大學漢語言文字學專業博士論文　2006年　許嘉璐指導

許啟賢

高春花　荀子禮學思想及其現代價值

中國人民大學馬克思主義理論與思想政治教育專業博士論文　2003年　許啟賢指導

北京　人民出版社　258頁　2004年12月

郭

郭人民

楊天宇　論鄭玄《三禮注》[14]

河南師範大學中國古代文學專業碩士論文　1981年　郭豫才、朱紹侯、郭人民指導

文史　第21輯　北京　中華書局　頁21-42　1983年10月

天津　天津人民出版社　頁581-645　2007年4月

北京　中國社會科學出版社　頁155-182　2008年2月

郭　丹

李紹萍　論《焦氏易林》與先秦兩漢文學的融會貫通

福建師範大學中國古代文學專業碩士論文　2004年4月　張善文、郭丹指導

李　雯　《詩經》婚制婚俗探究

福建師範大學中國古代文學專業碩士論文　2007年　郭丹指導

孫　婠　《韓詩外傳》研究論略

福建師範大學中國漢語言文學專業碩士論文　2006年4月　郭丹指導

李春雲　方玉潤《詩經原始》研究

14 此論文曾刊於《文史》第21輯，後在此基礎上增補修改，並更名為《鄭玄三禮注研究》出版。

福建師範大學中國古代文學專業碩士論文　2004 年 5 月　郭丹、張善文指導

吳美卿　《左傳》的人文精神對《史記》創作的影響
福建師範大學漢語言文字學專業碩士論文　2002 年 4 月　郭丹指導

湯太祥　《易林》援引《左傳》典語考
福建師範大學中國古典文獻學專業碩士論文　2005 年 4 月　張善文、郭丹指導

鄢嵐嵐　孔子的自省意識與反思型教師的培養
福建師範大學教育專業碩士論文　2003 年 8 月　郭丹指導

張　琪　經典與解釋——解釋學視野下的《論語集注》
福建師範大學古代文學專業碩士論文　2005 年 4 月　郭丹指導

郭世榮

張　祺　清代學者對西方天文曆法的闡釋與發揮——江永《翼梅》研究
內蒙古師範大學科學技術史專業碩士　論文　2006 年 6 月　郭世榮、王榮彬指導

郭東旭

顓靜莉　真德秀政法思想研究
河北大學中國古代史專業碩士論文　2006 年　郭東旭、汪聖鐸指導

楊倩描　王安石《易》學研究
河北大學中國古代史專業博士論文　2004 年 6 月　郭東旭指導
保定　河北大學出版社　257 頁　2006 年 11 月（宋史研究叢刊）

郭　芳

張雪梅　《詩經》時代女性審美論
青島大學中國古典文學專業碩士論文　2007 年　郭芳指導

郭芹納

王　輝　從《經義述聞》看王引之的訓詁方法
陝西師範大學漢語言文字學專業碩士論文　2006 年 4 月　郭芹納指導

蘇瑞琴　陳奐《詩毛氏傳疏》淺析
陝西師範大學漢語言文字學專業碩士論文　2005 年 4 月　郭芹納指導

丁曉丹　試析馬瑞辰《毛詩傳箋通釋》中對假借字的論說
陝西師範大學漢語言文字學專業碩士論文　2006 年 4 月　郭芹納指導

郭建寧

張興明　梁漱溟儒學之思探微
北京大學中國馬克思主義哲學專業碩士論文　2001 年 6 月　郭建寧指導

郭英德

張偉保　《詩三百》的形成與流傳研究
北京師範大學中國古典文獻學專業博士論文　2004 年 5 月　郭英德指導

簡良如　王者之風——《詩經・周南》研究
北京師範大學古典文獻學專業博士論文　2005 年 4 月　郭英德指導

許鷹江　呂祖謙《左氏博議》研究
北京師範大學中國古典文獻學專業碩士論文　2007 年 5 月　郭英德指導

郭祖儀

李雅琴　荀子的人性論與人格教育心理思想探析
陝西師範大學基礎心理學專業碩士論文　2002 年　郭祖儀指導

郭康松

劉琳琳　論錢大昕的歷史考據
湖北大學中國古典文獻學專業碩士論文　2004 年 5 月　郭康松指導

汪　斌　閻若璩《尚書古文疏證》研究
湖北大學中國古典文獻學專業碩士論文　2006 年 5 月　郭康松指導

羅　淩　宋代《爾雅》注研究
湖北大學中國古典文獻學專業碩士論文　2003 年 5 月　郭康松指導

郭斯萍

傅　蓉　論《論語》的心理學思想
江西師範大學基礎心理學專業碩士論文　2007 年　郭斯萍指導

郭漢民

邵　華　　郭嵩燾史學思想研究
湘潭大學專門史專業碩士論文　2006 年　郭漢民指導

趙永進　　梁啟超的學校教育思想和實踐
湖南師範大學中國近現代史專業碩士論文　2004 年 4 月　郭漢民指導

朱圓滿　　梁啟超產業經濟思想研究
湖南師範大學中國近現代史專業博士論文　2002 年 4 月　郭漢民指導

郭維森

張宜遷　　劉歆及其作品研究
南京大學中文系碩士論文　1997 年　郭維森、許結指導

郭齊勇

儲昭華　　明分之道——從荀子看儒家文化與民主政道融通的可能性
武漢大學中國哲學專業博士論文　2005 年　郭齊勇指導
北京　商務印書館　364 頁　2005 年 12 月

劉軍平　　張岱年哲學思想研究
武漢大學中國哲學專業博士論文　2005 年 4 月　郭齊勇指導
北京　人民出版社　558 頁　2007 年 11 月（改名為《傳統的守望者：張岱年哲學思想研究》）

冀倩如　　陳大齊的孔孟荀哲學思想研究
武漢大學中國哲學專業碩士論文　2007 年　郭齊勇指導

樂勝奎　　皇侃與六朝禮學
武漢大學中國哲學專業博士論文　2002 年 4 月　郭齊勇指導

龔建平　　《禮記》哲學思想研究
武漢大學中國哲學專業博士論文　1998 年　郭齊勇指導
北京　商務印書館　467 頁　2005 年 11 月（改名為《意義的生成與實現：《禮記》哲學思想》）

郭齊家

張靜互　　先秦儒家禮教思想研究

北京師範大學中國教育史專業博士論文　2001 年　郭齊家指導

李庚子　兩漢的「孝教」思想研究

北京師範大學教育學教育史專業碩士論文　2004 年 4 月　郭齊家指導

郭學賢

可凌瑋　論荀子「性惡」倫理觀的理論特色及社會影響

東北師範大學倫理學專業碩士論文　2002 年　郭學賢指導

郭豫才

楊天宇　論鄭玄《三禮注》[15]

河南師範大學中國古代文學專業碩士論文　1981 年　郭豫才、朱紹侯、郭人民指導

文史　第 21 輯　北京　中華書局　頁 21-42　1983 年 10 月

天津　天津人民出版社　頁 581-645　2007 年 4 月

北京　中國社會科學出版社　頁 155-182　2008 年 2 月

郭錫良

賈寶麟　詩騷聯綿字辨議

北京大學語言文字專業碩士論文　1978、1979 級　王力、郭錫良、唐作藩指導

趙大明　《左傳》介詞研究

北京大學漢語言文字學專業博士論文　2001 年 5 月　郭錫良指導

北京　首都師範大學出版社　529 頁　2007 年 12 月

張　猛　《左傳》謂語動詞研究

北京大學漢語史專業博士論文　1998 年 7 月　郭錫良指導

葉友文　《左傳》「于/於」字句分析

北京大學漢語史專業碩士論文　1985 年 6 月　郭錫良、曹先耀指導

邵永海　從《左傳》和《史記》看上古漢語雙賓語結構及其發展

北京大學漢語史專業碩士論文　1988 年 5 月　郭錫良指導

邊瀅雨　《論語》的動詞、名詞研究

15 此論文曾刊於《文史》第21輯，後在此基礎上增補修改，並改名為《鄭玄三禮注研究》出版。

北京大學漢語史專業博士論文　1997年9月　郭錫良指導

戴維・賽納《孟子》的述語研究

北京大學漢語史專業碩士論文　1994年1月　郭錫良指導

崔立斌　《孟子》動詞、形容詞、名詞研究

北京大學漢語史專業博士論文　1995年6月　郭錫良指導

崔立斌　《孟子》的述賓結構

北京大學漢語史專業碩士論文　1984年1月　郭錫良、李行健指導

開封　河南大學出版社　299頁　2004年2月（改名為《孟子詞類研究》）

葉友文　《左傳》「于/於」字句分析

北京大學漢語史專業碩士論文　1985年6月　郭錫良、曹先耀指導

陳

陳少明

曾海軍　易道的神明與幽微——《周易・繫辭》解釋史研究

中山大學哲學專業博士論文　2007年6月　陳少明指導

許雪濤　公羊學解經方法：從《公羊傳》到董仲舒春秋學

中山大學中國哲學專業碩士論文　2003年6月　陳少明指導

余樹蘋　另類聖人——道統之外孔子形象的若干考察

中山大學哲學專業博士論文　2005年5月　陳少明指導

吳潤儀　從「神」聖到「玄」聖——關於董仲舒、王弼塑造的孔子兩種聖人形象的比較研究

中山大學哲學專業碩士論文　2004年6月　陳少明指導

李文波　論中庸——思想、文本與傳統

中山大學哲學專業博士論文　2005年5月　黎紅雷、陳少明指導

陳少峰

王　豁　孟子論仁

北京大學倫理學專業碩士論文　2006年6月　陳少峰指導

張立宏　論孟子的「權」

北京大學倫理學專業碩士論文　2003 年 6 月　陳少峰指導

陳　勇　孟子的道德形上學之研究

北京大學中國倫理學專業博士論文　1996 年 6 月　陳少峰指導

陳代湘

譚柏華　黃榦思想研究

湘潭大學中國哲學專業碩士論文　2003 年　陳代湘指導

朱理鴻　陳淳哲學思想研究

湘潭大學中國哲學專業碩士論文　2004 年　陳代湘指導

尹業初　真德秀哲學思想研究

湘潭大學中國哲學專業碩士論文　2005 年　陳代湘指導

陳四海

劉健婷　從《禮記》闡述的音樂形式論周代社會的政治內涵

陝西師範大學音樂學專業碩士論文　2006 年 4 月　陳四海指導

陳　立

曾子良　孔子思想中命限畫自由之研究

中山大學哲學專業碩士論文　2004 年 12 月　陳立勝指導

陳立勝

羅嘉慧　孟子四端心與性善論關係之研究

中山大學哲學專業碩士論文　2005 年 5 月　陳立勝指導

陳向春

孫宗琴　詩經與楚辭裡「求不可得」詩篇現象的研究

東北師範大學中國古代文學專業碩士論文　2007 年　陳向春指導

李梅梅　從文化到文學：《詩經》「興」原始義解讀

東北師範大學中國古代文學專業碩士論文　2007 年　陳向春指導

史培爭　論《關雎》的雙重解讀

東北師範大學中國古代文學專業碩士論文　2007 年 5 月　陳向春指導

喬麗敏　文質彬彬——《詩經》服飾描寫的審美理想

東北師範大學中國古代文學專業碩士論文　2007 年　陳向春指導

陳戍國

蘭甲雲　周易古禮研究
湖南大學專門史專業博士論文　2007 年　陳戍國指導
長沙　湖南大學出版社　318 頁　2008 年 6 月

楊　柳　《韓詩外傳》思想研究
湖南師範大學中國古代文學專業碩士論文　2002 年 4 月　陳戍國指導

陳佑林

石　瑋　從隱喻到參照
華中師範大學英語語言學專業碩士論文　2006 年 4 月　陳佑林指導

陳宏薇

葉惠萍　翻譯家鄭振鐸研究
華中師範大學英語語言文學專業碩士論文　2005 年 4 月　陳宏薇指導

周　娟　林語堂編譯《論語》研究
華中師範大學外國語言學與應用語言學專業碩士論文　2005 年 11 月　陳宏薇指導

陳廷湘

周　鼎　「取釜鐵於陶冶」：劉咸炘文化思想研究
四川大學中國近現代史專業博士論文　2007 年　陳廷湘指導
成都　巴蜀書社　433 頁　2008 年 1 月（改名為《劉咸炘學術思想研究》）

趙　沛　廖平春秋研究
四川大學歷史文化學院博士後研究　2006 年　陳廷湘指導
成都　巴蜀書社　336 頁　2007 年 8 月

陳　來

姜真碩　朱子體用論研究
北京大學中國哲學專業博士論文　2000 年 12 月　陳來指導

延在欽　朱熹心論研究

北京大學中國哲學專業博士論文　2005 年 6 月　陳來指導

池俊鎬　黃榦哲學思想研究

北京大學中國哲學專業博士論文　2000 年 12 月　陳來指導

汪業芬　論胡宏

北京大學中國哲學史專業碩士論文　1989 年 7 月　陳來指導

文炳翼　張載「神」概念之研究

北京大學中國哲學專業碩士論文　1997 年 9 月　陳來指導

李根德　謝良佐《上蔡語錄》研究

北京大學中國哲學專業碩士論文　2001 年 6 月　陳來指導

蘇鉉盛　張栻哲學思想研究

北京大學中國哲學專業博士論文　2002 年 6 月　陳來指導

方旭東　吳澄哲學思想研究

北京大學中國哲學專業博士論文　2001 年 6 月　陳來指導

北京　人民出版社　318 頁　2005 年 3 月（改名為《尊德性與道問學——吳澄哲學思想研究》）

彭國翔　王龍溪的先天學及其定位

北京大學中國哲學專業碩士論文　1998 年 6 月　陳來指導

陳小蘭　羅欽順哲學思想研究

北京大學中國哲學史專業碩士論文　1989 年 6 月　陳來指導

彭高翔（彭國翔）　王龍溪與中晚明陽明學的展開

北京大學中國哲學史專業博士論文　2001 年 6 月　陳來指導

臺北　臺灣學生書局　712 頁　2003 年 6 月（改名為《良知學的展開：王龍溪與中晚明的陽明學》）

束鴻俊　《北溪字義》與陳淳哲學思想研究

北京大學中國哲學專業碩士論文　1997 年 1 月　陳來指導

蔡世昌　羅近溪哲學思想研究

北京大學中國哲學專業博士論文　2004 年 5 月　陳來指導

黃　熹　焦竑三教會通思想研究

北京大學中國哲學專業博士論文　2005 年 6 月　陳來指導

張德偉　李顒哲學研究

北京大學中國哲學專業博士論文　1999 年 3 月　陳來指導

安　載　王船山歷史哲學研究

北京大學中國哲學專業博士論文　1999 年 8 月　陳來指導

藤井隆　馮友蘭（新理學）的基本概念及其結構的考察
北京大學中國哲學專業碩士論文　1999 年 3 月　陳來、許抗生指導

謝榮華　《橫渠易說》的天人關係論
北京大學北京大學中國哲學專業碩士論文　2002 年 6 月　陳來指導

溫海明　朱子易學基本問題之演變
北京大學中國哲學專業碩士論文　1999 年 6 月　陳來指導

張麗華　帛書易傳的解易特色
北京大學哲學專業碩士論文　2001 年 6 月　陳來指導

李紅霞　呂大臨《中庸解》研究
北京大學中國哲學專業碩士論文　2002 年 6 月　陳來指導

楊　峰　移孝作忠——《孝經》的政治意義
北京大學中國哲學專業碩士論文　2004 年 5 月　陳來指導

陳其泰

宋學勤　梁啟超史學新論
北京師範大學史學理論暨史學史專業博士論文　2006 年 5 月　陳其泰指導

陳居淵

金玉萍　清代乾嘉新義理學研究——以「以禮代理」說為中心
復旦大學中國哲學專業碩士論文　2006 年 5 月　陳居淵指導

徐宇宏　呂留良理學思想初探——以《四書講義》為中心
復旦大學中國哲學專業碩士論文　2005 年 5 月　陳居淵、張汝綸指導

陳東輝

郭娟娟　盧文弨之訓詁學研究
浙江大學中國古典文獻學專業碩士論文　2007 年 4 月　陳東輝指導

陳秉公

劉和忠　孔子德育思想研究
吉林大學政治學理論專業博士論文　1999 年　陳秉公指導

陳金全

龍　江　　龔自珍變法思想研究

　　　　　西南政法大學法律史專業碩士論文　2005 年 4 月　陳金全指導

何清藍　　西周禮制初探——以《禮記》所載祭祀制度為中心的分析

　　　　　西南政法大學法律史專業碩士論文　2007 年　陳金全指導

陳　懋　　孔子法思想解讀

　　　　　西南政法大學法律思想史專業碩士論文　2002 年 1 月　陳金全指導

陳　勇

顧春梅　　錢穆與抗戰時期的文化民族主義思潮

　　　　　上海大學專門史專業碩士論文　2004 年 5 月　陳勇指導

陳建初

霍生玉　　《荀子》楊倞注訓詁說略

　　　　　湖南師範大學漢語言文字學專業碩士論文　2001 年　陳健初指導

黃　青　　楊樹達先生語源學研究的成就

　　　　　湖南師範大學漢語言文字學專業碩士論文　2006 年　陳建初指導

周　媛　　論周秉鈞先生的學術生涯及成就

　　　　　湖南師範大學漢語言文字學專業碩士論文　2006 年 3 月　陳建初指導

柳　菁　　《爾雅義疏》「通」研究

　　　　　湖南師範大學漢語言文字專業碩士論文　2003 年 4 月　陳建初指導

胡世文　　黃侃手批《爾雅義疏》「音訓」研究

　　　　　湖南師範大學漢語言文字學專業碩士論文　2005 年 4 月　陳建初指導

喻　華　　《釋名》釋語複音詞研究

　　　　　湖南師範大學漢語言文字學專業碩士論文　2003 年　陳建初指導

郭文超　　劉熙《釋名》訓詁研究

　　　　　湖南師範大學漢語言文字學專業碩士論文　2001 年　陳建初指導

陳洪海

張　偉　　《周禮》中玉禮器考辨

　　　　　西北大學考古學及博物館學專業碩士論文　2007 年 5 月　劉雲輝、陳洪海

指導

陳美林

趙生群　春秋經傳研究

南京師範大學中國古代文學專業博士論文　1998 年　陳美林指導

上海　上海古籍出版社　337 頁　2000 年 5 月

陳　剛

閆曉喆　《詩經》四個英譯本的比較研究

浙江大學英語語言學與應用語言學專業碩士論文　2005 年 11 月　陳剛指導

宋　瑜　*On Cultural Translation-A Comparative Study of the English Versions of ShiJing*[16]

浙江大學英語語言文學專業碩士論文　2002 年 11 月　陳剛指導

張秋林　論翻譯的對話性：兼評《論語》中哲學詞彙的翻譯

浙江大學英語語言文學翻譯專業碩士論文　2005 年 11 月　陳剛指導

陳恩林

王永平　先秦的卜筮與《周易》研究

吉林大學中國古代史專業博士論文　2007 年 12 月　陳恩林指導

吳曉峰　《詩經》「二南」篇所載禮俗研究

吉林大學中國古代史專業碩士論文　2005 年 4 月　陳恩林指導

王新英　《左傳》中的賄賂

吉林大學中國古代史專業碩士論文　2006 年　陳恩林指導

孫赫男　《左氏會箋》研究——與杜預《春秋經傳集解》及楊伯峻《春秋左傳注》之比較

吉林大學中國古代史專業博士論文　2006 年　陳恩林指導

16 此篇論文摘要：該文從跨文化翻譯的角度，通過《詩經》的兩個譯本的比較來論述詩歌翻譯中的文化因素的處理。跨文化翻譯決定了譯者必須要掌握好兩門語言，還要了解兩種文化，由於凝聚著豐富的文化內涵，詩歌的可譯性和不可譯性一直是一個難以定論的問題。《詩經》是中國最古老的詩集，不同譯者對《詩經》的翻譯為分析詩歌的可譯性提供了很好的材料，該文通過對《詩經》翻譯的分析，推斷出詩歌的可譯性和不可譯性都是相對的，在不同的層次上，詩歌既是可譯的，又是不可譯的，翻譯詩歌就是要在不可能中找到可能，以達到最令人滿意的結果。

張全民　《周禮》所見法制研究（刑法篇）

吉林大學中國古代史專業博士論文　1997 年　金景芳、陳恩林指導

北京　法律出版社　211 頁　2004 年 5 月（湘潭大學法學院博士文庫）

陳書錄

郭春萍　陳獻章心學與詩歌的交叉研究

南京師範大學古代文學專業碩士論文　2000 年 5 月　陳書錄指導

章　玳　屈大均人格及其詩歌創作

南京師範大學古代文學專業碩士論文　2004 年 11 月　陳書錄指導

陳根法

白春雨　儒家誠信之德及其現代意義——以「四書」為中心的闡釋

復旦大學倫理學專業博士論文　2004 年 5 月　陳根法指導

路　東　德性之思——孔子與亞里士多德德性觀比較

復旦大學倫理學專業碩士論文　2003 年 5 月　陳根法指導

陳祖武

楊朝亮　李紱與《陸子學譜》

中國社會科學院研究生院中國古代史專業博士論文　2003 年　陳祖武指導

北京　中國社會科學出版社　276 頁　2005 年 12 月（聊城大學博士文庫）

林存陽　清初三禮學

中國社會科學院中國古代思想史專業博士論文　2000 年 1 月　陳祖武指導

北京　社會科學文獻出版社　375 頁　2002 年

梁　勇　萬斯大及其禮學研究

中國社會科學院研究生院清代學術史專業碩士論文　2001 年　陳祖武指導

陳國慶

喬志強　龔自珍學術思想初探

西北大學中國近現代史專業碩士論文　2002 年 1 月　陳國慶指導

王有紅　俞樾傳統學術研究

西北大學中國近現代史專業碩士論文　2004 年　陳國慶指導

張國華　皮錫瑞經學及其變法思想述論

西北大學中國近現代史專業碩士論文　2006年5月　陳國慶指導

李志松　梁啟超的孔子研究述略
西北大學中國近現代史專業碩士論文　2005年1月　陳國慶指導

安樹彬　晚清樸學流變研究
西北大學中國近現代史專業碩士論文　2005年1月　陳國慶指導

李志松　梁啟超的孔子研究述略
西北大學中國近現代史專業碩士論文　2005年1月　陳國慶指導

陳敏傑

胡　偉　《鮚埼亭集》校讀劄記
南京師範大學中國古典文獻學專業碩士論文　2006年3月　陳敏傑指導

陳望衡

陳　碧　《周易》象數美學思想研究
武漢大學美學專業博士論文　2005年5月　陳望衡指導

張　宜　《周易》時空觀念與中國古典美學
武漢大學哲學·美學專業碩士論文　2004年4月　陳望衡指導

鄒其昌　朱熹詩經詮釋學美學研究
武漢大學哲學、美學專業博士論文　2002年4月　陳望衡指導
北京　商務印書館　245頁　2004年7月

陳開先

羅立軍　章學誠道學史觀研究
華南師範大學馬克思主義哲學專業碩士論文　2002年1月　龔雋、陳開先指導

王辛方　窮源竟委，易於不易——李鏡池易學思想通覽
華南師範大學中國哲學專業碩士論文　2007年　陳開先指導

陳順芝

吳根平　經學背景下的《說文解字》
江西師範大學文字學專業碩士論文　2007年4月　陳順芝指導

陳萬柏

史　磊　孔子德育思想及其現代意義
華中師範大學馬克思主義理論與思想政治教育專業碩士論文　2005 年 5 月　陳萬柏指導

陳道德

陳友喬　顧炎武的人格特徵探析
湖北大學中國哲學專業碩士論文　2006 年 5 月　陳道德指導

劉因燦　闡舊邦以輔新命　極高明而道中庸——馮友蘭文化哲學新論
湖北大學中國哲學專業碩士論文　2005 年 5 月　陳道德指導

陳鼓應

劉文靜　孔子《論語》與柏拉圖《理想國》比較研究
北京大學中國哲學史專業碩士論文　1990 年 6 月　陳鼓應指導

陳　榴

盧春紅　荀子複音詞研究
遼寧師範大學漢語言文字學專業碩士論文　2005 年　陳榴指導

荊亞玲　《詩經》同義詞研究
遼寧師範大學漢語言文字學專業碩士論文　2004 年 5 月　陳榴指導

萬　蕊　《論語》同義詞考辨
遼寧師範大學漢語言文字學專業碩士論文　2006 年 5 月　陳榴指導

張嬋娟　《孟子》動詞配價研究
遼寧師範大學漢語言文字學專業碩士論文　2007 年 5 月　陳榴指導

陳熙中

高小慧　楊慎文學思想研究
北京大學文藝學專業博士論文　2005 年 6 月　陳熙中、盧永璘指導

陳廣宏

劉　奕　清代中期經學家文學思想研究

復旦大學中國古代文學專業博士論文　2007 年 4 月　陳廣宏指導

陳廣忠

張　琴　鄭玄《禮記注》初探
安徽大學漢語言文字專業碩士論文　2006 年 5 月　陳廣忠指導

陳廣勝

曲　巖　王廷相「氣本論」思想研究
河南大學中國哲學專業碩士論文　2005 年 5 月　徐儀明、陳廣勝指導

陳蔚松

鄭連聰　阮元與學海堂研究
華中師範大學歷史文獻學專業碩士論文　2003 年 5 月　陳蔚松指導

陳衛平

張菊芳　論荀子的理想人格
上海師範大學專業碩士論文　2006 年　陳衛平指導

喬安水　荀子禮論研究
華東師範大學中國哲學專業博士論文　2004 年　陳衛平指導

王艷秋　戴震重知哲學研究
華東師範大學中國哲學專業博士論文　2003 年 5 月　陳衛平指導

段江波　危機・革命・重建——梁啟超論「過渡時代」的中國道德
華東師範大學中國哲學專業博士論文　2006 年 4 月　陳衛平指導

劉靜芳　綜合創造的哲學與哲學的綜合創造——張岱年《天人五論》研究
華東師範大學中國哲學專業博士論文　2005 年 4 月　陳衛平指導

陳　銳

侯　賓　陳獻章「主靜」思想研究
杭州師範學院中國哲學專業碩士論文　2005 年 4 月　陳銳指導

陳曉芬

許　鶯　美國學者對孔子思想的研究

華東師範大學中國古代文學專業碩士論文　2007 年　陳曉芬指導

陳曉龍

孫　翔　曾國藩家庭倫理思想的現代價值研究
西北師範大學倫理學專業碩士論文　2005 年 5 月　陳曉龍指導

辛亞民　論《周易》的理想人格
西北師範大學中國哲學專業碩士論文　2007 年 6 月　陳曉龍指導

陳寶國

吳挺暹　試論魏源思想對晚清科技的影響
福州大學科學技術哲學專業碩士論文　2005 年　陳寶國指導

陸

陸勇強

郭　進　焦循《孟子正義》研究
暨南大學中國古典文獻學專業碩士論文　2007 年　陸勇強指導

陸鈺明

陳　琳　《論語》英譯中補償的比較研究
華東師範大學語言學及應用語言學專業碩士論文　2007 年　陸鈺明指導

陶

陶美重

汪夢林　孔子與蘇格拉底師道觀比較研究
華中農業大學教育經濟與管理專業碩士論文　2004 年 9 月　陶美重指導

章

章　也

宋彩霞　《經傳釋詞》研究
內蒙古師範大學漢語言文字學專業碩士論文　2003 年 5 月　章也指導

張瑞芳　《易經》動詞配價研究
內蒙古師範大學漢語言文字學專業碩士論文　2005 年 6 月　章也指導

任曉彤　《易經》虛詞研究
內蒙古師範大學漢語言文字學專業碩士論文　2004 年 4 月　章也指導

劉　旭　《易經》詞法初探
內蒙古師範大學漢語言文字學專業碩士論文　2004 年 4 月　章也指導

張雲濤　《左傳》《史記》異文研究
內蒙古師範大學漢語言文字學專業碩士論文　2007 年 6 月　章也指導

張文蕾　《左傳》中表處置的「以」字句研究
內蒙古師範大學漢語言文字學專業碩士論文　2006 年 6 月　章也指導

于麗萍　《爾雅義疏》研究
內蒙古師範大學漢語言文字學專業碩士論文　2003 年 5 月　章也指導

章必功

張　靜　詩騷合流　繼往開來——論漢詩在中國詩歌發展史上的地位與作用
深圳大學中國古代文學專業碩士論文　2005 年 4 月　章必功指導

章育良

劉亮紅　梁啟超文化民族主義論
湘潭大學專門史專業碩士論文　2003 年 5 月　章育良指導

李艷紅　論梁啟超的新聞思想
湘潭大學專門史專業碩士論文　2003 年 5 月　章育良指導

章培恒

錢　偉　魯迅與中國古代思想和文學

復旦大學中國文學古今演變專業博士論文　2006 年 4 月　章培恒指導

章啟輝

莫秀珍　王夫之的民族文化觀

湖南大學中國思想史專業碩士論文　2001 年 11 月　章啟輝指導

章開沅

張艷國　破與立的文化激流——五四時期孔子及其學說的歷史命運

華中師範大學中國近現代史專業博士論文　2001 年 6 月　章開沅、嚴昌洪指導

廣州　花城出版社　336 頁　2003 年 4 月

十二畫

傅中丁

王俊義　論新月詩人陳夢家

內蒙古師範大學中國現當代文學專業碩士論文　2004 年 4 月　傅中丁指導

武昌　華中師範大學出版社　279 頁　2001 年 10 月（博士論文庫）

傅有德

孫熙國　周易古經與諸子之學

山東大學中國哲學專業博士論文　2003 年 4 月　傅有德、劉大鈞指導

趙　傑　兩種生命的學問——孟子與保羅人生觀比較研究

山東大學中國哲學博士論文　2006 年 10 月　傅有德指導

傅亞庶

汪　洋　論女媧神話中的靈石信仰

東北師範大學中國古代文學專業碩士論文　2006年　傅亞庶指導

何廣華　賈誼《新書》研究
東北師範大學中國古代文學專業碩士論文　2005年　傅亞庶指導

張煥新　《法言》複音詞研究
東北師範大學漢語言文字學專業碩士論文　2004年　傅亞庶指導

郭　穎　中說校釋
東北師範大學漢語言文字學專業碩士論文　2002年1月　傅亞庶指導

宮海婷　《詩經》婚戀詩的原始文化溯源
東北師範大學中國古代文學專業碩士論文　2006年5月　傅亞庶指導

張慶霞　《詩經》婚戀詩的文化解讀
東北師範大學中國古代文學專業碩士論文　2007年　傅亞庶指導

魏　昕　滲透於《詩經》中的原始宗教意識
東北師範大學中國古代文學專業碩士論文　2006年5月　傅亞庶指導

趙　宏　《詩經》女性的修飾美
東北師範大學古代文學專業碩士論文　2006年5月　傅亞庶指導

衣淑艷　先秦詩歌中的祭禮[17]
東北師範大學古代文學專業碩士論文　2006年5月　傅亞庶指導

王　薇　《儀禮》名物詞研究
東北師範大學漢語言文字學專業碩士論文　2005年5月　傅亞庶指導

林　琳　《禮記》成語研究
東北師範大學漢語言文字學專業碩士論文　2006年5月　傅亞庶指導

馬麗娟　《左傳》時間詞語初探
東北師範大學漢語言文字學專業碩士論文　2006年5月　傅亞庶指導

劉　澍　《左傳》中家臣形象的分析及文學表現
東北師範大學中國古代文學專業碩士論文　2004年5月　傅亞庶指導

傅　傑

羅　琦　《論語》異文研究
復旦大學漢語言文字學專業碩士論文　2003年5月　傅傑指導

莊小蕾　劉寶楠《論語正義》研究

17 此文從對《詩經》和《楚辭》兩者中祭祀詩歌比較，探討先秦詩歌中祭禮的異同。

復旦大學漢語言文字學專業碩士論文　2006 年 5 月　傅傑指導

傅雲龍

李　傑　論荀子的禮學思想

中共中央黨校中國哲學專業碩士論文　2000 年 1 月　傅雲龍指導

傅道彬

王　妍　經學以前的《詩經》

哈爾濱師範大學古代文學專業博士論文　2003 年　傅道彬指導

北京　東方出版社　302 頁　2007 年 3 月

王秀臣　三禮用詩考論

哈爾濱師範大學中國古代文學專業博士論文　2005 年　傅道彬指導

北京　中國社會科學出版社　374 頁　2007 年 5 月（中國社會科學博士論文文庫）

傅劍平

黃炎蓮　上博楚簡《孔子詩論》所涉《詩經》篇目研究

華南師範大學中國古代文學專業碩士論文　2007 年　傅劍平指導

單

單承彬

孫峻旭　文學與歷史之間——從春秋筆法說起

曲阜師範大學中國古代文學專業碩士論文　2006 年 4 月　單承彬指導

高慶峰　論《史記》中孔子形象之獨特性

曲阜師範大學中國古代文學專業碩士論文　2007 年　單承彬指導

楊麗君　歷代石經《論語》考

曲阜師範大學古典文獻學專業碩士論文　2007 年 4 月　單承彬指導

北京　中國社會科學出版社　300 頁　2005 年 2 月（聊城大學博士文庫）

張　艷　古代文化人格與文學品格——從孟子散文說起

曲阜師範大學中國古代文學專業碩士論文　2005年4月　單承彬指導

單　波

王小海　試論梁啟超對西方新聞自由思想的認知與批判
武漢大學新聞學專業碩士論文　2005年4月　單波指導

喻

喻大華

王艷輝　曾國藩與道咸同年間傳統文化的嬗變
遼寧師範大學專門史專業碩士論文　2005年5月　喻大華指導

張克威　康有為憲政思想研究
遼寧師範大學歷史學專門史專業碩士論文　2006年5月　喻大華指導

喻本伐

文定旭　立足傳統、融匯中西——郭嵩燾洋務教育思想研究
華中師範大學教育管理專業碩士論文　2001年1月　喻本伐指導

喻遂生

唐建立　《論語》名詞語法研究
西南師範大學[18]漢語言文字學專業碩士論文　2003年4月　喻遂生指導

孟美菊　武威漢簡《儀禮》異文研究
西南師範大學[19]漢語言文字學專業碩士論文　2003年4月　喻遂生指導

喻　躍

劉鐵銘　論曾國藩治軍思想與現代國防教育
中南大學高等教育學（國防教育）專業碩士論文　2006年11月　喻躍指導

18 現已更名為西南大學。
19 現已改名為西南大學。

喬

喬清舉

張　東　《孟子字義疏證》發微
　　中共中央黨校中國哲學專業碩士論文　喬清舉指導

喬鳳杰

孫軍紅　孔子「和」論
　　河南大學中國哲學專業碩士論文　2007 年　喬鳳杰、朱麗霞指導

喬衛平

孔　軍　泰州學派與晚明儒學教育的平民化
　　北京師範大學教育史專業碩士論文　2006 年 5 月　喬衛平指導

彭

彭久松

熊全慧　新民與新國——梁啟超新民思想研究
　　四川師範大學中國近現代史專業碩士論文　2005 年 6 月　彭久松指導

彭光宇

楊衛紅　《論語》語文教育初探
　　湖南師範大學教育專業碩士論文　2005 年 4 月　彭光宇指導

彭先國

張小蘭　論王先謙與湖南維新運動
　　湘潭大學專門史專業碩士論文　2006 年　彭先國指導

余　敏　胡適思想矛盾的表現與解讀
　　湘潭大學專門史專業碩士論文　2004 年 5 月　彭先國指導

彭自強

尹曉彬　論董仲舒皇權制衡思想及其倫理形態特徵
西南師範大學倫理學專業碩士論文　2005年　潘佳銘、彭自強指導

李永洪　辨析王充思想體系中的矛盾——探討王充人性論思想的基礎和前提
西南大學倫理學專業碩士論文　2006年4月　彭自強、潘佳銘指導

潘昱州　韓愈反佛思想溯源——「惠民」的「有為之道」
西南師範大學倫理學專業碩士論文　2005年5月　彭自強、潘佳銘指導

周　玲　論戴震的自由精神及其意義
西南師範大學倫理學專業碩士論文　2005年5月　彭自強、潘佳銘指導

彭定光

朱鋒華　荀子政治倫理思想研究
湖南師範大學倫理學專業碩士論文　2006年　彭定光指導

彭忠德

周　軍　《左傳》歷史文學論略
湖北大學中國古代史專業碩士論文　2007年5月　彭忠德指導

彭　林

張煥君　魏晉南北朝喪服制度研究
清華大學專門史專業博士論文　2004年　彭林指導

刁小龍　鄭玄禮學及其時代
清華大學專門史專業博士論文　2007年　彭林指導

李　莉　胡培翬《儀禮正義》「四例」研究——以喪禮四篇為例
清華大學專門史專業博士論文　2005年　彭林指導

余　瑾　先秦儒家樂教思想研究——兼論《禮記・樂記》的成書年代
清華大學專門史專業碩士論文　2002年　彭林指導

彭裕商

康少峰　《詩經》簡制、簡序及文字釋讀研究
四川大學歷史文獻學專業博士論文　2004年4月　彭裕商指導

王化平　簡帛文獻中的孔子言論研究
四川大學歷史文獻學專業博士論文　2006 年　彭裕商指導
成都　巴蜀書社　280 頁　2007 年 11 月（改名為《帛書易傳研究》）

彭　鋒

楊　震　論「易簡」思想及其對中國藝術的影響
北京大學美學專業碩士論文　2005 年 5 月　彭鋒指導

彭澤平

常　剛　梁啟超歷史教育思想研究
西南大學教育史專業碩士論文　2006 年 4 月　彭澤平指導

曾

曾抗美

楊秀娟　范處義及其《詩補傳》研究
華東師範大學中國古代文學專業碩士論文　2006 年 4 月　曾抗美指導

曾振宇

朱玉周　漢代讖緯天論研究
山東大學專門史專業博士論文　2007 年　曾振宇指導
王廣勇　陸賈《新語》在儒家思想史上的地位初探
山東大學中國古代史專業碩士論文　2005 年 5 月　曾振宇指導
楊雲峰　王充與東漢的社會批判思潮
山東大學中國古代史專業碩士論文　2004 年 4 月　曾振宇指導
朱松美　《孟子》詮釋比較研究
山東大學中國古代史專業碩士論文　2004 年 4 月　曾振宇指導

曾　健

陳光連　論分的思想是荀子禮學體系中的經脈

雲南大學倫理學專業碩士論文　2005 年 12 月　曾健指導

曾貽芬

余敏輝　歐陽修文獻學研究
北京師範大學歷史文獻學專業博士論文　2005 年 5 月　曾貽芬指導

王亦旻　《論語集解》研究
北京師範大學歷史學歷史文獻學專業博士論文　2006 年 3 月　曾貽芬指導

曾憲通

林志強　古本《尚書》文字研究
中山大學漢語言文字學專業博士論文　2003 年 6 月　曾憲通指導
廣州　中山大學出版社　139 頁　2005 年

曾憲禮

伍典彬　杜預《春秋左傳》義例學與魏晉「史家義例學」
中山大學歷史學專業碩士論文　2004 年 6 月　曾憲禮指導

湯

湯一介

孫尚揚　明末天主教與儒學的交流和衝突
北京大學哲學博士論文　1991 年 7 月　湯一介指導
臺北　文津出版社　259 頁　1992 年 2 月（大陸地區博士論文叢刊）

湯　化

曾靜蓉　詩經性文化研究
福建師範大學古代文學專業碩士論文　2005 年 4 月　湯化指導

湯志玖

任　爽　唐代禮制研究概要

東北師範大學中國古代史專業博士論文　1997年　李洵、楊志玖指導
長春　東北師範大學出版社　307頁　1999年9月（改名為《唐代禮制研究》）

湯奇學

寧　寧　論張之洞外交思想
安徽大學專門史專業碩士論文　2005年5月　湯奇學、周乾指導

夏淑娟　徐光啟與明末西學東漸
安徽大學專門史專業碩士論文　2004年5月　湯奇學指導

孟　化　郭嵩燾的文化思想
安徽大學專門史專業碩士論文　2003年5月　湯奇學指導

胡珍貴　論康有為早期文化思想
安徽大學專門史專業碩士論文　2002年5月　湯奇學指導

李義發　梁啟超法律思想的演變
安徽大學專門史專業碩士論文　2006年5月　湯奇學指導

李　霞　梁啟超教育思想的演變
安徽大學文化史專業碩士論文　2000年6月　湯奇學指導

方旭紅　世紀之交梁啟超構建民族新文化設想
安徽大學專門史專業碩士論文　2002年5月　湯奇學指導

程

程志華

袁錫宏　馮友蘭人生哲學研究
河北大學中國哲學專業碩士論文　2005年6月　程志華指導
成都　巴蜀書社　317頁　2002年10月（儒釋道博士論文叢書）

李國明　張岱年文化綜合創新論研究
河北大學中國哲學專業碩士論文　2005年6月　程志華指導

程奇立

薛立芳　毛奇齡《經問》研究

魯東大學專門史專業碩士論文　2005 年 5 月　程奇立指導

房姍姍　試論毛奇齡的禮學成就
魯東大學專門史專業碩士論文　2007 年 6 月　程奇立指導

程　紅　毛奇齡《春秋》學研究
魯東大學專門史專業碩士論文　2006 年 6 月　程奇立、丁鼎指導

程相占

周　征　劉知幾《史通》敘事理論研究
山東大學文藝學專業碩士論文　2006 年 5 月　程相占指導

高　偉　朱自清《詩言志辨》研究
山東大學文藝學專業碩士論文　2006 年 4 月　程相占指導

毛新青　孟子德性學說的審美維度
山東大學文藝學專業碩士論文　2004 年 5 月　程相占指導

程　剛

郭　舒　我國漢族成年禮的歷史沿革及現代意義
清華大學專門史專業碩士論文　2006 年　程剛指導

程華平

夏紅娣　文化認同和自我建構的兩種方式——從王韜的政論文和小說談起
華東師範大學中國古代文學專業碩士論文　2006 年 5 月　程華平指導

童慶炳

耿　波　自由之遠與藝術世界的價值根源——徐復觀藝術思想的擴展研究
北京師範大學文藝學專業博士論文　2005 年 5 月　童慶炳指導
北京　中國傳媒大學出版社　355 頁　2007 年 7 月（改名為《徐復觀心性與藝術思想研究》）

舒

舒大剛

李冬梅　蘇轍《詩集傳》新探
四川大學歷史文化學院古籍所計算機與歷史文獻處理研究專業碩士論文
2003 年 4 月　舒大剛指導
成都　四川大學出版社　287 頁　2006 年 1 月（四川大學儒藏學術叢書 11）

楊　玲　《孝經》學譜
四川大學歷史文獻學專業碩士論文　2006 年　舒大剛指導

舒奇志

劉永利　論文化翻譯中譯者的文化主體性——從解釋學角度來看《論語》兩個譯本
湘潭大學英語語言文學專業碩士論文　2006 年 5 月　舒奇志指導

舒　懷

韓小荊　楊慎小學評議
湖北大學漢語言文字學專業碩士論文　1999 年　舒懷指導
北京　中國傳媒大學出版社　262 頁　2007 年 7 月（文史博士文庫）

胡　翼　段玉裁字義引申說簡論
湖北大學漢語言文字學專業碩士論文　2006 年 5 月　舒懷指導

華

華先發

談　峰　翻譯家梁啟超研究
華中師範大學英語語言文學專業碩士論文　2006 年 4 月　華先發指導

王若維　理雅各英譯《周易》研究
華中師範大學英語語言文學專業碩士論文　1998 年 7 月　華先發指導

余　敏　從理雅各英譯《孟子》看散文風格的傳譯

華中師範大學英語語言文學專業碩士論文　2001 年 5 月　華先發指導

華　鋒

孔漫春　「亞聖」人格透析——兼論《孟子》書中的孟子形象
河南大學中國古代文學專業碩士論文　2000 年 5 月　白本松、華鋒指導

鄭麗娟　《詩經》「二南」與周代禮樂文化
河南大學中國古代文學專業碩士論文　2007 年 5 月　華鋒、姚小鷗指導

房瑞麗　《上海博物館藏戰國楚竹書・詩論》與《詩經》研究
河南大學中國古代文學專業碩士論文　2004 年 5 月　白本松、華鋒指導

朱金發　聞一多的詩經研究
河南大學中國古代文學專業碩士論文　2001 年 4 月　白本松、華鋒指導

何愛英　《左傳》文體特徵及其文化意蘊
河南大學中國古代文學專業碩士論文　2001 年 1 月　白本松、華鋒指導

王曉敏　唐代《左傳》學研究
河南大學中國古代文學專業碩士論文　2005 年 5 月　白本松、華鋒指導

陳志霞　《周易》之「象」的文化內涵及審美意義
河南大學中國古代文學專業碩士論文　2005 年 5 月　華鋒指導

李琳珂　先秦逸詩研究
河南大學中國古代文學專業碩士論文　2006 年 5 月　華鋒指導

胡宏哲　部族文化與《詩經・周頌》祭祀詩的時代特徵
河南大學中國古代文學專業碩士論文　2005 年 5 月　華鋒指導

李賀軍　清代《詩經》學獨立思考派《詩》學研究
河南大學中國古代文學專業碩士論文　2006 年 5 月　華鋒指導

李衛軍　兩漢《左傳》學發微
河南大學中國古代文學專業碩士論文　2005 年 5 月　華鋒指導

華學誠

王智群　顏師古注引方俗語研究
華東師範大學漢語言文字學專業碩士論文　2004 年　華學誠指導

路　廣　《法言》詞類研究
華東師範大學漢語言文字學專業博士論文　2006 年　華學誠指導

華鐘彥

翟相君　《國風》中的怨刺詩

河南師範大學中國古代文學專業碩士論文　1978、1979 級　華鐘彥指導

米壽順　論《左傳》的民本思想

河南師範大學中國古代文學專業碩士論文　1978、1979 級　華鐘彥指導

費小平

章亞瓊　《論語・學而第一》英譯文的解構策略研究

貴州大學英語語言文學專業碩士論文　2007 年 5 月　費小平指導

費英秋

張　娜　孔子理想人格的現代重塑

中國礦業大學（北京）　馬克思主義理論與思想政治教育專業碩士論文 2001 年 5 月　費英秋指導

費振剛

張偉歧　西漢前期的經學與儒家政教文學觀

北京大學中國古代文學專業博士論文　2004 年 11 月　費振剛指導

張　真　試論《詩經》「六義」之興

北京大學古代文學專業碩士論文　1994 年 6 月　費振剛指導

安性栽　《國風》之婚姻觀念辨析

北京大學中國古代文學專業碩士論文　2002 年 5 月　費振剛指導

黃永憲　《詩經》婚戀詩論

北京大學中國古代文學專業碩士論文　1995 年 6 月　費振剛指導

趙長征　論《詩經》美刺諷諭說的形成

北京大學中國古代文學專業碩士論文　1998 年 6 月　費振剛指導

錢　華　淺論明代《詩經》研究

北京大學古代文學專業碩士論文　1993 年 6 月　費振剛指導

王清珍　《左傳》用詩研究
北京大學中國古代文學專業博士論文　2003 年 5 月　費振剛指導

賀

賀西林

鄒清泉　北魏孝子畫像研究——《孝經》與北魏孝子畫像圖像內涵的改變及墓葬功能的實現
中央美術學院美術學專業碩士論文　2006 年　尹吉男、賀西林指導

賀淯濱

陳會亮　《論語》與《摩西五經》比較研究
河南大學比較文學與世界文學專業碩士論文　2006 年 5 月　賀淯濱指導

閔

閔定慶

易定軍　試論郭嵩燾詩學主張的理學實學特徵
華南師範大學中國古代文學專業碩士論文　2005 年　閔定慶指導

隋

隋淑芬

徐　君　王充對有神論的批判及其現實價值
首都師範大學馬克思主義理論與思想政治教育專業碩士論文　2001 年 5 月
隋淑芬指導

常建勇　朱熹自我教育思想探析
首都師範大學馬克思主義理論與思想專業碩士論文　2000 年　隋淑芬指導

石新艷　譚嗣同平等思想研究
首都師範大學馬克思主義理論與思想政治教育專業碩士論文　2005 年 4 月　隋淑芬指導

耿　勵　梁啟超國民性改造思想及其現代價值
首都師範大學馬克思主義理論與思想政治教育專業碩士論文　2006 年 5 月　隋淑芬指導

楊芷英　孔子的社會心理思想及其現代價值
首都師範大學馬克思主義理論與思想政治教育專業碩士論文　2003 年 4 月　隋淑芬指導

馮

馮友蘭

張　躍　唐代後期儒學的新趨向
北京大學中國哲學專業博士論文　1989 年　馮友蘭指導
臺北　文津出版社　266 頁　1993 年 1 月
上海　上海人民出版社　204 頁　1994 年（改名為《唐代後期儒學》）

馮玉濤

任國俊　顏師古《漢書注》研究
寧夏大學漢語言文字學專業碩士論文　2005 年 5 月　馮玉濤指導

王　波　張舜徽《說文解字約注》綜論
寧夏大學漢語言文字學專業碩士論文　2004 年　劉世俊、馮玉濤指導

馬君花　論鄭玄《禮記注》在訓詁學史上的成就
寧夏大學漢語言文字學專業碩士論文　2005 年 5 月　馮玉濤、劉世俊指導

馮季昌

李　慧　顧炎武與《天下郡國利病書》

遼寧大學中國古代史專業碩士論文　2006 年 5 月　馮季昌指導

馮浩菲

張　兵　《洪範》詮釋研究
山東大學中國古典文獻學專業博士論文　2005 年　馮浩菲指導
濟南　齊魯書社　269 頁　2007 年 1 月

郝桂敏　宋代詩經文獻研究
山東大學中國古典文獻學專業博士論文　2002 年 4 月　馮浩菲指導
北京　中國社會科學院出版社　243 頁　2006 年 2 月

鄧聲國　清代《儀禮》文獻研究
山東大學中國古典文獻學專業博士論文　2004 年 3 月　馮浩菲指導
上海　上海古籍出版社　530 頁　2006 年 4 月

李　平　楊伯峻《春秋左傳注》研究
山東大學中國古典文獻學專業碩士論文　2006 年 5 月　馮浩菲指導

黃迎周　《春秋公羊傳》、《穀梁傳》詮釋方法比較研究
山東大學中國古典文獻學專業碩士論文　2005 年 5 月　馮浩菲指導

王公山　朱熹《四書章句集注》闡釋方法研究
山東大學中國古典文獻學專業碩士論文　2002 年 5 月　馮浩菲指導

陳倩倩　楊伯峻《論語譯注》研究
山東大學古典文獻學專業碩士論文　2006 年 5 月　馮浩菲指導

朱媛鳳　朱熹《孟子》三書研究
山東大學中國古典文獻學專業碩士論文　2007 年　馮浩菲指導

趙景雪　清代《孝經》文獻研究
山東大學中國古典文獻學專業碩士論文　2007 年　馮浩菲指導

馮勝君

譚中華　《孔子詩論》編聯分章問題研究綜述
吉林大學歷史文獻學專業碩士論文　2007 年　馮勝君指導

馮煥珍

謝家敏　論孔子「述而不作」的文化粗承法
中山大學中國哲學專業碩士論文　2005 年 5 月　馮煥珍指導

羅冠聰　孔子思想中「志」之研究——以《論語》為中心
中山大學中國哲學專業碩士論文　2005 年 5 月　馮煥珍指導

任婉芬　《中庸》誠的哲學之研究
中山大學哲學專業碩士論文　2005 年 5 月　馮煥珍指導

馮達文

汪顯超　古易筮法研究
中山大學中國哲學專業博士論文　2000 年 6 月　馮達文指導

陳開先　《禮記》主題思想研究——傳統儒家思想的一種解讀
中山大學中國哲學專業博士論文　1998 年 6 月　馮達文指導

景懷斌　孔子人格結構的心理學研究
中山大學中國哲學專業博士論文　2003 年 6 月　馮達文指導

荊　琳　戴震《孟子字義疏證》之思想詮釋
中山大學中國哲學專業碩士論文　2003 年 5 月　馮達文指導

馮　蒸

張　妮　《經典釋文》陸德明反切的類相關研究
首都師範大學漢語言文字學專業碩士論文　2004 年 4 月　馮蒸指導

馮廣藝

張春泉　《孟子》中的條件複句
湖北大學漢語言文字學專業碩士論文　2006 年 1 月　黃群建、馮廣藝指導

馮憲光

馬　睿　從經學到美學
四川大學文藝學專業博士論文　2001 年　馮憲光指導
成都　四川民族出版社　415 頁　2002 年 7 月（改名為《從經學到美學：中國近代文論知識話語的嬗變》）

黃

黃凡中

蘇　悅　　高中語文「經典誦讀」──《論語》的教學實踐與研究
東北師範大學教育專業碩士論文　2007 年　黃凡中指導

黃友謀

胡孚琛　　中國科學史上的《周易參同契》
中山大學哲學專業碩士論文　1982 年 9 月　黃友謀指導

黃天樹

馮　華　　爾雅新證
首都師範大學漢語言文字學專業博士論文　2006 年 4 月　黃天樹指導

黃永堂

陸躍升　　《春秋左氏傳》解釋學研究
貴州大學中國古代文學專業碩士論文　2006 年 5 月　黃永堂指導

黃玉順

杜　霞　　儒家良知論問題──評牟宗三「良知坎陷」說
四川大學中國哲學專業碩士論文　2005 年　黃玉順指導

黃易青

智　惠　　《詩經》、《楚辭》重言同源詞研究
北京師範大學漢語言文字學專業碩士論文　2006 年 5 月　黃易青指導

楊丙濤　　從《禮記》鄭玄注看戰國時期齊魯方音
北京師範大學漢語言文字學專業碩士論文　2007 年 5 月　黃易青指導

黃明喜

朱海龍　　張之洞與癸卯學制

華南師範大學教育史專業碩士論文　2004 年　黃明喜指導

黃金貴

王建莉　《爾雅》同義詞考論

浙江大學漢語言文字學專業博士論文　2004 年 12 月　黃金貴指導

黃振定

楊　暉　辜鴻銘翻譯文化觀研究——以辜譯《論語》為例

湖南師範大學英語語言文學專業碩士論文　2007 年　黃振定指導

黃書孟

曹峰旗　理性與情感——蘇格拉底與孔子倫理思想特點之比較

浙江大學法學・思想政治教育專業碩士論文　2001 年 12 月　黃書孟指導

黃海德

邵長虎　梁漱溟思想與中國傳統文化的現代轉換

華僑大學馬克思主義哲學專業碩士論文　2004 年 4 月　黃海德指導

黃留珠

梁安和　賈誼思想研究

西北大學專門史專業博士論文　2006 年 4 月　黃留珠指導

西安　三秦出版社　2007 年

王長坤　先秦儒家孝道研究[20]

西北大學中國思想史專業博士論文　2005 年 11 月　張豈之、黃留珠指導

成都　巴蜀書社　330 頁　2007 年 11 月（儒釋道博士論文叢書）

黃喬生

李雲濤　論多重身份的馮雪峰與魯迅的關係

青島大學中國現當代文學專業碩士論文　2006 年 6 月　黃喬生、魏韶華指導

20 此文討論《孝經》的成書年代並認為此書是對先秦儒家孝道思想系統、完整總結而形成孝道、孝行、孝治的集大成之作，亦是提供統治策略的政治哲學著作。

黃華文

童綏寶　張之洞與武漢教育近代化
華中師範大學中國近現代史專業碩士論文　2006 年 5 月　黃華文指導

劉聯鋒　試論劉師培的多變
華中師範大學中國近現代史專業碩士論文　2006 年 6 月　黃華文指導

饒延俊　張舜徽的治學方法對當前中學歷史教育的啟示
華中師範大學學科教學・歷史專業碩士論文　2006 年 5 月　黃華文指導

黃開國

劉朝閣　龔自珍的公羊學思想研究
杭州師範學院中國哲學專業碩士論文　2006 年 4 月　黃開國指導

黃開發

阮和平　魯迅研究在越南
北京師範大學中國現當代文學專業碩士論文　2004 年 5 月　黃開發指導

黃　焯

丁　忱　《詩經》通假字考
武漢大學語言文字專業碩士論文　1978、1979 級　黃焯、周大璞指導

丁　忱　《爾雅》、《毛傳》異同考
武漢大學漢語史專業博士論文　1983 年　黃焯指導
武漢　武漢大學出版社　107 頁　1988 年

黃愛平

朱修春　四書學史研究
中國人民大學中國古代史專業博士論文　2003 年　黃愛平指導

黃群建

張春泉　《孟子》中的條件複句
湖北大學漢語言文字學專業碩士論文　2006 年 1 月　黃群建、馮廣藝指導

黃德昌

李　婭　探析王弼「聖人」觀的玄學底蘊
四川大學中國哲學專業碩士論文　2005 年 1 月　黃德昌指導

張　慧　王弼「言意之辨」的探析
四川大學中國哲學專業碩士論文　2004 年　黃德昌指導

曾　林　王弼「崇本息末」思想的哲學意蘊及文化價值
四川大學中國哲學專業碩士論文　2004 年　黃德昌指導

郭麗娟　王弼易學哲學思想再探
四川大學中國哲學專業碩士論文　2006 年　黃德昌指導

黃德寬

牛淑平　皖派樸學家《素問》校詁研究
安徽大學漢語言文字學專業博士論文　2003 年 6 月　黃德寬、楊應芹指導

徐道彬　戴震考據學研究
安徽大學漢語言文字學專業博士論文　2004 年 5 月　黃德寬、楊應芹指導
合肥　安徽大學出版社　720 頁　2007 年 8 月

俞紹宏　《說文古籀補》研究
安徽大學漢語言文字學專業博士論文　2006 年 5 月　黃德寬指導
北京　中國社會科學出版社　232 頁　2008 年 9 月

黃慧琴

范　旭　周易的平衡之數——3/7 在視覺設計中的應用
南昌大學設計藝術學專業碩士論文　2007 年 6 月　黃慧琴指導

黃樸民

白效詠　漢代的易學與政治
中國人民大學中國古代史專業博士論文　2007 年　黃樸民指導

黃　霖

劉再華　晚清時期的文學與經學
復旦大學中國古代文學專業博士論文　2003 年 4 月　黃霖指導

北京　東方出版社　412頁　2004年11月（改名為《近代經學與文學》）

黃　濟

于建福　孔子的中庸教育哲學探微
北京師範大學教育學原理專業博士論文　1996年　黃濟指導

黃鎮偉

孔愛峰　錢謙益《列朝詩集》的編纂學研究
蘇州大學中國語言文學專業碩士論文　2005年1月　黃鎮偉指導

彭樹欣　論梁啟超對文獻傳播的貢獻
蘇州大學中國古代文學專業碩士論文　2001年1月　黃鎮偉指導

黃懷史

陳建磊　魏晉孔氏家學及《孔子家語》公案
曲阜師範大學專門史專業碩士論文　2007年　黃懷史指導

黃懷信

陳以鳳　西漢孔氏家學及「偽書」公案
曲阜師範大學專門史專業碩士論文　2007年　黃懷信指導

孫紅彬　《詩經・豳風》考釋
西北大學歷史文獻學專業碩士論文　2003年5月　黃懷信指導

劉曉霞　唐寫本《論語鄭氏注》相關問題探析
曲阜師範大學歷史學專門史專業碩士論文　2006年4月　黃懷信指導

張長勝　《論語集解》研究
曲阜師範大學專門史專業碩士論文　2006年4月　黃懷信指導

劉詠梅　皇侃《論語義疏》研究
曲阜師範大學歷史學專門史專業碩士論文　2006年4月　黃懷信指導

侯希文　《孝經》作者考
西北大學歷史文獻學專業碩士論文　2001年5月　李學勤、黃懷信指導

黃靈庚

李慶杏　淺談孟子的論辯藝術

浙江師範大學語文學科教學專業碩士論文　2004 年 5 月　黃靈庚指導

十三畫

楊

楊乃喬

曹洪洋　「《詩》無達詁」與「《詩》言志」——在解釋學意義上的思考
首都師範大學比較文學專業碩士論文　2005 年　楊乃喬、劉耘華指導

鐘厚濤　文本的敞開與意義的轉換——由「詩言志」意義生成機制對《詩》被經學化的闡釋學觀照
首都師範大學比較文學與世界文學專業碩士論文　2007 年 5 月　楊乃喬、王柏華指導

汪　泓　樂於本道——經學玄學化視域中的嵇康音樂美學思想
首都師範大學比較文學與世界文學專業碩士論文　2006 年　楊乃喬指導

張　振　歷史與詮釋——公羊學「三科九旨」的歷史哲學解讀
首都師範大學文藝學專業博士論文　2006 年 5 月　楊乃喬指導

楊千樸

房登科　禮法同行天下治－荀子禮法思想研究
揚州大學教育學原理專業碩士論文　2004 年　楊千樸指導

張樹志　董仲舒倫理政治思想研究
揚州大學教育學原理專業碩士論文　2003 年　楊千樸指導

程海霞　喚醒沉睡的道德自覺——朱熹修養論研究
揚州大學教育學原理專業碩士論文　2002 年　楊千樸指導

徐永蓮　王夫之人文主義思想研究
揚州大學教育學原理專業碩士論文　2005 年 5 月　楊千樸指導

楊公驥

姚小鷗　《詩經》「三頌」與先秦禮樂文化的演變
東北師範大學中國古代文學專業博士論文　1993 年　楊公驥指導
北京　北京廣播學院　273 頁　2000 年 1 月（改名為《詩經三訟與先秦禮樂文化》）

許志剛　論《大雅》、《小雅》的藝術形象
東北師範大學中國古代文學專業博士論文　1986 年　楊公驥指導

趙敏俐　兩漢詩歌研究
東北師範大學文學博士論文　1988 年　楊公驥指導
臺北　文津出版社　270 頁　1993 年 5 月（大陸地區博士論文叢刊）

楊佐義　《左傳》中的戰爭描寫
東北師範大學中國古代文學專業碩士論文　1978、1979 級　楊公驥指導

孫綠怡　中國古代文學發展中「史」的傳統：《左傳》與中國古典小說
東北師範大學中國古代文學專業博士論文　1986 年　楊公驥指導
北京　北京大學出版社　143 頁　1992 年 4 月

楊天石

劉貴福　錢玄同思想研究
中國社會科學院研究生院中國近現代史專業博士論文　2000 年 1 月　楊天石指導

楊天宇

劉萬雲　經學與漢代的制度建設研究
鄭州大學中國古代史專業碩士論文　2006 年 5 月　楊天宇指導

胡　明　漢元帝時期的經學與政治
鄭州大學中國古代史專業碩士論文　2003 年 5 月　楊天宇指導

逯萬軍　略論東漢前期的經學
鄭州大學中國古代史專業碩士論文　2002 年 10 月　楊天宇指導

梁錫鋒　漢代的《詩經》學與政治關係研究
鄭州大學中國古代史專業碩士論文　2001 年 5 月　楊天宇指導

白　華　儒家禮學價值觀研究

鄭州大學中國古代史專業博士論文　2004 年 5 月　楊天宇指導

梁錫鋒　鄭玄以禮箋《詩》研究

鄭州大學中國古代史專業博士論文　2004 年 5 月　楊天宇指導

北京　學苑出版社　262 頁　2005 年

張自慧　禮文化的人文精神與價值研究

鄭州大學中國古代史專業博士論文　2006 年 5 月　楊天宇指導

上海　學林出版社　321 頁　2008 年 9 月（改名為《禮文化的價值與反思》）

楊正業

吳振興　《爾雅》釋義研究

四川師範學院[21]漢語言文字學專業碩士論文　2002 年 6 月　楊正業指導

楊立華

江　新　羅欽順理氣心性論研究

北京大學哲學專業碩士論文　2007 年　楊立華指導

楊仲義

石　東　論儒家詩教之謬

湘潭大學古代文學專業碩士論文　2000 年 4 月　楊仲義指導

楊光榮

安秀榮　《周禮・秋官司寇》元語言分析

天津師範大學漢語言文字學專業碩士論文　2004 年 4 月　楊光榮指導

楊向奎

浦衛忠　春秋三傳之比較研究

中國社會科學院中國古代史專業博士論文　1990 年 8 月　楊向奎指導

臺北　文津出版社　261 頁　1995 年 4 月（改名為《春秋三傳綜合研究》）（大陸地區博士論文叢刊）

21 現已改為西華師範大學。

黃朴民　董仲舒與新儒學
山東大學歷史學博士論文　1988年　楊向奎、田昌五指導
臺北　文津出版社　231頁　1992年7月（大陸地區博士論文叢刊）

于化民　明中晚期理學的對峙與合流
山東大學中國古代思想史專業博士論文　1988年　楊向奎、田昌五指導
臺北　文津出版社　194頁　1993年2月（大陸地區博士論文叢刊）

楊合鳴

羅慶雲　《詩經》介詞研究
武漢大學漢語言文字學專業碩士論文　2004年5月　楊合鳴指導

王金芳　《詩經》副詞助詞研究
武漢大學漢語言文字學專業博士論文　2003年5月　楊合鳴指導

楊存昌

左　蕾　孔子美育思想的現代闡釋
山東師範大學文藝學專業碩士論文　2004年4月　楊存昌指導

楊守森

孫文婷　論徐復觀「為人生而藝術」的文藝思想
山東師範大學文藝學專業碩士論文　2006年　楊守森指導

楊志明

陳宗權　董仲舒政治哲學思想探源
西南師範大學中國哲學專業碩士論文　2004年　楊志明指導

陸繼萍　王充思想的體系詮釋和重建
雲南師範大學中國哲學專業碩士論文　2006年5月　楊志明指導

周朗生　戴震倫理思想管窺
雲南師範大學中國哲學專業碩士論文　2003年　楊志明指導

楊　忠

吳國武　北宋經學與理學之關係研究
北京大學中國古典文獻學專業博士論文　2005年6月　楊忠指導

楊新勛　宋代疑經研究
北京大學中國古文獻學專業博士論文　2003 年 5 月　楊忠指導
北京　中華書局　378 頁　2007 年 3 月

李紅英　戴震治經方法考論
北京大學中國古典文獻學專業博士論文　2002 年 6 月　楊忠指導

楊　明

楊鑒生　王弼及其文學研究
復旦大學中國古代文學專業博士論文　2005 年 4 月　楊明指導

楊柱才

羅來文　胡宏哲學思想研究
南昌大學中國哲學專業碩士論文　2006 年 6 月　楊柱才指導

劉雪影　陸九淵哲學的解釋學意義
南昌大學中國哲學專業碩士論文　2005 年　楊柱才指導

鄒建安　曹端理學思想研究
南昌大學中國哲學專業碩士論文　2007 年　楊柱才指導

張　勇　論吳廷翰的氣學思想
南昌大學中國哲學專業碩士論文　2006 年 6 月　楊柱才指導

劉海英　顏鈞哲學思想研究
南昌大學中國哲學專業碩士論文　2006 年 6 月　楊柱才指導

楊英傑

李艷嬌　荀子的政治思想
遼寧師範大學專門史專業碩士論文　2003 年　楊英傑指導

祁向文　論董仲舒的天人感應思想
遼寧師範大學專門史專業碩士論文　2006 年　楊英傑指導

徐松巖　論《周易》的政治思想
遼寧師範大學歷史專業碩士論文　2002 年 6 月　楊英傑指導

鮑彩蓮　試論孔子的理想人格——君子
遼寧師範大學專門史專業碩士論文　2003 年 6 月　楊英傑指導

楊　昶

李勤合　楊慎丹鉛諸錄研究
華中師範大學歷史文獻學專業碩士論文　2003 年 5 月　楊昶指導

楊海明

陳國安　清初詩經學研究
蘇州大學中國古代文學專業碩士論文　2003 年 5 月　錢仲聯、楊海明指導

楊國榮

董祥勇　論荀子的天人觀－以《荀子・天論》為核心
華東師範大學中國哲學專業碩士論文　2006 年　楊國榮指導

王新營　本心與自由——陸九淵哲學思想研究
華東師範大學中國哲學專業博士論文　2005 年　楊國榮指導

郭美華　熊十力本體論哲學研究
華東師範大學中國哲學史專業博士論文　2003 年 5 月　楊國榮指導
成都　巴蜀書社　277 頁　2004 年 11 月

閔仕君　牟宗三「道德的形而上學」研究
華東師範大學中國哲學專業博士論文　2003 年 4 月　楊國榮指導
成都　巴蜀書社　261 頁　2005 年 12 月

袁立新　《四書》「誠」析
華東師範大學中國哲學專業碩士論文　2005 年 4 月　楊國榮指導

戴兆國　孟子德性倫理思想研究
華東師範大學中國哲學專業博士論文　2002 年 1 月　楊國榮指導
合肥　安徽人民出版社　302 頁　2005 年 10 月（博士文叢第一輯）（改名為《心性與德性：孟子倫理思想的現代闡釋》）

楊連瑞

趙文源　文化詞語的翻譯——比較《孟子》的兩個英譯本
中國海洋大學外國語言學及應用語言學專業碩士論文　2005 年 6 月　楊連瑞指導

楊雪騁

李繼民　早期現代新儒家直覺思想探析——以梁漱溟、馮友蘭、熊十力、賀麟為例
南昌大學中國哲學專業碩士論文　2006 年 7 月　楊雪騁指導

葉小華　論梁漱溟的政治哲學思想與實踐
南昌大學中國哲學專業碩士論文　2005 年 6 月　楊雪騁指導

楊朝明

王德成　儒學與秦代社會
曲阜師範大學專門史專業碩士論文　2007 年　楊朝明指導

王政之　王肅《孔子家語注》研究
曲阜師範大學專門史專業碩士論文　2006 年 4 月　楊朝明指導

宋立林　孔子「易教」思想研究
曲阜師範大學歷史學專門史專業碩士論文　2006 年 4 月　楊朝明指導

劉義峰　孔子與《書》教
曲阜師範大學專門史專業碩士論文　2005 年 4 月　楊朝明指導

張　磊　《大戴禮記》「曾子十篇」研究
曲阜師範大學專門史專業碩士論文　2004 年　3 月　楊朝明指導

王紅霞　左丘明思想研究
曲阜師範大學專門史專業碩士論文　2002 年 3 月　楊朝明指導

孔　賓　孔子弟子與魯國政治
曲阜師範大學專門史專業專業碩士論文　2007 年　楊朝明指導

宋立林　孔子「易教」思想研究
曲阜師範大學專門史專業碩士論文　2006 年 4 月　楊朝明指導

劉義峰　孔子與《書》教
曲阜師範大學專門史專業碩士論文　2005 年 4 月　楊朝明指導

陳　霞　孔子「詩教」思想研究
曲阜師範大學專門史專業碩士論文　2006 年 4 月　楊朝明指導

李　燕　孔子「春秋教」研究
曲阜師範大學中國古代史專業碩士論文　2006 年 4 月　楊朝明指導

崔冠華　孔子的「五帝」「三王」觀研究
曲阜師範大學中國古代史專業碩士論文　2006 年 4 月　楊朝明指導

劉　萍　《孔子家語》與孔子弟子研究——以《弟子行》和《七十二弟子解》為中心
曲阜師範大學專門史專業碩士論文　2006年4月　楊朝明指導

孫海輝　孔子與老子關係研究——以《孔子家語》為中心
曲阜師範大學專門史專業碩士論文　2004年3月　楊朝明指導

王政之　王肅《孔子家語注》研究
曲阜師範大學專門史專業碩士論文　2006年4月　楊朝明指導

化　濤　清代《孔子家語》研究考述
曲阜師範大學專門史專業碩士論文　2006年4月　楊朝明指導

楊　陽

黃勇軍　外在斷裂與內在延續——傳統與現代雙重變奏視閾下的魏源與魏源政治思想研究
中國政法大學政治學理論專業碩士論文　2005年　楊陽指導

楊新民

安雪飛　論歐陽修散文的儒家思想取向
內蒙古大學中國古代文學專業碩士論文　2002年5月　楊新民指導

楊榮祥

朱子輝　《廣雅疏證》同源聯綿詞音轉規律研究
北京大學漢語言文字學專業碩士論文　2005年6月　楊榮祥指導

李偉群　《左傳》中的主謂謂語句
北京大學漢語言文字學專業碩士論文　2006年6月　楊榮祥指導

楊端志

魯　六　《荀子》詞彙研究
山東大學漢語言文字學專業博士論文　2005年　楊端志指導
鄭州　河南人民出版社　238頁　2007年6月

張金霞　顏師古語言學研究
山東大學漢語言文字學專業博士論文　2002年4月　楊端志指導

高光新　《今文尚書》周公話語的詞彙研究
山東大學漢語言文字學專業碩士論文　2005年4月　楊端志指導

沙　瑩　《禮記》婚、喪二禮文化詞語語義系統研究
山東大學漢語言文字學專業碩士論文　2006 年 4 月　楊端志指導

邱道義　《爾雅》「釋類」部分語義初探
山東大學漢語言文字學專業碩士論文　2006 年 5 月　楊端志指導

晁　瑞　《爾雅》原文與郭注同語素雙音節詞語義研究
山東大學漢語言文字學專業碩士論文　2003 年 5 月　楊端志指導

楊　銘

王紀紅　論《詩經》中疊字的英譯
陝西師範大學外國語言學及應用語言學專業碩士論文　2003 年 4 月　楊銘指導

楊劍橋

王如晨　劉師培語言學成就論衡
復旦大學漢語史專業碩士論文　2000 年 6 月　楊劍橋指導

楊劍龍

孫慶鶴　蘇雪林論
上海師範大學中國現當代文學專業碩士論文　2004 年 4 月　楊劍龍指導

楊慶中

南金花　王肅《周易注》及其易學思想
中國人民大學中國哲學專業碩士論文　2005 年 5 月　楊慶中指導

楊樹增

王培友　《韓詩外傳》研究
曲阜師範大學中國古代文學專業碩士論文　2005 年 4 月　張稔穰、楊樹增指導

趙奉蓉　《左傳》預言研究
曲阜師範大學中國古代文學專業碩士論文　2006 年 4 月　楊樹增指導

楊澤波

朱鋒剛　荀子禮學探源
復旦大學中國哲學專業碩士論文　2004 年 5 月　楊澤波指導

楊應芹

朱方瓊　政治影響下的漢代文獻學
安徽大學漢語言文字學專業碩士論文　2006 年 5 月　楊應芹指導

牛淑平　皖派樸學家《素問》校詁研究
安徽大學漢語言文字學專業博士論文　2003 年 6 月　黃德寬、楊應芹指導

徐道彬　戴震考據學研究
安徽大學漢語言文字學專業博士論文　2004 年 5 月　黃德寬、楊應芹指導
合肥　安徽大學出版社　720 頁　2007 年 8 月

蔡言勝　《通雅》語文學研究
安徽大學漢語言文字學專業碩士論文　2002 年 5 月　楊應芹指導

劉慧梅　《詩經》虛詞淺析
安徽大學漢語言文字學專業碩士論文　2004 年 5 月　楊應芹指導

陳海燕　戴震與朱熹詩經學比較
安徽大學漢語言文字學專業碩士論文　2005 年 5 月　楊應芹指導

程嫩生　戴震《詩》學研究
安徽大學漢語言文字學專業碩士論文　2002 年 6 月　楊應芹指導

張迎春　《孟子字義疏證》研究
安徽大學漢語言文字學專業碩士論文　2004 年 5 月　楊應芹指導

萬光治

李建軍　《詩經》與周代宗教文化研究
四川師範大學中國古典文獻學專業碩士論文　2004 年 1 月　萬光治指導

萬俊人

王世明　孔子倫理思想發微——現代生活語境中的《論語》解讀
清華大學倫理學專業博士論文　2004 年 4 月　萬俊人指導

萬獻初

孫亞華　楊守敬《漢書二十三家注鈔・服虔》校補
武漢大學中國古典文獻學專業碩士論文　2004 年 5 月　李步嘉、萬獻初指導

葉

葉孝信

馮　菁　試論張之洞的政治法律思想
復旦大學中國法制史專業碩士論文　2000 年 6 月　葉孝信指導

葉林生

黃正術　重新審視顧頡剛的古史「層累說」
蘇州大學專門史專業碩士論文　2004 年 4 月　葉林生指導

葉春生

朱培坤　嶺南建築民俗的易學解讀
中山大學民俗學專業博士論文　2006 年 12 月　葉春生指導

葉華年

謝志超　愛默生、梭羅對《四書》的接受
上海師範大學比較文學和世界文學專業博士論文　2006 年　葉華年、孫景堯指導

葛

葛兆光

張佳佳　《孟子節文》研究
清華大學專門史專業碩士論文　2007 年　葛兆光指導

葛明珍

陳　強　梁啟超民權思想研究
山東大學法律專業碩士論文　2006 年 3 月　齊延平、葛明珍指導

董　平

吳淩鷗　孟子的敬畏之心與當前社會道德建設
浙江大學中國哲學專業碩士論文　2007 年　董平指導

董　宇

袁寶宇　朱熹創作理論研究
長春理工大學漢語言文字學專業碩士論文　2005 年　董宇指導

董志鐵

周柏紅　杜國庠邏輯思想述評
北京師範大學邏輯學專業碩士論文　2006 年 5 月　董志鐵指導

董　赤

閆鵬凌　宮廷《易》蘊——周易視閾中的清朝宮廷裝飾與陳設研究
吉林藝術學院設計藝術學專業碩士論文　2007 年　董赤、祝普文指導

董治安

鄧駿捷　劉向研究——文獻學家劉向及其學術成就
山東大中國古代文學專業博士論文　2003 年 4 月　董治安指導

董洪利

向　農　焦循《春秋左傳補疏》對杜注義理的研究
北京大學古典文獻學專業碩士論文　1999 年 6 月　董洪利指導

劉宗永　論清代寶應劉氏家學之《論語》研究
北京大學中國古典文獻學專業博士論文　2006 年 6 月　董洪利指導

李峻岫　漢唐孟子學述論
北京大學中國古典文獻學專業博士論文　2006 年 6 月　董洪利指導

張　量　趙岐《孟子章句》研究
北京大學古典文獻專業碩士論文　2002 年 6 月　董洪利指導

李峻岫　隋唐孟子學史
北京大學古典文獻專業碩士論文　2003 年 5 月　董洪利指導

方　麟　朱熹孟子學研究——以《孟子集注》為中心
北京大學古典文獻專業碩士論文　2003 年 5 月　董洪利指導

李暢然　清代《孟子》學研究
北京大學中國古典文獻學專業博士論文　2004 年 5 月　董洪利指導
濟南　齊魯書社　2007 年（改名為《清代孟子學史》）

李暢然　焦循《孟子正義》曲護趙注問題辨析
北京大學中國古典文獻學專業碩士論文　2000 年 6 月　董洪利指導

董紹克

張麗霞　揚雄《方言》詞彙嬗變研究
山東師範大學漢語言文字學專業碩士論文　2002 年 4 月　董紹克指導

董　群

林燕飛　《周易》的倫理意蘊初探
東南大學倫理學專業碩士論文　2002 年 3 月　董群指導

董運庭

王曉敏　從《易》之「象」到《詩》之「興」──《詩經》比興之詩學內涵研究
重慶師範學院中國古代文學專業碩士論文　2002 年 1 月　董運庭指導

張　勇　「《毛》據《左氏》以斷章為本義」──論《詩經》解讀模式的淵源變遷及影響
重慶師範學院[22]文學專業碩士論文　2002 年 4 月　董運庭指導

黃　耀　《國語》《左傳》所敘晉史比較研究
重慶師範大學中國古代文學專業碩士論文　2007 年　董運庭指導

蔣德陽　彪炳千古的「大丈夫」形象論《孟子》對理想人格的探索、詮釋與塑造
重慶師範學院古代文學專業碩士論文　1999 年 4 月　董運庭指導

董蓮池

宋　琳　《小爾雅》今注
東北師範大學中國古典文獻學專業碩士論文　2002 年 4 月　董蓮池指導

董鐵松

李　濤　論李贄對歷史人物的評價：以《藏書》、《續藏書》為中心
東北師範大學史學理論及史學史專業碩士論文　2006 年 6 月　董鐵松指導

任利偉　從《日知錄》看顧炎武歷史編纂思想
東北師範大學史學理論及史學史專業碩士論文　2006 年 6 月　董鐵松指導

曹麗娜　章學誠的明道經世史學
東北師範大學中國古代史專業碩士論文　2006 年 5 月　董鐵松指導

姜　瑩　梁啟超「新史學」觀念生成論析
東北師範大學史學理論與史學史專業碩士論文　2006 年 6 月　董鐵松指導

傅中英　章學誠史學評論與《易》教
東北師範大學史學理論及史學史專業碩士論文　2007 年 5 月　董鐵松指導

22 現已更名為重慶師範大學。

虞

虞文華

陳勇軍　仁愛之治與自由之治——孔子和梁啟超德治措施比較
江西師範大學馬克思主義理論與思想政治教育專業碩士論文　2004 年 5 月
虞文華指導

裘

裘士京

梁　晨　兩漢讖緯之學的源流與興盛
安徽師範大學中國古代史專業碩士論文　2007 年　裘士京指導

解

解光宇

楊　波　荀子人性學說及其當代價值
安徽大學中國哲學專業碩士論文　2006 年　解光宇指導

陶新宏　漢初復興儒學之先驅——陸賈思想探析
安徽大學中國哲學專業碩士論文　2006 年 5 月　解光宇指導

朱險峰　孟子的人性論思想及其當代價值
安徽大學中國哲學專業碩士論文　2006 年 5 月　解光宇指導

朱惠莉　李贄人性論思想對孟子「性善說」的復歸與超越——兼論「性」範疇在宋明時期的邏輯演變
安徽大學中國哲學專業碩士論文　2005 年 5 月　解光宇指導

孟淑媛　論夏、商、周「神本」思想向孔子「人本」思想的轉變
安徽大學中國哲學專業碩士論文　2006 年 5 月　解光宇指導

詹

詹子慶

馬　興　　堯舜時代研究
東北師範大學中國古代文學專業博士論文　2007 年　詹子慶指導

劉冬穎　　「變風變雅」考論
東北師範大學中國古代史專業博士論文　2003 年 4 月　詹子慶指導
北京　中國社會科學出版社　242 頁　2005 年（更名為《詩經「變風變雅」考論》）

詹世友

胡金榮　　論錢穆的人生哲學思想
南昌大學倫理學專業碩士論文　2006 年 5 月　詹世友、徐福來指導

程賽杰　　論荀子的教化思想
南昌大學倫理學專業碩士論文　2005 年　詹世友指導

李樹琴　　孟子的道德教化思想探微
南昌大學倫理學專業碩士論文　2007 年　詹世友指導

賈文浩

王　芳　　闡釋的多元與《論語》的復譯
對外經濟貿易大學外國語言學與應用語言學專業碩士論文　2006 年 4 月　賈文浩指導

賈益民

石了英　　劉勰的《詩經》闡釋與《文心雕龍》詩學建構
暨南大學文藝學專業碩士論文　2007 年　賈益民指導

賈　濱

孫文持　荀子禮學思想研究
鄭州大學中國古代文學專業碩士論文　2006 年 6 月　賈濱指導

陶運清　《左傳》的敘事特色——以戰爭為中心的考察
鄭州大學中國古代文學專業碩士論文　2006 年 6 月　賈濱指導

郭樹偉　試論孟子的養浩然之氣
鄭州大學中國古代文學專業碩士論文　2004 年 5 月　賈濱指導

路

路新生

田愿靜激　余英時的明清學術史研究——以《方以智晚節考》、《論戴震與章學誠》為例
華東師範大學史學理論與史學史專業碩士論文　2006 年 4 月　路新生指導

王應憲　《國朝漢學師承記》研究——兼論江藩學術思想
華東師範大學史學理論與史學史專業碩士論文　2004 年　路新生指導

張　利　戴望學論
華東師範大學史學理論及史學史專業碩士論文　2006 年　路新生指導

道

道爾吉

周春霞　《荀子》名詞同義關係研究
內蒙古大學漢語言文字學專業碩士論文　2006 年　道爾吉指導

黃　輝　《左傳》反義詞探析
內蒙古大學漢語言文字學專業碩士論文　2004 年 5 月　道爾吉指導

陶建芳　《論語》複音詞研究
內蒙古大學漢語言文字學專業碩士論文　2007 年　道爾吉指導

王雪燕　稱謂・家族・婚姻・宗法——《爾雅・釋親》的文化學研究

內蒙古大學漢語言文字學專業碩士論文　2007 年　道爾吉指導

曹　燕　《爾雅》動物專名研究
內蒙古大學漢語言文字學專業碩士論文　2007 年　道爾吉指導

過

過常寶

朱婷婷　《周易》古歌研究
北京師範大學中國古代文學專業碩士論文　2007 年 5 月　過常寶指導

黃二寧　《左傳》、《史記》寫人之比較研究
北京師範大學中國古代文學專業碩士論文　2007 年 5 月　過常寶指導

鄒

鄒大炎

劉宗利　王充心理學思想探析
河北師範大學基礎心理學專業碩士論文　2001 年 9 月　鄒大炎指導

鄭　鬱　顏元的實學教育思想與素質教育
河北師範大學基礎心理學專業碩士論文　2001 年 5 月　鄒大炎指導

翟紅娟　曾國藩的性格特徵論——歷史心理學的解析
河北師範大學基礎心理學專業碩士論文　2001 年 5 月　鄒大炎指導

趙笑梅　孔子的管理心理學思想探討
河北師範大學基礎心理學專業碩士論文　2002 年 5 月　鄒大炎指導

趙清海　孔子的教育心理學思想研究
河北師範大學基礎心理學專業碩士論文　1999 年 4 月　鄒大炎指導

鄭興娟　孟子的心理學思想研究
河北師範大學普通心理學專業碩士論文　1998 年 5 月　鄒大炎指導

蔡　青　孟子人性論思想與素質教育
河北師範大學基礎心理學專業碩士論文　2001 年 5 月　鄒大炎指導

鄒元江

劉建平　莊子精神與現代藝術——徐復觀藝術思想論

武漢大學哲學、美學專業碩士論文　2004 年 5 月　鄒元江指導

鄒旭光

陳明峰　夫唯大雅　既明且哲——揚雄思想及人生形態研究

南京大學中國古代史專業碩士論文　2004 年 5 月　鄒旭光指導

鄒其昌

鍾正基　《考工記》車的設計思想研究

武漢理工大學設計藝術學專業碩士論文　2007 年　鄒其昌指導

王夢周　《考工記》玉器設計思想研究

武漢理工大學設計藝術學專業碩士論文　2007 年　鄒其昌指導

劉明玉　《考工記》服飾工藝理論研究

武漢理工大學設計藝術學專業碩士論文　2007 年 5 月　鄒其昌指導

鄒放鳴

楊　茹　孔子德育思想及其現代意義

中國礦業大學馬克思主義理論與思想政治教育專業碩士論文　2001 年 6 月　鄒放鳴指導

龔　成　孔子與柏拉圖教育思想比較研究

中國礦業大學馬克思主義理論與思想政治教育專業碩士論文　2002 年 4 月　鄒放鳴指導

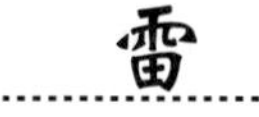

雷　昀

龔成杰　賈誼的政論與哲學思想

雲南師範大學中國哲學專業碩士論文　2004 年　雷昀指導

朱正西　韓愈的世界觀對倫理思想的影響

雲南師範大學中國哲學專業碩士論文　2006 年 6 月　雷昀指導

李秀妮　馮友蘭孔子研究初探
雲南師範大學中國哲學專業碩士論文　2006 年 7 月　雷昀指導

李秀妮　馮友蘭孔子研究初探
雲南師範大學中國哲學專業碩士論文　2006 年 7 月　雷昀指導

唐詩龍　孟子仁政之哲學透視
雲南師範大學中國哲學專業碩士論文　2006 年 5 月　雷昀指導

雷紹鋒

彭菊玲　先秦儒家禮育與現代德育研究
武漢理工大學馬克思主義理論與思想政治教育專業碩士論文　2006 年　11 月　雷紹鋒指導

仝迷鋒　論孔子的道德教育
武漢理工大學思想政治教育學專業碩士論文　2005 年 5 月　雷紹鋒指導

張　寰　論孔子的「安人」之道
武漢理工大學馬克思主義理論與思想政治教育專業碩士論文　2004 年　5 月　雷紹鋒指導

楊晶晶　孔子的師德理念初探——以《論語》為中心
武漢理工大學馬克思主義理論與思想政治教育專業碩士論文　2006 年 4 月　雷紹鋒指導

靳

靳希平

厲才茂　《論語》孔子之道的現象學研究
北京大學外國哲學專業博士論文　2001 年 8 月　靳希平、許抗生指導

靳叢林

李仲慶　大眾傳媒語境下的于丹熱解讀：《于丹〈論語〉心得》紛爭的背後
吉林大學中國現當代文學專業碩士論文　2007 年　靳叢林指導

十四畫

寧　可

郗志群　楊守敬學術研究
首都師範大學歷史學、中國古代史專業博士論文　2001 年 5 月　寧可指導
臺北　文津出版社　271 頁　1992 年 1 月（大陸地區博士論文叢刊）

廖名春

張德良　上博藏戰國楚竹書《容成氏》研究
清華大學歷史學專業碩士論文　2005 年　廖名春指導
陳興安　荀子與大小戴記相同篇章關係的比較研究
清華大學專門史專業碩士論文　2000 年　廖名春指導
張　巖　《孔子家語》之《子路初見》篇、《論禮》篇研究
清華大學專門史專業碩士論文　2004 年　廖名春指導

廖　群

寧　宇　明代《詩經》的文學接受
山東大學古代文學專業碩士論文　2001 年 4 月　廖群指導
劉鳳俠　《左傳》的敘事學研究
山東大學中國古代文學專業碩士論文　2007 年　廖群指導

漆

漆永祥

王　勇　論乾嘉時期非考據學派學者對考據學的批評
北京大學中國古典文獻學專業碩士論文　2002 年 6 月　漆永祥指導

漆　俠

王曉薇　宋代《中庸》學研究
河北大學中國古代史專業博士論文　2005 年 6 月　漆俠、姜錫東指導

楊倩描　王安石《易》學研究
河北大學中國古代史專業博士論文　漆俠指導
保定　河北大學出版社　257 頁　2006 年 11 月

熊

熊大冶

黃承軍　孔子的因材施教與語文素質教育研究
江西師範大學語文教育專業碩士論文　2006 年 9 月　熊大冶、顏敏指導

熊呂茂

楊錚錚　王夫之與湖湘文化的近代轉換
中南大學中國近現代史專業碩士論文　2004 年 1 月　熊呂茂指導

蕭高華　曾國藩文化思想與中國近代化
中南大學中國近現代史專業碩士論文　2004 年 1 月　熊呂茂指導

熊沛彪

熊　雯　啟蒙時期福澤諭吉與康有為的民權思想比較——圍繞《勸學篇》與《大同書》
湖南大學日語語言文學專業碩士論文　2006 年　熊沛彪指導

熊良智

陳　波　南方《詩經》的流傳及《詩經》文本的相關問題
四川師範大學古典文獻學專業碩士論文　2007 年　熊良智指導
北京　東方出版社　302 頁　2007 年 3 月

水　汶　《詩經》祭祖詩與祭祖禮
四川師範大學中國古代文學專業碩士論文　2007 年　熊良智指導

塗慶紅　《詩經》風俗的歸類研究
四川師範大學中國古典文獻學專業碩士論文　2002 年 5 月　熊良智指導

熊憲光

唐　沙　《左傳》故事「經典化」探研
西南大學中國古代文學專業碩士論文　2006 年 4 月　熊憲光指導

熊鐵基

劉筱紅　張舜徽與清代學術史研究
華中師範大學文獻學專業博士論文　2000 年　熊鐵基指導
武昌　華中師範大學出版社　279 頁　2001 年 10 月

楊松賀　德在孔子思想體系中的地位
華中師範大學歷史文獻學專業博士論文　2002 年 5 月　熊鐵基、馬良懷指導

蒙培元

謝寒楓　程顥哲學研究
中國社會科學院研究生院中國哲學專業博士論文　2002 年　蒙培元指導

劉　震　帛書《易傳》卦爻辭研究
山東大學中國哲學專業博士論文　2007 年　蒙培元指導

裴

裴世俊

于　慧　詩與人為一——論龔自珍詩與人格的關係
山東師範大學中國古代文學專業碩士論文　2003 年 6 月　裴世俊指導

褚

褚斌傑

徐醒生　漢代經學與文學
北京大學中國古代文學專業博士論文　1995 年　褚斌傑指導

王　菁　《尚書》探論
北京大學中國古代文學專業博士論文　1994 年 6 月　褚斌傑指導

呂　藝　試論先秦《詩經》理論的內容及其發展
北京大學古典文獻專業碩士論文　1984 年 1 月　褚斌傑指導

常　森　《詩》的崇高與汩沒：兩漢《詩經》學研究
北京大學中國古代文學專業博士論文　1999 年 5 月　褚斌傑指導

安性栽　《詩經》「比、興」研究史論——自先秦至宋代
北京大學中國古代文學專業博士論文　2006 年 6 月　褚斌傑指導

劉毓慶　從經學到文學——明代詩經學史論
北京大學中文系博士論文　1999 年　褚斌傑指導
北京　商務印書館　467 頁　2001 年 6 月
北京　商務印書館　467 頁　2003 年 11 月

趙

趙士琳

焦玉琴　比較中的審視——試論黃宗羲與孟德斯鳩啟蒙思想之異同

中央民族大學馬克思主義哲學專業碩士論文　2004 年　趙士琳指導

趙小剛

張穎慧　《詩經》重言研究

蘭州大學漢語言文字學專業碩士論文　2007 年　趙小剛指導

王　謙　杜預《春秋左傳集解》語境運用研究

蘭州大學漢語言文字學專業碩士論文　2007 年　趙小剛指導

李小明　《四書章句集注》訓詁研究

蘭州大學漢語言文字學專業碩士論文　2007 年　趙小剛指導

何林英　朱熹和劉寶楠《論語》解釋之比較

蘭州大學漢語言文字學專業碩士論文　2007 年　趙小剛指導

劉瑤瑤　《孟子》與《孟子章句》複音詞構詞法比較研究

蘭州大學漢語言文字學專業碩士論文　2007 年　趙小剛指導

吳榮范　《廣雅疏證》類同引申研究

蘭州大學漢語言文字學專業碩士論文　2007 年　趙小剛指導

趙文忠

張　鵬　論董仲舒的大一統政治思想

遼寧師範大學政治學理論專業碩士論文　2003 年　趙文忠指導

趙玉田

方順姬　丘濬的「相業」研究

東北師範大學中國古代史專業碩士論文　2006 年 5 月　趙玉田指導

呂東波　《大學衍義補》與明中期社會變遷

東北師範大學中國古代史專業碩士論文　2007 年　趙玉田指導

趙玉霞

劉海波　郭璞游仙詩中憂患意識研究

延邊大學中國古代文學專業碩士論文　2006 年　趙玉霞指導

趙玉寶

孫芳輝　出其東門，有女如雲——《詩經》中所反映的女性世界

遼寧師範大學中國古代史專業碩士論文　2005 年 5 月　趙玉寶指導

趙生群

蘇　芃　讀《左》脞錄
南京師範大學中國古典文獻學專業碩士論文　2007 年 5 月　趙生群指導

余　瓊　試論《左傳》事實對於解經的影響
南京師範大學中國古典文獻學專業碩士論文　2003 年 5 月　趙生群指導

夏維新　楊伯峻《春秋左傳注》商補
南京師範大學中國古典文獻學專業碩士論文　2005 年 5 月　趙生群指導

孫婷婷　《公羊傳》與《春秋繁露》殊異考
南京師範大學中國古典文獻學專業碩士論文　2006 年 3 月　趙生群指導

趙光賢

杜　勇　《尚書》周初八誥研究
北京師範大學中國古代史專業博士論文　1996 年　趙光賢指導
北京　中國社會科學出版社　229 頁　1998 年 12 月

彭　林　《周禮》主體思想與成書年代研究
北京師範大學中國古代史專業博士論文　1989 年　趙光賢指導
北京　中國社會科學出版社　258 頁　1991 年 9 月

趙伯雄

李　晶　《周禮》成書時代與國別問題研究——基於《周禮》所見若干制度的考察
南開大學中國古代史專業博士論文　2007 年 4 月　趙伯雄指導

周國琴　程端學《春秋》三書研究
南開大學中國古代史專業博士論文　2007 年 4 月　趙伯雄指導

唐明貴　《論語》學的形成、發展與中衰——漢魏六朝隋唐《論語》研究
南開大學歷史學專業博士論文　2004 年　趙伯雄指導
北京　中國社會科學出版社　300 頁　2005 年 2 月

趙伯義

安蘭朋　論王筠的《說文句讀》
河北師範大學漢語言文字學專業碩士論文　2002 年　趙伯義指導

趙宗福

李言統　中國民歌的口頭傳統研究——「花兒」和《詩經》的程式比較為例
青海師範大學中國古代文學專業碩士論文　2006 年 6 月　趙宗福指導

趙忠祥

李　紅　劉宗周「誠意」道德論探析
河北師範大學倫理學專業碩士論文　2007 年 6 月　趙忠祥指導

趙昆生

陳　倩　陸賈思想研究
重慶師範大學專門史專業碩士論文　2005 年 4 月　趙昆生指導

趙東栓

孔德凌　《詩經》宴飲詩與周代禮樂文化的變遷
曲阜師範大學中國古代文學專業碩士論文　2004 年 4 月　趙東栓、鄭傑文指導

范瑞紅　殷商王畿故地《詩經》「風詩」與殷商文化
曲阜師範大學中國古代文學專業碩士論文　2005 年 4 月　趙東栓指導

王培臣　《詩經》與先周部族文化
曲阜師範大學中國古代文學專業碩士論文　2007 年　趙東栓指導

郭洪波　《左傳》巫術宗教文化研究
曲阜師範大學中國古代文學專業碩士論文　2007 年　趙東栓指導

趙建功

鄒　新　論孔子的仁學
華中科技大學中國哲學專業碩士論文　2005 年 5 月　趙建功指導

趙春晨

皮志強　張之洞市政建設思想與實踐
廣州大學專門史專業碩士論文　2002 年 6 月　趙春晨指導

趙　英

武　躍　早期公羊學派民族觀念的發展
內蒙古大學中國古代史專業碩士論文　2007 年　趙英指導

白　雷　略論戰國秦漢間公羊學派的歷史認識問題
內蒙古大學中國古代史專業碩士論文　2007 年　趙英指導

趙振興

陳　燦　《漢語大字典》釋義引《周易》書證研究
湖南師範大學漢語言文字學專業碩士論文　2006 年 4 月　趙振興指導

李新飛　《漢語大詞典》引今文《尚書》詞語研究
湖南師範大學漢語言文字學專業碩士論文　2007 年　趙振興指導

趙振鐸

張文國　《左傳》名詞研究
四川聯合大學漢語史專業博士論文　1997 年　趙振鐸指導

趙國權

周　娜　「中體西用」與「和魂洋才」——教育視野下張之洞與福澤諭吉西學思想之比較
河南大學教育史專業碩士論文　2006 年 5 月　李申申、趙國權指導

李琳琳　返於自然與超越歷史——盧梭與梁啟超「賢妻良母」女子教育目的觀之比較
河南大學教育史專業碩士論文　2006 年 5 月　李申申、趙國權指導

趙康太

陳　瀟　早期空想社會主義思想及其對現代中國社會影響的研究——康有為的大同理想與莫爾的烏托邦思想之比較
海南大學馬克思主義理論與思想政治教育專業碩士論文　2005 年 5 月　趙康太指導

趙敏俐

史　娟　　陸賈及《新語》研究

首都師範大學古代文學專業碩士論文　2006 年 5 月　趙敏俐指導

劉國民　　董仲舒的經學詮釋及天的哲學

首都師範大學中國古代文學專業博士論文　2003 年　趙敏俐指導

北京　中國社會科學出版社　404 頁　2007 年 8 月

黃冬珍　　《風》詩藝術特質研究

首都師範大學中國古代文學專業博士論文　2007 年　趙敏俐指導

張柳明　　周代禮樂文化與《詩經・大雅》頌美詩

首都師範大學中國古代文學專業碩士論文　2004 年 4 月　趙敏俐指導

李瑾華　　《詩經・周頌》考論——周代的祭祀儀式與歌詩關係研究

首都師範大學中國古代文學專業博士論文　2005 年 4 月　趙敏俐指導

傅希亮　　道德史觀與《左傳》文學研究

首都師範大學中國古代文學專業博士論文　2004 年 4 月　趙敏俐指導

孟憲嶺　　《左傳》中的孔子言語研究

首都師範大學中國古代文學專業碩士論文　2007 年　趙敏俐指導

趙華朋

李成增　　張之洞近代教育模式研究

西安理工大學馬克思主義理論與思想政治教育專業碩士論文　2006 年　趙華朋指導

趙軼峰

李月華　　《大學衍義補》中的天、君、臣、民觀

東北師範大學中國古代史專業碩士論文　2004 年 5 月　趙軼峰指導

姜勝男　　「崇朱辟王」：呂留良「《大學》評語」研究

東北師範大學中國古代史專業碩士論文　2007 年　趙軼峰指導

趙逵夫

俞志慧　　先秦儒家文學思想考論

西北師範大學中國古代文學專業博士論文　2002 年　趙逵夫指導

北京　三聯書店　306 頁　2005 年 3 月（改名為《君子儒與詩教——先秦儒家文學思想考論》）

胡興華　陸賈及其《新語》研究
西北師範大學中國古代文學專業碩士論文　2003 年　趙逵夫指導

羅家湘　《逸周書》研究
西北師範大學中國古代文學專業博士論文　2002 年　趙逵夫指導
上海　上海古籍出版社　304 頁　2006 年 10 月

周玉秀　《逸周書》的語言特點及其文獻學價值
西北師範大學中國古典文獻學專業博士論文　2004 年 1 月　趙逵夫指導
北京　中華書局　284 頁　2005 年

賈海生　周初禮樂文明實證——《詩經・周頌》研究
西北師範大學中國古代文學專業博士論文　2000 年 5 月　趙逵夫指導

郭樹芹　鄭玄《毛詩譜》新探
西北師範大學中國古代文學專業碩士論文　2001 年 5 月　趙逵夫、伏俊璉指導

王　鍔　《禮記》成書考
西北師範大學中國古典文獻學專業博士論文　2004 年 5 月　趙逵夫指導
北京　中華書局　349 頁　2007 年 3 月

趙新居

鄭麗娟　孔子仁愛思想的當代重構及價值
新疆大學馬克思主義哲學專業碩士論文　2006 年 6 月　趙新居指導

趙瑞民

宋宜林　孫奇逢研究：歷史地位、理學思想、學術史建樹
山西大學中國古代史專業碩士論文　2005 年　趙瑞民指導

趙載光

唐運剛　周敦頤誠學思想研究
湘潭大學中國哲學專業碩士論文　2005 年　趙載光指導

李世陽　張載人性論思想研究
湘潭大學中國哲學專業碩士論文　2006 年　趙載光指導

龍　飛　　胡宏歷史哲學解讀
湘潭大學中國哲學專業碩士論文　2005 年　趙載光指導

王麗梅　　張栻哲學思想研究
湘潭大學中國哲學專業碩士論文　2001 年 5 月　趙載光指導

吳學滿　　從考據學到新義理學——論戴震實學的理性精神
湘潭大學中國哲學專業碩士論文　2002 年 4 月　趙載光指導

陳元桂　　馮友蘭新理學的「理」範疇研究
湘潭大學中國哲學專業碩士論文　2003 年 5 月　趙載光指導

趙毅教

董鐵松　　19 世紀：今文經學與匡世救國思潮
東北師範大學中國古代史專業博士論文　1999 年　趙毅教指導

趙曉蘭

佟　博　　朱彝尊出仕及交遊考論
四川師範大學中國古代文學專業碩士論文　2006 年 6 月　趙曉蘭指導

趙繼明

安利麗　　試論戴震的理欲觀
山西大學倫理學專業碩士論文　2005 年　趙繼明指導

趙衛東

徐加利　　詮釋與創造——西方詮釋學視野下的孔子詮釋理論
山東師範大學外國哲學專業碩士論文　2007 年　趙衛東指導

齊

齊元濤

吳麗君　　《唐開成石經》研究
北京師範大學漢語言文字學專業碩士論文　2004 年 5 月　齊元濤指導

李　潔　　房山石經唐譯唐刻部分字形變異研究
　　　　　北京師範大學漢語言文字學專業碩士論文　2006 年 5 月　齊元濤指導

齊延平

陳　強　　梁啟超民權思想研究
　　　　　山東大學法律專業碩士論文　2006 年 3 月　齊延平、葛明珍指導

齊森華

張亭立　　陳子龍研究
　　　　　華東師範大學文藝學專業博士論文　2007 年 4 月　齊森華指導

十五畫

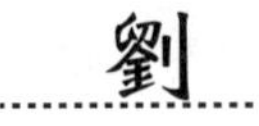

劉九洲

溫　強　　他被定格在歷史的交匯點上——梁啟超報刊活動及其新聞思想述評
　　　　　華中師範大學新聞學專業碩士論文　2004 年 5 月　劉九洲指導

劉士聰

李玉良　　《詩經》英譯研究
　　　　　南開大學英語語言文學專業博士論文　2003 年　王宏印、劉士聰、崔永祿指導
　　　　　濟南　齊魯書社　396 頁　2007 年 11 月

劉大鈞

井海明　　漢易象數學研究
　　　　　山東大學中國哲學專業博士論文　2006 年　劉大鈞指導
張國洪　　吳澄的象數義理之學

山東大學中國哲學專業博士論文　2006 年 4 月　劉大鈞指導

李尚信　今、帛、竹書《周易》卦序研究

山東大學中國哲學專業博士論文　2007 年 4 月　劉大鈞指導

孫熙國　周易古經與諸子之學

山東大學中國哲學專業博士論文　2003 年 4 月　傅有德、劉大鈞指導

喬宗方　《周易折中》易學思想評析

山東大學中國哲學專業碩士論文　2006 年 4 月　劉大鈞指導

趙榮波　《周易正義》思想研究

山東大學中國哲學專業博士論文　2006 年 4 月　劉大鈞指導

劉玉平　《周易》人生價值論研究

山東大學中國哲學專業博士論文　2002 年 10 月　劉大鈞指導

吳世彩　易經管理哲學研究

山東大學中國哲學專業博士論文　2002 年 11 月　劉大鈞指導

韓慧英　荀氏易學初探

山東大學中國哲學專業碩士論文　2004 年 4 月　劉大鈞指導

張文智　京氏易學初探

山東大學中國哲學專業碩士論文　2002 年 5 月　劉大鈞指導

蘇永利　論京房五行易學思想

山東大學中國哲學專業博士論文　2003 年 4 月　劉大鈞指導

黎心平　《周易虞氏消息》研究

山東大學中國哲學專業博士論文　2004 年 5 月　劉大鈞指導

史少博　朱熹理學與易學的關係

山東大學中國哲學專業博士論文　2004 年 5 月　劉大鈞指導

哈爾濱　黑龍江人民出版社　330 頁　2006 年 3 月

韓慧英　尚秉和易學思想研究

山東大學中國哲學專業博士論文　2007 年　劉大鈞指導

劉　彬　《易緯》占術研究

山東大學中國哲學專業博士論文　2004 年 4 月　劉大鈞指導

劉雲輝

張　偉　《周禮》中玉禮器考辨

西北大學考古學及博物館學專業碩士論文　2007 年 5 月　劉雲輝、陳洪海

指導

劉心明

李書瑋　賈誼《新書》研究
山東大學中國古典文獻學專業碩士論文　2005 年　劉心明指導

劉文英

鄭淑媛　先秦儒家的精神修養學
南開大學中國哲學專業博士論文　2003 年　劉文英指導
北京　人民出版社　235 頁　2006 年 12 月（改名為《先秦儒家的精神修養》）

劉世俊

王　波　張舜徽《說文解字約注》綜論
寧夏大學漢語言文字學專業碩士論文　2004 年　劉世俊、馮玉濤指導

馬君花　論鄭玄《禮記注》在訓詁學史上的成就
寧夏大學漢語言文字學專業碩士論文　2005 年 5 月　馮玉濤、劉世俊指導

羅小如　論朱熹《論語集注》的訓詁價值
寧夏大學漢語言文字學專業碩士論文　2003 年 4 月　劉世俊指導

蔡淑梅　邢昺《爾雅疏》綜論
寧夏大學漢語言文字學專業碩士論文　2004 年 4 月　劉世俊指導

劉鴻雁　《小爾雅》綜論
寧夏大學漢語言文字學專業碩士論文　2003 年 4 月　劉世俊指導

劉　卉

曹　慧　論文化語境在《論語》英譯本中的傳達
大連理工大學外國語言學及應用語言學專業碩士論文　2007 年 12 月　劉卉指導

劉占泉

吳小立　孔子與弟子交往現象分析
首都師範大學學科教學專業碩士論文　2004 年 4 月　劉占泉指導

劉永翔

方笑一　北宋新學與文學
華東師範大學博士論文　2004 年　劉永翔指導
上海　上海古籍出版社　231 頁　2008 年 6 月

許全勝　沈曾植年譜長編
華東師範大學中國古代文學專業博士論文　2004 年 5 月　劉永翔指導
北京　中華書局　615 頁　2007 年 8 月

劉玉才

屠建達　《大學》的張力：經典與詮釋之學理探索
北京大學古典文獻學專業碩士論文　2007 年　劉玉才指導

劉玉建

趙榮波　卦主說探微
山東大學中國哲學碩士論文　2003 年 4 月　劉玉建指導

林　雨　天道人道之貫通——朱震易學思想研究
山東大學中國哲學專業碩士論文　2004 年 5 月　劉玉建指導
北京　中國書店　180 頁　2007 年 7 月（改名為《朱震的易學視域》）

劉生良

劉麗華　《詩經》動物物象探微
陝西師範大學中國古代文學專業碩士論文　2007 年　劉生良指導

劉立夫

周　欣　論董仲舒的人際和諧觀
中南大學倫理學專業碩士論文　2006 年　劉立夫指導

劉仲宇

劉樂恒　《程氏易傳》研究
華東師範大學中國哲學專業碩士論文　2006 年 5 月　劉仲宇指導

劉再生

徐艷霞　《詩經》樂器研究
山東師範大學音樂學專業碩士論文　2001 年 4 月　劉再生指導

劉守安

王新宇　阮元與金石學
首都師範大學美術學專業碩士論文　2002 年 6 月　劉守安指導

劉成有

竇海寧　荀子行政倫理思想研究
中央民族大學中國哲學專業碩士論文　2006 年　劉成有指導

王美玲　孟子正義思想研究
中央民族大學中國哲學專業碩士論文　2006 年 5 月　劉成有指導

劉成紀

史新慧　中國創世神話解讀
鄭州大學美學專業碩士論文　2005 年　劉成紀指導

王珍珍　「正名」與先秦儒家美學
鄭州大學美學專業碩士論文　2005 年 5 月　劉成紀指導

王　偉　荀子性惡論人學與美學
鄭州大學文藝學專業碩士論文　2000 年　劉成紀指導

劉　利

楊　泠　從與《左傳》的比較看《史記》連詞的特點
北京師範大學漢語言文字學專業碩士論文　2007 年 5 月　劉利指導

張曉燕　從與《左傳》的比較看《史記》特指疑問句的特點
北京師範大學漢語言文字學專業碩士論文　2007 年 5 月　劉利指導

許　霞　從《左傳》《史記》看上古漢語稱數法
北京師範大學漢語言文字學專業碩士論文　2007 年 5 月　劉利指導

解植永　《左傳》、《史記》判斷句比較研究
北京師範大學漢語言文字學專業碩士論文　2004 年 5 月　劉利指導

劉坤生

賈軍仕　《周易》、《尚書》思想比較研究
汕頭大學中國古代文學專業碩士論文　劉坤生指導

夏　雲　《易》、《老》辨
汕頭大學中國古代文學專業碩士論文　劉坤生指導

劉　東

徐百柯　中魂西魄——孔子與耶穌在二十世紀早期的相會
北京大學比較文學與世界文學專業碩士論文　2003 年 6 月　劉東指導

劉松來

陳莉娟　《左傳》與《三國演義》比較研究
江西師範大學中國古代文學專業碩士論文　2003 年 11 月　劉松來指導

劉保貞

張克賓　帛書《易傳》詮釋理路論要
山東大學中國哲學專業碩士論文　2007 年　劉保貞指導

劉建麗

文　娟　范仲淹教育思想研究
西北師範大學中國古代史專業碩士論文　2004 年　劉建麗指導

劉恒健

龐　飛　王夫之「興」的美學意義
陝西師範大學美學專業碩士論文　2002 年 4 月　王磊、劉恒健指導

劉家志

伍志燕　顏元與邊沁功利主義倫理思想的比較研究及現代價值
雲南大學倫理學專業碩士論文　2006 年 4 月　劉家志指導

劉家和

何元國　孔子仁孝友學說與亞里士多德友愛論之比較
北京師範大學世界史專業博士論文　2005 年 4 月　劉家和指導

趙滿海　孟子與亞里士多德倫理思想之比較
北京師範大學世界史專業博士論文　2004 年 5 月　劉家和指導

劉耘華

曹洪洋　「《詩》無達詁」與「《詩》言志」──在解釋學意義上的思考
首都師範大學比較文學專業碩士論文　2005 年　楊乃喬、劉耘華指導

劉國忠

陳穎飛　緯書兩大妖星系統考辨
清華大學專門史專業碩士論文　劉國忠指導

劉康得

劉會齊　《周易參同契》易學思想研究──以「月體納甲」說為中心
復旦大學中國哲學專業碩士論文　2006 年 5 月　劉康得指導

劉紹瑾

陸銀湘　《詩經》「頌」詩的研究
暨南大學中國古代文學專業碩士論文　2002 年 1 月　劉紹瑾指導

謝中元　古史辨視野下的《詩經》闡釋
暨南大學文藝學專業碩士論文　2006 年 5 月　劉紹瑾指導

黃貞權　孔穎達《毛詩正義》的文學闡釋思想
暨南大學文藝學專業碩士論文　2005 年 1 月　劉紹瑾指導

劉連朋

朱　紅　方東美生命哲學評述
吉林大學中國哲學專業碩士論文　2007 年　劉連朋指導

朱曉明　牟宗三論現象與物自身
吉林大學中國哲學專業碩士論文　2006 年　劉連朋指導

劉棣民

劉　麗　《詩經・秦風》研究
中央民族大學中國古代文學專業碩士論文　2007 年　劉棣民指導

丁秀傑　《詩經》婚戀詩研究
中央民族大學中國古代文學專業碩士論文　2004 年 5 月　劉棣民指導

劉　楊　《詩經》戰爭徭役詩研究
中央民族大學中國古代文學專業碩士論文　2006 年 5 月　劉棣民指導

李　飛　《詩經》天觀念研究
中央民族大學中國古代文學專業碩士論文　2007 年　劉棣民指導

姜亞林　鄭樵詩經學研究
中央民族大學中國古代文學專業碩士論文　2004 年 5 月　劉棣民指導

劉湘溶

周俊武　激揚家聲——曾國藩家庭倫理思想研究
湖南師範大學倫理學專業博士論文　2004 年 5 月　劉湘溶指導

劉愛蘭

季　美　試論昆體良的教學思想——兼與孔子教學思想比較
中央民族大學專門史專業碩士論文　2006 年 4 月　劉愛蘭指導

劉毓慶

李勇五　《詩經》「周南」「召南」名義、地域及時代考
山西大學中國古代文學專業碩士論文　2004 年 6 月　劉毓慶指導

楊文娟　《詩經》中的採摘意象及採摘詩研究
山西大學中國古代文學專業碩士論文　2003 年 6 月　劉毓慶指導

張　潔　《詩經新義》研究
山西大學中國古代文學專業碩士論文　2007 年 6 月　劉毓慶指導

高曉成　鄭樵詩經學簡論
山西大學中國古代文學專業碩士論文　2007 年 6 月　劉毓慶指導

孫改芳　戴震「以詩證詩」的《詩》學研究
山西大學中國古代文學專業碩士論文　2005 年 6 月　劉毓慶指導

馬　瑜　　俞樾《詩經》研究的成就及影響
山西大學中國古代文學專業碩士論文　2006 年 6 月　劉毓慶指導

李晉娜　　現代《詩》學的曙光——方玉潤及其《詩經原始》
山西大學中國古代文學專業碩士論文　2005 年 6 月　劉毓慶指導

郭萬金　　西學東漸下的現代《詩》學發軔——清季民初《詩經》研究初探
山西大學中國古代文學專業碩士論文　2004 年 6 月　劉毓慶指導

劉夢溪

劉　墨　　乾嘉學術的知識譜系
南京師範大學文藝學專業博士論文　2003 年 4 月　劉夢溪指導

劉綱紀

張完碩　　孔子論美與善的關係
武漢大學哲學、美學專業碩士論文　2000 年 5 月　劉綱紀指導

劉韶軍

黃　河　　《漢書》引《易》研究
華中師範大學歷史文獻學專業碩士論文　2007 年 6 月　劉韶軍指導

劉鳳君

王志芳　　《詩經》中生活習俗研究——文獻記載與考古發現的綜合考察分析
山東大學中國古代史專業博士論文　2007 年　劉鳳君指導

劉德厚

白　銳　　康有為近代中國政治發展觀研究
武漢大學政治學理論專業博士論文　2002 年 10 月　劉德厚指導
北京　知識產權出版社　203 頁　2009 年 1 月（改名為《尋求傳統政治的現代轉型：康有為近代中國政治發展觀研究》）

劉黎明

杜志國　　《焦氏易林》研究
四川大學中國古代文學專業碩士論文　2002 年 1 月　劉黎明指導

印寧波　宋代《左傳》學三論

四川大學中國古代文學專業碩士論文　2004 年 3 月　劉黎明指導

劉學智

郭　勝　呂柟哲學思想及其特色研究

陝西師範大學中國哲學專業碩士論文　2007 年 5 月　劉學智指導

陳　卓　呂坤道論思想探析

陝西師範大學馬克思主義哲學專業碩士論文　2004 年 4 月　劉學智指導

馬鑫焱　張載《橫渠易說》研究芻議

陝西師範大學中國哲學專業碩士論文　2007 年　劉學智指導

王　銘　唐宋之際「四書」的升格運動

陝西師範大學馬克思主義哲學專業碩士論文　2002 年 5 月　劉學智指導

劉學鍇

袁　茹　柳宗元的學術研究與散文創作

安徽師範大學中國古代文學專業碩士論文　2005 年　劉學鍇、余恕誠、胡傳志指導

劉曉東

沙志利　論黃侃的語源學研究

山東大學中國古典文獻學專業碩士論文　2002 年 5 月　劉曉東指導

劉燕霞　談鄭振鐸對中國古典文獻學的貢獻

山東大學中國古典文獻學專業碩士論文　2006 年 5 月　劉曉東指導

陳修亮　乾嘉易學三大家研究

山東大學中國古典文獻學專業博士論文　2005 年 5 月　劉曉東指導

金曉東　劉師培的《左傳》學研究

山東大學中國古典文獻學專業碩士論文　2007 年 4 月　劉曉東指導

孟威龍　《大學》鄭玄本與朱熹本之異同考

山東大學古代漢語語言文獻學專業碩士論文　2005 年 3 月　劉曉東指導

王小婷　《爾雅正義》與《爾雅義疏》比較研究

山東大學中國古典文獻學專業碩士論文　2004 年 4 月　劉曉東指導

劉曉剛

于　洋　孔子服飾風貌剖析
東華大學服裝設計專業碩士論文　2004 年 2 月　劉曉剛指導

劉澤亮

唐　琳　韓愈倫理思想基本範疇剖析
湖北大學倫理學專業碩士論文　2000 年 5 月　羅熾、劉澤亮指導

劉澤華

劉　豐　先秦禮學思想及其與中國傳統社會的整合
南開大學中國思想史專業博士論文　2001 年　劉澤華指導
北京　中國人民大學出版社　316 頁　2003 年 12 月（改名為《先秦理學思想與社會的整合》）

李冬君　孔子聖化與秦漢儒者的外王運動
南開大學專門史專業博士論文　2000 年　劉澤華指導
北京　中國人民大學出版社　299 頁　2004 年 4 月（改名為《孔子聖化與儒者革命》）

劉興均

陳勤香　《周禮》祭祀詞語研究
廣西師範大學漢語言文字學專業碩士論文　2006 年 4 月　劉興均指導

路瀝雲　《禮記》事名詞研究
廣西師範大學漢語言文字學專業碩士論文　2003 年　4 月　劉興均指導

羅蓓蕾　《左傳》軍事詞語研究
廣西師範大學漢語言文字學專業碩士論文　2004 年 4 月　劉興均指導

陸懷南　《論語》住所名詞近義關係研究
廣西師範大學漢語言文字學專業碩士論文　2005 年 2 月　劉興均指導

劉興林

胡　青　《詩經》植物起興研究
華中師範大學中國古代文學專業碩士論文　2007 年　劉興林指導

李步敏　《論語》中君子人格對現代教育的啟迪
　　華中師範大學學科教學專業碩士論文　2006年11月　劉興林指導
彭惠珍　孔子的教育理論與實踐對當代教育的啟示
　　華中師範大學語文學科教學專業碩士論文　2005年11月　劉興林指導

劉　謙

白紅兵　「一生為故國招魂」——錢穆「文化文學觀」研究
　　北京師範大學文藝學專業碩士論文　2005年5月　劉謙指導

劉鴻鶴

張繼蘭　黃宗羲政治思想研究
　　大連理工大學馬克思主義理論與思想政治教育專業碩士論文　2005年6月　劉鴻鶴指導
修艷竹　孟子政治思想研究
　　大連理工大學馬克思主義理論與思想政治教育專業碩士論文　2005年12月　劉鴻鶴指導

劉寶才

田沐臣　《禮記》的禮治思想
　　西北大學專門史專業博士論文　2000年　劉寶才指導
馬增強　儀禮思想研究
　　西北大學專門史專業博士論文　2003年5月　劉寶才指導
王　錕　孔子與20世紀三大社會思潮
　　西北大學專門史專業博士論文　2002年1月　劉寶才指導
　　濟南　齊魯書社　421頁　2006年

劉鐵梁

武宇嫦　禮與俗的演繹——民俗學視野下的《禮記》研究
　　北京師範大學民俗學專業博士論文　2007年　劉鐵梁指導

劉啟良

羅　驤　錢穆「士」思想研究

湘潭大學中國哲學專業碩士論文　2006 年　劉啟良指導

羅衛平　超越的真實——論方東美的人生哲學
湘潭大學中國哲學專業碩士論文　2002 年 5 月　劉啟良指導

劉衛平

牛曉貞　《詩經》婚戀詩意象的文化分析
西北大學中國古代文學專業碩士論文　2007 年　劉衛平指導

陳　楠　從矇昧到理性——從《詩經》看原始文化在周代的演化
西北大學中國古代文學專業碩士論文　2007 年　劉衛平指導

張　嘎　《詩經》服飾考論
西北大學中國古代文學專業碩士論文　2007 年　劉衛平指導

樓

樓宇烈

李演都　康有為「大同」思想研究——以《大同書》為中心
北京大學中國哲學專業博士論文　2004 年 12 月　樓宇烈指導

黃稼源　孟子天人關係思想新探
北京大學中國哲學專業碩士論文　1998 年 6 月　樓宇烈指導

趙源一　孟子道德哲學研究
北京大學中國哲學專業博士論文　2000 年 6 月　樓宇烈指導

樊

樊志輝

柳聞鶯　現代性與儒家心性之學——徐復觀新儒學探析
黑龍江大學中國哲學專業碩士論文　2004 年　樊志輝指導

郭榮麗　中西哲學會通的中介與道德形上學建構的基石——牟宗三「智的直覺」理論疏析

黑龍江大學中國哲學專業碩士論文　2003 年　樊志輝指導
成都　巴蜀書社　261 頁　2005 年 12 月（儒釋道博士論文叢書）

樊善國

沈貴松　　朱彝尊的金石學研究
北京師範大學中國古典文獻學專業碩士論文　2004 年 5 月　樊善國指導

樂

樂愛國

周　翔　　論張之洞的科技文化觀
廈門大學科學技術哲學專業碩士論文　2006 年 5 月　樂愛國指導

樂黛雲

猶家仲　　《詩經》的解釋學研究
北京大學比較文學及世界文學專業博士論文　2000 年　樂黛雲指導
桂林　廣西師範大學出版社　261 頁　2005 年
劉耘華　　先秦儒家意義生成研究——以《論語》、《孟子》、《荀子》為個案
北京大學比較文學與世界文學專業博士論文　2001 年 5 月　樂黛雲指導
上海　上海譯文出版社　235 頁　2002 年 3 月（改名為《詮譯學與先秦儒家之意義生成：《論語》、《孟子》、《荀子》對古代傳統的解釋》）

潘

潘允中

周錫韍　　《詩經》句法研究——兼論中國詩歌句法的特點
中山大學語言文字專業碩士論文　1981 年 9 月　潘允中指導

潘佳銘

尹曉彬　論董仲舒皇權制衡思想及其倫理形態特
西南師範大學倫理學專業碩士論文　2005 年　潘佳銘、彭自強指導

李永洪　辨析王充思想體系中的矛盾——探討王充人性論思想的基礎和前提
西南大學倫理學專業碩士論文　2006 年 4 月　彭自強、潘佳銘指導

王　航　論王弼人性論中儒道合流的特徵
西南師範大學倫理學專業碩士論文　2004 年 5 月　潘佳銘指導

潘昱州　韓愈反佛思想溯源——「惠民」的「有為之道」
西南師範大學倫理學專業碩士論文　2005 年 5 月　彭自強、潘佳銘指導

周　玲　論戴震的自由精神及其意義
西南師範大學倫理學專業碩士論文　2005 年 5 月　彭自強、潘佳銘指導

潘悟雲

吳　鍾　《釋名》聲訓研究
上海師範大學漢語言文字學專業博士論文　2006 年　潘悟雲指導

潘桂明

吳　丹　試論李翺《復性書》的心性思想
蘇州大學中國哲學專業碩士論文　2004 年 4 月　潘桂明指導

潘富恩

孟令兵　圓融無礙的生生之美——論熊十力的佛學思想及其詩性精神
復旦大學中國哲學專業博士論文　2004 年 11 月　潘富恩、王雷泉指導

陳天林　周敦頤思想探微
復旦大學中國哲學專業博士論文　2004 年　潘富恩指導

陳迎年　感應與心物——牟宗三研究
復旦大學中國哲學專業博士論文　2003 年 4 月　潘富恩指導
上海　上海三聯書店　559 頁　2005 年 11 月（改名為《感應與心物：牟宗三哲學批判》）

徐儀明　性理與岐黃
復旦大學哲學專業博士　1994 年　潘富恩指導

北京　中國社會科學出版社　314 頁　1997 年 9 月（中國社會科學博士論文文庫）

虞聖強　荀子禮義之學研究

復旦大學中國哲學專業博士論文　1997 年　潘富恩指導

張　勁　孔子教育哲學探究

復旦大學中國哲學專業博士論文　1998 年　潘富恩指導

陳代波　孟子命論研究

復旦大學中國哲學專業博士論文　2002 年　潘富恩指導

楊澤波　孟子性善論研究

復旦大學哲學專業博士論文　1992 年　嚴北溟、潘富恩指導

北京　中國社會科學出版社　331 頁　1995 年 5 月（中國社會科學博士論文文庫）

潘　琦

黃鵬麗　從《論語》譯文看對譯法在古文今譯中的地位——兼論計算機技術在對譯法中的運用

廣西大學漢語言文字學專業碩士論文　2002 年 5 月　潘琦、林仲湘指導

潘暢和

蕭君平　顏元和荻生徂徠哲學思想之比較

延邊大學外國哲學專業碩士論文　2006 年 5 月　潘暢和指導

梁景松　康有為與福澤諭吉的啟蒙思想比較

延邊大學外國哲學專業碩士論文　2003 年　潘暢和指導

潘嘯龍

左川鳳　姚際恒與戴震《詩經》研究之比較

安徽師範大學中國古代文學專業碩士論文　2003 年 4 月　蔣立甫、袁傳璋、潘嘯龍指導

潘樹廣

劉鳳偉　古代白話小說中的孔子形象

蘇州大學中國古代文學專業碩士論文　2005 年 1 月　潘樹廣指導

滕

滕志賢

施　輝　　試論朱熹的訓詁特色及其影響
　　　　南京大學中文系碩士論文　1995 年　滕志賢指導

鄒鳳禮　　王先謙《詩三家義集疏》初探
　　　　南京大學中文系碩士論文　1998 年　滕志賢指導

蔣

蔣九愚

陳淑珍　　亞里士多德與孔子中庸思想之比較
　　　　江西師範大學外國哲學專業碩士論文　2006 年 5 月　蔣九愚指導

堯必文　　柏拉圖與孟子倫理政治思想之比較
　　　　江西師範大學外國哲學專業碩士論文　2007 年　蔣九愚指導

蔣　凡

程　勇　　漢代經學視野中的儒家文論敘述
　　　　復旦大學中國古代文學專業博士論文　2003 年 4 月　蔣凡指導
　　　　濟南　齊魯書社　296 頁　2005 年 4 月（改名為《漢代經學文論敘述研究》）

曹建國　　出土文獻與先秦《詩》學研究
　　　　復旦大學中國古代文學專業博士論文　2004 年 4 月　蔣凡指導

章　原　　古史辨《詩經》學研究
　　　　復旦大學中國古代文學專業博士論文　2004 年 4 月　蔣凡指導

丁　進　　周禮與文學
　　　　復旦大學中國古代文學專業博士論文　2005 年 4 月　蔣凡指導
　　　　上海　上海人民出版社　425 頁　2008 年 7 月（更名為《周禮考論：周禮與中國文學》）

沈振奇　　《孟子》與《莊子》文學的比較研究

復旦大學中國古代文學專業博士論文　2005 年 3 月　蔣凡指導

黃　鳴　春秋時代的文學與文學活動——《左傳》研究劄記

復旦大學中國古代文學專業博士論文　2006 年 4 月　蔣凡指導

蔣大椿

徐國利　錢穆史學思想研究

中國社會科學院研究生院中國近現代史專業博士論文　2000 年 1 月　蔣大椿指導

臺北　臺灣商務印書館　360 頁　2004 年 2 月

蔣立甫

左川鳳　姚際恒與戴震《詩經》研究之比較

安徽師範大學中國古代文學專業碩士論文　2003 年 4 月　蔣立甫、袁傳璋、潘嘯龍指導

蔣宗福

李小茹　王應麟《急就篇補注》及相關問題研究

西南師範大學中國古典文獻學專業碩士論文　2005 年 6 月　蔣宗福指導

李苑靜　王念孫《讀書雜志》校勘方法研究

西南師範大學中國古典文獻學專業碩士論文　2004 年 4 月　蔣宗福指導

徐　淩　孫詒讓《劄迻》文獻校讀研究

西南師範大學中國古典文獻學專業碩士論文　2005 年 6 月　蔣宗福指導

楊　陽　鄭玄《禮記》注釋研究

西南師範大學中國古典文獻學專業碩士論文　2000 年 5 月　蔣宗福指導

彭　慧　《廣雅疏證》漢語語義學研究

四川大學漢語言文字學專業博士論文　2007 年　蔣宗福指導

蔣述卓

李茵茵　《詩經》婚戀詩葡萄牙語譯本研究

暨南大學文藝學專業碩士論文　2007 年　蔣述卓指導

郭錦玲　意蘊不同的經典——從《詩經》與《聖經》看中西方文化精神與藝術思維的原始差異

暨南大學文藝學專業博士論文　2001 年 11 月　蔣述卓指導

蔣重躍

馬宏偉　孟子的歷史變化觀
北京師範大學中國古代史專業碩士論文　2006 年 5 月　蔣重躍指導

蔣國保

方書論　論方以智思想中的科學精神
蘇州大學中國哲學專業碩士論文　2007 年 4 月　蔣國保指導

蔣堅松

李　琰　從前見理論角度看《詩經》英譯
湖南師範大學英語語言文學專業碩士論文　2006 年 5 月　蔣堅松指導

蔣紹愚

胡敕瑞　《論衡》與東漢佛典詞語比較
北京大學漢語史專業博士論文　1999 年　蔣紹愚指導
高雄佛光山文教基金會　2002 年 8 月（法藏文庫中國佛教學術論典碩博士學位論文）

劉子瑜　《朱子語類》述補結構研究
北京大學漢語言文字學專業博士論文　2002 年 5 月　蔣紹愚指導
北京　商務印書館　401 頁　2008 年 7 月

江勇仲　《朱子語類》詞彙研究
北京大學漢語言文字學專業博士論文　2006 年 6 月　蔣紹愚指導

蔣廣學

武道房　曾國藩理學思想研究
南京大學中文系博士論文　2004 年　蔣廣學指導

蔣驥騁

陳建初　《釋名》考論
湖南師範大學漢語言文字學專業博士論文　2005 年　蔣驥騁指導

長沙　湖南師範大學出版社　323 頁　2007 年 4 月

蔡

蔡方鹿

楊　東　　王弼易學與程頤易學的比較研究

四川省社會科學院中國哲學專業碩士論文　2002 年 5 月　蔡方鹿指導

蔡四桂

王光輝　　荀子「為學」思想研究

湘潭大學中國哲學專業碩士論文　2005 年　蔡四桂指導

蔡崇榜

楊世文　　宋代經學懷疑思潮研究

四川大學中國古代史專業博士論文　2005 年 1 月　蔡崇榜指導

成都　四川大學出版社　687 頁　2008 年（四川大學儒藏學術叢書）（改名為《走出漢學：宋代經典辨疑思潮研究》）

蔡義江

沈開生　　皮日休繫年考辨

杭州大學中國古代文學專業碩士論文　1978、1979 級　蔡義江指導

蔡　儀

蘇志宏　　秦漢禮樂教化論

中國社會科學院文藝學專業博士論文　1989 年　蔡儀指導

成都　四川人民出版社　449 頁　1991 年 5 月

蔡鏡浩

孟曉妍　　《方言》郭璞注雙音詞研究

蘇州大學漢語言文字學專業碩士論文　2005 年　蔡鏡浩指導

諸葛

諸葛志

徐文英　論「得意忘言」哲學命題的美學轉換
浙江師範大學文藝學專業碩士論文　2003 年 5 月　諸葛志指導

鄭

鄭大華

黃銀輝　晏陽初新民思想與實踐——兼與梁啟超新民思想的比較
湖南師範大學中國近現代史專業碩士論文　2006 年 4 月　鄭大華指導

鄭小江

戴隆娥　羅欽順的理欲觀
南昌大學中國哲學專業碩士論文　2007 年　鄭小江指導

胡雪琴　何心隱聚和思想研究
南昌大學中國哲學專業碩士論文　2007 年 5 月　鄭小江指導

鄭明珍

闞紅艷　論馮友蘭「新理學」的哲學思想
安徽大學中國哲學專業碩士論文　2004 年 5 月　鄭明珍指導

鄭家建

陳林男　清華國學院時期王國維述論
福建師範大學中國現當代文學專業碩士論文　2006 年 9 月　鄭家建指導

鄭振峰

婁　博　唐蘭之甲骨文研究
河北師範大學漢語言文字學專業碩士論文　2006 年　鄭振峰指導

鄭傑文

雷　霞　經學在秦代的遭遇與漢初的復興
山東大學中國古典文獻學專業碩士論文　2007 年 4 月　鄭傑文指導

鄒應龍　從地方到中央：西漢前期經學主導地位的形成
山東大學中國古典文獻學專業碩士論文　2007 年 4 月　鄭傑文指導

趙　琳　春秋時期《詩》的傳播及《詩》學觀念的變化
山東大學中國古典文學專業碩士論文　2007 年　鄭傑文指導

孔德凌　鄭玄《詩經》學研究
山東大學中國古典文獻學專業博士論文　2007 年　鄭傑文指導

方　丹　劉歆思想與《白虎通義》思想之比較
山東大學中國古典文獻學專業碩士論文　2006 年　鄭傑文指導

李海英　孫詒讓研究
山東大學中國古典文獻學專業博士論文　2002 年 5 月　鄭傑文指導

孔德凌　《詩經》宴飲詩與周代禮樂文化的變遷
曲阜師範大學中國古代文學專業碩士論文　2004 年 4 月　趙東栓、鄭傑文指導

賈立霞　《孝經緯》研究
山東大學中國古典文獻學專業碩士論文　2003 年 4 月　鄭傑文指導

李梅訓　讖緯文獻史略
山東大學中國古典文獻學專業博士論文　2003 年 5 月　鄭傑文指導

鄭萬耕

郭君銘　揚雄《法言》思想研究
北京師範大學中國哲學專業博士論文　2005 年 5 月　鄭萬耕指導
成都　巴蜀書社　216 頁　2006 年 12 月（儒釋道博士論文叢書）

章偉文　宋元道教易學初探
北京師範大學中國古代史專業博士論文　2004 年 5 月　鄭萬耕指導
成都　巴蜀書社　390 頁　2005 年 12 月（儒釋道博士論文叢書）

章偉文　吳澄易學思想研究
北京師範大學哲學專業碩士論文　1998 年　鄭萬耕指導

彭耀光　下學而上達：內在的超越——孔子形上學之價值本原與教化意義
北京師範大學中國哲學專業碩士論文　2004 年 5 月　鄭萬耕指導

鄭遠漢

趙世舉　《孟子》定中結構研究
武漢大學漢語史專業博士論文　1999 年　鄭遠漢指導
北京　中國青年出版社　199 頁　2000 年 10 月（改名為《孟子定中結構三平面研究》）

鄭慧生

張小穩　孟荀學風之比較
河南大學中國古代史專業碩士論文　2002 年 5 月　李振宏、鄭慧生指導

柳素平　荀子、王充思想比較研究
河南大學中國古代史專業碩士論文　2003 年 5 月　李振宏、鄭慧生指導

褚新國　試論孔子人性思想
河南大學中國古代史專業碩士論文　2002 年 5 月　李振宏、鄭慧生指導

鄭憶石

楊　峰　張岱年文化觀及其評析
華東師範大學馬克思主義理論專業碩士論文　2006 年 4 月　鄭憶石指導

鄭曉江

彭傳華　論歐陽修的人生哲學
南昌大學中國哲學專業碩士論文　2005 年 5 月　鄭曉江指導

葛維春　陸九淵心性論思想研究
南昌大學中國哲學專業碩士論文　2006 年　鄭曉江指導

鄧

鄧小軍

謝建忠　《毛詩》及其經學闡釋對唐詩的影響
首都師範大學中國古代文學專業博士論文　2006 年 5 月　鄧小軍指導

成都　巴蜀書社　421 頁　2007 年 12 月

鄧名瑛

李海兵　黃宗羲政治哲學初探

湖南師範大學中國哲學專業碩士論文　2005 年 5 月　鄧名瑛指導

劉　靜　顏元的功利主義思想探析

湖南師範大學中國哲學專業碩士論文　2006 年 5 月　鄧名瑛指導

高齊天　康有為哲學本體論初探

湖南師範大學中國哲學專業碩士論文　2006 年 5 月　鄧名瑛指導

曾軍雄　《大學》「道」論及其對儒者價值的承載：在理學範圍內以主要思想家為例

湖南師範大學中國哲學專業碩士論文　2007 年　鄧名瑛指導

鄧球柏

董海洲　論周公「敬德保民」思想與實踐

首都師範大學馬克思主義理論與思想政治教育專業碩士論文　2004 年　鄧球柏指導

彭歲楓　《荀子》思想政治教育環境理論研究

首都師範大學馬克思主義理論與思想政治教育專業碩士論文　2000 年　鄧球柏指導

王淑霞　聖賢——朱熹的思想政治教育目標

首都師範大學馬克思主義理論與思想政治教育專業碩士論文　2005 年　鄧球柏指導

龍斯釗　內聖外王——《禮記》的思想政治教育目標

首都師範大學馬克思主義理論與思想政治教育專業碩士論文　2002 年 4 月　鄧球柏指導

汪雙琴　《論語》「和諧」思想及其對構建社會主義和諧社會的意義

首都師範大學馬克思主義理論與思想政治教育專業碩士論文　2006 年 5 月　鄧球柏指導

薛彬彬　「保民而王」——孟子的思想政治教育目標

首都師範大學馬克思主義理論與思想政治教育專業碩士論文　2000 年 4 月　鄧球柏指導

李　斌　論孟子的仁政學說及其對新時期以德治國的啟示

首都師範大學馬克思主義理論與思想政治教育專業碩士論文　2003 年 4 月　鄧球柏指導

鄧瑞全

呂　芹　全祖望歷史文獻學研究
北京師範大學歷史學專業碩士論文　2004 年 4 月　鄧瑞全指導

鄧　輝

劉依平　船山《大學》詮釋之研究
湘潭大學中國哲學專業碩士論文　2006 年　鄧輝指導

鄧鴻光

顏　娜　梁啟超史學認識論思想初探
華中師範大學史學理論與史學史專業碩士論文　2006 年 5 月　鄧鴻光指導

魯

魯洪生

張秀英　從《詩序》與先秦舊說的關係看其作者與時代
首都師範大學中國古代文學專業碩士論文　2005 年 5 月　魯洪生指導

邵立志　《詩經・齊風》「刺襄詩」主旨研究
首都師範大學中國古代文學專業碩士論文　2007 年　魯洪生指導

陳遠丁　《詩經》棄婦詩研究
首都師範大學中國古代文學專業碩士論文　2001 年 5 月　魯洪生指導

何春雷　《詩經》政治怨刺詩研究
首都師範大學中國古代文學專業碩士論文　2005 年 5 月　魯洪生指導

馬海敏　《詩經》宴饗詩考論
首都師範大學中國古代文學專業博士論文　2007 年　魯洪生指導

姜亞林　《詩經》戰爭詩研究
首都師範大學中國古代文學專業博士論文　2007 年　魯洪生指導

張春霞　《詩經》農事詩研究

首都師範大學中國古代文學專業碩士論文　2001 年 5 月　魯洪生指導

陸錫興　詩經異文研究

首都師範大學中國古代文學專業碩士論文　1999 年 5 月　魯洪生指導

李春華　《詩經》思鄉戀土主題研究

首都師範大學中國古代文學專業碩士論文　1999 年 5 月　魯洪生指導

闞小彬　班固《詩經》師承考

首都師範大學中國古代文學專業碩士論文　2007 年　魯洪生指導

張大文　孔子的教育目的及方法對素質教育的啟示

首都師範大學語文教學論專業碩士論文　2004 年 10 月　魯洪生指導

魯國堯

張民權　顧炎武古音學考論

南京大學中文系博士論文　1997 年　魯國堯、李開指導

李　文　段玉裁古音學考論

南京大學中文系博士論文　1997 年　魯國堯、李開指導

魯　毅

徐道彬　戴震與《屈原賦注》

湖北大學中國古典文獻學專業碩士論文　2002 年 1 月　魯毅指導

李　敏　馬國翰與《玉函山房輯佚書》

湖北大學中國古典文獻學專業碩士論文　2003 年 5 月　魯毅指導

劉旭青　略論王先謙文獻整理的成就與方法

湖北大學中國古典文獻學專業碩士論文　2000 年 4 月　魯毅指導

李和山　梁啟超文獻學述論

湖北大學中國古典文獻學專業碩士論文　2004 年 5 月　魯毅指導

李華斌　張舜徽與《廣校讎略》

湖北大學中國古典文獻學專業碩士論文　2006 年 5 月　魯毅指導

黎仁凱

把增強　張之洞備荒賑災思想與實踐
河北大學中國近現代史專業碩士論文　2004 年 6 月　黎仁凱指導

史　敏　論辜鴻銘文化保守主義
河北大學中國近現代史專業碩士論文　2003 年　黎仁凱指導

黎良君

王潤吉　論《釋名》的理據
廣西師範大學漢語言文字學專業碩士論文　2001 年　黎良君指導

黎紅雷

李文波　論中庸——思想、文本與傳統
中山大學哲學專業博士論文　2005 年 5 月　黎紅雷、陳少明指導

平　飛　《公羊傳》「以義解經」研究
中山大學哲學專業博士論文　2006 年 6 月　李宗桂、黎紅雷指導

唐眉江　漢代公羊學大一統思想研究
中山大學哲學專業博士論文　2006 年 6 月　李宗桂、黎紅雷指導

羅香萍　孟子人格美思想研究
中山大學哲學專業碩士論文　2007 年 6 月　黎紅雷指導

十六畫

盧　丁

劉　淵　漢代畫像石上伏羲女媧圖像特徵研究

四川大學美術學專業碩士論文　2005 年　盧丁指導

盧子震

郝亞飛　張載人性論思想詮釋

河北大學中國哲學專業碩士論文　2004 年　盧子震指導

盧瑞強　王畿哲學的本體論與工夫論思想

河北大學中國哲學專業碩士論文　2003 年　盧子震指導

劉建如　一代狂儒何心隱的思想意蘊

河北大學中國哲學專業碩士論文　2005 年 6 月　盧子震指導

趙春霞　孫奇逢的實學思想

河北大學中國哲學專業碩士論文　2001 年 6 月　盧子震指導

李映霞　戴震哲學思想研究

河北大學中國哲學專業碩士論文　2004 年 6 月　盧子震指導

董曉宇　孟子的德治思想及其現實意義

河北大學中國哲學專業碩士論文　2003 年 6 月　盧子震指導

盧永璘

高小慧　楊慎文學思想研究

北京大學文藝學專業博士論文　2005 年 6 月　陳熙中、盧永璘指導

盧賢中

鐘向群　《文獻通考・經籍考》的文獻價值和學術價值

安徽大學歷史文獻學專業碩士論文　2006 年 5 月　盧賢中指導

盧鐘鋒

章啟輝　王夫之的《四書》研究及其早期啟蒙思想

中國社會科學院研究生院中國古代史專業博士論文　2002 年 1 月　盧鐘鋒指導

王啟發　禮義新探

中國社會科學院研究生院中國古代史專業博士論文　2001 年 4 月　盧鐘鋒指導

鄭州　中州古籍出版社　380 頁　2005 年 1 月

穆

穆　嵐

陳春梅　孔子與蘇格拉底啟發式教學思想比較研究
河南師範大學課程與教學論專業碩士論文　2002 年 4 月　續潤華、穆嵐指導

衡

衡孝軍

倪吉華　社會符號學視角下《論語》英語翻譯中的對等
外交學院外國語言學與應用語言學專業碩士論文　2007 年　衡孝軍指導

賴

賴力行

鄧偉龍　章學誠文論思想研究
湖南師範大學文藝學・古代文論專業碩士論文　2004 年 4 月　賴力行指導

劉來春　曾國藩對桐城派文論的發展
湖南師範大學文藝學專業碩士論文　2003 年 10 月　賴力行指導

蕭　力　方玉潤《詩經原始》的文學批評方法研究
湖南師範大學文藝學專業碩士論文　2003 年 4 月　賴力行指導

賴永海

李　開　清代嘉（慶 1796-1820）道（光 1821-1850）經學及其哲學邏輯
中山大學中國哲學專業博士論文　2003 年　賴永海指導

錢

錢仲聯

陳國安　清初詩經學研究
蘇州大學中國古代文學專業碩士論文　2003 年 5 月　錢仲聯、楊海明指導

錢宗武

陳　楠　敦煌寫本《尚書》異文研究
揚州大學中國古代文學專業碩士論文　2006 年 5 月　錢宗武指導

朱淑華　今文《尚書》詞義引申研究
揚州大學中國古代文學專業碩士論文　2006 年 5 月　錢宗武指導

湯莉莉　今文《尚書》同族詞研究
揚州大學中國古代文學專業碩士論文　2006 年 5 月　錢宗武指導

邱　月　今文《尚書》名詞研究
揚州大學中國古代文學專業碩士論文　2005 年 5 月　錢宗武指導

楊　飛　今文《尚書》形容詞研究
揚州大學漢語言文字學專業碩士論文　2007 年　錢宗武指導

呂勝男　今文《尚書》用韻研究
揚州大學漢語言文字學專業碩士論文　2007 年　錢宗武指導

孫麗娟　今文《尚書》動詞研究
揚州大學漢語言文字學專業碩士論文　2007 年　錢宗武指導

盧一飛　今文《尚書》文學性研究
揚州大學中國古代文學專業碩士論文　2005 年 5 月　錢宗武指導

馬士遠　周秦《尚書》流變研究
揚州大學中國古代文學專業博士論文　2007 年　錢宗武指導
北京　中華書局　340 頁　2008 年 9 月（改名為《周秦尚書學研究》）

劉　勇　清人《尚書》訓詁方法研究
揚州大學漢語言文字學專業碩士論文　2007 年　錢宗武指導

鄭　群　《詩經》與周代婚姻禮俗研究
揚州大學中國古代文學專業博士論文　2007 年　錢宗武指導

錢宗范

侯俊雲　陳宏謀胥吏管理思想研究
廣西師範大學專門史專業碩士論文　2004 年　錢宗范指導

錢振民

雍　琦　朱彝尊年譜
復旦大學中國古典文獻學專業碩士論文　2007 年 6 月　錢振民指導

錢　遜

劉東超　生命的層級：馮友蘭人生境界說研究
中國社會科學院研究生院中國哲學專業博士論文　1997 年 7 月　方克力、牟鐘鑒、錢遜指導
成都　巴蜀書社　317 頁　2002 年 10 月

林亨錫　漢前周易易傳佚篇之研究
清華大學專門史專業碩士論文　2000 年　錢遜指導

錢憲民

夏慧傑　試論孔子「孝」的思想及其意義
復旦大學中國哲學專業碩士論文　2006 年 5 月　錢憲民指導

魯學軍　「天命之謂性」——論孟子性善論形上根源及其意義
復旦大學中國哲學專業碩士論文　2004 年 5 月　錢憲民指導

霍

霍松林

盧　靜　《禮記》文學研究
陝西師範大學中國古代文學專業博士論文　2007 年　霍松林指導

汪祚民　《詩經》文學闡釋史（先秦－隋唐）
陝西師範大學中國古代文學專業博士論文　2004 年 5 月　霍松林指導
北京　人民出版社　391 頁　2005 年 3 月

駱

駱瑞鶴

鄭春汎　阮元刻《毛詩注疏》零校
武漢大學中國古典文獻學專業碩士論文　2004 年 5 月　駱瑞鶴指導

鮑

鮑　恒

王　飛　黃生詩學思想初探
安徽大學中國古代文學專業碩士論文　2004 年 9 月　鮑恒指導

十七畫

戴

戴建業

李　丹　柳文與《國語》
華中師範大學中國古代文學專業碩士論文　2004 年 5 月　戴建業指導

戴茂堂

章　莽　孔子中庸觀與亞里士多德中道觀比較
湖北大學中國哲學專業碩士論文　2005 年 5 月　戴茂堂指導

濮

濮之珍

李恕豪　論顧炎武古音學研究的貢獻及影響
復旦大學語言文字專業碩士論文　1978、1979級　吳文祺、濮之珍指導

薛

薛富興

劉曉紅　王夫之人格審美分析
南開大學美學專業碩士論文　2005年4月　薛富興指導

謝

謝必震

劉佩芝　朱熹德育思想對當代大學教育的啟示
福建師範大學專門史專業碩士論文　2006年　謝必震指導

謝明仁

李　娟　復調變奏曲——鍾惺《詩經》評點析論
廣西大學中國古代文學專業碩士論文　2007年　謝明仁指導

梁新興　在因循傳統下的創新思變——對《詩經原始》的自我認知
廣西大學中國古代文學專業碩士論文　2007年　謝明仁指導

謝遐齡

蔣偉勝　習學成德——葉適的外王內聖之道
復旦大學中國哲學專業博士論文　2006年4月　謝遐齡指導

張永忠　　聖賢救世——黃宗羲政治哲學思想研究

復旦大學中國哲學專業博士論文　2005 年 11 月　謝遐齡指導

謝　謙

孫先英　　論朱學見證人真德秀

四川大學中國古典文獻學專業博士論文　2005 年　謝謙指導

上海　上海人民出版社　342 頁　2008 年 8 月（改名為《真德秀學術思想研究》）

趙　靜　　張惠言研究

四川大學中國古代文學專業碩士論文　2004 年　謝謙指導

鍾

鍾明華

莊英海　　孔子與亞里斯多德理想人格之比較

中山大學哲學專業碩士論文　2006 年 12 月　鍾明華指導

韓

韓兆琦

梁曉雲　　《史記》與《左傳》的比較研究

北京師範大學中國古代文學專業博士論文　1997 年　韓兆琦指導

朴晟鎮　　《左傳》文學價值研究

北京師範大學中國古代文學專業博士論文　1998 年　韓兆琦指導

劉麗文　　左傳研究

北京師範大學中國古代文學專業博士論文　1998 年　韓兆琦指導

周　旻　　《左傳》研究

北京師範大學中國古代文學專業博士論文　2001 年　韓兆琦指導

韓東育

王　旭　荀子學派屬性述評
東北師範大學中國古代史專業碩士論文　2005 年　韓東育指導

姜　紅　荀子「敬一情二」思想新議
東北師範大學專門史專業碩士論文　2004 年　韓東育指導

高春海　試析荀子的倫理制度思想
東北師範大學專門史專業碩士論文　2006 年　韓東育指導

王曉寧　君子之道的外化歷程——荀子理想人格的現世功用
東北師範大學專門史專業碩士論文　2004 年　韓東育指導

董　俊　梁啟超近代國家觀形成的日本因素
東北師範大學歷史學專門史專業碩士論文　2006 年 6 月　韓東育指導

韓格平

林海鷹　《太平御覽》引《釋名》校釋
東北師範大學中國古典文獻學專業碩士論文　2003 年　韓格平指導

韓　強

王　威　嬗變與重構中的傳承——劉師培的文化哲學
南開大學中國哲學專業博士論文　2005 年 4 月　韓強指導

韓理洲

喬　麗　柳宗元交遊考
西北大學中國古代文學專業碩士論文　2001 年　韓理洲指導

韓進軍

田智忠　朱熹論「曾點氣象」研究
河北大學中國哲學專業碩士論文　2003 年　韓進軍指導

邢靖懿　批判與構建——顏元實學思想研究
河北大學中國哲學專業碩士論文　2005 年 6 月　韓進軍指導

甄金輝　李塨對顏元思想的繼承與發展
河北大學中國哲學專業碩士論文　2006 年　韓進軍指導

韓維志

陳英姿　《詩經》比興研究
華中師範大學中國古代文學專業碩士論文　2007 年　韓維志指導

羅　婕　《詩經》中反映的先秦婚禮
華中師範大學古代文學專業碩士論文　2007 年　韓維志指導

朱志純　從《史記》對《左傳》的取材透視司馬遷的「一家之言」
華中師範大學中國古代文學專業碩士論文　2007 年 5 月　韓維志指導

十八畫

蕭

蕭永明

曾帶麗　張之洞與晚清書院的改革及改制
湖南大學專門史專業碩士論文　2006 年 5 月　蕭永明指導

梁　媛　論梁啟超的新聞人才觀
湖南大學專門史專業碩士論文　2002 年 1 月　蕭永明指導

趙一靜　張岱的《四書》學與史學
湖南大學專門史碩士論文　2006 年 5 月　蕭永明指導

蕭安溥

李　霜　理雅各與辜鴻銘《論語》翻譯的比較研究
四川大學外國語言學及應用語言學專業碩士論文　2004 年 4 月　蕭安溥指導

蕭瑞峰

劉成國　王安石研究
浙江大學博士論文　2002 年　蕭瑞峰指導

蕭漢明

陳仁仁　上海博物館藏戰國楚竹書《周易》研究——兼論早期易學相關問題
武漢大學中國哲學專業博士論文　2005 年 5 月　蕭漢明指導

唐　琳　朱震易學思想研究
武漢大學中國哲學專業博士論文　2003 年 4 月　蕭漢明指導
北京　中國書店　180 頁　2007 年 7 月（改名為《朱震的易學視域》）

孫勁松　郭雍易學思想研究
武漢大學中國哲學專業碩士論文　2003 年 4 月　蕭漢明指導

劉體勝　大義入象——來知德易學思想淺繹
武漢大學中國哲學專業碩士論文　2005 年 5 月　蕭漢明指導
成都　巴蜀書社328 頁　2006 年 12 月（儒釋道博士論文叢書）

鄭朝暉　述者微言——惠棟易學研究
武漢大學中國哲學專業博士論文　2005 年 5 月　蕭漢明指導
北京　人民出版社　296 頁　2008 年 12 月（改名為《述者微言：惠棟易學的邏輯化世界》）

梅珍生　晚周禮的文質論
武漢大學中國哲學專業博士論文　2003 年　蕭漢明指導

瞿

瞿林東

邱　鋒　《春秋》及「三傳」歷史觀研究
北京師範大學史學理論及史學史專業博士論文　2007 年 5 月　瞿林東指導

顏

顏志剛

蔡國兆　「群」與梁啟超新聞思想——兼論中、西思想資源對梁啟超報學體系的作用

復旦大學新聞傳播學專業碩士論文　2001 年 5 月　顏志剛指導

顏炳罡

范玉秋　解構與重構——論康有為的儒學改革

山東大學中國哲學專業碩士論文　2001 年 5 月　顏炳罡指導

張健捷　牟宗三哲學中「智的直覺」與儒家的道德形上學

山東大學中國哲學專業碩士論文　2003 年 4 月　顏炳罡指導

張汝金　解經與弘道——《易傳》之形上學研究

山東大學中國哲學專業博士論文　2007 年　顏炳罡指導

濟南　齊魯書社　338 頁　2007 年 11 月（文史哲博士文叢）

邵長梅　荀子禮學思想研學

山東大學中國哲學專業碩士論文　2004 年 5 月　顏炳罡指導

馬　斌　孔子的仁學思想及其現代意義

山東大學中國哲學專業碩士論文　2004 年 11 月　顏炳罡指導

徐慶文　近五十年大陸孔子研究的流變及其省察

山東大學中國哲學專業博士論文　2002 年 5 月　顏炳罡指導

濟南　山東人民出版社　257 頁　2004 年 1 月（改名為《批判與傳承：20 世紀後半期的中國孔子》）

周元俠　論孟子士的精神

山東大學中國哲學專業碩士論文　2006 年 4 月　顏炳罡指導

李　娟　孟莊心性論比較研究

山東大學中國哲學專業博士論文　2006 年 10 月　顏炳罡指導

李　凱　孟子的詮釋理論與實踐——以孟子引論《詩》、《書》為例

山東大學中國哲學專業碩士論文　2005 年 5 月　顏炳罡指導

劉道嶺　《中庸》的哲學思想

山東大學中國哲學專業碩士論文　2006 年 5 月　顏炳罡指導

顏　修

黃志強　關於《左傳》複合詞的幾個問題

復旦大學古漢語專業碩士論文　1978、1979 級　張世祿、顏修指導

顏　敏

黃承軍　孔子的因材施教與語文素質教育研究
江西師範大學語文教育專業碩士論文　2006年9月　熊大冶、顏敏指導

魏

魏永生

張晶華　唐文治學術思想研究
山東師範大學中國近現代史專業碩士論文　2006年　魏永生指導

劉　斌　民國四書文獻研究
山東師範大學中國近現代史專業碩士論文　2005年4月　魏永生指導

魏光奇

朱淑君　咸同士風研究[23]
首都師範大學中國近現代史專業碩士論文　2006年　魏光奇指導

魏良弢

季芳桐　泰州學派新論
南京大學歷史學專業博士論文　2000年　魏良弢指導
成都　巴蜀書社　249頁　2005年12月

魏英敏

朴永鎮　人性與道德之考究——以《孟子》和《荀子》為主
北京大學倫理學專業碩士論文　1999年6月　魏英敏指導

魏耕原

劉銀昌　《焦氏易林》四言詩研究

23 此篇論文以咸豐、同治時代今文學家戴望和他的《戴氏注論語》為基本材料作個案分析，探討咸同時代的今文經學興盛之因及當時的學社風氣。

陝西師範大學中國古代文學專業碩士論文　2003 年 5 月　魏耕原指導

史繼東　《左傳》敘事觀念及敘事藝術研究

陝西師範大學中國古代文學專業碩士論文　2007 年 4 月　魏耕原指導

魏常海

樸英美　戴震的「治學」與「明道」

北京大學中國哲學專業博士論文　2005 年 12 月　魏常海指導

魏清源

洪　帥　趙岐《孟子章句》複音詞研究

河南大學漢語言文字學專業碩士論文　2007 年　魏清源指導

魏義霞

宋麗艷　康有為大同思想與全球化

黑龍江大學中國哲學專業碩士論文　2003 年　魏義霞指導

魏達純

孫菊芳　《廣雅・釋沽》初探

華南師範大學漢語言文字學專業碩士論文　2003 年　魏達純指導

魏韶華

李雲濤　論多重身份的馮雪峰與魯迅的關係

青島大學中國現當代文學專業碩士論文　2006 年 6 月　黃喬生、魏韶華指導

李　亮　論魯迅與鄉邦文獻——關於魯迅治學起點的探究

青島大學中國現當代文學專業碩士論文　2006 年 6 月　張傑、魏韶華指導

李紅玲　魯迅形象的演變——以魯迅傳記為中心

青島大學中國現當代文學專業碩士論文　2006 年 6 月　魏韶華指導

魏德勝

劉志敬　《左傳》單雙音節同義動詞的選擇及原因考察

北京語言大學漢語言文字學專業碩士論文　2005 年 6 月　魏德勝指導

十九畫

龐

龐祖喜

楊天保　聞一多與古典文獻研究
廣西師範大學中國近現代史專業碩士論文　2000 年 1 月　張家璠、龐祖喜、任冠文指導

羅

羅志田

郭書愚　清末四川存古學堂述略
四川大學中國近現代史專業碩士論文　2002 年 1 月　羅志田指導

羅　琳

戴和冰　《漢書・藝文志》至《宋史・藝文志》易類書目研究
中國科學院文獻情報中心圖書館學專業碩士論文　2001 年 1 月　羅琳指導

羅新慧

張利軍　《詩經・木瓜》與春秋時期的「贄見禮」
北京師範大學中國古代史專業碩士論文　2006 年 5 月　羅新慧指導

羅福惠

董恩強　新考據學派：學術與思想（1919－1949）
華中師範大學中國近現代史專業博士論文　2006 年 10 月　羅福惠、何建明指導

羅維明

李存周　《大戴禮記》詞彙研究

廣州大學語言學及應用語言學專業碩士論文　2006 年 4 月　羅維明指導

羅　熾

唐　琳　韓愈倫理思想基本範疇剖析

湖北大學倫理學專業碩士論文　2000 年 5 月　羅熾、劉澤亮指導

靖小琴　戴震經學思想析論

湖北大學倫理學專業碩士論文　2003 年 6 月　羅熾指導

胡　軍　焦循儒學思想研究

湖北大學倫理學專業碩士論文　2003 年 5 月　羅熾指導

羅積勇

閆平凡　楊守敬《漢書二十三家注鈔・應劭》校補

武漢大學中國古典文獻學專業碩士論文　2004 年 5 月　李步嘉、羅積勇指導

徐　珮　楊守敬《漢書二十三家注鈔・孟康》校補

武漢大學中國古典文獻學專業碩士論文　2004 年 5 月　李步嘉、羅積勇指導

田春來　漢代《論語》的流傳與演變

武漢大學中國古典文獻學專業碩士論文　2004 年 5 月　羅積勇指導

羅靈山

劉　霞　文化傳播視野中的魯迅編輯出版思想與實踐

湖南師範大學新聞學專業碩士論文　2005 年 4 月　羅靈山指導

譚

譚步雲

阮幗儀　《孔子家語》複音詞研究

中山大學漢語史專業碩士論文　2007 年 5 月　譚步雲指導

譚邦和

戴　峰　論唐甄的啟蒙思想與散文藝術
華中師範大學中國古代文學專業碩士論文　2001 年 1 月　譚邦和指導

歐陽孫琳　戴名世散文研究
華中師範大學中國古代文學專業碩士論文　2006 年 5 月　譚邦和指導

譚　偉

羅娟娟　《大唐開元禮》喪葬禮詞彙研究
四川大學漢語言文字學專業碩士論文　2007 年　譚偉指導

譚培文

楊青利　《管子》與《孟子》經濟倫理思想之比較
廣西師範大學倫理學專業碩士論文　2006 年 4 月　譚培文指導

譚漢生

王　堅　無聲的北方——夏峰北學及其歷史命運
華中師範大學歷史文獻學專業碩士論文　2006 年　譚漢生指導

譚肇毅

崔昆侖　胡適歷史觀研究
廣西師範大學中國近現代史專業碩士論文　2002 年 1 月　譚肇毅指導

譚德興

郭付利　《詩經》之詩樂觀研究
貴州大學中國古代文學專業碩士論文　2007 年　譚德興指導

譚學純

熊浩莉　《孟子》比喻研究
福建師範大學漢語言文字學專業碩士論文　2006 年 4 月　譚學純指導

邊

邊家珍

吳學哲　論司馬遷與《周易》

遼寧師範大學古代文學專業碩士論文　2007 年 5 月　邊家珍指導

張春嬋　《詩經・國風》與周代齊、晉、秦地域文化研究

遼寧師範大學中國古代文學專業碩士論文　2007 年 5 月　邊家珍指導

關

關立勛

武氏紅蓮　從越南的傳統道德思想談孔子思想在越南的傳播與影響

北京語言文化大學中國文化專業碩士論文　2000 年 5 月　關立勛指導

二十畫

嚴

嚴文儒

曲　輝　宋代春秋學研究——以孫復、程頤、胡安國、朱熹為中心

華東師範大學中國古典文獻學專業碩士論文　2007 年　嚴文儒指導

嚴北溟

楊澤波　孟子性善論研究

復旦大學哲學專業博士論文　1992 年　嚴北溟、潘富恩指導

北京市　中國社會科學出版社 19,331 頁　1995 年　嚴北溟指導

嚴佐之

鄭春汛　清末民初專科目錄研究——以經學目錄、文學目錄為中心
華東師範大學中國古典文獻學專業博士論文　2007 年 4 月　嚴佐之指導

嚴承鈞

何詩海　《詩經》句法探討
湖北大學中國古典文獻學專業碩士論文　1999 年 4 月　嚴承鈞指導

嚴昌洪

張艷國　破與立的文化激流——五四時期孔子及其學說的歷史命運
華中師範大學中國近現代史專業博士論文　2001 年 6 月　章開沅、嚴昌洪指導

嚴　明

董俊玨　張惠言研究
蘇州大學中國古代文學專業碩士論文　2003 年　嚴明指導

嚴迪昌

楊旭輝　清代今古文經學的更迭與文學嬗變
蘇州大學中國古代文學專業博士論文　2002 年 10 月　嚴迪昌指導
南京　鳳凰出版社　337 頁　2006 年 7 月（改名為《清代經學與文學：以常州文人群體為典範的研究》）

蘇

蘇東水

楊愷鈞　《周易》管理思想研究
復旦大學產業經濟學專業博士論文　2004 年 5 月　蘇東水指導

蘇　敏

周　弘　《伊利亞特》和《詩經》中戰爭詩比較
重慶師範大學比較文學與世界文學專業碩士論文　2007年　蘇敏指導

龍　娟　《詩經》與《十四行詩集》中愛情詩比較
重慶師範大學比較文學與世界文學專業碩士論文　2006年4月　蘇敏指導

蘇寶榮

韓忠治　《韓詩外傳》雙音詞研究
河北師範大學漢語言文字學專業碩士論文　2005年5月　蘇寶榮指導

李　智　《孟子》的雙音複合詞研究
河北師範大學漢語言文字學專業碩士論文　2004年4月　蘇寶榮指導

郭　偉　現代語義學視角下的《爾雅》單音節普通語詞訓釋
河北師範大學漢語言文字學專業碩士論文　2006年　蘇寶榮指導

鍾

鍾仕倫

劉　瑛　王充的「自然」美學觀
四川師範大學文藝學專業博士論文　2004年1月　鍾仕倫指導

張　意　孟子接受思想再審視
四川師範大學文藝學專業博士論文　2004年1月　鍾仕倫指導
北京　中國社會科學出版社　331頁　1995年5月（中國社會科學博士論文文庫）

鍾玉海

吳文軍　《論語》教育思想及其對當代教育的啟示
合肥工業大學馬克思主義理論與思想政治教育專業碩士論文　2002年5月　鍾玉海指導

鐘振振

任振鎬　《左傳》與中國古典文學
南京師範大學中國古代文學專業博士論文　1998 年　鐘振振指導

饒

饒芃子

陳麗虹　對「賦、比、興」的現代闡釋
暨南大學文藝學專業博士論文　2000 年 5 月　饒芃子指導
杭州　中國美術學院出版社　204 頁　2002 年 3 月（改名為《賦比興的現代闡釋》）

饒尚寬

鞏玲玲　《春秋・穀梁傳》正文訓詁研究
新疆師範大學漢語言文字學專業碩士論文　2006 年　饒尚寬指導

國建強　《四書章句集注》訓詁研究
新疆師範大學漢語言文字學專業碩士論文　2005 年　饒尚寬指導

饒傑騰

李銘瑜　曾國藩的閱讀教育思想
首都師範大學課程與教學論・語文專業碩士論文　2006 年 5 月　饒傑騰指導

饒懷民

趙慶雲　試論劉師培早期的民族主義思想
湖南師範大學中國近現代史專業碩士論文　2005 年 4 月　饒懷民指導

闞

闞景忠

孫英梅　唐蘭先生文字學理論研究
曲阜師範大學漢語言文字學專業碩士論文　2006 年 4 月　闞景忠指導

二十一畫

續

續潤華

陳春梅　孔子與蘇格拉底啟發式教學思想比較研究
河南師範大學課程與教學論專業碩士論文　2002 年 4 月　續潤華、穆嵐指導

顧

顧易生

李鐘武　王夫之詩學範疇研究
復旦大學中國文學批評史專業博士論文　2003 年 11 月　顧易生指導

顧紅亮

曹駿揚　在「個人本位」與「社會本位」間探索「第三條道路」——論梁漱溟「關係本位」的群己觀
華東師範大學中國哲學專業碩士論文　2005 年 5 月　顧紅亮指導

顧祖釗

洪永穩　論荀子的文藝思想

安徽大學文藝學專業碩士論文　2005 年　顧祖釗指導

鄭二利　王充的文藝思想述評

安徽大學文藝學專業碩士論文　2005 年 5 月　顧祖釗指導

鄧志敏　先秦儒家人學與美學淺論——以孔子為主，兼論孟、荀的美學思想

安徽大學文藝學專業碩士論文　2007 年　顧祖釗指導

顧黃初

郭兆雲　朱熹閱讀教育理論述評

揚州大學課程與教學論專業碩士論文　2002 年　顧黃初指導

顧歆藝

王連成　啖助、趙匡和陸淳的春秋學研究

北京大學古典文獻學專業碩士論文　2001 年 6 月　顧歆藝指導

二十二畫

龔

龔書鐸

鄭師渠　國粹・國學・國魂：晚清國粹派文化思想研究

北京師範大學中國近現代史專業博士論文　1991 年　龔書鐸指導

臺北　文津出版社　370 頁　1992 年 8 月（大陸地區博士論文叢刊）

鐘玉發　阮元學術思想研究

北京師範大學中國近現代史專業博士論文　2005 年 5 月　龔書鐸指導

房德鄰　儒學的危機與嬗變：康有為與近代儒學

北京大學中國近現代史專業博士論文　1990 年　龔書鐸指導

臺北　文津出版社　271 頁　1992 年 1 月（大陸地區博士論文叢刊）

曹志敏　魏源《詩古微》研究

北京師範大學中國近現代史專業博士論文　2006 年 4 月　龔書鐸指導

龔雋

黃曉榮　胡宏心性論探微

華南師範大學馬克思主義哲學專業碩士論文　2002 年　龔雋、周熾成指導

羅立軍　章學誠道學史觀研究

華南師範大學馬克思主義哲學專業碩士論文　2002 年 1 月　龔雋、陳開先指導

附錄一

香港博碩士論文目錄

一、經學史

先秦

朱敬武　先秦儒道禮論研究
能仁書院哲學碩士論文　1982 年　李震指導

朱國藩　毛公鼎眞偽及相關問題研究
香港中文大學中國語言及文學研究所博士論文　1992 年

朱歧祥　殷對貞卜辭句型變異研究（改名為《殷墟卜辭句法論稿：對貞卜辭句型變異研究》並由臺灣學生書局於 1990 年出版）
香港中文大學中國語言及文學研究所博士論文　1989 年

秦漢

王成章　漢代齊魯之學研究
珠海大學中國文學研究所碩士論文　1981 年　何敬群指導

鄺國強　西漢儒家天人災異思想之研究
能仁書院哲學碩士論文　1981 年　黎瑞明指導

任金子　董仲舒的陰陽思想研究
能仁書院哲學碩士論文　1983 年　蕭師毅指導

李志文　班固之經學
珠海大學中國文學研究所碩士論文　1980 年　王韶生指導

唐代

黃振鋒　初唐經學家及史學家之文論
香港中文大學中國語言及文學研究所碩士論文　1977 年

黃坤堯　經典釋文動詞異讀之研究
香港中文大學中國語言及文學研究所碩士論文　1987 年

江汝洺　經典釋文之音義研究
香港中文大學中國語言及文學研究所碩士論文　1970 年

宋　代

周國良　誠體與太極——周濂溪思想研究
新亞研究所歷史研究所碩士論文　1986 年　牟宗三指導

方世豪　周敦頤誠體學說研究
新亞研究所碩士論文　1994 年

鄧成宙　張載心性論之研究
新亞研究所碩士論文　1987 年

鐘偉強　張載道德哲學之衡定
新亞研究所哲學碩士論文　1990 年　牟宗三指導

胡培基　程頤思想研究
珠海大學中國文學研究所博士論文　1990 年　王韶生指導

王　煜　宋學中程朱學派的致中和問題
香港大學中文系碩士論文　1963 年

麥仲貴　周張程朱之心性觀
新亞研究所碩士論文　1963 年

黎華標　朱子理學中之理氣系統
新亞研究所碩士論文　1963 年

陳翊湛　朱子的哲學體系
香港大學中文系碩士論文　1960 年

趙智輝　從朱熹反切看十二世紀的漢語語音現象
香港大學中文碩士論文　1988 年　單周堯指導

吳月瑩　朱熹理氣思想研究
能仁書院哲學研究所碩士論文　1986 年　黎瑞明指導

黎華標　朱子之理氣系統
新亞研究所中國文學研究所碩士論文　1975 年　唐君毅指導

王國基　朱子心性論研究
新亞研究所碩士論文　1992 年

羅榮貴　朱子性即理思想研究
新亞研究所碩士論文　1992 年

連顯章　朱子之工夫論研究
新亞研究所碩士論文　1989 年

馬秀嫻　　呂祖謙之理學研究

　　　　　新亞研究所哲學碩士論文　1985 年　牟宗三指導

區萬鴻　　陳亮經世思想之轉變研究

　　　　　新亞研究所碩士論文　2001 年

明　代

何美嫦　　李贄的人生觀

　　　　　能仁書院哲學研究所碩士論文　1987 年　黎瑞明指導

曾柳鈞　　劉蕺山思想系統之分析

　　　　　香港大學中文系碩士論文　1965 年

張萬鴻　　從劉蕺山評議先儒管窺其慎獨之學

　　　　　新亞研究所碩士論文　1995 年

文映霞　　方以智《通雅》引《說文》研究

　　　　　香港中文大學中國語言及文學研究所碩士論文　2005 年

清　代

岑溢成　　訓詁學與清儒訓詁方法

　　　　　新亞研究所中國文學研究所所博士論文　1985 年 7 月　戴璉璋指導

林偉業　　王夫之詩學研究

　　　　　香港中文大學中國語言及文學研究所碩士論文　1994 年

張綺文　　呂留良研究

　　　　　新亞研究所中國文學研究所碩士論文　1980 年

王海傑　　陳立與揚州學派研究

　　　　　香港大學文學碩士論文　2005 年

張傑昌　　戴東原在學術上三大疑案辨正

　　　　　珠海大學中國文學研究所碩士論文　1979 級　王韶生指導

劉玉國　　《揅經室集》釋詞例釋

　　　　　香港大學中文博士論文　1995 年　單周堯指導

梅翼樞　　朱九江學術思想研究

　　　　　珠海大學中國文學研究所碩士論文　1977 年　王韶生指導

Hui Chun-nam　　陳澧與嶺南學派之關係

　　　　　香港大學中文系碩士論文　1970 年

鄧愛貞　論《通志堂經解》刊行之經過及其影響
新亞研究所碩士論文　1992 年

民　國

賈金城　熊十力體用論與中國哲學
新亞研究所碩士論文　1997 年

香致坤　顧頡剛的經研究探略
香港中文大學中國語言及文學研究所碩士論文　1995 年

王益鈞　孫德謙駢文理論研究
香港中文大學中國語言及文學研究所碩士論文　2006 年

臺　灣

余炳和　從唐、牟哲學看先秦儒家哲學之存有論度向
新亞研究所碩士論文　1999 年

二、周易

湯般若　易傳之哲學思想
香港大學中文系碩士論文　1967 年

呂碧霞　易與天人之學
能仁書院中國文學研究所碩士論文　1982 年　鍾應梅指導

陳民生　易經的體用關係
能仁書院中國文學研究所碩士論文　1989 年　陳直夫指導

吳燕霞　長沙馬王堆漢墓帛書周易通叚字研究
能仁書院中國文學研究所碩士論文　1989 年　左松超指導

王建慧　馬王堆帛書《周易》異文考
香港中文大學中國語言及文學研究所碩士論文　1987 年

黃志強　楚簡《周易》句讀辨疑釋例
香港大學哲學碩士論文　2007 年

袁匡仕　論孔子與周易
能仁書院中國文學研究所碩士論文　1982 年　鍾應梅指導

鄧立光　先秦至兩漢周易象數之研究
香港大學中文系碩士論文　1992 年

陳振鴻　易傳與先秦儒道思想之關係
香港大學中文系碩士論文　2001 年

陳錦鴻　從〈易傳〉看儒家宇宙生成論向道德形上學的轉化
新亞研究所碩士論文　1995 年

胡培基　周易程傳朱熹本義之比較研究
珠海大學中國文學研究所碩士論文　1981 年　何敬群指導

鄧振江　邵康節思想研究——試由康節之易學至其心性論，說其歷史觀
新亞研究所碩士論文　1999 年

趙鴻金　張載易學恩想初探
新亞研究所碩士論文　2000 年

梁堯封　王船山易學研究
能仁書院中國文學研究所碩士論文　1982 年　黎瑞明指導

李鴻鈞　馬氏易學研究
香港大學中文系碩士論文　1969 年

三、尚書

蘇春暉　漢代《古文尚書》經字研究
香港中文大學中國語言及文學研究所博士論文　2007 年

陳榮開　今文《尚書・周書》與西周金文互證研究
香港中文大學中國語言及文學研究所碩士論文　2005 年

蘇輝祖　唐代尚書研究
香港大學中文系碩士論文　1966 年

陳遠止　高本漢（1889－1978）《書經注釋》研究
香港大學中文博士論文　1994 年　單周堯指導
臺北　文史哲出版社　352 頁　1996 年 5 月（改名為《《書經》高本漢注釋斠正》）

四、詩經

胡應湖　周孔詩教及其對後世之影響
香港中文大學中國語言及文學研究所博士論文　1971 年

張萬民　詩可以興：儒家闡釋傳統析論
香港城市大學中文翻譯及語言學系博士論文　2006 年

胡應湖　詩三百篇中有關周公詩之研究
新亞研究所碩士論文　1960 年

陳文寧　《詩經》中吉禮祭祀詩歌的考察
香港城市大學中文翻譯及語言學系碩士論文　2006 年

龔道運　中國之宗教精神——自書詩天地觀迄孔子仁說之探討
香港大學中文系碩士論文　1965 年

盧紹芳　詩經中古代生活的反映
珠海大學中國文學研究所碩士論文　1986 年　王韶生指導

譚國洪　詩經中關於西周開國史詩之研究
新亞研究所中國文學研究所碩士論文　1980 年　王韶生指導

朱冠華　風詩序與左傳史實關係之研究
珠海大學文史碩士論文　1988 年　蘇文擢指導

鍾肇熙　南北朝詩經學研究
香港大學中文系碩士論文　1971 年

毛炳生　曹子建詩的詩經淵源研究
新亞研究所中國文學研究所碩士論文　1983 年　王韶生指導

胡國賢　朱熹詩集傳詩論初探
香港大學中文系碩士論文　1971 年

龍禎祥　朱子早年詩說考
新亞研究所碩士論文　1967 年

楊鍾基　詩集傳舊本輯記
新亞研究所碩士論文　1969 年

杜宗蘭　胡承珙《毛詩後箋》的經學與詩學
香港大學中文博士論文　2007 年

李雄溪　高本漢（1989-1978）《雅》《頌》注釋斠正

香港大學中文博士論文　1995 年　單周堯指導

臺北　文史哲出版社　310 頁　1996 年

陸婉儀　詩四家異文考析

新亞研究所碩士論文　1967 年

李家樹　從詩經中看周代社會

香港大學中文博士論文　1984 年

吳長和　詩經服飾資料通詮

香港大學中文系碩士論文　1992 年

Ng, Cheng-woo　詩經飲食資料通詮

香港大學中文博士論文　1999 年

張錦少　王先謙《詩三家義集疏》研究

香港中文大學中國語言及文學研究所博士論文　2007 年

龍禎祥　朱熹之詩經學

香港中文大學中國語言及文學研究所碩士論文　1971 年

陸婉儀　詩經傳箋異同考

香港中文大學中國語言及文學研究所碩士論文　1970 年

李貴生　《毛詩正義》文藝思想研究

香港中文大學中國語言及文學研究所碩士論文　1995 年

葉　勇　毛鄭以禮說詩比較研究

香港中文大學中國語言及文學研究所博士論文　2000 年

葉　勇　二南鄭箋採三家詩說研究

香港中文大學中國語言及文學研究所碩士論文　1995 年

五、三禮

魯士春　先秦容禮研究

新亞研究所博士論文　1995 年

茹家蕙　古代飲食之禮研究

新亞研究所碩士論文　1990 年

蔡康平　荀子禮治思想在先秦思想中之地位

新亞研究所碩士論文　1967 年

余玉剛　荀子及其隆禮思想
新亞研究所碩士論文　1970 年

鄧國光　禮經祝官及祝辭研究
新亞研究所中國文學研究所碩士論文　1987 年　李雲光指導

甘迪龍　先秦漢初「月令」研究
香港中文大學中國語言及文學研究所碩士論文　2005 年

林　苗　從〈樂記〉探索儒家樂教思想之義理
新亞研究所碩士論文　1995 年

陳學文　樂記研究
香港大學中文系碩士論文　1965 年

徐興澤　大戴禮記研究
香港大學中文系碩士論文　1969 年

張淑慧　儒學精英主義：禮、精英與管治
香港城市大學中文翻譯及語言學系博士論文　2007 年

六、春秋及三傳

陳慶新　北宋春秋學與政治的關係
新亞研究所碩士論文　1969 年

招祥麒　王夫之（1619－1692）《春秋稗疏》研究
香港大學中文博士論文　2008 年

布裕民　康有為的春秋學
香港大學中文系碩士論文　1974 年

劉文強　論《左傳》之「作爰田」、「作州兵」與「被廬之蒐」
香港大學中文博士論文　1994 年　單周堯指導

盧鳴東　《左傳》雙音詞研究
香港浸會大學哲學碩士論文　1993 年

何桂容　左傳辭令研究
新亞研究所歷史研究所碩士論文　1986 年　陳紹堂指導

陳建樑　左傳服氏學研究
香港中文大學中國語言及文學研究所碩士論文　1992 年

陳建樑　《左傳》鄭服說比義研究
香港中文大學中國語言及文學研究所博士論文　1996 年

吳黎雲笑　左傳賈服注杜注攷異
香港大學中文系碩士論文　1983 年

郭鵬飛　洪亮吉（1746－1809）《左傳詁》研究
香港大學中文碩士論文　1989 年　單周堯指導

朱冠華　劉師培《春秋左氏傳答問》研究
香港大學中文碩士論文　1996 年　單周堯指導

許子濱　楊伯峻（1909－1992）《春秋左傳注》禮說斠正
香港大學中文博士論文　1998 年　單周堯指導

潘漢芳　沈欽韓（1775－1832）《春秋左氏傳補注》斠正
香港大學中文碩士論文　2001 年　單周堯指導

麥淑儀　高本漢《左傳注釋》研究
香港大學中文碩士論文　1985 年　單周堯指導

曾智勇　漢代公羊學的發展
香港大學中文系碩士論文　2004 年

盧鳴東　《公羊傳》何休注禮說研究
香港浸會大學哲學博士論文　1996 年

七、孔子與論語

李瑞河　曾子思想探究
珠海大學中國文學研究所碩士論文　1986 年　王韶生指導

龔道運　中國之宗教精神——自書詩天地觀迄孔子仁說之探討
香港大學中文系碩士論文　1965 年

馮志雄　孔孟的義命觀探究
新亞研究所碩士論文　2001 年

陳學然　論唐君毅的孔子觀
香港城市大學中文翻譯及語言學系碩士論文　2004 年

葉　龍　孟荀教育思想及其比較
新亞研究所碩士論文　1959 年

林憶芝　「權」觀念的研究：從孔子到孟子
香港浸會大學哲學博士論文　1997 年

區永超　論語修辭研究
新亞研究所哲學研究所碩士論文　1984 年　王韶生指導

蕭敬偉　今本《孔子家語》成書年代新考：從語言及文獻角度考察
香港大學中文博士論文　2005 年　單周堯指導

八、孟子

周國良　論戴震對孟子及朱子之「理」的詮釋
新亞研究所博士論文　1991 年

馮志雄　孔孟的義命觀探究
新亞研究所碩士論文　2001 年

徐蓮寬　孟子性命論研究
新亞研究所碩士論文　1994 年

葉　龍　孟荀教育思想及其比較
新亞研究所碩士論文　1959 年

林憶芝　「權」觀念的研究：從孔子到孟子
香港浸會大學哲學博士論文　1997 年

葉常青　《孟子》「時」觀念形成研究
香港浸會大學哲學碩士論文　1997 年

王晉江　孟子論辯形式研究
能仁書院哲學碩士論文　1982 年　黎瑞明指導

鍾偉成　孟子的論辯技巧分析
香港浸會大學哲學碩士論文　2000 年

柏恪義　孟子裡面的無標誌的被動句
香港城市大學中文翻譯及語言學系碩士論文　2004 年

盧雪崑　意志自律與性體自律——孟子性善論之「性」的涵義及與康德哲學相比較
新亞研究所哲學碩士論文　1984 年　牟宗三指導

李文廣　孟子與先秦諸子政治學之比較
珠海大學中國文學研究所碩士論文　1977 年　何敬群指導

陳碧君　　趙岐《孟子章句》研究

香港中文大學中國語言及文學研究所碩士論文　2002 年

林永堅　　焦循《孟子正義》研究

香港中文大學中國語言及文學研究所碩士論文　2005 年

九、中庸

盧雪崑　　中庸與北宋諸子——儒家道德形上學由中庸建立到北宋之集成

新亞研究所博士論文　1989 年

十、爾雅

辛炎德　　爾雅研究

新亞研究所碩士論文　1962 年

郭鵬飛　　《爾雅》義訓釋例

香港大學中文博士論文　1997 年　單周堯指導

辛炎德　　爾雅毛傳鄭箋異同考

香港中文大學中國語言及文學研究所博士論文　1967 年

黃文傑　　《爾雅注疏》引《詩》研究

香港中文大學中國語言及文學研究所碩士論文　2002 年

陳雄根　　從王念孫的《廣雅疏證》看他的聲訓理論及其實踐

香港中文大學中國語言及文學研究所博士論文　1989 年

張錦少　　從《廣雅疏證》看王念孫的《方言》學

香港中文大學中國語言及文學研究所碩士論文　2002 年

附錄二

學位論文檢索的困境

學位論文檢索的困境
——以兩岸三地中文資料庫為例

陳亦伶
臺北大學古典文獻學研究所碩士生

一、前言

「工欲善其事，必先利其器」是《論語》〈衛靈公〉中最為人所熟知的一句話，也一語點出為學作事的關鍵所在。從事學術研究者心中有了研究題目，接著便要進行文獻訪查的工作，一方面要擔心不知從何處著手查詢資料，另一方面也要擔心無法掌握充足的資料，若是學位論文的撰寫，還要留意是否已有前人研究成果，否則便前功盡棄，沒有突破性。學位論文的篇幅較長，動輒幾十萬字，甚至上百萬言，較具專業性與學術參考價值，但流通範圍較少，一般也不公開出版，因此取得較難。在電子資源尚未發達之前，人們大都利用紙本目錄進行文獻訪求，但自從網路發達，各種數據庫紛紛建置以來，研究者（尤其年輕研究生）多仰賴學位論文資料庫檢索為據，甚至以為電腦查不到，就表示沒有資料，這樣輕率的治學態度，不僅不可取也相當危險，下文將以兩岸學位論文檢索為例，說明資料庫不可完全信賴之處。

二、相關中國學位論文資料庫介紹

近年兩岸學術交流頻繁，青年學子進行論文寫作時，除了要查詢國內是否有人撰寫過相關題目，還要留意對岸研究成果，一般而言，大都仰賴「中國知識資源總庫——CNK1 系列數據庫」中的「中國優秀碩、博士學位論文全文數據庫」進行文獻訪查，而國內研究成果則以國家圖書館「全國博碩士論文資訊網」為主。但筆者近來查詢整理兩岸研究經學博碩士論文，才驚覺不可完全依賴此二資料庫，除了資料蒐錄不全外，亦有檢索上的限制等問題，下面先介紹筆者整理兩岸三地研究生研究經學博碩士論文時，所使用的資料庫及各種工具書：

(一) 綜合機構資料庫

1. 中國國家圖書館・中國國家數字圖書館　國圖博士論文庫

（http://www.nlc.gov. cn/service/lw.htm）國家圖書館學位論文收藏中心是國務院學位委員會指定的全國惟一負責全面收藏和整理中國學位論文的專門機構；也是人事部專家司確定的惟一負責全面入藏博士後研究報告的專門機構。收藏 1981 年以來的博士論文近 12 萬種，此外，還收藏部分院校的碩士學位論文、臺灣博士學位論文和部分海外華人華僑學位論文。

2. 萬方數據庫資源系統中的中國學位論文文摘資料庫

（http://c.wanfangdata.com.cn/Thesis.aspx）由國家法定的學位論文收藏機構中國科技資訊研究所提供，建於 1985 年，收錄了中國自然科學和社會科學各領域的碩士、博士及博士後研究生論文的文摘資訊，內容包括：論文題名、作者、專業、授予學位、導師姓名、授予學位單位、館藏號、分類號、論文頁數、出版時間、主題詞、文摘等欄位資訊。至 2008 年 9 月 5 日累積 1222799 條資料。

3. 國家科技圖書文獻中心：中文學位論文庫

（http://www.nstl.gov.cn/index.html）中文學位論文資料庫主要收錄了 1984 年至今中國高等院校、研究生院及研究院所發佈的碩士、博士和博士後的論文。學科範圍涉及自然科學各專業領域，並兼顧社會科學和人文科學，每年增加論文 6 萬餘篇，每季更新，至今已有 1203896 條。

4. 中國科學院國家科學圖書館　中國科學院學位論文數據庫

（http://www.las.ac.cn/index_others.jsp?subjectselect=ETD）此數據庫收錄中國科學院培養畢業學生的碩士、博士論文和博士後學位論文的內容，從 1981 年至今的中國科學院系統的學位論文。

5. CALIS 學位論文庫（1995～2002）目前已變成聯合目錄公共檢索系統

（http://opac.calis.edu.cn/simpleSearch.do）該庫收錄 1995 年～2002 年全國 83 所高校的博碩士學位論文的文摘資訊，近 10 萬條資料，2002 年後不再更新。

6. 中國科學技術資訊研究所　國家工程技術圖書館　中文學位論文

（http://www.istic.ac.cn/Home.aspx）國家工程技術圖書館是中國工程技術領域科技文獻資訊資源收藏、開發和服務的核心機構，系統收藏工程技術、高技術各個學科領域的科技文獻，學科類型主要包括電子和自動化技術、電腦和網路技術、材料科學、環境科學、航空航太、生物工程、能源動力、交通運輸、建築、水利和一般工業技術等工程技術領域文獻，同時兼有基礎科學、農業科學、醫藥衛生、社會科學領域的文獻；文獻類型包括學術期刊、學術會議、學位論文、科技報告、院士著作、工具書、影視資料等。中文學位論文從 1963 年開始收藏，是中國自然科學領域碩士以上學位論文法定收藏單位，累計收藏學位論文 114 萬餘冊，年增量 20 萬餘冊。

(二) 各大學設立之學位論文數據庫

這裡列出的是，上述資料庫收錄不全，而各校自行建置的資料庫。

1. 北大學位論文數據庫

（http://thesis.lib.pku.edu.cn/dlib/List.asp?lang=big5&DocGroupID=8）2006 年 11 月 31 日設立。是根據 CALIS 高校學位論文全文數據庫元數據類型創建的數據庫，收錄 1985-2004 年北京大學的學位論文 2 萬 4 千多篇。

2. 清華大學

（http://etd.lib.tsinghua.edu.cn:8001/xwlw/index.jsp）此資料庫包括清華大學 1980 年以來的所有公開的學位論文文摘索引。收錄 1986 年以來的論文全文，回溯論文加工正在進行中，幾乎每月都有論文全文更新。惟此資料庫為預設 IP 登錄，如 IP 不在許可範圍內，則無法進行檢索。

3. 浙江大學碩博學位論文檢索

（http://210.32.137.206/ds/classification.htm）

4. 四川大學學位論文數據庫

（http://202.115.54.31:8001/xwlw/help.jsp）此為四川大學圖書館以館內所收藏的紙本碩博士論文為基礎開發的資料庫，目前已收錄四川大學碩博士學位論文 3 萬餘篇，每年新增論文 5000 多篇。目前只提供論文文摘資訊檢索服務，今後會逐步發佈論文前 16 頁以及全文。

5. 山東大學電子資源導航　山東大學學位論文

（http://202.194.11.26:8001/xwlw/index.jsp）

6. 吉林大學學位論文全文庫

（http://202.198.25.8:8001/xwlw/index.jsp）目前收錄了 2000 年以來吉林大學前衛校區、2003 年以來全校的博碩士論文全文資料萬餘篇。

7. 中山大學

（http://202.116.64.96:8001/xwlw/index.jsp）中山大學 1980 年以來圖書館收藏的碩博士學位論文，並可查看其中、英文摘要，電子版全文不公開。

8. 華東師大碩博士論文資料庫

（http://202.120.82.49/tpi_8/sysasp/share/login.asp?sysid=81）收集了華東師範大學

1985 年至今的博士生、2002 年至今的碩士生的學位論文資訊及全文。

9. 華師碩博士論文題錄

（http://lib.ccnu.edu.cn/sblw.htm）收集了華中師範大學 1995 年～2002 年博士生、碩士生的學位論文 2000 餘篇，並整理編制成論文目錄。此目錄包括卷號、專業、題名、作者。

10. 華中師範大學博碩士學位論文全文資料庫

（http://202.114.34.4:8001/xwlw/index.jsp?agMode=1）收錄華中師範大學 1999-2008 年碩博士學位論文 8627 篇。

11. 南開大學博碩士論文文摘庫

（http://202.113.20.169/tpi/sysasp/share/login.asp?sysid=39）本資料庫目前收錄了 1997～2000 年期間南開大學博碩士畢業生畢業論文 1000 餘篇。

12. 南開大學學位論文全文資料庫

（http://202.113.20.161:8001/xwlw/index.jsp）提供 2004 年以來的南開大學博碩士論文的全文。但按著《論文電子版使用協定》和《南開大學非公開學位論文證明》，在作者論文提交當年僅提供前 16 頁供校園網上流覽並下載全文。

（三）紙本工具書

1.《1981-1990 中國博士學位論文提要（社會科學部分）》

此為北京圖書館學位論文收藏中心所編，收錄 1981～1990 中國社會科學博士學位論文提要，由北京市書目文獻出版社於 1992 年 6 月出版。

2.《博士文萃》

此書為中國社會科學出版社於 1994 年 2 月出版，收入中國社會科學院研究生院自 1985 年首度授予博士學位至 1992 年底止，通過的博士論文摘要，共 221 篇。

3.《大陸地區博士論文叢刊》

為臺北市文津出版社自 2002 年 1 月開始出版的大陸地區博士論文叢書，截至 2007 年 12 月已出版 98 種（冊）。

4.《中國社會科學博士論文文庫》

中國社會科學院於 1988 年起，從每年通過畢業答辯的社會科學博士論文遴選優秀者納入此文庫並出版，目前已出版 101 種（冊）。

5.《儒釋道博士論文叢書》

由香港圓玄學院資助、成都市巴蜀書社出版，收入海峽兩岸三地有關儒、釋、道為研究範圍之博士論文，目前已出版 70 種（冊）。

6.《高校文科博士文庫》

為北京市高等教育出版社於 1997-1998 年間出版的博士論文，共 12 種（冊）。

7.《研究生論文選集》

為江蘇古籍出版社所編製的書刊，共分為中國歷史、中國古代文學、語言文字三個分冊，收錄中國恢復研究生教育以來，1978、1979 級（兩年制）文史專業研究生畢業論文。

8.《法藏文庫中國佛教學術論典碩博士學位論文》

臺灣佛光山文教基金會於 2001 年起出版的海峽兩岸有關佛教經典的博碩士論文，共一百冊。

9.《博士學位論文選》

四川大學於《四川大學學報叢刊（哲社版）》第 44 輯中刊出該校自設立博士學位以來文科博士生學位論文十篇。

10.《研究生論文選刊》

此為四川大學為反應該校文科研究生學術研究成果，以《四川大學學報叢刊（哲社版）》為媒介，分別於第 28、32、45、48 輯中刊 1981、1982、1985 級文科畢業生的論文摘要及論文目錄。

另有《湘潭大學法學院博士文庫》、《聊城大學博士文庫》、《文史博士文庫》、《博士文叢》、《博士論文庫》等。

三、香港研究成果

過去談到華人地區的漢學研究大都將焦點集中在臺灣與中國兩處，香港中文大學、浸會大學、珠海大學、香港城市大學、新亞研究所、能仁書院等校的研究成果亦不斐，只因資料蒐集不易、人們較少關注香港的研究成果，關於這方面的資料，在臺灣可利用以下資料進行文獻訪查：

1. 香港大學

（http://sunzi1.lib.hku.hk/hkuto/index.jsp）

此數據庫彙集香港大學自 1941 年以來 14,549 份全文電子論文。

2. 香港中文大學博士論文全文資料庫

（https://easylogin1.lib.cuhk.edu.hk/login?url=http://proquest.umi.com/login?COPT=REJTPTU0ZDYmU01EPTEmSU5UPTAmVkVSPTI=&clientId=24689）

收錄 1997 年至今香港中文大學博士論文，惟須帳號密碼才可查詢，但香港中文大學中文系有建置資料庫，可供校外人士檢索查詢 1996 至今，中文系本科生論文題目：

http://win2003.chi.cuhk.edu.hk/UgThesis/ArticleSearch.aspx。

3. 香港中文大學中國語言及文學系研究生論文檢索系統

（http://win2003.chi.cuhk.edu.hk/UgThesisRetrieval/）

此系統收錄香港中文大學中國語言及文學系研究生論文資料，目前只提供 1997 年及 2003 至 2008 年撰寫之論文，惟須帳號密碼才可查詢。

4. 香港浸會大學

（http://net3.hkbu.edu.hk/~chiweb/stu_b01.htm）

收錄香港浸會大學 1990-2006 年中文系研究生論文題目

（http://net3.hkbu.edu.hk/~chiweb/stu_d02.htm）

收錄香港浸會大學授課式中文系研究生論文題目

（http://net3.hkbu.edu.hk/~chiweb/stu_a01.htm）

收錄香港浸會大學中文系本科生（大學部）論文題目

5. 新亞研究所

（http://www.hkedcity.net/project/newasia/thesis/master0110.phtml）

收錄新亞研究所 1957-2002 碩士論文、1985-2002 博士論文資料。

6. 香港城市大學博碩士論文資料庫

（http://www.cityu.edu.hk/lib/digital/thesis/index.htm）

四、資料庫不足之處

誠如前文，研究者欲對研究主題進行文獻調查，眾所周知《中國知識資源總庫——CNKI 系列數據庫》（http://cnki50.csis.com.tw/kns50/）裡建置的「中國優秀碩、博士學位論文全文數據庫」是不可完全盡信的，原因可分五點說明：

(一) 資料不全

中國自 1949 年開始高等教育，但沒有學位制度，1966 年起文化大革命開始十年浩劫，直到 1978 年才恢復研究生高等教育，1980 年通過「中華人民共和國學位條例」，於 1981 年起正式實施。[1]但「中國優秀碩、博士學位論文全文數據庫」收錄年限起自 1999 年，那前面近二十年的時間難道就全然沒有研究成果？若僅以網路資料檢索不

1 此數據資料參閱楊景堯：《中國大陸高等教育之研究》（臺北市：高等教育出版社，2003 年4 月），167 頁。

到，就斷言沒有便是一種自欺欺人的研究態度。再者，「中國優秀碩、博士學位論文全文數據庫」簡介說明數據庫資料來源為「全國 600 家碩博士培養單位的優秀碩博士學位論文」，也就是說此資料庫並不是全面性地廣納中國所有大學研究機構的學位論文。且這並不像臺灣國家圖書館建置「全國博碩士論文資訊網」的規定，研究生畢業前必須將自己的研究成果上傳國家圖書館網頁，並繳交紙本送藏國家圖書館，而是採自願式，若是研究生不願將研究成果公布於網際網路上，於此資料庫便檢索不到。以北京大學為例，文史哲相關碩博士論文竟僅 79 條資料，在這之中經學研究僅 4 條資料，這樣的檢索數據實在與百年老校印象不符，於是筆者再試著利用其他資料庫與紙本進行交叉檢索查詢，發現專以經學研究相關論文便有 153 條資料之多，更遑論其他文史哲相關研究達千條之多。

而臺灣國家圖書館建置「全國博碩士論文資訊網」雖有規定研究生畢業前必須將自己的研究成果上傳國家圖書館網頁，但並不具強制性，因此仍有不少遺漏。依據「全國博碩士論文資訊網」建置說明指出：「全國博碩士論文資訊網」是以學校之學年度為主，起迄時間目前為 45～96 學年度。87 學年度之前，此資料庫來源主要是由各校博碩士班畢業生所提供之論文摘要建檔磁片所轉錄匯整而來，並透過網際網路免費提供各界使用者使用。然而，由於 87 學年度以前各校所轉送來的 Dos 版論文摘要建檔磁片往往有數量不全、資料內容格式錯誤或部分於郵寄過程損壞等問題，因而導致部分資料在轉檔過程中產生損壞，因而有所缺漏。而國家圖書館方面為了解決資料完整性與正確性的問題，自 87 學年度起報請教育部核准並接受委託，全權辦理全國各校院研究所畢業生線上建檔事宜，因此在 87 學年度之後，本資料庫之資料來源改由各校研究所畢業生於論文口試通過之後，自行上網建檔。而依據新修訂的「學位授予法」第八條之規範，國家圖書館為全國博碩士論文的寄存圖書館，因此，目前以民國 75 年之後的論文資料收錄較為完整。

(二) 關鍵字與分類造成的檢索誤差

首先以兩岸研究楊樹達的兩篇碩士論文為例：

作者	論文名稱	授予單位	時間	指導老師	頁數	關鍵詞
周孟樺	楊樹達文字形義理論初探	中央大學中國文學研究所	94 年度	李淑萍	222	六書；楊遇夫；楊樹達；語源學；文字學；訓詁學

作者	論文名稱	授予單位	時間	指導老師	頁數	關鍵詞
黃青	楊樹達先生語源學研究的成就	湖南師範大學漢語言文字學專業	2006 年 1 月	陳建初	95	楊樹達；語源學研究；成就

關鍵字詞的設立是便於人們檢索、查詢到自己的論文，但大陸學生對於關鍵字的設立大都不夠精確，以致讀者不易尋獲。以上表為例，若要搜尋研究民國經學家楊樹達先生的語言文字資料時，周孟樺所設立的關鍵字，較黃青多出楊樹達的字號，與語言文字研究相關的名詞，這樣的關鍵字詞是一般使用資料庫檢索者較會輸入查詢的，反觀黃青所設立的「成就」一詞，就較不具關鍵詞意義，一般人不會用此詞來進行文獻檢索。

再來對岸是以學科專業為學位授予單位，不似我們採科系方式，因此在資料庫的分類上有可能致使檢索不出的情況發生，例如我們要查研究「考工記」的論文，若認為「考工記」是《周禮》的內容因而僅查文史哲相關專業，就會漏掉下列幾條資料：

1. 張言夢　漢至清代《考工記》研究和注釋史述論稿
   南京師範大學美術學專業博士論文　2005 年 4 月　范景中指導
2. 唐忠海　《考工記・玉人》名物訓詁與孫疏補證
   杭州師範學院[2]漢語言文字學專業碩士論文　2005 年 4　汪少華指導
3. 鐘正基　《考工記》車的設計思想研究
   武漢理工大學設計藝術學專業碩士論文　2007 年　鄒其昌指導
4. 王夢周　《考工記》玉器設計思想研究
   武漢理工大學設計藝術學專業碩士論文　2007 年　鄒其昌指導
5. 劉明玉　《考工記》服飾工藝理論研究
   武漢理工大學設計藝術學專業碩士論文　2007 年　鄒其昌指導
6. 段大龍　《考工記》的「材美」「工巧」設計思想及其現實意義
   東北師範大學設計藝術學專業碩士論文　2007 年　李奇飛指導
7. 孫　琛　《考工記・磬氏》驗證
   中國藝術研究院音樂學專業碩士論文　2007 年　王子初指導

這裡面除第二條資料是中文領域「漢語言文字學專業」，其他各條散落在美術、音樂等藝術領域內，若僅以中文學科分類來檢索，也會遺漏不少。

2　現已更名為杭州師範大學。

(三)題名檢索的問題

如同前文所敘，關鍵字的設立不精確，會影響學位論文資料的檢索與獲得，因此研究者在設定某一研究主題，使用資料庫進行資料檢索時，為免搜尋的關鍵詞句誤差，造成資料數目的遺漏，也會以論文的標題（題目）來檢索。通常會選擇較寬範的的語詞，進行檢索以期獲得較多的資料顯示。例如要尋找《易》學研究相關學位論文資料，在國家圖書館的「全國博碩士論文資訊網」（http://etds.ncl.edu.tw/theabs/index.jsp）裡，輸入「易」便會出現所有包含「易」這個字詞的學位論文，無論是「周易」、「易經」、「易學」、「易傳」、「易圖」等相關主題皆有，甚至連「貿易」、「網路交易」等文史哲以外的資料皆會出現。雖然出現的資料過於龐雜，但可避免遺漏相關研究資料，如「焦氏易林」、「衡渠易說」這樣較容易被疏忽的書名也可一併檢索獲得。同樣地，想要查找《詩經》相關研究，由於《詩經》相關研究眾多，若要「詩三百」、「詩序」、「三家詩」、「毛詩」、「采詩」，甚至十五國風、二雅、三頌等篇名、歷代《詩經》著作，皆一個個輸入檢索，不僅耗時且易混淆漏失，因此最保守且完備的做法便是輸入「詩」一詞，便可全部蒐尋獲得。

理論上，這樣的搜尋邏輯應可面對龐大的網際網路資料，確保資料的掌握，但實際檢索中國大陸建置的學位論文檢索資料庫卻並非如此。以現今較為人所熟知且利用的「中國博士學位論文全文數據庫」為例，先將搜尋年分設定在2006年，輸入「易」，剔除醫藥、科學等非文史哲相關論文，獲得下列兩條資料：

井海明　漢易象數學研究
　　山東大學中國哲學專業博士論文　2006年　劉大鈞指導
劉銀昌　蓋事雖《易》，其辭則詩——《焦氏易林》文學研究
　　陝西師範大學中國古代文學專業博士論文　2006年　張新科指導

但是卻遺漏了必須輸入「周易」二字才會出現的：

房振三　楚竹書周易彩色符號研究
　　安徽大學漢語言文字學專業博士論文　2006年5月　何琳儀指導
趙榮波　《周易正義》思想研究
　　山東大學中國哲學專業博士論文　2006年4月　劉大鈞指導
馬宗軍　《周易參同契》思想研究

山東大學中國哲學專業博士論文　2006年4月　丁原明指導

以及需輸入「易學」才可獲得的：

李秋麗　胡一桂易學思想研究
　　山東大學中國哲學專業博士論文　2006年4月　林忠軍指導
曾凡朝　楊簡易學思想研究
　　山東大學中國哲學專業博士論文　2006年4月　林忠軍指導

僅此2006年單一年度、博士學位論文即遺漏如此，更遑論其他年度、碩士學位論文，「易經」、「易傳」、「易圖」、「易林」、「易說」等相關《易》學研究，疏漏的資料會有多少。

又如檢索中國國家圖書館國圖博士論文庫（http://www.nlc.gov.cn/service/lw.htm）《尚書》研究成果，輸入「尚書」一詞檢索，會出現：

臧克和　《尚書》文字校詁
　　華東師範大學中國古代史專業博士論文　1999年　李玲璞指導
王　蒨　《尚書》探論
　　北京大學中國古代文學專業博士論文　1994年　褚斌傑指導
杜　勇　《尚書》周初八誥研究
　　北京師範大學中國古代史專業博士論文　1996年　趙光賢指導

三條資料，但輸入「書」查詢，剔除不是經學的條目，卻僅得到：

羅家湘　《逸周書》研究
　　西北師範大學中國古代文學專業博士論文　2002年　趙逵夫指導

一條資料，卻不見上列三條尚書資料。資料呈現的完整性不同，不知是否為兩岸資料庫不同的編寫程式所致，研究者在進行文獻訪求時，需留意彼此不同之處，以免漏失資料，誤以為沒有前人研究成果，而重複探究一樣的議題，耗費學術資源。

（四）繁、簡字編碼的檢索差異

檢索對岸網頁時，除了上述問題所影響的檢索結果，繁、簡體字的編碼也會造成檢索結果的差異。例如若要查詢揚州大學田漢雲教授指導的論文，在「中國優秀碩、博士學位論文全文數據庫」無論是使用「雲」或是「云」皆可查獲資料，而在其他中國所設立的資料庫，則必須完全輸入簡體字，否則便檢索不到資料，但人名的繁簡並不是可以絕對地直接轉換，例如「王曉敏」無法直接轉換成「王晓敏」，因為它有可能是「王小敏」；而「付」並不一定就代表「傅」，究竟是姓「于」、「於」或是「余」也很難判定，因為對岸人口眾多，各種姓氏皆有人口。繁簡字的差異也是一項問題，不同的檢索方式會影響獲得的文獻資料。然而，像「北大學位論文數據庫」雖提供簡體、繁體、英文三種文字檢索服務，但此數據庫在建置過程仍是以簡體字為基礎架構，繁體與英文就比較不完善，例如 2005 年胡軍指導的碩士論文《大同書與傳統儒家之關係——兼論康有為在儒學史上的地位與意義》，其作者為李喆先生，但若使用繁體字檢索，「喆」字所顯示的卻是「zhe」，這樣的情形就如同《四庫全書》數據庫雖然也支持用簡體檢索，但不如用繁體檢索準確是一樣的。因此在檢索資料時，除了要輸入具體的關鍵字，足夠的相關資料，有時還得搭配不同的字體編碼，才能確保資料的搜尋沒有遺漏。

（五）學位年分的正確性

臺灣是以學年度作為取得學位的時間計算單位，而中國大陸及香港則是以西元紀年，因此若是檢索臺灣的論文資料，同樣是九十六年度取得的學位論文，可能是 2007 年取得也有可能是 2008 年獲得學位，在建檔人員建置資料庫時，常有誤植的情況發生，因為民國年度加上 1911 才是西元記年，因此前後差距一、兩年的情況不少，若非翻閱紙本是無法糾正這個錯誤。但有時紙本工具書也不可盡信，筆者曾於中央研究院中國文哲研究所舉辦的「魏晉南北朝經學國際研討會」上遇到澳門大學中文系鄧國光教授，向其請教關於澳門大學研究經學的學位論文情況時，才發現先前從工具書蒐集到鄧老師的學位論文資料竟提早了十年，如此離譜的差距，不禁令人咋舌。又如「北大學位論文數據庫」上顯示的資料是研究生口考的『論文答辯時間』，「中國優秀碩、博士學位論文全文數據庫」上是研究生「上網投稿時間」，並非如「萬方數據庫」所載錄的『取得學位時間』，都應特別注意之間的差異。

五、結語

相較於中國、香港兩地，臺灣的「全國博碩士論文資訊網」，在資料的完整性已經相當不錯，但如前文提及，75 年度之前的資料不太齊全，而新近一、兩年度的資料也因種種因素而有所延誤，光是與《漢學研究通訊》裡的〈漢學學位論文彙目〉相比對便遺漏不少，還需遍查各大學有文史哲相關系所建置的論文資料庫，除此之外，另有一民間團體建置的資料庫「CETD 中文電子學位論文服務（http://www.cetd.com.tw/ec/index.aspx）」可以利用。根據資料庫建置說明顯示：「中文電子學位論文服務（Chinese Electronic Theses and Dissertations Service；CETD）是華藝數位股份有限公司於西元 2005 年所推出整合兩岸四地博碩士論文於單一平台的學術性服務，此服務是以『知識有價』、『使用者付費』的精神，提供研究者下載全文，並將資料庫行銷國際。CETD 收錄是以中文為主要語言類別，收錄地區包括臺灣、中國大陸、香港及澳門等大專院校的博碩士論文。」但截至目前，實際參與學校臺灣僅 23 所[3]、香港 1 所（即香港大學），似乎與設立宗旨仍有段距離，因此還是國家圖書館建置的「全國博碩士論文資訊網」較完備。但有趣的是，中國及香港各大學、研究機構網頁在關於學位論文資料庫的介紹，凡是提到臺灣的研究成果，皆不約而同的僅列出 CETD 此資料庫，而非「全國博碩士論文資訊網」，如此捨本逐末的方式，很難不令人聯想到是否具有某種政治因素使然。

從上述條列兩岸三地文史哲學位論文檢索相關資料，便可清楚發現，有志從事學術研究者，不可一味依賴資料庫的便利，尤其不能單單依據「中國優秀碩、博士學位論文全文數據庫」專一資料庫，須同時關注其他紙本資料、專科目錄等工具書，以期「萬無一失」。漢學研究既廣且深，從事研究者若能有完備良善的工具書、資料庫，將可收事半功倍之效，不再浪費學術生命與資源，重複探究相同議題。

3 這 23 所學校依其加入時間先後分別為臺灣師範大學、臺灣大學、中山醫學大學、臺北科技大學、淡江大學、中原大學、中國醫學大學、元智大學、長榮大學、高雄醫學大學、中興大學、清華大學、臺北藝術大學、高雄餐旅學院、暨南國際大學、臺北醫學大學、政治大學、靜宜大學、臺北大學、清雲科技大學、崑山科技大學、虎尾科技大學、慈濟大學。

作者索引

作者索引

編輯說明

一、本索引僅是學科別分類目錄的作者索引，其他三種分類目錄因作者都相同不另編索引。

二、本索引為節省篇幅分三欄編排。

三、本索引作者之單名與雙名皆按筆畫之多寡混和排列。

四、本索引姓名一律改為正體字，如「云」改為「雲」。「付」、「肖」二姓之條目則排在「傅」、「蕭」處，並於「付」、「肖」二姓處註明「見傅姓」、「見蕭姓」處。惟韓國姓氏「朴」非簡體字，則不改成繁體之「樸」。

五、本索引由本書編輯陳亦伶編製而成。

作者索引

【五畫】

〔付〕

見〔傅〕姓

〔包〕

〔可〕

〔史〕

〔左〕

【十畫】

【十一畫】

【十三畫】

【十四畫】

【十九畫】

【廿畫】

國家圖書館出版品預行編目資料

中國經學相關研究博碩士論文目錄(1978-2007)
／林慶彰,蔣秋華主編. -- 初版. -- 臺北市：
萬卷樓, 2009.04
面；　　公分
ISBN 978－957－739－650－1 (精裝)

1.經學　2.學位論文　3.目錄

016.09　　　　98005052

中國經學相關研究博碩士論文目錄(1978-2007)

主　　編：林慶彰　蔣秋華
編　　輯：陳亦伶
發 行 人：陳滿銘
出 版 者：萬卷樓圖書股份有限公司
臺北市羅斯福路二段 41 號 6 樓之 3
電話(02)23216565・23952992
傳真(02)23944113
劃撥帳號 15624015
出版登記證：新聞局局版臺業字第 5655 號
網　　址：http://www.wanjuan.com.tw
E－mail：wanjuan@seed.net.tw
承印廠商：中茂分色製版印刷事業股份有限公司
定　　價：1000 元
出版日期：2009 年 10 月初版

ISBN 978－957－739－650－1